Wissenschaftliche Untersuchungen
zum Neuen Testament

Begründet von Joachim Jeremias und Otto Michel
Herausgegeben von
Martin Hengel und Otfried Hofius

43

Studien zu Jesus und Paulus

von

Helmut Merklein

J. C. B. Mohr (Paul Siebeck) Tübingen

CIP-Kurztitelaufnahme der Deutschen Bibliothek

Merklein, Helmut:
Studien zu Jesus und Paulus / von Helmut Merklein. –
Tübingen: Mohr 1987.
  (Wissenschaftliche Untersuchungen zum Neuen Testament ; 43)
  ISBN 3-16-145151-1 brosch.
  ISBN 3-16-145152-X Gewebe
  ISSN 0512-1604

NE: GT

© 1987 J. C. B. Mohr (Paul Siebeck) Tübingen

Satz und Druck: Gulde-Druck, Tübingen.
Einband: Großbuchbinderei Heinrich Koch, Tübingen.

Printed in Germany.

Vorwort

Nach zehnjähriger Tätigkeit als Hochschullehrer fällt hin und wieder auch schon einmal der Blick zurück auf das, was man in dieser Zeit getan hat. Dabei war es für mich überraschend, daß ein beachtlicher Teil meiner Veröffentlichungen der letzten zehn Jahre sich mühelos auf eine relativ durchgehende Linie aufreihen läßt. Dies war von vornherein nicht geplant, ist aber wohl alles andere als Zufall. Man könnte diese Linie mit den Stichwörtern „Jesus – Christus – Kirche" markieren. Theologiegeschichtlich wird darauf die Strecke von Jesus über die aramäisch und griechisch sprechende Gemeinde von Jerusalem und Antiochien bis zu Paulus und seiner Rezeption im Kolosser- und Epheserbrief abgeschritten und am Beispiel wichtiger Themen analysiert.

Die einschlägigen Aufsätze zu sammeln war die Grundidee dieses Bandes. Ausschlaggebend für ihre Realisierung war das Angebot von Herrn Kollegen Martin Hengel, eine derartige Aufsatzsammlung in die Reihe der „Wissenschaftlichen Untersuchungen zum Neuen Testament" aufzunehmen. Zugleich ermunterte mich Herr Hengel, die vorgesehene Sammlung durch einige weitere Arbeiten zu ergänzen, und drängte mich in wohldosierter Beharrlichkeit zur Abfassung eines längeren neuen Beitrags. So entschloß ich mich nach einigem Zögern, die Erkenntnisse und Einsichten, die ich während der letzten Jahre in Vorlesungen und Seminaren zum Thema der paulinischen Theologie gewonnen hatte, zu einer These zusammenzufassen. Wegen ihres Umfangs wurde sie nicht unter die übrigen paulinischen Studien eingereiht, sondern an den Anfang des Bandes gestellt, wo sie ein „neugieriger" Leser wohl auch zunächst erwartet.

Was diesem neuverfaßten Beitrag inhaltlich vorauszuschicken ist, findet sich in einer vorgeschalteten Vorbemerkung. Die übrigen Beiträge wurden auf Druckfehler durchgesehen. Zum Teil konnten auch kleinere sachliche Änderungen vorgenommen werden. Fünf Aufsätze wurden neu gesetzt (Nr. 1, 4, 5, 13 und 14). Die wiederabgedruckten Beiträge werden in zwei Abteilungen präsentiert. Unter den „Studien zu Jesus und den Anfängen der Christologie" ist der Artikel „Jesus, Künder des Reiches Gottes" (Nr. 2) besonders hervorzuheben, da er ein Gesamtbild der Botschaft des historischen Jesus zu erstellen versucht. Die für eine solche Gesamtschau vorauszusetzenden Feineinstellungen werden exemplarisch anhand der Themen „Umkehr" (Nr. 1) und „Abendmahl" (Nr. 3) erläutert. Die möglicherweise bis zum letzten Mahl Jesu zurückreichende Sühnedeutung seines Todes wird in der vierten Studie perspektivisch durch das Neue Testament hindurch weiterverfolgt. Stärker der Frage nach der aktuellen Bedeutung der Botschaft Jesu wenden sich die beiden folgenden Beiträge zu (Nr. 5 und 6). Zwei Aufsätze beschäftigen sich mit der Entstehung der Christologie, wobei zwischen der messianischen Prädikation Jesu (Nr. 7) und der Präexistenzaussage (Nr. 8) unterschieden wird. In ihrer expliziten Formulierung sind beide Vorstellungen erst nach Ostern anzusetzen. Die Sache selbst ist jedoch schon in der Botschaft und der Person Jesu angelegt, so daß sich gerade von den beiden Christologie-Aufsätzen sachliche Rückbezüge zum zweiten Beitrag ergeben. Die Ausführungen über die Präexistenzchristologie stellen aber zugleich den Übergang zu den „Studien zu Paulus" her. Denn den sogenannten Hellenisten, die die Präexistenzaussage initiiert haben dürften, kommt eine nicht minder führende Rolle bei der Ausbildung und Ausformung des Evangelium- und Ekklesia-Begriffs zu, die beide wiederum für Paulus von zentraler Bedeutung sind (Nr. 9 und 10). Ein gewisser Schwerpunkt bei den paulinischen Studien liegt auf der Ekklesiologie (Ekklesia, Leib Christi: Nr. 10 und 11), die dann bis in den deuteropaulinischen Kolosser- und Epheserbrief verfolgt wird (Nr. 15). Drei Aufsätze entspringen einer schon mehrjährigen Beschäftigung mit dem 1. Korintherbrief. Der erste davon verteidigt die Einheitlichkeit dieses Briefes (Nr. 12). Die beiden anderen wenden sich inhaltlichen Aspekten zu, die aber weit über die korinthische Gemeindeproblematik hinausreichen, der eine – unter dem Stichwort „natürliche Theologie" – in mehr systematische, der andere – unter dem Stichwort „Sexualität" – in mehr praktische Gefilde.

Nicht eigens thematisiert wurde das Verhältnis von Jesus und Paulus. Doch ist es vielleicht um so überzeugender, wenn sich – gleichsam unbeabsichtigt – aus dem Gesamt der Einzeluntersuchungen Gemeinsamkeiten und Strukturverwandtschaften herstellen lassen. Besonders zu verweisen ist unter dieser Rücksicht auf die von Jesus mit dem Täufer Johannes geteilte deuteronomistisch-apokalyptische Prämisse von der Sündhaftigkeit Israels, die bei Paulus in der These von der Sündhaftigkeit aller ihre Parallele findet, ohne daß ein traditionsgeschichtlich direkter Konnex besteht. Selbstverständlich ist Jesus und Paulus dann auch die Auffassung von einem Heil sola gratia gemeinsam. Sachliche Berührungspunkte ergeben sich wahrscheinlich auch hinsichtlich der Sühnedeutung des Todes Jesu, wenngleich hier die Sicht des Paulus stärker kulttypologisch ausgerichtet sein dürfte. Eine terminologische Brücke von der Reich-Gottes-Verkündigung Jesu zur paulinischen These von der Gerechtigkeit Gottes stellt der Begriff „Evangelium" dar. Und schließlich erfüllen unter mehr sachlicher Rücksicht die frühen Christologien eine ähnliche Funktion.

Mit diesem Band verbindet sich für mich eine vielfältige Dankesschuld. An erster Stelle danke ich Herrn Kollegen Hengel für die Aufnahme in die von ihm und dem Herrn Kollegen Hofius betreuten „Wissenschaftlichen Untersuchungen zum Neuen Testament". Ich freue mich, daß die Studien eines katholischen Neutestamentlers im Rahmen dieser angesehenen evangelischen Reihe auf den Weg gebracht werden können, und sehe darin ein erneutes und ermutigendes Zeichen eines guten ökumenischen Geistes, dessen Kraft im gemeinsamen Hören auf die gemeinsamen Ursprünge besteht. Dem Verlag Mohr (Paul Siebeck) und insbesondere Herrn Georg Siebeck danke ich für die vorbildliche verlegerische Betreuung. Für die Ermöglichung des Wiederabdrucks einiger Beiträge bin ich verschiedenen Verlagen verbunden. Hervorheben darf ich den Verlag Herder, vor allem wegen der Erlaubnis zum Abdruck des Artikels aus dem eben erst abgeschlossenen Handbuch der Fundamentaltheologie.

Nicht vergessen möchte ich meine eigenen Mitarbeiter. Frau Gudrun Theuerkauff hat mit gewohnter Sorgfalt das Manuskript erstellt. Frau Marlis Gielen, Frau Annette Klose, Frau Doris Krömer und Herr Christoph Strack haben Korrektur gelesen und das Register angefertigt. Ihnen allen gilt mein aufrichtiger Dank.

Schließlich danke ich all denjenigen, denen ich in den letzten Jahren meine im Werden begriffenen Ideen zur paulinischen Theologie vortragen und zur Diskussion stellen durfte. Ausdrücklich und namentlich zu erwähnen ist mein Kollege und Freund Erich Gräßer von der Evangelisch-Theologischen Schwesterfakultät in Bonn. In mehreren gemeinsamen Oberseminaren hatte ich Gelegenheit, meine Sicht im Pro und Kontra des Gesprächs mit ihm zu profilieren. Dafür möchte ich ihm an dieser Stelle ganz besonders danken und mit diesem Band, vor allem mit dem neuverfaßten Beitrag, einen herzlichen Gruß zur Vollendung seines 60. Lebensjahres verbinden.

Bonn, im März 1987   Helmut Merklein

Inhaltsverzeichnis

A. Die Bedeutung des Kreuzestodes Christi
für die paulinische Gerechtigkeits- und Gesetzesthematik

Vorbemerkung

Die folgenden Ausführungen verstehen sich als These im klassischen Sinn des Wortes. Das heißt, sie dienen in erster Linie der Darstellung der eigenen Position und weniger der Auseinandersetzung mit anderen Meinungen. Doch wird der Kundige leicht feststellen, daß die vorliegende These nicht im luftleeren Raum entstanden ist, sondern in vielfältiger Weise von der laufenden Diskussion beeinflußt ist und selbst an ihr partizipiert. Bedingt durch den Thesencharakter, ist der Anmerkungsapparat relativ knapp gehalten. In der Literaturliste am Ende des Beitrags sind nur einige größere bzw. besonders wichtig erscheinende Arbeiten (vorwiegend Monographien) verzeichnet.

Inhaltlich geht die These von der altbekannten Erkenntnis aus, daß der gekreuzigte Christus die Mitte der paulinischen Theologie darstellt. Grundlegende Bedeutung wird der Aussage von Gal 3,13 beigemessen. Sie liefert gleichsam den Schlüssel zum Verständnis der paulinischen Behandlung der Gerechtigkeits- und Gesetzesthematik. Unter dieser Prämisse läßt sich zudem zeigen, daß die Struktur des paulinischen Denkens – die Anerkennung eines gekreuzigten Christus einmal vorausgesetzt – durch und durch jüdisch ist. Mit besonderem Nachdruck wird auf die kultische bzw. kulttypologische Dimension der paulinischen Konzeption aufmerksam gemacht. Gerade die Berücksichtigung dieses weithin vernachlässigten Aspektes läßt die Kohärenz der paulinischen Aussagen (insbesondere auch über das Gesetz) noch deutlicher hervortreten.

I. Der Gekreuzigte und die paulinische These von der allgemeinen Sündhaftigkeit

1. Die allgemeine Sündhaftigkeit

Wir beginnen mit einem Blick auf den Text, der zweifellos eine der kompaktesten Aussagen enthält, die Paulus über die Rechtfertigung gemacht hat: Röm 3,21–31. Seiner semantischen Struktur nach ist dieser Text im wesentlichen von der Korrelation von „Gerechtigkeit" und „Glaube" einerseits und den „Werken des Gesetzes" bzw. dem „Gesetz" als dazugehöriger Opposition andererseits geprägt. Schon in Röm 3,20 hatte Paulus die vorausgehende Argumentation zusammengefaßt: „Denn aus Werken des Gesetzes wird kein Fleisch vor ihm gerechtfertigt werden..." Aufgrund der emphatischen Gegenüberstellung von „Gerechtigkeit/Glaube" und „Gesetz/Werke des Gesetzes" könnte man leicht auf den Gedanken kommen, daß die paulinische Rechtfertigungslehre in erster Linie auf das Judentum zugeschnitten bzw. als Antithese zum Judentum zu verstehen sei. Nicht selten unterstellt man Paulus, daß er mit seiner These vom Glauben als dem einzigen Heilsweg die jüdische These bestreiten wolle, wonach derjenige, der das Gesetz tut, vor Gott gerecht ist. Nun ist zwar richtig, daß Paulus im Glauben den einzig möglichen Heilsweg sieht. Und richtig ist auch, daß nach Paulus kein Mensch aufgrund von Werken des Gesetzes gerechtfertigt wird. Falsch aber ist die Behauptung, Paulus würde die jüdische Auffassung bestreiten, daß der Mensch vor Gott gerecht ist, *wenn* er das Gesetz befolgt.

Gegen die Auffassung der paulinischen Rechtfertigungslehre als einer antijüdischen Heilslehre spricht schon der Befund, daß es Paulus in Röm 1,18–3,20 im wesentlichen um den Nachweis geht, daß *alle* ohne Ausnahme, Juden und Heiden, vor Gott Sünder sind und unter dem Zorn Gottes stehen. Dieses Urteil erfolgt ganz im Rahmen des jüdischen Denkens, wonach Sünder diejenigen sind, die das Gesetz bzw. die „Rechtssatzung Gottes" (δικαίωμα τοῦ θεοῦ: Röm 1,32) nicht *getan* haben. Pointiert ausgedrückt: Nicht das *Tun* der Werke des Gesetzes ist der Tatbestand, der ins Gericht Gottes führt. Der Zorn Gottes ergeht vielmehr, weil das Gesetz *nicht getan* wurde. Die Argumentation von Röm 1–3 steht für Paulus im Einklang mit dem Prinzip der Tora, das er bereits in Gal 3,12 zitiert hat (vgl. Röm 10,5): „Wer sie (d. h. die Gebote und Satzungen des Gesetzes) tut, wird durch sie leben" (Lev 18,5). Analog dazu heißt es in Röm 2,9f: „Bedrängnis und Angst über jede Seele eines Menschen, der das Böse tut, des Juden zuerst und (ebenso) auch des Griechen; Herrlichkeit aber und Ehre und Frieden jedem, der das Gute tut, dem Juden zuerst und (ebenso) auch dem Griechen." Noch deutlicher formuliert Röm 2,13: „Denn nicht die Hörer des Gesetzes sind gerecht vor Gott, sondern die *Täter* des Gesetzes werden gerechtfertigt werden" (...οἱ ποιηταὶ νόμου δικαιωθήσονται). Der Grundsatz gilt analog auch für die Heiden: „Wenn nämlich Heiden, die das Gesetz nicht haben, von Natur aus die (Forderungen) des Gesetzes tun, so sind diese, obwohl sie das Gesetz nicht haben, sich selbst Gesetz. Sie erweisen nämlich das Werk des Gesetzes als geschrieben in ihren Herzen..." (Röm 2,14f)[1]. Natürlich will Paulus mit Aussagen wie Röm 2,7.10.13f.26f nicht behaupten, daß *tatsächlich* ein Mensch aufgrund seiner Taten gerechtfertigt wurde. Es handelt sich jeweils um die positive Seite einer Paradigmatik, mit der Paulus das menschliche

---

[1] Übersetzung nach U. WILCKENS, Röm.

und insbesondere das jüdische Sich-Rühmen als vor Gott unangemessen zurückweisen will[2]. Insofern unterstreicht aber die gewählte Paradigmatik nur, daß Paulus das in Röm 2,13 genannte Prinzip der Tora zum Parameter seines Urteils über Juden und Heiden macht. Es ist daher falsch, wenn Rudolf BULTMANN meint, daß *„das Bemühen des Menschen, durch Erfüllung des Gesetzes sein Heil zu gewinnen, ihn nur in die Sünde hineinführt, ja im Grunde selber schon die Sünde ist.“*[3] Nicht das Gesetz und nicht das Tun des Gesetzes ist für Paulus das Problem[4], sondern der Mensch, und zwar zunächst der *Jude*, dem das Gesetz gegeben ist: „Wenn aber du dich Jude nennst und verläßt dich auf das Gesetz und rühmst dich Gottes und kennst den Willen und weißt einzuschätzen, worauf es ankommt, belehrt aus dem Gesetz, und traust dir zu, Wegführer zu sein für Blinde, Licht für die Finsternis... Der du dich des Gesetzes rühmst, durch die Übertretung des Gesetzes raubst du Gott die Ehre! Denn: ‚Der Name Gottes wird um euretwillen gelästert unter den Heiden‘, wie geschrieben steht“ (Röm 2,17–19.23f)[5]. Eine analoge Beurteilung der Praxis hatte Paulus vorher schon in bezug auf die *Heiden* vorgenommen: „Obwohl sie Gottes Rechtssatzung kennen, daß die, die solches (d. h. die vorher genannten Laster) tun, den Tod verdienen, tun sie es nicht nur, sondern spenden noch denen Beifall, die es tun“ (Röm 1,32). Weil also Juden und Heiden das Gesetz bzw. die Rechtssatzung Gottes *nicht tun*, muß Paulus folgern, „daß Juden wie Griechen insgesamt unter der Sünde sind, wie geschrieben steht: ‚es gibt nicht einen Gerechten, auch nicht einen einzigen‘ (Koh 7,20)“ (Röm 3,9f). Weil alle in diesem Sinn Sünder (Übertreter des Gesetzes) sind, sind „Werke des Gesetzes“ ein untaugliches Kriterium der Gerechtigkeit, weil es den *Sünder*, der damit operiert, immer nur als schuldig erweisen kann (vgl. Röm 3,19). Deshalb gilt: „Denn aufgrund von Werken des Gesetzes wird kein Fleisch gerechtfertigt werden vor ihm; durch das Gesetz nämlich (kommt es zur) Erkenntnis der Sünde“ (Röm 3,20)[6].

---

[2] Das gilt insbesondere für Röm 2,17–29. In Röm 2,25–29 nimmt Paulus keine Beschreibung der faktischen Situation vor. Es handelt sich vielmehr um die Paradigmatisierung eines prinzipiellen, an und für sich geltenden Urteils.

[3] R. BULTMANN, Theologie 264f. Dem Urteil BULTMANNS kommt allerdings insofern ein Wahrheitsmoment zu, als der Mensch, der generell Sünder ist, mit Hilfe des Gesetzes kein Heil erreichen kann. Dies gilt aber nicht aufgrund des Versuchs, das Gesetz zu erfüllen, sondern aufgrund der Tatsache, daß den Sünder das Gesetz nur verurteilen kann.

[4] Wenn U. WILCKENS, Röm I 179, sagt: „Paulus setzt voraus, daß der Mensch das Gute tun und darin das Gesetz erfüllen kann“, so trifft dies *prinzipiell* selbstverständlich zu. Dies hindert nicht die These, daß das Gesetz, das *tatsächlich* alle übertreten haben, unter *heilsgeschichtlicher* Rücksicht nicht die Funktion hat, Leben zu vermitteln (vgl. Gal 3,21), sondern unter die Sünde zusammenzuschließen (vgl. Gal 3,22f). Dies wiederum gilt aber nur deshalb, weil Paulus an der prinzipiellen Lebensverheißung des Gesetzes festhält. Dazu und zur heilsgeschichtlichen Funktion des Gesetzes siehe unter Kap. IV/1.

[5] Übersetzung nach U. WILCKENS, Röm.

[6] Hervorragend herausgearbeitet sind diese Zusammenhänge bei U. WILCKENS, Röm I 170–180.

Damit dürfte deutlich sein, daß die paulinische Rechtfertigungslehre alles andere als eine antijüdische Lehre ist. Die Rechtfertigungslehre wendet sich nicht *gegen* die Juden, sondern an alle! Auch die Gerichtsaussage, die sie einschließt, richtet sich nicht speziell gegen die Juden und deren Versuch, durch Erfüllung des Gesetzes Gerechtigkeit zu erlangen. Das Gericht trifft vielmehr *alle*, also den *Menschen schlechthin*, der sich, sei er Jude oder Heide, als *Nicht-Täter* des Gesetzes und damit als Sünder erweist. Damit ist die Rechtfertigungslehre auch nach ihrer positiven Seite als Heilsbotschaft (Evangelium) nicht eine Alternative zum jüdischen Heilsweg, vielmehr ist die Rechtfertigung aus Glauben gerade der Heilsweg *für Israel*, allerdings auch für die Heiden, da alle zusammen unter dem Zorn Gottes stehen. Die Botschaft von der Rechtfertigung aus Glauben ist Heilsbotschaft für alle: für die Juden, die sich trotz des Gesetzes vor Gott nicht als gerecht erweisen, wie für die Heiden, die trotz der Stimme des Gewissens (vgl. Röm 2,15) sündigen: „Ich schäme mich des Evangeliums nicht. Denn es ist Kraft Gottes zum Heil für jeden, der glaubt, für den Juden zuerst und auch für den Griechen. Denn Gottes Gerechtigkeit wird in ihm geoffenbart aus Glauben zum Glauben, wie geschrieben steht: ‚Der Gerechte aber aus Glauben wird leben'" (Röm 1,16 f).

2. *Der Gekreuzigte als Grund für die paulinische These von der allgemeinen Sündhaftigkeit*

Nun ließen sich gegen den Gedankengang von Röm 1–3 aber auch Einwände erheben, gerade von jüdischer Seite! Denn, daß aufgrund von Werken des Gesetzes niemand vor Gott gerecht wird, stimmt nur, wenn tatsächlich alle, Heiden und Juden, Sünder sind. *Wie kommt Paulus zu dieser Erkenntnis?*

Auszuschließen ist, daß sie aus der Erfahrung der eigenen Sündhaftigkeit erschlossen ist. Paulus ist nicht am Gesetz gescheitert. Vor seiner Hinkehr zum Christus Jesus ist Paulus in bezug auf die Gesetzeserfüllung durchaus zuversichtlich: „...ich lebte als Pharisäer nach dem Gesetz und war im Hinblick auf die Gerechtigkeit, wie sie das Gesetz vorschreibt, ohne Fehl" (... κατὰ δικαιοσύνην τὴν ἐν νόμῳ γενόμενος ἄμεμπτος: Phil 3,5 f). Paulus kann auch nicht auf die empirische Evidenz der menschlichen Geschichte als Sünden- und Unheilsgeschichte verweisen. Die Feststellung der allgemeinen Sündhaftigkeit ist überhaupt *nicht empirisch* begründet. Damit wird unsere Frage aber nur um so brisanter.

Für eine sachgerechte Antwort gilt es ein Doppeltes zu berücksichtigen: (1) Der menschlichen Sünde korrespondiert der „Zorn Gottes"; dieser aber ist für Paulus Gegenstand *göttlicher Offenbarung* (ἀποκαλύπτεται: Röm 1,18). (2) Allgemeine Sündhaftigkeit bzw. Zorn Gottes sind nichts anderes als die Negativseite der jetzt im Evangelium verkündeten Gerechtigkeit Gottes.

Es ist kein Zufall, daß Paulus die gesamte Argumentationsreihe von Röm 1,18–3,20 in den positiven „Rahmen" dieser Gerechtigkeit Gottes stellt, die ebenfalls nur kraft *göttlicher Offenbarung* verkündet werden kann: „Denn Gottes Gerechtigkeit wird in ihm (im Evangelium) *geoffenbart* (ἀποκαλύπτεται) aus Glauben zum Glauben..." (Röm 1,17)... „Jetzt aber ist ohne Gesetz Gottes Gerechtigkeit *offenbar geworden* (πεφανέρωται)..." (Röm 3,21). Beides also, Gerechtigkeit Gottes aus Glauben zum Glauben und allgemeine menschliche Sündhaftigkeit, ist Gegenstand und Folge der „jetzt" ergangenen *eschatologischen Offenbarung*. Deren inhaltliches Zentrum liegt in der Christologie, wie ein Blick auf Gal 1 deutlich macht: „Das Evangelium, das ich verkündigt habe, ... habe ich nicht von einem Menschen empfangen..., sondern durch *Offenbarung Jesu Christi*.... Als es aber Gott gefiel, der mich von Mutterschoß an auserwählt und durch seine Gnade berufen hat, mir *seinen Sohn zu offenbaren*, damit ich ihn unter den Heiden verkünde, beriet ich mich keineswegs mit Fleisch und Blut..." (Gal 1,11f.15f). Der Finalsatz deutet bereits an, daß der Inhalt des paulinischen Evangeliums als „Kraft Gottes zum Heil für jeden, der glaubt" (Röm 1,16), nichts anderes als Auslegung und Entfaltung der christologischen Offenbarung ist, und zwar sowohl nach ihrer negativen Seite (allgemeine Sündhaftigkeit) wie auch nach ihrer positiven Seite (Gerechtigkeit Gottes). Eine besondere Bedeutung gewinnt dabei die Tatsache, daß Paulus den Tod Jesu unter der speziellen Rücksicht des *Kreuz*estodes reflektiert. Ein kurzer Exkurs soll die religions- und traditionsgeschichtlichen Voraussetzungen dieser Sicht klären.

Exkurs: Bedeutung und Wertung des Kreuzestodes in der antiken Welt[7]

Paulus selbst sagt in 1Kor 1,23, daß die Verkündigung eines „gekreuzigten Christus den Juden ein Ärgernis, den Heiden eine Torheit" ist. In der *nichtjüdischen Antike* galt der Kreuzestod als schändlichste Todesart, die in der Regel nur an Hochverrätern und Sklaven vollzogen wurde. Ein freier Mann konnte den Kreuzestod nur als Greuel empfinden. Berühmt sind die Worte Ciceros in seiner Rede für Rabirius, die er im Jahre 63 v. Chr. gehalten hat: Mors denique si proponitur, in libertate moriamur, carnifex vero et obductio capitis et nomen ipsum crucis absit non modo a corpore civium Romanorum sed etiam a cogitatione, oculis, auribus. Harum enim omnium rerum

---

[7] Vgl. dazu vor allem: M. HENGEL, Mors turpissima crucis. Die Kreuzigung in der antiken Welt und die „Torheit" des „Wortes vom Kreuz", in: J. FRIEDRICH u. a. (Hrsg.), Rechtferti-gung. FS E. KÄSEMANN, Tübingen – Göttingen 1976, 125–184 (Lit.); H.-W. KUHN, Jesus als Gekreuzigter in der frühchristlichen Verkündigung bis zur Mitte des 2. Jahrhunderts: ZThK 72 (1975) 1–46. Zu den Realien einer zeitgenössischen Kreuzigung vgl. H.-W. KUHN, Der Gekreuzigte von Giv'at ha-Mivtar. Bilanz einer Entdeckung, in: C. ANDRESEN – G. KLEIN (Hrsg.), Theologia crucis, signum crucis. FS E. DINKLER, Tübingen 1979, 303–334 (Lit.).

non solum eventus atque perpessio sed etiam condicio, exspectatio, mentio ipsa denique indigna cive Romano atque homine libero est (pro Rabirio 16).

Noch unerträglicher aber mußte die *jüdische Welt* den Kreuzestod empfinden. Das Alte Testament kennt die Kreuzesstrafe nicht. Auch die bekannte Stelle Dtn 21,22f bezieht sich ursprünglich nicht auf die Kreuzigung, sondern auf das Aufhängen des bereits Hingerichteten (als zusätzliche Schändung): „Und wenn jemand ein todeswürdiges Verbrechen begeht und getötet wird und du ihn an einen Pfahl hängst, so darf sein Leichnam nicht übernacht am Pfahle bleiben, sondern du sollst ihn noch am selben Tage begraben. Denn ein Gehängter ist von Gott verflucht, und du sollst dein Land nicht verunreinigen, das dir der Herr, dein Gott, zu eigen geben will."[8] Erst in hasmonäischer Zeit wird gelegentlich die Kreuzigung als Strafe für Hochverrat aus der nichtjüdischen Umwelt übernommen und praktiziert. Josephus berichtet, daß Alexander Jannai im Jahre 88 v. Chr. 800 Pharisäer, die einen Putsch gegen ihn anführten, habe kreuzigen lassen (Bell 1,97f; Ant 13,380–383). Darauf bezieht sich wahrscheinlich auch 4 QpNah 1,4–9, wo gesagt wird, daß Alexander Jannai (? Z. 6: „Löwe des Zorns") „Menschen lebendig aufhängte [...was man nicht getan hat(?)] in Israel vorher" (Z. 7f)[9]. Auffällig ist, daß Herodes von der Strafe des Kreuzestodes keinen Gebrauch machte. Überhaupt sind vom Beginn der Römerherrschaft im Jahre 63 v. Chr. bis zum jüdischen Krieg „alle uns bekannten Kreuzigungen in diesem Land, soweit das feststellbar ist, von Römern vorgenommen worden"[10]. Das bedeutet nicht, daß das jüdische (sadduzäische?) Recht der damaligen Zeit diese Strafe grundsätzlich ausschloß. Ein Beleg aus der Tempelrolle (s. u.) scheint das Gegenteil nahezulegen. Aber die Vermutung Martin HENGELS dürfte zutreffen: „Der exzessive Gebrauch, den die Römer zur ‚Befriedung' Judäas von der Kreuzesstrafe machten, bewirkte, daß die Kreuzigung seit Beginn der unmittelbaren Römerherrschaft als jüdische Todesstrafe verpönt war."[11] Was die Verkündigung eines Gekreuzigten als Messias in der jüdischen Welt aber geradezu als Blasphemie erscheinen lassen mußte, war die Tatsache, daß das zeitgenössische Judentum Dtn 21,23 auf die Strafe der Kreuzigung bezog. Diese Auslegungtradition ist uns nun durch die Tempelrolle eindeutig bezeugt: „Wenn ein Mann Nachrichten über sein Volk weitergibt und er verrät sein Volk an ein fremdes Volk und fügt seinem Volk Böses zu, dann sollt ihr ihn ans Holz hängen, so daß er stirbt. Auf Grund von zwei Zeugen und auf Grund von drei Zeugen soll er getötet werden, und (zwar) hängt man ihn ans Holz... Wenn ein Mann ein Kapitalverbrechen begangen hat und er flieht zu den Völkern und er verflucht sein Volk, die Israeliten, dann sollt ihr ihn ebenfalls an das Holz

---

[8] Übersetzung nach der Zürcher Bibel.

[9] Übersetzung nach E. LOHSE, Die Texte aus Qumran, Darmstadt 1964; Ergänzung nach J. MAIER, Die Texte vom Toten Meer I, München – Basel 1960.

[10] H.-W. KUHN, Jesus (Anm. 7) 4.

[11] M. HENGEL, Mors (Anm. 7) 177.

hängen, so daß er stirbt. Aber man lasse ihre Leichname nicht am Holz hängen, sondern begrabe sie bestimmt noch am selben Tag, denn Verfluchte Gottes und der Menschen sind ans Holz Gehängte, und du sollst die Erde nicht verunreinigen, die ich dir zum Erbbesitz gebe..." (64,7–13)[12]. Bestätigt wird diese Auslegungstradition von Dtn 21,23 durch Paulus (Gal 3,13: s. u.) und durch den Dialog Justins mit dem Juden Tryphon. Justin läßt darin Tryphon unter Hinweis auf „das Gesetz" (Dtn 21,22f) sagen: „Daran zweifeln wir, ob der Messias aber auch so ehrlos gekreuzigt wurde, denn aufgrund des Gesetzes ist der Gekreuzigte verflucht... Deutlich ist, daß die Schrift einen leidenden Messias verkündet. Wissen möchten wir aber, ob du auch beweisen kannst, daß das auch für das im Gesetz verfluchte Leiden gilt" (89,2). Und: „Beweise uns, daß er aber auch gekreuzigt wurde und so schändlich und ehrlos durch einen im Gesetz verfluchten Tod starb. Denn wir können uns das nicht einmal vorstellen" (90,1). Diese Auslegungstradition von Dtn 21,23 dürfte auch – wie HENGEL wohl zu Recht bemerkt – bewirkt haben, daß „das Kreuz nie zum Symbol des jüdischen Leidens" wurde[13], obwohl zur Zeit der Römerherrschaft und insbesondere im jüdischen Krieg unzählige Juden die Kreuzigung erleiden mußten. „Auch ein gekreuzigter Messias konnte darum nicht akzeptiert werden."[14]

Damit können wir wieder zu Paulus zurückkehren. Es dürfte deutlich sein, daß eine Äußerung wie 1Kor 1,23 sich nicht nur polemisch gegen eine enthusiastische Weisheitstheologie der Korinther richtet, sondern zugleich die Wiedergabe des tatsächlichen antiken Urteils über den christlichen Glauben darstellt. Der römisch-hellenistischen Welt mußte ein gekreuzigter Erlöser als „verkehrter, maßloser Aberglaube" erscheinen (Plinius min., Ep. 10,96,4). In der jüdischen Welt mußte die Verkündigung eines gekreuzigten Messias damit rechnen, aufgrund der Auslegungstradition von Dtn 21,22f als Blasphemie abgetan bzw. sogar bekämpft zu werden.

*

Wahrscheinlich ist dies auch einer der wesentlichen Gründe, weshalb der junge Paulus die Christengemeinde so heftig verfolgte. Paulus selbst kennt jedenfalls die genannte Auslegungstradition: „Christus hat uns freigekauft vom Fluch des Gesetzes, indem er für uns (zum) Fluch wurde, denn es steht geschrieben: ‚Verflucht ist jeder, der am Holz hängt'" (Gal 3,13). An der Gültigkeit dieses von der Tora ausgesprochenen Fluches über den Gekreuzigten hat Paulus zeit seines Lebens festgehalten. Gerade deshalb mußte seine gesamte bisherige theologische Welt zusammenbrechen (vgl. Phil 3,7–9), als er vor Damaskus aufgrund göttlicher Offenbarung Jesus als Sohn Gottes erkennen und anerkennen mußte (vgl. Gal 1,12.15f). Paulus stand vor der

---

[12] Übersetzung nach J. MAIER, Die Tempelrolle vom Toten Meer (UTB 829), München – Basel 1978.
[13] M. HENGEL, Mors (Anm. 7) 177.   [14] Ebd.

Aufgabe, eine neue Theologie zu entwerfen, die dem höchst paradoxen Umstand Rechnung trug, daß _der Sohn Gottes selbst unter dem Fluch Gottes steht bzw. daß der von Gott Verfluchte der Sohn Gottes ist._ Diese umstürzende Erkenntnis ist der Ausgangspunkt und die Mitte paulinischer Theologie. Dieses Paradox betont Paulus, wenn er in dem vorgegebenen Hymnus von Phil 2,6–11 die bis in den Tod reichende Gehorsamstat Christi erläutert mit dem Hinweis: „bis zum Tod des Kreuzes" (V. 8). Dieses Paradox bringt er im 1. Korintherbrief auf den semantisch eigentlich unmöglichen Nenner, wenn er als Gegenstand der christlichen Verkündigung den „gekreuzigten Christus" angibt (1Kor 1,23) und darin sogar den einzigen, d.h. allein maßgeblichen Inhalt seiner Verkündigung vorstellt (1Kor 2,2). Diesen „gekreuzigten Jesus Christus" hat er den Galatern vor Augen gestellt (Gal 3,1) und ist nun enttäuscht, daß diese sich verblenden ließen (ebd.) und im Begriff sind, durch Übernahme der Beschneidung „aus der Gnade herauszufallen" (Gal 5,2–4). Für Paulus läuft dies darauf hinaus, „das Ärgernis des Kreuzes zu beseitigen" (Gal 5,11), während er sich „allein des Kreuzes unseres Herrn Jesus Christus rühmen will, durch das ihm die Welt gekreuzigt ist und er der Welt" (vgl. Gal 6,14).

Dieser für Paulus allein maßgebliche Tatbestand, aufgrund göttlicher Offenbarung einen Verfluchten als Christus und Sohn Gottes prädizieren und bekennen zu müssen, ist letztlich auch ausschlaggebend für die Entschlossenheit, mit der Paulus sein negatives Urteil über den Menschen als generellen Sünder fällt. Denn als Gekreuzigter erscheint Christus nicht mehr nur als der Gerechte, der für die Sünden der Sünder einsteht. Er wird vielmehr selbst zur Verkörperung und zum Repräsentanten des Sünders schlechthin: „Ihn, der die Sünde nicht kannte, hat Gott für uns _zur Sünde_ gemacht" (2Kor 5,21), er „wurde für uns _zum Fluch_" (Gal 3,13). Insbesondere die traditionelle Aussage vom stellvertretend _„für unsere Sünden"_ sterbenden Christus (vgl. 1Kor 15,3; Gal 1,4; Röm 4,25) könnte ja immerhin noch so verstanden werden, daß Christus für eine Menschheit, _soweit_ sie gesündigt hat, gestorben ist, so daß zumindest die Möglichkeit als denkbar erscheint, daß es neben den Sündern, für deren Sünden er gestorben ist, wenigstens partiell Gerechte gibt, denen sein Tod nicht zugute kommen muß. Weit grundsätzlicher klingt da schon die (ebenfalls traditionelle) Formulierung vom Sterben _„für uns"._ Der darin implizit enthaltene Gedanke von der Allgemeinheit des Sündigens wird von Paulus aber noch zugespitzt, wenn er im Einklang mit der Tora den gekreuzigten Christus als Verfluchten festhält. Denn daß Christus im Sterben für uns „zum Fluch geworden" bzw. „zur Sünde gemacht" worden ist, kann wohl nur als Identitätsübernahme gedeutet werden, so daß als die anthropologische Kehrseite des für uns zum Fluch gewordenen Christus nicht nur ein mehr oder minder verbreitetes Sündigen, sondern ein Mensch zum Vorschein kommt, der insgesamt und ausnahmslos unter dem Fluch des Gesetzes steht, weil er je immer sündigt und das Gesetz übertritt.

So deckt sich für Paulus vom Gekreuzigten her auf, in welcher Kondition der Mensch vor Gott vor-kommt: als Verfluchter. Im Gekreuzigten sind alle als Nicht-Täter des Gesetzes erwiesen. Der Fluchtod, den Christus stirbt, macht offenkundig, daß „alle, Juden wie Griechen, unter der Herrschaft der Sünde stehen" (Röm 3,9): die Juden, weil sie die Tora selbst übertreten (Röm 2,17–29), und die Heiden, weil sie die „Rechtssatzung Gottes" zwar kennen (Röm 1,32) – „das Werk des Gesetzes ist ihnen in ihr Herz geschrieben" (Röm 2,15) –, aber dennoch Gott „nicht als Gott Ehre und Dank erweisen" (Röm 1,21). Im übrigen ergibt sich aus Gal 3,10–14 zwingend, daß die Sünde des Menschen im *Nicht-Tun des Gesetzes* besteht. Denn der Fluch, den der Gekreuzigte trägt, ist der *Fluch der Tora*. Und diese verflucht nur ihre Nicht-Täter, nicht aber ihre Täter! Wenn immer der Gekreuzigte der Erkenntnisgrund ist, daß „durch das Gesetz (ἐν νόμῳ) niemand vor Gott gerechtfertigt wird" (Gal 3,11a), dann besagt dieser Satz, daß alle nicht bei dem geblieben sind, was das Buch des Gesetzes zu tun vorschreibt (Gal 3,10b), so daß sie *ἐν νόμῳ* nicht gerechtfertigt, sondern verflucht sind. Desgleichen kann Gal 3,10a – ὅσοι γὰρ ἐξ ἔργων νόμου εἰσίν, ὑπὸ κατάραν εἰσίν – nicht einfach so gedeutet werden, daß diejenigen, „die nach dem Gesetz leben", unter dem Fluch stehen[15], wenn immer der Fluch von Gal 3,10a mit dem am Kreuz ergangenen Fluch (der Tora!) identisch ist. Eine derartige Interpretation stünde zudem in diametralem Gegensatz zu Gal 3,10b.12. Die Logik der Aussage von Gal 3,10a ist vielmehr vom Kreuz bestimmt. Weil der gekreuzigte Christus alle als Sünder und Übertreter des Gesetzes erweist, sind auch und gerade diejenigen, die ihre Gerechtigkeit auf das Tun des Gesetzes gründen wollen, unter dem Fluch. Wer angesichts des Kreuzes, und das heißt als durch den Gekreuzigten erwiesener Sünder, *ἐν νόμῳ* bzw. *ἐξ ἔργων νόμου* vor Gott gerecht zu werden versucht, wird immer nur im Fluch enden, den das Gesetz über die Sünder ausspricht. Wer mit dem Kriterium *ἐν νόμῳ* bzw. *ἐξ ἔργων νόμου* Gerechtigkeit erstrebt, scheitert an seinem eigenen faktischen Widerspruch zu eben diesem seinem Kriterium.

Die allgemeine Sündhaftigkeit ist letztlich also aus der christologischen Offenbarung erschlossen, näherhin aus der von Paulus unverkürzt und unbeschönigt zur Kenntnis genommenen Tatsache, daß das christologische Bekenntnis sich auf einen (von Gott) Verfluchten bezieht.

3. Der Fluch des Gesetzes

Bevor nun auf die Entfaltung der christologischen Offenbarung nach ihrer positiven Seite einzugehen ist, dürfte es sich empfehlen, schon jetzt auch das *Gesetz* ins Auge zu fassen und im Rahmen des bisher Gesagten nach

---

[15] So – höchst mißverständlich – die Einheitsübersetzung.

seiner Funktion zu fragen. Daß der Gekreuzigte der (von Gott) Verfluchte ist, ist ein Urteil, das Paulus der Tora entnimmt (vgl. Dtn 21,23). Allein dies zeigt schon, daß Paulus die Tora nicht für ungültig erklären will. Gerade die paulinische Christologie nimmt vielmehr die Tora in all ihrer Konsequenz – „bis zum Tod des Kreuzes" (Phil 2,8) – ernst. Die Tora ist der Maßstab, mit dem Paulus den Tod Christi als Fluchtod vermißt. Umgekehrt wird durch das Kreuz aber auch deutlich, welche Funktion die Tora hat. Denn der „für uns zum Fluch gewordene" Christus (Gal 3,13) bringt nicht nur zum Be-wußtsein, daß alle Menschen Sünder sind, sondern auch, daß die Tora diesen Menschen gegenüber nur die *Funktion* haben kann, *den Fluch auszusprechen* (vgl. Gal 3,10b). Paulus kann deshalb vom „Fluch der Tora" sprechen (Gal 3,13).

Nicht nachdrücklich genug kann allerdings betont werden, daß diese Funktionsbeschreibung als ein reines Feststellungsurteil angesichts der fakti-schen Situation des Menschen und nicht als ein prinzipielles Urteil über die Tora zu werten ist. Denn weder ist der Fluch das prinzipiell alleinige Urteil, das die Tora zu fällen vermag (sie könnte auch Leben zusprechen: vgl. Gal 3,12; Röm 2,13), noch ist die Sünde ein Produkt der Tora oder eine ihr inhärierende Wirkung. Röm 5,12–14 stellt ausdrücklich fest, daß bereits „vor dem Gesetz die Sünde in der Welt war", und begründet dies mit dem Tod, der „von Adam bis Mose auch über diejenigen herrschte, die nicht in der gleichen Weise einer Übertretung (eines Gebotes) wie Adam gesündigt hatten". Nicht die Tora ist es also, welche die Sünde aus sich entläßt. Sie hält vielmehr dem Menschen den Spiegel vor, stellt die Sünde fest und verurteilt die Sünder: „Durch das Gesetz kommt es zur Erkenntnis der Sünde" (Röm 3,20; vgl. 7,7).

Diese Erkenntnis bezieht sich freilich nicht nur auf die jeweilige sündige Tat, sondern auf die Existenz des Menschen überhaupt, der als Fleisch „unter die Sünde verkauft ist" (Röm 7,14b). Dem Fleisch gegenüber ist die Sünde offensichtlich übermächtig. In aller Deutlichkeit kommt dies in dem parado-xen Befund zum Zuge, daß der Mensch nicht das Gute tut, wie er es eigentlich will, sondern das Böse, das er nicht will (Röm 7,19; vgl. 7,15). Er steht unter dem „Gesetz", daß ihm nur „das Böse zur Verfügung steht"[16], obwohl er das Gute tun will (Röm 7,21). Darauf ist später noch einmal zurückzukommen[17]. Festzustellen bleibt vorab aber schon, daß das Ver-kauft-Sein unter die Sünde für Paulus kein Geschick darstellt, das den Menschen rein passiv zum Sünder determiniert. Es ist vielmehr das aktive Sündigen des Menschen, das der Sünde ihren generellen Herrschaftsan-spruch über alles Fleisch und ihren universalen Herrschaftsbereich in der Welt einräumt: „... durch einen (einzigen) Menschen kam die Sünde in die Welt und durch die Sünde der Tod und ... der Tod gelangte zu allen

---

[16] Übersetzung nach U. WILCKENS, Röm.
[17] Siehe unten Kap. IV/3.

Menschen, *weil alle sündigten*" (. . . ἐφ᾽ ᾧ πάντες ἥμαρτον: Röm 5,12). Einem solchen Menschen gegenüber, der als Fleisch immer nur sündigt, vermag das Gesetz keine heilsame Funktion auszuüben. Paulus muß sogar sagen, daß „das Gesetz hinzugekommen ist, damit die Übertretung sich mehre" (νόμος δὲ παρεισῆλθεν, ἵνα πλεονάσῃ τὸ παράπτωμα: Röm 5,20). Noch schärfer formuliert er in Röm 7,5: „Als wir im Fleische waren, wirkten die durch das Gesetz (hervorgetretenen) sündigen Leidenschaften (τὰ παθήματα τῶν ἁμαρτιῶν τὰ διὰ τοῦ νόμου) in unseren Gliedern, so daß wir dem Tod Frucht brachten." Diese Aussagen enthalten keine Disqualifizierung der Tora. Nach der vom Gekreuzigten geleiteten Hermeneutik des Paulus ist es vielmehr die Tora, die den Menschen disqualifiziert.

Dies wird besonders schön am Folgetext in Röm 7,7–14 deutlich. Zunächst weist Paulus es als Fehlschluß zurück, aus seiner These von Röm 7,5f zu folgern, daß das Gesetz Sünde sei (Röm 7,7a). Die Sünde wird vielmehr gerade durch das Gesetz bekannt gemacht (Röm 7,7b). Durch das Gebot „Du sollst nicht begehren!" (Ex 20,17; Dtn 5,21), das Paulus hier wohl mit dem Verbot der Paradiesesgeschichte (Gen 3) in eins setzt, lernt der Mensch erst die Begierde kennen (Röm 7,7c). Indem er aber begehrt, was das Gesetz verbietet, findet er sich mit einem Gebot konfrontiert, das zwar eigentlich auf das Leben abzielt, nun aber den Tod ratifiziert (ἡ ἐντολὴ ἡ εἰς ζωήν, αὕτη εἰς θάνατον: Röm 7,10). Die Sünde, die ohne das Gesetz tot ist, lebt mit dem Kommen des Gebotes auf (Röm 7,8b.9). Sie bekommt durch das Gesetz erst ihre Kraft (vgl. 1Kor 15,56), ihre todbringende Kraft, weil das Gesetz erst das Todesurteil über den Sünder ausspricht und die kausale Zusammengehörigkeit von Sünde und Tod höchstrichterlich feststellt (vgl. Röm 5,13b[18]; 6,23a). Dabei ist es selbstverständlich nicht das Gesetz, das den Menschen zum Begehren verführt. Es ist vielmehr die Sünde, die das Gebot als ihre Gelegenheit und Chance (ἀφορμή) wahrnimmt, um im Menschen jedwede Begierde zu wecken (Röm 7,8a) und ihn zu täuschen (Röm 7,11), d.h. zum Sündigen zu verführen (vgl. Gen 3). Durch das Gesetz kommt somit zum Durchbruch, was im Menschen „drinsteckt", nämlich der Ungehorsam, das Aufbegehren gegen das Gebot Gottes. Das Gesetz mit seinen Geboten bringt zum Vorschein, wer der Mensch ist: Fleisch, das sich durch sein Sündigen der Herrschaft der Sünde unterstellt und sich dadurch faktisch als unter die Sünde verkauft erweist (Röm 7,14). Wenn daher das Gebot, das wegen seiner Heiligkeit, Gerechtigkeit und Rechtschaffenheit den Sünder nur verfluchen kann, zum Instrument wird, mit dessen Hilfe die Sünde den Tod als ihre *rechtmäßige* Folge vollstrecken kann (Röm 7,11), dann unterstreicht das nur die Heiligkeit des Gesetzes (vgl. Röm 7,12.14). Nicht das Gute gereicht zum Tode; das gute Gebot bringt vielmehr die Sünde zur Erscheinung und erweist ihre sündige Qualität bis zur letzten Konsequenz, indem es die Todesfolge der Sünde rechtskräftig macht (Röm 7,13).

---

[18] Zur Interpretation von Röm 5,13b vgl. bes. U. Wilckens, Röm.

Gerade aus Röm 7 wird also deutlich, daß für Paulus nicht das Gesetz das Problem ist, sondern der Mensch. Und zwar ist der Mensch schlechthin das Problem, weil die Tora nicht nur einzelne Taten von Menschen als Sünden, sondern „alles Fleisch" (vgl. Röm 3,20) als Sünder entlarvt. Die Fleischlichkeit des Menschen wird geradezu zum negativen Existential, in dem das faktische Sündigen des Menschen als existentielles Verkauft-Sein unter die Sünde auf den anthropologischen Nenner gebracht wird. Diese Bewertung der menschlichen Existenz leitet Paulus freilich nicht aus der Tora selbst ab. Den Menschen als sündiges Fleisch zu erweisen, ist nicht das inhärente Prinzip der Tora, die als solche immer nur von Fall zu Fall den Nicht-Täter verflucht oder dem Täter das Leben verheißt. Daß Paulus die Tora zum Parameter einer immer nur als sündig vorkommenden menschlichen Existenz machen kann und muß, ergibt sich allein aus seinem christologischen Standpunkt, der damit ernst macht, daß Christus als Gekreuzigter selbst unter dem Fluch des heiligen Gesetzes steht. Aus dieser Hermeneutik folgt beides: das negative anthropologische Urteil und die Zuweisung der Fluchfunktion an die Tora.

Diese christologische Hermeneutik ist auch zu beachten, wenn Paulus in *Röm 10,4* sagt: τέλος γὰρ νόμου Χριστός. Keinesfalls kann damit gemeint sein, daß das Gesetz seit Christus seine Geltung verloren habe. Das würde nicht nur Röm 3,31 widersprechen, sondern dem theologischen Denken des Paulus den Boden entziehen, der die christologische Grundaussage von Gal 3,13 gerade mit dem (offensichtlich immer noch gültigen) Urteil der Tora (Dtn 21,23) begründet. Nach dem bisher Ausgeführten und dem Kontext von Röm 9,30–10,4[19] kann die Rede von Christus als dem τέλος νόμου zunächst nur besagen: In Christus ist offenbar geworden, daß das Gesetz keine Möglichkeit zur Erlangung der Gerechtigkeit darstellt (vgl. Röm 3,21). Dies freilich nicht, weil das Gesetz prinzipiell diese Möglichkeit ausschließt, sondern weil der Gekreuzigte faktisch alle als Sünder ausweist. Sünder, d. h. Nicht-Täter des Gesetzes, können aber mit Hilfe des Gesetzes nicht Gerechtigkeit erlangen, da dieses sie gerade unter seinen Fluch stellt. Wer daher angesichts des gekreuzigten Christus das Gesetz als Mittel und Kriterium der Gerechtigkeit beansprucht, täuscht sich über seine wahre Situation, in der Gerechtigkeit eben nicht aus dem Gesetz, sondern nur aus dem Glauben möglich ist (vgl. die Fortsetzung von Röm 10,4: ... εἰς δικαιοσύνην παντὶ τῷ πιστεύοντι; s. auch Röm 10,5f).

Für das Gesetzesverständnis bedeutet dies, daß Paulus die Fluchfunktion des Gesetzes, die er am Gekreuzigten abliest, auch nach ihrer Kehrseite auslegen und dem Gesetz, wenngleich nicht prinzipiell, so aber doch faktisch, die *Heilsfunktion absprechen* muß. Der gekreuzigte Christus macht deutlich, daß die Tora keinen Heilsweg darstellt. τέλος in Röm 10,4 meint

---

[19] Siehe dazu unter Kap. II/3 und III/1.2.

daher – unbeschadet einer noch zu untersuchenden tieferen Bedeutung[20] – primär das „Ende". Christus ist das Ende des Gesetzes, d. h., in Christus ist die Tora als Heilsweg zu Ende bzw., um noch deutlicher das anthropologische Koordinatensystem dieser Aussage hervortreten zu lassen, in Christus ist die *vermeintliche* Heilsfunktion, die Heilsillusion, die sich ein *sündiger* Mensch mit Hilfe der Tora gemacht hat, zu Ende. Konkret richtet sich Röm 10,4 gegen das ungläubige (im Sinne des Christusglaubens) Judentum; der Vorwurf des Paulus zielt dabei nicht auf die Tora oder das Tun der Tora, sondern auf die Verweigerung des Glaubens an Christus, der als Gekreuzigter faktisch alle als Sünder ausweist und eben deshalb und für diese das Ende der Tora als Heilsweg markiert.

Für den Glaubenden hat die Rede vom „Ende des Gesetzes" dann noch eine weitere Bedeutung. Der Glaubende ist nämlich „vom Fluch des Gesetzes losgekauft" (Gal 3,13). D. h., für den Glaubenden ist auch die Fluchfunktion des Gesetzes zu Ende. Dies darf allerdings nicht in dem Sinne verstanden werden, als ob jetzt seit Christus die Tora die Sünder nicht mehr verfluchen würde und insofern doch ihre Geltung verloren hätte. Die Befreiung vom Fluch des Gesetzes geschieht gerade nicht durch Aufhebung der Tora, sondern durch deren Vollzug, indem Christus als der Repräsentant der Sünder den Fluch der Tora an sich zur Aus-wirkung kommen läßt. Gerade so geschieht es, daß der Glaubende, der sich in Christus diesem Fluch ausliefert, „durch das Gesetz dem Gesetz stirbt" (Gal 2,19a; vgl. Röm 7,4). Damit sind wir aber schon beim Thema des nächsten Kapitels.

Zuvor aber sei wenigstens kurz auf ein Mißverständnis aufmerksam gemacht, das im Kontext der Rede vom *Gesetz als „Heilsweg"* im christlichen Sprachgebrauch nicht selten anzutreffen ist. Demzufolge ergibt sich das Heil aus dem Tun des Gesetzes, das als Leistungsprinzip verstanden wird. Dies ist jedoch eine unzulässige Simplifizierung. Das Judentum insgesamt und speziell das pharisäisch-rabbinische Judentum, das hier meist als Kronzeuge bzw. Prügelknabe angeführt wird, hat das Gesetz nie isoliert für sich als Heilsweg gewertet. Das menschliche Tun (Gebotserfüllung) ist nie als die (kausale) Ursache für das Heil angesehen worden. Das vom Gesetz geforderte Tun wie auch das vom Gesetz in Aussicht gestellte Heil (vgl. Lev 18,5!) sind vielmehr eingebettet in den Bundesgedanken. E. P. SANDERS spricht in diesem Zusammenhang vom „Bundesnomismus", den er folgendermaßen definiert: „Bundesnomismus besteht, kurz gesagt, in der Vorstellung, daß der Platz eines jeden Menschen im Plane Gottes durch den Bund begründet wird und daß der Bund als geziemende Antwort des Menschen dessen Befolgung der Gebote verlangt, während er bei Übertretungen Sühnmittel bereitstellt."[21] Dem menschlichen Tun (des Gesetzes) geht also die göttliche Erwählung voraus. Nur im Rahmen der Erwählung und der

---

[20] Siehe unten Kap. IV/4.
[21] E. P. SANDERS, Paulus 70.

daraus folgenden Zugehörigkeit zum Bund hat das Gesetz Heilsfunktion, sofern durch die Erfüllung der Gebote die Zugehörigkeit zum Bund bewahrt wird, während „der Verweigerung der Gebote die Verweigerung des Bundes (entspricht)"[22]. Vom Gesetz als Heilsweg kann daher nur *in indirekter Weise* gesprochen werden: Das Tun des Gesetzes ist zwar für das Heil des Menschen notwendig, begründet dieses aber nicht; es stellt vielmehr die (erforderliche) Antwort des Menschen auf das vorgängige Erwählungshandeln Gottes dar, das das Heil des Menschen überhaupt erst ursächlich ermöglicht.

Es gibt keinen Grund anzunehmen, daß Paulus die Heilsverheißung der Tora in Lev 18,5, die er in Gal 3,12 und Röm 10,5 (vgl. Röm 2,13) zitiert, prinzipiell in ein anderes Koordinatensystem eingeordnet hat und speziell in Röm 10,4 das Ende der Tora als Leistungsprinzip ansagen wollte. Es fehlt überhaupt jedwede Aussage, welche die Tora als Leistungsprinzip kennzeichnet. Auch mit der Zurückweisung des Ruhm- und Lohngedankens in Röm 4,1–8 (und an anderen Stellen) wird nicht ein ungebührlicher Leistungsanspruch angeprangert, sondern gerade die iustificatio impii veranschaulicht, die dem Frevler gilt, der „Werke" nicht aufzuweisen hat[23]. Die Tatsache, daß Paulus neben der Fluchfunktion, die er der Tora faktisch zuschreibt, auch deren (indirekte) Heilsfunktion zumindest prinzipiell aufrechterhält (vgl. Gal 3,12; Röm 2,13; 10,5), läßt wenigstens andeutungsweise noch erkennen, daß sich sein Toraverständnis strukturell im Rahmen des Bundesnomismus bewegt, wonach die Tora Ausdruck der göttlichen Erwählung bzw. des göttlichen Bundes ist. Allerdings stellt die *generelle* Fluchfunktion, die Paulus aufgrund des gekreuzigten Christus für die Tora faktisch konstatieren muß, ihn vor die Frage, ob er noch länger in der Tora und dem ihr zugehörigen Bundesgeschehen (am Sinai) die entscheidenden heilsgeschichtlichen Akte Gottes sehen darf. Tatsächlich zwingt die Ausnahmslosigkeit des von der Tora ausgesprochenen Fluches Paulus zu einer Neuqualifizierung des Sinaigeschehens und einer Neuakzentuierung der Heilsgeschichte[24].

---

[22] A.a.O. 127. Im letzten Fall geht es allerdings nicht um einzelne Übertretungen, die nach rabbinischer Auffassung ja gesühnt werden können, sondern um eine Verweigerung im Sinne eines grundsätzlichen Aufbegehrens gegen Gott, das vom Bund ausschließt.

[23] Röm 4,4 (τῷ δὲ ἐργαζομένῳ ὁ μισθὸς οὐ λογίζεται κατὰ χάριν ἀλλὰ κατὰ ὀφείλημα) ist zunächst als Bild zu verstehen, mit dem die Gnadenhaftigkeit der iustificatio impii profiliert werden soll. Es ist daher nicht statthaft, Röm 4,4 unmittelbar als Sachaussage über den Vorgang des Toragehorsams auszulegen. Will man den indirekten Zusammenhang, der aufgrund des Kontextes zweifellos gegeben ist, hervorheben, so bleibt zu berücksichtigen, daß die „Schuldigkeit", dergemäß der Lohn demjenigen, der Werke tut, anzurechnen ist, sich aus der von Gott gesetzten Bundesordnung bzw. der von ihm eingegangenen Bundesverpflichtung ergibt.

[24] Siehe dazu unten Kap. IV.

II. Der Fluchtod Christi als Sühnegeschehen und die Gerechtigkeit Gottes

Es wurde bereits deutlich, daß der Gedanke der allgemeinen Sündhaftigkeit keineswegs die Prämisse des paulinischen Denkens ist. Es handelt sich vielmehr um eine Konklusion aus der am Kreuz orientierten Christologie des Apostels. Nicht zufällig erscheint daher die Feststellung der allgemeinen Sündhaftigkeit in Röm 1,18–3,20 als die Negativseite der jetzt in Christus geoffenbarten „Gerechtigkeit Gottes" (vgl. Röm 1,16f; 3,21–31). In diesem Zusammenhang ist es fast schon eine Selbstverständlichkeit, daß auch die Rede von dem „für uns zum Fluch gewordenen" Christus (Gal 3,13) nicht nur negativ die allgemeine Sündhaftigkeit aufdeckt, sondern zugleich bzw. sogar zuallererst einen positiven Sinn haben muß. Darauf soll in diesem Kapitel eingegangen werden. Zuvor aber empfiehlt es sich, einige allgemeine Erwägungen begrifflicher und phänomenologischer Art anzustellen.

1. Allgemeine begriffliche und phänomenologische Erwägungen

Der Begriff der „Gerechtigkeit" (δικαιοσύνη) bzw. „Gerechtigkeit Gottes" (δικαιοσύνη θεοῦ), den Paulus zur Charakterisierung des Heils(geschehens) benutzt, hat mit der von uns gerne assoziierten iustitia distributiva kaum etwas zu tun. Überhaupt ist die griechisch-abendländische Tugendlehre ein eher hinderlicher Verstehenshorizont[25]. Traditionsgeschichtlich wird man wohl davon ausgehen müssen, daß der paulinische Begriff der „Gerechtigkeit Gottes" unter dem Einfluß apokalyptischen Denkens steht, wonach die göttliche Gerechtigkeit als wirksame Macht verstanden wird[26].

Von grundsätzlicher Bedeutung ist, daß der biblische Begriff der „Gerechtigkeit" (‚ṣædæq' bzw. ‚ṣ^{e}dāqā') immer ein personales Verhältnis voraussetzt, also mit Gemeinschaft bzw. dem sie begründenden und tragenden Geschehen zu tun hat. ‚ṣ^{e}dāqā' kann daher mit „Gemeinschaftstreue" oder auch (unter bestimmten Bedingungen) mit „Bundestreue" wiedergegeben werden[27]. Bezogen auf Gott heißt das in unserem Zusammenhang: Gott ist gerecht, sofern er der von ihm gestifteten Gemeinschaft und damit seiner Bundeszusage treu bleibt. Menschliche Gerechtigkeit erfordert in diesem Zusammenhang, daß der Mensch seinerseits dem von Gott gesetzten Gemeinschaftsverhältnis die Treue bewahrt, indem er dessen Ordnungen be-

---

[25] Vgl. dazu: U. Wilckens, Röm I 223–233.

[26] Vgl. E. Käsemann, Gottesgerechtigkeit bei Paulus, in: Ders., Exegetische Versuche und Besinnungen II, Göttingen ³1968, 181–193; P. Stuhlmacher, Gerechtigkeit Gottes; U. Wilckens, Röm I 212-222.

[27] Vgl. G. v. Rad, Theologie des Alten Testaments I, München ⁵1966, 382–395; K. Koch, Art. צדק *sdq* gemeinschaftstreu/heilvoll sein: THAT II 507–530.

jaht und einhält. Frühjüdisch ist es daher nicht verwunderlich, daß Paulus im Kontext der „Gerechtigkeit (Gottes)" auch auf die Bundesfrage zu sprechen kommt (vgl. Gal 3; 4; 2Kor 3; Röm 4; 9–11).

Im Duktus unserer bisherigen Überlegungen empfiehlt es sich an dieser Stelle, auf ein grundsätzliches Problem einzugehen, das sich in diesem Zusammenhang stellt. Wenn „Gerechtigkeit" als Verhältnisbegriff im Sinne der Gemeinschafts- oder Bundestreue zu fassen ist, dann ergibt sich ein eminent *theologisches* Problem für den Fall, daß Israel sich als nicht gerecht erweisen sollte. Denn der vom Gesetz ausgesprochene Fluch über diejenigen, die die Gesetzesforderungen nicht erfüllen (Dtn 27,26; vgl. Gal 3,10), hätte dann ja die theologisch höchst unangenehme Konsequenz, daß man an der Wirksamkeit des göttlichen Erwählungshandelns zweifeln könnte. Die göttliche Erwählung verlöre ihr Objekt, und die Treue bzw. Gerechtigkeit Gottes wäre ad absurdum geführt. Daß Paulus dieses Problem gesehen hat, zeigt Röm 3,3: „Wenn einige die Treue gebrochen haben, wird dann etwa ihre Untreue die Treue Gottes zunichte machen?" Das gleiche theologische Problem steht hinter Röm 11,1a, wo Paulus nach Feststellung des Ungehorsams Israels (Röm 10) fragt: „Hat Gott etwa sein Volk verworfen?". Das Problem als solches ist freilich kein exklusiv paulinisches, wie der kurze, mehr skizzenhafte Überblick im folgenden zeigt. Wir richten unser Augenmerk dabei lediglich auf einige nachexilische Strömungen bzw. auf zeitgenössische jüdische Gruppierungen und fragen, wie sie mit dem Problem von menschlicher Sünde und göttlicher Gerechtigkeit umgegangen sind, wobei es uns weniger um die Termini als um den Sachverhalt geht.

Exkurs: Die menschliche Sünde und die Gerechtigkeit Gottes in frühjüdischer Sicht

(1) In der *deuteronomistischen Tradition* wird die Gerichtssituation des Exils als permanente Situation Israels fortgeschrieben (vgl. Dtn 4,25–31; 28,45–68; 1Kön 8,46–53; Esra 9,6–15; Neh 1,5–11; 9,5–37; Dan 9,4–19)[28]. Das gegenwärtige Unheil kann als Fluch der Tora gewertet werden, den ein sündiges Israel auf sich gezogen und als gerechtes Gericht Gottes anzuerkennen hat (Gerichtsexhomologese; vgl. bes. Dan 9,4–19; Bar 1,15–3,8). Schon

---

[28] Die allgemein gehaltene Charakterisierung „deuteronomistisch", die bewußt auf weitere literarkritische und redaktionsgeschichtliche Differenzierungen (DtrH, DtrP, DtrN; u. ä.) verzichtet, soll hier lediglich eine überlieferungsgeschichtliche Tendenz angeben, die weit über das Alte Testament hinaus wirksam war. Vgl. dazu bes.: O. H. STECK, Israel und das gewaltsame Geschick der Propheten. Untersuchungen zur Überlieferung des deuteronomistischen Geschichtsbildes im Alten Testament, Spätjudentum und Urchristentum (WMANT 23), Neukirchen-Vluyn 1967.

in Dtn 28,15–68[29] wird der Fluch für den Ungehorsam bis in seine schrecklichsten Konsequenzen durchgespielt und selbst die Vernichtung Israels bis zum theologisch gerade noch erträglichen Minimalgedanken der Rettung einer Minderheit kalkuliert (bes. VV. 61–63)[30]. Insgesamt freilich ist die Aporie, die sich aus der Sünde Israels für die Treue Gottes ergibt, durch eine dezidierte Bundestheologie entschärft, in deren Zentrum der Sinai-Bund steht (Ex 19,3–8; 24,3f.6–8). Man vertraut auf die Treue Gottes zum Bund mit den Vätern (vgl. Dtn 4,31; 7,9; 9,5; u. ö.) und erhofft künftiges Heil als vergebende Tat Gottes nach dem Muster der Bundeserneuerung (Ex 34,9f.27f; nach Ex 32!). Das Heil ist wegen der Verkoppelung mit dem Bundesgedanken zwar an die Umkehr, und das heißt hier, an die Rückkehr zur Tora, gebunden; doch erhofft man die Umkehr selbst als Werk Gottes, der das Herz Israels beschneiden wird (Dtn 30,1–10; bes. V. 6). Ihre letzte Konsequenz findet diese Sicht dann im Gedanken des neuen Bundes, bei dem Gott das Gesetz Israel ins Herz schreiben wird (Jer 31,31–34). Letztlich ist es also Gott selbst, der mit seinem Erbarmen die Sündhaftigkeit Israels aufhebt[31].

(2a) Vom deuteronomistischen Denken ist auch die *pharisäisch-rabbinische Theologie* beeinflußt. Doch ist der Pharisäer trotz der mit der deuteronomistischen Tradition geteilten Gerichtsexhomologese stärker von der zuversichtlichen Gewißheit geleitet, daß die Tora nicht nur getan werden kann, sondern auch tatsächlich getan wird (vgl. die Äußerung des Paulus in Phil 3,6b). In diesem Zusammenhang spielt wohl auch die unter priesterlich-kultischem Einfluß stehende Auffassung eine Rolle, daß für alle Übertretungen Sühnemittel zur Verfügung stehen[32]. Diese wirken allerdings nicht aus sich, sondern sind an die Umkehr gebunden, die wiederum (gut deuteronomistisch) letztlich gnädige Gabe Gottes ist (vgl. XVIII-Gebet 5; aber auch schon Weish 11,23; 12,10.19–22; OrMan, bes. V. 7). Daß in diesem Konzept das Verhältnis von menschlicher Sünde und göttlicher Gerechtigkeit nicht zu einem ernsthaften Problem werden kann, liegt auf der Hand. Um so umstürzender mußte Paulus seinen Schritt empfinden, als er als Pharisäer sich genötigt sah, sich zu einem gekreuzigten Christus zu bekennen (vgl. Phil 3,7–11). Denn der am Kreuz offenbar gewordene Fluch der Tora über alle Menschen stellte sowohl die bisherige Einschätzung des Menschen (hinsichtlich der faktischen Erfüllung der Tora) als auch die bisherige Ein-

---

[29] Dan 9,4–19 und Bar 1,15–2,10 beziehen sich zum Teil direkt darauf zurück.

[30] Vgl. dazu auch Lev 26,14–38, wo wir es wohl mit einer priesterlichen Variante bzw. Rezeption der deuteronomistischen Fluchausführungen (der sog. Tochecha) zu tun haben; vgl. O. H. STECK, a.a.O. 141f Anm. 4.

[31] Mit Blick auf Paulus vgl. etwa Dan 9,18b: „Nicht im Vertrauen auf unsere guten Taten (ἐπὶ ταῖς δικαιοσύναις ἡμῶν: LXX; Theod.) legen wir dir unsere Bitten vor, sondern im Vertrauen auf dein großes Erbarmen."

[32] Vgl. dazu: E. P. SANDERS, Paulus 147–172. Zum priesterlich-kultischen Einfluß siehe unten (2b).

schätzung der Tora selbst (hinsichtlich der Suffizienz der in ihr enthaltenen Sühnemittel bezüglich eines offensichtlich doch sündigen Menschen) ernsthaft in Frage.

(3) Konsequent ernst genommen und sogar radikal verschärft ist der Gedanke der Sündhaftigkeit Israels im *apokalyptischen Denken*[33]. Das eklatanteste Beispiel begegnet uns in der Zehnwochen-Apokalypse (äthHen 92,1; 93,3b–10; 91,11–17). Ihrer Darstellung zufolge driftet die Geschichte Israels immer mehr ins Unheil ab. Für die sechste Woche, die die Zeit von der Errichtung des ersten Tempels bis zum Exil umfaßt, stellt der Verfasser fest: „. . . alle in ihr Lebenden (werden) erblinden, und aller Herzen werden gottlos die Weisheit verlassen. . . An ihrem Ende wird das Heiligtum mit Feuer verbrannt und das ganze Geschlecht der auserwählten Wurzel zerstreut werden" (äthHen 93,8)[34]. Das Fazit zur siebten Woche, die sich bis in die Gegenwart erstreckt, lautet ganz lapidar: „. . . ein abtrünniges Geschlecht (wird sich) erheben; zahlreich werden seine Taten sein, und alle seine Taten werden Abfall sein" (äthHen 93,9). Israel partizipiert damit am Frevel, der ab der zweiten Woche die Menschheitsgeschichte insgesamt charakterisiert (äthHen 93,4). Ein künftiges Heil in Verlängerung der geschichtlichen Kontinuität Israels ist überhaupt nicht mehr in Sicht[35]. Es bedarf vielmehr, in der formalen Struktur der Vorstellung der paulinischen Sicht vergleichbar, eines neuen, eschatologischen Erwählungshandelns Gottes: „An ihrem Ende (d. i. am Ende der siebten Woche) werden die Erwählten zu Zeugen der Gerechtigkeit aus der ewigen Pflanzung der Gerechtigkeit auserwählt werden" (äthHen 93,10). In diesem Satz artikuliert sich das Selbstverständnis der hinter der Zehnwochen-Apokalypse stehenden Gruppe, die vor dem Hintergrund eines insgesamt frevelhaften Geschichtsgebarens Israels im Glauben an das eschatologische Erwählungshandeln Gottes an dessen Treue festhält. Allerdings sollte man auch nicht übersehen, daß wie bei Paulus beides – eschatologische Erwählung und allgemeine Sündhaftigkeit – in Wechselbeziehung zueinander stehen und das negative Urteil der allgemeinen Sündhaftigkeit aus dem Binnenraum der Erwählung heraus gesprochen ist, und das heißt wohl, aus dem eschatologischen Wissen der Erwählung erschlossen ist. Weiterhin stimmt die Zehnwochen-Apokalypse mit Paulus darin überein, daß die jetzt ergehende eschatologische Erwählung in Analogie zur Erwählung Abrahams verstanden wird, von dem es heißt: „Danach wird – am Ende der dritten Woche – ein Mann als Pflanze der rechten Satzung erwählt werden, und nach ihm wird die ewige Pflanzung der Gerechtigkeit hervorgehen" (äthHen 93,5). Diese Sicht ist wahrscheinlich

---

[33] Vgl. dazu bes. K. MÜLLER, Art. Apokalyptik/Apokalypsen III. Die jüdische Apokalyptik. Anfänge und Merkmale, in: TRE III 202–251.

[34] Übersetzung hier wie im folgenden nach F. DEXINGER, Henochs Zehnwochenapokalypse und offene Probleme der Apokalyptikforschung (StPB 29), Leiden 1977, 178 f.

[35] Das „Grundaxiom" der frühjüdischen Apokalyptik besteht nach K. MÜLLER, a.a.O. 212, in der „wesentlichen Beziehungslosigkeit zwischen Geschichte und Erlösung".

ein Erbe priesterschriftlicher Tradition. Schon Walther ZIMMERLI bemerkte jedenfalls, daß in der Priesterschrift die „Begründung des Bundesstandes in den Abrahambund zurückverlegt" wird[36]. Entsprechend sind die Weisungen der Mose-Tora (insbesondere der Dekalog) schon präfiguriert in den Forderungen des Abrahamsbundes (Gen 17,1 als Vorwegnahme der sog. ersten Tafel) bzw. des Noachbundes (Gen 9,6 als Vorwegnahme der sog. zweiten Tafel)[37]. Unter dieser Rücksicht dürfte es auch kein Zufall sein, daß die Zehnwochen-Apokalypse das noachitische „Gesetz für die Sünder" betont[38] und wie die Priesterschrift von der Verderbtheit des Menschen ausgeht (äthHen 93,4)[39]. „Gerechtigkeit" ist dagegen gebunden an Abraham, der als „Pflanze der rechten Satzung"[40] vorgestellt wird. Die Mose-Tora wird als „Gesetz für alle kommenden Geschlechter" bezeichnet (äthHen 93,6), spielt aber in der Folge keine positive Rolle mehr. Fast scheint es, daß sie – wie bei Paulus – die Funktion hat, das Ausmaß der alsbald einsetzenden Sünde zu vermessen (vgl. äthHen 93,8f). Im übrigen übersteigt die Weisheit, die den Erwählten zuteil wird, offenbar die Mose-Tora, denn ihnen wird „siebenfache Weisheit und Kenntnis übergeben" (äthHen 93,10). Gemeint damit ist wohl vollendete Einsicht in die Schöpfungsordnung[41], die für die Träger der Henoch-Tradition den umfassenderen Rahmen der Mose-Tora dargestellt haben dürfte[42]. Inwieweit das eschatologische Heil auch kultische Dimensionen hat, kann hier nicht näher untersucht werden. Doch ist es immerhin bemerkenswert, daß der neue „Tempel der Königsherrschaft des Großen" ausdrücklich erwähnt wird (äthHen 91,13)[43]. Im Blick auf Paulus dürfte die Zehnwochen-Apokalypse sehr aufschlußreich sein. Denn wenn man von der für Paulus gewiß entscheidenden Christologie einmal

---

[36] W. ZIMMERLI, Sinaibund und Abrahambund. Ein Beitrag zum Verständnis der Priesterschrift (1960), in: DERS., Gottes Offenbarung. Gesammelte Aufsätze zum Alten Testament, München 1963, 205–216, hier 215.

[37] Vgl. dazu W. H. SCHMIDT, Nachwirkungen prophetischer Botschaft in der Priesterschrift, in: A. CAQUOT u. a. (Hrsg.), Mélanges bibliques et orientaux. FS M. M. DELCOR (AOAT 215), Kevelaer – Neukirchen-Vluyn 1985, 369–377, hier 374–376.

[38] Zu denken ist wohl an Gen 9,6 bzw. 9,12 (vgl. Gen 8,21 J). Das äthiopische ‚serʿata‘ kann sowohl „Gesetz" wie „Bund" bedeuten; vgl. F. DEXINGER, Zehnwochenapokalypse (Anm. 34) 124.128.

[39] Der aramäische Text läßt bis in die Formulierung hinein (‚šqrʾ wḥms‘) an Gen 6,11–13 (‚ḥms‘) denken. Zum aramäischen Text vgl. K. BEYER, Die aramäischen Texte vom Toten Meer, Göttingen 1984, 247f.

[40] Das äthiopische ‚kuěnane šěděq‘ ist hebräisch wohl mit ‚mšpṭ ṣdq‘ wiederzugeben, meint also eigentlich „Gericht" bzw. „Satzung der Gerechtigkeit"; vgl. F. DEXINGER, Zehnwochenapokalypse (Anm. 34) 150–170.

[41] Die äthiopische Version liest bezeichnenderweise: „siebenfache Belehrung über seine ganze Schöpfung".

[42] Vgl. M. LIMBECK, Die Ordnung des Heils. Untersuchungen zum Gesetzesverständnis des Frühjudentums, Düsseldorf 1971, 63–72.

[43] Bemerkenswert ist auch die Darstellung des Sinai-Geschehens: „... und ein Gesetz wird für alle kommenden Geschlechter und das Heilige Zelt für sie hergestellt werden" (äthHen 93,6).

absieht, begegnet uns in der Zehnwochen-Apokalypse eine theologische
Konzeption, die mit der des Paulus strukturell durchaus verwandt ist und
diese in das breite Spektrum frühjüdischen Theologisierens weit nachdrück-
licher einzubetten erlaubt, als dies meist geschieht.

(4) Eine nahezu perfekte Antwort auf das Problem von menschlicher
Sünde und göttlicher Gerechtigkeit hält die _priesterliche Tradition_ bereit.
Allerdings sind wir über die Auffassungen ihrer zeitgenössischen Vertreter,
der _Sadduzäer_[44], nur unzulänglich unterrichtet. In unserem Zusammenhang
ist besonders interessant, daß schon die Priesterschrift von einer allgemeinen
Sündhaftigkeit, ja Verderbtheit des Menschen ausgeht. Dieses Urteil gilt
sowohl hinsichtlich des Menschen in genere (vgl. Gen 6,11 f: ... κατέφθειρεν
πᾶσα σὰρξ τὴν ὁδὸν αὐτοῦ ...) als auch in bezug auf Israel. Mit Walther ZIMMER-
LI wird meist sogar vermutet, daß der auffällige Verzicht der Priesterschrift,
das Sinaigeschehen als Bund zu würdigen, mit der Einsicht zusammenhängt, „daß Israel in diesem Bund nur zerbrechen und unter das Gericht
geraten konnte"[45]. Dagegen wird die Zusage Gottes an Noach (Gen 9) und
Abraham (Gen 17) als Bund gedeutet. Beide Male handelt es sich um
Verheißungen, wobei die vom menschlichen Fehlverhalten unabhängige Un-
verbrüchlichkeit der göttlichen Selbstverpflichtung in Gen 9,11–17 besonders deutlich hervortritt. Doch stellt auch der Abrahamsbund in Gen 17 keine
Bedingungen, wenngleich mit ihm das Zeichen der Beschneidung verbunden ist (Gen 17,9–14) und in Gen 17,1 die Forderung der ersten Tafel des
Dekalogs vorweggenommen wird[46]. Ob in der Tradition der Priester diese
Bundestheologie in reiner Form beibehalten wurde, mag man füglich bezweifeln. Gerade im Zuge der Pentateuchredaktion wird man mit einer
vielfältigen Vermengung mit deuteronomistischen und anderen Gedanken-
gängen zu rechnen haben. Konstitutiv für jedwede priesterliche Tradition
blieb aber die Überzeugung, daß die Sinaioffenbarung der Kultbegründung
diente. Schon für die Priesterschrift war ja mit der Verlagerung des Bundes-
schlusses in die Noach- bzw. Abrahamsgeschichte keine Abwertung des
Sinaigeschehens verbunden. Am Sinai erfüllte sich vielmehr in der Stiftung
des Kultes die dem Abraham gegebene Verheißung von Gen 17,7b.8b[47]. Mit
dem Kult aber war die Möglichkeit der Sühne gegeben, die nach priesterschriftlicher und allgemein priesterlicher Sicht[48] gleichsam das göttliche

---

[44] Zu den ebenfalls priesterlichen Qumran-Essenern siehe unten (5).

[45] W. ZIMMERLI, Sinaibund (Anm. 36) 214; vgl. 215 f: „Der Sinaibund in seiner alten Gestalt ist
      P als Grundlage des Gottesverhältnisses fraglich geworden. ... Die Proklamation des
      Gottesrechtes und die daraufhin erfolgende Bundesschließung unter den Möglichkeiten
      von Segen und Fluch ist verdrängt. An seine Stelle ist die große Stiftung des Gottesdienstes,
      in welcher Gott seine Bundeszusage an Abraham einlöst, getreten."

[46] Siehe oben unter (3).

[47] Siehe dazu unten den Exkurs zu Beginn des Kap. IV.

[48] Ähnlich wie in Anm. 28 geht es auch hier nicht um die literarkritische und redaktionsge-
      schichtliche Problematik, sondern um die priester(schrift)liche Überlieferungstendenz, die
      sich u. a. durch die Einbeziehung weiterer kultischer Traditionen in den Pentateuch Aus-

Pendant zur menschlichen Sünde darstellte[49]. Solange durch den Kultvollzug (am Jerusalemer Tempel) die Verfehlungen des einzelnen wie des Volkes gesühnt wurden, konnte selbst ein sündiges Israel keinen Zweifel an der Treue Gottes aufkommen lassen. Der Kult war die von Gott selbst geschaffene Institution zur ständigen Heiligung Israels.

(2b) Die Idee des Kultes als von Gott geschenkter Möglichkeit der Entsühnung, Reinigung und Heiligung wird auch von den *Pharisäern* aufgegriffen. Die Querelen um die Legitimität des Hohenpriesteramtes zu Beginn und während der Hasmonäerherrschaft haben dabei sicherlich die Rezeption beschleunigt. Doch zielen die Pharisäer nicht wie die gleich zu besprechenden Qumran-Essener auf einen Kultersatz ab. Sie wollen vielmehr, wie Jacob NEUSNER herausgestellt hat, das alltägliche Leben in Analogie zum Kult gestalten[50]. Das Haus und der häusliche Tisch werden zum Analogon von Tempel und Altar: Für die Pharisäer „war der Tempel ein Ideal, das außerhalb des Tempelbezirks verwirklicht werden mußte. Der Kult stellte ein transzendentes Ziel dar, das nur jenseits der Tempeltore erreicht werden konnte. Damit wurden die Vorstellungen der Priesterschrift in all ihrer philosophischen Gründlichkeit und religiösen Tiefe erfaßt und auf einer neuen Bedeutungsebene erforscht. Ob Priester oder Laien, ... die Menschen, die das mischnische System der Reinheit hervorbrachten, hatten alle dasselbe Ziel: die Heiligung des Lebens in Israel, indem sie das Profane heiligen, das Unreine rein machen wollten."[51] Diese für das pharisäische System sehr bezeichnende Kultanalogie, die dem Toragehorsam nahezu kultische Qualität verlieh, dürfte ganz wesentlich dazu beigetragen haben, daß die Pharisäer – ähnlich wie die priesterliche Tradition – in der menschlichen Sünde kaum eine grundsätzliche Aporie für die Bundestreue Gottes sehen konnten.

(5) Viel heftiger mußte sich das Problem der (priesterlichen) *Qumran-Sekte* stellen, die von der Illegitimität und damit Wirkungslosigkeit des Jerusalemer Kultes ausging. Der hasmonäisch verwaltete bzw. usurpierte Tempelkult konnte von der Qumran-Gemeinde nur als Signum einer totalen Sündhaftigkeit Israels gedeutet werden. Die priesterliche Idee vom Kult, der durch seinen Vollzug permanent Sühne bewirkte, geriet selbst in das Gefälle einer apokalyptischen Unheilsgeschichte. Es ist interessant, daß gerade im Kontext eines derartigen Sündenbewußtseins (vgl. 1QS 1,22–26; 11,16f; 1QH 4,34f; u. ö.) der Gedanke der Rechtfertigung allein aus Gnade lebendig wird, und zwar in einer Klarheit, die der paulinischen Ausdrucksweise kaum

---

druck verschafft; vgl. vor allem die Opfertora Lev 1–7, die Reinheitstora Lev 11–15 und das Heiligkeitsgesetz Lev 17–26.

[49] Zum Sühneverständnis siehe unten den Exkurs in Kap. II/2.

[50] Vgl. bes. J. NEUSNER, Geschichte und Reinheit im Judentum des 1. Jahrhunderts n. Chr., in: DERS., Das pharisäische und talmudische Judentum. Neue Wege zu seinem Verständnis (Texte und Studien zum Antiken Judentum 4), Tübingen 1984, 74–92.

[51] A.a.O. 86.

nachsteht: „Doch ich gehöre zur frevlen Menschheit und zur Menge des sündigen Fleisches. Meine Sünden, mein Abfall, mein Vergehen mit meines Herzens Verkehrtheit (entsprechen) der wurmfraßverfallenen Menge und denen, die in Finsternis wandeln. Denn [nicht] beim Menschen (liegt) sein Weg und nicht der Mensch bestimmt seinen Schritt, vielmehr bei Gott (liegt) der Entscheid, aus Seiner Hand (kommt) vollkommener Wandel und mit Seinem Wissen alles Geschehen. Alles, was ist, bestimmt er durch Seinen Plan und ohne Ihn geschieht es nicht. Und ich, wenn ich wanke – Gottes Gnadenerweise sind meine Hilfe für immer! Wenn ich strauchle durch Schuld des Fleisches, bleibt meine Rechtfertigung durch Gottes Gerechtigkeit (‚mišpāṭî bᵉṣidqaṯ ʾelʿ) (doch) für die Dauer bestehen, wenn Er meine Bedrängnis löst und mich aus Verderben errettet, meinen Fuß nach dem Wege lenkt, in Seinem Erbarmen mich nahen läßt. Durch Seine Gnade kommt meine Rechtfertigung, in Seiner wahren Gerechtigkeit (‚bᵉṣidqaṯ ʾᵃmitôʿ) richtet Er mich. In der Fülle Seiner Güte entsühnt Er alle meine Vergehen und durch Seine Gerechtigkeit (‚bᵉṣidqāṯôʿ) reinigt Er mich von menschlicher Unreinheit und der Sünde der Menschen, Gott (für) Seine Gerechtigkeit zu preisen und dem Höchsten Seine Herrlichkeit!" (1QS 11,9–15)[52].

Dahinter steht ganz deutlich die theologische Überzeugung, daß Gottes Treue und Gerechtigkeit durch menschliche Bosheit nicht tangiert werden können, so daß Gottes Gerechtigkeit sich als seine Güte erweist. Dieses grenzenlose Zutrauen zur Treue Gottes stützt sich zum einen auf die (deuteronomistische) Bundestheologie[53]. Den tragenden Grund und die inhaltliche Füllung einer so verstandenen Gerechtigkeit Gottes bildet aber, wie schon die letzten Zeilen des zitierten Textes erkennen lassen, die Idee kultischer Sühne. Konkret geschieht diese Sühne im (rituell geregelten) Lebensvollzug der Gemeinde, welche die von den Priestern beim Tempeldienst beobachtete und auf Reinheit bedachte Gemeinschaftsform (‚jāḥadʿ = „Einung") zu ihrer permanenten Lebensform erhoben hat. Nach eigenem Selbstverständnis steht die Gemeinde der „Einung" in Verbindung mit der himmlischen Welt der Engel und dem dort vollzogenen Kult (vgl. 1QS 11,7f)[54]. Im Rahmen ihres apokalyptischen Deutehorizontes kann sie somit das eschatologische Heil als in ihr schon gegenwärtig betrachten[55]. Die Gemeinde selbst ist daher das wahre Heiligtum[56], das den Jerusalemer

---

[52] Übersetzung nach J. MAIER, Texte I (Anm. 9) 44 f.

[53] Vgl. die Bezeichnung „neuer Bund" in CD 6,19; 8,21; 19,33; 20,12; 1QpHab 2,3; weiter: 1QM 13,7; 14,4.8.10; 17,7; 18,7 f; 1QH 4,18 f.23 f; 5,23; 7,20; 1QS 2,12.18; 4,22; 5,11.18; u. ö. Zu dem (keineswegs im Vordergrund stehenden) deuteronomistischen Geschichtsbild in Qumran vgl. O. H. STECK, Israel (Anm. 28) 116–119. 165–170.

[54] Weiteres bei J. MAIER, Texte II (Anm. 9) 77–79.

[55] Vgl. H.-W. KUHN, Enderwartung und gegenwärtiges Heil. Untersuchungen zu den Gemeindeliedern von Qumran (StUNT 4), Göttingen 1966, 181–188.

[56] Vgl. J. MAIER, Texte II (Anm. 9) 93 f.

Tempel ersetzt. Im Gehorsam gegen die Tora, die ohnehin und besonders nach priesterlichem Verständnis überwiegend Kulttora ist, vollzieht die Gemeinde von Qumran den rechten Kult. Sie ist der wahre Täter des Gesetzes (vgl. 1QpHab 8,1–3). Der Rechtfertigung sola gratia entspricht daher auf menschlicher Seite ein sola lege im Sinne der Befähigung zum wahren Toragehorsam.

Damit können wir unsere Übersicht abschließen. Festzuhalten bleibt: Je radikaler die menschliche Sündhaftigkeit und Unheiligkeit gedacht wird, um so energischer rechnet man mit einem eschatologischen oder bereits gegenwärtigen Heilshandeln Gottes. Dieses geschieht nicht aufgrund menschlicher Vorleistungen, sondern aufgrund göttlichen Erbarmens. Angesichts des menschlichen Versagens kann der Gedanke der Bundestreue bzw. Gerechtigkeit Gottes offensichtlich gar nicht anders aufrecht erhalten werden. Bemerkenswert ist ferner, daß die gnadenhafte Rechtfertigung bzw. Heiligung des Sünders meist als direkt oder indirekt kultischer Vollzug begriffen wird. Ob sich dies bei Paulus ähnlich verhält, bleibt noch zu prüfen.

2. Der Kreuzestod Christi als Sühnegeschehen

In jedem Fall bewegt sich Paulus grundsätzlich im Rahmen alttestamentlich-frühjüdischer Denkstrukturen, wenn er den Gedanken der allgemeinen Sündhaftigkeit im Kontext einer Rechtfertigung sola gratia entwickelt. Frühjüdisch gesehen, ist die Gerechtigkeit Gottes, die jetzt offenbar wird (vgl. Röm 1,17; 3,21), dann als Gottes Bundestreue zu begreifen. Konkret denkt Paulus daran, daß Gott seiner Verheißung, die er Abraham und in ihm auch den Heiden gegeben hat (vgl. 3,8.14; Röm 4,17), treu bleibt und die (glaubenden) Sünder „geschenkweise durch seine Gnade" rechtfertigt (Röm 3,24). Die Frage aber ist: Was ist der Grund für dieses Verständnis von Gerechtigkeit Gottes? Handelt es sich nur um die positive Seite einer aus dem Fluchtod Christi erschlossenen allgemeinen Sündhaftigkeit, um eine Konklusion, die um des Gottseins Gottes willen nötig ist? Oder ist die Rechtfertigung sola gratia bereits in der Aussage, daß „Christus für uns zum Fluch geworden ist" (Gal 3,13), eingeschlossen, so daß in dieser Aussage die Gerechtigkeit Gottes selbst positiv zum Zuge kommt?

Eine erste Antwort ist einfach. Denn selbstverständlich deklariert die Aussage, daß „Christus... für uns zum Fluch geworden ist", nicht nur den Repräsentanten einer insgesamt verfluchten Menschheit, sondern macht zugleich eine Heilsaussage. Das ergibt sich schon aus dem *Stellvertretungsgedanken*, der nur sinnvoll ist, wenn der Tod, der *an Stelle* eines anderen gestorben wird, zugleich *zugunsten* des anderen bzw. dem anderen *zugute* erlitten wird. Dabei ist es für uns nur von relativer Bedeutung, ob die urchristliche Aussage vom stellvertretenden Tod Jesu schon im aramäisch sprechenden Judenchristentum heimisch war oder erst durch Vermittlung des hellenistischen Judentums aufkam (vgl. 2Makk 7,37f; 4Makk 6,27–29; 17,21f), das seinerseits wieder unter dem Einfluß griechischer Ideen stand[57]. Wahrscheinlich ist die Alternative sogar falsch gestellt. Denn immerhin ist der Stellvertretungsgedanke bereits alttestamentlich vorbereitet und auch frühjüdisch (palästinisch) nicht gänzlich unmöglich[58]. Das Alte Testament kennt vergleichbare Vorstellungen in bezug auf das Prophetenamt (vgl. bes. Ez 4,4–8), vor allem aber im Kontext des deuteronomistischen Mosebildes und des Gottesknechtes von Jes 53[59].

Daß das Urchristentum ein besonderes Interesse an Jes 53 hatte, zeigen u. a. die Abendmahlsparadosis (vgl. Mk 14,24) und die Aussage vom „Sterben für unsere Sünden" (1Kor 15,3b; vgl. Röm 4,25; Gal 1,4)[60]. Paulus rezipiert diese bereits traditionelle christliche Vorstellung ohne Abstriche. Im Kontext des Galaterbriefes sei nur an Gal 1,4 und 2,20 erinnert. Im Blick auf Gal 3,13 aber ist bemerkenswert, daß der Stellvertretungsgedanke durch die Ernstnahme des *Kreuzes*todes in einer ganz bestimmten Weise akzentuiert wird. In seiner (von Jes 53 her) geläufigen Form ist der Stellvertretungsgedanke mit dem Leiden und Sterben des Gerechten verknüpft. Ein Gerechter tritt in der Weise an die Stelle der Sünder, daß er deren Sünden bzw. Schuld übernimmt. Der Gottesknecht von Jes 52,13–53,12 nimmt die Schuld der vielen auf sich (V. 11) und trägt die Sünden der vielen (V. 12). Wegen unserer Verbrechen und Sünden wird er mißhandelt (V. 5; vgl. V. 8). Auf ihm liegt die Strafe (V. 5), all unsere Sünden warf der Herr auf ihn (V. 6). In der letztlich tödlichen Züchtigung, die ihn trifft (VV. 7f), erleidet er demnach das Geschick der Sünder. Es fällt jedoch auf, daß der Text eine Identifizierung des Gottesknechtes mit den Sündern nicht bzw. nur indirekt über das falsche(!) Urteil der Menschen (vgl. bes. V. 4b) herstellt, die ihm bei den Gottlosen sein Grab geben (V. 9a) und ihn zu den Verbrechern rechnen (V. 12). Im wesentlichen operiert der Text mit dem Gedanken der Ersatzleistung, wonach ein *Gerechter* sein Leben zur Ableistung der Schuldverpflich-

---

[57] Für ersteres plädiert E. Lohse, Märtyrer und Gottesknecht. Untersuchungen zur urchristlichen Verkündigung vom Sühntod Jesu Christi (FRLANT 64), Göttingen ²1963, für letzteres K. Wengst, Christologische Formeln und Lieder des Urchristentums (StUNT 7), Gütersloh 1972, 62–71. Zur Sache siehe auch den Beitrag „Der Tod Jesu als stellvertretender Sühnetod" in diesem Band.

[58] M. Hengel, Der stellvertretende Sühnetod Jesu. Ein Beitrag zur Entstehung des urchristlichen Kerygmas: IKaZ 9 (1980) 1–25. 135–147, hier 136–141 (= Ders., Atonement 57–65); vgl. Bill. II 274–282.537; III 260f; A. Schlatter, Der Evangelist Matthäus. Seine Sprache, sein Ziel, seine Selbständigkeit, Stuttgart ⁶1963, 602.

[59] Vgl. dazu: J. Scharbert, Heilsmittler im Alten Testament und im Alten Orient (QD 23/24), Freiburg – Basel – Wien 1964, 81–99. 178–212.

[60] Die Kurzform „Sterben für uns" (Röm 5,8; 1Thess 5,10; vgl. 1Kor 8,11; Röm 14,15; Eph 5,2.25; Tit 2,14; 1Petr 2,21) dürfte sich sekundär unter griechisch-hellenistischem bzw. hellenistisch-jüdischem Einfluß gebildet haben; vgl. dazu: K. Wengst, Formeln (Anm. 57) 62–71. Vgl. auch Anm. 85.

tung ('āšām')[61] der Sünder einsetzt (VV. 10.12). Die Gerechtigkeit des Knechtes ist für die Logik dieses Gedankengangs von entscheidender Bedeutung und wird daher auch gebührend betont (VV. 9b.11).

Explizit ist diese Sicht am klarsten in 1Petr 2,21–25 (bes. V. 22) – unter eindeutiger Bezugnahme auf Jes 53 – aufgegriffen. Selbstverständlich teilt auch Paulus die Vorstellung von der Gerechtigkeit und Sündenlosigkeit Jesu Christi[62]. In 2Kor 5,21a betont er sogar ausdrücklich, daß der für uns eingetretene Christus selbst „die Sünde nicht kannte". Dennoch will hier wie in Gal 3,13 beachtet sein, daß Paulus den Stellvertretungsgedanken in einer eigentümlich spezifischen Weise artikuliert, indem er den (gerechten) Christus nicht nur die Schuld bzw. die Sünden der Sünder auf sich nehmen und an sich zur Auswirkung kommen läßt. Christus übernimmt vielmehr selbst die *Identität der Sünder*, indem er – als deren Repräsentant – zum „Fluch", d. h. zum Verfluchten, wird[63] bzw. (von Gott selbst!) zur „Sünde" gemacht wird. Diese Darstellung ist bei Paulus natürlich von der genannten Auslegungstradition von Dtn 21,23 angeregt, wonach der Gekreuzigte ein Verfluchter ist[64].

Zu fragen bleibt, was diese Variation des Stellvertretungsgedankens für dessen Verständnis als Heilsaussage bedeutet. Handelt es sich lediglich um eine unter der Hermeneutik von Dtn 21,23 stehende Verschärfung des ansonsten mit dem Leiden des Gerechten verbundenen Stellvertretungsgedankens oder gerät dieser durch die Einbeziehung des Fluchtodes in einen neuen Deutehorizont? Religionsgeschichtlich sind in diesem Zusammenhang vor allem jene Vorstellungen von Relevanz, die selbst die Stellvertretung im Sinne der Identität verstehen. Einen ersten Hinweis erhalten wir aus Ex 32,30–32, wo Mose durch interzessorisches Sühnehandeln für sein Volk Vergebung der Sünden erwirken und für den Fall, daß Gott keine Sündenvergebung gewährt, selbst aus dem Buch Gottes getilgt werden will[65]. Eine wirkliche Sachanalogie findet sich m. E. aber allein im Kontext des Kultes, dem nachexilisch hauptsächlich sühnende Funktion beigemessen wird.

---

[61] Vgl. dazu: R. KNIERIM, Art. אשם *'āšām* Schuldverpflichtung, in: THAT I 251–257. Ob Jes 53 direkt oder indirekt auf kultische Zusammenhänge, konkret auf das Schuldopfer von Lev 5,14ff zurückgreift, ist umstritten. Für kultischen Hintergrund plädieren z. B.: R. RENDTORFF, Studien zur Geschichte des Opfers im alten Israel (WMANT 24), Neukirchen-Vluyn 1967, 207–212; K. KOCH, Sühne und Sündenvergebung um die Wende von der exilischen zur nachexilischen Zeit: EvTh 26 (1966) 217–239, hier 235; skeptisch ist: O. H. STECK, Aspekte des Gottesknechts in Jes 52,13–53,12: ZAW 97 (1985) 36–58, hier 53.

[62] Zum leidenden Gerechten bei Paulus vgl. K. Th. KLEINKNECHT, Der leidende Gerechtfertigte. Die alttestamentlich-jüdische Tradition vom ‚leidenden Gerechten' und ihre Rezeption bei Paulus (WUNT: Reihe 2; 13), Tübingen 1984.

[63] Zum abstractum pro concreto vgl. Jer 24,9; 42,18; Sach 8,13, sowie: F. BÜCHSEL, Art. *ἀρά κτλ.*, in: ThWNT I 449–452, hier 450f.

[64] Siehe oben den Exkurs „Bedeutung und Wertung des Kreuzestodes in der antiken Welt" in Kap. I/2.

[65] Vgl. B. JANOWSKI, Sühne 142–145.175f.

Exkurs: Kultische Sühne im Alten Testament[66]

Zunächst gilt es, sich von dem hartnäckigen Vorurteil freizumachen, wonach Opfer und Sühneriten magische Vorgänge oder menschliche Leistungen zur Besänftigung der Gottheit seien. Aufgrund einer eingehenden Untersuchung der einschlägigen Texte stellt Bernd JANOWSKI fest: „Sühne ist... kein vom Menschen ausgehender Akt der ‚Selbsterlösung‘ (oder gar der Versöhnung, Beschwichtigung Gottes), sondern *die von Gott her ermöglichte,* im kultischen Geschehen Wirklichkeit werdende und hier dem Menschen zugute kommende *Aufhebung des Sünde-Unheil-Zusammenhangs.*"[67] Wichtig in diesem Zusammenhang ist der Befund, daß der Priester, der das Sühne-(‚kippær‘-)Handeln vollzieht, nur kultischer Mittler ist, während das eigentliche Subjekt, das die Sühne wirkt, Jahwe selbst ist[68]. Besonders aufschlußreich für unsere Fragestellung ist das Ritual der Sündopfer (‚ḥaṭṭāᵓt‘) in Lev 4,1 – 5,13 und Lev 16 (großer Versöhnungstag). Konstitutive Akte der Sündopfer sind die Handaufstemmung[69] und die Blutapplikation, bei der wiederum zwischen kleinem und großem Blutritus[70] zu unterscheiden ist[71]. Die Handaufstemmung hat in diesem Kontext wohl nicht die Funktion der Sündenübertragung wie beim Sündenbock-Ritus (Lev 16,21 f)[72], sondern die der *„Identifizierung des Sünders mit dem in den Tod gehenden Opfertier...*: Weil der Opfernde durch das Aufstemmen seiner Hand auf das sterbende Opfertier an dessen Tod realiter partizipiert, indem er sich durch diesen symbolischen Gestus mit dem sterbenden Tier identifiziert, geht es in dem Tod des Opfertieres um den eigenen, von dem sterbenden Opfertier stellvertretend übernommenen Tod des Sünders. Darum ist das Wesentliche in der kultischen Stellvertretung nicht die Übertragung der *materia peccans* auf einen rituellen Unheilsträger und dessen anschließende Beseitigung, sondern *die im Tod des Opfertieres,* in den der Sünder hineingenommen wird, indem er sich mit diesem Lebewesen durch die Handaufstemmung identifiziert, *symbolisch sich vollziehende Lebenshingabe des homo peccator.*"[73] Die demgegenüber von Rolf RENDTORFF favorisierte Deutung

---

[66] Vgl. dazu: K. KOCH, Sühne (Anm. 61); U. WILCKENS, Röm I 233–243; H. GESE, Die Sühne, in: DERS., Theologie 85–106; und vor allem: B. JANOWSKI, Sühne.

[67] B. JANOWSKI, Sühne 359.

[68] Vgl. den Zusammenhang von priesterlichem Sühnehandeln und göttlicher Vergebung in Lev 4,20.26.31.35; 5,10.13.16.18.26; 19,22; Num 15,25.28; zur Sache: B. JANOWSKI, Sühne 249–265.

[69] Lev 4,4.15.24.29.33; vgl. Lev 1,4; 3,2.8.13; 8,14.18.22; Ex 29,10.15.19; Num 8,12; 2Chr 29,23.

[70] Zum kleinen Blutritus siehe Lev 4,25.30.34 (vgl. Lev 8,15; 9,9; Ex 29,12; 2Chr 29,14), zum großen Blutritus siehe Lev 4,5–7.16–18; 16,14f (vgl. Lev 6,23).

[71] Zur Sache vgl. B. JANOWSKI, Sühne 198–242.

[72] Gegen K. KOCH, Sühne (Anm. 61) 228–231; U. WILCKENS, Röm I 237. Zum Sündenbock-Ritus als Eliminationsritus vgl. B. JANOWSKI, Sühne 205–215.

[73] B. JANOWSKI, Sühne 359 (zur sachlichen Grundlegung: ebd. 215–221); vgl. H. GESE, Sühne (Anm. 66) 95–97.

der Handaufstemmung im Sinne einer Deklaration des Besitzrechtes[74] stellt
m. E. keine Alternative zur Deutung JANOWSKIS dar bzw. muß dieser nicht
widersprechen. Die eigentliche sühnende Wirkung der Sündopfer ergibt
sich bzw. erschließt sich aus dem damit verbundenen Blutritus, dessen
religiöse Voraussetzung in Lev 17,11 festgehalten ist: „Denn gerade das
Leben (,næfæš') des Fleisches ist im Blut. Und ich (Gott) habe es (= das Blut)
euch für den Altar gegeben, damit es euch persönlich Sühne schafft; denn das
Blut ist es, das durch das (in ihm enthaltene) Leben sühnt."[75] Indem der
Priester das Blut des Opfertieres, das durch Handaufstemmung zum „Alter
ego" des Opfernden geworden ist, an den Brandopferaltar, vor den Vorhang
(vor dem Allerheiligsten) oder – am großen Versöhnungstag – an die
,kapporæt' (LXX: ἱλαστήριον)[76] sprengt, „wird eine zeichenhafte Lebenshingabe des Opfernden an das Heiligtum Gottes vollzogen"[77]. Am großen
Versöhnungstag, an dem der Hohepriester das Blut des eigenen Sündop-
ferstieres und das Blut des Sündopferbockes des Volkes an die ,kapporæt'
sprengt, erwirkt er Sühne für sich, sein Haus und die ganze Gemeinde Israels
(Lev 16,14f.17). Ob man diesen Vorgang als „Akt der Weihe an Gott"
bezeichnen soll[78], mag hier dahingestellt bleiben. Richtig aber ist, daß Sühne
„Kontakt mit dem Heiligen" herstellt: „Die kultische, die heiligende Sühne
ist alles andere als nur ein negativer Vorgang einfacher Sündenbeseitigung
oder bloßer Buße. Es ist ein Zu-Gott-Kommen durch das Todesgericht
hindurch."[79] Dahinter steht letztlich der Gedanke der Heiligung Israels (vgl.
Lev 19,2): „Dieser Sicht voller Gottesgemeinschaft entspricht ebenso entschieden, daß der Mensch nur vor Gott treten kann als der dem Tod Verfalle-
ne. Die Begegnung mit dem Heiligen vernichtet das Unheilige. Die Konsequenz des Gedankens der vollen Gottesgemeinschaft ist die Sühne, und zwar
die Sühne in einem neuen, positiven Verständnis der Hingabe an das Heilige.
Für P kann der Kult, in dem der Mensch Gott begegnet, nur sühnender Kult
sein. So führt dieses letzte und höchste Kultverständnis Israels, das Gottesdienst als Gottesgemeinschaft im vollen Sinn, als Partizipation an Gottes
Doxa versteht, die das ,Begegnungszelt', die ,Wohnung' Gottes erfüllt (Ex
40,34), zur tiefsten Sündenauffassung: Der Mensch als solcher, in seiner
Gottferne, ist angesichts der Offenbarung der göttlichen Doxa dem Tod
verfallen. Aber Gott eröffnet einen Weg zu sich hin in der zeichenhaften
Sühne, die sich in dem von ihm offenbarten Kult vollzieht."[80]

*

---

[74] R. RENDTORFF, Leviticus (BK III/1), Neukirchen-Vluyn 1985, 43–48.

[75] Übersetzung im Anschluß an B. JANOWSKI, Sühne 246.

[76] Gedacht ist in der Priesterschrift an das „Sühnmal", „den Ort der Präsenz des begegnenden
Gottes", zwischen den beiden Kerubim im Allerheiligsten: B. JANOWSKI, Sühne 295–346
(Zitat: 346, im Original kursiv); vgl. H. GESE, Sühne (Anm. 66) 103.

[77] B. JANOWSKI, Sühne 360.

[78] So: H. GESE, Das Gesetz, in: DERS., Theologie 55–84, hier 67, und im Anschluß an ihn auch
B. JANOWSKI, Sühne, passim.

[79] H. GESE, Sühne (Anm. 66) 97. 104.   [80] H. GESE, ebd. 100.

Für die weitere Betrachtung bleibt folgendes festzuhalten: Im Kontext der kultischen Sühne ist der Stellvertretungsgedanke im Sinne der Repräsentation bzw. der Identität konzipiert. Der Kult erscheint als von Gott eingeräumte Möglichkeit, durch die der Sünder zu seiner wahren Identität einschließlich der ihr inhärierenden Todesfolge stehen kann. Im Tod des Opfertieres wird der Tod des Sünders selbst kultisch vollzogen. Im stellvertretenden Sterben des Tieres gelangt daher tatsächlich die erst im Tod des Sünders zur Ruhe kommende Tat-Wirklichkeit der Sünde zur Aus-Wirkung (im doppelten Sinn des Wortes!)[81], so daß der Sünder durch das kultisch – aufgrund der Gewährung des Blutes als Sühne (vgl. Lev 17,11) – an ihm vollzogene Todesgericht hindurch einen neuen Zugang zum heiligen Gott findet.

Der Stellvertretungsgedanke, wie er uns vor allem aus Jes 53 geläufig ist, stimmt – von der Tatsache des personalen Stellvertreters einmal abgesehen – mit der kultischen Vorstellung grundlegend darin überein, daß hier wie dort die Sünden-Wirklichkeit an einem Stellvertreter zur Aus-Wirkung kommt, so daß der Sünder heil davonkommt. Und doch haben beide Vorstellungen ihre spezifische Struktur, die es zu beachten gilt. Beim Stellvertretungsgedanken im Sinne von Jes 53 werden die Sünden bzw. die Folgen der Sünden auf einen Ersatzträger übertragen, so daß durch das stellvertretende Leiden und Sterben des Gerechten die Sünder selbst vor dem Leiden und dem Tod, die sie treffen müßten, *bewahrt* werden. Bei der kultischen Sühne hingegen geht es primär nicht um die *Übertragung* von Sünden und Sündenfolgen, vielmehr übernimmt der Ersatzträger selbst die *Identität* des Sünders, so daß im kultischen Vollzug des Todes des Ersatzträgers der *homo peccator selbst stirbt* und durch das am Ersatzträger kultisch vollzogene (eigene) Todesgericht hindurch Heil findet[82]. Der Gedanke des Leidens spielt in diesem Zusammenhang keine Rolle.

Selbstverständlich wäre die Aussage von *Gal 3,13*, daß „Christus... für uns zum Fluch geworden ist", überinterpretiert, wollte man sie traditionsgeschichtlich unmittelbar aus der Vorstellung kultischer Sühne ableiten. Dazu fehlt an der Stelle wie auch im Kontext jedwede erkennbare kultische Terminologie. Man könnte allenfalls darauf aufmerksam machen, daß das Zitat von Gal 3,12 (Lev 18,5) dem aus priesterlicher Tradition stammenden

---

[81] Vgl. dazu bes. U. WILCKENS, Röm I 237f.

[82] Man wird sich freilich hüten müssen, aus dieser Gegenüberstellung, die unterschiedliche Akzentuierungen hervorheben will, eine exklusive Alternative zu konstruieren. Das gilt a fortiori, wenn Jes 53 selbst von kultischen Vorstellungen beeinflußt sein sollte. An der aufgezeigten Akzentuierung würde sich allerdings nichts ändern, da wir in erster Linie die synchrone Ebene des Textes zu beachten haben, auf welcher der Identitätsgedanke – wie bereits ausgeführt – zumindest explizit keine konstitutive Rolle spielt. Im übrigen steht auch beim Schuldopfer (,ʾāšām'; Lev 5,14ff), an das aufgrund von Jes 53,10 wohl zu denken ist, der Gedanke der Identität nicht im Vordergrund (es fehlt dort z.B. die Handaufstemmung!).

Heiligkeitsgesetz (Lev 17–26) und das Zitat von Gal 3,10 (Dtn 27,26) dem Kultzeremoniell von Dtn 27 entnommen ist[83]. Daß auch das Konzept der Heilsgeschichte, wie es Paulus anschließend in Gal 3,15–29 entfaltet, prie-ster(schrift)liche Einflüsse erkennen läßt, wird später noch zu erläutern sein[84]. Eine spezifisch kultische Terminologie liegt in Gal 3,13 aber nicht vor. Das gilt auch bezüglich des für unsere Überlegungen so wichtigen Begriffs des Fluches. Ihn gewinnt Paulus nicht aus der Opfertora, sondern aus Dtn 21,22 f.

Dennoch haben wir den alttestamentlichen Sühnekult nicht umsonst be-müht, da sich erst vor diesem religionsgeschichtlichen Hintergrund Gal 3,13 adäquat würdigen läßt. Das gilt zumal für die Aussage: *Χριστὸς . . . γενόμενος ὑπὲρ ἡμῶν κατάρα*. Religionsgeschichtlich stellt der Gedanke der kultischen Identität des Sünders mit dem (sterbenden) Opfertier m. E. die einzige wirkliche Analogie zur Feststellung des Paulus dar, der Christus hier nicht nur als Gerechten für die Sünder sterben läßt, sondern darauf abzielt, daß Christus in seinem stellvertretenden Sterben selbst die Identität der Ver-fluchten angenommen hat und als Repräsentant der Verfluchten in den Tod gegangen ist. Erst im großen Rahmen eines kultischen Verstehenshorizontes ist das paradoxe *γενόμενος . . . κατάρα* als inhaltlich sinnvolle Aussage er-schwinglich. Das ärgerliche Faktum eines nach Dtn 21,23 als Fluchtod zu wertenden Kreuzestodes Christi wird als (von Gott verfügte bzw. gewährte) Übertragung bzw. Übernahme der Identität der Verfluchten gedeutet. Der Gedanke kultischer Identität erklärt zudem, mit welcher Zwangsläufigkeit Paulus vom Fluchtod Christi auf die Fluchsituation aller schließen mußte[85]. Doch läßt der kultische Verstehensrahmen nicht nur die sündige Identität des Menschen, sondern auch die positive soteriologische Qualität des *γενόμε-νος ὑπὲρ ἡμῶν κατάρα* hervortreten. Die Partizipialwendung erläutert im Kontext die vorhergehende Aussage: „Christus hat uns freigekauft vom Fluch des Gesetzes" (Gal 3,13 a α). Unabhängig davon, wie das schwierige *ἐξαγοράζειν* religionsgeschichtlich abzuleiten ist[86], fügt sich die eigentliche Sachaussage vorzüglich in einen kultischen Verstehenshorizont. Denn dieser vermag über das bloße Daß des Freikaufs hinaus auch inhaltlich zu erklären, *warum* ein an unserer Stelle in die Identität der Verfluchten getretener Chri-

---

[83] Es handelt sich um den Abschluß der Fluchreihe Dtn 27,15.16–25; vgl. dazu: H. J. BOECKER, Recht und Gesetz im Alten Testament und im Alten Orient (NStB 10) Neukirchen-Vluyn 1976, 172–175.

[84] Siehe unten Kap. IV/1.

[85] Vgl. oben Kap. I. In diesen Zusammenhang gehört wohl auch, daß Paulus die herkömmli-che Aussage vom Sterben Christi „für uns" betont generalisiert: *ὑπὲρ πάντων ἀπέθανεν* (2Kor 5,15, vgl. allerdings auch: 1Tim 2,6; Hebr 2,9), *ὑπὲρ ἡμῶν πάντων παρέδωκεν αὐτόν* (Röm 8,32). Vgl. auch die existentielle (prinzipiell für jedes Ich geltende) Aussage von Gal 2,20 (*ὑπὲρ ἐμοῦ*) sowie Röm 5,6.8.

[86] Ist an den (sakralen) Sklavenfreikauf oder an eine Abgeltung bzw. Ablösung von Ansprü-chen eines Gläubigers gedacht? Vgl. dazu: F. MUSSNER, Gal 231 f, der selbst dafür plädiert, daß *ἐξαγοράζειν* „einfach im Sinn von ,erlösen' gebraucht" ist (232).

stus uns vom Fluch des Gesetzes befreien kann. Der Kreuzestod erscheint dann nämlich als Sühnopfer, das die Sünde aller in ihrer vom Fluch des Gesetzes festgehaltenen Todesfolge zur Aus-Wirkung kommen läßt, indem in Christus der vom Fluch getroffene homo peccator selbst stirbt[87]. Deshalb stehen diejenigen, die den Gekreuzigten als Möglichkeit zur eigenen Identifizierung annehmen, d. h. glauben, nicht mehr unter dem Fluch des Gesetzes. In den kultischen Verstehensrahmen fügt sich noch eine weitere Beobachtung. Wie wir gesehen haben, geht es im Kult keineswegs bloß um den Vollzug des Todesgerichts, sondern letztlich darum, daß eben darin dem Sünder ein neuer Zugang zu Gott eröffnet wird. Von daher ist es durchaus folgerichtig, wenn Paulus den (in unserer Identität erlittenen) Tod Christi nicht nur als Freikauf vom Fluch, sondern unmittelbar als heilsames Geschehen auslegt, wenngleich die konkrete Ausformulierung des im Tod erreichten Heils – der Empfang des Geistes und der Sohnschaft (Gal 3,14; vgl. Gal 4,4–7[88]) – sich nicht kultischer Terminologie, sondern dem zugrundeliegenden Sachverhalt, daß *Christus* (als Sohn Gottes) der von Gott gewährte Identitätsträger ist[89], verdankt.

Um es noch einmal zu wiederholen: Es soll in keiner Weise behauptet werden, daß die Formulierung von Gal 3,13 f traditionsgeschichtlich aus der Sühnekultvorstellung abzuleiten ist. Dennoch bleibt aufrechtzuerhalten, daß die Sachaussage von Gal 3,13 f sich ihrer semantischen Struktur nach im Rahmen kultischer Vorstellungen bewegt. Offensichtlich führt die Verschärfung der traditionellen Aussage vom stellvertretenden Tod Christi durch die von Dtn 21,23 beeinflußte Wertung des Kreuzestodes als Fluchtod zu einer Vorstellung, die einen kultischen Verstehenshorizont aufruft[90].

---

[87] Tatsächlich begreift Paulus die Erlösung bzw. Rechtfertigung des Sünders als Sterben des Sünders. Der Sünder muß sich im Glauben mit dem gekreuzigten Christus identifizieren (Mit-Christus-Sterben, Mit-Christus-gekreuzigt-Sein); siehe dazu unten Kap. III/2. – Für einen kultischen Verständnisrahmen des Todes Christi könnte auch der Befund sprechen, daß die „Leiden" Christi bei Paulus *soteriologisch* keine Rolle spielen (vgl. dagegen Jes 53), sondern – wie im Kult – nur der Tod; von dieser Regel stellt auch Phil 3,10 keine echte Ausnahme dar!

[88] Gal 4,4–7 stellt eine Sachparallele zu Gal 3,13 f dar. Die Identitätsaussage läuft hier nicht über den Begriff „Fluch", sondern – sachlich deckungsgleich – über das „Sein unter dem Gesetz", in das Christus eintritt.

[89] Daß das eschatologische Heil nicht durch den Kultvollzug als solchen, sondern dadurch verwirklicht wird, daß *Christus* als Sühnopfer fungiert, wird noch ausführlicher zu erläutern sein. Vgl. dazu vor allem Kap. IV/1 (Gal 3) und bes. Kap. IV/2 (2Kor 3).

[90] Man kann natürlich fragen, ob der Gedanke eines stellvertretenden Todes – von der eventuellen Ausnahme der in vieler Hinsicht ohnehin singulären Vorstellung von Jes 53 einmal abgesehen – im zeitgenössischen Judentum überhaupt ohne mehr oder minder kräftige kultische Konnotation konzipierbar war. Es ist ja immerhin auffällig, daß die zeitgenössischen jüdischen Belege, die am eindeutigsten die Vorstellung vom stellvertretenden Tod dokumentieren (2Makk 7,37 f; bes. 4Makk 6,27–29; 17, 21 f), ganz offensichtlich kultische Einflüsse verraten. Dies würde aber nur unterstreichen, wie wenig außergewöhnlich es war, wenn Paulus über den Stellvertretungsgedanken (vorausgesetzt, er wurde christlich zuerst im Anschluß an Jes 53 ausgebildet) ein kultisches Verstehensraster legte

Dabei kann es hier dahingestellt bleiben, ob der kultische Hintergrund als Matrix für die Konzeption des Gedankens von Gal 3,13f diente oder ob erst die Betonung des Fluchtodes eine Aussage schuf, die der Sache nach kultisch strukturiert war.

Hermeneutisch ist zu beachten, daß nicht einfach kultische Vorstellungen auf Jesus *übertragen* werden; es geht vielmehr um eine Deutung bzw. um ein Verstehen des Kreuzestodes Jesu mit Hilfe kultischer Vorstellungen, die bei der deutenden oder verstehenden Applikation selbst modifiziert werden. Ging die alttestamentlich-frühjüdische Tradition davon aus, daß der Opferkult von Israel in permanenter Wiederholung in Anspruch genommen werden konnte, so erlaubt der eschatologisch bestimmte Kontext des urchristlichen und paulinischen Denksystems nurmehr eine typologische Rezeption kultischer Vorstellungen (mit Christus als Antitypos). Der Fluchtod des Gekreuzigten ist daher nicht ein Opfer in einer langen Reihe von Opfern, sondern der eschatologische Kultvollzug schlechthin, die endgültige, ein für allemal von Gott gesetzte Sühnemöglichkeit. Der Sühnekult des Jerusalemer Tempels ist damit an sein Ende gekommen, nicht weil er schon immer wirkungslos gewesen ist und nun abgeschafft wird, sondern weil die von ihm zu bewirkende Sühne aufgehoben ist im eschatologischen Sühnetod Christi[91].

Daß wir uns mit dem Postulat eines kultischen Verstehenshorizontes auf der richtigen Fährte befinden, bestätigen andere, mit Gal 3,13 vergleichbare Stellen, wo Paulus Vorstellungen und Traditionen übernimmt, die ihre kultische Herkunft auch terminologisch ausweisen.

(zumal er für die kulttypologische Deutung des Todes Jesu schon Vorbilder hatte, vgl. Röm 3,25 f*). Eine (formale) Analogie weist die Überlieferungsgeschichte der Abendmahlsparadosis auf, wo die (wohl ursprüngliche) Deutung im Sinne von Jes 53 durch das Bundesopfermotiv (Ex 24,8) erweitert wurde (Mk 14,24). Der spezifisch paulinische Akzent scheint darin zu liegen, daß er den (kultischen) Identitätsgedanken für seine Konzeption fruchtbar macht.

91 Daß der für Gal 3,13 behauptete Rückgriff auf kultische Vorstellungsstrukturen nur in einem *typologischen* Verstehenshorizont funktioniert, kann nicht nachdrücklich genug betont werden. Hermeneutisch läuft der Gedankengang also von Christus zum alttestamentlichen Sühnekult und nicht umgekehrt. Das sieht man in Gal 3,13 nicht zuletzt auch daran, daß Paulus den dem kultischen Bereich entstammenden Identitätsgedanken nicht mit dem allgemeinen Begriff der ἁμαρτία (vgl. Lev 4 und 2Kor 5,21), sondern von Dtn 21,23 her mit dem (u. a. für die deuteronomistische Tradition charakteristischen) Begriff der κατάρα konkretisiert, der eine bewußte Übertretung des Gebotes einschließt (vgl. Dtn 27,14–26; 28,15–68; vgl. Lev 26,14–38). Sachlich stellt dies eine deutliche Überbietung des alttestamentlichen Sündopfers von Lev 4 dar, das an sich nur für unbeabsichtigte Sünden gewährt war. Allerdings dürfte diese an sich bestehende Einschränkung von Paulus kaum als Hindernis für die Rezeption kultischer Vorstellungen empfunden worden sein, da es ihm ja auch bei der Betonung der allgemeinen Sündhaftigkeit nicht primär um die subjektive Schuldfrage ging, sondern um die Feststellung (der am Kreuz offenbar gewordenen!) objektiven Tat-Wirklichkeit der Sünde, von der alle infiziert sind. Aus diesem Grund hat er auch keine Schwierigkeit mit der Aussage, daß er vor seiner Hinkehr zum Gekreuzigten „in bezug auf die Gerechtigkeit, die vom Gesetz verlangt ist, untadelig war" (Phil 3,6), sich also offensichtlich keiner Schuld bewußt war.

An erster Stelle ist *2Kor 5,21* zu nennen. Die Aussage in V. 21 a folgt zunächst dem üblichen Stellvertretungsgedanken: Der (gerechte) Christus, „der die Sünde nicht kannte", ist an unsere Stelle getreten. Dann aber wird die Stellvertretung durch den Identitätsgedanken zugespitzt, indem – formal und sachlich völlig parallel zu Gal 3,13 – erklärt wird, daß Gott ihn „für uns *zur Sünde gemacht hat*" (ὑπὲρ ἡμῶν ἁμαρτίαν ἐποίησεν). Gott hat also nicht nur die Sünden der Sünder am Gerechten zur Auswirkung kommen lassen, sondern diesem selbst die Identität der Sünde bzw. der Sünder zugewiesen. Im Unterschied zu Gal 3,13 ist hier der Einfluß kultischer Vorstellungen nun auch terminologisch zu greifen. Bereits Hartwig Thyen hat auf die Analogie zum Sündopfertier (von Lev 4; 5) aufmerksam gemacht[92]. Sprachlich interessant ist, daß das deklaratorische Urteil des Priesters in Lev 4,21 „Das ist das Sündopfer der Gemeinde" (‚ḥaṭṭā'ṯ haqqāhāl hû'") von der LXX wörtlich mit ἁμαρτία συναγωγῆς ἐστιν wiedergegeben wird (siehe auch Lev 4,24; 5,12; vgl. 5,9). In 2Kor 5,21 a wird demnach die Stellvertretung Christi typologisch als Sündopfer gedeutet. Der Fluchtod am Kreuz, den Christus nach Gal 3,13 für uns gestorben ist, erscheint terminologisch verifizierbar als von Gott gesetzte Möglichkeit der Identifizierung für den Sünder, der so einen neuen Zugang zu Gott findet (vgl. 2Kor 5,21 b).

Auf einen ähnlichen Verstehenshorizont verweist *Röm 8,3:* „indem Gott seinen Sohn in der Gleichgestalt des Fleisches der Sünde und *für die Sünde* sandte, verurteilte er die Sünde im Fleische." Der (kultische) Identitätsgedanke ist deutlich artikuliert (ἐν ὁμοιώματι σαρκὸς ἁμαρτίας). Die zunächst merkwürdig erscheinende Wendung „für die Sünde" (περὶ ἁμαρτίας) entspricht genau der Ausdrucksweise der LXX, die in Lev 4; 5; 16 damit ‚lᵉḥaṭṭā't' übersetzt, das im Deutschen meist mit „als Sündopfer" wiedergegeben wird[93]. Unter dieser Voraussetzung kann Röm 8,3 als explizite Exegese des latent vorhandenen kultischen Sachgehaltes von Gal 3,13 verstanden werden. Im Tode Jesu[94], der das Fleisch der Sünde angenommen hat (vgl. Gal 4,4: γενόμενος ἐκ γυναικός), verurteilt Gott die Sünde „ebendort, wo die Sünde ihren Herrschaftsbereich hatte: im Fleisch"[95]. Christus Jesus erscheint als Repräsentant des Fleisches, das Paulus zudem präzise als „*Sünden*-Fleisch" qualifiziert. Als solchen trifft ihn, der nun selbst „unter dem Gesetz" steht (vgl. Gal 4,4), der Fluch des Gesetzes, wie Paulus am Kreuzes-

---

[92] H. Thyen, Studien zur Sündenvergebung im Neuen Testament und seinen alttestamentlichen und jüdischen Voraussetzungen (FRLANT 96), Göttingen 1970, 188–190; vgl. U. Wilckens, Röm I 240.

[93] In dieser Bedeutung findet sich περὶ (τῆς) ἁμαρτίας in Lev 4,3.14; 5,7.11 (bis); 16,3.5.9 (vgl. 16,15.27); vgl. auch εἰς ἁμαρτίαν in Lev 4,32 sowie die Bezeichnung des Opfertieres als τὸ (περὶ) τῆς ἁμαρτίας in Lev 4,33.34; 5,8.9; 16,6.11.25.

[94] Zum Bezug auf den Tod siehe H.-J. Findeis, Versöhnung – Apostolat – Kirche. Eine exegetisch-theologische Studie zu den Versöhnungsaussagen des Neuen Testaments (2Kor, Röm, Kol, Eph) (fzb 40), Würzburg 1983, 214 f.

[95] U. Wilckens, Röm II 127.

tod abliest (vgl. Gal 3,13). Auf diesen Fluchtod, der in Röm 8,3 kulttypologisch als von Gott gegebenes „Sündopfer" gedeutet wird, war die Sendung des Gottessohnes ausgerichtet. In ihm, der die Identität des Sünders angenommen hat, gelangt die todbringende Wirkung der Sünde zur Auswirkung, indem das „Fleisch", das Wirkungsfeld der Sünde, verurteilt und das Todesgericht am homo peccator vollzogen wird. Gerade so wird „die Rechtsforderung des Gesetzes an uns erfüllt" (Röm 8,4)[96] und für den Sünder neuer Zugang zu Gott ermöglicht, der hier eschatologisch als Wandel *κατὰ πνεῦμα* bzw. als Sein *ἐν πνεύματι* interpretiert wird (Röm 8,4 f.9–11; vgl. Röm 8,12–17 und Gal 4,5–7).

Noch deutlicher ist der kultische Bezug in *Röm 3,25 f.* Es gilt als Konsens, daß Paulus hier eine Tradition verwendet. Über ihre genaue Abgrenzung gehen die Meinungen etwas auseinander. Doch dürfte wenigstens das im folgenden kursiv Wiedergegebene zu ihrem ursprünglichen Bestand gehört haben[97]:

(25) *Ihn hat Gott öffentlich eingesetzt als Sühneort* (*ἱλαστήριον*) – durch Glauben – *in seinem Blut, zum Erweis seiner Gerechtigkeit um der Vergebung der zuvor geschehenen Sünden willen*
(26) *in der (Zeit der) Geduld Gottes, zum Erweis seiner Gerechtigkeit* in der Jetzt-Zeit, auf daß er gerecht ist und gerecht macht den (,der) aus Glauben an Jesus (lebt).

Vor allem der Terminus *ἱλαστήριον*, der von der LXX zur Wiedergabe von ‚kapporæt' verwendet wird, legt es nahe, an eine typologische Interpretation des Ritus des großen Versöhnungstages zu denken[98]. Dafür spricht auch der Verweis auf das „Blut". Der häufig gemachte Einwand, daß dann „das Blut Christi an die Kapporet, die er selbst wäre, gesprengt werden müßte"[99], verkennt die Möglichkeiten einer Typologie und die Aussageintention der Stelle, die nicht das Ritual des Versöhnungstages am Kreuz neu etablieren, sondern gerade dessen Überbietung zum Ausdruck bringen will[100]. Gegenüber den Aussagen von 2Kor 5,21 und Röm 8,3 stellt Röm 3,25 f insofern eine Verschiebung dar, als Christus Jesus jetzt nicht als Antitypos des Opfertieres erscheint, sondern als der heilsame und daher sühneschaffende Ort der Gegenwart Gottes, d. h. als Antitypos zur ‚kapporæt', dargestellt wird. Es ist daher kein Zufall, daß bereits die vorpaulinische Tradition den Sühnetod Christi nicht nur nach seiner anthropologischen Folge – als Geschehen „zur Vergebung der zuvor geschehenen Sünden" –[101], sondern zugleich

---

[96] Siehe dazu unten Kap. IV/3.
[97] Vgl. dazu: U. Wilckens, Röm I 183 f. Andere rechnen bereits Röm 3,24 zur Tradition, so z. B. E. Käsemann, Röm 89 f.
[98] Vgl. U. Wilckens, Röm I z. St.; B. Janowski, Sühne 350–355 (Lit.).
[99] E. Lohse, Märtyrer (Anm. 57) 152.
[100] Vgl. B. Janowski, Sühne 351 f.
[101] Vgl. den Zusammenhang von priesterlichem Sühnehandeln und göttlicher Vergebung in Lev 4,20.26.31; 5,6.10.13.

auch nach seiner theologischen Seite auslegt. Die Einsetzung Christi als Sühneort zur Vergebung der Sünden geschieht „zum Erweis der Gerechtigkeit Gottes". „Gerechtigkeit Gottes" ist in diesem Zusammenhang ganz eindeutig Gottes Bundestreue, wobei allerdings offenbleiben muß, ob die vorpaulinische Tradition diese auf eine bestimmte Bundeszusage (Abraham, Mose) oder allgemein auf die alttestamentlichen Bündnisse zurückbezieht.

Bemerkenswert ist, daß der wohl unter apokalyptischem Einfluß stehende Begriff der „Gerechtigkeit Gottes"[102] in Röm 3,25 f im Kontext einer kulttypologischen Deutung des Todes Jesu auftaucht, und zwar schon vorpaulinisch. Dies ist ein Indiz dafür, daß im Urchristentum apokalyptische und kulttypologische Überlegungen Hand in Hand gingen, was übrigens durch die zu deutende „Sache", den Tod Jesu, ja auch nahelag. Wenn man berücksichtigt, wie relativ selten „Gerechtigkeit Gottes" bei Paulus vorkommt (nur: 2Kor 5,21; Röm 1,17; 3,5.21 f.25 f; 10,3), stellt sich die Frage, ob er Begriff und Vorstellung nicht überhaupt aus einem Traditionsbereich übernommen hat, wo eschatologische und kultische Erwägungen sich durchdrangen (Hellenisten, Antiochien). Doch ist dies für unsere weiteren Untersuchungen nur von untergeordneter Bedeutung[103].

Bevor wir auf die spezifisch paulinische Akzentuierung der „Gerechtigkeit Gottes" eingehen, dürfte ein kurzer Rückblick auf das bisher gewonnene Ergebnis hilfreich sein. Wir gingen aus von der Feststellung, daß die Aussage von Gal 3,13 „Christus... ist für uns zum Fluch geworden" nicht nur den Fluch der Tora über eine insgesamt sündige Menschheit festschreibt, sondern zugleich eine Heilsaussage macht. Dies ergibt sich schon aufgrund des Stellvertretungsgedankens, den Paulus allerdings durch die konsequente Ernstnahme des Todes Jesu als Kreuzes- und Fluchtod spezifiziert. Gerade dadurch eröffnet sich ein kultischer Deutehorizont des Todes Jesu, der der Sache nach schon in Gal 3,13 gegeben ist und in 2Kor 5,21; Röm 8,3; Röm 3,25 f – teilweise unter direktem Rückgriff auf bereits vorhandene kulttypologische Deutungen des Todes Jesu – auch terminologisch realisiert wird. Aus diesem Kontext hat Paulus möglicherweise auch die Rede von der „Gerechtigkeit Gottes" als der Bundestreue Gottes übernommen (Röm 3,25 f; 2Kor 5,21). Sie stellt gleichsam die objektive Seite und den theologischen Grund des im Tode Jesu veranstalteten Heilsgeschehens dar (im Gegensatz zur „Gerechtigkeit", die dem Menschen als subjektiv-anthropologische Wirkung dieses Heilsgeschehens zukommt).

---

[102] Siehe oben Kap. II/1.

[103] Für die kultische bzw. kulttypologische Konnotation des Begriffs bei Paulus könnte man neben Röm 3,25 f und 2Kor 5,21 auch noch auf 1Kor 1,30 verweisen, wo „Gerechtigkeit" neben „Heiligung und Erlösung" zu stehen kommt.

3. Die paulinische Rede von der „Gerechtigkeit Gottes"

Die Vermutung, daß Paulus die Rede von der „Gerechtigkeit Gottes" im Kontext kulttypologischer Reflexionen übernommen hat, schließt in keiner Weise aus, daß er ihr sein eigenes Gepräge gegeben hat. Dabei ist wiederum interessant, daß auch hier die Ernstnahme des Kreuzestodes den entscheidenden Ausschlag gibt. Wie nämlich einerseits die Zuspitzung des Stellvertretungsgedankens durch den Fluchtod des Kreuzes (Gal 3,13) für Paulus einen kultischen Deutehorizont des Todes Jesu eröffnet und die Rezeption entsprechender Deutungen ermöglicht, so bekommt andererseits die traditionelle kulttypologische Deutung des Todes Jesu, wie sie insbesondere in Röm 3,25 f* vorliegt, durch die konsequente Ernstnahme des Kreuzes erst ihr spezifisch paulinisches Profil.

In der vorpaulinischen Tradition von Röm 3,25 f* ist die Wirkung des im Tode Jesu vollzogenen Sühnegeschehens auf die Sünden der Vergangenheit bezogen: Gottes Gerechtigkeit bzw. Bundestreue erweist sich darin, daß „im Blute" Christi „die zuvor geschehenen Sünden" gesühnt und damit vergeben sind. Zumindest der Formulierung nach bleibt dabei offen, ob die göttliche Bundestreue, wie vom traditionellen Wortsinn her zu erwarten, ausschließlich auf Israel zu beziehen ist. Theoretisch könnte man sogar – in Analogie zu Qumran – an eine Rückkehr zum Tun der Tora im herkömmlichen Sinn als die adäquate Antwort des entsühnten Gottesvolkes denken. Sachlich ist dies wie auch der Bezug der Gerechtigkeit Gottes allein auf Israel allerdings wenig wahrscheinlich, wenn man voraussetzt, daß Röm 3,25 f* aus dem hellenistischen Judenchristentum stammt, das schon vor Paulus zur Heidenmission aufgebrochen war (vgl. Apg 11,20) und gerade wegen der Sühnedeutung des Todes Jesu Tempelkult und Tora (vgl. Apg 6,13 f) nurmehr in eschatologischer Modifikation in den Blick fassen konnte[104].

Paulus kann sich mit dieser retrospektiv ausgerichteten Würdigung des Todes Christi nicht zufriedengeben, und zwar gerade weil er diesen Tod als Fluchtod ernst nimmt. Wenn der für uns sterbende Christus selbst unter dem Fluch der Tora steht und die Identität des homo peccator angenommen hat (Gal 3,13; 2Kor 5,21), genügt es nicht, im Tode Christi nur die Vergebung der vergangenen Sünden bewirkt zu sehen, wobei man diese Sicht (theoretisch) sogar noch partikularistisch eng führen und die Sünden auf eine neben den Gerechten bestehende Gruppe von Sündern beschränken könnte. Paulus muß hier radikal urteilen. Christus als Repräsentant des homo peccator stirbt für einen Menschen, der als Fleisch immer gesündigt hat und je immer sündigen wird. Die im Tode Christi sich erweisende Gerechtigkeit Gottes darf deshalb nicht nur als rückwirkendes, auf die Sünden bezogenes Handeln

---

[104] Zumindest der Opferkult konnte angesichts des eschatologischen Sühnevollzugs im Tode Jesu nicht weiter mitgetragen werden. Zu den sog. Hellenisten vgl. in diesem Band die Beiträge Nr. 4 (bes. S. 185 f) und Nr. 8 (bes. S. 262–272).

Gottes begriffen werden. Gerechtigkeit Gottes muß vielmehr als eschatologisch endgültiges, alle Vergangenheit, Gegenwart und Zukunft umfassendes Handeln Gottes gegenüber dem Sünder, als welcher der Mensch immer
nur vorkommt, gewürdigt werden. Das eschatologische Sühnegeschehen
des Todes Jesu muß als permanenter Faktor einer eschatologisch qualifizierten „Jetzt-Zeit" erscheinen (Röm 3,26: ἐν τῷ νῦν καιρῷ). Gerechtigkeit Gottes
kann sich dann immer nur als Gerechtmachung des Gottlosen erweisen (vgl.
Röm 4,5), und zwar als Gerechtmachung, die „geschenkweise" sola gratia
erfolgt (Röm 3,24). Auf seiten des Menschen kann einer so sich erweisenden
Gerechtigkeit Gottes je nur der Glaube entsprechen (vgl. „durch Glauben"
in Röm 3,25) und nicht der Versuch, nun doch durch Werke des Gesetzes
gerecht zu sein. Dem Menschen, der ohne das – von den Gesetzeswerken
absehende – gerechtmachende Handeln Gottes (Röm 3,21.27f) immer nur
Sünder ist, wird die Tora immer zum Spiegel des Sünders. Diese Gerechtigkeit Gottes, die den Menschen auf seinen Glauben hin anspricht, hört auch
für Paulus nicht auf, Gottes Bundestreue (gegenüber Israel) zu sein, wie die
Wendung Ἰουδαίῳ τε πρῶτον καὶ Ἕλληνι in Röm 1,16 und die Feststellung des
περισσὸν τοῦ Ἰουδαίου in Röm 3,1f (vgl. Röm 9,4f) verdeutlichen. Doch muß
Paulus den Bundesgedanken an Abraham zurückbinden (vgl. Gal 3; 4; Röm
4), dem der *Glaube* als Gerechtigkeit angerechnet wurde und in dem die
Heiden gesegnet sein sollen (vgl. Gal 3,6.8.14; Röm 4,3.9.16–18.22). Davon
wird später noch zu sprechen sein[105]. Sachlich entspricht dieser heilsgeschichtlichen Konzentrierung auf Abraham der aus dem Kreuz gewonnene
Gedanke, daß alle, Juden wie Heiden, Sünder (d. h. Nicht-Täter: vgl. Röm
4,5) sind und deshalb mit Hilfe des Gesetzes nur Fluch ernten können (vgl.
Röm 1–3). Unter dieser Voraussetzung gereicht der Vorzug Israels diesem
gerade zum Gericht (vgl. Röm 3,9f; 2,17–29). Dem Wegfall des Unterschie-
des zwischen Israel und den Heiden in bezug auf das Sündigen korrespondiert eine für beide gleichermaßen geltende Gerechtmachung allein aufgrund von Glauben (Röm 3,22f.29f). Kurz zusammengefaßt sind diese
Zusammenhänge in dem Zusatz, mit dem Paulus die traditionelle Wendung
von Röm 3,25b.26a ergänzt: „zum Erweis seiner Gerechtigkeit in der Jetzt-
Zeit, auf daß er gerecht ist und gerecht macht den, der aus Glauben an Jesus
lebt" (Röm 3,26bc).

„Gerechtigkeit Gottes" ist demnach für Paulus zuerst Gottes *eigene* Gerechtigkeit (gen. subj.), d. h. – wie in der Tradition – Gottes Bundestreue
bzw. – um der allgemeineren Formulierung „auf daß er gerecht ist" in Röm
3,26c Rechnung zu tragen – Gottes Treue zu sich selbst. Für Paulus ist dabei
entscheidend, daß Gottes Gerechtsein durch sein *Handeln* zum Zuge
kommt, indem Gott den Gottlosen, sofern er glaubt, *gerecht macht* (Röm
3,26c; 4,5). Dies gilt gerade angesichts eines gekreuzigten Christus, der die

---

[105] Zum Problemkreis Bundes- und/oder Schöpfertreue siehe unten Kap. III/3; zur heilsgeschichtlichen Konzeption vgl. Kap. IV/1.

Menschheit insgesamt als unter dem Fluch stehend erweist. Der gekreuzigte Christus macht übrigens auch deutlich, daß Gottes gerechtmachende Gerechtigkeit die richtende, den Zorn vollziehende Gerechtigkeit (vgl. Röm 3,3–8) nicht aus-, sondern einschließt. Beide sind letztlich identisch, da im Vollzug des Fluchtodes des Kreuzes Sühne geschieht, die allen zugute kommt, die den Gekreuzigten als ihren Repräsentanten anerkennen, d. h. glauben (Röm 3,26 c). Als wirksame Macht ist Gottes Gerechtigkeit auch angesprochen, wenn Paulus sagt, daß sie jetzt, d. h. in der von Christus qualifizierten Jetzt-Zeit, „offenbar wird" (Röm 3,21) bzw. im Evangelium „enthüllt wird" (Röm 1,17). Als wirksame Macht *Gottes* ist „Gerechtigkeit Gottes" prinzipiell zu unterscheiden von der *„Glaubensgerechtigkeit"*, die dem *Menschen* aufgrund des Glaubens als Gabe verliehen wird. Doch stehen Gerechtigkeit Gottes und Glaubensgerechtigkeit nicht zusammenhanglos nebeneinander. Denn gerade weil die Gerechtigkeit Gottes, von der Paulus spricht, Sündern gegenüber wirksam wird, objektiv gesprochen also unabhängig von dem vom Gesetz gewiesenen Weg zur Gerechtigkeit (der im *Tun* des Gesetzes besteht) und unabhängig vom Gerechtigkeitsmaßstab des Gesetzes (das den Sünder immer nur verfluchen kann) zum Zuge kommt (vgl. χωρὶς νόμου bzw. χωρὶς ἔργων νόμου in Röm 3,21.28), kann diese Gerechtigkeit Gottes nur auf Glaubende bezogen sein (vgl. Röm 3,22: εἰς πάντας τοὺς πιστεύοντας). An denen, die aus Glauben an Jesus leben, erweist Gerechtigkeit Gottes ihre gerechtmachende Kraft (Röm 3,26 c; vgl. 3,28). Insofern kann Paulus von „Gerechtigkeit Gottes *durch Glauben* an Jesus Christus" (διὰ πίστεως Ἰησοῦ Χριστοῦ: Röm 3,22) oder von „Gerechtigkeit Gottes *aus Glauben* zum Glauben" (ἐκ πίστεως εἰς πίστιν: Röm 1,17) sprechen. „Gerechtigkeit Gottes" tendiert in diesen Wendungen zweifellos zur Glaubensgerechtigkeit. Dennoch darf hier Gerechtigkeit Gottes nicht einfach als gen. obj. bzw. auctoris interpretiert werden. Gerade die wohl bewußt gewählte *abstrakte* Formulierung von Röm 1,17 macht deutlich, daß es Paulus um mehr als um den existentiellen Aspekt der Verleihung der Gabe der Gerechtigkeit aufgrund des Glaubens geht. „Gerechtigkeit Gottes aus Glauben zum Glauben" ist Beschreibung des objektiven Heilsgeschehens von Gott her. Es geht um Gottes gerechtmachende Macht, die als solche erst die (objektive) Möglichkeit des Glaubens schafft, aus der heraus (ἐκ πίστεως) Gott seine Treue und sein Gerechtsein erweist, indem er den Menschen zum Glauben (εἰς πίστιν, im Sinne des Eintritts in eine objektive Möglichkeit) bewegt[106]. In ähnlicher Weise ist Röm 3,21 f zu verstehen, wobei hier der objektive Charakter des „durch Glauben an Jesus Christus" durch die Gegenüberstellung von „unabhängig vom Gesetz" noch unterstrichen wird. Auch Röm 10,3 fügt sich in dieses Verständnis. Die Gegenüberstellung von „Gerechtigkeit Gottes" und „eigene Gerechtigkeit" darf nicht einfach in die Opposition von Glaubensgerechtigkeit und Gesetzesgerechtigkeit überführt werden. Israel hat nicht

---

[106] Zum Glauben als objektive Möglichkeit vgl. auch Gal 3,23–25.

deswegen das Gesetz(!) verfehlt (Röm 9,31), weil es die Forderungen des Gesetzes getan und sich damit als gerecht im Sinne des Gesetzes erwiesen hat. Der gekreuzigte Christus bringt vielmehr ans Licht, daß auch Israel vom Fluch der Tora (über ihre Nicht-Täter) getroffen ist und als solches Gesetzesgerechtigkeit gerade nicht aufzuweisen hat. Weil Israel – wie sich jetzt vom Kreuz her herausstellt – als Sünder das Gesetz als Weg zur Gerechtigkeit verfolgte, hat es das Gesetz (einschließlich der für seine Täter daraus folgenden Gerechtigkeit) nicht erreicht – und erreicht es (mehrheitlich) auch jetzt nicht, weil es am gekreuzigten Christus Anstoß nimmt (Röm 9,33). Da angesichts der vom Kreuz bezeichneten faktischen Situation Gerechtigkeit nur aus Glauben kommen kann (vgl. Röm 9,30), läuft der Versuch, dennoch aus Werken des Gesetzes Gerechtigkeit zu beanspruchen (Röm 9,32)[107], darauf hinaus, eine „eigene", d. h. eigenmächtige Gerechtigkeit aufzurichten. Dies ist aber eine Verkennung der Gerechtigkeit Gottes, Ungehorsam gegen Gott, der sein Gerecht-Sein in der Gerechtmachung der Glaubenden erweist (Röm 10,3)[108]. Es verbleibt noch 2Kor 5,21. Auch hier bezeichnet „Gerechtigkeit Gottes" nicht einfach die Gabe der Gerechtigkeit (Glaubensgerechtigkeit; gen. obj.). Bei V. 21 b „damit wir Gerechtigkeit Gottes werden in ihm" handelt es sich um eine verkürzte Ausdrucksweise, deren Bedeutung sich aus der Gegenüberstellung zu V. 21 a ergibt: „(Gott) hat ihn … für uns zur Sünde gemacht." Der Sache nach ist ein Identitätswechsel angesprochen, wobei unter diesem Gesichtspunkt V. 21 a die Voraussetzung für V. 21 b bildet. Die Feststellung, daß Gott Christus für uns zur Sünde (Sündopfer) gemacht hat, bedeutet (nach kulttypologischem Denken) nicht nur, daß Christus in die Identität des Sünders eingewiesen wurde, sondern zugleich, daß er – im Vollzug seines stellvertretenden Todes – zum Ort der heiligenden und versöhnenden Gegenwart Gottes wurde (vgl. 2Kor 5,18–20). Damit ist dem Menschen die Möglichkeit einer neuen Identität eröffnet, die ihr Sosein aber nicht dem eigenen Tun, sondern dem gerechtmachenden Handeln Gottes, der Gerechtigkeit Gottes, verdankt. Derart zur eigenen Identität geworden, „eignet" diese Gerechtigkeit Gottes dann selbstverständlich auch dem Menschen. Doch will die eigenwillige Formulierung „damit wir Gerechtigkeit Gottes *werden* in ihm" gerade sicherstellen, daß dies nicht durch eine dem Menschen übereignete *Gabe*, sondern durch das schöpferische Wirken (vgl. auch 2Kor 5,17) von *Gottes eigener Gerechtigkeit* zustande kommt.

Zusammenfassend kann gesagt werden: Die paulinische Rede von der „Gerechtigkeit Gottes" handelt von Gottes eigener Gerechtigkeit (gen. subj.), d. h. von *Gottes Gerechtsein* und *seinem* gerechtmachenden *Handeln* (vgl. Röm 3,26 c). Insofern ist „Gerechtigkeit Gottes" von der Glaubensgerech-

---

[107] Die für den *Sünder illusionäre* Absicht, mit Hilfe des Gesetzes Gerechtigkeit zu erlangen, wird durch ὡς ἐξ ἔργων eindrucksvoll unterstrichen.

[108] Zu Röm 9,30–10,4 siehe auch unter Kap. III/1.2.

tigkeit zu unterscheiden. Sachlich hängt die Rede von der Gerechtigkeit Gottes mit dem Problem zusammen, wie Gott angesichts der menschlichen Sünde seiner Heilszusage und damit sich selbst treu bleiben kann. Dieses Problem stellt sich Paulus allerdings nicht aus der Erfahrung der eigenen bzw. einer allgemeinen Sündhaftigkeit. Vielmehr ist es das Bekenntnis zum gekreuzigten Christus (vgl. Gal 3,13), das Paulus dazu zwingt, alle Menschen als unter dem Fluch der Tora stehend zu betrachten. Da dieses Bekenntnis aber zugleich soteriologischen Sinn hat, enthält die Aussage „Christus ist für uns zum Fluch geworden" bereits indirekt den Gedanken der Gerechtigkeit Gottes, die mit Heilshandeln auf die menschliche Sünde antwortet. Die Frage, *wie* gerade der Kreuzestod als Ausdruck göttlichen Heilshandelns bzw. der Gott eigenen Gerechtigkeit verstanden werden kann, findet ihre explizite Antwort in den Texten, in denen Paulus auf kulttypologische Reflexionen des Todes Jesu zurückgreift (2Kor 5,21; Röm 3,25 f; 8,3), wobei die pointierte Herausstellung des Todes Jesu als Fluchtod in Gal 3,13 diesen Rückgriff strukturell bereits vorwegnimmt. Daß der für uns erlittene Fluchtod als Heilsgeschehen begriffen werden kann, findet so seine tiefere Begründung in der Sicht des Kreuzestodes als Sühnegeschehen. Indem Gott im Kreuzestod Christi eschatologische Sühne gewährt bzw. den Gekreuzigten als eschatologischen Sühneort aufrichtet, erweist er sich als gerecht, da er seine Heilsverheißung (für Israel und über dieses [Abraham!] auch für die Heiden) selbst einer sündigen Menschheit gegenüber einlöst. Menschliche Ungerechtigkeit ist daher nicht in der Lage, Gottes Gerechtigkeit aufzuheben (vgl. Röm 3,3–5). Gott bleibt gerecht, indem er die Sünde im Fleische verurteilt (Röm 8,3) und gerade im Todesgericht über den homo peccator den Gottlosen gerecht macht. Die Rede von der „Gerechtigkeit Gottes" ist gleichsam die Frucht einer Reflexion der Aussage von Gal 3,13 nach ihrer objektiv-theologischen Seite. Sie beantwortet die Frage nach der im Kreuzesgeschehen zum Zuge kommenden Gerechtigkeit *Gottes* als der objektiven Voraussetzung für das existentielle Geschehen der Rechtfertigung des Gottlosen.

III. Der Gekreuzigte und das Geschenk der Gerechtigkeit

1. Gerechtigkeit als Glaubensgerechtigkeit

Es deutete sich bereits an, daß die Gerechtigkeit Gottes als der objektiv-theologische Grund des subjektiven Heilsgeschehens (Rechtfertigung) ihre einzig angemessene Reaktion im Glauben findet. Die durch die Gerechtigkeit Gottes ermöglichte und ihr korrespondierende menschliche Gerechtigkeit ist demnach als Glaubensgerechtigkeit zu beschreiben. Auch dies ergibt sich für Paulus aus seiner Sicht des Gekreuzigten (vgl. Gal 3,13).

1.1 Gesetz und Gnade

In bezug auf die Rechtfertigung ergeben sich aus dem als Fluchtod verstandenen Kreuzestod Christi zwei Konsequenzen: 1. Eine *Rechtfertigung* (δικαιοῦσθαι) *aus Werken des Gesetzes* (ἐξ ἔργων νόμου: Gal 2,16; Röm 3,20; vgl. Röm 3,28; 4,2; ἐν νόμῳ: Gal 3,11; 5,4) bzw. eine *Gerechtigkeit aus dem Gesetz* (δικαιοσύνη ἐκ νόμου: Gal 3,21; vgl. Phil 3,9; Röm 10,5; διὰ νόμου: Gal 2,21) ist ausgeschlossen. 2. Gerechtigkeit und Rechtfertigung kann es nur aufgrund von Gnade – *sola gratia* – geben (Röm 3,24; vgl. Röm 4,4.16; 11,6); Paulus spricht daher zutreffend von der „Gnade und Gabe der Gerechtigkeit" (Röm 5,17; vgl. Röm 5,15.21).

Beide Konsequenzen bewegen sich grundsätzlich im Rahmen jüdischer Denkstrukturen. Für die zweite sei nur auf die entsprechende Sicht der Qumransekte verwiesen[109]. In bezug auf die erste ist noch einmal zu betonen, daß Paulus nicht schon das Tun des Gesetzes als solches für Sünde hält[110]. Mit der gegenteiligen Annahme wäre die Hermeneutik des Paulus verkannt, der vom Gekreuzigten her, über den der Fluch der Tora(!) gekommen ist (Gal 3,13), auf eine insgesamt sündige, d. h. das Gesetz bzw. die Rechtsforderung Gottes übertretende Menschheit schließen muß. In diesem Sinn aber ist die paulinische These durchaus jüdisch gedacht: Ein *Sünder* kann sich mit Hilfe von Gesetzeswerken nicht als gerecht erweisen, und zwar einerseits, weil er als Übertreter das Gesetz gerade nicht getan hat, und andererseits, weil er, wenn er nun doch durch Tun des Gesetzes Gerechtigkeit beansprucht, sich zugleich den Spiegel seiner eigenen Übertretung und des mit ihr gegebenen Fluches vorhält[111]. Die Besonderheit der Aussage des Paulus besteht darin, daß er vom Gekreuzigten her kategorisch *alle* als Übertreter und Sünder ausweisen muß, so daß er generell feststellen muß, daß „*der Mensch* (bzw. *alles Fleisch*) aus Werken des Gesetzes nicht gerechtfertigt wird" (Gal 2,16; Röm 3,20; vgl. Röm 3,28).

Diese christologisch bedingte Anthropologie gilt es überhaupt zu beachten, wenn man die paulinische *Gegenüberstellung von Gesetz und Gnade* richtig einschätzen will. Andernfalls kommt man zwangsläufig zu schiefen Urteilen. Das Gesetz wird zur isolierten Forderung, wobei man völlig davon absehen kann, daß es dem Juden (bis heute) zuallererst *Gabe* ist, mit der Gott sein Volk als Folge der Erwählung beschenkt hat. In diesem Sinn ist das Gesetz für den Juden nie gnadenlos, sondern vielmehr selbst schon Gna-

---

[109] Siehe dazu den Exkurs unter Kap. II/1(5).

[110] Siehe dazu oben Kap. I.

[111] Gegen diese, das deuteronomistische Gesetzesverständnis konsequent ernst nehmende Logik (vgl. Dtn 27,26 [LXX] und Gal 3,10) könnte man bestenfalls auf die kultisch bedingte Auffassung der Pharisäer verweisen, für die das Tun der Tora (unter bestimmten Bedingungen) sühnende Funktion haben konnte. Diese Sicht kann Paulus allerdings nicht teilen, und zwar wiederum wegen des gekreuzigten Christus, dessen *eschatologischer* Sühnetod alle anderen Sühnemittel als bestenfalls vorläufige erscheinen läßt.

de[112]. Eine Gnadenlosigkeit in diesem Sinn wird man auch dem paulinischen Gesetzesverständnis nicht unterstellen dürfen (vgl. Röm 9,4f), wenn anders Paulus nicht gegen den Buhmann eines von seinen jüdischen Zeitgenossen kaum mehr nachvollziehbaren Gesetzes(miß)verständnisses zu Felde gezogen sein soll. Die von Paulus dann dennoch aufgestellte Opposition von Gesetz und Gnade funktioniert denn auch nicht aus sich, sondern nur in Relation zu seiner Christologie bzw. Anthropologie. Weil nach Ausweis des gekreuzigten Christus niemand das von der Tora in Aussicht gestellte Leben (vgl. Gal 3,12; Röm 2,13; 10,5) erreicht, sondern im Gegenteil alle unter dem Fluch der Tora stehen, muß Paulus „Gnade" neu definieren. Wenn immer es ein eschatologisches Heilshandeln Gottes gibt, kann Paulus es nicht mit der (prinzipiell auch für ihn heilsamen) Gabe der Tora identifizieren; da diese faktisch alle als Übertreter stigmatisiert, muß Gottes Heilshandeln letztlich (eschatologisch) von anderer Art sein, nämlich so, daß es noch vor allem Tun und unabhängig von jedem Tun der Tora selbst die Übertreter des Gesetzes gerechtmacht. Eben dies geschieht am Kreuz Christi, wo im Todesgericht über den homo peccator der Gottlose gerechtfertigt wird. Gnade (χάρις) erscheint dann als das heilsame Handeln Gottes am Nicht-Täter des Gesetzes bzw. am Gottlosen (Röm 4,4f), als Handeln Gottes unter Absehung vom Gesetz und von den Werken des Gesetzes (Röm 3,21.28). Das eschatologische Heil der „Gnade" definiert sich – via facti crucis – als Gegensatz zu einem Heil ἐξ ἔργων (Röm 11,6), das der Mensch als Sünder nie erreicht.

Nicht eine prinzipielle Disqualifizierung des Gesetzes, sondern die am Kreuz offenkundig gewordene faktische Disqualifizierung des Menschen als Sünder ist der Grund, daß Paulus die durch den Tod Christi vermittelte Gerechtigkeit sola gratia antithetisch der Gerechtigkeit gegenüberstellt, die durch das Gesetz vermittelt wird (vgl. Röm 3,21–24), ja sogar behaupten kann, daß diejenigen, die durch das Gesetz Gerechtigkeit beanspruchen, die Gnade mißachten (ἀθετέω) bzw. aus ihr herausfallen (ἐκπίπτω) (Gal 2,21a; 5,4; vgl. Gal 1,6). Diese Antithese markiert zwar die Grenze zu einem Judentum, das sich dem Glauben an den Messias Jesus verschließt, bzw. zu einem Judenchristentum, das sich zur soteriologischen Konsequenz des Christus solus nicht durchgerungen hat, ist aber – von der Wertung des Kreuzestodes als Fluchtod bis hin zu den daraus gezogenen Folgerungen – durchaus jüdisch gedacht, vorausgesetzt, daß Jesus tatsächlich der Messias ist. Mit der Antithese von Gesetz und Gnade verdeutlicht Paulus also sein christologisches Bekenntnis und die daraus sich ergebenden Konsequenzen. Wer meint, mit Hilfe von Gesetzeswerken Gerechtigkeit erreichen zu können, muß sich dem Bekenntnis zum gekreuzigten Christus verweigern oder es zumindest soteriologisch relativieren. Die Furcht vor dieser Konsequenz läßt Paulus so vehement gegen seine galatischen Gegner einschreiten. Prägnant christolo-

---

[112] Siehe dazu oben unter Kap. I/3.

gisch artikuliert er den Grund seiner Antithese: „Wenn es durch das Gesetz Gerechtigkeit gäbe, wäre Christus umsonst gestorben" (Gal 2,21 b). Die Ausnahmslosigkeit der menschlichen Sünde und des menschlichen Sündigens wäre dann nämlich durchbrochen. Das Gesetz wäre nicht nur prinzipiell, sondern auch faktisch für den Menschen ein Mittel zur Erlangung der Gerechtigkeit. Dann aber wäre der stellvertretende Fluchtod Christi nicht mehr prinzipiell notwendig. Tatsächlich aber ist die Situation genau umgekehrt, indem der stellvertretend erlittene Fluchtod Christi alle als Sünder festhält. Deshalb verkennt der, der mit Hilfe des Gesetzes sich als gerecht erweisen möchte, seine wahre Situation. Indem er sich dem Anspruch des Gesetzes unterstellt, zieht er sich den Fluch zu, den das Gesetz über jeden Sünder aussprechen muß.

Die Opposition von Gesetz und Gnade funktioniert also nur vom Kreuz her; das aber bedeutet, daß der homo peccator als Bezugsgröße in die Definition des Gegensatzes miteinbezogen werden muß. In einem so strukturierten Koordinatensystem ist auch der Gegensatz zwischen dem Sein „unter dem Gesetz" (ὑπὸ νόμον) und dem Sein „unter der Gnade" (ὑπὸ χάριν) zu würdigen (Röm 6,14.15; vgl. Gal 3,23; 4,5; 5,18). Es geht dabei um einen Existenzwechsel des Menschen und nicht um die Definition eines in jeder Hinsicht heillosen Gesetzes. Im Anschluß an Röm 10,4[113] könnte man zunächst daran denken, daß in Christus der Mensch nicht mehr unter der Heilskondition der Tora lebt, die ihrem Täter Leben verheißt und über ihren Übertreter Fluch ausspricht, während die Heilskondition der Gnade gerade darin besteht, daß sie den Nicht-Täter, den Sünder, rechtfertigt. Doch handelt es sich hierbei nicht bloß um einen äußeren Transfer von einer „Gesetzmäßigkeit" des Heils in eine andere. Der Loskauf vom Fluch der Tora im stellvertretenden Tod Christi bewirkt vielmehr einen echten Wandel von der Existenz des Sünders in die Existenz des Gerechten, so daß mit dem Wechsel vom Sein unter dem Gesetz zum Sein unter der Gnade der Fluch des Gesetzes auch wirklich gegenstandslos wird, weil das Gesetz nichts gegen diejenigen haben kann, die die Frucht des Geistes hervorbringen (vgl. Gal 5,18 mit 5,22f).

1.2 Gesetz und Glaube

Die Haltung, die der Gerechtigkeit sola gratia auf seiten des Menschen entspricht, nennt Paulus „Glaube" (πίστις, πιστεύειν). Er ist die existentielle Voraussetzung für den Empfang der Gerechtigkeit: „Dem Glaubenden" wird „Gerechtigkeit" zuteil (Röm 10,4); „der Glaube wird zur Gerechtigkeit angerechnet" (Röm 4,3.5.9.11.20–22; Gal 3,6; vgl. Röm 10,10); die Gerechtmachung (δικαιοῦν, δικαιοῦσθαι) erfolgt „aus Glauben" (ἐκ πίστεως: Röm 3,26.30; 5,1; Gal 2,16; 3,8.24; vgl. Gal 5,5; διὰ πίστεως: Röm 3,30; Gal 2,16; vgl. Röm 3,27; πίστει: Röm 3,28). Paulus kann daher von einer „Gerechtig-

---

[113] Siehe dazu oben unter Kap. I/3.

keit aus Glauben" (δικαιοσύνη ἐκ πίστεως: Röm 9,30; 10,6; [vgl. Röm 1,17] bzw. δικαιοσύνη διὰ πίστεως: Phil 3,9) oder sogar direkt von einer *„Glaubensgerechtigkeit"* (δικαιοσύνη πίστεως: Röm 4,11.13) sprechen.

Der neutestamentliche Begriff *πίστις/πιστεύειν* hat seine traditions- und religionsgeschichtlichen Wurzeln in der alttestamentlich-jüdischen Überlieferung[114], wenngleich seine religiöse Verwendung auch im hellenistischen Bereich nicht unbekannt ist. Die LXX verwendet den Stamm πιστ- in fast ausnahmsloser Regelmäßigkeit zur Wiedergabe des hebräischen ‚'mn', das im Alten Testament u. a. zur Bezeichnung der Beziehung des Menschen zu Gott verwendet wird: „sich als verläßlich, treu erweisen" (niphal), „sich verlassen auf, vertrauen, glauben" (hiphil)[115]. Freilich kann das Alte Testament das Gottesverhältnis auch mit anderen Termini umschreiben (‚bṭḥ', ‚jḥl', ‚ḥsh', ‚qwh' u. a.). Eine gewisse Präponderanz gewinnt der religiös verstandene πίστις-Begriff in bestimmten Schriften des Frühjudentums (bes. Weisheitsliteratur, Philo).

Der christliche Sprachgebrauch – und das gilt ganz besonders für den Traditionsstrang, dem Paulus zugehört und den er dann selbst nachhaltig beeinflußt hat – zeichnet sich dadurch aus, daß der Stamm πιστ- zur dominanten Bezeichnung des Gottesverhältnisses wird. Das hängt sicherlich damit zusammen, daß der Begriff von Haus aus nicht nur ein formales Gottvertrauen meint, sondern ein bestimmtes Handeln Gottes zum Inhalt hat, worauf sich das Vertrauen bezieht. Im christlichen Bereich, wo Tod und Auferweckung Jesu als Ausdruck des eschatologischen Handelns Gottes gewertet werden, ergibt sich daraus fast zwangsläufig die Verbindung mit dem christologischen Kerygma. Schon in der vorpaulinischen Tradition bezieht sich der Glaube auf Gott, der Jesus von den Toten auferweckt hat (Röm 10,9b), oder auf Christus, der für unsere Sünden bzw. für uns sich dahingegeben hat (Gal 1,4; 2,20; vgl. Eph 5,2.25) und für uns gestorben ist (Röm 5,8; 1Thess 5,10), oder auch auf Christus, der „für unsere Sünden gestorben ist... und auferweckt worden ist..." (1Kor 15,3b–5; vgl. 2Kor 5,15; 1Thess 4,14; Röm 4,25)[116]. Der spezifische Akzent, den Paulus bei der Rezeption des überkommenen Glaubensbegriffs setzt, hat mit der Konzentration auf den Kreuzestod zu tun. Gegenstand des Glaubens ist die „Torheit der Verkündigung" (1Kor 1,21), deren Inhalt vollumfänglich mit dem „gekreuzigten Christus" umschrieben ist (1Kor 1,23f; 2,2; vgl. auch die ἀκοὴ πίστεως in Gal 3,1 f.5).

---

[114] Vgl. dazu: D. Lührmann, Pistis im Judentum: ZNW 64 (1973) 19–38; Ders., Glaube im frühen Christentum, Gütersloh 1976; E. Lohse, Emuna und Pistis. Jüdisches und urchristliches Verständnis des Glaubens, in: Ders., Die Vielfalt des Neuen Testaments. Exegetische Studien zur Theologie des Neuen Testaments, Göttingen 1982, 88–104.

[115] Vgl. dazu: H. Wildberger, Art. אמן 'mn fest, sicher, in: THAT I 177–209; A. Jepsen, Art. אמן, in: ThWAT I 313–348.

[116] Vgl. dazu: Ph. Vielhauer, Geschichte der urchristlichen Literatur. Einleitung in das Neue Testament, die Apokryphen und die Apostolischen Väter (GLB), Berlin – New York 1975, 14–22; K. Wengst, Formeln (Anm. 57) 27–48. 55–104.

In diesem Kontext ist der Befund zu würdigen, daß Paulus den Glauben ganz pointiert dem Gesetz bzw. den Werken des Gesetzes gegenüberstellt (Röm 3,21 f.28; 4,2 f.4 f.13 f; 9,30–32; 10,5 f; Gal 2,16; 3,2.5.13 f.21 f.23 f; 5,4 f; Phil 3,9) und den Glauben als Grund der Gerechtigkeit angibt (s. o.). Doch darf die Opposition von Glaube und Gesetz – ähnlich wie oben die Opposition von Gnade und Gesetz – nicht isoliert für sich gewertet werden, da sie nur in Relation zur Christologie bzw. Anthropologie des Apostels funktioniert.

Frühjüdisch sind Glaube (,ᵉmûnāh', *πίστις*) und Tun der Tora keine Gegensätze; besonders in Sir, Weish, 4Makk, aber auch in 4Esr und syrBar richtet sich der Glaube auf das Gesetz bzw. erweist sich gerade im Tun des Gesetzes[117]. Dieser Sprachgebrauch knüpft – wie Dieter LÜHRMANN wohl zu Recht vermutet – an alttestamentliche Vorgaben an (vgl. Dtn 9,23; 2Kön 17,13 f)[118]. In diesem Sinne hat auch die Gemeinde von Qumran die (dann für Paulus so bedeutsame) Stelle Hab 2,4 („Der Gerechte wird aufgrund seines Glaubens leben") verstanden: „Seine Deutung geht auf alle Täter des Gesetzes im Hause Juda..." (1QpHab 8,1–3; vgl. 1QpHab 2,14; 1QS 8,1–3). Es besteht keinerlei prinzipielle Notwendigkeit zu unterstellen, daß nicht auch Paulus das Tun der Gebote als Ausdruck einer ,ᵉmûnāh' im allgemeinen Sinn der Treue zu Gott hätte bezeichnen können. Daß er dies de facto nicht tut, sondern *πίστις/πιστεύειν* und *νόμος/ἔργα νόμου* gegenüberstellt, hat einen doppelten Grund. Zum einen übernimmt Paulus den Stamm *πιστ-* bereits als christologisch gefüllten terminus technicus, wonach „Glauben" sich auf das eschatologische Handeln Gottes in und an Jesus bezieht. Noch entscheidender für Paulus aber ist, daß er den traditionell christologischen Inhalt des Glaubens konsequent vom Fluchtod des Kreuzes her betrachtet. Diese Wertung des gekreuzigten Christus zwingt Paulus, die Rede von einer ,ᵉmûnāh' im Sinne der Gesetzestreue überhaupt zu unterlassen, und zwar nicht, weil das Tun des Gesetzes auf eine durch Leistung verdiente Selbstgerechtigkeit hinausliefe und prinzipiell kein Ausdruck des vertrauensvollen Gottesverhältnisses sein könnte, sondern weil der Gekreuzigte dokumentiert, daß alle Sünder und Nicht-Täter des Gesetzes sind und es demnach *faktisch „Gesetzestreue" nicht gibt.*

Besonders aufschlußreich ist *Gal 2,15–17.* Paulus nimmt seinen Ausgangspunkt bei den Christen, die gebürtige Juden und (wegen der Erwählung Israels) nicht wie die Heiden Sünder sind (Gal 2,15). Auch sie haben sich aber, indem sie „in Christus Rechtfertigung suchten, als *Sünder* erwiesen"

---

[117] Sir 1,26 f; 15,5; 32,24; 33,3; vgl. 34,8; 44,20 (umstritten ist allerdings, ob in jedem Fall der hebräische Stamm ,'mn' zugrunde liegt; bei Sir 32,24; 33,3 ist dies z. B. nicht der Fall: D. LÜHRMANN, Pistis [Anm. 114] 33); Weish 12,2; 4Makk 16,22; 17,2 (im Kontext mit 16,16.24); 4 Esr 7,24; 7,83 (im Kontext mit 7,81); 9,7; 13,23; syrBar 54,5.

[118] D. LÜHRMANN, a.a.O. 35.

(ζητοῦντες δικαιωθῆναι ἐν Χριστῷ εὑρέθημεν καὶ αὐτοὶ ἁμαρτωλοί: Gal 2,17 a)[119], die deshalb vom Gesetz nur ihrer Untreue bezichtigt werden können. Indem sie sich für den Glauben an Christus Jesus entschieden haben (εἰς Χριστὸν Ἰησοῦν ἐπιστεύσαμεν: Gal 2,16 aβ), bestätigen sie (faktisch) das mit Paulus gemeinsame Grundwissen, daß „der Mensch nicht gerechtfertigt wird aus Werken des Gesetzes, sondern nur (ἐὰν μή) durch *Glauben an Jesus Christus*" (Gal 2,16 aα). Weil sie Sünder sind, gibt es auch für sie nur die Möglichkeit des Glaubens, damit sie „gerecht gemacht werden aus Glauben an Christus und nicht aus Werken des Gesetzes, denn aus Werken des Gesetzes wird nicht gerechtfertigt alles Fleisch" (Gal 2,16 b).

Auch in *Phil 3,9*, wo Paulus „meine Gerechtigkeit, die aus dem Gesetz kommt" (ἐμὴ δικαιοσύνη ἡ ἐκ νόμου), der Gerechtigkeit „durch Glauben an Christus" (ἡ διὰ πίστεως Χριστοῦ) gegenüberstellt, will er nicht die Gesetzesgerechtigkeit als Selbstgerechtigkeit diffamieren, der prinzipiell jedes Gottvertrauen fehlt. Der Vers gibt vielmehr die Selbsteinschätzung des Paulus wieder, wie er sie nach seiner Hinkehr zu Christus gewonnen hat. „In ihm", d. h. dem Tode Christi gleichgestaltet (Phil 3,10), findet er sich als Sünder. Eigene Gerechtigkeit, also eine Gerechtigkeit, die aus dem Tun des Gesetzes resultiert, kann er so gerade nicht beanspruchen. In Christus empfängt er vielmehr die Gerechtigkeit, auf die er als Sünder angewiesen ist, nämlich die Gerechtigkeit, die „durch den Glauben an Christus" kommt und von Gott dem Glaubenden geschenkt wird. Die Ablehnung der „eigenen Gerechtigkeit, die aus dem Gesetz kommt", inkriminiert also nicht das Tun des Gesetzes, sondern den (in Christus offenbaren) Sünder, der sich nur eine illusionäre Gerechtigkeit aufbaut, wenn er mit dem Kriterium des Gesetzes Gerechtigkeit reklamiert[120].

Aus dem gleichen Grund darf auch in *Röm 9,30–32; 10,5f* nicht ein prinzipieller Widerspruch des Gesetzes zum Glauben eingelesen werden. Die Antithese von „Gerechtigkeit aus dem Gesetz" und „Gerechtigkeit aus Glauben" (Röm 10,5f) funktioniert auch hier nur in Relation zu der in Christus offenbaren Situation des Menschen, die Paulus an Israel entfaltet: „Israel, das nach dem Gesetz der Gerechtigkeit (d. h. nach dem Gesetz, das Gerechtigkeit fordert und in Aussicht stellt) strebte, hat das Gesetz nicht erreicht" (Ἰσραὴλ δὲ διώκων νόμον δικαιοσύνης εἰς νόμον οὐκ ἔφθασεν: Röm 9,31). Diese These hat mehrere Aspekte, deren erster bereits ausführlicher dargestellt wurde[121]: 1. Da der am Kreuz ergangene Fluch über die Nicht-Täter der Tora auch Israel betrifft, muß Paulus diesem eine Gerechtigkeit bestrei-

---

[119] Sachlich ist hierbei an die glaubende Übernahme des Kreuzestodes Christi gedacht (vgl. Gal 2,19 b), die das Bekenntnis zur eigenen Identität als Sünder (Fluchtod) einschließt.

[120] Wenn Paulus vorher in Phil 3,6 sagt, daß er in bezug auf die Gerechtigkeit, die vom Gesetz verlangt ist, untadelig war (κατὰ δικαιοσύνην τὴν ἐν νόμῳ γενόμενος ἄμεμπτος), dann gibt er seine ehemalige, jetzt als falsch erkannte (vgl. Phil 3,7 f) Selbsteinschätzung wieder.

[121] Siehe oben unter Kap. II/3.

ten, die im Gesetz ihren Maßstab hat (vgl. Röm 10,5). 2. In dieser (vom
Kreuz bezeichneten) Situation müßte das Gesetz zum Anlaß werden, die
eigene Sündhaftigkeit zu bekennen und Gott wegen seines gerechten Gerichtes zu preisen, das er aufgrund der Tora über die Sünder verhängt und –
an Christus – auch vollzogen hat (Gerichtsexhomologese). Wenn Israel dann
dennoch versucht, ὡς ἐξ ἔργων (Röm 9,32; d. h., als ob es als Sünder sich auf
das Kriterium der Gesetzeswerke berufen könnte) Gerechtigkeit zu erlangen, hat es die wahre Funktion, die die Tora faktisch hat, nicht erkannt.
3. Letztlich ist es also die Verweigerung des Glaubens, die Israel das Gesetz
nicht erreichen läßt (Röm 9,32f). Weil es den gekreuzigten Christus ablehnt,
nimmt es den Fluch der Tora und damit die Tora selbst nicht ernst. Insofern
steht der Glaube nicht gegen das Gesetz. Er gibt vielmehr dem Gesetz recht,
wenn es den Sünder verflucht, und richtet es damit auch unter dieser
Rücksicht auf (vgl. Röm 3,31). Mit der Ablehnung des gekreuzigten Christus verwirft Israel aber zugleich die im Kreuz (Sühnetod) durch Gottes
Gerechtigkeit eröffnete Möglichkeit einer Gerechtigkeit aus Glauben (vgl.
Röm 10,4.6.9).[122]

Letztlich ist es also die vom Gekreuzigten gewiesene anthropologische
Situation, die Paulus πίστις und νόμος bzw. ἔργα νόμου einander gegen-
überstellen läßt. Weil der Sünder Gesetzestreue nicht aufzuweisen hat bzw.
an diesem Maßstab sich den Fluch zuziehen muß, kann Paulus von einer
(heilsamen) πίστις in diesem Sinn gar nicht reden. Nach Röm 4,5 gehört das
„Nicht-Tun" (μὴ ἐργάζεσθαι) zur Definition des „Glaubens" (πιστεύειν) dazu.
Umgekehrt gilt dann natürlich auch, daß das Gesetz, das seinem Täter Leben
verheißt, nicht ἐκ πίστεως ist (Gal 3,11). πίστις/πιστεύειν wird geradezu zur
Haltung, die dem Sünder und Nicht-Täter des Gesetzes die Perspektive des
Heils eröffnet. Allerdings ist mit einer derart negativen Bestimmung der
Glaubensbegriff noch keineswegs ausreichend gewürdigt. Denn nicht das
Nicht-Tun (des Gesetzes) als solches macht den Menschen zum Glaubenden;
es steckt nur den faktischen anthropologischen Rahmen ab. Zum Glauben
selbst muß positiv noch etwas dazukommen, nämlich das Vertrauen, daß
Gott den in dieser Situation befindlichen gottlosen Menschen κατὰ χάριν
rechtfertigt (Röm 4,4f). Grund und Gewißheit dieses Vertrauens wurzeln
im christologischen Bekenntnis, daß Gott gerade im stellvertretenden Tod
Christi als homo peccator Heil wirkt. In diesem Sinn – als iustificatio impii –
hat Paulus wohl den Satz verstanden, den schon die Tradition vor ihm
formuliert hat: „Er wurde dahingegeben wegen unserer Verfehlungen und
wurde auferweckt wegen unserer Rechtfertigung" (Röm 4,25). Dieser (inhaltliche!) Glaube, daß Gott den Gottlosen rechtfertigen kann und rechtfertigt, wird dem, der als Sünder mit Hilfe des Gesetzes sich nicht als gerecht
erweisen kann, „zur Gerechtigkeit angerechnet" (λογίζεται ἡ πίστις αὐτοῦ εἰς
δικαιοσύνην: Röm 4,5; vgl. 4,9.11.22; Gal 3,6). Die „Gerechtigkeit aus Glau-

---

[122] Zu Christus als τέλος νόμου siehe oben unter Kap. I/3.

ben" bzw. die „Glaubensgerechtigkeit" ist die einzige Möglichkeit der Gerechtigkeit für den Sünder und damit für den Menschen überhaupt, der immer nur als Sünder vor-kommt.

Ist der Glaube einmal als der (faktisch) einzig mögliche Weg zur Gerechtigkeit erkannt, so muß Paulus auch die *Schrift* mit neuen Augen lesen. Vor allem die Abrahamsgeschichte gewinnt ein neues Gewicht. Abraham, der Stammvater Israels dem Fleische nach (Röm 4,1), wird zum Vater aller Glaubenden, der Juden wie auch der Heiden (Röm 4,11 f), weil er an Gott geglaubt hat, „der die Toten lebendig macht und das, was nicht ist, ins Dasein ruft" (Röm 4,17). Wider alle Hoffnung hat er auf Hoffnung hin der Verheißung geglaubt, daß er zahlreiche Nachkommenschaft haben werde (Röm 4,18 f; vgl. Gen 15,1–5; 17,1–8). Der Satz aus Gen 15,6 bekommt für Paulus geradezu typische bzw. typologische Bedeutung: „Abraham glaubte Gott und dies wurde ihm zur Gerechtigkeit angerechnet" (ἐπίστευσεν Ἀβραὰμ τῷ θεῷ καὶ ἐλογίσθη αὐτῷ εἰς δικαιοσύνην: Röm 4,3 [vgl. 4,9.22]; Gal 3,6). Paulus sieht darin seine (christologisch begründete) These von der Glaubensgerechtigkeit bestätigt. Diese ist also nicht nur insofern schriftgemäß, als ein gekreuzigter Christus – gemäß dem Wort der Tora (Dtn 21,23)! – eine Gesetzesgerechtigkeit faktisch ausschließt, sie ist sogar unmittelbar in der Schrift bezeugt! Das Wort des Propheten Habakuk (2,4) unterstreicht dies noch: ὁ δίκαιος ἐκ πίστεως ζήσεται (Gal 3,11; Röm 1,17)[123]. Paulus wertet das Habakuk-Wort – entgegen dessen ursprünglichem Sinn, aber durchaus entsprechend seiner christologischen Hermeneutik – als Votum gegen eine vom Gesetz vermittelte Rechtfertigung (Gal 3,11), so daß ἐκ πίστεως wohl auf δίκαιος zu beziehen ist und demzufolge dem aus Glauben Gerechten die Lebenszusage gilt[124]. Die πίστις, daß Gott seine Verheißung – auch wider alle menschliche Wahrscheinlichkeit und Möglichkeit – verwirklichen wird, war also seit jeher auch die von der Schrift bezeugte und vorhergesehene adäquate Form des Gottesverhältnisses (vgl. Röm 3,21 f). In diesem Zusammenhang stoßen wir wieder auf das Phänomen, daß Paulus das Konzept der Heilsgeschichte neu organisieren und das göttliche Handeln am Menschen auf den eschatologischen Fluchtpunkt des Glaubens hin ausrichten muß. Die entscheidende göttliche Tat der Heilsgeschichte vor Christus ist dann der Bund mit Abraham bzw. die Verheißung an Abraham, während der Sinaibund bzw. die Gesetzgebung am Sinai in eine demgegenüber sekundäre, dienende (pädagogische) Funktion rückt (vgl. Gal 3,23 f)[125].

---

[123] Nach schriftgelehrter Methode dienen die Propheten und Schriften der Bestätigung der Tora. In diesem Sinn verfährt Paulus in Gal 3,6 (Gen 15,6). 11(Hab 2,4) oder in Röm 4,3 (Gen 15,6).7 f (Ps 31,1 f LXX). Anders: Röm 1,17 (Hab 2,4); doch geht es dabei um die Vorstellung der These, nicht um ein Beweisverfahren.

[124] Vgl. dagegen die Auslegung Qumrans, das den Glauben als Tun des Gesetzes wertet. Siehe oben unter III/1.2.

[125] Vgl. dazu unten Kap. IV/1.

Damit hängt auch zusammen, daß der Glaube nicht ein einmaliger Akt der
Umkehr ist, die den Sünder – wie etwa in Qumran – alsbald zu einer
Gerechtigkeit zurückführt, die sich nach dem Tun des Gesetzes bemißt. Die
Gerechtigkeit des Gerechtfertigten bleibt vielmehr eine Gerechtigkeit aus
Glauben und wird nie Gerechtigkeit aus dem Gesetz (vgl. Phil 3,9). Da der
Fluchtod des Kreuzes (als eschatologisches Ereignis) den Menschen als
solchen als Nicht-Täter des Gesetzes ausweist, ist das Bekenntnis zur eigenen Ungerechtigkeit sub conditione legis integraler Bestandteil des Glaubens. Wer deshalb als aus Glauben Gerechtfertigter wieder Gerechtigkeit
nach dem Maßstab des Gesetzes erstrebt, hört auf zu glauben und fällt aus
der Gnade heraus (Gal 5,4; vgl. Gal 2,21), die eben im Vollzug des Gesetzes-
fluches und nicht nach Maßgabe des Tuns der Gesetzeswerke Gerechtigkeit
zuspricht. Indem der Glaubende sich (in Christus) dem Fluch des Gesetzes
(über den Sünder) aussetzt, ist er „durch das Gesetz dem Gesetz gestorben"
(Gal 2,19a; Röm 7,4; vgl. Röm 7,6). Der Glaube an die iustificatio impii
bleibt die permanente Existenzform des Gerechtfertigten. Dies bedeutet
selbstverständlich nicht, daß der Glaubende, der nicht mehr unter dem
Gesetz, sondern unter der Gnade steht, sündigen dürfte (vgl. Röm 6,15). Er
ist im Gegenteil zur Liebe befreit, durch die das ganze Gesetz erfüllt ist (Gal
5,13f; Röm 13,9). Auf diese dialektische Spannung, daß der Glaubende
einerseits nie das Tun des Gesetzes (Gesetzeswerke) zum Kriterium seiner
Gerechtigkeit machen kann, während er andererseits gerade als Glaubender
nicht sündigt (und das heißt: das Gesetz nicht übertritt), ist später noch
zurückzukommen[126].

2. Das Rechtfertigungsgeschehen

War bislang die Gerechtigkeit vorwiegend unter existentiellem Aspekt
(als Glaubensgerechtigkeit) betrachtet worden, so soll im folgenden der
Rechtfertigungsvorgang selbst ins Auge gefaßt werden. Dabei soll auf die in
diesem Zusammenhang meist erörterte Frage nach dem *forensischen* Charakter der paulinischen Rechtfertigung nicht weiter eingegangen werden. Abgesehen von der damit verbundenen hermeneutischen Problematik (die sich
schon durch die Frage nach der Angemessenheit eines wirkungsgeschichtlich so belasteten Begriffs stellt) würde dies nur zu einer Wiederholung
bekannter Tatsachen führen. Ganz allgemein kann folgendes festgestellt
werden: Zweifellos besitzt der paulinische Rechtfertigungsbegriff schon
insofern eine forensische Qualität, als er ein *Urteil* (Gottes) voraussetzt und
impliziert. Rechtliche Konnotationen ergeben sich auch aus der Tatsache,
daß Paulus die Rechtfertigung in Korrelation zum Gesetz bringt. Das (insbesondere deuteronomistisch beeinflußte) Prinzip, daß die Täter des Gesetzes
„gerechtfertigt werden" (Röm 2,13; vgl. Gal 3,12; Röm 10,5), wird von

---

[126] Siehe dazu unten Kap. IV/5.

Paulus ja auch grundsätzlich anerkannt. Doch kann er mit diesem Prinzip angesichts des gekreuzigten Christus die Menschen insgesamt nur als (faktische) Sünder (Nicht-Täter des Gesetzes) und Ungerechte deklarieren. Will er daher das Christusereignis nicht nur als Verurteilung der Sünder auslegen, so muß er in Christus eine Rechtfertigung begründet sehen, die unabhängig vom Tun des Gesetzes sich am Sünder auswirkt. Beides ist für Paulus allerdings kein Widerspruch, da er Verurteilung und Rechtfertigung des Sünders zusammensieht. Es stellt sich allerdings die Frage, ob Paulus eine derartige Rechtfertigung des Sünders als einen rein deklaratorischen Akt Gottes (Urteil) begreift, durch den der Sünder für gerecht *erklärt* wird. Oder spielen hier noch ganz andere, jenseits des Forensischen liegende Zusammenhänge eine Rolle, die den Vorgang der Rechtfertigung des Sünders auch inhaltlich zu erklären vermögen? Davon soll im folgenden die Rede sein.

Im Galaterbrief wird das Gerechtfertigtwerden (δικαιοῦσθαι: 2,16f) beschrieben als „Sterben, um Gott zu leben" (ἀπέθανον, ἵνα θεῷ ζήσω: 2,19ab) bzw. als „Mit-Christus-gekreuzigt-Werden" (Χριστῷ συνεσταύρωμαι: 2,19c). Die Beifügung διὰ νόμου νόμῳ zeigt, daß beim „Sterben" an den homo peccator gedacht ist, also an den Menschen, sofern er Sünder bzw. Fleisch ist (vgl. Gal 2,16f). Entsprechend kann Gal 5,24 sagen, daß diejenigen, die Christus angehören, „ihr Fleisch gekreuzigt haben" (τὴν σάρκα ἐσταύρωσαν). Als Pendant zum Sterben (des Fleisches) erscheint der Empfang des „Geistes" (πνεῦμα) (Gal 3,2.14), der wiederum als Zeichen der erlangten „Sohnschaft" (υἱοθεσία) verstanden ist (Gal 4,5–7; vgl. 3,26). Mit dem Sterben (des Fleisches) einerseits und dem Empfang des Geistes bzw. der Sohnschaft andererseits sind die wesentlichen Inhalte des Gerechtfertigtseins genannt. Was Paulus ansonsten dazu zu sagen hat, läßt sich als Variation und Explikation dieser Grundthemen verständlich machen. So wird das Sterben in Röm 6 als Sterben für die Sünde und Befreiung aus der Todesmacht, in Röm 7 als „Sterben dem Gesetz" (V. 4) entfaltet. Was hingegen Geistempfang und Sohnschaft (für das zukünftige Heil) bedeuten, wird in Röm 8 näher erläutert.

2.1 Rechtfertigung als Mit-Christus-gekreuzigt-Sein

Doch kehren wir wieder zu den Aussagen des Galaterbriefes zurück, wo es eine interessante Beobachtung zu vermerken gilt. Es fällt nämlich auf, daß die für die Rechtfertigung konstitutive Zusammenstellung von Sterben des Fleisches und Empfang des Geistes bzw. der Sohnschaft nicht als Parallele zur Abfolge von Tod und Auferstehung im Sinne einer Ablösung des Unheils des Todes durch das Heil der Auferstehung dargestellt wird. Ganz abgesehen davon, daß die Auferstehung Jesu im Galaterbrief überhaupt nur eine untergeordnete Rolle spielt[127], bleibt zu konstatieren, daß der Empfang

---

[127] Direkt artikuliert wird sie nur in Gal 1,1.

des Geistes und der Sohnschaft – als Pendant zum Sterben also gleichsam der Lebensaspekt der Rechtfertigung – nicht erst als Folge und Frucht der Auferstehung, sondern unmittelbar als Folge des Todes, und zwar des stellvertretenden Fluchtodes Christi, erscheint: Christus ist für uns zum Fluch geworden, „*damit* wir die Verheißung des Geistes empfangen" (Gal 3,13 f). Der gleiche Sachverhalt des Fluchtodes ist in Gal 4,4 ins Auge gefaßt, wenn Christus als γενόμενος ὑπὸ νόμον bezeichnet und eben damit die Zielangabe verbunden wird: „damit er die unter dem Gesetz loskaufe, *damit* wir die Sohnschaft empfangen" (Gal 4,5). Ein ähnlicher Zusammenhang ergibt sich aus Gal 3,1 f, wenn der Geistempfang als Folge der Glaubensbotschaft erscheint, deren Inhalt der gekreuzigte Christus ist. Besonders aufschlußreich aber ist *Gal 2,19 f.* Wie bereits erwähnt, wird die Rechtfertigung zunächst als Sterben interpretiert, welches ein Leben für Gott zum Ziele hat (V. 19 ab). Der logische Zusammenhang zwischen Sterben und Leben ist allerdings nicht so, daß das Leben der Effekt einer das Gestorben-Sein ablösenden Auferstehung ist. Das in V. 19 c nachfolgende Χριστῷ συνεσταύρωμαι (Perfekt!) belehrt vielmehr, daß das Mit-Christus-gekreuzigt-Sein die bleibende Existenz des Gerechtfertigten ist. Das Leben für Gott besteht eben in dem Mit-gekreuzigt-Sein. Es ergibt sich das Paradox: Gerade weil der Gerechtfertigte gestorben und mit Christus gekreuzigt ist, lebt er für Gott. Das heißt, eigentlich lebt gar nicht mehr er selbst (seine σάρξ), sondern Christus lebt in ihm (V. 20 a). Sofern er aber – de facto – doch noch „im Fleische" lebt, lebt er im Glauben an den Sohn Gottes, der sein Leben stellvertretend hingegeben hat (V. 20 b), d. h. im Glauben, daß auch sein jetziges sarkisches Leben im Tode Christi bereits abgetan ist. Rechtfertigung beinhaltet also einen Existenzwechsel im strikten Sinn des Wortes: Das in der Rechtfertigung erreichte Heil resultiert nicht aus der Auferweckung des erstorbenen bisherigen Lebens, sondern ist gerade im (bleibenden) Sterben des bisherigen Lebens begründet. Inhaltlich stellt sich das „Leben" von Gal 2,19 f als Wechsel von der σάρξ zum πνεῦμα dar (vgl. Gal 3), zwischen denen keinerlei Kontinuum besteht. Der Geist erhebt sich vielmehr aus dem Sterben des Fleisches. Die „Nichtung" des Fleisches ist die Ermöglichung und Schaffung eines Lebens im Geiste. Dies freilich nicht, weil die Vernichtung des Fleisches als solche Leben und Geist aus sich entläßt; hier ist genau das Gegenteil der Fall: als solches ist das Fleisch dem Tod verfallen und nichtig. Lebenswirksam ist das Sterben des Fleisches vielmehr nur, sofern es in (glaubender) Identifizierung mit dem gekreuzigten Christus geschieht, den Gott – Sühne gewährend – zum Identitätsträger der Verfluchten gemacht hat (vgl. Gal 3,13; 2Kor 5,21), so daß *Christi* Sterben dem glaubend Mit-Sterbenden im Todesgericht über das Fleisch die Lebensdimension des Geistes eröffnet. Dieses Sterben ist kein negativer Akt und der daraus folgende Tod kein Vakuum, sondern als Mit-Christus-gekreuzigt-Sein geradezu die Sphäre des Lebens (vgl. auch Phil 3,10; Röm 6,1–11).

Selbstverständlich läßt sich aus dem Befund, daß Rechtfertigung eine

Folge des Todes Christi bzw. Anteilhabe am Tode Christi ist, nicht ableiten, daß Paulus im Galaterbrief der Auferstehung keine oder nur eine nebensächliche Bedeutung beigemessen hat. Auch für die Botschaft des Galaterbriefes gilt das Wort des 1. Korintherbriefes: „Wenn Christus nicht auferweckt worden ist, dann ist leer unsere Verkündigung und leer euer Glaube" (1Kor 15,14). Nur weil Paulus selbst Auferstehungs- und Erscheinungszeuge ist (1Kor 15,8; vgl. 9,1) oder, wie er im Galaterbrief formuliert, weil ihm eine „Offenbarung Jesu Christi" zuteil geworden ist (Gal 1,12.15f), kann er Christus so verkünden, wie er ihn im Galaterbrief verkündet: als Gekreuzigten (Gal 3,1.13; vgl. 6,12.14). Ohne den Glauben an Gott, der Jesus von den Toten auferweckt hat (vgl. Röm 10,9), gäbe es für Paulus keine Verkündigung eines *Heils*todes Christi. Dies gilt nicht nur in einem formalen, sondern auch in einem inhaltlichen Sinn. Denn die eschatologische Kategorie der Auferweckung ermöglicht es Paulus erst, den Tod Jesu dezidiert als *eschatologisches* Ereignis zu würdigen. Dies wiederum ist die Voraussetzung für ein typologisches Verständnis des Todes Christi im Sinne der *eschatologischen Überbietung* des bisherigen Sühnekultes. Die eschatologische Qualität des Sühnetodes Christi aber erlaubt es Paulus, das darin begründete Heil nicht nur als Übergang vom schuldig gewordenen zum entsühnten Menschen, sondern als endgültigen Existenzwechsel des Menschen (von der σάρξ zum πνεῦμα) auszulegen, während der im Tempel praktizierte Sühnekult, der den Menschen in seiner Befindlichkeit als σάρξ beließ, immer nur ein begrenztes (auf die jeweilige Verfehlung bezogenes) Heil zu vermitteln imstande war. Davon wird noch zu sprechen sein[128].

Trotz der also auch für Paulus nicht zu bestreitenden fundamentalen Bedeutung des Auferweckungskerygmas bleibt für den Galaterbrief und darüber hinaus für das gesamte Corpus Paulinum festzuhalten, daß unter *soteriologischer Rücksicht* eindeutig der Tod Jesu im Vordergrund steht[129]. Entsprechend ist auch der Rechtfertigungsgedanke so gut wie ausschließlich mit dem Tod Christi verbunden (vgl. bes. Röm 3,24–26; 5,9; 2Kor 5,21; Gal 2,16–21).

Von dieser soteriologischen „Regel" gibt es nur zwei eventuelle Ausnahmen: 2Kor 5,15 und Röm 4,25. Doch bleibt die erste Stelle unsicher, weil schon sprachlich nicht eindeutig zu entscheiden ist, ob ὑπὲρ αὐτῶν auf Sterben und Auferwecktwerden oder nur auf das Sterben zu beziehen ist. Die zweite Stelle entstammt möglicherweise der Tradition[130], so daß sie nicht unbedingt als typisch für das paulinische Denken gewertet werden muß. Doch wäre es in jedem Fall eine Überinterpretation, wenn man das Nacheinander der beiden Satzglieder in der Weise ausdeuten würde, daß „im

---

[128] Siehe dazu unten Kap. IV, bes. 1, 2 und 3.

[129] Vgl. nur die gewiß traditionell beeinflußte, für Paulus aber nichtsdestoweniger bezeichnende Rede vom Sterben bzw. der Dahingabe Christi „für uns etc.": Röm 5,6.8; 8,32; 14,15; 1Kor 1,13; 11,24; 15,3; 2Kor 5,14.15.21; Gal 1,4; 2,20; 3,13; 1Thess 5,10; vgl. 1Kor 8,11; Röm 3,25; 4,25.

[130] Vgl. U. WILCKENS, Röm I 279f.

Tod Jesu lediglich die Voraussetzung der erst durch die Auferstehung erfolgten Rechtfertigung" angegeben wäre[131].

Der tiefere Grund für die soteriologische Konzentration auf den Tod Christi liegt in dessen kulttypologischer Deutung, die Paulus als adäquate Interpretation des als Fluchtod gewerteten Kreuzestodes sich zu eigen macht[132]. Die kultische Vorstellung eines *im Tode* ermöglichten Heils liefert das strukturelle Grundkonzept der paulinischen Soteriologie. Indem Christus die Identität der Sünder übernimmt und sein Leben dem von der Tora verhängten Tod überantwortet, eröffnet sich in der stellvertretenden Lebenshingabe, in der der homo peccator stirbt, die Möglichkeit eines neuen Hinzutretens zu Gott. Der Fluchtod Christi ist das von Gott gewährte eschatologische Sühnegeschehen, in dem der Tod des Sünders vollzogen ist und sich dem Sünder gerade im Vollzug des Todes das Heil auftut.

Unter dieser Prämisse verwundert es nicht, wenn auch das Rechtfertigungsgeschehen über den allgemeinen Bezug zum Tode Christi hinaus sich nicht selten als (typologische) Applikation eines kultischen Vollzugs zu erkennen gibt. Der kulttypologische Horizont von Röm 3,24.25 f[133]; 8,3 f; 2Kor 5,21 wurde bereits ausführlich herausgestellt[134]. Kulttypologisches Denken verrät aber auch *Röm 5,1 f*, wenn die Rechtfertigung aus Glauben als durch Christus ermöglichter „*Zutritt (προσαγωγή) . . . zur Gnade*" erläutert wird[135]. Wenige Verse weiter beschreibt Paulus die Rechtfertigung als „Versöhnt-Werden mit Gott durch den Tod seines Sohnes" (Röm 5,9 f). Auch hier handelt es sich um eine kultisch orientierte Aussage, wie überhaupt die gesamte paulinische Versöhnungslehre sich wahrscheinlich vor kultischem Hintergrund entfaltet. Das ergibt sich nicht nur aus dem ausdrücklichen Verweis auf das „Blut" Christi als Mittel der Rechtfertigung in Röm 5,9 (δικαιωθέντες νῦν ἐν τῷ αἵματι αὐτοῦ), sondern auch aus der ausführlicheren Parallelstelle in 2Kor 5,17–21, wo zumindest V. 21 – wie schon mehrfach hervorgehoben – deutlich kultische Semantik aufweist. Doch dürfte überhaupt die für griechische Ohren auffällige Rede von einer Versöhnung, bei der Gott stets das Subjekt und der Mensch das Objekt ist (2Kor 5,18–20; Röm 5,10), unter dem Einfluß des biblischen (kultischen) Sühnegedankens stehen[136]. Ist einmal eine Sensibilität für kultische Zusammenhänge geweckt, dann erkennt man unschwer, daß auch andere Stellen kulttypologische Strukturen aufweisen. Das gilt zumal für Stellen, die man gerne im

---

[131] U. WILCKENS, Röm I 278.

[132] Siehe oben Kap. II/2 und 3.

[133] Für den Zusammenhang von δικαιοσύνη und ἀπολύτρωσις vgl. auch 1Kor 1,30 (s. Anm. 103).

[134] Siehe oben Kap. II/2.

[135] Zur Verdeutlichung der Vorstellung vom kultischen Hinzutreten vgl. Hebr 10,19–22; 4,14–16; 9,11–14; siehe auch: 1Petr 3,18; Eph 2,18. – Interessant ist, daß in Röm 5,6.8 der Identitätsgedanke anklingt (vgl. dagegen 1Petr 3,18).

[136] Das Griechische unterscheidet an sich zwischen „sühnen" (ἱλάσκεσθαι) und „versöhnen" (καταλλάσσειν); mit letzterem ist in der Regel ein zweiseitiger Vorgang gemeint.

Sinne einer Christusmystik gedeutet hat. Tatsächlich aber geht es z. B. in *Gal 2,19 f* nicht um den mystischen Nachvollzug des Sterbens Christi. Die Aussage „Ich bin durch das Gesetz dem Gesetz gestorben" ist vielmehr konkret auf den Kreuzestod Jesu zu beziehen, wo (stellvertretend) mein Fleisch durch den Fluch der Tora vernichtet wurde, so daß ich dem Fluchurteil des Gesetzes entrissen bin und im Tod (Christi!) neue Lebensmöglichkeit vor Gott gefunden habe (vgl. auch Röm 7,4). Indem ich mich im Glauben mit dem den Sühnetod sterbenden Christus identifiziere (συνεσταύρωμαι), bin ich gerechtfertigt. Ein ähnlicher Zusammenhang begegnet uns in *2Kor 5,14 f.* In V. 14 geht es weder um „die Idee einer mystischen Sterbensgemeinschaft"[137], noch reicht der „juristische Stellvertretungsgedanke", der eben nur mit einer juristischen Fiktion operieren kann[138]. Es handelt sich vielmehr um eine kultische Realität: Da Christus als Repräsentant aller gestorben ist[139], sind – im Sinne kultischer Identität – tatsächlich alle gestorben (ἄρα οἱ πάντες ἀπέθανον), so daß sie, sofern sie im Glauben diese Realität (an-) erkennen, Lebende sind, allerdings nicht mehr in eigener (sarkischer) Lebensmächtigkeit, sondern in der vom stellvertretenden Sterben Christi eröffneten und in seiner Auferweckung dokumentierten Lebensmöglichkeit. Variiert findet sich der kultische Gedanke schließlich sogar im sakramentalen Kontext von *Röm 6.* Auch bei der Taufe geht es nicht um einen mystischen Nachvollzug des Sterbens bzw. Begraben-Werdens Christi, sondern um die Identifikation mit *seinem* Tod (vgl. 6,3: εἰς τὸν θάνατον αὐτοῦ ἐβαπτίσθημεν), wie sie für den Sühnekult unabdingbar ist. Die Taufe ist der Akt, wo der identifizierende Konnex mit dem sterbenden Christus hergestellt wird (vgl. 6,5: σύμφυτοι γεγόναμεν τῷ ὁμοιώματι τοῦ θανάτου αὐτοῦ).

Diese Perspektive, die den Fluchtod Christi als das Heilsereignis schlechthin und demzufolge die Rechtfertigung zuallererst als Folge dieses Todes zu sehen lehrt, läßt den Befund, daß Paulus das christliche Kerygma auf das „Wort vom Kreuz" zuspitzen kann (1Kor 1,18.22–24; 2,2; vgl. Gal 3,1; 5,11; 6,14; Phil 2,8), in einem neuen Licht erscheinen. Wenn Paulus in 1Kor 2,2 beteuert, daß er in Korinth nichts anderes kennen wollte „außer Jesus Christus, und zwar als Gekreuzigten", so ist das in keiner Weise eine Reduktion des Kerygmas (von Tod und Auferstehung); auch handelt es sich nicht um eine bloß situationsbedingte Akzentuierung einer ansonsten umfänglicheren Heilsbotschaft, wie man gelegentlich bei konzilianten Auslegern lesen kann. Man muß vielmehr in aller Schärfe betonen: Mit der Aussage,

---

[137] So: H. WINDISCH, Der zweite Korintherbrief (KEK VI), Göttingen 1924 (Neudruck 1970, hrsg. v. G. STRECKER), 182 (im Original teilweise gesperrt).

[138] So: R. BULTMANN, Der zweite Brief an die Korinther (KEK Sonderband, hrsg. v. E. DINKLER), Göttingen 1976, 153: „es *gelten* alle als gestorben… mit der Leistung des Stellvertreters *gelten* auch die durch ihn Vertretenen als solche, die die Leistung erstattet haben (Hervorhebung v. Verf.).

[139] H. WINDISCH, ebd., beobachtet sachlich richtig, wenn er feststellt: Paulus „geht also zu der Idee der ,Repräsentation' über, die von der Stellvertretung scharf zu unterscheiden ist."

daß „Christus... für uns zum Fluch geworden ist" (Gal 3,13) bzw. daß er „für uns gekreuzigt wurde" (vgl. 1Kor 1,13), ist alles gesagt, was zum Heil der Menschen zu sagen ist. Ernst KÄSEMANN ist recht zu geben, wenn er für Paulus eine „Theologie der Heilstatsachen" ablehnt und demgegenüber das Kreuz als das „zentrale und in gewisser Hinsicht alleinige Thema christlicher Theologie" postuliert[140]. Doch läßt sich diese Kreuzestheologie nicht in Konkurrenz zum „Gedanke(n) des Opfertodes" bzw. zur „Anschauung vom stellvertretenden Strafleiden Christi" aufrichten, wie es KÄSEMANN tun möchte[141]. Vielmehr ist es der durch den Gedanken des Fluchtodes gewiß radikalisierte, aber nicht zuletzt deswegen kulttypologisch verstandene Süh-netod Jesu, der es Paulus erlaubt, den Kreuzestod als das entscheidende soteriologische Geschehen zu werten, in dem – für alles Fleisch – der Fluch des Todes vollzogen und gerade so eschatologisches Heil eröffnet ist.

2.2 Rechtfertigung und Auferweckung

Nach dem Gesagten ist es für Paulus selbstverständlich, daß auch die Heilsbedeutsamkeit der Auferstehung Christi nur in Relation zu dessen Heilstod gewürdigt und interpretiert werden kann. Hermeneutisch gibt es eine Wechselwirkung zwischen Tod und Auferstehung. Einerseits gibt es keine Verkündigung vom Heilstod Jesu ohne das Bekenntnis zu seiner Auferweckung. Andererseits gewinnt aber gerade für Paulus erst *unter der Hermeneutik des Kreuzes das Auferstehungskerygma seine letzte inhaltliche Tiefe.* Wenn Paulus ernst damit macht, daß Christus der Repräsentant der Gottlo-sen und Sünder ist (vgl. Röm 4,5; 5,6.8), der die Identität der Verfluchten angenommen hat (vgl. Gal 3,13), kann es ihm weder genügen, in der Auferweckung die Legitimation der Botschaft Jesu zu sehen (die es nun erneut zu verkünden gilt), noch kann er die Auferweckung als bloße Recht-fertigung des leidenden und dann getöteten Gerechten würdigen[142]. Aufer-weckung kann nicht nur als Veränderung der qualitas eines gleichbleibenden Objekts begriffen werden: vom getöteten Gerechten zum wieder bzw. eschatologisch lebenden Gerechten; Auferweckung ist vielmehr die Ände-rung des Objekts selbst: vom vernichteten Sünder zum lebenden Gerechten! Bezogen auf den Gekreuzigten kann Auferweckung nur Neuschöpfung sein, *creatio ex nihilo im strikten Sinn des Wortes.*

Terminologisch kommt dieser Zusammenhang in Röm 4 zum Tragen. Paulus setzt dort die Rechtfertigung des Gottlosen(!) (Röm 4,5) in Parallele zum Handeln Gottes am erstorbenen Leib Abrahams bzw. Saras (Röm

---

[140] E. KÄSEMANN, Die Heilsbedeutung des Todes Jesu bei Paulus, in: DERS., Perspektiven 87 (vgl. 84 passim).

[141] E. KÄSEMANN, a.a.O. 78–84 (Zitate: 78. 79). Schon die (nicht ganz korrekte) Terminologie läßt das Vorurteil erkennen!

[142] Ersteres ist wahrscheinlich die Sicht der Logienquelle, letzteres die der (vormarkinischen) Passionsgeschichte.

4,19), worin er wiederum die Auferweckung Jesu präfiguriert sieht (vgl. Röm 4,24). Bezeichnend dabei ist, daß er die geläufige frühjüdische Rede von „Gott, der die Toten lebendig macht"[143], durch den Zusatz „und das, was nicht ist, ins Dasein ruft", erläutert (Röm 4,17) und damit eben den Schöpfer, der aus dem Nichts schafft[144], hervorhebt.

Entsprechend ist auch die künftige Auferstehung, die die Christen in Analogie zur Auferweckung Jesu erwarten dürfen (1Kor 15,15.20; 6,14; 2Kor 4,14; Röm 8,11; vgl. 1Thess 4,14; 2Kor 13,4), Neuschöpfung im strikten Sinn des Wortes. Besonders deutlich wird dies an den Ausführungen von 1Kor 15. Das zugrundeliegende Problem ergab sich offensichtlich aus einer kontroversen Bestimmung der menschlichen Identität, die ja auch die Auferweckungsaussage wahren muß, wenn sie eine sinnvolle Aussage sein soll. Einige Leute in Korinth erblickten wohl im νοῦς bzw. im πνεῦμα das wahre Wesen des Menschen, so daß sein endgültiges Heil geradezu darin besteht, daß er durch das Abstreifen der Leiblichkeit (im Tod) seine eigentliche Identität gewinnt. Für eine (leibliche) Auferstehung ist in diesem Konzept kein Platz vorhanden (vgl. 1Kor 15,12). Nicht zuletzt um des Kerygmas von der Auferstehung Jesu willen (vgl. 1Kor 15,13–19) mußte Paulus demgegenüber davon ausgehen, daß die Leiblichkeit integraler Bestandteil der menschlichen Identität ist und demzufolge die Rede von der Auferweckung eben diese (leibliche) Identität zu wahren hat. Von daher ist zu verstehen, daß Paulus das der Auferweckung zugrundeliegende menschliche Substrat als σῶμα (V. 44) und das Auferweckt-Werden als „Verwandelt-Werden" (VV. 51 f) bezeichnet. In sachlich vergleichbarer Weise bringt Paulus den Gedanken der leiblichen Identität in Röm 8,11 zum Ausdruck, wenn er aus dem Geistempfang die Hoffnung ableitet, daß „der, der Christus von den Toten auferweckt hat, auch eure sterblichen Leiber lebendig machen wird" (vgl. weiter: 1Kor 6,14; Phil 3,21). Aus solchen Aussagen ist jedoch nicht abzuleiten, daß die Auferweckung eine bloße Umformung des alten σῶμα-Substrats ist. Zwischen dem σῶμα ψυχικόν und dem σῶμα πνευματικόν von 1Kor 15,44 besteht keine Kontinuität, die über den Umstand hinausginge, daß Leiblichkeit als solche zur menschlichen Identität gehört. Die pneumatische Leiblichkeit ist daher nicht eine Fortführung der irdischen Leiblichkeit auf höherer Ebene[145]. Vielmehr ist die Vernichtung der irdischen Leiblichkeit geradezu die Voraussetzung und Bedingung der pneumatischen Leiblichkeit (1Kor 15,36f). Eine noch deutlichere Sprache spricht 2Kor 5: Im Abbrechen des irdischen Zeltes eröffnet sich die Möglichkeit einer himmlischen Behausung (V. 1); das Entkleidet-Werden wird zum Überkleidet-

---

[143] Vgl. die zweite Benediktion des XVIII-Gebetes.

[144] Vgl. 2Makk 7,28 und die Belege bei Bill. III 212.

[145] Äußerst scharf wird diese Diskontinuität herausgearbeitet von: K. Müller, Die Leiblichkeit des Heils: 1Kor 15,35–58, in: L. de Lorenzi (Hrsg.), Résurrection du Christ et des chrétiens (1Co 15) (Sér. Monogr. d. Ben., Section Biblico-Oecuménique 8), Roma 1985, 171–281.

Werden, „damit das Sterbliche vom Leben verschlungen werde" (VV. 3f); das Auswandern aus dem Leib wird zum Daheimsein beim Herrn (VV. 8f). Übersetzt auf die Argumentationsfigur von 1Kor 15 heißt dies: Die pneumatische Leiblichkeit ist nicht die zur Unsterblichkeit erneuerte irdische Leiblichkeit, sondern Folge einer *im* Sterben und durch die Ver-Nichtung des σῶμα ψυχικόν ermöglichten creatio ex nihilo. Die leibliche Auferstehung erscheint demnach als (künftiges) Analogon zum Existenzwechsel von der σάρξ zum πνεῦμα, der bereits – wie wir besonders im Zusammenhang mit Gal 2,19f beobachten konnten – die Gegenwart des Gerechtfertigten als Folge seines Mit-Christus-Sterbens auszeichnet.

Es zeigt sich also, daß die paulinische Durchdringung des traditionellen Auferstehungskerygmas sich deutlich im Fahrwasser seiner Deutung des Todes Jesu und der daraus abgeleiteten Rechtfertigungslehre bewegt. Eben deshalb ist die Auferweckung nicht die Aufhebung, sondern die Frucht des Fluchtodes am Kreuz. Die kommende Auferstehung der Christen begründet daher kein neues Heil, das zu dem im Tod Christi begründeten Heil noch hinzukäme, sondern ist gerade die Explikation eben dieses Heils. Man könnte auch sagen: Die Auferstehung ist die Konsequenz der Rechtfertigung in bezug auf die Leiblichkeit des Menschen.

Ergab sich dieser Zusammenhang bislang nur als Konklusion aus der Betrachtung der Auferstehungswirklichkeit selbst, die wir als unter der Hermeneutik des Kreuzes stehende creatio ex nihilo erkannten, so ist jetzt noch zu zeigen, wie Paulus auch tatsächlich das *Auferstehungskerygma zur Erläuterung der Wirkung der Rechtfertigung* einsetzen kann. Dabei faßt er – gemäß seinem Axiom ὁ ἐγείρας τὸν κύριον ᾿Ιησοῦν καὶ ἡμᾶς σὺν ᾿Ιησοῦ ἐγερεῖ (2Kor 4,14; vgl. 1Thess 4,14) – zunächst und vorwiegend die *Zukunft* ins Auge.

In *Phil 3,10f* ist die Erkenntnis (a) der „Kraft der Auferstehung Christi" und (b) der „Gemeinschaft mit seinen Leiden" chiastisch verschränkt mit (b') der „Gleichgestaltung mit seinem Tod" und (a') der *daraus* abgeleiteten Aussicht auf ein „Hingelangen zur Auferstehung von den Toten". Interessant ist, daß die genannte Erkenntnis als Folge bzw. Ziel des „In-Christus-erfunden-Werdens" erscheint, das wiederum mit dem Erhalt der ἐκ θεοῦ δικαιοσύνη ἐπὶ τῇ πίστει identisch ist (V. 9). Die Gerechtigkeit, die dem Glaubenden (aufgrund der Gleichgestaltung mit dem Tode Christi) zukommt, bezeichnet demnach keinen in sich abgeschlossenen Status des Heils, sondern eröffnet ihrerseits gerade die Perspektive einer künftigen Auferstehung bzw. einer Verwandlung des Leibes der Niedrigkeit zur Gleichgestalt mit seinem Leib der Herrlichkeit (vgl. Phil 3,21). Dies wird auch terminologisch durch *Gal 5,5* bestätigt, wo Paulus – in ansonsten allerdings singulärer Ausdrucksweise – die Gerechtigkeit als Hoffnungsgut darstellt. Der Gedanke der Auferstehung taucht im Kontext von Gal 5,5 freilich nicht auf.

Unter dieser Rücksicht ergiebiger sind *2Kor 4,13f* und *Röm 8,10f*, wo jeweils aus dem Geistbesitz die Hoffnung auf die künftige Auferstehung abgeleitet wird. Zumal Röm 8,10 f präsentiert sich sachlich als Erläuterung des aus dem Galaterbrief erhobenen Befundes (bes. Gal 2,19 f), wonach im Mit-Christus-gekreuzigt-Sein sich Leben (Geistempfang) eröffnet. In Übereinstimmung damit kann Paulus in Röm 8,9 sagen, daß die Christen nicht mehr ἐν σαρκί, sondern ἐν πνεύματι sind, so daß der Leib zwar tot ist um der Sünde willen, der Geist aber Leben ist um der Gerechtigkeit willen (Röm 8,10). Neu gegenüber der Galateraussage ist, daß Paulus diesen Gedanken dann mit Hilfe des Auferweckungskerygmas weiter expliziert: „Wenn aber der Geist dessen, der Jesus von den Toten auferweckt hat, in euch wohnt, dann wird der, der Christus von den Toten auferweckt hat, auch eure sterblichen Leiber lebendig machen durch seinen in euch einwohnenden Geist" (Röm 8,11)[146].

In diesem Fahrwasser stehen dann auch die folgenden Ausführungen von *Röm 8*, die den Geistempfang und die Sohnschaft, die in Gal 3 als Folgen des Mit-Christus-gekreuzigt-Seins hervortraten, auf ihre künftige Perspektive hin erschließen, und zwar nach dem Muster, daß das jetzige Mitleiden auch das künftige Mit-verherrlicht-Werden erwarten läßt (Röm 8,18; vgl. 8,17). Die Gabe des Geistes, die die Sohnschaft begründet (Röm 8,15–17), wird als ἀπαρχή verstanden[147], die die „Offenbarung der Söhne Gottes" bzw. die „Sohnschaft", nämlich „die Erlösung unseres Leibes", erwarten läßt (Röm 8,19.22).

Im allgemeinen bezieht Paulus die Auferstehungsterminologie auf die Zukunft des Christen und tritt damit gerade jenen Strömungen entgegen, die den gegenwärtigen Geistempfang enthusiastisch überschätzen. Dies hindert freilich nicht, daß er auch aus dem Wortfeld der Auferweckung heraus Bezüge zur *Gegenwart* des Christen herstellen kann.

Zunächst ist auf einige bereits behandelte Stellen zu verweisen. So dürfte in Phil 3,10 f die „Kraft seiner Auferstehung" wohl nicht nur als in der Zukunft (der erwarteten Auferstehung), sondern bereits als in der Gegenwart (der Rechtfertigung) wirksam gedacht sein, wenn sie sachlich nicht sogar in paradoxer Weise mit der „Gemeinschaft seiner Leiden" zusammenfällt. Ein ähnlicher Gegenwartsbezug findet sich in Röm 8,10 f, wo die künftige Auferstehung aus dem Besitz des Geistes abgeleitet und dieser als „der Geist dessen, der Jesus von den Toten auferweckt hat", bestimmt wird. Sachlich vergleichbar ist auch 2Kor 4,13 f, wenngleich dort die Verbindung von Geist und Auferweckung nicht direkt hergestellt wird. Dafür wird in den unmittelbar vorausgehenden Versen *2Kor 4,10 f* um so deutlicher der Grund erkennbar, weswegen Paulus Auferstehungssachverhalte bereits auf die Gegenwart beziehen kann: (10) πάντοτε τὴν νέκρωσιν τοῦ ᾽Ιησοῦ ἐν τῷ σώματι περιφέροντες, ἵνα καὶ ἡ ζωὴ τοῦ ᾽Ιησοῦ ἐν τῷ σώματι ἡμῶν φανερωθῇ. (11) ἀεὶ γὰρ

---

[146] Im Sinne von 1Kor 15 geht es um die Verwandlung des psychischen Leibes in den pneumatischen Leib.

[147] Vgl. ἀρραβὼν τοῦ πνεύματος in 2Kor 1,22; 5,5.

ἡμεῖς οἱ ζῶντες εἰς θάνατον παραδιδόμεθα διὰ Ἰησοῦν, ἵνα καὶ ἡ ζωὴ τοῦ Ἰησοῦ φανερωθῇ ἐν τῇ θνητῇ σαρκὶ ἡμῶν. Könnte man aus V. 10 noch den Schluß ziehen, daß das „Leben" erst eine dem „Sterben" nachfolgende Größe sei, so wird man durch V. 11 belehrt, daß die Übergabe an den Tod gerade deswegen erfolgt, damit *„an unserem sterblichen Fleisch* das Leben Jesu offenbar werde". Damit ist wiederum der Sachverhalt angesprochen, auf den vor allem unter Bezug auf Gal 2,19f schon mehrfach verwiesen wurde, daß nämlich das Leben *im* Sterben ersteht. Sachlich scheint hier wieder das kulttypologische Verständnis des Todes Jesu durch. Weil Paulus den Fluchtod des Kreuzes als (eschatologischen) Sühnevollzug versteht, ist für ihn die glaubende Teilhabe daran (das Mit-Christus-Sterben) selbst schon Heilsgeschehen, so daß er bereits das Mit-Christus-Sterben (und nicht nur die kommende leibliche Auferstehung) mit Begriffen und Vorstellungen aus dem Bereich der endzeitlichen Totenauferstehung umschreiben kann. Unter dieser Rücksicht könnte man sogar schon im Gebrauch des Terminus ζῆν/ζωή in Gal 2,19f und 2Kor 4,10f eine Einwirkung der Auferstehungsvorstellung sehen. Allerdings bleibt festzuhalten, daß das Modell, das die Struktur des Denkens bestimmt (Heil durch Tod bzw. im Tod), nicht der Totenerweckung, sondern dem Sühnekult entstammt. So kann Paulus das im Tode Christi begründete Heilsgeschehen der Rechtfertigung mit Hilfe des Auferstehungskerygmas einerseits mit Blick auf seine künftigen (leiblichen) Folgen als Auferweckt-Werden und andererseits mit Blick auf sein gegenwärtiges So-Sein als Leben auslegen.

Sehr schön läßt sich diese spannungsvolle Einheit von künftiger Auferweckung und gegenwärtigem Leben, die beide im Tode (Christi) begründet sind, an *Röm 6* beobachten. Zunächst ist festzustellen, daß die Christwerdung (Taufe) – ganz analog zur Beschreibung der christlichen Existenz in Gal 2,19f – als In-seinen–Tod-hinein-getauft-Werden (6,3), als Mit-gekreuzigt-Werden (6,6) und Mit-Christus-Sterben (6,8) charakterisiert ist. Die ausdrückliche Hervorhebung, daß es *sein* Tod ist, in den der Getaufte hineingezogen wird (6,3), macht deutlich, daß an den stellvertretenden Sühnetod Jesu gedacht ist. Was im Galaterbrief als dem Gesetz Sterben (2,19) bzw. als Kreuzigung der σάρξ (5,24) ausgedrückt war, ist in Röm 6 vorwiegend als Sterben für die Sünde bzw. als Befreiung von der Sünde formuliert: „Der Leib der Sünde" wird vernichtet, damit wir nicht mehr „der Sünde dienen" (6,6; vgl. 6,10.11.12–14.18 u. ö.). Daß es beide Male um denselben Tatbestand geht, zeigt Röm 6,14, wo die Befreiung aus der Macht der Sünde mit einem Existenzwechsel vom Sein „unter dem Gesetz" zum Sein „unter der Gnade" paraphrasiert wird. Wer also mit Christus gestorben ist, „ist von der Sünde gerechtfertigt" (6,7), so daß er nicht mehr unter dem Fluch und der Todeswirkung des Gesetzes steht (vgl. 6,16.21.23). Insoweit kann man die Aussage von Röm 6 als Variation und Interpretation des auch im Galaterbrief genannten Themas verstehen. Und auch darin stimmt Röm 6 mit Gal 2,19f überein, daß das Mit-Christus-gekreuzigt-Sein nicht nur den einmaligen Akt des Sterbens in der Taufe meint[148], sondern die Existenz des Gerechtfertigten bleibend charakterisiert: σύμφυτοι γεγόναμεν (Perfekt!) τῷ ὁμοιώματι τοῦ θανάτου αὐτοῦ (6,5). Neu gegenüber Gal 2,19f ist in Röm 6, daß das im Tode erlangte Heil nun in deutlicher Analogie zur Auferweckung expliziert wird. Die in der Taufe gewonnene Gleichgestalt mit dem Tode Jesu hat die künftige Gleichgestalt mit der Auferstehung zur Folge (Röm 6,5): εἰ δὲ ἀπεθάνομεν σὺν Χριστῷ, πιστεύομεν ὅτι καὶ συζήσομεν αὐτῷ (6,8). Die künftige Auferstehungswirklichkeit bestimmt aber auch schon die Gegenwart des Gerechtfertigten: Diejenigen, die „von der Sünde gerechtfertigt" sind (6,7), „in Christus" also „der Sünde tot" bzw. „für Gott lebendig" sind (6,11), können sich und ihre Glieder (als „Waffen der Gerechtigkeit") ὡσεὶ ἐκ νεκρῶν ζῶντες Gott zur Verfügung stellen (6,13). Besonders aufschlußreich ist Röm 6,4: Das Mit-Christus-begraben-Sein entläßt als unmittelbare Folgewirkung (ἵνα) die Verpflichtung zu einem „Wandel in der Neuheit des Lebens", der wiederum in Analogie zur Auferweckung Christi bestimmt wird. Sofern die Taufe nichts anderes ist als der sakramentale Vollzug des Rechtfertigungsgeschehens[149], gilt also: Gerechtigkeit erlangt der Mensch in der Gleichgestalt mit dem Tod Christi, wo im Sterben des alten Menschen bzw. des Sündenleibes (6,6) sich neues Heil auftut, das im wahrsten Sinne des Wortes als creatio ex nihilo bezeichnet und eben in diesem Sinne von Paulus mit Hilfe der Auferstehungsvorstellung interpretiert werden kann.

Als sachlich vergleichbar kann auf die Aussage von 2Kor 5,14f verwiesen werden, deren Parallelität zu der in unserem Zusammenhang bereits erwähnten Aussage von 2Kor 4,10f.13f ohnehin offenkundig ist. Diejenigen, die im stellvertretenden Tod Christi gestorben sind (V. 14b), sollen „nicht mehr sich selbst leben, sondern dem, der für sie gestorben ist und auferweckt wurde" (V. 15b). Dieses im Tode Christi ermöglichte „Leben" (im Sinne des Lebenswandels) stellt eine direkte Sachparallele zum „Wandel in der Neuheit des Lebens" von Röm 6,4 dar und wird wie dort in Analogie zur Auferweckung Christi ausgelegt.

Es ist wohl kein Zufall, daß dann im weiteren Kontext das „In-Christus-Sein" als „neue Schöpfung" (καινὴ κτίσις) interpretiert wird, also mit Hilfe einer Vorstellung, die mit der von der endzeitlichen Totenerweckung eng zusammengehört und im Sinne des Paulus sogar deren eigentlichen Gehalt (creatio ex nihilo; vgl. Röm 4,17) ausmacht: „Wenn einer in Christus ist, so ist er neue Schöpfung" (2Kor 5,17a). Wenn Paulus dann fortfährt: „Das Alte ist vergangen, siehe, Neues ist geworden" (2Kor 5,17b), wird wieder deutlich, daß die „neue Schöpfung" nicht einfach die renovatio des Alten ist, sondern gerade im Vergehen des Alten ihren Ursprung und Grund hat. Der dabei implizierte Gedanke eines Heiles *im* Tode bestimmt dann auch den

---

[148] So die Aoriste in Röm 6,3.4.6.8.
[149] Vgl. die zahlreichen Hinweise auf δικαιοσύνη und δικαιοῦσθαι in Röm 6,13.16.18.19.20 bzw. 6,7.

Folgetext, wenn der mit dem In-Christus-Sein verbundene Existenzwechsel (hier als „Versöhnung" ausgedrückt) mit dem Sühnetod Christi begründet wird (2Kor 5,21).

Noch deutlicher kommt dieser Gedanke allerdings im Galaterbrief zum Tragen, wo Paulus in 6,15 ebenfalls die „neue Schöpfung" anspricht. Wie der vorausgehende Vers vermuten läßt, hängt sie mit dem „Kreuz unseres Herrn Jesus Christus" zusammen, durch das das gegenseitige Verhältnis von Christ und Welt bleibend als Füreinander-tot-Sein (ἐσταύρωται: Perfekt!) gekennzeichnet ist. Bestätigt wird dieser Zusammenhang durch die Opposition von Beschneidung/Unbeschnittenheit vs neue Schöpfung in Gal 6,15 selbst. Sie nimmt die Aussage von Gal 3,28 wieder auf, wo das In-Christus-hineingetauft-Sein (εἰς Χριστὸν ἐβαπτίσθητε: Gal 3,27) als Überwindung der irdisch relevanten Unterschiede ausgelegt wird. Das In-Christus-hineingetauft-Sein, in dem die durch die Rechtfertigung aus Glauben erlangte Sohnschaft (vgl. Gal 3,24–26) ihren sakramentalen Ausdruck findet, versteht Paulus aber nach Ausweis von Röm 6 als Sterben bzw. Begraben-Werden mit Christus. Damit schließt sich der Kreis. Die „neue Schöpfung" ist Explikation des im Tode Christi begründeten Heils (der Rechtfertigung).

3. Gerechtigkeit Gottes als Gottes Schöpfertreue?

Unter dem Aspekt der „neuen Schöpfung" ist noch einmal auf das Thema der „Gerechtigkeit Gottes" zurückzukommen. Denn wenn die Gerechtigkeit die Glaubenden als „neue Schöpfung" erscheinen läßt, dann kann man in der Tat fragen, ob die dies bewirkende „Gerechtigkeit Gottes" nicht mehr nur als Gottes Bundestreue (Israel gegenüber), sondern darüber hinaus als Gottes Schöpfertreue zu fassen ist. Vor allem Ernst KÄSEMANN hat diese These – zunächst unter Berufung auf Röm 3,24–26 – entwickelt[150]: Während die traditionelle Vorlage in Röm 3,25 „die eschatologische Restitution des Bundes gefeiert und als Erweis der göttlichen Gerechtigkeit gekennzeichnet" habe[151], sei für Paulus, der in V. 26 die Vorlage interpretiert, „der Erweis der göttlichen Gerechtigkeit nicht mehr die Bundeserneuerung mit dem alten Gottesvolk, sondern universal am Glauben orientiert... Die göttliche Gerechtigkeit übergreift das Bundesvolk, gilt jedem Glaubenden an den Jesus, welcher der Gekreuzigte ist. Indirekt besagt das, daß *aus der Bundestreue Gottes seine Treue gegenüber seiner gesamten Schöpfung und sein sich dieser gegenüber durchsetzendes Recht wird.*"[152]

---

[150] E. KÄSEMANN, Zum Verständnis von Römer 3,24–26, in: DERS., Exegetische Versuche und Besinnungen I, Göttingen 1964, 96–100. Weiter ausgebaut wurde die These dann von Peter STUHLMACHER, Gerechtigkeit Gottes 86–91. passim. Im folgenden wird vor allem auf den Römerbrief-Kommentar von KÄSEMANN zurückgegriffen.

[151] E. KÄSEMANN, Röm 94.

[152] E. KÄSEMANN, a.a.O. Röm 95 (Hervorhebung v. Verf.); ähnlich P. STUHLMACHER, Gerech-

Nun kann kein Zweifel sein, daß es bei der „Gerechtigkeit Gottes" nach paulinischem Verständnis „nicht bloß um die einmalige Bundeserneuerung im Tode Jesu und nicht bloß um die Vergebung vergangener Schuld" gehen kann[153]. Zu fragen bleibt aber, ob mit der Alternative von Bundes- und Schöpfertreue das paulinische Anliegen angemessen zu beschreiben ist. Hier ist m. E. doch stärker zu differenzieren.

Richtig ist, daß „Gerechtigkeit" und „neue Schöpfung" mehr oder minder auf den gleichen Sachverhalt abzielen. Sie bezeichnen den Status der In-Christus-Seienden (vgl. bes. 2Kor 5,17a) bzw., wenn man den problematischen Begriff des Status vermeiden will, deren Gottesverhältnis (im Gegensatz zum bisherigen Un-Verhältnis der Gott-losigkeit), wobei „Gerechtigkeit" mehr das So-Sein dieses Verhältnisses selbst reflektiert, während „neue Schöpfung" stärker den Existenzwechsel herausstellt. Genau genommen ist also „neue Schöpfung" (wie übrigens auch „Gerechtigkeit" im Gegensatz zu „Gerechtigkeit Gottes") bei Paulus nicht als nomen actionis (als schöpferisches Handeln Gottes) gebraucht, so daß „Gerechtigkeit Gottes" und „neue Schöpfung" schon deshalb nicht einfach identifiziert werden dürfen. Doch hilft solche Spitzfindigkeit nicht weiter. Denn selbstverständlich setzt „neue Schöpfung" ein (neu)schöpferisches Handeln Gottes voraus, und eben dieses geschieht im Gerechtmachen des Gottlosen, das in Röm 4 wohl nicht zufällig mit dem Auferwecken von den Toten bzw. mit dem Ruf des Nicht-Seienden zum Sein parallelisiert ist (Röm 4,5.17). Insofern ist der Rückschluß erlaubt, daß die Gerechtigkeit Gottes von Röm 3,26 als göttliche Schöpfermacht zum Zuge kommt. Unter dieser Rücksicht hat E. KÄSE-MANN zu Recht festgestellt, daß die Elendssituation des Menschen, die in Röm 3,22f der Gerechtigkeit Gottes gegenübergestellt wird, aus dem Verlust der δόξα τοῦ θεοῦ, der in der Schöpfung dem Menschen verliehenen Gottebenbildlichkeit, resultiert[154]. Fraglich bleibt aber, ob man daraus folgern darf, „daß mit der Gerechtigkeit dem Menschen... die verlorene Ebenbildlichkeit zurückgegeben und insofern gefallene Welt eschatologisch in die neue Schöpfung von 2K 5,17 verwandelt wird"[155]. Zumindest ist damit ein zweifellos vorhandener Gedanke absolut gesetzt, dessen Funktionalität erst bedacht werden müßte.

Es muß ja auffallen, daß Paulus in Röm 4 die in der Lebendigmachung der Toten zum Zuge kommende Schöpfermacht Gottes (Röm 4,17) mit der Abrahamsgeschichte und nicht mit der Schöpfung am Anfang verbindet. Die Rechtfertigung der Gottlosen, um die es Paulus letztlich geht (Röm 4,5), findet ihre Entsprechung in Gen 15,6: „Abraham glaubte Gott und dies

---

tigkeit Gottes 90: „Wenn aber Paulus Gott und Welt und nicht mehr nur Gott und Bund einander zuordnet, so kann δικαιοσύνη θεοῦ für ihn nicht mehr nur Bundestreue heißen, wie V. 25, sondern muß die Treue des Schöpfers zu seiner Schöpfung... meinen."

[153] E. KÄSEMANN, Röm 94. Vgl. dazu oben unter Kap. II/3.

[154] E. KÄSEMANN, Röm 89.

[155] E. KÄSEMANN, ebd.

wurde ihm zur Gerechtigkeit angerechnet" (Röm 4,3; vgl. Gal 3,6). Zur „Gerechtigkeit" im paulinischen Sinn gehört also der Glaube und damit – als antithetisches Pendant – auch die Unfähigkeit, sich mit Hilfe von Gesetzeswerken als gerecht zu erweisen (letztlich die Gottlosigkeit), integral dazu (vgl. Röm 4,2–8). Solche Gerechtigkeit mit dem schöpfungsmäßig gegebenen Gottesverhältnis einfach zu identifizieren läuft Gefahr, die von Paulus so emphatisch vertretene iustificatio *impii* zu nivellieren. Es ist wohl kein Zufall, daß Paulus in Röm 3,23 das in der Schöpfung grundgelegte Gottesverhältnis nicht mit dem Begriff der δικαιοσύνη, sondern mit dem Begriff der δόξα wiedergibt und in Röm 5 die in Christus empfangene Gerechtigkeit gegenüber dem Verlust des Unschuldsstandes durch die Sünde unter die Regel des πολλῷ μᾶλλον stellt (VV. 15.17). In Entsprechung zu einer so verstandenen „Gerechtigkeit" ist dann auch die „Gerechtigkeit Gottes" zu sehen. So gewiß es Gottes Schöpfermacht ist, die bei der Rechtfertigung des Gottlosen zum Zuge kommt, so gewinnt sie als Gerechtigkeit Gottes doch eine spezifische Qualität, sofern sie sich auf einen durch eigene Schuld dem Nicht-Sein anheimgegebenen Sünder bezieht. Es zeigt sich, daß nicht die übliche Vorstellung von der Schöpfung das Modell für das paulinische Verständnis vom gerechtmachenden Handeln Gottes abgibt: vielmehr bestimmt die vom Fluchtod des Kreuzes erzwungene Vorstellung von der Rechtfertigung des Gottlosen (vgl. Röm 4,5) die Dimension dessen, was eschatologische creatio ex nihilo ist.

Diese noch recht allgemeinen Überlegungen lassen sich durch eine genauere Betrachtung des heilsgeschichtlichen bzw. typologischen Analogieverhältnisses, das Paulus zwischen Abrahamsgeschichte und Christusereignis bzw. Rechtfertigung des Christen herstellt, noch untermauern. Neben Röm 4 ist dabei auch Gal 3 und 4 mit heranzuziehen. Der im Glauben erlangten Gerechtigkeit Abrahams (Gal 3,6; Röm 4,3.9.22) korrespondiert die göttliche Verheißung eines Sohnes (Erben) (Gal 3,15–18; Röm 4,13 f), den Paulus typologisch mit Christus (Gal 3,16) bzw. – in Christus – mit den Glaubenden (Gal 3,7.29; Röm 4,11 f.16 f) identifiziert. Für die Qualität dieser Sohnschaft ist die Allegorie von Gal 4,21–31 aufschlußreich. Dort werden die beiden Abrahamssöhne gegenübergestellt. Der eine ist der Sohn der Sklavin, er ist κατὰ σάρκα gezeugt (Gal 4,23.29); ihm steht der Sohn der Freien gegenüber, auf den sich die Verheißung bezieht (Gal 4,23) und der κατὰ πνεῦμα gezeugt ist (Gal 4,29). Seine Zeugung setzt die leibliche νέκρωσις seiner Eltern voraus (Röm 4,18–22; vgl. Gen 17,15–22; 18,9–16). Gerade als nicht-sarkischer Nachkomme Abrahams kann Isaak Typos der Glaubenden sein, deren σάρξ im stellvertretenden Tod Christi gestorben ist und die nun – wie Isaak – κατὰ πνεῦμα gezeugte „Kinder der Verheißung" sind (Gal 4,28). An ihnen verwirklicht sich der dem Abraham zugesprochene Segen (Gal 3,8 f; vgl. Gen 12,3). Sie haben die Verheißung des Geistes empfangen (Gal 3,14). Sie sind die (wahren) Söhne und Erben Abrahams (Gal 3,7.29). Und weil ihre Sohnschaft κατὰ πνεῦμα begründet ist, können sie zugleich als

„Söhne Gottes" bezeichnet werden (Gal 3,26), haben sie doch den Geist des Sohnes Gottes empfangen, der sie rufen läßt: Abba, Vater (Gal 4,5 f).

Überträgt man diesen Befund aus einer derart typologisch gelesenen Abrahamsgeschichte auf das Konzept einer als Macht Gottes verstandenen „Gerechtigkeit Gottes", so ist diese einerseits ganz selbstverständlich als Schöpfermacht zu definieren. Da das entscheidende Analogon aber gerade in der νέκρωσις der σάρξ und der darin eröffneten pneumatischen Sohnschaft besteht, genügt es andererseits nicht, die Gerechtigkeit Gottes auf die bloße renovatio eines verlorenen Zustandes abzielen zu lassen. Sie schafft vielmehr etwas wirklich Neues, indem sie die eschatologische Wirklichkeit des Geistes eröffnet. Es ist kein Zufall, daß bei Paulus der „erste Mensch Adam" nur als ψυχὴ ζῶσα und erst der „letzte Adam" (Christus) als πνεῦμα ζῳοποιοῦν erscheint (1Kor 15,45). Insofern ist es zumindest unzulänglich, wenn man die schöpferische Macht der Gerechtigkeit Gottes als Schöpfertreue bestimmt, wenngleich keineswegs geleugnet werden soll, daß protologische Schöpfung und eschatologische Neuschöpfung in einem mehr systematischen Gedankengang aufeinander bezogen werden können. Doch scheint diese Relation nicht im Vordergrund der paulinischen Überlegungen gestanden zu haben. Wenn er von der jetzt in Christus offenbaren Gerechtigkeit Gottes spricht (Röm 3,21 a), dann geht es ihm vielmehr um die eschatologische Entfaltung und Einlösung der dem Abraham gegebenen Verheißung; insofern ist Gerechtigkeit Gottes „vom Gesetz und von den Propheten bezeugt" (Röm 3,21 b), wobei Paulus wahrscheinlich ganz konkret an Gen 15,6 und Hab 2,4 denkt. Unter dieser Rücksicht ist „Gerechtigkeit Gottes" m. E. besser als *Verheißungstreue* zu definieren. Sie kann nicht als Gegensatz zur göttlichen Bundestreue (gegenüber Israel) oder auch nur als Ablösung der bisherigen Bundestreue durch die Treue des Schöpfers verstanden werden, wenngleich es richtig ist, daß Paulus den theologischen Stellenwert des Bundes bzw. der Bündnisse neu bestimmen muß. Vom Gekreuzigten her kann der Sinaibund nicht mehr der präfigurative Typos des eschatologischen Heilshandelns Gottes sein. Als das entscheidende Bundesgeschehen muß vielmehr die Verheißung an Abraham gewertet werden (Gal 3,15–18; vgl. Röm 4,13–22). Die Verschiebung, die bei Paulus tatsächlich stattfindet, läuft demnach nicht von der Bundestreue zur Schöpfertreue Gottes, sondern vom Sinaibund zum Abrahamsbund, vom Gesetzesbund zum Verheißungsbund, der von Anfang an auf die in der νέκρωσις menschlicher Existenz wirksame Schöpfermacht Gottes aufbaut und eben in dieser Weise auch seine eschatologische Erfüllung (in Christus) findet.

Auch der Umstand, daß die Gerechtigkeit Gottes jetzt *allen* Glaubenden unter Einschluß der Heiden gilt (vgl. Röm 3,22), erlaubt nicht, diese Gerechtigkeit vom Bund mit dem „alten Gottesvolk" abzukoppeln, wenngleich es richtig ist, daß es der Gerechtigkeit Gottes nicht um Bundeserneuerung, sondern um eschatologische Erfüllung geht. Was aber Gott in seiner Gerechtigkeit einlöst, ist der Bund mit Abraham bzw. die Verheißung an

Abraham. Eben diese Verheißung schloß von Anfang an die (eschatologische) Hinzunahme der Heiden ein, ja sie zielte geradezu darauf ab, die Völker in Abraham zu segnen (Gal 3,8.14; vgl. Gen 12,3) bzw. Abraham zum Vater vieler Völker zu machen (Röm 4,16f.18; vgl. Gen 17,5; 15,5). Die Gerechtigkeit Gottes hebt also die Bundeszusage (Verheißung) an Abraham nicht auf und beseitigt nicht die heilsgeschichtliche Priorität Israels (vgl. Röm 1,16; 2,9f), sondern ist deren Entfaltung. Wenn Paulus in Röm 3,22 feststellt, daß es „keinen Unterschied gibt", dann bezieht er sich darauf, daß „alle *gesündigt* haben" (Röm 3,23; vgl. Röm 1,18–3,20). Dies schafft jedoch keine neue Sachlage des Abrahamsbundes, sondern ist dessen akuter Fall. Denn auch Abraham wurde nicht aufgrund von Werken gerechtfertigt, sondern aus Glauben (Röm 4,2f); er stand also selbst bereits unter der jetzt (in Christus) gültigen Regel, daß Gott diejenigen rechtfertigt, die daran glauben, daß Gottes creatio ex nihilo schaffende Macht auch an den Gottlosen nicht scheitert (vgl. Röm 4,5).

IV. Die heilsgeschichtliche bzw. typologische Funktion des Gesetzes

Die zuletzt angestellten Überlegungen machen deutlich, daß die paulinische Rede von der „Gerechtigkeit (Gottes)" durchaus den Gedanken heilsgeschichtlicher Kontinuität einschließt. Ganz entscheidende Funktion kommt dabei der dem Abraham gegebenen Verheißung zu. Sachlich ist diese Sicht von der Christologie diktiert. Die am Kreuz offenbare (faktische) Fluchfunktion der (Sinai-)Tora zwingt Paulus zu der geschilderten Gewichtsverlagerung. Unbeschadet dieser christologischen Begründung gilt es andererseits aber auch wahrzunehmen, daß die paulinische Sicht der Dinge nicht gänzlich ohne Parallelen ist. Schon mehrfach wurde in diesem Zusammenhang auf die Priesterschrift verwiesen. Selbstverständlich soll nicht behauptet werden, daß das paulinische Konzept aus einem direkten Rückgriff auf die Priesterschrift entstanden ist. Auch soll nicht versucht werden, Paulus unmittelbar in eine von der Priesterschrift beeinflußte Traditionsgeschichte einzupassen, wiewohl es m. E. für die Erforschung des Frühjudentums und Urchristentums nur von Vorteil sein könnte, der Frage nach einer Traditions- und Wirkungsgeschichte der Priesterschrift sorgfältig nachzugehen. Es sei hier nur an die Zehnwochen-Apokalypse erinnert, in der sich relativ deutlich priesterschriftliches Erbe zu Wort meldet[156]. Wenn im folgenden die Sicht der Priesterschrift etwas näher dargestellt wird, dann geschieht dies zunächst in der schlichten Erwartung, daß vor diesem Hintergrund das Profil des paulinischen Konzeptes noch klarer hervortritt. Im übrigen darf nicht übersehen werden, daß die Priesterschrift als Leitfaden der Pentateuchredaktion diente und somit auch die inhaltliche Konzeption des Pentateuch

---

[156] Vgl. dazu die Nr. (3) in dem Exkurs von Kap. II/1.

nachhaltig beeinflußt hat. Umgekehrt ist es von daher durchaus denkbar, daß die Lektüre des Pentateuch – unter bestimmten hermeneutischen Bedingungen – auch wieder typische Aspekte und Strukturen der Priesterschrift hervortreten lassen konnte. Dies dürfte in etwa für die paulinische Rezeption der Abrahamsgeschichte zutreffen, wo die christologische Hermeneutik des Paulus zumindest partiell wieder ein Anliegen der Priesterschrift zum Zuge bringt, die aus der ernüchternden Einsicht, daß Israel an dem mit Segen und Fluch operierenden Sinaibund „nur zerbrechen und unter das Gericht geraten konnte", „die ganze Begründung des Bundesstandes in den Abrahambund zurückverlegt" hatte[157].

Exkurs: Abrahamsbund und Sinaigeschehen in der Sicht der Priesterschrift

Hatte noch Julius WELLHAUSEN die Priesterschrift als „Vierbundesbuch" bezeichnet[158], so hat sich seit Walther ZIMMERLI[159] die Einsicht durchgesetzt, daß die Priesterschrift nur zwei Bundesschlüsse kennt: den Noachbund (Gen 9,2–17), der auf die Menschheit insgesamt ausgerichtet ist, und – für unsere Zusammenhänge noch wichtiger – den Abrahamsbund (Gen 17), der auf Israel abzielt. Demgegenüber „rückt das Geschehen der Mosezeit nach seiner Bundesqualität eindeutig in das Licht einer Erfüllung der mit den Vätern geschlossenen ברית. ... Was in der Mosezeit geschieht, ist auch in seinem Innersten, in der Weise der Verbundenheit Jahwes mit seinem Volk, lediglich Einlösung des schon Abraham Verheißenen."[160] Das Sinaigeschehen ist also Erfüllungsgeschehen. „Israel steht im Abrahambund"[161], der wesentlich Verheißungsbund ist. Inhaltlich bezieht sich diese Verheißungs-bᵉrît auf die Mehrung (Gen 17,2.4: „...ich will dich über alle Maßen mehren... du sollst Vater vieler Völker werden"), den Landbesitz (Gen 17,8a: „...ich gebe dir und deinen Nachkommen das Land, wo du als Fremdling weilst, das ganze Land Kanaan, zu ewigem Besitz") und die Zusage Gottes, Abraham und seiner Nachkommenschaft Gott sein zu wollen (Gen 17,7b.8b: „...daß ich dir und deinen Nachkommen Gott sein werde... ich will ihnen Gott sein"). Keine Verheißung, sondern eine Verpflichtung (Gebot) begründet die bᵉrît der Beschneidung, von der anschließend, in Gen 17,9–14, die Rede ist (17,10). Dennoch bleibt auch diese bᵉrît auf die Verheißung von Gen 17,1–8 bezogen. Denn die Beschneidung ist „Zeichen des Bundes zwischen mir und euch" (Gen 17,11), soll also einerseits die menschliche Antwort auf die göttliche bᵉrît-Zusage von Gen 17,1–8 sein und andererseits diese Verheißungen als noch gültig und wirksam in

---

[157] W. ZIMMERLI, Sinaibund (Anm. 36) 214. 215.
[158] J. WELLHAUSEN, Die Composition des Hexateuch und der historischen Bücher des Alten Testaments, Berlin ³1899, 1 f.
[159] W. ZIMMERLI, Sinaibund (Anm. 36).
[160] W. ZIMMERLI, a.a.O. 212.
[161] Ebd. 213.

jeder Generation neu aktualisieren. Ziel des priesterschriftlichen Geschichts-
entwurfs ist es u. a., die sukzessive Erfüllung der Verheißungs-berît darzustellen. Die Mehrungsverheißung von Gen 17,2.4 geht in Ex 1,7 in Erfüllung. Die Landverheißung und die Zusage des besonderen Gottesverhältnisses werden im „Gedenken" Jahwes in Ex 2,24; 6,5 b wieder aufgenommen.
Damit „setzt die Geschichte der Erfüllung dieser beiden Verheißungen ein,
deren endgültige Konkretisierung wir in der Selbstzusage Jahwes zu sehen
haben, *als der Gott Israels inmitten seines Volkes ,wohnen'* (שָׁכַן) *zu wollen (Ex
29,45 f.)."*[162] Konkret geschieht dies im „Begegnungszelt", in dem Jahwe
sich „durch seine Herrlichkeit (כָּבוֹד; LXX: δόξα) als heilig erweist" (Ex
29,43 b). Letztlich ist damit das Zeltheiligtum und der an ihm haftende
(Sühne-)Kult als der Ort definiert, an dem Jahwe „inmitten der Israeliten
wohnen (שָׁכַן) und ihr Gott sein will" (Ex 29,45)[163]. Gerade insofern ist für
die Priesterschrift das Sinaigeschehen mit seiner dreifachen, Kult konstitu-
ierenden Offenbarung der „Herrlichkeit" Gottes (Ex 25; 40; Lev 9) die
Erfüllung der Abrahamsverheißung[164]. Diese Sicht ist im übrigen auch für
die Pentateuchredaktion maßgeblich geblieben, wenngleich diese das Sinaigeschehen – aufgrund der Übernahme älterer Traditionen (JE, Dtn) – dann
wieder als Bundesgeschehen darstellt (vgl. bes. Ex 24).

*

Nun ist unschwer zu erkennen, daß Paulus wenigstens insofern mit der
Priesterschrift übereinstimmt, als auch für ihn die Verheißungen an Abraham das entscheidende Bundesgeschehen darstellen (Gal 3,15–18). Von
diesem gemeinsamen Standpunkt aus gewinnen aber auch die Unterschiede,
die Paulus aufweist, ein neues Profil. Abgesehen davon, daß der Noachbund
bei Paulus keine Rolle spielt, findet sich bei ihm eine völlig abweichende
Einschätzung des Sinaigeschehens. Dies hängt vor allem damit zusammen,
daß Paulus aufgrund der ihm zuteil gewordenen Offenbarung (Gal 1,12.15 f)
den Gekreuzigten als eschatologisches Ereignis und damit als Erfüllung der
an Abraham ergangenen Verheißung werten muß. Diese christologische
Hermeneutik vorausgesetzt, nötigt gerade die (mit der Priesterschrift geteilte) Betonung der Abrahamsverheißung um so stärker zu einer Distanz von
der für die Priesterschrift (und den Pentateuch) fraglosen Wertung des
Sinaigeschehens als Erfüllung dieser Verheißung. Eben deshalb ist Paulus
auch weniger an der spezifisch priesterschriftlichen Formulierung der Verheißung interessiert; zumindest fehlen bei ihm ausführlichere Zitate aus Gen
17,1–8. Nach paulinischem Verständnis zielt die Verheißung primär auf die
Zusage eines (κατὰ πνεῦμα gezeugten) Sohnes (Erben) für (den κατὰ σάρκα

---

[162] B. JANOWSKI, Sühne 322.
[163] Vgl. dazu: B. JANOWSKI, a.a.O. 324–328.
[164] Zur Problematik der fehlenden Landnahmeberichte in der Priesterschrift siehe in Kürze:
W. H. SCHMIDT, Einführung in das Alte Testament (GLB), Berlin – New York 1979,
98–100.

zeugungsunfähigen, d. h. „toten" [vgl. Röm 4,19]) Abraham. Deshalb lehnt sich Paulus sehr an Gen 15,1–6 (JE) an, dessen letzter Vers ja auch die Schriftgrundlage für die paulinische Auffassung von der Gerechtigkeit aus Glauben bildet (Gal 3,6; Röm 4,3.9). Sachlich wird das in Gen 15,1–6 angeschlagene Thema des Sohnes und Erben (einschließlich des Themas des Sklavinnensohnes; vgl. Gen 16) in aller Breite in Gal 3 und 4 entfaltet[165]. Dies bedeutet allerdings nicht, daß Paulus die priesterschriftlichen Verheißungen von Gen 17,1–8 einfach fallengelassen hat. Nach seinem Verständnis sind sie vielmehr in der (christologischen) Erfüllung der Sohnesverheißung miterfüllt. Immerhin kann Paulus die christologische Zuspitzung auf *einen* Nachkommen mit der Wendung καὶ τῷ σπέρματί σου aus Gen 13,15 und Gen 17,8a(!) belegen (Gal 3,16). Sachlich bringt Paulus vor allem die mit der Sohnesverheißung zusammenhängende Mehrungsverheißung (Gen 17,2.4) als in Christus erfüllt zum Zuge: In den Glaubenden ist Abraham zum „Vater vieler Völker" geworden, wie Paulus unter Rückgriff auf Gen 17,5 in Röm 4,17 sagt (vgl. auch Röm 4,11 f). Da Paulus hierbei speziell an die Heiden denkt, verschmelzen für ihn Mehrungsverheißung aus Gen 17 und Segenszusage für die Völker aus Gen 12,3 (vgl. Gen 18,18; 22,17f; – Gal 3,8). Engstens mit der Sohnes- bzw. Mehrungsverheißung zusammengedacht ist bei Paulus die Landverheißung; wohl nicht zufällig steht das christologisch bedeutsame καὶ τῷ σπέρματί σου (Gal 3,16) im Kontext der Landzusage (Gen 13,15; 17,8a). Doch wird Paulus nicht mehr speziell an das „Land Kanaan" (Gen 17,8a) gedacht haben, sondern allgemein an das „Erbe" (vgl. Gal 3,18), das er dann in Röm 4,13 dahingehend auslegt, daß Abraham (und sein Same) „Erbe der Welt sein" solle (vgl. Sir 44,21; syrBar 14,13; 51,3). Konkret versteht Paulus dies wohl so, daß Abraham als „Vater aller Glaubenden" (Röm 4,11 f) tatsächlich die ganze Welt zum Erbbesitz erhält. Doch müßte die Frage der paulinischen Rezeption der Landverheißung noch eingehender untersucht werden. Verwunderlich mag es erscheinen, daß die für die Priesterschrift zentrale Zusage eines besonderen Gottesverhältnisses (Gen 17,7b. 8b) bei Paulus nirgends aufgegriffen wird, jedenfalls nicht im Rahmen eines direkten Zitates. Es kann jedoch kein Zweifel bestehen, daß auch diese Verheißung der Sache nach in Christus erfüllt ist, wobei gerade hier das christologische Erfüllungsgeschehen besonders deutlich als typologische Überhöhung des (priesterschriftlichen) Erfüllungsgeschehens vom Sinai zum Zuge kommt, wenn der Kreuzestod Christi als eschatologischer Sühnevollzug erscheint. Der Gekreuzigte begründet somit ein neues Gottesverhältnis auf der Basis geistgewirkter Sohnschaft (vgl. Gal 3,26–29; 4,1–7) und konstituiert das endzeitliche Gottesvolk der Söhne Abrahams aus dem Glauben, zu denen auch die gläubigen Heiden gehören (vgl. Gal 3,7.29; Röm 4,12f. 16f. 18). Dieses Gottesvolk bildet die eschatologische Kultgemeinde

---

[165] Vgl. auch die Aufnahme von Gen 15,5 in Röm 4,17.

der in Christus geheiligten ἐκκλησία τοῦ θεοῦ (1Kor 1,2)[166], die sich nun nicht
mehr um den Tempel in Jerusalem schart, sondern durch den Geist selbst
„Tempel Gottes" ist (1Kor 3,16f)[167].

Für unseren unmittelbaren Gedankengang ist aus den bisherigen Überlegungen vor allem folgendes festzuhalten: Hatten wir bislang davon gesprochen, daß bei Paulus eine Gewichtsverlagerung vom Sinaibund zum Abrahamsbund zu beobachten sei, so könnte man jetzt – vor dem Hintergrund
priesterschriftlicher Tradition – mit ebensoviel Recht von einer Verlagerung
des Erfüllungsgeschehens vom Sinai zum gekreuzigten Christus sprechen.
Für eine Gesamtwürdigung wird man wohl beide Gesichtspunkte zu berücksichtigen haben. Doch könnte gerade die konkurrierende Sicht bezüglich der Erfüllung des Abrahamsbundes etwas von der Schärfe verständlich
machen, mit der Paulus Sinai und Kreuz gegenüberstellt. In jedem Fall ist
Paulus gezwungen, das Sinaigeschehen in das Gefälle eines von Abraham zu
Christus laufenden heilsgeschichtlichen Kontinuums einzuordnen, sei es als
gegenüber dem Abrahamsbund minderes Bundesgeschehen, sei es als gegenüber der Erfüllung in Christus nur vorläufige (präfigurative) Erfüllung.
Vor diesem Hintergrund lassen sich die unterschiedlichen Akzente besser
verstehen, die Paulus bei der Bewertung der heilsgeschichtlichen Funktion
des Gesetzes setzt. Dies soll im folgenden an Gal 3, 2Kor 3 und Röm 7; 8
erläutert werden.

1. Die Funktion des Gesetzes nach Gal 3

Dem Galaterbrief zufolge verweist die Verheißung an Abraham unmittelbar auf Christus und findet in ihm ihre Erfüllung. Paulus untermauert diese
(letztlich christologisch begründete) Erkenntnis mit Hilfe einer übergenauen
Exegese von Gen 13,15; 17,8a; 24,7, wonach die Verheißung Abraham und

---

[166] Vgl. dazu auch die fast sakralrechtlich anmutende Unterscheidung zwischen „Gemeinde"
und „Welt" in 1Kor 5 und 6.

[167] Die priesterschriftliche Wertung der Beschneidung als „Zeichen des Bundes" (Gen 17,10f)
wird von Paulus indirekt aufgegriffen. Er deutet das Zeichen als „Siegel der Glaubensgerechtigkeit" (Röm 4,11). Allerdings legt Paulus Wert darauf, daß es sich nur um ein
nachfolgendes Zeichen für die Glaubensgerechtigkeit handelt, die dem unbeschnittenen
Abraham zuteil wurde (Röm 4,10); für die Glaubensgerechtigkeit selbst ist dieses Zeichen
also nicht konstitutiv. Nicht die Beschneidung begründet daher die Abrahamskindschaft,
sondern der Glaube (Röm 4,11f). Daß Paulus die Beschneidung als nachfolgendes Zeichen
dann nicht auch von den Heiden einfordert (vgl. Gal 5,6; 6,15, 1Kor 7,19), hängt wohl damit zusammen, daß er sie als
Verpflichtung auf die Tora versteht (vgl. Gal 5,3; Röm 2,25), die die Sünder (als welche der
Gekreuzigte alle Menschen offenbart) aber nur verfluchen kann. Die an der σάρξ(!) geschehende Beschneidung kann den Menschen immer nur auf seine sarkische, und d. h. sündige
Kondition verweisen (vgl. Gal 6,12–15), die in Christus gerade überwunden ist. Wahre
Beschneidung kann daher nur die des Herzens sein (vgl. Röm 2,28f). Zur Beschneidung
siehe im übrigen auch unter Kap. IV/5.

τῷ σπέρματί σου (Singular!) gilt (Gal 3,16). Gegenüber dieser direkten Verknüpfung von Abrahamsverheißung und christologischer Erfüllung muß das Gesetz relativiert werden. Paulus tut dies zunächst mit Hilfe der Testamentsmetapher, die sich durch den griechischen Begriff διαθήκη nahelegt, der sowohl „Bund" als auch „Testament" bedeuten kann: Ein rechtskräftiges Testament eines Menschen kann nicht aufgehoben oder mit zusätzlichen Konditionen versehen werden (Gal 3,15). Ebensowenig kann das 430 Jahre später hinzugekommene Gesetz die Verheißung an Abraham, die Paulus hier als von Gott ratifiziertes Testament (διαθήκη) bestimmt, rechtsungültig oder von zusätzlichen Bedingungen abhängig machen (Gal 3,17 f).

Welche Funktion hat dann aber das Gesetz? Das ist die Frage, die sich notwendig aus dieser Argumentation ergibt (Gal 3,19 aα). Wenn Paulus darauf antwortet: „Um der Übertretungen willen wurde es hinzugegeben" (Gal 3,19 aβ), dann kann nach allem, was wir bisher gesehen haben, nicht gemeint sein, daß das Gesetz die Übertretungen erzeugt. Der (heutige) Leser, der den Römerbrief des Apostels kennt, wird daran denken, daß das Gesetz die Funktion hat, die Sünde als „Übertretung" (des Gesetzes bzw. Gebotes) kenntlich zu machen (vgl. Röm 3,20; 4,15)[168]. Ob freilich die Adressaten des Galaterbriefes einen derart präzisen Sinn aus Gal 3,19 aβ herauslesen konnten, bleibt dahingestellt. Gal 3,19 aβ klingt zunächst wie eine erste thesenartige und durchaus noch erläuterungsbedürftige Antwort auf Gal 3,19 aα. Entscheidend dabei ist für Paulus, daß das Gesetz in dieser seiner Funktion – „um der Übertretungen willen" – auf das Kommen des Samens, dem die Verheißung gilt (Christus), hingeordnet bzw. durch das Kommen des Samens begrenzt ist (Gal 3,19 bα). Recht unvermittelt fügt Paulus dann noch partizipial hinzu: διαταγεὶς δι' ἀγγέλων ἐν χειρὶ μεσίτου (Gal 3,19 bβ). Diese philologisch und religionsgeschichtlich schwierige Wendung wird gewöhnlich so gedeutet, daß das Gesetz *durch die Vermittlung* (διά, nicht ὑπό!) von Engeln erlassen wurde[169], die, da sie eine Vielzahl (ἄγγελοι im Plural!) waren, wiederum einen Mittler (Mose) nötig hatten[170]. In Gal 3,20 liegt dann ein nicht vollständiges Schlußverfahren vor, das folgendermaßen zu ergänzen ist: Der „Obersatz lautet: ‚Der Vermittler ist nicht Vermittler eines einzigen'; der Untersatz: ‚Gott aber ist ein einziger.'… Ergo ist das Gesetz, das faktisch mit Hilfe eines Vermittlers verordnet wurde, der Verheißung nicht überlegen, sondern ihr unterlegen."[171] In Gal 3,19 ginge es dann vor allem „um die Inferiorität des Gesetzes im Vergleich mit der Verheißung"[172]. Die bereits in Gal 3,17 festgehaltene Unterlegenheit des

---

[168] Zu Röm 5,20; 7,5f. 7–13; 1Kor 15,56 siehe oben unter Kap. I/3.
[169] Vgl. Dtn 33,2 (LXX); PesR 21 (103 b); JosAnt 15,5,3 (§ 136); Jub 1,29; Apg 7,38.53; Hebr 2,2.
[170] So etwa: F. Mussner, Gal z. St.
[171] F. Mussner, Gal 249.
[172] F. Mussner, Gal 247.

Gesetzes würde erneut betont und speziell Gal 3,19 bβ würde die zeitliche Posteriorität von Gal 3,17 als sachliche Inferiorität auslegen.

Man kann allerdings fragen, was eine erneute Gegenüberstellung von Verheißung und Gesetz bedeuten soll, wo doch in Gal 3,18 schon klar gesagt war, daß das Erbe nicht aus dem Gesetz, sondern aus der Verheißung kommt. Zumindest in bezug auf die Frage, was als der heilsgeschichtlich grundlegende Akt zu gelten hat, ist die Alternative „Verheißung oder Gesetz" bereits entschieden. Genau genommen geht es in Gal 3,19 abα auch nicht um das Verhältnis von Gesetz und Verheißung im allgemeinen; als das präzise oppositum zum Gesetz wird vielmehr die *Erfüllung* der Verheißung ins Spiel gebracht („der Same, dem die Verheißung gilt"). Es ist daher zu vermuten, daß es Paulus ab Gal 3,19 primär gar nicht mehr um die Zuordnung des Gesetzes zur Verheißung als dem heilsgeschichtlichen Initialgeschehen, sondern um seine Zuordnung zu dem diese Verheißung *erfüllenden* Geschehen geht (vgl. auch ἄχρις οὗ ἔλθῃ).

Dann allerdings ist zu überlegen, ob sich nicht auch Gal 3,19b präzis in diese Spezifizierung der Argumentation einfügt und ebenfalls das Gesetz unter dem Aspekt der Zuordnung zum Erfüllungsgeschehen ins Auge faßt. Unter dieser Rücksicht verdienen zwei alttestamentliche Stellen unsere Aufmerksamkeit. Die eine wird regelmäßig auch von den Textausgaben und Kommentaren notiert: „Das sind die Satzungen, Vorschriften und Gesetze (‚ḥattôrot‘; LXX: ὁ νόμος), die der Herr zwischen sich und den Israeliten auf dem Berge Sinai durch die Vermittlung des Mose (‚bᵉjad-Mošæh‘; LXX: ἐν χειρὶ Μωυσῆ) erlassen hat" (Lev 26,46). Noch wichtiger ist m. E. aber eine andere Stelle, die sich in der (im Anschluß an Ex 24 erlassenen) Kulttora findet: „Setz die Deckplatte (‚kapporæt‘; LXX: ἱλαστήριον) oben auf die Lade, und in die Lade leg die Bundesurkunde, die ich dir gebe! Dort werde ich mich dir zu erkennen geben und dir über der Deckplatte *zwischen den beiden Kerubim* (‚mibên šᵉnêj hakkᵉrubîm‘; LXX: ἀνὰ μέσον τῶν δύο χερουβιμ), welche auf der Lade der Bundesurkunde sind, *alles sagen, was ich dir für die Israeliten auftragen werde*" (Ex 25,21 f). Setzt man voraus, daß Paulus auf diese Stelle(n) Bezug nimmt, ist die schwierige Präpositionalwendung von Gal 3,19 bβ δι’ ἀγγέλων wohl im örtlichen Sinn zu übersetzen: das Gesetz wurde (von Gott) *durch Engel hindurch* (vgl. „zwischen den beiden Kerubim" Ex 25,22), also von der ‚kapporæt‘ her, verordnet[173]. Für die Sachauslegung würde dies bedeuten, daß Paulus das Gesetz auch nach seiner kultischen Seite ins Auge faßt, also inklusive der kultisch-rituellen Vorschriften des

---

[173] Zur räumlichen Bedeutung von διά: R. Kühner – B. Gerth, Ausführliche Grammatik der griechischen Sprache II/1, Hannover – Leipzig ³1898 (Nachdr. 1976), § 434 („Grundbedeutung: *zwischen, zwischen durch*": ebd. S. 480). Im übrigen ist auch bei Bezug auf Ex 25,21 f nicht ausgeschlossen, daß Paulus an eine Vermittlertätigkeit der Engel gedacht hat. Doch empfiehlt sich m. E. dann, stärker an eine lokal-instrumentale Vermittlung zu denken (das Gesetz wurde durch eine mittelbare Offenbarung Gottes verordnet, der seine Gegenwart mit Hilfe der Kerubim auf der Lade präsentierte und vermittelte), um eine Kollision mit der Mittlertätigkeit des Mose zu vermeiden. δι’ ἀγγέλων würde dann zum Ausdruck bringen, wie das Gesetz dem Mose vermittelt wurde, während ἐν χειρὶ μεσίτου sich auf dessen Vermittlung an das Volk beziehen würde.

Buches Leviticus[174]. Nach Lev 1,1 sind diese vom „Begegnungszelt" (‚ʾohæl môʿeḏ') aus gesprochen[175], von dem kurz zuvor die „Herrlichkeit" Jahwes Besitz ergriffen hat (Ex 40,34f)[176]. Letztlich ist damit genau der von Ex 25,22 avisierte Ort für das Reden Gottes zu Mose markiert. Indirekt ist dann in Gal 3,19bβ die (von der Priesterschrift vermittelte) Sicht aufgegriffen, wonach die Verheißung an Abraham (bes. Gen 17,7b. 8b) im Sinaigeschehen, näherhin in dem durch die Sinaigesetzgebung konstituierten Kult, ihre Erfüllung findet. Die angedeutete Verquickung von Gesetz und Kult läßt zudem (die dem Juden geläufige Auffassung) durchblicken, daß die kultische Präsenz Gottes im Tempel (‚kapporæt') gleichsam die fortdauernde Grundlage für die Geltung der Sinaitora darstellt (sowohl hinsichtlich ihrer ethischen Verbindlichkeit als auch hinsichtlich ihrer kultischen Heilsamkeit). Für Paulus allerdings steht auch diese kultische Seite bzw. Erscheinungsweise des Gesetzes unter dem Vorzeichen christologischer Begrenztheit (Gal 3,19bα). Die Spannung, die sich daraus gegenüber der herkömmlichen jüdischen Sicht ergibt, verschärft Paulus sogar noch, wenn er in Gal 3,20 feststellt: „Der Mittler aber des Einen ist er (Mose) nicht; Gott aber ist einer." Mit dem ersten Halbvers wird bestritten, daß das von Mose vermittelte Gesetz (einschließlich des in ihm geregelten Kultes) die Erfüllung der Verheißung ist, die auf den „einen" Samen Abrahams (Gal 3,16), d.h. Christus, abzielt (Gal 3,19)[177]. Der zweite Halbvers entstammt wohl einem analogischen Gedankengang und soll den „Einen" aus V. 20a als unmittelbare Manifestation des ebenfalls „einen" Gottes herausstellen[178].

Selbst wenn die hier vorgeschlagene Deutung, die sehr stark von dem spezifischen Verständnis von Gal 3,19bβ abhängt, nicht zutreffen sollte, wird man gleichwohl festhalten müssen, daß Gal 3,19f mehr ist als bloß Ausdruck für die Inferiorität des Gesetzes gegenüber der Verheißung. Paulus geht es speziell um die These, daß das Gesetz nicht die Erfüllung der Verheißung sein kann.

Vor diesem Hintergrund ist dann auch die Frage in Gal 3,21a verständlich. Wenn das Gesetz nicht die Erfüllung der Verheißung ist, steht es dann etwa „gegen die Verheißungen"? Diese Frage ist allerdings nur sinnvoll, wenn ihr (zumindest fiktiv) die geläufige jüdische Prämisse zugrunde liegt, daß das

---

[174] Insbesondere ist an die Opfer- und Reinheitstora (Lev 1–7.11–15) zu denken, aber wohl auch an die Regelungen für den Versöhnungstag (Lev 16) und das sog. Heiligkeitsgesetz (Lev 17–26).

[175] Im weiteren wird dann auch der Berg Sinai als Ort des Redens Gottes genannt: Lev 7,38; 25,1; 26,46.

[176] Lev 1,1 will bewußt den Anschluß zum Vorhergehenden (unmittelbar zu Ex 40,34f) herstellen; siehe dazu: R. RENDTORFF, Lev (Anm. 74) z. St. (bes. 22); B. JANOWSKI, Sühne 313f. 339–346 (zu Ex 25,17–22). Mit der Inbesitznahme des Begegnungszeltes durch Gott (Ex 40,34f) wird dieses gleichsam zum „Sinai auf der Wanderschaft, wie der Berg zugleich das Urheiligtum darstellt": M. GÖRG, Das Zelt der Begegnung. Untersuchung der sakralen Zelttradition Altisraels (BBB 27), Bonn 1967, 74.

[177] Gewöhnlich wird der „Eine" auf Gott bezogen und als Gegensatz zur Vielzahl der Engel aufgefaßt. Doch ist gerade diese Opposition im Text nicht eigens betont; die Mehrzahl der Engel kommt lediglich durch den Plural zum Ausdruck!

[178] Im Gegensatz zur (bloß) kultischen (mittelbaren) Präsenz Gottes? Oder ist gar an die Vielzahl der kultischen Akte gedacht (vgl. Hebr 9)?

Tun des Gesetzes auch tatsächlich zum Heil führt[179]. Nur ein Heil vermittelndes Gesetz kann in Widerspruch zu einer Verheißung treten, deren in Aussicht gestelltes Heil sich außerhalb des Tuns des Gesetzes erfüllt. Von daher erklärt sich auch, daß Paulus die Verneinung der Frage von Gal 3,21aβ (μὴ γένοιτο) mit der Bestreitung der jüdischen These von der Heilswirksamkeit der Tora *begründet* (Gal 3,21 bα; vgl. γάρ!). Diese These kann nach Paulus nicht zutreffen, da sonst die Gerechtigkeit in der Tat aus dem Gesetz käme (Gal 3,21 b). Diese Schlußfolgerung aber verbietet der Gekreuzigte (Gal 3,13), dessen stellvertretend übernommener Fluchtod nur bedeuten kann, daß alle Menschen unter dem Fluch der Tora stehen.

Nun wird man sich allerdings hüten müssen, Gal 3,21 bα als Anklage gegen das Gesetz auszulegen. Die prinzipielle Lebensverheißung, die auch nach paulinischer Auffassung das Gesetz für seine Täter ausspricht (vgl. Gal 3,12; Röm 2,13), kann in Gal 3,21 bα kaum zurückgenommen sein. Wenn das Gesetz also nicht lebendig macht, dann liegt das nicht am Gesetz, sondern am Menschen, der als Sünder vom Gesetz eben nicht Leben, sondern nur Fluch beziehen kann (vgl. Gal 3,10). In gewisser Weise ist Gal 2,16 vergleichbar, wo Paulus unterstrichen hatte, daß der Mensch – vom Gekreuzigten generell und ausnahmslos der Sünde überführt – unter Berufung auf das Tun des Gesetzes kein Heil erlangen kann[180]. Diese Einsicht wird nun gleichsam aus der Sicht des Gesetzes artikuliert, wenn festgestellt wird, daß das Gesetz – einem solchen Menschen gegenüber – überhaupt keine lebensspendende Funktion ausüben kann. Inhaltlich geht allerdings die Feststellung von Gal 3,21 bα insofern über die mehr deuteronomistisch (vom menschlichen Tun her) gedachte Aussage von Gal 2,16 hinaus, als nun auch – zumindest implizit – der von der Tora geregelte Kult als Heilsmöglichkeit für den Menschen ausgeschlossen wird. Es ist daher gleichgültig, ob man ein deuteronom(ist)isches oder ein priester(schrift)liches Gesetzesverständnis zugrunde legt[181], in keinem Fall stellt die Tora einen realen Weg zum Heil dar. Diese generelle Bestreitung der (faktischen) Heilseffizienz der Tora fügt sich nicht nur in die oben vorgeschlagene Deutung von Gal 3,19 bβ (Kultbezug!), sondern ist letztlich eine sachliche Konsequenz der in Gal 3,13 vorgenommenen Wertung des Kreuzestodes Christi. Denn wenn dort gesagt ist, daß „Christus für uns zum Fluch geworden ist", dann erscheint Christus nicht nur (im deuteronomistischen Sinn) als Repräsentant einer vom Fluch des Gesetzes getroffenen sündigen Menschheit, sondern zugleich (im prie-

---

[179] Zu den nötigen Differenzierungen bei der Rede vom Gesetz als Heilsweg siehe unter Kap. I/ 3.

[180] Zu Gal 2,16 siehe unter Kap. III/1.2.

[181] Zur Unterssscheidung siehe: H. GESE, Das Gesetz, in: DERS., Theologie 55–84, hier 63–68. Nach deuteronomistischer Gesetzesauffassung gilt: „das Heil des Menschen liegt in seiner Verwirklichung der geoffenbarten Ordnung" (a.a.O. 65); für die Priesterschrift hingegen ist entscheidend: „Ziel der Tora ist die Heiligkeit, die sich zeichenhaft im Kult verwirklichen läßt. Das geschieht wesentlich durch die Sühne" (a.a.O. 67).

sterschriftlichen Sinn) als Sühnopfer für eben diese Menschheit. Von daher muß Paulus sowohl die an das Tun geknüpfte deuteronomistische Lebensverheißung als auch das priester(schrift)liche Programm einer kultisch vermittelten Heiligkeit als reale Heilsmöglichkeiten für den Menschen ablehnen. Erst in Christus ist Heil (Gerechtigkeit) für den Glaubenden möglich! Ist dann aber nicht doch ein grundsätzlicher Defekt, eine prinzipielle Insuffizienz des Gesetzes festgestellt, insbesondere dann, wenn in Gal 3,21 bα auch die Heilswirksamkeit des (Sühne-)Kultes bestritten sein sollte? Doch hier ist Vorsicht geboten! Denn wie für Paulus die (deuteronomistische) Lebensverheißung keine Lüge gewesen ist, sondern dem der Tora tatsächlich inhärierenden Prinzip entspricht, so wird man auch kaum unterstellen dürfen, daß Paulus im Kult nur ein nichtiges Blendwerk gesehen hat, das den Menschen lediglich über seine wahre Situation hinwegtäuscht. Vielmehr ist auch der kultische Aspekt des Urteils von Gal 3,21 bα nur angemessen zu würdigen, wenn man den Menschen als Bezugspunkt berücksichtigt. Wie das Sündigen des Menschen die (deuteronomistische) Lebensverheißung verfehlt, so ist es letztlich die Fleischlichkeit des Menschen, die das kultische Programm der Heiligkeit ins Leere laufen läßt. Beide Gesichtspunkte sind im übrigen nur die zwei Seiten derselben Medaille[182]. Denn als „Fleisch" wird der im Kult entsühnte Mensch doch wieder sündigen und jeweils neue Sühne nötig haben, so daß der kultische Vollzug, der im stellvertretenden Tod des Opfertieres dem Sünder Leben eröffnet, diesen letztlich doch nicht vor dem eigenen Tod (als Folge seiner sündigen Existenz) bewahren kann. Im Sündigen erweist sich der Mensch als Fleisch, wie umgekehrt der mit der Fleischlichkeit des Menschen verbundene Tod aus der christologischen Hermeneutik des Paulus heraus nur als Folge des sündigen Tuns des Menschen gedeutet werden kann (vgl. Röm 5,12; 6,20–23; 7,5.11.13.14ff; 8,6.13; u. ö.). Das Fleisch, das die im Kult vermittelte Heiligkeit nicht auszutragen vermag, ist der Grund, daß der Kult dem Menschen nicht wirklich Leben spenden kann. Diese Überlegungen zeigen im übrigen, daß eine Deutung des Todes Jesu mit Hilfe kultischer Kategorien (vgl. Gal 3,13; 2Kor 5,21; Röm 3,25f; 8,3f) nur *typologisch* funktionieren kann. Denn nicht schon der Vollzug des Kultes an sich vermag den Menschen aus seiner Sündigkeit und Fleischlichkeit zu befreien; erst indem *Christus* in der Identität des Sünders stellvertretend dessen Tod erleidet, eröffnet sich die Möglichkeit eines erlösenden Existenzwechsels vom „Fleisch" zum „Geist". Man könnte auch sagen: erst im Sühnetod *Christi* kommt das Heil zur Wirkung, das der Kult zwar in Aussicht stellte, einem fleischlichen Menschen aber nicht wirklich vermitteln konnte. Davon wird im Zusammenhang mit 2Kor 3 noch mehr zu sprechen sein. Im Blick auf Gal 3,21 bα bleibt zunächst festzuhalten: Die Aussage, daß das Gesetz nicht Leben spenden kann, ist nicht als Verdikt über

---

[182] Vgl. dazu Kap. I/3 und Kap. IV/3.

das Gesetz an sich zu werten. Sie gilt vielmehr nur mit Rücksicht auf einen sündigen bzw. fleischlichen Menschen.

Einem solchen Menschen gegenüber kann das Gesetz tatsächlich nicht die Funktion haben, Leben zu spenden, sondern nur, „alles unter die Sünde zusammenzuschließen" (Gal 3,22a). Daß Paulus jetzt von der „Schrift" (γραφή) und nicht vom „Gesetz" (νόμος) spricht, wird man nicht überstrapazieren dürfen, da Paulus selbst im nächsten Vers variierend davon spricht, daß „wir unter dem Gesetz (ὑπὸ νόμον) in Gewahrsam gehalten wurden, indem wir zusammengeschlossen wurden..." (Gal 3,23). Damit ist die These von Gal 3,19aβ erläutert: Das Gesetz ist „um der Übertretungen willen" dazugegeben. Es soll die Sünde als Sünde entlarven, die Nicht-Täter als Übertreter kenntlich machen und die Menschheit als unter der Sünde stehendes Sünderkollektiv definieren (= umgrenzen = zusammenschließen). Auch der im Gesetz begründete Kult hat letztlich keine andere Funktion. Gerade der immer neu zu vollziehende Kult führt dem Menschen seine sarkisch konstituierte Sündhaftigkeit permanent und deutlich vor Augen[183]. In dieser Funktionalität hat übrigens die Tora, die zunächst Israel gilt, durchaus exemplarische, allgemeingültige Bedeutung. Denn was sie aufdeckt, ist die Befindlichkeit von allem „Fleisch", so daß Paulus mit vollem Recht sagen kann, daß die Schrift „alles", d.h. die ganze Welt (Juden und Heiden), unter die Sünde zusammengeschlossen hat.

Ein letztes ist noch hinzuzufügen: Der Gedankenweg des Paulus wäre unzureichend gewürdigt, wenn man die unter die Sünde zusammenschließende Funktion des Gesetzes nur negativ als rein verurteilende bzw. sündendeklaratorische Funktion verstehen wollte. Es bleibt vielmehr zu beachten, daß die (deuteronomistische) Fluchfunktion der Tora gegenüber dem Sünder nur die Kehrseite der dieser inhärenten Lebensverheißung (gegenüber dem Täter des Gesetzes) ist. Das heißt, indem die Tora den Sünder verflucht, konfrontiert sie ihn zugleich (via negationis) mit ihrer Lebensverheißung und stellt so selbst dem Sünder das Leben als sein eigentliches Ziel vor Augen. Ähnlich verhält es sich mit dem Kult, wo im kultisch-zeichenhaften Vollzug des Todes des Sünders diesem die Perspektive eines Lebens in der Nähe des heiligen Gottes eröffnet wird, ohne freilich den Sünder tatsächlich (und endgültig) aus seiner Fleischlichkeit herauszureißen. Wenn Paulus demnach sagt, daß das Gesetz alles unter die Sünde zusammenschließt, dann meint er damit nicht nur, daß das Gesetz den Sünder verflucht und dem Fleisch das Todesurteil zuspricht, sondern auch, daß es eben darin die Lebensverheißung wachhält, die es am sündigenden und sarkischen Men-

---

[183] Unter kultischer Rücksicht könnte man der Aussage, daß das Gesetz „um der Übertretungen willen" dazugegeben wurde, sogar einen höchst positiven Sinn unterlegen. Tatsächlich hat der Kult die Funktion, Übertretungen zu sühnen. Indem dies aber geschieht (und immer wieder geschehen muß), führt der Kult vor Augen, wie sehr der Mensch „unter die Sünde verkauft ist" (Röm 7,14).

schen allerdings nicht einzulösen vermag. Insofern aber verweist das Gesetz auf Christus (Gal 3,22 b. 23 b. 24), der die Sünder aus Glauben rechtfertigt und die durch das Gesetz Getöteten (vgl. Gal 2,19) im Geiste zu Lebenden, zu Söhnen und Erben macht (Gal 3,29; 4,1–7). Das Gesetz ist der παιδαγωγὸς εἰς Χριστόν (Gal 3,24 a). Wenngleich Paulus also das Gesetz relativiert und es weder mit dem heilsgeschichtlichen Initialgeschehen (Verheißung) noch mit dem Erfüllungsgeschehen (Christus) auf eine Stufe stellen kann, behält es im Gefälle einer von Abraham zu Christus laufenden Heilsgeschichte dennoch eine notwendige und positive Funktion.

Wie steht es dann aber mit *Gal 4,21–31*? Wird dort die positive Rolle des Gesetzes nicht doch wieder in Frage gestellt? Tatsächlich wird der Sinaibund als knechtend (εἰς δουλείαν γεννῶσα) beschrieben und mit der Sklavin Hagar in Verbindung gebracht (Gal 4,24 bβγ). Der von der Sklavin geborene Nachkomme Abrahams ist κατὰ σάρκα gezeugt, während der von der Freien (Sara) δι' ἐπαγγελίας (bzw. κατὰ πνεῦμα) entstanden ist (Gal 4,23.29). Er präfiguriert den anderen der beiden Bünde (vgl. Gal 4,24 bα), den Paulus dem „oberen Jerusalem" zuordnet (Gal 4,26), das wohl mit der Kirche, dem „Israel Gottes" (vgl. Gal 6,16), identisch ist.

Die in Gal 3 noch deutlich hervorgehobene heilsgeschichtliche Funktion des Gesetzes als παιδαγωγὸς εἰς Χριστόν (Gal 3,24) scheint in Gal 4,21–31 völlig fallengelassen zu sein. Die Knechtschaftsfunktion des Gesetzes, der man nach Ausweis von Gal 3 auch positive Seiten abgewinnen kann[184], wird in Gal 4 ausschließlich als antithetische Parallele zu der vom Verheißungssohn (Isaak) zu Christus (bzw. den κατὰ Ἰσαὰκ ἐπαγγελίας τέκνα: Gal 4,28) verlaufenden heilsgeschichtlichen Grundlinie dargestellt und – anders als in Gal 3 – eben nicht auf diese Linie aufgetragen. Heißt dies, daß der Sinaibund nach Gal 4 heilsgeschichtlich irrelevant ist?

Hier gilt es die Intention und Funktion der paulinischen Ausführungen genau zu beachten. Paulus legt nach eigenen Angaben eine allegorische Schriftauslegung vor (Gal 4,24 a). Dabei ist die für uns entscheidende Frage, worauf die Allegorisierung abzielt. Und dies ist eben nicht die Heilsgeschichte, sondern die *Gegenwart*! Was sich letztendlich gegenübersteht und weswegen Paulus die ganze Allegorie durchführt, ist nicht das heilsgeschichtliche Verhältnis von Sinaibund und Christusgeschehen (so Gal 3), sondern vielmehr das „jetzige Jerusalem" und das „obere Jerusalem" (Gal 4,25 f), d. h. das physische Israel, soweit es (nachösterlich) gegen Christus an den Werken des Gesetzes als Kriterium des Heils festhält, und die Kirche, deren Kinder κατὰ πνεῦμα gezeugt und von der Knechtschaft (der Sünde) befreit sind. Die Abqualifizierung trifft also nicht den Sinaibund als solchen, erst recht nicht seine heilsgeschichtliche Funktion und Qualität, sondern den Sinaibund, sofern er – gegen Christus – *jetzt noch* als Begründung eines faktisch gangbaren Weges zum Leben beansprucht wird. Wer solches tut,

---

[184] Vgl. die unter die Sünde zusammenschließende Funktion des Gesetzes in Gal 3,22–24.

meint Paulus von seiner christologischen Warte aus, bleibt in der Knechtschaft, die jetzt aber – anders als die heilsgeschichtlich auf Christus hinzielen-
de Gefangenschaft unter dem Gesetz von Gal 3,22–25 – nicht zu Christus
hinführt, sondern sich als perspektivenlose Sklaverei erweist, die mit der
Abrahamsverheißung nichts mehr zu tun hat, sondern sich typologisch als
Nachkommenschaft der Sklavin entlarvt. Daß Paulus damit noch nicht das
(theologisch) letzte Wort über das sich dem Evangelium verweigernde Israel
gesprochen hat, lehrt Röm 11. Doch kann darauf hier nicht näher eingegangen werden. Festzuhalten ist, daß Paulus in Gal 4 dem Gesetz nicht die
heilsgeschichtliche Funktion bestreitet, die er diesem in Gal 3 zugeschrieben
hatte; er wehrt sich vielmehr gegen eine Beanspruchung des Gesetzes gegen
Christus (vgl. Gal 4,30f). Konkret will Paulus seinen Lesern vorführen, daß
das von seinen Gegnern geforderte Tun des Gesetzes (Beschneidung u. a.) als
zum Glauben an Christus hinzukommende Heilsbedingung von Christus
trennt (vgl. Gal 5,2.4), weil es die allein heilsentscheidende Bedeutung
Christi in Frage stellt und diejenigen, die derart auf das Gesetz setzen, auf die
Seite einer in Christus aussichtslos gewordenen Knechtschaft rückt.

Unter heilsgeschichtlicher Rücksicht bleibt bei Gal 4 im übrigen bemer-
kenswert, daß das Christusgeschehen bzw. das in ihm begründete „obere
Jerusalem" als διαθήκη bezeichnet wird (Gal 4,24), die wiederum in der
Abrahamsverheißung grundgelegt bzw. deren Entfaltung ist (Gal 4,28f).
Damit ist auch hier sichergestellt, daß das eschatologisch Neue, welches das
Christusgeschehen zweifellos darstellt, heilsgeschichtlich eine Folge der
Bundestreue Gottes ist.

2. Die Funktion des Gesetzes in 2Kor 3

Das dritte Kapitel des 2. Korintherbriefes gehört zweifellos zu den
schwierigsten Texten des Neuen Testaments. Im Rahmen dieser Untersuchung kann unmöglich die Vielfalt der exegetischen, literarkritischen und
religionsgeschichtlichen Fragen (einschließlich der Frage nach den Gegnern
des Paulus) besprochen werden. Wohl wissend um die Problematik einer nur
partiellen Betrachtungsweise, müssen wir uns hier auf einige synchrone
Textbeobachtungen beschränken, soweit sie für unsere Frage nach der heilsgeschichtlichen Funktion des Gesetzes als belangvoll erscheinen.

Auf den ersten Blick scheint der Text ohnehin nur einen negativen Befund
nahezulegen. Schon daß Paulus nicht vom „Gesetz" (νόμος), sondern vom
„Buchstaben" (γράμμα) spricht (2Kor 3,6; vgl. 3,7), wird gelegentlich als
Abwertung angesehen[185]. Im übrigen werden Sinaigeschehen bzw. Dienst

---

[185] Vgl. dazu die Eingangsbemerkungen zu Kap. IV/3.

des Mose und Christusoffenbarung bzw. Dienst des Apostels in scharfen Oppositionen gegenübergestellt (2Kor 3,6–11)[186]:

	διάκονοι
(vgl. *παλαιὰ διαθήκη* V. 14)	*καινῆς διαθήκης*
οὐ γράμματος	*ἀλλὰ πνεύματος* (V. 6 a)
τὸ γὰρ γράμμα ἀποκτέννει	*τὸ δὲ πνεῦμα ζῳοποιεῖ* (V. 6 b)
διακονία τοῦ θανάτου *ἐν γράμμασιν* *ἐντετυπωμένη λίθοις* (V. 7 a)	*διακονία τοῦ πνεύματος* (V. 8)
διακονία τῆς κατακρίσεως	*διακονία τῆς δικαιοσύνης* (V. 9)
τὸ καταργούμενον	*τὸ μένον* (V. 11)

Nimmt man diese Oppositionen für sich, so könnte man meinen, Paulus wolle alle nur denkbaren Verbindungen zwischen Sinaigeschehen und Christusoffenbarung unterbrechen und beide als unversöhnliche Gegensätze gegenüberstellen. Eine genauere Textbetrachtung vermittelt jedoch ein differenzierteres Bild.

Wir beginnen mit der forschen Behauptung: *τὸ . . . γράμμα ἀποκτέννει* (2Kor 3,6 b*a*). Fragt man, *warum* der Buchstabe tötet, so kann die Antwort nicht lauten: weil er ein negatives, böses und menschenfeindliches Prinzip ist; dies würde sonstigen Aussagen des Paulus über das Gesetz diametral widersprechen (vgl. bes. Röm 7). Nicht zureichend, da nur die halbe Wahrheit enthaltend, ist auch die Auskunft, der Buchstabe würde töten, weil er eben nicht Leben spenden könne wie der Geist (vgl. 2Kor 3,6 b*β*). Mit dieser rein negativ abgrenzenden Antwort ist ja auch in keiner Weise geklärt, warum der Buchstabe *tötet*. Geht man von unseren bisherigen Beobachtungen aus, so legt sich eine ganz einfache Antwort nahe: Der Buchstabe tötet, weil und sofern er auf einen Menschen trifft, der das Gesetz übertreten und gesündigt hat. Und da nach paulinischer Auffassung das Kreuz alle Menschen als Sünder ausweist, kann das Gesetz bzw. der Buchstabe faktisch nur töten. Der „Dienst des Todes", den Mose mit den auf Steintafeln eingegrabenen Buchstaben vermittelte (2Kor 3,7 a), ist ein „Dienst der *Verurteilung*" (2Kor 3,9)[187]. Das heißt, der Tod, den der Buchstabe anordnet, ist ein Tod auf-

---

[186] Vgl. vorher schon in 2Kor 3,3 die Rede von der *ἐπιστολὴ . . . ἐγγεγραμμένη* *οὐ μέλανι* *ἀλλὰ πνεύματι θεοῦ ζῶντος* *οὐκ ἐν πλαξὶν λιθίναις* *ἀλλ᾽ ἐν πλαξὶν καρδίαις σαρκίναις*.

[187] Die Rede vom „Dienst der Verurteilung" als (substituierende) Parallele zum „Dienst des Todes" (3.7.9) läßt erkennen, daß es sich bei dem Satz „der Buchstabe tötet" strenggenommen um eine verkürzte Ausdrucksweise handelt. Die differenzierte Version der gemeinten Sache findet sich in Röm 7,11, wo festgehalten ist, daß es die „ *Sünde* " ist, die „durch das Gebot . . . tötet". Das Gesetz ist das Instrument, mit dessen Hilfe die Sünde den Tod als ihre rechtmäßige Folge vollziehen kann. Siehe dazu unter Kap. I/3.

grund von Verurteilung, der auf seiten des Menschen nur die Sünde entsprechen kann. So verstanden, stellt der Satz „der Buchstabe tötet" durchaus eine Parallele zur These von Gal 2,16 dar, wonach „aus Werken des Gesetzes kein Mensch gerechtfertigt wird". Beide Sätze gelten, weil der Mensch Sünder ist: Den Sünder kann das Gesetz nicht rechtfertigen, es muß ihn vielmehr verurteilen und töten (vgl. auch Gal 2,19). Aus eben diesem Grund steht 2Kor 3,6 ba nicht im Widerspruch zur Aussage des Römerbriefes, wonach „das Gesetz heilig und das Gebot heilig, gerecht und gut" ist (Röm 7,12). Gerade weil der Buchstabe heilig ist bzw., wie es 2Kor 3,7 ausdrückt, ἐν δόξῃ (in der Herrlichkeit Gottes) in Erscheinung getreten ist, tötet er den unheiligen, sündigen Menschen. Die tötende Funktion des Buchstabens ist somit nicht Ausdruck seiner Negativität, sondern Ausdruck seiner Heiligkeit. Damit läßt sich vorläufig zusammenfassen: Der Satz „der Buchstabe tötet" enthält kein Verdikt über das Gesetz, sondern reflektiert zuerst einmal die Verurteilung des sündigen Menschen.

In diese (vorwiegend deuteronomistisch orientierte) Sicht fügt sich auch das Motiv des „neuen Bundes", auf das Paulus bereits in 2Kor 3,3 mit dem „Geist des lebendigen Gottes" bzw. den als „Tafeln" fungierenden „fleischernen Herzen" anspielt (vgl. Ez 11,19; 36,26f; Spr 7,3) und das er dann in 2Kor 3,6 auch ausdrücklich nennt. Ob Paulus dabei an Jer 31,31–34 dachte oder (wahrscheinlicher) allgemein deuteronomistische Tradition rezipierte[188], kann hier dahingestellt bleiben. Deutlich ist, daß der Sinaibund (bzw. die Tora) relativiert ist, wenn er demgegenüber als „auf steinernen Tafeln" geschrieben charakterisiert wird (2Kor 3,3; vgl. Ex 31,18; Dtn 9,10). Dennoch kann auch daraus kein grundsätzlicher Defekt des Sinaibundes abgeleitet werden. Denn das „Ungenügen" des Sinaibundes lag nicht an diesem selbst, sondern daran, daß er übertreten wurde (vgl. auch Jer 31,32); deswegen wurde er zu einem „Dienst der Verurteilung" (2Kor 3,8). Dies liegt ganz auf der Linie deuteronomistischen Denkens, wie es etwa in Bar 1,18b–20 in nahezu klassischer Weise formuliert ist (vgl. auch Dan 9,10–13):

> (18) … Wir haben auf die Stimme des Herrn, unseres Gottes, nicht gehört und die Gebote nicht befolgt, die der Herr uns vorgelegt hat. (19) Von dem Tag an, als der Herr unsere Väter aus Ägypten herausführte, bis auf den heutigen Tag waren wir ungehorsam gegen den Herrn, unseren Gott. Wir wandten uns weg und hörten nicht auf seine Stimme. (20) So heftete sich an uns das Unheil und der Fluch, den der Herr durch seinen Diener Mose androhen ließ am Tag, als er unsere Väter aus Ägypten herausführte, um uns ein Land zu geben, wo Milch und Honig strömen, und so ist es noch heute.

Interessant ist übrigens, daß Baruch den Gedanken des neuen bzw. „ewigen Bundes" unter Rückgriff auf die Abrahamsverheißung formuliert (Bar 2,34f):

---

[188] Vgl. dazu: CH. WOLFF, Jeremia im Frühjudentum und Urchristentum (TU 118), Berlin 1976, 116–147.

(34) Dann werde ich sie in das Land zurückführen, das ich ihren Vätern Abraham, Isaak und Jakob unter Eid versprochen habe, und sie werden (wieder) seine Besitzer sein. Ich mache sie zahlreich, und sie werden nie mehr vermindert. (35) Dann schließe ich mit ihnen einen ewigen Bund: Ich will ihr Gott sein, und sie sollen mein Volk sein; und nie wieder werde ich mein Volk Israel aus dem Land verstoßen, das ich ihnen gegeben habe (vgl. Jer 31,33; Ez 36,28)[189].

Sollte Paulus von derartigen Gedanken beeinflußt sein, dann stünde der „neue Bund" von 2Kor 3,3 – ganz analog zu den Ausführungen von Gal 3 und 4 – in der heilsgeschichtlichen Kontinuität der Abrahamsverheißung. Vor diesem Hintergrund würde die scharfe Gegenüberstellung zum Sinaigeschehen noch verständlicher, zumal Paulus dieses – wie vor allem die Betonung der $\delta\delta\xi a$ erkennen läßt (2Kor 3,7.9.11) – unter Rückgriff auf Motive, die aus der Priesterschrift stammen, charakterisiert. Wie wir gesehen haben, gipfelte für die Priesterschrift das Geschehen am Sinai in der Offenbarung der „Herrlichkeit" Jahwes (vgl. Ex 25; 40; Lev 9); daß die Herrlichkeit Jahwes im Begegnungszelt Wohnung nahm und fortan also kultisch präsent war (vgl. Ex 29,43–46), stellte nach priesterschriftlicher Sicht die Erfüllung der Abrahamsverheißung (Gen 17,7b. 8b) dar. Daß Paulus eine derartige Akzentuierung der Heilsgeschichte (aus christologischen Gründen) nicht ohne Modifikationen übernehmen kann, haben wir bereits im Zusammenhang mit Gal 3 festgestellt. Insofern dürfte ihm der (deuteronomistische) Gedanke eines neuen Bundes, in dem die Abrahamsverheißung in Erfüllung geht, sehr willkommen gewesen sein. Allerdings läßt sich mit Hilfe der deuteronomistischen Vorstellung nicht das eigentliche Problem lösen, das sich bei einer wirklich ernsthaften Auseinandersetzung mit der spezifisch priesterschriftlich beeinflußten Sicht des Sinaigeschehens stellt. Denn daß ein neuer Bund nötig wurde, läßt sich genaugenommen nur sagen, sofern man den alten (vom Sinai) unter dem (deuteronomistischen) Aspekt des Gehorsams betrachtet; die Notwendigkeit des neuen folgt dann aus dem (menschlichen!) Brechen des alten (vgl. Jer 31,32). Man kann aber schwerlich von der Notwendigkeit einer neuen Erfüllung der Abrahamsverheißung sprechen, wenn diese in der Erscheinung der Herrlichkeit Gottes schon erfüllt ist. Daß Paulus sich dieser theologischen Herausforderung stellt, werden wir bald sehen.

Überhaupt bekommt auch der Satz „der Buchstabe tötet, der Geist aber macht lebendig" (2Kor 3,6b) erst seine volle Schärfe und Bedeutungstiefe, wenn man berücksichtigt, daß der „Buchstabe" auch eine kultische Dimension hat. Nach priesterschriftlicher Tradition diente die Offenbarung Gottes

---

[189] Der auch deuteronomistisch geläufige Bund mit den „Vätern" (vgl. Dtn 4,31; 9,5; u. ö.) stellt eine gewisse Analogie zur priesterschriftlichen Betonung des Abrahambundes dar. Zu Bar 2,34f vgl. auch Lev 26,42, wo der Bundesgedanke des Heiligkeitsgesetzes, das an sich noch ganz im Entsprechungsschema von Gehorsam und Segen bzw. Ungehorsam und Fluch denkt, von zweiter Hand in tendentiell priesterschriftlicher Weise bearbeitet wird; vgl. W. Zimmerli, Sinaibund (Anm. 36) 211f.

(δόξα!) im wesentlichen der Einrichtung und Regelung des Kultes, der überwiegend als Sühnekult verstanden wurde. So gesehen, ist die Tora aber weit mehr als nur die (deuteronomistische) Lebensordnung, die den Gehorsamen Segen zuspricht und den Ungehorsamen Fluch androht. Sie eröffnet vielmehr die Möglichkeit, gerade im kultischen Vollzug des dem Sünder zukommenden Todes heilsame Begegnung mit Gott herzustellen.

Unter dieser Rücksicht könnte man dem (isolierten) Satz „der Buchstabe tötet" sogar einen durchaus positiven Sinn unterlegen. Zumindest aber wird von daher deutlich, daß nicht das Gesetz der Grund für die negative Wertung sein kann, die in 2Kor 3,6bα zweifellos (schon durch die Gegenüberstellung zu 2Kor 3,6bβ) zum Ausdruck kommt. Erst wenn man dies zur Kenntnis genommen hat, ist man wahrscheinlich genügend sensibilisiert, um den Menschen als das stillschweigende Objekt des Urteils von 2Kor 3,6bα in die Analyse miteinzubeziehen. Tatsächlich macht erst die Relation zum Menschen, der „Fleisch" ist und als solches je immer sündigt, 2Kor 3,6bα zu einer schlimmen Feststellung. Das gilt selbst unter Berücksichtigung der kultischen Dimension des Gesetzes. Denn dieser Mensch wird – außerhalb der kultischen Begegnung mit dem heiligen Gott – wieder in das Sündigen und die Herrschaft der Sünde zurückfallen. Gerade in der deshalb notwendigen Wiederholung kultischer Todesbegehungen wird der Kult zum Indikator der Fleischlichkeit und Sündenverfallenheit des Menschen, so daß der an sich Heil versprechende kultische Todesvollzug zur symbolischen Vorwegnahme des (endgültigen) Todesgeschicks wird, das einen derart sündigen Menschen letztlich doch treffen muß. Die Feststellung „der Buchstabe tötet" ist daher die ernüchternde Bestandsaufnahme der Situation des Menschen, der als „Fleisch der Sünde" (vgl. Röm 8,3) vom Gesetz immer nur dem Tod überliefert werden kann. Einem solchen Menschen kann auch der Kult kein wirkliches (d. h. dauerhaftes, bleibendes) Heil vermitteln. Für Paulus ist diese Einsicht letztlich eine Konsequenz seiner Christologie, insbesondere seiner *kulttypologischen* Deutung des Kreuzestodes Christi. Denn wenn, wie für Paulus offenkundig, der Kreuzestod als eschatologische Sühne zu würdigen ist, dann ist der am Sinai konstituierte Sühnekult nicht wirklich lebenspendend. Dem sündigen Menschen gegenüber bleibt er „Buchstabe", der (nur) „tötet". Ihm fehlt der lebenspendende Geist, der für Paulus eine Gabe der Endzeit und deshalb an den Kyrios gebunden ist, ja mit diesem nahezu identisch ist (vgl. 2Kor 3,16f)[190]. Erst der stellvertretende Fluchtod Christi stellt die für das Fleisch wirklich heilsame Wende dar. Der in der Identität des Fleisches der Sünde in den Tod gehende *Christus* schafft die (eschatologische) Realität, die der Kult nicht vermitteln konnte; er wird zum Ort der Begeg-

---

[190] Es geht an dieser Stelle allerdings nicht um eine Bestimmung trinitarischer Relationen und auch nicht um Wesensaussagen. 2Kor 3,17 ist epexegetisch zu verstehen. Die in 2Kor 3,16 geforderte Bekehrung zum „Herrn" (= Gott) wird als Hinkehr zum „Geist" erläutert, der in Christus (= im Kyrios Jesus) gegenwärtig und wirksam ist.

nung mit dem Geist Gottes, der auferweckt, Neues schafft und lebendig macht. Im (glaubenden) Mit-Christus-Sterben findet so der für den Sünder heilsnotwendige Existenzwechsel von der σάρξ zum πνεῦμα statt.

Durch die Antithese von 2Kor 3,6b soll also die Christusoffenbarung als das eschatologische und damit alleinige Heilsgeschehen herausgestellt werden. Ist dann aber nicht zugleich dem Geschehen am Sinai, wo die Buchstaben des Gesetzes in steinerne Tafeln eingegraben wurden (vgl. 2Kor 3,3.7), jedwede heilsgeschichtliche Funktion abgesprochen? Das wird man – trotz 2Kor 3,6b – nicht uneingeschränkt bejahen können. Denn Paulus kann ja wohl kaum den Kreuzestod Christi als eschatologischen Vollzug des am Sinai konstituierten Kultes werten (vgl. bes. die Bezüge von 2Kor 5,21; Röm 3,25f; 8,3f auf Lev 4; 5; 16) und gleichzeitig den Kult und das Sinaigeschehen für gänzlich bedeutungslos halten. Sinaigeschehen und Christusoffenbarung müssen demnach für Paulus in einem durchaus spannungsvollen Verhältnis stehen, das einerseits – unter christologischer bzw. soteriologischer Rücksicht – als Antithese zu bestimmen ist, andererseits aber – unter heilsgeschichtlichem Aspekt – eine noch näher zu bestimmende Relationalität einschließt. In diesem Zusammenhang ist es interessant, daß Paulus in 2Kor 3,7–11 die scharfe Antithetik von 2Kor 3,6b verläßt und zu einer „versöhnlicheren" Verhältnisbestimmung übergeht. Rein äußerlich zeigt sich dies daran, daß der Begriff der δόξα auf beiden Seiten der Opposition erscheint:

(V. 7) Wenn aber	(V. 8) wie sollte da nicht *um so mehr (πῶς οὐχὶ μᾶλλον)*
der Dienst des Todes *in Herrlichkeit (ἐν δόξῃ)* in Erscheinung trat, ...	der Dienst des Geistes *in Herrlichkeit (ἐν δόξῃ)* sein?
(V. 9) Denn wenn	*um wieviel mehr (πολλῷ μᾶλλον)* fließt
durch den Dienst der Verurteilung *Herrlichkeit (δόξα),*	der Dienst der Gerechtigkeit über *an Herrlichkeit (δόξῃ).*
(V. 11) Denn wenn das Vergehende *durch Herrlichkeit (διὰ δόξης)* (in Erscheinung tritt),	*um wieviel mehr (πολλῷ μᾶλλον)* (erscheint) das Bleibende *in Herrlichkeit (ἐν δόξῃ).*

Es ist offenkundig, daß Paulus hier mit dem Schema der Überbietung operiert (Schlußverfahren a minore ad maius; vgl. „um so/wieviel mehr" in VV. 8.9b.11)[191]. Von besonderer Bedeutung ist die Beobachtung, daß die

---

[191] Auch die Verben περισσεύειν (V. 9b) und ὑπερβάλλειν (V. 10) gehören in das Überbietungsschema.

im Gefälle von 2Kor 3,6b stehenden (antithetischen) Oppositionen (Dienst des Todes/Dienst des Geistes, Dienst der Verurteilung/Dienst der Gerechtigkeit, das Vergehende/das Bleibende; s. o.) in dieses Überbietungsschema eingebettet, diesem also untergeordnet sind. Paulus gebraucht hier demnach in nahezu klassischer Weise das Modell der *Typologie*, wo einerseits Typos und Antitypos analoge Größen sind, andererseits aber der Antitypos den Typos unvergleichlich überbietet.

Sachlich bedeutet dies, daß Sinaigeschehen und Christusoffenbarung bei aller Antithetik heilsgeschichtlich nicht in einem exklusiven, sondern in einem typologischen Verhältnis stehen. Die Christusoffenbarung negiert nicht das Sinaigeschehen, sondern überbietet es. Nicht Negation und Position, sondern Vorläufigkeit und Endgültigkeit sind die sachgerechten Kategorien. Die δόξα des Sinaibundes wird nicht abgelehnt, sondern geradezu vorausgesetzt. Daß sie als vorläufige vergeht (vgl. 2Kor 3,7b), ist zwar – gemessen an der Endgültigkeit der δόξα der Christusoffenbarung (und nur in dieser Hinsicht!) – ein Mangel, der aber unter der Rücksicht seiner typologischen Verweisfunktion auf die endgültige Christus-δόξα durchaus positiven Charakter hat. Selbst die Aussage, daß der „alte Bund" in Christus vergeht (2Kor 3,14)[192], ist dann weit mehr als eine pure Abqualifizierung einer negativ zu wertenden Institution. Typologisch gesehen ist das Vergehen des Alten integraler Bestandteil von dessen Verweisfunktion auf das Neue.

Daß Paulus die Typologie gerade anhand der δόξα entwickelt, dürfte kein Zufall sein. Zum einen zeigt sich, daß Paulus offensichtlich bewußt auf die über die Priesterschrift in den Pentateuch eingegangene Qualifizierung des Sinaigeschehens zurückgreift. Da ihr zufolge die Offenbarung der δόξα Gottes als Erfüllung der Abrahamsverheißung in Erscheinung trat, war Paulus geradezu gezwungen, sich damit auseinanderzusetzen. Da für ihn aber feststand, daß Christus die Erfüllung der Abrahamsverheißung ist, muß das Motiv von der Erscheinung der „Herrlichkeit" Gottes auf Christus bzw. die Gemeinde übertragen werden (vgl. neben 2Kor 3,8.9b.10.11b auch 2Kor 3,18). Demgegenüber kann die durch Mose vermittelte „Herrlichkeit" nur vorläufige Erfüllung (καταργούμενον: 2Kor 3,11a; vgl. 2Kor 3,7b), d. h. im Blick auf die wirkliche und endgültige Erfüllung (μένον: 2Kor 3,11b) eigentlich gar keine Erfüllung sein (vgl. 2Kor 3,10). Der Rückgriff auf die priesterschriftlich vermittelte Sicht des Sinaigeschehens (δόξα) dürfte für Paulus aber auch wegen des damit verbundenen Kultgedankens interessant gewesen sein. Denn gerade wenn er den Kreuzestod Christi als eschatologischen Sühnevollzug versteht, ist eine Reflexion über das Verhältnis von Sinaigeschehen und Christusoffenbarung angezeigt. Die Notwendigkeit, beide Größen einerseits analog aufzufassen, sie andererseits aber deutlich

---

[192] Es ist allerdings nicht ganz eindeutig, worauf sich ἐν Χριστῷ καταργεῖται bezieht: auf παλαιὰ διαθήκη oder auf κάλυμμα?

voneinander abzugrenzen, führt – wie bereits angedeutet – zur Denkfigur der Typologie.

Sachlich bedeutet dies: Wenn am Kreuz eschatologische Sühne geschehen (2Kor 5,21) und der Gekreuzigte als der Ort der rechtfertigenden Begegnung mit Gott schlechthin definiert ist (Röm 3,25 f), dann ist der am Sinai konstituierte Kult jetzt an sein Ende gekommen. Jetzt – vom eschatologischen Standpunkt aus – zeigt sich überdies, daß er überhaupt nur vorläufige Funktion hatte. Eine dauerhafte, eschatologisch-endgültige Sühne vermochte er nicht zu leisten; er hatte immer nur vorübergehende Wirkung, verwies insofern aber zugleich auf den ihn überbietenden Kultvollzug im Kreuzestod Jesu Christi.

Dies ist m. E. auch der sachliche Schlüssel für das Verständnis der Typologie von 2Kor 3,7–11, insbesondere für das Verständnis der paulinischen These von der *vergehenden Herrlichkeit* auf dem Angesicht des Mose (2Kor 3,7 b; vgl. 2Kor 3,11 a).

In 2Kor 3,13 behauptet Paulus sogar, daß Mose einen Schleier (κάλυμμα) über sein Angesicht legte, damit „die Söhne Israels nicht das Ende des Vergehenden gewahren" konnten. Dies ist selbstverständlich nicht der ursprüngliche Sinn des in Ex 34,33–35 erwähnten Schleiers, wenngleich immerhin zu konzedieren ist, daß die dort gemachte Aussage keineswegs so eindeutig ist[193], daß eine Schlußfolgerung wie die des Paulus – noch dazu unter christologischer Prämisse – gänzlich auszuschließen ist. In jedem Fall ist die Auslegung des Paulus sachlich korrekt, wenn man sie als typologischen Hinweis auf die bloß begrenzte Wirkung des Sühnekultes werten darf.

Der durch die Sinaitora konstituierte Kult entbehrt für Paulus also keineswegs der Herrlichkeit, d. h. der göttlichen Präsenz. Paulus hält durchaus fest an der Aussage der Schrift und versucht nicht, die (priesterschriftlich bedeutsame) δόξα des Sinaigeschehens wegzudiskutieren. Die Feststellung, daß „die Söhne Israels in das Angesicht des Mose nicht schauen konnten wegen der Herrlichkeit seines Angesichtes" (2Kor 3,7 b), deckt sich sachlich mit Ex 34,29 b.30. Aber – so fügt Paulus hinzu – die Herrlichkeit auf dem Angesicht des Mose war eine vorübergehende (2Kor 3,7 b) – wie eben auch der am Sinai begründete Kult nur eine vorübergehende Wirkung hatte. Die ausdrückliche und wiederholte Betonung, daß der durch Buchstaben auf steinernen Tafeln konstituierte „Dienst" (διακονία) des Mose (= Kult) „in Herrlichkeit geschah" (2Kor 3,7 a; vgl. 2Kor 3,9 a.11 a), scheint eine Bestätigung des bereits geäußerten Gedankens zu sein, daß Paulus die sühnende Kraft des alttestamentlichen Kultes keineswegs ablehnt. Aber die Notwendigkeit einer ständigen Wiederholung einerseits und der allein eschatologisch-bleibende Charakter der am Kreuze Christi vollzogenen Sühne andererseits machen deutlich, daß der am Sinai begründete Kult den sarkischen Menschen über eine je aktuelle Entsündigung hinaus nicht wirklich heil

---

[193] Vgl. bes. Ex 34,33, wonach Mose sein Angesicht erst *nach* der Rede zum Volk bedeckt!

machen konnte. So blieb er letztlich ein Dienst des Todes und der Verurteilung (2Kor 3,7a.9a), während der Dienst des Geistes und der Gerechtigkeit (2Kor 3,8.9b) der Christusoffenbarung am Kreuz vorbehalten war.

Ein kurzes Wort ist noch zu *2Kor 3,14f* zu sagen, weil hier der Eindruck entstehen könnte, der alte Bund (bzw. das Alte Testament) diene der Verhüllung der Christusoffenbarung und damit der Verstockung. Dies ist aber nicht der Fall! Es ist hier (ähnlich wie bei Gal 4,21–31) vielmehr zu beachten, daß Paulus nun gar nicht mehr heilsgeschichtlich, sondern im Blick auf die aktuelle Situation argumentiert. Mit 2Kor 3,14a ist offensichtlich das sich dem Evangelium verweigernde Israel gemeint. Auf dieses wendet Paulus dann die Metapher vom Schleier des Mose an, der die Vorläufigkeit des sinaitischen Gesetzes bzw. Kultes bemänteln sollte (2Kor 3,13), und stellt (an)klagend fest, daß dieses *ungläubige* Israel bis heute den gleichen Schleier bei der Lesung des alten Bundes trägt. Dieser Schleier läßt es nicht aufdecken, daß der alte Bund in Christus zu Ende geht (2Kor 3,14). Auch der nächste Vers stellt keinen Mangel des alten Bundes oder gar des Alten Testaments fest. Nicht das Lesen des Mose (= des Alten Testaments) als solches bedingt, daß sie einen Schleier über ihren Herzen haben; vielmehr ist es das *ungläubige* Lesen, das den Schleier über das Herz breitet.

Obwohl Paulus in 2Kor 3 also streng zwischen dem tötenden Buchstaben der Sinaitora und der lebenspendenden Christusoffenbarung unterscheidet, besteht zwischen beiden keine exklusive Antithese. Sachlich ergibt sich in 2Kor 3 ein ähnliches Bild wie in Gal 3, nur daß Paulus in 2Kor 3 noch deutlicher als dort die kultische Seite der Sinaigesetzgebung ins Auge zu fassen scheint. Heilsgeschichtlich schließen sich Sinaigeschehen und Christusoffenbarung nicht aus, sondern sind typologisch aufeinander bezogen.

Hermeneutisch stellt 2Kor 3 deutlicher als alle bisher behandelten Texte heraus, daß die paulinische Interpretation des Todes Christi mit Hilfe kultischer Kategorien (vgl. 2Kor 5,21; Röm 3,25f; 8,3f) nur typologisch funktioniert. Wenn also Paulus den Tod Christi nach dem Modell kultischer Sühne als Heilsgeschehen im Todesgericht darstellt, dann ist das nicht so zu verstehen, daß das darin gewirkte Heil kultisch begründet ist, also eine Folge des Kultvollzugs darstellt. Gerade 2Kor 3 läßt keinen Zweifel daran, daß das letztlich heilsentscheidende eschatologische πνεῦμα nicht vom Gesetz und vom Kult vermittelt wird, sondern an Christus gebunden ist. Dennoch vollzieht sich der heilsame Tod Christi nicht jenseits des Gesetzes. Im Sterben Christi wird vielmehr der vom Gesetz über die Sünder verhängte Fluch vollstreckt und eben dadurch die im Kult in Aussicht gestellte Sühne in eschatologischer Überbietung verwirklicht.

3. Das Gesetz in Röm 7 und 8 (bes. 8,2–4)

Eine mit 2Kor 3 vergleichbare Auffassung dürfte der Aussage von *Röm 8,2–4* zugrunde liegen. Es ist wohl kein Zufall, daß die Stelle von dem nämlichen Gegensatz von Leben und Tod geprägt ist und daß zumindest im weiteren Kontext von Röm 7 die Antithese von „Buchstabe" und „Geist" auftaucht (Röm 7,6). Röm 7 bestätigt im übrigen, daß einerseits „Gesetz" (*νόμος*) und „Buchstabe" (*γράμμα*) substituierbar sind (vgl. Röm 7,5 f. 7 ff) und daß andererseits die tötende Funktion des „Buchstabens" nicht gegen seinen pneumatischen Charakter steht. Allerdings arbeitet Röm 7 gegenüber 2Kor 3 deutlicher heraus, daß das Töten nicht das opus proprium des Gesetzes ist. Die eigentliche Ursache des Todes ist vielmehr die Sünde, die das Gesetz (*νόμος* bzw. *ἐντολή*: Röm 7,10 f. 13) als Instrument des Tötens benutzt, und zwar gerade weil dieses als heilige und pneumatische Größe den Sünder immer nur verurteilen kann (Röm 7,12–14)[194].

Das spezifische Problem der Gesetzesthematik von Röm 7 und 8 läßt sich besonders gut an *Röm 8,2* verdeutlichen: *ὁ γὰρ νόμος τοῦ πνεύματος τῆς ζωῆς ἐν Χριστῷ Ἰησοῦ ἠλευθέρωσέν σε ἀπὸ τοῦ νόμου τῆς ἁμαρτίας καὶ τοῦ θανάτου.* Meint der *νόμος* hier beide Male die Tora, die in bezug auf die Sünder „als ‚Gesetz der Sünde und des Todes' zur Wirkung gekommen" ist, „‚in Christus Jesus' aber dieses (d. i. das Gesetz der Sünde und des Todes; Anm. d. Verf.) aufhebende, die Sünder befreiende Macht erlangt hat"[195]? Röm 8,2 würde dann eine *„Wende im Gesetz"* beschreiben, so daß jetzt „in Christus Jesus" die „ursprüngliche Aufgabe des pneumatischen Gesetzes" zur Wirkung kommt[196]. Oder hat der *νόμος* in Röm 8,2 nur die übertragene Bedeutung von „Regel" oder „Ordnung"? „Das Gesetz des Geistes" wäre dann „nichts anderes als der Geist selbst" nach seiner Herrschaftsfunktion im Bereich Christi."[197]

Eine Entscheidung wird nicht unabhängig von *Röm 7,21–23* zu fällen sein. Auch dort plädieren nicht wenige Ausleger für eine nicht spezifische Bedeutung von *νόμος*. E. KÄSEMANN spricht von einem „Spiel mit dem Begriff des Gesetzes": *„νόμος* meint in 21 übertragen die Regel oder den Zwang, die Genetivkonstruktion *νόμος τοῦ θεοῦ* in 22 nicht das fixierte Gesetz, sondern den Gotteswillen in einer generellen Weise, welche die Antithese zu dem Gesetz in meinen Gliedern erlaubt. In 23 wird die Wendung darum durch *νόμος τοῦ νοός* aufgenommen und dem kosmischen *νόμος τῆς ἁμαρτίας* entgegengestellt."[198] U. WILCKENS hingegen meint auch hier, „daß *νόμος* in seinen verschiedenen Bedeutungsgehalten durchweg auf die Tora bezogen ist"[199].

Tatsächlich läßt zumindest der *νόμος τοῦ θεοῦ* in Röm 7,22 schwerlich an

---

194 Siehe dazu unter Kap. I/3.
195 U. WILCKENS, Röm II 123.
196 Ebd.
197 E. KÄSEMANN, Röm 207.
198 E. KÄSEMANN, Röm 197.
199 U. WILCKENS, Röm II 90.

etwas anderes denken als an die Tora. Auch dürfte es zutreffen, daß die Tora bzw. das Verhältnis von Tora und Sünde das Generalthema von Röm 7 ist[200]. Andererseits bleibt zu berücksichtigen, daß in Röm 7,23 von einem ἕτερος νόμος die Rede ist, der dem νόμος τοῦ θεοῦ in Röm 7,22 gegenübergestellt wird. Daß die Tora in mir zu einem anderen Gesetz „wird"[201], ist im Text eigentlich nicht gesagt. Ebensowenig folgt aus der zweifellos richtigen Beobachtung, daß das Gesetz den Sünder „mit der Wirklichkeit seines Tuns definitiv zusammen(spricht)": „Es wird so zum ‚Gesetz der Sünde und des Todes'"[202], ganz abgesehen davon, daß die Rede vom „Gesetz der Sünde" in bezug auf die Tora nach Röm 7,7a (vgl. 7,13a) und 7,12.14 zumindest mißverständlich wirken muß. Problematisch ist ferner, wenn U. WILCKENS trotz seines Bemühens, die grundsätzlich positive Bedeutung der Tora herauszustellen, dann doch behaupten muß, daß „durch die Sünde... im Gesetz selbst ein tiefer Widerspruch (entsteht)"[203], während der Text doch bemüht ist, den Widerspruch im Menschen zu finden. Letztlich führt dies zu der m. E. auch systematisch schwierigen These, daß in Röm 7,24 „Gott gegen Gott" angerufen sei[204]. Auf der anderen Seite muß U. WILCKENS dann in Röm 8,2 der Tora als νόμος τοῦ πνεύματος τῆς ζωῆς eine Bedeutung beimessen, die weit über alles bisher Festgestellte hinausgeht. Zwar betont er, daß es „Christus (ist) (Gal 5,21), der uns vom ‚Joch' des Gesetzes befreit hat, nicht das Gesetz, das Sünder nur zu verurteilen, nicht aber ihnen Leben zu schaffen die Kraft hatte (Gal 3,21)."[205] Wenn er dann aber fortfährt, daß „‚in Christus Jesus'... die pneumatische, lebenschaffende Kraft, die dem Gesetz ursprünglich innewohnte, zur vollen Wirkung (kommt)"[206], dann ist zumindest die eindeutige Aussage von 2Kor 3, wo das lebenspendende πνεῦμα dem Gesetz gegenübergestellt war, relativiert und das Mißverständnis nicht mehr ausgeschlossen, daß Christus als Instrument oder Medium des Gesetzes fungiert.

Wie aber ist dann die Rede vom νόμος in Röm 7 (bes. VV. 21–23) und 8 (bes. V. 2–4) zu verstehen? Nach Röm 7,21, das die VV. 17–20 (bzw. die VV. 14–20) zusammenfaßt, besteht das Gesetz, das ich vorfinde, darin, daß mir, der ich das Gute tun will, de facto nur das Böse zur Verfügung steht (ὅτι ἐμοὶ τὸ κακόν παράκειται). Falsch wäre es allerdings, hierbei an eine Gesetzmäßigkeit zu denken, die als Verhängnis über den Menschen lastet.

Zwar gilt, daß der Mensch seinem eigenen Wirken ratlos gegenübersteht (ὃ γὰρ κατεργάζομαι οὐ γινώσκω: Röm 7,15a). κατεργάζεσθαι spielt wiederum auf den Tatbe-

---

[200] Vgl. U. WILCKENS, Röm II 100. Im übrigen macht WILCKENS noch geltend, daß „νόμος in der Bedeutung: Gesetzmäßigkeit, Regel... nur in der frühgriechischen, nicht jedoch in der klassischen und hellenistischen Literatur zu belegen" ist (ebd. 89).

[201] So: U. WILCKENS, Röm II 92 (Hervorhebung v. Verf.).

[202] Ebd. (Hervorhebung v. Verf.).

[203] U. WILCKENS, Röm II 98.

[204] U. WILCKENS, Röm II 100 (im Original kursiv).

[205] U. WILCKENS, Röm II 123.

[206] Ebd.

stand an, daß der Mensch nicht das tut (πράσσειν, ποιεῖν), was er (eigentlich) will, sondern das, was er haßt (Röm 7,15b; vgl. 7,16a. 19.20a). Dieses Phänomen zeigt, daß im menschlichen Tun gar nicht der Mensch in seiner ureigenen Intentionalität zur Wirkung kommt (κατεργάζεσθαι), sondern die in ihm wohnende Sünde (Röm 7,17.20b); sie wirkt im Menschen erst die Begierde (vgl. Röm 7,8). Das aber hindert nicht die menschliche Eigenverantwortung, sondern unterstreicht nur die ganze Perversität menschlichen Handelns. Denn es gilt ebenso, daß in concreto die Sünde nur deshalb zur Wirkung kommen kann, weil der *Mensch* selbst, obwohl er eigentlich das Gute will und das Böse nicht will, dann *dennoch* das Böse *tut* und das Gute *nicht tut* (Röm 7,15b.16a.19ab.20.21). Auch die Gegenüberstellung des „inneren Menschen", der am Gesetz Gottes seine Freude hat (Röm 7,22), und der „Glieder", in denen das Gesetz der Sünde wohnt (Röm 7,23), zielt nicht auf eine dualistische Anthropologie, bei der der Leib die Prädominanz über den Geist besitzt. Es geht Paulus jeweils um den *ganzen* Menschen.

Die ausdrückliche Betonung des „Wollens" (Röm 7,15b.16a.18b.19ab. 20a.21) will zudem sicherstellen, daß der intentional auf das Gute ausgerichtete Mensch um das Gute weiß, indem das Gesetz Gottes (Röm 7,22) ihm als Gesetz seiner Vernunft in ihm selbst begegnet (Röm 7,23; vgl. Röm 7,25b). Erst vor diesem Hintergrund bekommt das Tun des Menschen den Charakter der Sünde, sofern er als Handelnder (= ἐν τοῖς μέλεσιν) gegen das in ihm als Gesetz seiner Vernunft vorhandene Gesetz Gottes verstößt. Daß der Mensch als σάρκινος unter die Sünde verkauft ist (Röm 7,14b; vgl. Röm 8,7f), ist also kein unabänderliches Geschick, sondern wird durch das Tun des Menschen ratifiziert, d.h. durch das Sündigen, durch das er sich der Herrschaft der Sünde unterwirft. Durch seine Tat erweist der Mensch, daß in seinem Fleisch nichts Gutes wohnt (Röm 7,18). Daß der Mensch immer nur das Böse *tut*, obwohl er um das Gute weiß und es eigentlich auch will, das ist die (schuldhafte) Tragik des Menschen (vgl. die Frage von Röm 7,24).

Das Gesetz von Röm 7,21, daß dem Menschen immer nur das Böse zur Verfügung steht, ist also letztlich durch das Tun, d.h. durch das Sündigen, des Menschen konstituiert. Es ist der faktische νόμος bzw. der νόμος des Faktischen: gewissermaßen die Weisung, die dem faktischen Sündigen zugrunde liegt und im Sündigen befolgt wird. Insofern kann dieser νόμος nicht einfach mit der Tora identisch sein. Andererseits kann er aber auch nicht ohne Bezug zur Tora gedacht werden. Denn als νόμος ist er nur erfahrbar im Spiegel des νόμος τοῦ θεοῦ, an dem ich dem inneren Menschen nach meine Freude habe (Röm 7,22). Nur im Widerspruch und als Widerspruch zum νόμος τοῦ θεοῦ statuiert sich der νόμος von Röm 7,21 als νόμος. Nur weil das Gesetz Gottes als Gesetz seiner Vernunft dem Menschen bewußt und präsent ist, erkennt und erfährt der Mensch, daß er in seinen Gliedern, d.h. in seinem faktischen Handeln, einem anderen „Gesetz" folgt, das dem Gesetz seiner Vernunft widerstreitet (Röm 7,23). Daß dieses Gesetz, das in seinen Gliedern herrscht, das „Gesetz der Sünde" ist (Röm 7,23; vgl. Röm 7,25b), offenbart ebenfalls nur die Tora, indem sie die Sünde als Sünde offenlegt (vgl. Röm 7,13). Wenn dieser νόμος dann in Röm 8,2 als νόμος τῆς ἁμαρτίας καὶ τοῦ θανάτου angesprochen wird (vgl. Röm 8,6), dann bleibt auch hier der Bezug zur Tora gewahrt, weil sie es ist, die über den Sünder das Todesurteil ausspricht und den νόμος ἐν τοῖς μέλεσίν μου zu einem „Gesetz des Todes" deklariert.

Das im Handeln des Menschen faktisch befolgte Gesetz existiert demnach nur im Spiegel der Tora als νόμος. In dieser seiner Relationalität zur Tora ist dieser νόμος untrennbar an die Tora gebunden und eben dadurch zugleich von ihr unterschieden, da er sich als Widerspruch zur Tora zu erkennen gibt. Insofern ist der νόμος ἐν τοῖς μέλεσίν μου in der Tat der ἕτερος νόμος, also gleichsam der _negative Antitypos der Tora._

Derart an sein faktisches, der Tora widersprechendes Handeln gekettet und eben durch dieses Handeln erweist sich der Mensch als „fleischlich" und „unter die Sünde verkauft" (Röm 7,14; vgl. Röm 8,7f). Es stellt sich die Frage, wer _diesen_ Menschen überhaupt noch „erretten" kann „aus dem Leib dieses Todes", d. h. aus seiner konkreten Existenz, die als Existenz des Sünders immer nur den Tod in sich tragen und aus sich entlassen muß. Die Antwort von Röm 7,25a macht deutlich, was aber schon durch Röm 7,5f klar war, daß nämlich der ganze Gedankengang von Röm 7 „als Selbstbericht des Sünders ante fidem" zu verstehen ist[208], freilich vom Standort des bereits Glaubenden aus. Nur aus dieser Position, die den für uns zum Fluch gewordenen Christus (Gal 3,13) im Visier hat, ist die ganze Misere des unter die Sünde verkauften Menschen erkennbar. Die Antwort, die sich in Röm 7,25a zunächst als Dankgebet an die Adresse Gottes richtet, wird in Röm 8,2–4 nach ihrer inhaltlichen Seite (vgl. Röm 7,25a: „durch Jesus Christus, unseren Herrn") entfaltet. Zugleich wird die These von Röm 7,6 wieder aufgegriffen. Die dazwischengeschalteten Verse Röm 7,25b und 8,1 sind Zwischenbilanzen (vgl. das jeweils einleitende ἄρα), die das bisher Gesagte noch einmal zusammenfassen. Dies gilt besonders im Blick auf Röm 7,25b, das die negative Bilanz des gespaltenen Menschen resümiert, während Röm 8,1 zwar auf Röm 7,25a zurückgreift, zugleich aber auch schon Röm 8,2–4 vorbereitet.

Vor dem Hintergrund der bisherigen Erwägungen ist eindeutig, daß der νόμος τῆς ἁμαρτίας καὶ τοῦ θανάτου in Röm 8,2b mit dem ἕτερος νόμος ἐν τοῖς μέλεσίν μου von Röm 7,23 identisch ist. Unter dieser Prämisse liegt es nahe, den νόμος τοῦ πνεύματος τῆς ζωῆς in Röm 8,2a analog zu verstehen, so daß sich in Röm 8,2 positiver und negativer Antitypos der Tora gegenüberstehen. Ähnlich wie der ἕτερος νόμος darf dann auch der νόμος τοῦ πνεύματος τῆς ζωῆς nicht einfach mit der Tora identifiziert werden. Das „Gesetz des Geistes des Lebens", das „in Christus"[209] den fleischlichen Menschen „vom Gesetz der Sünde und des Todes befreit hat", nimmt vielmehr auf das Christusereignis

---

[208] U. WILCKENS, Röm II 93.
[209] Ob ἐν Χριστῷ zu νόμος oder zum Verbum gezogen werden muß, ist sachlich von untergeordneter Bedeutung.

selbst Bezug, das bereits in 2Kor 3 als Offenbarung des lebendigmachenden Geistes ausgelegt worden war (vgl. auch Röm 7,6). Sachlich könnte man also E. KÄSEMANN zustimmen, wenn er das „Gesetz des Geistes" mit dem Geist selbst identifiziert (s. o.). Wie allerdings beim ἕτερος νόμος von Röm 7,22 gegen U. WILCKENS die Differenz zur Tora herauszustellen war, so muß jetzt beim νόμος τοῦ πνεύματος τῆς ζωῆς von Röm 8,2 gegen E. KÄSEMANN die Analogie betont werden.

Sachlich handelt es sich bei Röm 8,2 um eine Weiterführung der Typologie von 2Kor 3: Als eschatologischer Sühnevollzug geschieht der Tod Christi in Analogie zu dem am Sinai begründeten Sühnekult, überbietet ihn aber zugleich, indem erst in Christus die eschatologische Sphäre des Geistes eröffnet wird, in der allein (eschatologisch endgültiges) Leben möglich ist. Wenn die typologische Denkfigur in Röm 8,2 nicht wie in 2Kor 3 über den Begriff der δόξα, sondern über den des νόμος läuft, so ist dies einerseits aus dem Argumentationszusammenhang (Röm 7) zu verstehen. Andererseits kommt dadurch noch deutlicher als in 2Kor 3 zum Ausdruck, daß das Christusgeschehen, das den lebenspendenden Geist freisetzt, sich in Analogie zur Tora vollzieht, die über den Sünder den Fluch verhängt und für die Sünde Sühne gewährt. Vor dem Hintergrund von 2Kor 3, der übrigens auch durch Röm 7,6 aufgerufen ist, bleibt allerdings festzuhalten, daß nicht schon die Analogie zur Tora den Geist und das Leben aus sich entläßt. Dem sündigen Fleisch gegenüber bleibt die Tora immer Buchstabe, der tötet, indem sie über den Sünder nur je immer den Fluch aussprechen kann und im (ständig zu wiederholenden) Kult den Menschen auf seine sarkische Existenz festlegt. Das Leben, das der νόμος τοῦ πνεύματος aus sich entläßt, hängt vielmehr ausschließlich daran, daß *Christus* sich (in der stellvertretenden Identität des Sünders) der Tora unterworfen hat (vgl. Gal 3,13; 4,4). Analogie und Überbietung als die beiden Seiten einer Typologie sind damit deutlich. Das Leben, das die Tora (ἐντολή) ihren Tätern in Aussicht stellte (vgl. Röm 7,10), dem sündigen Fleisch aber nie vermitteln konnte, wird durch das in Christus geschenkte πνεῦμα Wirklichkeit. Insofern ist der νόμος τοῦ πνεύματος τῆς ζωῆς der Antitypos zur Tora, der, obwohl in Analogie zu ihr konstituiert, doch ihr gegenüber etwas völlig Neues bringt, das allein „in Christus" begründet ist und gerade dadurch die Tora überbietet und in sich aufhebt[210].

Diese Auslegung von Röm 8,2 wird durch die beiden folgenden Verse bestätigt und präzisiert. Von sachlich untergeordneter Bedeutung ist es, ob man die Einleitung von Röm 8,3 als Anakoluth[211] oder – m. E. besser – als Akkusativ der Beziehung[212] auffaßt: „Was das Unvermögen des Gesetzes

---

[210] Möglicherweise ist der νόμος πίστεως in Röm 3,27 in ähnlicher Weise zu verstehen.

[211] So: E. KÄSEMANN, Röm 207f; U. WILCKENS, Röm II 124. Allerdings ist wohl kaum zu ergänzen: „das war Gott mächtig zu tun" (gegen WILCKENS); ein Gegensatz von Gesetz und Gott ist hier nicht intendiert.

[212] F. BLASS – A. DEBRUNNER, Grammatik des neutestamentlichen Griechisch, bearb. v.

betrifft, in dem es schwach war durch das Fleisch." Die Wendung, die sich eindeutig auf die Tora bezieht, stellt noch einmal sicher, daß Tora und νόμος τοῦ πνεύματος τῆς ζωῆς in Röm 8,2 nicht einfach identifiziert werden dürfen. Denn dem Fleisch gegenüber besitzt die Tora (als solche) eben nicht die Kraft lebenspendenden Geistes, und zwar weil sie das Fleisch (als Sündenfleisch: vgl. Röm 8,3b) immer nur verurteilen kann. Wenn dies als Unvermögen bzw. Schwäche der Tora verzeichnet wird, dann darf das nicht so ausgelegt werden, als würde Paulus eine objektive und ontische Insuffizienz der Tora festschreiben wollen. Es ist ja auch gar nicht die Funktion der Tora, Sündern das Leben zu schenken. Ihre von Gott zugemessene Aufgabe besteht vielmehr darin, daß sie ihren Tätern das Leben verheißt, während sie ihre Nicht-Täter verflucht. Die Aussage von Röm 8,3a ist daher angemessen nur zu würdigen, wenn man sie als Urteil im Blick auf den sündigen Menschen versteht. Nicht als solche, sondern *für ihn, den sündigen Menschen,* ist die Tora zu schwach, das Leben zu vermitteln. Um diesem anthropologischen (nicht durch die Tora gegebenen) Mißstand abzuhelfen, ist ein Weiteres nötig, das jenseits der Möglichkeit der Tora liegt.

Dieses Weitere ist in Röm 8,3b.4 beschrieben. Daß Paulus hierbei Tradition verarbeitet (vgl. Gal 4,4f; Joh 3,16f; 1Joh 4,9), ist fast allgemein anerkannt. Die genaue Abgrenzung ist allerdings kaum mehr möglich und für unsere Fragestellung weniger wichtig. Daß Gott seinen Sohn ἐν ὁμοιώματι σαρκὸς ἁμαρτίας sandte, meint zunächst die Inkarnation, zielt letztlich aber auf den Kreuzestod Jesu ab. Denn im Fluch des Kreuzestodes wird das Fleisch erst generell als „Fleisch der Sünde" entlarvt. Am Kreuz verurteilt wird die ἁμαρτία ἐν τῇ σαρκί; gemeint ist die Sünde, die im Fleisch ihre Wohnung hat (vgl. Röm 7,14b.17f.20b) bzw. der vom fleischlichen Menschen dadurch Wohnung gegeben wird, daß er sich durch sein Tun (Sündigen) ihrer Herrschaft unterwirft (vgl. Röm 7,15b. 16a.19.20a). ἐν τῇ σαρκί ist also auf alles Fleisch bezogen und nicht nur auf das Fleisch Christi, das am Kreuz getötet wird. Allerdings, wirksam und heilbringend ist diese Verurteilung nur, weil sie sich konkret an *Christus* vollzieht, der ἐν ὁμοιώματι σαρκὸς ἁμαρτίας erschienen ist. Hier ist der Identitätsgedanke aufgegriffen, wie er uns bereits in Gal 3,13 und 2Kor 5,21 begegnet war. Die Sendung des Gottessohnes ermöglicht das der Tora Unmögliche, nämlich Leben für die Sünder. Denn das Sterben des Gottessohnes führt nicht nur in den Tod, der dem Fleisch zukommt, sondern verändert den Menschen selbst, indem er ihn im Sterben dem lebenspendenden Geist begegnen läßt. Für die Glaubenden, die mit Christus gestorben sind, markiert daher der Kreuzestod Christi die entscheidende Existenzwende: Sie sind nicht mehr ἐν σαρκί, sondern ἐν πνεύματι (Röm 8,8.9f) bzw. sie leben nicht mehr κατὰ σάρκα, sondern κατὰ πνεῦμα (Röm 8,4.5).

Der lebenspendende Geist, der den fleischlichen Menschen von dem in ihm wohnenden Gesetz der Sünde und des Todes allein befreien kann (vgl. Röm 8,2), stammt also nicht aus der Tora. Im Blick auf dieses Unvermögen der Tora gegenüber dem Fleisch geschah gerade die Sendung des Sohnes Gottes. Dennoch vollzieht sich die Eröffnung der lebenspendenden Geistsphäre in Christus Jesus nicht unabhängig von der Tora, sondern nach der Ordnung der Tora. Denn die Verurteilung der Sünde im Fleische geschieht konkret am Kreuz, wo der Gottessohn in der Identität des sündigen Fleisches vom Fluch der Tora getroffen und für dieses zum Sündopfer wird. Wie schon mehrfach beobachtet, verschränken sich auch hier wieder deuteronomistische und priesterschriftliche Gesetzesperspektiven.

Von dem Gesagten her ist dann auch Röm 8,4 zu verstehen. Der Wendung ἵνα τὸ δικαίωμα τοῦ νόμου πληρωθῇ ἐν ἡμῖν geht es allerdings kaum um „die Erfüllung der Rechtsforderung des Gesetzes ‚unter‘ bzw. ‚durch‘ uns, die Christen"[213]. Diese Interpretation ist schon rein philologisch problematisch, da man dann anstelle des ἐν ἡμῖν ein ὑφ' ἡμῶν erwarten würde. Sie paßt aber auch nicht zum Duktus der Ausführungen. Röm 8,4 erläutert vielmehr die Aussage von Röm 8,3 im Blick auf die Gläubigen. Röm 8,4 zieht die Konsequenz aus der Tatsache, daß die in Röm 8,3 erwähnte Verurteilung der Sünde im Fleische durch den *stellvertretenden* Tod Christi geschah. Indem Christus in der Identität des Fleisches der Sünde in den Tod ging, wurde an uns, deren Identität Christus übernommen hatte, die Rechtsforderung (δικαίωμα) des Gesetzes erfüllt. Das gilt sowohl in dem Sinn, daß sich an ihm der auf uns lastende Todesfluch des Gesetzes auswirkte, als auch in dem Sinn, daß eben darin die vom Gesetz geforderte Sühne (in eschatologischer Überbietung) verwirklicht wurde. Mit den ἡμεῖς sind die Glaubenden gemeint, die eben dadurch, daß an ihnen die Rechtsforderung des Gesetzes erfüllt ist, neu qualifiziert sind: als mit Christus Gestorbene wandeln sie nicht mehr nach dem Fleisch, sondern nach dem Geist.

Im *zusammenfassenden Rückblick* läßt unsere Betrachtung von Gal 3, 2Kor 3 und Röm 7; 8 eine zwar unterschiedlich akzentuierte, aber dennoch relativ homogene Beurteilung des Gesetzes durch Paulus erkennen[214]. Wenngleich er das Gesetz und das Sinaigeschehen unter heilsgeschichtlicher Rücksicht zugunsten der Verheißung an Abraham, die sich nach Paulus auf Christus

---

[213] So: U. WILCKENS, Röm II 128. Noch deutlicher in diese Richtung äußert sich H. SCHLIER, Röm (Anm. 212) 243; „Gott hat durch seinen Sohn die Sündenmacht verdammt, damit das Gerechte, das das Gesetz fordert (δικαίωμα), *durch uns getan werden kann,* damit also durch uns der gerechte Wille Gottes erfüllt werde, an dem unser Leben hängt" (Hervorhebung v. Verf.).

[214] Aus diesem Grund scheint mir weder die These von einer (vom Galater- zum Römerbrief verlaufenden) Entwicklung des paulinischen Gesetzesverständnisses (so bes. H. HÜBNER, Gesetz) noch die These von einer weitgehenden Inkohärenz der einzelnen (missionarisch-pragmatisch abgezweckten) Gesetzesäußerungen des Paulus (so bes. H. RÄISÄNEN, Paul) den Sachverhalt angemessen zu würdigen.

bezieht, erheblich relativieren muß, so bleibt die Funktion der Tora und des Sinaibundes durchaus eine positive. Darunter fallen auch die (oft negativ gewerteten) Aussagen, daß die Schrift alles unter die Sünde zusammenschließt (Gal 3,22f) oder daß der Buchstabe tötet (2Kor 3,6). Wenn, wie das Kreuz erweist, alle Menschen Sünder sind, dann kann die Tora gar keine andere Funktion ausüben. Als Lebensverheißung für ihre Täter kann sie (deuteronomistisch gesehen) die Sünder nur verfluchen und als heiliges und geistliches Gesetz Gottes (priesterschriftlich gesehen) das sündige Fleisch nur töten. In dieser ihrer Funktion, die die Menschen als Sünder und das Fleisch als Fleisch der Sünde entlarvt, ist die Tora letztlich auf Christus hingeordnet, der das, was die Tora nicht vermochte, möglich machte (Röm 8,3). Insofern ist die Tora der Zuchtmeister auf Christus hin (Gal 3,24), in dem die Verheißung an Abraham, die das Heil an den Glauben (und nicht an das Tun des Gesetzes) bindet, erfüllt wurde (Gal 3,16.19). In 2Kor 3 ist diese heilsgeschichtliche Verweisfunktion stärker typologisch reflektiert. Der durch Mose (γράμμα) vermittelte Dienst hat nur vorübergehende Herrlichkeit. Paulus spielt damit wahrscheinlich auf den am Sinai begründeten Kult an, der in seiner vorübergehenden Wirkung letztlich nur ein Indikator der menschlichen Fleischlichkeit ist und daher ein Dienst der Verurteilung und des Todes bleibt. Gerade so aber verweist er typologisch auf seinen Antitypos, der bleibende Herrlichkeit vermittelt. Dies geschieht in Christus, dessen Sühnetod lebenspendenden Geist aus sich entläßt und so den Dienst des Geistes und der Gerechtigkeit begründet. Diese typologische Sicht des Gesetzes liegt auch der Argumentation von Röm 7 und 8 zugrunde. Paulus stellt die Tora in das Spannungsfeld ihrer Antitypen. Als fleischliches, unter die Sünde verkauftes Wesen gehorcht der Mensch nicht dem Gesetz Gottes. Sein faktisches Handeln steht im Widerspruch dazu und konstituiert daher ein anderes Gesetz, ein Gesetz der Sünde, das im Gegensatz zum Gesetz Gottes steht und gleichsam dessen negativen Antitypos darstellt. Von diesem Gesetz der Sünde und des Todes kann die Tora den Menschen nicht befreien, sondern muß ihn, solange er fleischlich ist und fleischlich handelt, gerade auf dieses Gesetz festlegen, indem sie ihn als Sünder entlarvt und ihm den Tod zuspricht. Erst Christus erwirkt Rettung und Befreiung von dem Gesetz der Sünde und des Todes, indem er durch seinen Sühnetod am Kreuz den Sündern Leben verschafft und dem fleischlichen Menschen die Begegnung mit dem neuschaffenden Geist ermöglicht. Paulus spricht in diesem Zusammenhang vom „Gesetz des Geistes des Lebens". Der Begriff „Gesetz" hebt die typologische Analogie zur Tora hervor. Denn im Kreuzestod wird gerade die Rechtsforderung der Tora erfüllt und das Leben geschaffen, das die Tora zwar verheißt, dem sündigen Fleisch gegenüber aber nie zu verwirklichen vermag. Dennoch ist das „Gesetz des Geistes des Lebens" nicht einfach die christologische Verlängerung oder Applikation der Tora, sondern deren eschatologische Überbietung, da der lebenspendende Geist, der dieses Gesetz qualifiziert, sich allein Christus verdankt.

4. Die Aufrichtung und das Ende des Gesetzes (Röm 3,31; 10,4)

Vor diesem Hintergrund läßt sich nun auch *Röm 3,31* etwas umfassender würdigen: „Setzen wir also das Gesetz durch den Glauben außer Kraft? Das sei ferne! Vielmehr richten wir das Gesetz auf (νόμον ἱστάνομεν)." Die These von der Gerechtigkeit Gottes bzw. von der Gerechtigkeit aus Glauben widerspricht also nicht der Tora, sondern deckt gerade deren wahre Funktion auf.

Diese stellt sich im Sinne des Kontextes zunächst als *Verweisfunktion* dar. Die Gerechtigkeit Gottes, die jetzt unabhängig vom Gesetz geoffenbart wurde, ist vom Gesetz und von den Propheten bezeugt (Röm 3,21). Konkret wird Paulus an Gen 15,6 und Hab 2,4 gedacht haben, wo er die Schriftgrundlage für seine These von der Glaubensgerechtigkeit fand. Als sachliches Korrelat gehört dazu das Schema von Verheißung und Erfüllung, das insbesondere in Gal 3 ausgeführt wird.

„Aufgerichtet" wird die Tora aber auch dadurch, daß Paulus ihr faktisch eine universale *Fluchfunktion* zuschreibt. Wie wir gesehen haben, ist diese Sicht christologisch begründet. Konkret ist es der Fluchtod des Kreuzes (vgl. Gal 3,13), der Paulus dazu zwingt, in der Tora die Größe zu sehen, die alle unter die Sünde zusammenschließt (vgl. Gal 3; Röm 1,18–3,20). Es sei hier noch einmal betont, daß die Zuweisung der Fluchfunktion in keiner Weise eine Destruktion der Tora darstellt. Was destruiert wird, ist die Illusion des Menschen, aufgrund von Gesetzeswerken Gerechtigkeit beanspruchen zu können, wobei es gerade die Tora ist, mit deren Hilfe diese Desillusionierung durchgeführt wird. Weil die *Tora* den Gekreuzigten verflucht, sind alle als Nicht-Täter und damit als Sünder entlarvt. Die Tora aufzurichten bedeutet daher, daß der Mensch, den das Kreuz als Sünder ausweist, den Fluch der Tora anerkennt und darauf verzichtet, mit Hilfe der Tora Gerechtigkeit zu beanspruchen. Heilsgeschichtlich läuft diese die Sünde als Sünde und den Menschen als Sünder ausweisende Funktion der Tora sogar auf eine Hinführung zu Christus hinaus (vgl. Gal 3,24), wenngleich die Tora diese Aufgabe nur indirekt und e contrario ausüben kann. Denn unter dem Aspekt der Bundestreue Gottes ruft die These von der allgemeinen Sündhaftigkeit nach einer Gerechtigkeit Gottes, die sich unabhängig vom Tun des Gesetzes verwirklicht. Diese jetzt geoffenbarte Gerechtigkeit Gottes ist gleichsam die positive Reaktion Gottes auf die negative Antwort des Menschen gegenüber der Tora. Obwohl Gott dabei nicht auf dem Tun der Tora (als Kriterium des Lebens) beharrt, ist seine Reaktion kein Akt gegen die Tora. Denn die Gerechtigkeit Gottes zum Heil für jeden, der glaubt (vgl. Röm 1,17f), vollzieht sich nicht dadurch, daß Gott den Fluch der Tora zurücknimmt, sondern dadurch, daß er ihn – nun allerdings an Christus – zur Auswirkung kommen läßt.

Damit sind wir bei einer dritten Funktion der Tora, die man als die *typologische* bezeichnen kann. Der Vollzug des Fluchurteils der Tora an

Christus stellt das eschatologische Sühnegeschehen dar. Dieses steht einerseits in Analogie zu dem von der Tora vorgesehenen Sühnekult, überbietet ihn andererseits aber insofern, als erst das Sühnopfer *Christi* (vgl. 2Kor 5,21; Röm 3,25f; 8,3f) das Fleisch (im Tode) zur heilsamen Begegnung mit dem lebenspendenden Geist führen kann. Wie diese typologische Korrelation von Tora und Christusgeschehen inhaltlich näher zu erläutern ist, wurde anhand von 2Kor 3 und Röm 8,2–4 bereits ausführlich dargestellt.

Zum Abschluß der Erwägungen zur heilsgeschichtlichen bzw. typologischen Funktion des Gesetzes ist es angezeigt, noch einmal auf die schwierige Rede von Christus als dem τέλος νόμου in *Röm 10,4* zurückzukommen[215]. Rein lexikalisch kommen im wesentlichen drei Übersetzungsmöglichkeiten für τέλος in Betracht: (1) Ende, (2) Ziel und (3) Vollendung[216]. Läßt man den konkreten Kontext zunächst einmal außer acht, so lassen sich im Prinzip alle drei Übersetzungen mehr oder minder vertreten. Allerdings ist eine Übersetzung im Sinne der zweiten und dritten Bedeutung mißverständlich bzw. bedarf der Präzisierung.

Am wenigsten geeignet dürfte „Vollendung" sein. Denn die Gerechtigkeit, die Christus vermittelt, ist eben nicht einfachhin die Vollendung der Gerechtigkeit des Gesetzes. Letztere ist die Gerechtigkeit der Gerechten (der Täter des Gesetzes), erstere die Gerechtigkeit der Sünder (der Nicht-Täter des Gesetzes), sofern sie an Christus glauben. Aus dem nämlichen Grund ist auch kaum an eine Vollendung im Sinne der (heilsgeschichtlichen) Erfüllung gedacht. Man müßte dann schon „Erfüllung" als rein formalen Begriff verstehen, etwa in dem Sinn, daß das Zeugnis der Schrift bezüglich der Glaubensgerechtigkeit (Gen 15,6; Hab 2,4; vgl. Röm 3,21) in Christus in Erfüllung gegangen ist. Inhalt dieses Schriftzeugnisses ist jedoch die Verheißung, die Paulus nach Ausweis von Gal 3 wiederum vom Gesetz absetzt, so daß man wohl Christus als die Erfüllung der Abrahamsverheißung, nicht aber als die Erfüllung des Gesetzes ansehen kann.

Mit Rücksicht auf Gal 3 könnte man schon eher sagen, daß Christus das *heilsgeschichtliche „Ziel"* des Gesetzes ist. Festzuhalten bleibt dabei allerdings, daß diese Aussage nur e contrario gilt. Denn das Gesetz ist eben dadurch παιδαγωγὸς εἰς Χριστόν (Gal 3,24), daß es die Menschen mit der Sünde behaftet und gerade so auf eine Rechtfertigung (der Gottlosen) aus Glauben vorbereitet. In einem weitaus positiveren Sinn könnte man unter *typologischem Aspekt* Christus das *„Ziel"* bzw. sogar die *„Erfüllung"* (vgl. Röm 8,4) des Gesetzes nennen. Denn in ihm tut sich das Leben auf, das die Tora zwar in Aussicht stellt (vgl. Gal 3,12, Röm 2,13; 10,5), einem fleischlichen Menschen gegenüber aber zu vermitteln nicht imstande ist (Röm 8,3). Allerdings kann der typologische Charakter dieser Relation nicht energisch genug herausgestellt werden. Nicht korrekt ist daher die Feststellung: „Christus ist das Ziel des

---

[215] Vgl. dazu unter Kap. I/3.
[216] Im Anschluß an U. Wilckens, Röm II 222.

Gesetzes, sofern in Christus Jesus die Tora zum ,Gesetz des Geistes des Lebens' geworden ist."[217] Bei dieser Interpretation kommt das Moment der Überbietung zu kurz. Denn es ist nicht die Tora, die in Christus zum Gesetz des Geistes des Lebens wird. Das Gesetz des Geistes des Lebens ist vielmehr das Christusereignis selbst, das, wenngleich (am Kreuz) nach dem Gesetz verlaufend, dieses dadurch überbietet, daß es den lebenspendenden Geist vermittelt, den die Tora selbst nicht geben kann.

Einen Anhaltspunkt für eine derart typologische Deutung von τέλος νόμου Χριστός könnte man in den unmittelbar nachfolgenden Versen *Röm 10,5–8* finden. Auch dort ist die Opposition ja keineswegs ausreichend bestimmt, wenn man die „Gerechtigkeit aus dem Gesetz" (V. 5) und die „Gerechtigkeit aus Glauben" (V. 6) in einer rein exklusiven Antithese gegenüberstellt. Zu undifferenziert ist es, wenn man die Gerechtigkeit aus Glauben einfach gegen Mose auftreten läßt, obwohl man dann doch einräumen muß, daß das, was die Glaubensgerechtigkeit sagt (Dtn 30,12–14), „aus der Mosetora" stammt[218]. Die zusätzliche Schwierigkeit, daß man dann dem Paulus eine „gewaltsam(e)" Exegese der Deuteronomium-Stelle unterstellen muß[219], bestätigt m. E. nur die Problematik einer so vorgenommenen Auslegung. Die Schwierigkeiten scheinen sich hingegen zu beheben, wenn man den Versen 5 und 6–8 ein typologisches Verhältnis zugrunde legt, so daß die Gerechtigkeit aus Glauben (bzw. Christus) der Gerechtigkeit aus dem Gesetz (bzw. Mose) einerseits entspricht, obgleich sie diese andererseits überbietet. Die Gerechtigkeit aus Glauben ist dann der Antitypos zur Gerechtigkeit aus dem Gesetz, wie wir das in ähnlicher Weise für das Verhältnis von Christus und Gesetz in 2Kor 3 und Röm 7; 8 feststellen konnten. Dann ist auch das Torazitat (Dtn 30,12–14) im Munde der Gerechtigkeit aus Glauben durchaus verständlich, und die Applikation des ursprünglich das „Gebot" (,miṣwāh'; LXX: ἐντολή) meinenden „Wortes" auf Christus muß nicht als gewaltsam bezeichnet werden. Eine derartige typologische Auslegung des Torawortes ist sogar im Frühjudentum wenigstens insofern vorbereitet, als es bereits dort die Tendenz gab, die Aussage von Dtn 30,12–14 auf die (mit der Tora identifizierte) Weisheit zu beziehen (Bar 3,29; vgl. Spr 30,3.4), die im Urchristentum wiederum eine wichtige Rolle für die Ausbildung der Präexistenzchristologie spielte[220].

Sachlich läßt es sich also sowohl vom Folgetext Röm 10,5–8 als auch vom paulinischen Gesamtkonzept her rechtfertigen, τέλος in Röm 10,4 als „Erfüllung" im *typologischen* Sinn zu verstehen. Einschränkend muß allerdings hinzugefügt werden, daß es sich hierbei um einen Sinn handelt, der sich im Argumentationsduktus des Textes gewissermaßen erst im nachhinein ent-

---

[217] U. WILCKENS, Röm II 223.
[218] U. WILCKENS, Röm II 224.
[219] U. WILCKENS, Röm II 224 f.
[220] Auf die Frage, ob Paulus die typologische Auslegung von Dtn 30,12–14 bereits aus der Tradition gekannt hat, kann hier nicht näher eingegangen werden.

hüllt, während von Röm 10,3 her τέλος nur die Bedeutung „*Ende*" haben kann. Das wurde bereits gegen Ende des I. Kapitels erläutert. Seit Christus ist es ausgeschlossen, sich auf das Gesetz als Möglichkeit zur Erlangung der Gerechtigkeit zu stützen, da der Gekreuzigte alle als Sünder erwiesen hat. Gerechtigkeit kann es daher nur für den Glaubenden geben. Wer dennoch als Sünder mit Hilfe des Gesetzes Gerechtigkeit beansprucht, versucht „eigene Gerechtigkeit" aufzurichten (Röm 10,3), die tatsächlich aber weder eine Gerechtigkeit aus dem Gesetz ist noch der Gerechtigkeit Gottes sich unterordnet. Dann aber stellt sich u. a. die Frage, *in welcher Weise* das Gesetz für den Glaubenden noch Geltung und Bedeutung besitzt.

5. Die Bedeutung des Gesetzes für den Glaubenden

Wie wir bereits festgestellt haben, ist der Glaube nicht nur ein einmaliger Akt der Bekehrung, sondern die permanente Existenzform der Gerechtfertigten[221]. Die grundlegende paulinische These von Gal 2,16 will ja auch keineswegs nur behaupten, daß vor Christus niemand mit Hilfe des Kriteriums der Gesetzeswerke gerechtfertigt wurde (weil alle gesündigt hatten)[222]; Paulus will vielmehr auch und insbesondere die Glaubenden davor warnen, nun erneut mit Hilfe dieses Kriteriums zu operieren, weil auch sie außerhalb der Gnade nur Sünder sein können. Im Blick auf den faktischen Zustand des Menschen, der vom Gekreuzigten *generell* als Sünder überführt ist, ist also eine Rechtfertigung aus Werken des Gesetzes ebenfalls *generell* ausgeschlossen (vgl. Gal 3,10–14). In aller Schärfe stellt daher Paulus fest: κατηργήθητε ἀπὸ Χριστοῦ, οἵτινες ἐν νόμῳ δικαιοῦσθε, τῆς χάριτος ἐξεπέσατε (Gal 5,4). Müßte dann aber die Rede von Christus als dem „Ende des Gesetzes" in Röm 10,4 nicht auch so ausgelegt werden, daß für den *Glaubenden* das Gesetz keine Gültigkeit mehr besitzt, ja sogar keine Gültigkeit mehr besitzen darf? Und müßte man dann aus Gal 2,16 nicht ableiten, daß der Glaubende das Gesetz überhaupt nicht mehr befolgen darf? Dies ist sicherlich eine falsche Schlußfolgerung, die bei Paulus bezeichnenderweise auch so nicht gezogen wird. Paulus setzt vielmehr ganz selbstverständlich voraus, daß das Handeln des Glaubenden sich *im Einklang mit dem Gesetz* befindet. Im Galaterbrief stellt er nach der Auflistung der Tugenden, die aus der pneumatischen Existenz des Glaubenden erwachsen, fest: κατὰ τῶν τοιούτων οὐκ ἔστιν νόμος (Gal 5,22f). Diese Feststellung zeigt im übrigen, daß das οὐκ ἐστὲ ὑπὸ νόμον von Gal 5,18b nicht so zu verstehen ist, daß für diejenigen, die sich vom Geiste leiten lassen (Gal 5,18a), das Gesetz keinerlei Verbindlichkeit mehr besitzt. „Ihr seid nicht mehr unter dem Gesetz" spricht zunächst den grund-

---

[221] Siehe unter Kap. III/1.2.

[222] Rückblickend und im Kontrast zum tatsächlichen Geistempfang ist die These von Gal 2,16 in Gal 3,1–5 entfaltet.

legenden christlichen Existenzwechsel an: Der Glaubende steht nicht mehr unter dem Prinzip der Tora, die ihren Tätern Leben verheißt und die Übertreter verflucht, sondern unter dem Prinzip der Gnade (ὑπὸ χάριν; vgl. Röm 6,14 f), die die Sünder gerecht macht[223]. Mit diesem Existenzwechsel ist der Glaubende dem Fluch der Tora entzogen, und zwar auch insofern, als er selbst nun nicht mehr „Werke des Fleisches" tut (vgl. Gal 5,19)[224], die das Gesetz verurteilen muß, sondern „Frucht des Geistes" hervorbringt (vgl. Gal 5,22), die das Gesetz nicht anklagt. Es ergibt sich also das Paradox: Der Glaubende, der nicht mehr „unter dem Gesetz" steht, lebt nicht mehr im Widerspruch zum Gesetz. Doch will Paulus nicht nur den Widerspruch ausschließen. In bezug auf die Liebe, die für Paulus das Signum christlicher Freiheit ist, kann er sogar positiv feststellen: ὁ γὰρ πᾶς νόμος ἐν ἑνὶ λόγῳ πεπλήρωται, ἐν τῷ· ἀγαπήσεις τὸν πλησίον σου ὡς σεαυτόν (Gal 5,14). Nicht ganz eindeutig ist, was πεπλήρωται bedeutet. Primär wird Paulus wohl sagen wollen, daß das ganze Gesetz (mit seinen vielfältigen Einzelgeboten) in dem einen Wort „zusammengefaßt" ist (im Sinne des ἀνακεφαλαιοῦσθαι von Röm 13,9). Doch legt Röm 13,8 (. . . ὁ γὰρ ἀγαπῶν τὸν ἕτερον νόμον πεπλήρωκεν) nahe, ein „Erfüllen" im Sinne des vollständigen Tuns mitzuhören (vgl. auch Röm 13,10 b). Immer dann also, wenn die Liebe verwirklicht wird, ist das ganze Gesetz „erfüllt"[225].

Sieht man von der im Rahmen des Frühjudentums eher ungewöhnlichen „Zusammenfassung" der Tora in *einem* Gebot einmal ab[226], so bleibt Paulus in der *Struktur* seines Denkens prinzipiell auf dem Boden des Judentums. Hier ist erneut daran zu erinnern, daß der Toragehorsam für das Frühjudentum in erster Linie Antwort auf das vorausliegende Erwählungshandeln Gottes im Bund ist. Das Tun der Tora hat also nicht für sich (als Leistung) Heilsbedeutung, sondern nur insofern, als es die Zugehörigkeit zum Bund bestätigt, während Ungehorsam vom Heil ausschließt[227]. In durchaus analoger Weise argumentiert Paulus in Gal 5,13–25 in bezug auf die Erfüllung

---

[223] Siehe dazu Kap. III/1.1.

[224] Die „Werke des Fleisches" sind nicht mit den „Werken des Gesetzes" zu verwechseln. Erstere präsentieren sich zunächst als Übertretung des Gesetzes (vgl. Gal 5,19–21) und sind daher prinzipiell abzulehnen. Das gilt nicht von den „Werken des Gesetzes", die von Paulus nur insofern zurückgewiesen werden, als sie von einem sündigen(!) Menschen zur Begründung eines falschen Anspruchs (gerecht zu sein) herangezogen werden. Ein Konnex zwischen beiden besteht allerdings insofern, als es das Fleisch ist, das diesen falschen Anspruch erhebt.

[225] πεπλήρωται im Perfekt! vgl. F. Mussner, Gal 379 Anm. 26.

[226] Zum Problem von Zusammenfassungen der Tora vgl. Ch. Burchard, Das doppelte Liebesgebot in der frühen christlichen Überlieferung, in: E. Lohse (Hrsg.), Der Ruf Jesu und die Antwort der Gemeinde. FS J. Jeremias, Göttingen 1970, 39–62; K. Berger, Die Gesetzesauslegung Jesu. Ihr historischer Hintergrund im Judentum und im Alten Testament I (WMANT 40), Neukirchen-Vluyn 1972, 137–165; A. Nissen, Gott und der Nächste im antiken Judentum. Untersuchungen zum Doppelgebot der Liebe (WUNT 15), Tübingen 1974, 230–244. 389–415.

[227] Siehe dazu unter Kap. I/3.

des Liebesgebotes. Diejenigen, die mit Christus gestorben sind (vgl. Gal 2,19f), ihr Fleisch gekreuzigt haben (Gal 5,24) und im Geiste leben (Gal 5,25), sind zur Liebe befreit (vgl. Gal 5,13) und eben dadurch befähigt, das Gebot von Lev 19,18, in dem das ganze Gesetz zusammengefaßt ist, zu verwirklichen. Wer andererseits dieses (das Gesetz zusammenfassende) Gebot nicht erfüllt, sondern die Werke des Fleisches tut, kann das Reich Gottes nicht erben (Gal 5,19–22). In Röm 6,15 wird die Frage „Dürfen wir also sündigen, weil wir nicht mehr unter dem Gesetz stehen, sondern unter der Gnade?" ausdrücklich verneint; und in Röm 6,19 wird „Gerechtigkeit" als Gegensatz zur „Gesetzlosigkeit" (*ἀνομία*) bestimmt. Es ist also ganz eindeutig, daß das sola fide, das Paulus dem sola gratia entsprechen läßt, nicht unverbindlich ist, sondern zu einem bestimmten Handeln verpflichtet. Wenn Paulus in Gal 5,6 hervorhebt, daß der Glaube durch Liebe wirksam ist (*πίστις δι' ἀγάπης ἐνεργουμένη*), dann ist mit der „Liebe" dem „Glauben" strukturell in ähnlicher Weise eine Ordnung zugewiesen, wie nach frühjüdischer (deuteronomistisch bestimmter) Auffassung dem Sinaibund die Tora (als Bundesordnung) zugeordnet ist, die zudem mit der Ordnung des Glaubens noch insofern konvergiert, als die Liebe die Zusammenfassung der Tora ist.

Damit ist das Problem in aller Deutlichkeit gestellt. Es besteht nicht so sehr in der Frage, ob der Glaubende das Tun des Gesetzes erneut zum Kriterium der Gerechtigkeit machen muß. Diese Frage ist prinzipiell ganz eindeutig zu verneinen, da der Gekreuzigte jeden, der auf diese Weise Gerechtigkeit beansprucht, als Sünder ausweist. Die eigentliche Frage lautet vielmehr: Warum kann das „Tun des ganzen Gesetzes" (Gal 5,3) nicht Ordnung des Glaubens sein, was Paulus für die Liebe bejaht (Gal 5,6)? Und warum ist umgekehrt die Erfüllung des Liebesgebotes, in dem das ganze Gesetz zusammengefaßt ist (Gal 5,14; Röm 13,8–10), nicht ein erneuter Versuch einer Rechtfertigung *ἐν νόμῳ*, wie das Paulus dem mit der Beschneidung verbundenen Tun des ganzen Gesetzes unterstellt (Gal 5,3f)?

Um in der Sache weiterzukommen, dürfte es sich empfehlen, die *konkreten Forderungen* (der Gegner) etwas näher ins Auge zu fassen, die Paulus im Galaterbrief als Verfälschung des Evangeliums bekämpft. Soweit noch zu erkennen ist, handelt es sich im wesentlichen um zwei: um die Forderung der Beschneidung (Gal 5,2–12; 6,12f) und um die Forderung, bestimmte Tage, Monate, Zeiten und Jahre, d. h. einen religiösen Kalender, zu beachten (Gal 4,8–11).

Auf das Problem der *στοιχεῖα* (*τοῦ κόσμου*) (Gal 4,9; vgl. 4,3) kann hier nicht näher eingegangen werden. Nur so viel sei gesagt: Der Ausdruck stammt kaum von den (judaisierenden) Gegnern des Paulus. Vielmehr benutzt ihn Paulus, um damit die von diesen verlangte Einhaltung des Kalenders zu apostrophieren. Denkbar ist, daß Paulus auf die Terminologie der vorchristlichen Religiosität der Galater zurückgreift. Dazu würde die Frage *πῶς ἐπιστρέφετε πάλιν* ... in Gal 4,9 passen. Gal 4,3 (das sich wohl auf Heiden *und*

Juden bezieht) muß dem nicht widersprechen, da Paulus dort den Ausdruck bereits mit Blick auf Gal 4,8–11 gewählt haben könnte. Inhaltlich hat man bei den στοιχεῖα wohl an die Weltelemente bzw. an Gestirne zu denken, die von den Galatern einst als Götter verehrt wurden (vgl. Gal 4,8). Daß Paulus die geforderte *Einhaltung eines Kalenders* als Rückkehr zu dieser Religiosität bezeichnet, entspringt zum einen scharfer Polemik, ist andererseits aber sachlich wenigstens insofern gerechtfertigt, als auch nach frühjüdischer Auffassung der Kalender mit der Ordnung der Gestirne, die von Engelwesen aufrechterhalten wird, konform gehen muß[228]. Ob die στοιχεῖα mit den „Engeln" von Gal 3,19 identisch sind, ist nach der in Kapitel IV/1 gebotenen Auslegung eher unwahrscheinlich. Wesentlich ist, daß es sich bei der in Gal 4,10 erwähnten Einhaltung von „Tagen, Monaten, Zeiten und Jahren" nicht um eine „Kalenderfrömmigkeit" im Sinne einer peripheren Frömmigkeitsübung einer esoterischen Gruppe handelt. Die Beobachtung des Kalenders war für das zeitgenössische Judentum vielmehr eine ganz zentrale Frage. Schöpfungsordnung und Tora wurden teilweise parallelisiert, ja sogar identifiziert[229]. Eine besondere Rolle spielte die Kalenderfrage in priesterlichen Kreisen[230]. Die Brisanz und Bedeutung des Kalenders wird durch die Qumransekte unterstrichen, die sich u. a. wegen der abweichenden Beurteilung des Kalenders vom Jerusalemer Tempelkult absetzte. Damit wird zugleich deutlich, warum der Kalender eine so zentrale Bedeutung erlangen konnte: Es geht letztlich um die rechte Kultordnung. Ein falscher Kalender konnte die Feste und kultischen Begehungen verderben und damit den Kult wirkungslos machen. Nun wird man den Gegnern des Paulus im Galaterbrief kaum unterstellen dürfen, daß sie mit der Forderung zur Einhaltung bestimmter heiliger Tage und Zeiten die Galater auf den Jerusalemer Tempelkult verpflichten wollten. Man wird aber nicht fehlgehen, wenn man annimmt, daß Paulus in derartigen Forderungen die Gefahr einer Fortschreibung bzw. Einführung eines kultisch-rituell bestimmten Toragehorsams sah. Gerade ihm als ehemaligem Pharisäer mußte sich diese Sicht bzw. Befürchtung aufdrängen (s. u.).

Was Paulus am meisten gegen seine Gegner aufbringt, ist deren Forderung der *Beschneidung*. Daß er sie im Galaterbrief so strikt und zum Teil sogar sarkastisch ablehnt (vgl. Gal 5,12), mag im Vergleich mit Röm 4,11 verwundern. Dort vertritt er immerhin die Auffassung, daß Abraham das „Zeichen der Beschneidung" als „Siegel der Glaubensgerechtigkeit" empfing (vgl. Gen 17,10f)[231]. Hätte Paulus dann einer Beschneidung gläubig gewordener Heiden nicht eine ähnliche Siegelfunktion zubilligen können? Oder hat Paulus seine Meinung im Römerbrief gegenüber dem Galaterbrief geändert?

---

[228] Vgl. die angelologischen und astronomischen Spekulationen in äthHen 6–36. 72–82.

[229] Siehe dazu bes. äthHen; vgl. M. LIMBECK, Ordnung (Anm. 42) 75f. 191. passim.

[230] Neben äthHen vgl. noch: Jub, TestLev und die Qumranschriften; dazu: M. LIMBECK, a.a.O.

[231] Vgl. dazu auch Anm. 167.

Dies ist schon deswegen unwahrscheinlich, weil auch Röm 4,11 in keiner Weise die Funktion hat, die Bedeutung der Beschneidung für die Glaubenden aufzuwerten; es geht im Gegenteil gerade darum, sie gegenüber dem Glauben als sekundär auszuweisen. Unter sachlicher Rücksicht wäre denkbar, daß Paulus die Beschneidung im Galaterbrief gerade deswegen ablehnt, weil sie ἐν σαρκί geschieht (vgl. Gal 6,12f; Röm 2,8) und damit den Menschen eben auf seine Befindlichkeit als „Fleisch" festlegt, der er in Christus eigentlich gestorben ist (vgl. Gal 5,24). Ein direkter Argumentationsgang in dieser Richtung fehlt allerdings.

Paulus selbst läßt in seinen Ausführungen zwei Motive für seine ablehnende Haltung erkennen: (1) Wer sich beschneiden läßt, „ist verpflichtet, _das ganze Gesetz zu tun"_ (ὀφειλέτης ἐστὶν ὅλον τὸν νόμον ποιῆσαι: Gal 5,3). Eben deshalb läuft die Beschneidung auf ein ἐν νόμῳ δικαιοῦσθαι hinaus (Gal 5,4), das von Christus trennen bzw. aus der Gnade herausfallen lassen würde (Gal 5,2.4). (2) Letzteres wird noch dadurch konkretisiert, daß die Beschneidung (vom Glaubenden gefordert) _„das Ärgernis des Kreuzes beseitigen"_ würde (Gal 5,11). In Christus aber zählt nicht mehr Beschneidung und nicht Unbeschnittenheit, sondern nur mehr „Glaube, der durch Liebe wirksam ist" (Gal 5,6) bzw. nur noch „neue Schöpfung" (Gal 6,13 f)[232].

Die These, daß die Beschneidung zur Einhaltung des ganzen Gesetzes verpflichtet, entspricht gemeinjüdischer Auffassung[233]. Variiert wird sie von Paulus auch in Röm 2,25–29 aufgegriffen. Dort wird die Nützlichkeit der Beschneidung vom Tun (πράσσειν) des Gesetzes abhängig gemacht bzw. das Tun des Gesetzes sogar zum Kriterium der wahren Beschneidung erklärt, so daß diese nicht ἐν σαρκί, sondern als περιτομὴ καρδίας ἐν πνεύματι (οὐ γράμματι) zu bestehen hat (Röm 2,28f). Während allerdings in der polemischen Anklage von Röm 2 (an die Adresse des Juden) mit dem geforderten Tun des Gesetzes vor allem auf die sittliche Verpflichtung des Gesetzes im engeren Sinn (Dekaloggebote etc.) angespielt ist (vgl. Röm 2,21 f)[234], so dürfte das _in Gal 5,3 angesprochene Tun des ganzen Gesetzes_ auf einen weiteren Horizont abzielen. Denn Paulus kann ja unmöglich insinuieren wollen, daß der Glaubende nicht mehr an die Dekaloggebote gebunden ist. Nach Ausweis von Röm 13,9 sind diese vielmehr im Liebesgebot von Lev 19,18 (Gal 5,14) enthalten und werden daher auch vom Glaubenden ganz selbstverständlich erfüllt.

---

[232] Auf den Vorwurf von Gal 6,12, die Gegner würden die Beschneidung fordern, „damit sie nicht um des Kreuzes willen verfolgt werden" (vgl. auch Gal 5,11a), braucht nicht eingegangen zu werden (vgl. dazu: F. MUSSNER, Gal 411f), da hier zwar ein neues situatives Element, nicht aber ein grundsätzlich neuer Gesichtspunkt eingebracht wird.

[233] Vgl. auch Apg 15,5. F. MUSSNER, Gal 347 Anm. 33, betont zu Recht, daß die Beschneidung „jener Akt (ist), mit dem man sich unter das Gesetz stellt, sich zum gesetzlichen Leben verpflichtet".

[234] Oder ist bei ἱεροσυλεῖν in Röm 2,22 an (sakrilegische) Entweihung des Heiligtums gedacht? Vgl. CD 4,17f und dazu Ez 5,11; 23,38.

Es liegt daher die Vermutung nahe, daß Paulus in Gal 5,3 vor dem Hintergrund eines umfassenden Verständnisses der Tora argumentiert, das insbesondere auch deren kultisch-rituelle Dimension einschließt. Das fügt sich gut zu den Beobachtungen, die wir im Zusammenhang mit Gal 4,8–11 machen konnten, und entspricht im übrigen dem Tatbestand, daß Paulus als ehemaliger *Pharisäer* von einem derartigen Toraverständnis herkommt (vgl. Gal 1,13f; Phil 3,5f). Das Anliegen der Pharisäer war es, die ganze Tora – einschließlich ihrer kultisch-rituellen Vorschriften – auch im alltäglichen Leben der Laien zu verwirklichen[235]. Auf diese Weise sollte das Haus zum Tempel, der Alltag zum Gottesdienst und ganz Israel zu einer heiligen Gemeinde werden (vgl. Lev 19,2; GenR 24,4). Der Toragehorsam trat damit gleichwertig neben den Kult[236], ja bekam selbst den Charakter des Kultvollzugs, so daß er im Notfall – wie er nach 70 n. Chr. tatsächlich eintrat – auch weitgehend die Funktion des Kultes übernehmen konnte. Die Tora war nach diesem Verständnis die Ordnung eines heiligen und sich heiligenden Volkes, das in beständigem Gottesdienst begriffen war. Besondere Bedeutung erlangten die Vorschriften über die rituelle Reinheit, welche die Voraussetzung für einen im Sinne des Kultvollzugs gültigen und vollwertigen Toragehorsam darstellte. Eben dieses Verständnis des Toragehorsams kann Paulus als Glaubender aber nicht mehr teilen, so daß er die von den Gegnern geforderte Beschneidung, die er als Verpflichtung zum Tun der ganzen Tora versteht, genau so wie die Beachtung eines rituell relevanten Kalenders zurückweisen muß. Wenn, wie Paulus überzeugt ist, im Kreuzestod Christi eschatologische Sühne geschehen ist, dann bedarf es keiner weiteren kultisch-rituellen Reinigung und Heiligung der Glaubenden. Diese sind vielmehr – als Glaubende – endgültig die heilige Gemeinde Gottes (vgl. 1Kor 1,2) und selbst der Tempel Gottes, in dem der Geist Gottes wohnt (vgl. 1Kor 3,16f). Paulus selbst versteht seine Evangeliumsverkündigung als priesterlichen Dienst ($i\epsilon\rho o\upsilon\rho\gamma\epsilon\tilde{\iota}\nu$), den er als Diener Christi Jesu ($\lambda\epsilon\iota\tau o\upsilon\rho\gamma\grave{o}\varsigma$ $X\rho\iota\sigma\tau o\tilde{\upsilon}$ $'I\eta\sigma o\tilde{\upsilon}$) an den Heiden vollzieht, so daß diese ein wohlgefälliges und im heiligen Geist geheiligtes Opfer ($\pi\rho o\sigma\varphi o\rho\acute{\alpha}$) werden (Röm 15,15f). Im Glauben in das Sterben und in das Opfer Christi einverleibt (vgl. Gal 2,19f; Röm 6,3f; 2Kor 5,20f), sind die Glaubenden ein für allemal reingewaschen, geheiligt und gerechtfertigt im Namen des Herrn Jesus Christus (1Kor 6,11)[237].

---

[235] Vgl. dazu den Exkurs in Kap. II/1, bes. (2a) und (2b).

[236] Vgl. Abot I,2: „Auf drei Dingen beruht die Welt: auf der Tora, dem Tempelkult und auf der Übung der Liebeswerke."

[237] Aus dem nämlichen Grund verliert auch die (rituelle) Verpflichtung zur Einhaltung der Speisegesetze (bes. Lev 11) an Bedeutung. Die Erlaubtheit einer Speise ergibt sich für Paulus nicht aus kultisch-rituellen Gesichtspunkten (vgl. Röm 14,14: „... ich bin im Herrn überzeugt, daß an sich nichts unrein ist"), sondern allein unter dem Gesichtspunkt der Liebe zum (schwachen) Bruder (1Kor 8; Röm 14; vgl. Gal 2,11–14). Interessant ist im übrigen,

Eines bleibt allerdings zu beachten: Obwohl die paulinische Position faktisch darauf hinausläuft, daß die kultisch-rituellen Teile der Tora für die christliche Praxis bedeutungslos werden, so wäre das eigentliche Anliegen des Paulus gründlich mißverstanden, wenn man es auf die Etablierung einer um bestimmte Teile gesäuberten Tora zielen ließe. Mit Gal 5,3f schließt Paulus vielmehr generell einen Toragehorsam im Sinne der bisherigen jüdischen (für Paulus vorwiegend pharisäischen) Hermeneutik aus, der, da auf das Tun des ganzen Gesetzes (mit allen seinen Einzelforderungen) ausgerichtet, immer auch eine kultische Orientierung aufweist. Dort, wo der Toragehorsam als kultischer Akt verstanden wird, muß das Kreuz Christi (als eschatologischer Kultvollzug!) zum Ärgernis werden, wie umgekehrt schon die zusätzlich zum Glauben an Christus geforderte Beschneidung wegen der mit ihr verbundenen Hermeneutik des Toragehorsams, die den eschatologischen Charakter des Sühnetodes Christi ignorieren muß, auf eine Beseitigung des Ärgernisses des Kreuzes hinausläuft (vgl. Gal 5,11b). Dann aber nützt dem, der sich beschneiden läßt, Christus in der Tat nichts (Gal 5,2). Wer so handelt, hat sich von Christus getrennt, er ist aus der Gnade, die in dem ärgerlichen Fluchtod (als Sühnetod!) erschienen ist, herausgefallen (Gal 5,4). Er steht wieder unter dem Joch des Gesetzes (vgl. Gal 5,1), das ihn – wie der Gekreuzigte zeigt – nur verfluchen kann.

Ein Toragehorsam, der auf das Tun des ganzen Gesetzes abzielt, ist als Ordnung des Glaubens nicht akzeptabel. Das Kreuz als eschatologischer Kultvollzug duldet keinen ebenfalls als Kultvollzug verstandenen Toragehorsam neben sich. Auch hier bleibt allerdings hervorzuheben, daß die Unvereinbarkeit nicht in einem prinzipiellen Widerspruch zwischen Christus und Tora, sondern in der heilsgeschichtlichen bzw. typologischen Bezogenheit und Ausrichtung der Tora auf Christus hin begründet ist. Erst die am Kreuz offenbare christologische Hermeneutik läßt die Beschneidung als Verpflichtung zur Einhaltung der ganzen Tora ablehnen. Deswegen kann die Beschneidung, die Paulus im Falle Abrahams noch als Siegel der Glaubensgerechtigkeit werten konnte (Röm 4,11), nicht in dieser Weise auf die Zeit nach Christus übertragen werden. Das Beispiel Abrahams zeigt im übrigen, daß Paulus die Beschneidung nicht schon als solche für unnütz oder verwerflich hält (vgl. Röm 3,1f). Erst in Christus und in Konfrontation mit dem Kreuz Christi gilt, daß weder Beschneidung noch Unbeschnittenheit etwas ist (Gal 5,6; 6,15; 3,28; 1Kor 7,19). Das gleiche gilt auch von der Tora als Kultordnung und von einem kultisch-rituell orientierten Toragehorsam. Wenn Paulus das Tun des ganzen Gesetzes als gegen den Gekreuzigten gerichtete Rechtfertigung durch das Gesetz zurückweist (Gal 5,3f), dann ist das weder ein prinzipielles Verdikt über die Tora und ihre heilsgeschichtliche bzw. typologische Funktion vor Christus noch eine prinzipielle Abwertung

---

daß in Röm 14,5f mit dem „Achten auf den Tag" eine wohl mit Gal 4,8–11 vergleichbare Problematik auftaucht.

eines auf das Tun der ganzen Tora abzielenden Toragehorsams, wie er vor
Christus gar nicht anders denkbar war[238]. Es ist daher auch nicht angebracht, von einer Abschaffung der Tora durch Christus zu sprechen. Selbst
das Faktum, daß die kultisch-rituellen Teile der Tora für die Praxis der
Glaubenden keine Rolle mehr spielen, wäre nur unzulänglich gewürdigt,
wenn man darin eine bloße Außerkraftsetzung sähe. Gerade die Würdigung
des Kreuzestodes Christi als eschatologischer Kultvollzug setzt die prinzipielle Gültigkeit der Opfer- und Kulttora voraus, so sehr diese – im eschatologischen Vollzug – von Christus überboten und in diesem Sinn in Christus
auch auf-gehoben ist. Es geht Paulus also weder um die Abschaffung der
Tora noch um eine Eliminierung einzelner ihrer Teile. Gal 5,3 f ist letztlich
nur vor dem Hintergrund einer neuen Hermeneutik verständlich, die sich
Paulus vom Kreuz her aufdrängt. Um des gekreuzigten Christus willen,
durch den die Rechtsforderung der Tora erfüllt ist (vgl. Röm 8,4), kann
Paulus nicht mehr an dem herkömmlichen Toraverständnis festhalten, das
im Tun des ganzen Gesetzes den Inbegriff des Toragehorsams erblickt. Als
Ordnung zur Konstituierung der heiligen Gemeinde Gottes ist die Tora in
Christus erfüllt bzw. überboten und kann als solche deshalb von den Glau-
benden nicht als Ordnung ihres Wandels im Glauben übernommen werden.

Erst wenn man die christologische Hermeneutik erfaßt hat, die hinter der
Ablehnung eines auf das ganze Gesetz (mit allen seinen Einzelforderungen)
ausgerichteten Toragehorsams steht (Gal 5,3 f), läßt sich auch angemessen
würdigen, daß Paulus in *Gal 5,14* in scheinbar paradoxer Weise behauptet,
daß das ganze Gesetz im Liebesgebot von Lev 19,18 zusammengefaßt (und
nicht bloß auf dieses reduziert!) ist und daß in der Verwirklichung der Liebe
auch der Glaubende das (so zusammengefaßte) Gesetz erfüllt (vgl. Röm
13,8b. 10b).

Warum Paulus nicht etwa den Dekalog oder einzelne Dekaloggebote[239],
sondern Lev 19,18 als Zusammenfassung der Tora gewählt hat, bedürfte
noch ausführlicher traditionsgeschichtlicher Studien. Vielleicht ist der Hinweis von Hartmut Gese hilfreich, daß der „berühmte Satz ‚Liebe deinen
Nächsten wie dich selbst‘ (Lev 19,18) der P-Tradition entstammt, wo er den
Höhepunkt des sogenannten singularischen Dekalogs (V. 13–18) darstellt“[240]. Darf man darin erneut ein Indiz für den kultischen Hintergrund
des paulinischen Gesetzesverständnisses sehen? Wir können diese Frage hier
nicht weiter verfolgen. Unter sachlicher Rücksicht dürfte die Wahl von Lev
19,18 durch das spezifische Verständnis des Kreuzestodes als Sühnegeschehen motiviert sein. Denn als personaler Akt, der (anders als der alttestament-

---

[238] Auch das schroffe Urteil von Phil 3,7 f kann nur vom Standpunkt des „in Christus“ aus und
nur in Relation zu Christus recht gewürdigt werden.

[239] Etwa die zweite Tafel des Dekalogs; dazu und zur sog. sozialen Reihe: K. Berger, Gesetzesauslegung (Anm. 226) 258–361. 362–395.

[240] H. Gese, Das Gesetz, in: Ders., Theologie 55–84, hier 68.

liche Kultvollzug) in der *Selbst*hingabe bestand, verlangt die Artikulation des Sühnegeschehens am Kreuz nach einer personalen Kategorie. Sie wird – möglicherweise schon von der vorpaulinischen Tradition – mit dem Begriff der „Liebe" bereitgestellt (vgl. bes. Gal 2,20; Röm 8,35.37)[241]. Daß Christus, der Sohn Gottes, in Erfüllung der Rechtsforderung des Gesetzes sich für uns am Kreuz als κατάρα (Gal 3,13) und ἁμαρτία (2Kor 5,21) darbietet, ist also ein Akt göttlicher Liebe (vgl. Röm 5,5.8). Dem entspricht es, daß die Glaubenden, die mit dem liebenden und sich hingebenden Christus gestorben sind (vgl. Gal 2,19f), nun ihrerseits lieben. Das Kreuzigen des Fleisches mit seinen Begierden setzt offensichtlich die Fähigkeit zur Liebe frei (vgl. Gal 5,13.22–24). Gerade wenn der liebende Sühnetod Christi als eschatologischer Vollzug der als Kultordnung verstandenen Tora erscheint, kann die so geheiligte Gemeinde ihre Heiligkeit, die sie im gläubigen Mitsterben mit Christus gewinnt, nur im Glauben, der in der Liebe wirksam ist, durchhalten (vgl. Gal 5,6). Oder im Anschluß an die Tora ausgedrückt: Die von der Tora geforderte Heiligkeit (vgl. Lev 19,2), die in Christus eschatologisch verwirklicht ist, findet ihren adäquaten Ausdruck in Lev 19,18: „Du sollst deinen Nächsten lieben wie dich selbst!"

Daß Paulus diese Zusammenfassung der Tora dann als „Gesetz Christi" (νόμος τοῦ Χριστοῦ: Gal 6,2) bezeichnet, ist – unabhängig von allen möglichen religionsgeschichtlichen Erklärungen – der Sache nach eine ureigene Schöpfung des Paulus. Denn ganz abgesehen davon, ob es die Vorstellung einer messianischen Tora gegeben hat, dürfte das „Gesetz Christi", das man erfüllt (ἀναπληροῦν), wenn man einander die Last trägt (Gal 6,2), ähnlich typologisch zu verstehen sein wie der νόμος τοῦ πνεύματος τῆς ζωῆς (ἐν Χριστῷ Ἰησοῦ) in Röm 8,2. Nur war dort primär das Christusereignis selbst gemeint, während in Gal 6,2 dessen ethischer Aspekt im Vordergrund steht. Der νόμος τοῦ Χριστοῦ ist demnach weder einfachhin mit der (Sinai-)Tora identisch noch ohne Bezug zu ihr. Er verlangt nicht – wie im Falle der Beschneidung – das Tun des ganzen Gesetzes in allen seinen Einzelforderungen (vgl. Gal 5,3). Im Gegenteil! Sofern die (Sinai-)Tora – insbesondere in ihrem auf die Heiligung des Menschen abzielenden kultischen Programm – in Christus erfüllt und durch Christus überboten ist, wäre ein solcher Versuch geradezu ein Abfall von Christus (Gal 5,4). Andererseits erfüllt aber der Glaubende, der mit dem durch seinen Tod die Rechtsforderung der Tora erfüllenden Christus gestorben ist, die ganze Tora, wenn er das „Gesetz Christi" erfüllt (Gal 6,2), d. h., wenn er die durch die Erfüllung der Tora und als die Erfüllung der Tora zum Zuge kommende Liebe Christi nun seinerseits als Liebe zum Nächsten verwirklicht. Die Liebe als *Erfüllung* des ganzen Gesetzes (Gal 5,14) steht zum *Tun* des ganzen Gesetzes (Gal 5,3) in einem typologischen Überbie-

---

[241] K. WENGST, Formeln (Anm. 57) 57, plädiert für Tradition; doch könnte der Verweis auf die Liebe auch paulinische Ergänzung sein; vgl. auch 2Kor 5,14.

tungsverhältnis²⁴². Wer sich glaubend der im Tode Christi offenbar gewordenen Liebe Christi aussetzt, muß weder sein eigenes Nicht-Tun der Tora fürchten noch durch das Tun der ganzen Tora seine Heiligung betreiben, da im Tode Christi sich aller Fluch aus-gewirkt hat, den die Tora über die Sünder ausspricht und zugleich alle Heiligung überboten ist, die die Tora diesen in Aussicht stellt. Das Tun der ganzen Tora als Kriterium der Gerechtigkeit ist deshalb in der Liebe des Sterbens Christi aufgehoben, die den Sünder leben läßt. Zugleich gilt aber auch, daß derjenige, der aus dieser Liebe Christi lebt und liebt, das ganze Gesetz erfüllt. Und dies nicht einfach deshalb, weil durch die Liebe Christi das Gesetz jetzt auf die Liebesforderung von Lev 19,18 reduziert wäre, sondern weil in einem tieferen, typologischen Sinn die Tora selbst auf den sie erfüllenden und überbietenden Antitypos der Liebe Christi (Gesetz Christi) ausgerichtet ist, der mit der Gabe des Geistes tatsächlich das Leben vermittelt hat, das die Tora zwar verheißen, den Sündern aber nicht zu geben vermochte. In einem ähnlich typologisch-überbietenden Sinn ist die Liebe die Erfüllung dessen, worauf das Tun des ganzen Gesetzes abzielte, ohne deshalb zu einem erneuten Versuch des ἐν νόμῳ δικαιοῦσθαι zu werden, zu dem die Beschneidung verpflichtet (Gal 5,4; vgl. 3,11). Die Beschneidung verpflichtet den Menschen, der sich ihr unterzieht, auf die (in Christus überbotene Sinai-)Tora, die den Menschen – wie der Gekreuzigte zeigt – immer nur als sündiges Fleisch ausweisen kann und verurteilen muß. Das Sterben mit Christus (= Glauben) hingegen verpflichtet auf die in Christus erfüllte und überbotene Tora, auf das Gesetz Christi, das – wie ebenfalls der Gekreuzigte (Sühnetod!) zeigt – den Sünder rechtfertigt. Deshalb ist die Liebe, durch die der Glaubende das ganze Gesetz erfüllt, alles andere als eine Gerechtigkeit nach dem Kriterium des Gesetzes. Die Liebe entspringt vielmehr geradezu dem Bekenntnis zur eigenen Sündhaftigkeit und Fleischlichkeit. Sie setzt das Bekenntnis zur eigenen, vom Gesetz verhängten Fluchsituation voraus, die eben im Glauben und Mit-Christus-Sterben angenommen bzw. sogar realisiert wird, um so – in der Vernichtung des Fleisches – von den Werken des Fleisches befreit (vgl. Gal 5,18) und zur Liebe, auf die schon die Tora mit Lev 19,18 abzielte, befähigt zu sein. Die Liebe, zu der der νόμος τοῦ Χριστοῦ verpflichtet, ist somit im wahrsten Sinne des Wortes Vollzug des Glaubens, d.h. die Praxis des in Christus von der Tora verfluchten Sünders, der ebenfalls in Christus und allein dadurch, daß Christus den Fluch der Tora an sich zur Auswirkung kommen ließ, der Gerechtfertigte ist. Die Gerechtigkeit, die der Glaubende in der Liebe durchhält, kommt daher nicht aus dem Tun des Gesetzes, sondern daher, daß der Glaubende als mit Christus Gekreuzigter sich sterbend in Christus birgt, der stellvertretend und liebend die Rechtsforderung des Gesetzes erfüllt hat. Insofern ist der Glaubende nicht mehr ὑπὸ νόμον, obwohl er kein ἄνομος ist,

---

²⁴² Wahrscheinlich sind die Verben ποιεῖν (Gal 5,3) und πληροῦν (Gal 5,14) bewußt gesetzt.

sondern ἔννομος, aber eben ἔννομος Χριστοῦ (vgl. 1Kor 9,20f)! Die These von Röm 3,31 gilt letztlich also auch in ethischer Hinsicht.

Literaturhinweise

E. Käsemann, An die Römer (HNT 8a), Tübingen ⁴1980.

F. Mussner, Der Galaterbrief (HThK IX), Freiburg – Basel – Wien 1974.

U. Wilckens, Der Brief an die Römer (EKK VI/1–3), Zürich – Einsiedeln – Köln/ Neukirchen-Vluyn 1978/1980/1982.

J. Scharbert – A. Finkel – D. Lührmann, Art. Gerechtigkeit I–III, in: TRE XII (1983) 404–411.411–414.414–420 (Lit.).

K. Koch – J. Amir – G. Klein, Art. Gesetz I–III, in: TRE XIII (1984) 40–52. 52–58.58–75 (Lit.).

R. Bultmann, Theologie des Neuen Testaments, 9. Aufl. hrsg. v. O. Merk, Tübingen 1984.

A. van Dülmen, Die Theologie des Gesetzes bei Paulus (SBM 5), Stuttgart 1968.

G. Eichholz, Die Theologie des Paulus im Umriß, Neukirchen-Vluyn ²1977.

H. Gese, Zur biblischen Theologie. Alttestamentliche Vorträge, Tübingen ²1983.

E. Grässer, Der Alte Bund im Neuen. Exegetische Studien zur Israelfrage im Neuen Testament (WUNT 35), Tübingen 1985.

M. Hengel, The Atonement. The Origins of the Doctrine in the New Testament, Philadelphia 1981.

H. Hübner, Das Gesetz bei Paulus. Ein Beitrag zum Werden der paulinischen Theologie (FRLANT 119), Göttingen ²1980.

B. Janowski, Sühne als Heilsgeschehen. Studien zur Sühnetheologie der Priesterschrift und zur Wurzel KPR im Alten Orient und im Alten Testament (WMANT 55), Neukirchen-Vluyn 1982.

E. Käsemann, Paulinische Perspektiven, Tübingen 1969.

K. Kertelge, „Rechtfertigung" bei Paulus. Studien zur Struktur und zum Bedeutungsgehalt des paulinischen Rechtfertigungsbegriffs (NTA NF 3), Münster 1967.

H. Räisänen, Paul and the Law (WUNT 29), Tübingen 1983.

E. P. Sanders, Paulus und das palästinische Judentum. Ein Vergleich zweier Religionsstrukturen (StUNT 17), Göttingen 1985 = Übers. von: Paul and Palestinian Judaism. A Comparison of Patterns of Religion, London 1977.

Ders., Paul, the Law, and the Jewish People, London 1985.

R. Smend – U. Luz, Gesetz (Kohlhammer Taschenbücher 1015: Biblische Konfrontationen), Stuttgart – Berlin – Köln – Mainz 1981.

P. Stuhlmacher, Gerechtigkeit Gottes bei Paulus (FRLANT 87), Göttingen ²1966.

Ders., Versöhnung, Gesetz und Gerechtigkeit. Aufsätze zur biblischen Theologie, Göttingen 1981.

B. Studien zu Jesus
und den Anfängen der Christologie

1. Die Umkehrpredigt bei Johannes dem Täufer und Jesus von Nazaret[*]

Entgegen einer weitverbreiteten Meinung spielen μετάνοια und μετανοέω im Neuen Testament keineswegs die zentrale Rolle, die ihnen oft zugeschrieben wird. Es gibt immerhin ganze Bereiche der neutestamentlichen Literatur, welche die Begriffe kaum oder gar nicht aufweisen[1]. Größere Bedeutsamkeit erlangen die Begriffe neben der Offenbarung des Johannes[2] und der Apostelgeschichte[3] nur in den synoptischen Evangelien[4]. Dort begegnen sie fast ausschließlich im Kontext der Botschaft Johannes des Täufers und Jesu von Nazaret.

Zum grundsätzlichen Verständnis der Begriffe μετάνοια und μετανοέω ist zu sagen, daß ihre semantische Wurzel nicht in den Bereich der griechischen Sprache[5], sondern in die alttestamentlich-jüdische Tradition reicht. Dies ist in bezug auf Johannes und Jesus eigentlich eine Selbstverständlichkeit. Konkret wird man verwiesen auf das hebräische ‚šûb' (aram.: ‚tûb') bzw. (neuhebr.) ‚t^ešûbah' (aram.: ‚t^etûbta"), das allgemein eine Abkehr vom Bisherigen und eine Rückkehr zum Ausgangspunkt beinhaltet[6]. Diesem Befund

---

[*] Geringfügig veränderte und durch Anmerkungen erweiterte Fassung meines Gastvortrags an der Katholisch-Theologischen Fakultät der Rheinischen Friedrich-Wilhelms-Universität Bonn am 27. November 1979.

[1] So vor allem das Johannesevangelium und die Johannesbriefe, welche die Begriffe überhaupt nicht kennen, und die (anerkannt echten) Paulusbriefe, die sie nur viermal (Röm 2,4; 2Kor 7,9.10; 12,21) bezeugen. Im NT insgesamt kommt μετάνοια zweiundzwanzigmal, μετανοέω dreiunddreißigmal vor.

[2] μετανοέω: Offb 2,5 (bis).16.21.22; 3,3.19; 9,20.21; 16,9.11.

[3] μετάνοια: Apg 5,31; 11,18; 13,24; 19,4; 20,21; 26,20. – μετανοέω: Apg 2,38; 3,19; 8,22; 17,30; 26,20.

[4] μετάνοια: Mk 1,4; Mt 3,8.11; Lk 3,3.8; 5,32; 15,7; 24,47. – μετανοέω: Mk 1,15; 6,12; Mt 3,2; 4,17; 11,20.21; 12,41; Lk 10,13; 11,32; 13,3.5; 15,7.10; 16,30; 17,3.4.

[5] Im Griechischen besteht das entscheidende semantische Merkmal in der im nachhinein erfolgenden Sinnesänderung, wobei sowohl an eine Änderung zum Guten wie zum Bösen gedacht sein kann. Im Falle einer sittlichen Änderung (= „bedauern, über etwas Reue empfinden") bezieht sie sich auf den Einzelfall, nicht auf eine umfassende Neubestimmung der gesamten Existenz; vgl. dazu: J. Behm, Art. νοέω κτλ.: ThWNT IV 947–976. 985–1016, hier: 972–976.

[6] W. L. Holladay. The Root šûbh in the Old Testament, Leiden 1958, 53, μετανοέω als Äquivalent für ‚šûb' läßt sich durch die überwiegend abweichende Übersetzungsgewohnheit der LXX (μετανοέω = ‚niḥam' = sich etwas leid sein lassen; ‚šûb' = ἐπιστρέφω/-ομαι) nicht bestreiten, da ein entsprechender Sprachgebrauch für das übrige hellenistisch-jüdische Schrifttum bezeugt ist; vgl. J. Behm, a. a. O. 985–991. – Speziell religiöse Bedeutung

wird grundsätz-|lich die deutsche Übersetzung „umkehren" bzw. „Umkehr" am besten gerecht[7]. Die Besonderheit der Begriffsverwendung bei Johannes und Jesus gegenüber der alttestamentlichen bzw. frühjüdischen Tradition wird jeweils von Fall zu Fall anzuzeigen sein.

1. Der Gedanke der Umkehr bei Johannes dem Täufer

Von den acht μετάνοια-Stellen der Synoptiker beziehen sich fünf auf Johannes den Täufer; dazu kommt noch einmal das Verbum[8]. Bedenkt man den relativ geringen Umfang des Täufermaterials, ist schon dies ein höchst auffälliger Befund und läßt auf eine konstitutive Bedeutung des Begriffs für das Anliegen des Johannes schließen. Nicht ganz einfach ist allerdings die Abgrenzung authentischen Täufermaterials. Als Quellen nicht brauchbar sind die Täuferpartien des „slavischen Josephus" und der mandäischen Schriften[9]. Das gilt weithin auch für die Ausführungen des Flavius Josephus (Ant. 18,116–119), die als „eine bewußte hellenisierende Umdeutung" zu betrachten sind[10]. Größeren Quellenwert dürften indes die Zeugnisse des Neuen Testaments beanspruchen, wobei im Hinblick auf das zu behandelnde Thema vor allem zwei Texte von Bedeutung sind: Mk 1,1–8; Mt 3,7–12 par (= Q). Doch ist auch hier eine kritische Prüfung nötig.

1.1 Das Material

Mk 1,1–8 stellt eine christliche Komposition dar[11]. Dies bedeutet| nicht, daß nicht ältere Motive und sogar historische Fakten verarbeitet sind. Histo-

---

bekommt ‚šûb' in der alttestamentlichen Prophetie. Nach *H. W. Wolff*, Das Thema „Umkehr" in der alttestamentlichen Prophetie, ZThK 48 (1951) 129–148, zielt es auf „Wiederherstellung eines ursprünglichen Status", näherhin auf die „Rückkehr in das ursprüngliche Jahweverhältnis" (a. a. O. 134). Demgegenüber betont *G. Fohrer*, Umkehr und Erlösung beim Propheten Hosea, in: Studien zur alttestamentlichen Prophetie, Berlin 1967, 222–241, daß Rückkehr zugleich den Ausgangspunkt für einen „völlig neuen Anfang" markiere (a. a. O. 225 A 7). Doch müssen sich die beiden Aspekte nicht ausschließen.

[7] Vgl. *R. Schnackenburg*, Umkehr-Predigt im Neuen Testament, in: Christliche Existenz nach dem Neuen Testament I, München 1967, 35–60, hier: 36 f. Allenfalls für Lk 17,3f ist mit der Bedeutung „bereuen" zu rechnen. Doch bleibt es unsicher, ob μετανοέω zum ursprünglichen Text des aus Q übernommenen Wortes gehört (vgl. dagegen Mt 18,15).

[8] μετάνοια: Mk 1,4 par Lk 3,3; Mt 3,8 par Lk 3,8; Mt 3,11. – μετανοέω: Mt 3,2.

[9] Sie sind „als Zeugnisse der Legendarisierung und Mythisierung des J.(ohannes) zu werten" (*Ph. Vielhauer*, Art. Johannes, der Täufer: RGG ³III 804–808, hier: 804).

[10] Ebd. Immerhin bezeichnet Josephus Johannes als „Täufer" und hält damit die auch von den Synoptikern und der Apg bezeugte „Taufe des Johannes" (Mk 11,30 parr; Lk 7,29; Apg 1,22; 18,25; 19,3; vgl. 10,37; 13,24; 19,4) als konstitutives Charakteristikum seines Wirkens fest.

[11] Dabei mag es dahingestellt bleiben, ob sie bereits auf vormarkinische Tradition (*R. Pesch*, Anfang des Evangeliums Jesu Christi. Eine Studie zum Prolog des Markusevangeliums

risch zutreffend ist das Auftreten des Johannes in der *Wüste* und sein *Taufen am Jordan* (V. 4 f)[12]. Zur Wüste könnte auch das Zitat aus *Jes 40,3* (V. 3) passen, das auch in Qumran eine Rolle spielt (1 QS 8,12–16; 9,19 f)[13]. Auffällig bleibt, daß es genau dort abbricht, wo bei Jesaja die Heilsansage beginnt (Jes 40,4.5)[14]. Dieser Sachverhalt wird uns im Zusammenhang mit der Q-Tradition noch einmal begegnen. Integraler Bestandteil des Wüstenmotivs sind *Kleidung* und *Nahrung* des Täufers (V. 6), die als typische Kleidung und Nahrung des Wüstenbewohners zu verstehen sind[15]. Die Frage der theologischen Bedeutsamkeit der Wüste wird später zu beantworten sein. Täuferischen Ursprungs ist aller Wahrscheinlichkeit nach der Ausdruck „Taufe der Umkehr zur Vergebung der Sünden" (V. 4), da eine christliche Tendenz, der Johannestaufe sündentilgende Kraft zuzuschreiben, nicht erkennbar ist[16].

Bei *Mt 3,7–12 par Lk 3,7–9.16 f* ist die Rekonstruktion des Q-Textes für Mt 3,7b–10 par wegen der fast vollständigen Übereinstimmung mit Lk[17]

[Mk 1,1–15], in: G. Bornkamm – K. Rahner [Hrsg.], Die Zeit Jesu. FS H. Schlier, Freiburg 1970, 108–144) oder auf den Redaktor Markus (*G. Dautzenberg*, Die Zeit des Evangeliums. Mk 1,1–15 und die Konzeption des Markusevangeliums, BZ NF 21 [1977] 219–234; 22 [1978] 76–91, hier: 225–231) zurückgeht. – Daß hier christliche Bildung vorliegt, ergibt sich schon daraus, daß die noch von Q bezeugte Gerichtspredigt des Johannes unterdrückt ist und sein Wirken primär als Reinigung und Vorbereitung für den nachfolgenden Heilsempfang dargestellt wird.

[12] Vgl. Mt 11,7 par. Die Frage einer genaueren Lokalisierung (vgl. Joh 1,28; 3,23) muß hier übergangen werden.

[13] Zum Verhältnis Täufer – Qumran, das eher zurückhaltend zu beurteilen ist, s.: *H. Braun*, Qumran und das Neue Testament II, Tübingen 1966, 1–25; vgl. *J. Gnilka*, Die essenischen Tauchbäder und die Johannestaufe, RdQ 3 (1961) 185–207; *H. Schürmann*, Das Lukasevangelium I (HThK III/1), Freiburg 1969, 156–160. – Zur Frage, ob Jes 40,3 in Mk 1,3 nach der LXX zitiert ist (wegen der Beziehung der Wüste auf den Rufer), vgl. *R. Pesch*, Das Markusevangelium I (HThK II/1), Freiburg 1976, 77 f.

[14] Vgl. *J. Becker*, Johannes der Täufer und Jesus von Nazareth (BSt 63), Neukirchen 1972, 23. Nicht so zuversichtlich wird man das Zitat von Mal 3,1 (Mk 1,2) mit Johannes selbst in Verbindung bringen dürfen, obwohl es auch von Q bezeugt wird (Mt 11,10 par). Es besteht jedenfalls der Verdacht, daß der christlichen Gemeinde die Vorstellung vom wiederkommenden Elija dazu diente, Johannes als Vorläufer Jesu darzustellen (vgl. Mk 9,9–13).

[15] Darüber hinaus soll damit wohl auch das Prophetische des Täufers unterstrichen werden; eine Anspielung auf Elija (Johannes als Elias redivivus) liegt jedoch kaum vor: *Ph. Vielhauer*, Tracht und Speise Johannes des Täufers, in: Aufsätze zum Neuen Testament (TB 31), München 1965, 47–54; *J. Becker*, a. a. O. 25 f; *J. Gnilka*, Das Evangelium nach Markus I (EKK II/1), Zürich – Einsiedeln – Köln – Neukirchen 1978, 46 f; anders: *R. Pesch*, Mk I (A 13) 80 f.

[16] Vgl. *H. Thyen*, Studien zur Sündenvergebung im Neuen Testament und seinen alttestamentlichen und jüdischen Voraussetzungen (FRLANT 96), Göttingen 1970, 131–145, bes. 132 A 1. – Auf Mk 1,7.8 muß hier nicht näher eingegangen werden. V. 7 spiegelt eindeutig christliche Sicht wider; das Tauflogion wird sogleich und in ursprünglicherer Weise in der Q-Tradition begegnen.

[17] Nur drei Differenzen sind zu verzeichnen: Mt: καρπὸν ἄξιον / Lk: καρποὺς ἀξίους; Mt: δόξητε / Lk: ἄρξησθε; Mt: – / Lk V. 10: καί. In allen Fällen dürfte Mt der Vorzug zu geben sein, vgl. *S. Schulz*, Q. Die Spruchquelle der Evangelisten, Zürich 1972, 367 f.

ohne Probleme[18]. Schwieriger ist die Rekonstruktion für Mt 3,11 f| par; doch wird man im Anschluß an P. Hoffmann und S. Schulz von folgendem Text ausgehen dürfen[19]:

(V. 11) ἐγὼ μὲν ὑμᾶς βαπτίζω ἐν ὕδατι; ὁ δὲ ἐρχόμενος ἰσχυρότερός μού ἐστιν, οὐ οὐκ εἰμὶ ἱκανὸς τὰ ὑποδήματα βαστάσαι; αὐτὸς ὑμᾶς βαπτίσει ἐν πυρί.

(V. 12) οὗ τὸ πτύον ἐν τῇ χειρὶ αὐτοῦ, καὶ διακαθαριεῖ τὴν ἅλωνα αὐτοῦ, καὶ συνάξει τὸν σῖτον αὐτοῦ εἰς τὴν ἀποθήκην, τὸ δὲ ἄχυρον κατακαύσει πυρὶ ἀσβέστῳ.

„Ich taufe euch mit Wasser, der Kommende aber ist stärker als ich, ich bin nicht wert, ihm seine Schuhe auszuziehen, er wird euch mit Feuer taufen.

Er hat die Schaufel in seiner Hand, und er wird seine Tenne säubern, und er wird seinen Weizen in die Scheune sammeln, die Spreu aber wird er verbrennen in unauslöschlichem Feuer."

J. Becker macht in bezug auf Mt 3,7–10 par zu Recht darauf aufmerksam, daß „dem Abschnitt jede jesuanische oder christliche Komponente" fehlt[20]. Im Falle von Mt 3,11 par ist allerdings mit christlicher Überarbeitung zu rechnen; scheidet man diese aus – es handelt sich nach P. Hoffmann um ein Q-Interpretament –, läßt sich ein ursprüngliches Täuferwort in folgender Form wahrscheinlich machen: ἐγὼ μὲν ὑμᾶς βαπτίζω ἐν ὕδατι, ὁ δὲ ἐρχόμενος[21] ὑμᾶς βαπτίσει ἐν πυρί (Ich taufe euch mit Wasser, der Kommende aber wird euch mit Feuer taufen)[22]. Insgesamt wird man davon ausgehen dürfen, daß der rekonstruierte bzw. modifizierte Text von Mt 3,7–10.11 f par wenigstens inhaltlich, wenn nicht sogar wörtlich auf authentische Täufertradition zurückgeht[23]. Vor allem darauf wird sich nun die folgende Sachinterpretation stützen müssen. |

---

[18] Unsicher muß die Rekonstruktion von Mt 3,7 a par bleiben; *S. Schulz*, a. a. O. 367, gibt vermutungsweise folgenden Text an: Ἰωάννης εἶπεν τοῖς ἐρχομένοις ἐπὶ τὸ βάπτισμα; vgl. *A. Polag*, Fragmenta Q. Textheft zur Logienquelle, Neukirchen 1979, 28. – Kaum aus Q stammen dürfte Lk 3,10–14: *P. Hoffmann*, Studien zur Theologie der Logienquelle (NTA 8), Münster 1972, 16 A 5; *H. Thyen*, Studien (A 16) 138; gegen: *H. Schürmann*, Lk I (A 13) 169.

[19] *P. Hoffmann*, a. a. O. 15–25; *S. Schulz*, Q (A 17) 366–369. Anders: *A. Polag*, ebd.

[20] Johannes (A 14) 109 A 21; vgl. *H. Schürmann*, a. a. O. 183; gegen: *R. Bultmann*, Die Geschichte der synoptischen Tradition (FRLANT 29), Göttingen ⁶1964, 123. 263.

[21] Ursprünglich ist damit Gott oder eine eschatologische Mittler- bzw. Richtergestalt gemeint, vgl. *P. Hoffmann*, Studien (A 18) 29. Gegen die Deutung auf Gott kann nicht das „Lösen der Schuhriemen" (Mk 1,7) angeführt werden (gegen: *J. Becker*, a. a. O. 34 f), da dies ebenso sekundär ist wie Mt 3,11 bc par (= Q) (s. o.); vgl. auch *H. Thyen*, Studien (A 16) 137.

[22] *P. Hoffmann*, a. a. O. 18–25. 28–31.

[23] Vgl. dazu und zum folgenden auch: *H. Merklein*, Die Gottesherrschaft als Handlungsprinzip. Untersuchung zur Ethik Jesu (FzB 34), Würzburg 1978, 142–146.

1.2 Der Inhalt der Umkehrpredigt bei Johannes dem Täufer

Schon der erste Satz der Predigt des Täufers zeigt, worum es ihm geht: „Schlangenbrut, wer hat euch unterwiesen, ihr könntet dem kommenden Zorn entrinnen?" (Mt 3,7b par). Es geht um die Zukunft, und zwar um eine durchweg negativ qualifizierte Zukunft. Was kommt, ist der „Zorn", also ein furchtbares Strafgericht Gottes[24]. Die Gerichtszukunft scheint für Johannes das einzig Sichere zu sein[25]. Die Aussage ist apodiktisch. Es heißt nicht: „Wenn ihr nicht umkehrt, trifft euch das Gericht!", sondern umgekehrt: „Das Gericht kommt, kehrt also um!". Die Forderung der Umkehr ist also erschlossen aus der *sicheren Zukunft des Gerichtes.*

Dabei radikalisiert das Gericht die Forderung durch seine *unmittelbare Nähe.* Im Bild gesprochen: Es ist fünf vor zwölf! Das Bild, das Johannes gebraucht, ist allerdings noch drängender: „Schon ist die Axt an die Wurzel der Bäume gelegt" (Mt 3,10a par)[26]. Für einen Holzfäller, der die Axt schon an die Wurzel des Baumes angelegt hat, gibt es kein Überlegen mehr, ob dem Baum vielleicht doch noch eine letzte Frist eingeräumt werden soll. Im *nächsten* Augenblick wird er ausholen und den Baum „radikal", d. h. von der Wurzel her, vernichten[27]. Johannes teilt also die Naherwartung apokalyptischer Kreise; doch ist sie bei ihm ungleich radikaler. Johannes hat keine Zeit mehr, Termine für das Ende zu berechnen, wie es nicht wenige Apokalyptiker tun. Und auch die Auffassung Qumrans, das mit einer sich dehnenden Zeit vor dem Ende rechnet, teilt Johannes nicht[28]. Zukunft und Gegenwart sind für ihn nahezu kurzgeschlossen. Dieses fast völlige Verschwinden einer Zeitgrenze zwischen Gegenwart und Zukunft gibt dem Umkehrruf des |

---

[24] Belegmaterial bei: *E. Sjöberg – G. Stählin,* Art. ὀργή (Spätjudentum): ThWNT V 413–416, hier: 416; *Bill* I 115 f.

[25] In gewisser Weise entspricht dies dem Befund bei den alttestamentlichen Propheten (Hosea, Amos, Jesaja, Jeremia), wo das Thema Umkehr zunächst nicht in der *Mahn*rede, sondern in der *Schelt*rede erscheint: „Das ist ... die erste und auch sachlich grundlegend wichtige Feststellung zum Thema in der Prophetie: Die *Umkehr* geschieht *nicht* im Volk! Nicht der mehr oder weniger hoffnungsvolle Fanfarenruf eines Appells, sondern diese eindeutig hoffnungslose, durch vielfache Tatsachen belegte Feststellung ist das *erste* Wort zur Sache" (*H. W. Wolff,* Thema „Umkehr" [A 6] 137; vgl. auch: *E. Haag,* Umkehr und Versöhnung im Zeugnis der Propheten, in: Dienst der Versöhnung [TThSt 31], Trier 1974, 9–25, bes. 13–15). Bei Johannes ist die Sache insofern radikaler, als bei ihm nicht die Feststellung der nicht geschehenen Umkehr (Scheltwort), die dann zum Drohwort und zur Gerichtsankündigung übergeht (vgl. *Wolff,* a. a. O. 139f), am Anfang steht, sondern überhaupt die Feststellung des Gerichts.

[26] Das Bild vom Fällen der Bäume (für das Strafgericht Gottes) ist bereits im AT vorgeprägt: Jes 6,13; 10,33f; 32,19; Dan 4,11.20.

[27] Ähnlich drängend ist das Bild in Mt 3,12 par. Der Vorgang des Dreschens und des Worfelns ist bereits abgeschlossen (*H. Schürmann,* Lk I [A 13] 177). Der Kommende steht mit seiner Schaufel zur letzten Aktion bereit: Zum Einbringen des Weizens in die Scheune und zum Wegschaffen der Spreu zum Verbrennen.

[28] Zu dieser Differenz gegenüber Apokalyptik und Qumran vgl. *J. Becker,* Johannes (A 14) 19.

Täufers einen unerhört drängenden, atemverschlagenden, ja bedrohlichen, fast zwanghaften Charakter. Dem Menschen bleibt in dieser Situation kein Zeitraum des Abwägens mehr; das einzig Sinnvolle, das er noch tun kann, ist, sich auf diese bedrohlich nahe und selbst bedrohliche Zukunft einzulassen, sich von ihr bestimmen zu lassen. Und das bedeutet eben: Umkehren!

Johannes radikalisiert die Umkehrforderung aber nicht nur zeitlich, sondern auch hinsichtlich des Umfangs des Kreises derer, die davon betroffen sind. Die frühjüdische Differenzierung zwischen Gerechten und Sündern und die rabbinische Auffassung, daß die Gerechten höher zu schätzen sind als die bußfertigen Sünder, weil erstere eben der Umkehr nicht bedürfen[29], haben bei Johannes keinen Platz. Allen, die zu ihm kommen – und das werden nicht die Böswilligsten gewesen sein, die den beschwerlichen und unsicheren Weg durch die Wüste Juda hinunter ins Jordantal gegangen sind –, allen schleudert er entgegen: „Ihr Schlangenbrut!" (Mt 3,7b par)[30]. Johannes hält es für müßig, über die Sündhaftigkeit Israels zu debattieren oder gar die Schuld bei einzelnen oder bei bestimmten Gruppen zu suchen. Die Sicherheit, mit der er vom kommenden Zorn überzeugt ist, läßt kein anderes Urteil zu: *Alle stehen unter dem Gericht, ganz Israel* gehört zur Menge der Sünder[31].

Aus demselben Grund kann auch die *Abrahamskindschaft*[32] in der jetzigen Gerichtssituation *keine Berufungsinstanz* mehr sein: „Meint nicht, bei euch sagen zu können: Wir haben (doch) Abraham als Vater!" (Mt 3,9a par). Gottes Treue wird durch diese radikale Abnabelung von der heilssichernden Vergangenheit nicht in Frage gestellt. Gott bricht seine Treue nicht, wenn er die Kinder des Landes verwirft, denn er kann dem Abraham aus den Steinen des Landes noch Kinder erwecken (vgl. Mt 3,9b). Diese Ausdehnung der Gerichtsaussage auf ganz Israel findet sich erstmals bei den Propheten[33], mit denen Johannes auch sonst manches gemeinsam hat[34]. |

Die Umkehr, die Johannes fordert (Mt 3,8 par), betrifft also ganz Israel. Doch was meint Johannes mit *„Umkehr" inhaltlich?* Zunächst – und das ist

---

[29] Vgl. dazu etwa Or. Man. 8, wonach Gott nicht für die Gerechten, sondern für den Sünder Umkehr gesetzt hat, oder das rabbinische Axiom, das sehr häufig an die Feststellung des Erbarmens Gottes über den Sünder angehängt wird: „Wenn so den Sündern, um wieviel mehr den Gerechten" (vgl. dazu: *E. Sjöberg*, Gott und die Sünder im palästinischen Judentum, Stuttgart – Berlin 1938, 66. 89. 91. 117. 189).

[30] In der Gegenüberstellung zur Abrahamskindschaft (Mt 3,9 par) ist diese Anrede besonders aggressiv; vgl. *H. Schürmann*, Lk I (A 13) 164 (zu 1 QH 3.12.17 vgl. jedoch auch: *J. Maier*, Die Texte vom Toten Meer II, München – Basel 1960, 76f).

[31] Die verbreitete Auffassung, daß das Gericht allein den Heiden gelte, wird hier ins Gegenteil verkehrt; vgl. *E. Lohmeyer*, Das Evangelium des Matthäus (hrsg. v. W. Schmauch), Göttingen ³1962, 39.

[32] Vgl. dazu: *Bill* I 116–121.

[33] Vgl. *W. H. Schmidt*, Die prophetische „Grundgewißheit". Erwägungen zur Einheit prophetischer Verkündigung, EvTh 31 (1971) 630–650, hier: 632f.

[34] Siehe oben A 25 und unten A 51.

nur eine Folge des Gedankens der allgemeinen Sündhaftigkeit – *Bekenntnis der Sünden*[35]. Die Nachricht von Mk 1,5, daß die zu Johannes Gekommenen bei ihrer Taufe die Sünden bekannten, ist durchaus glaubwürdig[36]. Doch wird man diese Abkehr von der Sünde nicht auf den engen individuellen Raum beschränken dürfen. Denn die Gerichtsansage an ganz Israel und das Verdikt einer Berufung auf Abraham, der *persona constituens* für Israel, bekunden eine weit grundsätzlichere Verlorenheit: Israel hat seine Heilsprärogative vertan. Umkehr erfordert daher nicht nur Bekenntnis der individuellen Sünden, sondern Eingeständnis dieser Verlorenheit und damit *radikal Abkehr von allem Bisherigen, auch von dem, woraus Israel bisher Heil und Heilssicherheit bezogen hat*[37].

Es mag auffallen, daß Johannes zwar davon spricht, daß würdige Frucht der Umkehr zu tun ist (Mt 3,8 par), daß er aber diese Frucht nicht näher konkretisiert, etwa durch einzelne Forderungen oder allgemein durch die Forderung der Rückkehr zur Tora[38], wie es dem allgemeinen zeitgenössischen Umkehrverständnis entsprochen hätte[39]. Dies|liegt kaum an der

---

[35] Der Gedanke, daß Umkehr Abkehr von (einzelnen) Sünden ist, wird von den Schriftpropheten vor allem von Ezechiel hervorgehoben (vgl. *E. Würthwein*, Art. μετανοέω [Buße und Umkehr im AT]: ThWNT IV 976–985, hier: 980–982) und bleibt dann für das ganze Frühjudentum beherrschend. Trotz des stärker kasuistischen Charakters weiß aber Ezechiel, daß Umkehr letztlich auf das „neue Herz" und den „neuen Geist" abzielt (11,19; 36,26f), die sonst als Geschenk Gottes erhofft werden (vgl. *Würthwein*, a. a. O. 984f). Im Prinzip gilt dies auch für das Frühjudentum (s. u. A 39).

[36] *R. Pesch*, Mk I (A 13) 80, verweist auf 1 QS 1,24–26. Weitere Beispiele: *Bill* I 113f.

[37] Vgl. dagegen das Konzept des deuteronomistischen Geschichtswerkes, vor allem der zweiten Hand des dtr Kreises: Dtn 4,29–31; 30,1–10; dazu: *H. W. Wolff*, Das Kerygma des deuteronomistischen Geschichtswerks, ZAW 73 (1961) 171–186, hier 184: „Die Umkehr als Rückkehr in den Väterbund, den Jahwe noch nicht vergessen hat, ist das einzige, was Israel zu tun übriggeblieben ist. Sie ist in der Zeit der Bedrängnis die allein heilvolle Möglichkeit."

[38] Bei Johannes gibt es keine Anzeichen einer Radikalisierung der Tora (vgl. Qumran; Zeloten) oder einer Intensivierung der Torabefolgung (vgl. Pharisäer); zur Stellung des Johannes zum AT vgl. *J. Becker*, Johannes (A 14) 36f. 58.

[39] Vgl. dazu: *J. Behm*, ThWNT IV (A 5) 988. 992; *E. K. Dietrich*, Die Umkehr (Bekehrung und Buße) im Alten Testament und im Judentum bei besonderer Berücksichtigung der neutestamentlichen Zeit, Stuttgart 1936, 358–367. Im AT ist gewöhnlich Gott Objekt der Umkehr, nur Neh 9,29 wird das Gesetz als Objekt angegeben. Parallel dazu geht eine Verlagerung des ganzheitlichen Umkehrgedankens zu einem mehr kasuistischen Verständnis. Umkehr ist Abkehr von einzelnen Sünden (vgl. A 35), durch die das Gesetz übertreten wurde, bzw. Hinkehr zu den entsprechenden Geboten (so bes. in Test XII). Besonders ausgeprägt (aber weniger kasuistisch) ist der Gedanke der Umkehr zur Tora des Mose in Qumran (vgl. *H.-J. Fabry*, Die Wurzel ŠÛB in der Qumran-Literatur. Zur Semantik eines Grundbegriffes [BBB 46], Bonn 1975). Allgemein ist dem Frühjudentum eine hohe Wertschätzung der Umkehr; sie ist Voraussetzung der Rettung bzw. der Vergebung (Sir 17,24; Vit. Ad. 4,6; 4Esr 7,86; Midr Ps 32 § 2 [121b]; vgl. ThWNT IV 987f). Dies wie auch die Demonstration der Umkehr in ostentativen Taten haben sicherlich zu einer gelegentlichen Veräußerlichung der Umkehr beigetragen. Doch ist es ein Fehlurteil, das Frühjudentum der „Verbiegung in Gesetzlichkeit" zu zeihen oder Umkehr als „heilsnotwendige äußere Leistung des Menschen" zu bezeichnen (*J. Behm*, a.a.O. 988, 22.31). Denn bei aller Gefahr der

prekären Quellenlage, sondern paßt konsequent in das eben gezeichnete Bild
von der Umkehr als Auszug aus allem Bisherigen. Dieser radikale Auszug
aus dem Bisherigen schließt auch den Rekurs auf die Tora als Heilsmittel aus.
Das ist kein Affront des Johannes gegen die Tora[40], vielmehr ein Affront
gegen Israel, dem keine Repristinierung vergangener Heilshoffnungen mehr
helfen kann. Jetzt das eigentlich früher gesollte Handeln nachzuholen, ist zu
spät.

Umkehr beinhaltet demnach radikale Anerkennung Gottes, der mit seinem Zorn Israel gegenüber im Recht ist. Die drohende Zukunft macht den
Blick in eine heilsbegründende Vergangenheit illegitim. Diesem Auszug aus
allem Bestehenden das sachgemäße Signum zu geben, ist die Funktion der
Wüste als Aufenthaltsort des Johannes. Es geht nicht um eine Renaissance der
Exodustradition, mit der bestimmte Zeitgenossen des Täufers eschatologische Heilserwartungen verbanden[41]. Gerade diese Heilserwartungen werden von Johannes nicht thematisiert[42].

Aber meint eschatologisch motivierte Umkehr nur den Auszug aus der
Vergangenheit? Verlangt sie nicht ein auch positives Eingehen auf die Zukunft? Und was meint Johannes mit der *Frucht der Umkehr* (Mt 3,8 par),
wenn sie sich nicht in Handlungsweisungen konkretisiert[43]? Nach den bisherigen Ausführungen dürfte es der johanneischen Umkehr- und Gerichtspredigt in ihrem prinzipiellen Charakter, der sich einer Repristinierung
vergangener Heilsprärogativen versagt, am ehesten entsprechen, wenn man
die zu erbringende Frucht der Umkehr| mit der Taufe des Johannes selbst
identifiziert[44]. Dafür spricht auch die auffällige Bezeichnung *„Taufe der
Umkehr* zur Vergebung der Sünden" (Mk 1,4). Sie ist das einzige Mittel, mit

---

Veräußerlichung weiß das Judentum jedenfalls grundsätzlich, daß sowohl Gesetz wie
Umkehr Gottes gnädige Gaben sind (Weish. 11,23; 12,10.19; Or. Man. 8; Sib 4,168; XVIII
– Gebet 5); vgl. *E. Sjöberg*, Gott (A 29) 144ff; *M. Limbeck*, Die Ordnung des Heils.
Untersuchungen zum Gesetzesverständnis des Frühjudentums, Düsseldorf 1971; *A. Nis-
sen*, Gott und der Nächste im antiken Judentum. Untersuchungen zum Doppelgebot der
Liebe (WUNT 15). Tübingen 1974, 130–149; *P. Fiedler*, Jesus und die Sünder, Frankfurt –
Bern 1976, 73–75. 93f.

[40] Daß Johannes nicht prinzipiell traditionskritisch eingestellt war, bekundet noch die Notiz
vom Fasten der Johannesjünger Mk 2,18 (vgl. Lk 7,33 par).

[41] Vgl. dazu: *M. Hengel*, Die Zeloten. Untersuchungen zur jüdischen Freiheitsbewegung in
der Zeit von Herodes I. bis 70 n.Chr., Leiden–Köln ²1976, 235–239. 255–261; *ders.*,
Nachfolge und Charisma. Eine exegetisch-religionsgeschichtliche Studie zu Mt 8,21f und
Jesu Ruf in die Nachfolge (BZNW 34), Berlin 1968, 23f.

[42] Zum Thema „Wüste" vgl. bes. *J. Becker*, Johannes (A 14) 20–26.

[43] Daß „Johannes die Getauften an das Gesetz und seine Beachtung gewiesen (hat), wie die
geforderten Früchte der Buße (Mt 3,8 par) nahelegen und die Fastensitte der Johannesjünger... erhärten kann" (*J. Becker*, a.a.O. 63f), ist – gerade auch in Konsequenz der sonstigen
Ausführungen Beckers (vgl. oben A 38) – nicht überzeugend. Konkrete Handlungsweisen
sind für Johannes nicht zu belegen (zu Lk 3,10–14 s. A 18); außerdem ist zu beachten, daß
Johannes von „Frucht" (Sing.!), nicht von „Früchten" der Umkehr spricht (s. A 17).

[44] Daß Johannes ein neues, konkretes Handeln initiieren wollte, ist auch angesichts seiner
hochgespannten Naherwartung wenig wahrscheinlich.

dem sich die Sündenvergangenheit Israels bewältigen läßt; sie ist das einzige
Mittel, das vielleicht doch noch eine Heilschance im Gericht, das Johannes in
Mt 3,11 par als Feuertaufe[45] seiner Wassertaufe gegenüberstellt, offenläßt[46].
Johannes selbst kommt damit eine mittlerische Funktion zwischen Gott und
Israel zu, was durch die Existenz von Johannesjüngern neben und unabhän-
gig von den Jüngern des Messias Jesus bis weit in die neutestamentliche Zeit
hinein nur unterstrichen wird[47]. Doch beansprucht Johannes nicht, mit
seiner Taufe das Heil zu vermitteln[48]. Auch in der Taufe bleibt sein eigentliches Kerygma die Umkehr[49], d. h. die Heilshoffnungen, die Johannes mit
seiner Umkehrtaufe weckt, überführt er nicht in positive Heilszusagen.
Natürlich kann man aus Mt 3,10 par erschließen, daß der Baum, der gute
Frucht bringt, nicht ins Feuer geworfen wird. Aber es ist bezeichnend, daß
die Aussage negativ formuliert ist. Und auch in Mt 3,12 par, wo vom
Sammeln des Weizens in die Scheune gesprochen wird, bleibt die Aussage
beim positiven Bild nicht stehen, sondern gipfelt im Vernichtungsurteil über
die Spreu[50]. Genau das aber ist charakteristisch für die Umkehrpredigt des
Täufers. Umkehr ist radikale Aufgabe aller Heilssicherheit; gerade darin
sieht Johannes noch eine letzte Heilschance. In dieser Hintergründigkeit
ähnelt er den Propheten[51], ähnelt er jenem „vielleicht wird Jahwe | gnädig

---

[45] Die Feuertaufe ist nicht als Läuterungsfeuer (so: *C. H. Kraeling*, John the Baptist, New York
1951, 58–63), sondern als Vernichtungsgericht zu verstehen: *H. Schürmann*, Lk I (A 13) 174 f
(Lit.!); *J. Becker*, Johannes (A 14) 28–30.

[46] Zum Verständnis der Johannestaufe vgl. neben A 13 *H. Thyen*, Studien (A 16) 133–137;
J. Becker, a.a.O. 38–40. Die religionsgeschichtliche Analogielosigkeit der Johannestaufe ist
vor allem in drei Punkten begründet: 1. in ihrer Einmaligkeit und Unwiederholbarkeit, 2.
in ihrer strikt eschatologischen Ausrichtung, 3. in der aktiven Rolle des Täufers.

[47] Vgl. *Ph. Vielhauer*, Johannes (A 9) 807.

[48] Vgl. *R. Schnackenburg*, Gottes Herrschaft und Reich. Eine biblisch-theologische Studie,
Freiburg ³1963, 59: „... seine Taufe kann nicht als eschatologische Heilsgabe gelten...; sie
bleibt ein Mittel, dem künftigen Zorngericht zu entfliehen, aber vermittelt noch nicht das
Heil.“

[49] In gewisser Weise vergleichbar ist hier das deuteronomistische Geschichtswerk, dazu:
H. W. Wolff, Kerygma (A 37). Dort ist charakteristisch für die „Demut der Umkehr“ (185),
daß bestimmte Heilshoffnungen mit der Umkehr nicht mehr verbunden werden, obwohl
sie „als Wende zu einer neuen Phase der Heilsgeschichte“ angesehen wird (180).

[50] Vgl. dazu: *J. Becker*, Johannes (A 14) 21–25.

[51] Diese Hintergründigkeit, daß in der Unbedingtheit des Gerichtes sich doch noch eine
Möglichkeit der Umkehr eröffnet, ist bei den Propheten allerdings noch dialektischer als
bei Johannes. Denn Umkehr wird von Amos und Jesaja, aber auch von Hosea und Jeremia –
folgt man der Darstellung von *H. W. Wolff* (Thema „Umkehr“ [A 6]; vgl. jetzt auch: *ders.*,
Die eigentliche Botschaft der klassischen Propheten, in: H. Donner u. a. [Hrsg.], Beiträge
zur alttestamentlichen Theologie. FS W. Zimmerli, Göttingen 1977, 547–557) – zunächst
überhaupt nicht mehr als reale Möglichkeit für Israel angesehen (Thema „Umkehr“ 138).
Erst über die Heilsverheißung, die im Gericht noch den Heilswillen Jahwes schaut, wird der
Ruf zur Umkehr zum Mahnwort bzw. zur „Einladung zu dem von Jahwe geschaffenen
Heil“ (a.a.O. 139–143, Zitat: 142). Umkehr ist so letztlich „das Werk Jahwes bei seinem
Kommen in der Geschichte“ (*E. Haag*, Umkehr [A 25] 17). Zu diesem Gedanken im dtr G
vgl. *H. W. Wolff*, Kerygma (A 37) bes. 184.

sein" des Amosschülers in Am 5,15[52]. Nur daß die Propheten die Umkehr als endzeitliche Gabe verstanden, während Johannes im Kurzschluß der eschatologischen Zukunft mit der Gegenwart die Umkehr als Forderung und Möglichkeit[53] in die Gegenwart verlagert. Wer diese Möglichkeit ausschlägt, hat in der Tat nichts anderes zu erwarten als das Gericht.

2. Der Gedanke der Umkehr bei Jesus von Nazaret

Selbst wenn man davon ausgeht, daß das Bild der Synoptiker, die Johannes als Vorläufer Jesu darstellen, als christologisch bedingte Interpretation und weniger als historisches Referat zu werten ist, verbleiben zwischen Johannes und Jesus so massive Berührungspunkte, daß nicht wenige Forscher meinen, Jesus als ehemaligen Täuferschüler ansehen zu müssen[54]. Wie immer man dies beurteilt, Tatsache bleibt: Jesus hat sich selbst der Johannestaufe unterzogen (Mk 1,9–11 parr). Keinen anderen seiner Zeitgenossen hat Jesus so intensiv und positiv gewürdigt wie den Täufer (vgl. Lk 7,26.28 par). Nach einigen bemerkenswerten Notizen des Johannesevangeliums scheinen Jesus und seine Jünger anfänglich sogar selber getauft zu haben (Joh 3,22; 4,1)[55], und möglicherweise verdient Joh 1,35 ff, wonach die ersten Jünger Jesu sich aus ehemaligen Johannesjüngern rekrutierten, historisches Zutrauen. In unserem Zusammenhang sei vor allem daran erinnert, daß Jesus wie Johannes die Gegenwart von der Zukunft her beurteilt und wie dieser Distanz vom Bisherigen verlangt[56]. Wie steht es in diesem Kontext mit einer möglichen Umkehrpredigt Jesu? |

2.1 Das Material

Im *Markusevangelium* taucht der Ruf zur Umkehr bereits im ersten Wort Jesu auf: „Erfüllt ist die Zeit, und nahegekommen ist die Gottesherrschaft!

---

[52] Ähnlich: Joël 2,14; Zef 2,3; Jona 3,9; vgl. *H. W. Wolff*, Dodekapropheten 2 (BK XIV/2), Neukirchen ²1975, 59. 295.

[53] Richtig bemerkt *J. Becker*, Johannes (A 14) 40: „Wie die Zukunft als Gericht allein von Gott kommt, so ist auch die Taufe keine Möglichkeit des Menschen, sondern Gottes Gabe allein." Wenn Becker allerdings fortfährt: „Sie ist allerdings nicht aus sich allein heraus wirksam, sondern nur wenn sie zugleich als Möglichkeit, Früchte zu bringen, ergriffen wird", bringt er nicht nur unangemessene (der Kontroverstheologie entstammende) Kategorien ins Spiel, sondern schätzt m. E. auch das Verhältnis von Taufe und Umkehr falsch ein.

[54] Vgl. etwa *M. Goguel*, Au seuil de l'Évangile, Jean-Baptiste, Paris 1928, 86–95; *Ph. Vielhauer*, Johannes (A 9) 807; *J. Becker*, a.a.O. 12–15.

[55] Vgl. dazu: *R. Schnackenburg*, Das Johannesevangelium I (HThK IV/1), Freiburg 1965, 449 f. 458.

[56] Vgl. *H. Merklein*, Gottesherrschaft (A 23) bes. 56–71.

Kehrt um und glaubt an das Evangelium!" (Mk 1,15) Daß hier Mk gerade im Blick auf den Umkehrgedanken etwas erfaßt hat, was für Jesus besonders bezeichnend ist, wird sich später noch herausstellen. Allerdings handelt es sich bei Mk 1,15 um eine nachträgliche summarische Zusammenfassung der Botschaft Jesu[57], und es bleibt zu fragen, ob der Umkehrruf bei Jesus tatsächlich einen so zentralen Platz neben der Ansage der Gottesherrschaft gehabt hat. Die Logienquelle verbindet denn auch mit der Basileia-Ansage nicht den Umkehrruf, sondern den Befehl zur Krankenheilung (Lk 10,9 par). Im übrigen ist Mk 1,15 die einzige Stelle im Markusevangelium, wo sich der Umkehrbegriff im Munde Jesu findet. Man könnte allenfalls noch Mk 6,12 anführen, wo die Jünger als von Jesus Ausgesandte verkünden, „daß man umkehren solle"; doch handelt es sich hier nach der überwiegenden Mehrheit der Kommentatoren um eine redaktionelle Rahmenbemerkung des Evangelisten[58].

Dieser für unser Thema so dürftige Befund wird durch das *Mattäusevangelium* nicht nennenswert verbessert, das noch zwei Stellen aus der Q-Tradition beisteuert (Mt 11,20[59].21; 12,41). Darauf ist später noch zurückzukommen. Es verdichtet sich somit die Vermutung, daß zumindest der *Begriff* der Umkehr in der Verkündigung Jesu keine zentrale Stelle eingenommen haben dürfte[60].

Dieses allgemeine Urteil wird auch durch das *Lukasevangelium* nicht in Frage gestellt, bei dem sich μετάνοια dreimal und μετανοέω achtmal| im Munde Jesu finden. Denn dieser Befund läßt eher auf eine redaktionelle Vermehrung des Materials schließen. Daß Lukas ein besonderes Interesse am Umkehrgedanken hat, bezeugt die Apostelgeschichte, die insgesamt elf einschlägige Stellen aufweist[61]. Überdies dient Umkehr nach lukanischem Verständnis nicht mehr zur umfassenden Bezeichnung des Bekehrungsvor-

---

[57] Dabei ist es hier unwesentlich, ob man für das Summarium den Evangelisten oder bereits einen vormarkinischen Redaktor verantwortlich macht. Letzteres wird in neuerer Zeit zunehmend befürwortet: *R. Pesch*, Anfang (A 11) 115. 134–136; *R. Schnackenburg*, „Das Evangelium" im Verständnis des ältesten Evangelisten, in: P. Hoffmann (Hrsg.), Orientierung an Jesus. FS J. Schmid, Freiburg 1973, 309–324, hier: 318–321. Zur Analyse von Mk 1,14f vgl. weiter: *H. Merklein*, a.a.O. 17–20; *G. Dautzenberg*, Zeit (A 11) 231–234; *ders.*, Der Wandel der Reich-Gottes-Verkündigung in der urchristlichen Mission, in: ders. – u. a. (Hrsg.), Zur Geschichte des Urchristentums (QD 87), Freiburg 1979, 11–32, hier: 19–24.

[58] *E. Schweizer*, Das Evangelium nach Markus (NTD 1), Göttingen [2]1968, 72; *J. Gnilka*, Mk I (A 15) 237; *W. Schmithals*, Das Evangelium nach Markus (ÖTK 2/1), Gütersloh – Würzburg 1979, 310f. Vgl. auch: *P. Hoffmann*, Studien (A 18) 237–243; *G. Schmahl*, Die Zwölf im Markusevangelium. Eine redaktionsgeschichtliche Untersuchung (TThSt 30), Trier 1974, 76–78.

[59] Mt 11,20 ist als redaktionelle Einleitung zu dem folgenden Spruchmaterial (Q) zu verstehen: *W. Grundmann*, Das Evangelium nach Matthäus (ThHK 1), Berlin 1968, 313.

[60] Vgl. *W. Trilling*, Metanoia als Grundforderung der neutestamentlichen Lebenslehre, in: Einübung des Glaubens. FS K. Tillmann, Würzburg 1965, 178–190, hier 188: „Das Wort μετάνοια ist für seine Botschaft nicht typisch, wie es noch für den Täufer typisch war."

[61] Siehe A 3.

ganges, sondern meint den ethischen Gesinnungswandel als Vorbedingung
für die Vergebung, die wiederum Voraussetzung für den Heilsempfang ist[62].
Im einzelnen ergibt sich folgendes Bild:

Typisch lukanisch ist die Formulierung in Lk 24,47[63]. Das Gleichnis vom
reichen Mann und vom armen Lazarus (Lk 16,19–31) unterliegt schon aus
religions- und traditionsgeschichtlichen Gründen erheblichen Zweifeln hinsichtlich seiner Authentie[64]. Überdies könnte in den beiden hier fraglichen
Versen Lk 16,30.31 „das Echo der Botschaft von der Auferstehung Jesu
Christi eingewirkt" haben[65]. Nicht näher eingegangen werden muß auf Lk
17,3f, da μετανοέω an dieser Stelle ohnehin nicht theologisch, sondern anthropologisch ausgerichtet ist[66]. Durch die Differenz zur Markusvorlage
eindeutig als Redaktion zu verifizieren ist der Zusatz „... zur Umkehr" Lk
5,32 am Ende des Zöllnergastmahles. Auch bei dem aus Q stammenden
Gleichnis vom verlorenen Schaf erweist der Vergleich mit der mattäischen
Version den Schlußvers Lk 15,7 als eine sekundäre Anwendung, in die Lukas
insbesondere den Gedanken der Umkehr eingetragen hat[67]. Analoges dürfte
dann auch für die Anwendung beim Gleichnis von der verlorenen Drachme
Lk 15,10 gelten[68]. Doch bleibt die Aussage, daß bei Gott mehr Freude ist
über einen bußfertigen Sünder als über 99 Gerechte, trotz ihres redaktionellen Charakters noch signifikativ genug. Sie läuft der verbreiteten│zeitgenös-
sischen Auffassung, daß der Gerechte höher zu werten ist als der bußfertige
Sünder, diametral zuwider[69]. Die lukanische Aussage verweist daher auf
einen Kontext, der dem Umkehrgedanken einen anderen Stellenwert einräumt. Hier werden wir mit Recht eine Auswirkung der Botschaft Jesu
vermuten dürfen.

Damit können wir uns den Stellen zuwenden, die mit hoher Wahrscheinlichkeit – u. a. wegen ihrer konkreten Angaben – Anspruch auf Authentie

---

[62] Zum lk Verständnis der Umkehr: *H. Conzelmann*, Die Mitte der Zeit. Studien zur Theologie des Lukas (BHTh 17), Tübingen ⁵1964, 90–92. 213–215; *U. Wilckens*, Die Missionsreden
der Apostelgeschichte. Form- und traditionsgeschichtliche Untersuchungen, Neukirchen
³1974, 178–186; *W. Pesch*, Der Ruf zur Entscheidung. Die Bekehrungspredigt des Neuen
Testaments, Freiburg 1964, 46–50; *J. Dupont*, Repentir et conversion d'après les Actes des
Apôtres, ScEc 12 (1960) 137–173; *R. Michiels*, La conception lucanienne de la conversion.
EThL 41 (1965) 42–78.

[63] Vgl. *W. Grundmann*, Das Evangelium nach Lukas (ThHK 3), Berlin ⁵1969, 452f; *J. Dupont*,
La portée christologique de l'évangélisation des nations d'après Luc 24,47, in: J. Gnilka
(Hrsg.), Neues Testament und Kirche. FS R. Schnackenburg, Freiburg 1974, 125–143;
J. Jeremias, Die Sprache des Lukasevangeliums, Göttingen 1980, 322.

[64] *R. Bultmann*, Geschichte (A 20) 212f. 220f.

[65] *W. Grundmann*, Lk (A 63) 330; vgl. *G. Schneider*, Das Evangelium nach Lukas (ÖTK 3/2),
Gütersloh – Würzburg 1977, 342.

[66] Vgl. dazu auch A 7.

[67] *R. Bultmann*, Geschichte (A 20) 184; *S. Schulz*, Q (A 17) 388; *E. Linnemann*, Gleichnisse
Jesu. Einführung und Auslegung, Göttingen ⁵1969, 73; *J. Jeremias*, Sprache (A 63) 246.

[68] Vgl. dazu: *H. Merklein*, Gottesherrschaft (A 23) 187f; *J. Jeremias*, a.a.O. 247f.

[69] Vgl. dazu A 29.

besitzen, wenngleich auch sie nicht über jeden Verdacht erhaben sind[70]. Es handelt sich um zwei Logien aus der *Spruchquelle Q*, den Weheruf über die galiläischen Städte Lk 10,13–15 par und das Drohwort über dieses Geschlecht Lk 11,31 f par; dazu kommt noch Lk 13,3.5 aus dem *lukanischen Sondergut*. Geht man von diesen Stellen aus, so ergibt sich für die inhaltliche Bestimmung des Umkehrgedankens bei Jesus folgendes:

2.2 Der Inhalt der Umkehrpredigt aufgrund des unmittelbaren Textmaterials

Als man Jesus von dem grauenvollen Schicksal jener Galiläer berichtet, die Pilatus beim Opfer bzw. auf dem Weg zum Opfer im Tempel niedermachen ließ (Lk 13,1 f), und Jesus anhand dieses Beispiels in eine Diskussion über die pharisäische Vergeltungslehre verwickeln will, antwortet Jesus: „Wenn ihr nicht umkehrt, werdet ihr alle auf die gleiche Weise umkommen!" (Lk 13,3.5). Mit Johannes stimmt also Jesus in der negativen Wertung des Menschen[71] überein: Alle sind Sünder, *alle haben deshalb Umkehr nötig*. Wie bei Johannes steht die Umkehrpredigt im Zusammenhang des Gerichtes. Doch wird sogleich auch ein Unterschied sichtbar. Bei Johannes war die Umkehr aus dem sicher kommenden Gericht gefolgert (Mt 3,7 f par). Bei Jesus ist es umgekehrt: das Gericht ist Folge menschlichen Fehlverhaltens bzw. mangelnder Umkehr[72]. Schon dies bringt eine *Modifikation des Um-kehrge-|dankens* mit sich, die vorab (und noch unzulänglich) als Veränderung der Motivation von der Drohung hin zur Warnung zu beschreiben ist.

Umkehr verlangt nach Lk 13,1–5 Abkehr von den Sünden. Wie bei Johannes wird man jedoch nicht nur an den individuellen Bereich denken dürfen. Die Abkehr hat prinzipiellen Charakter: Sie erfordert *Distanz von allem Bisherigen*[73]. Nirgends in der einigermaßen sicher authentischen Jesusüberlieferung wird zur Rückkehr zur Tora aufgerufen[74]. Nirgends bemüht

---

[70] Skeptisch ist *M. Limbeck,* Jesu Verkündigung und der Ruf zur Umkehr, in: O. Knoch u. a. (Hrsg.), Das Evangelium auf dem Weg zum Menschen. FS H. Kahlefeld, Frankfurt 1973, 35–42, hier: 36 f; vgl. *E. Fuchs,* Das Zeitverständnis Jesu, in: Zur Frage nach dem historischen Jesus. Gesammelte Aufsätze II, Tübingen ²1965, 304–376, hier: 323–326. – Zur Authentie vgl. *J. Becker,* Johannes (A 14) 87 f. 98–100; *J. Blinzler,* Die Niedermetzelung von Galiläern durch Pilatus, NT 2 (1958) 24–49; *E. Neuhäusler,* Anspruch und Antwort Gottes. Zur Lehre von den Weisungen innerhalb der synoptischen Jesusverkündigung, Düsseldorf 1962, 200 f; *F. Hahn,* Das Verständnis der Mission im Neuen Testament (WMANT 13), Neukirchen 1963, 27.

[71] Vgl. dazu: *H. Merklein,* Gottesherrschaft (A 23) 125–128.

[72] Dies ist durchgängig so. Es gibt bei Jesus keine apodiktischen Gerichtsaussagen, sondern immer nur bedingte. Dies hängt damit zusammen, daß Jesus die Zukunft anders qualifiziert als Johannes. Wo bei Johannes die apodiktische Gerichtsansage steht, steht bei Jesus die apodiktische Heilsansage (Basileia-Ansage); vgl. *H. Merklein,* a.a.O. 147–150.

[73] Vgl. *H. Merklein,* a.a.O. 56–71.

[74] Vgl. *H. Merklein,* a.a.O. 72–107. Auch die Antithesen der Bergpredigt sind – jedenfalls in

Jesus die heilsgeschichtliche Vergangenheit Israels als Berufungsinstanz[75]. Wie bei Johannes ist Umkehr auch bei Jesus radikal *eschatologisch ausgerichtet*. Was dies positiv bedeutet, läßt sich zunächst an *Lk 10,13–15 par* und *Lk 11,31f par* verdeutlichen[76]. In Lk 10,15 par wird Kafarnaum „dasselbe angedroht wie in Jes 14,13–15 dem König von Babel, dem Feind Israels schlechthin"[77]. Chorazin und Betsaida wird es nach Lk 10,13f par im Gericht schlimmer ergehen als Tyrus und Sidon, die seit der Zeit der Propheten stereotype Adressaten der Gerichtsansage sind[78]. Jesus unterstellt, daß sie umgekehrt wären, wenn sie seine Machttaten gesehen hätten. Die Niniviten werden in Lk 11,32 par zu Gerichtszeugen gegen Israel aufgerufen. Sie sind umgekehrt auf die Predigt des Jona hin. Hier aber geht es um mehr als Jona. Jesus ist der letzte, eschatologische Bote Gottes. Sein Kerygma ist letztgültiges, eschatologisches Wort Gottes. Sich auf Jesu Wort und auf seine Machttaten[79] einzulassen, das wäre die Umkehr, die jetzt verlangt ist[80]. Der Umkehrgedanke bei Jesus ist daher im sachlichen *Zusammenhang mit der Gottesherrschaft* zu sehen, deren Heil Jesus an-sagt, zu-sagt und zu-handelt. Dieser Zusammenhang macht auch den tiefgreifenden Unterschied zur Umkehrpredigt des Täufers aus. Zwar gehört auch bei Jesus die Umkehr formal zur Gerichtsrede. Doch setzt diese eben das ausgeschlagene Heil voraus. |

Wie Umkehr in Korrespondenz zu dem in Jesus angebotenen Heil konkret geschieht, dafür läßt uns allerdings das authentische Material ad vocem μετάνοια bzw. μετανοέω im Stich – vielleicht sogar mit gutem Grund. Doch läßt sich der sachliche Gehalt einer solchen Umkehr unschwer erheben.

2.3 Umkehr und Heilsbotschaft

Dies soll anhand des *Gleichnisses vom verirrten Schaf* (Mt 18,12f par) versucht werden, dessen Q-Version zumindest der Sache nach authentisch sein

---

ihrem ursprünglichen Verständnis – keine Radikalisierungen von Torageboten (a.a.O. 254–257).

[75] Sofern es sich in Mt 8,11 par um ein echtes Jesuswort handelt, hätten wir sogar eine augenscheinliche Parallele zum Verdikt des Johannes über die Berufung auf die Abrahamskindschaft. Doch gibt es ernstzunehmende Bedenken gegen die Authentizität, vgl. *D. Zeller*, Das Logion Mt 8,11f /Lk 13,28f und das Motiv der „Völkerwallfahrt", BZ NF 15 (1971) 222–237; 16 (1972) 84–93, hier bes.: 89–91.

[76] Zur Rekonstruktion: *A. Polag*, Fragmenta Q (A 18) 46. 52–54; *S. Schulz*, Q (A 17) 360f. 250–252.

[77] *D. Lührmann*, Die Redaktion der Logienquelle (WMANT 33), Neukirchen 1969, 74.

[78] Jes 23; Jer 47,4; Ez 26–28; Sach 9,2–4; Joël 4,4 LXX (vgl. *D. Lührmann*, a.a.O. 63f).

[79] Auch die Machttaten (vgl. Lk 10,13–15 par) sind nur Signum der anbrechenden und bereits angebrochenen Heilsherrschaft Gottes (vgl. Lk 11,20 par).

[80] Vgl. *E. Neuhäusler*, Anspruch (A 70) 130f.

dürfte[81]. Jesus interpretiert in dem Gleichnis seine Tischgemeinschaft mit Sündern, an der die Frommen Anstoß nehmen[82]. Dieser Anstoß – und dies ist besonders zu beachten – ist aber nur möglich, wenn die Tischgenossen Jesu in den Augen der Frommen tatsächlich Sünder gewesen sind, d. h. noch kein Zeichen dessen, was man unter Umkehr verstand, haben erkennen lassen[83]. Jesus aber interpretiert seine Tischgenossenschaft als Wiederfinden, was nur die Wiederherstellung der durch die Sünde verlorengegangenen Gemeinschaft mit Gott meinen kann[84]. Dies ist ein ungeheuerlicher Anspruch. Denn Jesus behauptet damit, daß Gott hier und jetzt von sich aus zum Sünder durchgestoßen ist, ohne zu warten, bis dieser die nach damals üblichem Denken nötige Disposition dafür geschaffen hat. Vielmehr deklariert Gott in dem Verhalten Jesu die Schuldvergangenheit des Sünders a priori für irrelevant[85]. Ob der Sünder auf diesen Vorstoß Gottes eingeht, ob er nun „Umkehr" im Sinne eines annehmenden Eingehens auf das vorgängige Heil Gottes vollzieht, ist eine andere Frage. Deutlich dürfte aber sein, was Umkehr im Zusammenhang der Botschaft Jesu sachlich meint, auch wenn der Begriff selbst hier nicht fällt.

Dies wird übrigens durch das *Gleichnis vom verlorenen Sohn* (Lk 15,11–32) nicht widerlegt, sondern nur bestätigt. Allerdings darf man | nicht den Fehler begehen, die Rückkehr des Sohnes gleich religiös als Umkehr zu interpretieren[86]. Zumindest aus der Sicht des Vaters stellt sich dies nicht unbedingt so dar, da dieser ja das Sündenbekenntnis, das sich der Sohn in der Fremde zurechtgelegt hat (V. 18 f), vorerst gar nicht kennt. Bezeichnend für die Geschichte ist, daß der Vater das Bekenntnis des Sohnes nicht zu Ende sprechen läßt (V. 21), mehr noch, daß er ihn, noch bevor er auch nur den Mund auftun kann, in die Arme schließt und ihm mit seinem Kuß das

---

[81] Zur Rekonstruktion: *S. Schulz,* Q (A 17) 387–389; *H. Merklein,* Gottesherrschaft (A 23) 187 f (dort – 188 f – auch Auseinandersetzung mit Schulz, der das Gleichnis der jüngeren Traditionsschicht von Q zuschreiben möchte).

[82] Lk 15,1–3 ist zwar redaktionell, doch dürfte die Situationsangabe auch historisch durchaus zutreffen, vgl. *J. Jeremias,* Die Gleichnisse Jesu, Göttingen [6]1962, 37; *E. Linnemann,* Gleichnisse (A 67) 75.

[83] Das hat zu Recht besonders *E. Linnemann,* a.a.O. 76, betont: „Wer den Ernst seiner Bußfertigkeit unter Beweis gestellt hatte, dem wurde von niemanden die Gemeinschaft versagt. Daraus ergibt sich für die Situation: In den Augen der Pharisäer und Schriftgelehrten waren die Tischgesellen Jesu keine Büßer, sie würden sonst ihren Protest nicht erhoben haben." Zur Hochschätzung des bußfertigen Sünders vgl. *Bill* II 210–212.

[84] *E. Linnemann,* a.a.O. 78 A i.

[85] Vgl. dazu und zum eschatologischen Rahmen des Verhaltens Jesu: *H. Merklein,* Gottesherrschaft (A 23) 190–192.

[86] Entgegen häufiger Praxis (in Katechese und Predigt) sollte man m. E. überhaupt vorsichtig sein, das Verhalten des jüngeren Sohnes als Beispiel für Reue oder Umkehr allzusehr hervorzukehren. Zumindest ist die Reue, die der Sohn in Lk 15,17–19 empfindet und formuliert, nicht von den allerreinsten Motiven getragen. Das Hauptmotiv für seine Rückkehr ist, daß er seine heruntergekommene (auf die Schweine gekommen; wir würden sagen: auf den Hund gekommene) Existenz retten will.

Zeichen der Vergebung aufprägt (V. 20)[87]. Umkehr ist deshalb letztlich und sachlich auch hier nicht das, was der Sohn vor der Vergebung tun muß, sondern das, was er nach der Vergebung tun kann. In der Tat, die Vergebung stellt das bisherige Vater-Sohn-Verhältnis nicht nur wieder her, sondern sie konstituiert ein neues Verhältnis. Der Sohn wird den Vater mit anderen, neuen Augen gesehen haben. Und dieses neue Verhältnis begründet auch ein neues Verhalten.

Umkehr kann daher sachlich für Jesus nur heißen: Leben aus dem ge-schenkten Heil, Leben „aus der Vergebung"[88]; das ist die geforderte Abkehr von den Sünden. Umkehr meint – so wäre noch hinzuzufügen, um die ganze Dimension der eschatologischen Botschaft Jesu in die Perspektive zu be-kommen – Leben in der Hoffnung auf die endliche Realisierung des Heils für die gesamte Welt in der kommenden Gottesherrschaft. Was dies für das konkrete Handeln bedeutet, kann hier nicht näher ausgeführt werden. Nur allgemein sei gesagt: Wo der Mensch aus dieser Perspektive lebt und Gottes voraussetzungslose und endgültige Zuwendung annimmt, da muß und – das ist noch wichtiger – *kann* er sich selbst in der gleichen radikalen, jede rein rechtliche Ordnung übersteigenden Weise seinen Mitmenschen zuwenden. Die Bergpredigt gibt davon ein beredtes Zeugnis.

Auf dem Hintergrund dieser Zusammenhänge dürfte es nicht mehr ver-wunderlich sein, daß die von Jesus gemeinte Sache der Umkehr nicht mehr mit dem Umkehrbegriff der zeitgenössischen Sprachkompetenz zu fassen war. Denn Jesu Verständnis überholt selbst den so hohen frühjüdischen Gedanken, daß Gott Umkehr gewährt, um dann zu vergeben[89], insofern, als Umkehr nun Folge der apriorischen Verge-|bung ist. In dem Zusammenfal-len von Heil und Umkehr ähnelt Jesu Botschaft am ehesten der Auffassung der alttestamentlichen Propheten[90], allerdings mit dem Unterschied, daß dort die Umkehr als eschatologische Gabe erhofft wird, während für Jesus die Vergebung gegenwärtiges Geschenk ist, das die Umkehr aus sich ent-läßt.

3. Versuch einer Aktualisierung

Mit diesen Ausführungen dürften die wichtigsten Strukturlinien der Um-kehrpredigt Johannes des Täufers und Jesu deutlich geworden sein. Der Interpretationsvorgang ist damit jedoch nicht abgeschlossen. Was noch aussteht, ist die Über-setzung in unsere Welt und Zeit. Dies ist immer ein

---

[87] J. *Jeremias,* Gleichnisse (A 82) 130.
[88] J. *Jeremias,* Neutestamentliche Theologie. Erster Teil: Die Verkündigung Jesu, Gütersloh 1971, 156.
[89] Vgl. etwa XVIII – Gebet 5.6 und oben A 39.
[90] Vgl. dazu A 51.

gewagtes Unternehmen, zu dem übrigens nicht nur die Exegese, sondern die Theologie insgesamt herausgefordert ist. Abschließend und versuchsweise seien wenigstens einige Aspekte genannt, die für eine Übersetzung der Umkehrpredigt in unsere Zeit von Belang sein könnten.

3.1 In bezug auf *Johannes* könnte man sich sehr einfach aus der Affäre ziehen. Man könnte darauf hinweisen, daß seine Gerichtsbotschaft für uns Christen durch die Heilsbotschaft Jesu überholt sei. Doch so einfach geht es nicht! Die Verkündigung des Johannes ist uns ja nur deshalb erhalten, weil die frühe Christenheit sie für wichtig gehalten und daher überliefert hat.

Im übrigen dürfte unsere Zeit wieder hellhöriger geworden sein für die harte Gerichtspredigt des Täufers. Nach einer langanhaltenden Periode der Naivität, die an den Fortschritt und die Technik glaubte und von der Machbarkeit der Zukunft überzeugt war, ist die Ernüchterung gefolgt. Heute leben wir bewußter an und mit den Grenzen unserer Möglichkeiten. Wir müssen erkennen, daß wir in Ordnungen und Strukturen leben, die aus sich selbst und mit immanenter Konsequenz Krisen produzieren: Umweltkrisen, Energiekrisen, Wirtschaftskrisen, politische Krisen und nicht zuletzt die Krise, um nicht zu sagen die Katastrophe des Gefälles zwischen den Industrieländern und den Ländern der Dritten Welt. Die Möglichkeit einer umfassenden Katastrophe globalen Ausmaßes läßt sich längst nicht mehr als skurrile apokalyptische Vision abtun. In dieser Situation sollten wir das Wort des Täufers vom Gericht und von der Umkehr als einer umfassenden Neuorientierung sehr ernst nehmen. Es geht nicht nur darum, daß jeder einzelne von uns anständig lebt. Dies wird uns vor der möglichen Katastrophe bzw. vor dem Gericht nicht bewahren können, so lange wir partizipieren an der Sünde krisen- und katastrophenträchtiger Strukturen. Was|not tut, ist Umkehr, Auszug aus dem Bestehenden, Änderung der Strukturen. Dies impliziert für uns zumindest die Bereitschaft zu einer erheblichen Reduktion unseres Lebensstandards.

Zu solcher Umkehr noch entschiedener als bisher aufzurufen, müßte nicht zuletzt Aufgabe von Theologie und Kirche sein. Dies bedeutet keineswegs, daß Theologie und Kirche sich zu den großen Angstmachern unserer Zeit degradieren müßten. Ganz im Gegenteil!

3.2 Denn die täuferische Gerichtspredigt kann eben nur im Horizont der Heilspredigt *Jesu* rezipiert werden. Was dies bedeutet, sei am Extremfall dargestellt: Selbst wenn die Katastrophe unvermeidbar wäre, weil wir Schöpfung und Geschöpfe treulos mißachtet haben, müßten wir festhalten an Gottes Treue zu seinem Geschöpf. In all den kursierenden Ängsten müssen wir die Perspektive Jesu offenhalten, die über alle Katastrophen hinweg am Ende Gottes Heil zu sehen vermag. Unter dieser Voraussetzung könnten wir sogar unsere Schuldverstrickung eingestehen und unser Leben konsequent als Leben aus der Vergebung begreifen. Dies darf allerdings nicht der Beruhigung und Einschläferung der Gemüter dienen! Aber die sicher fällige Umkehr wäre entkrampft. Sie wäre entlastet von dem wahnsinnigen Zwang, in letzter Minute etwas schaffen zu müssen, was der Mensch letztendlich doch nicht schaffen kann. Das letztendliche Heil der Welt könnte Sache Gottes bleiben! Wir aber könnten im Blick auf dieses Projekt Gottes und lebend aus der Überzeugung, daß uns eben dieser Gott auch in unserer Sünde akzeptiert, mit der notwendigen Distanz den Strukturen unserer Ordnungen gegenübertreten. Wir könnten sie erneuern, indem wir ihre Wertigkeit nicht am Maßstab des eigenen Wohlergehens bemessen, sondern an den Spielräumen, die diese Ordnungen für die Liebe lassen und eröffnen. Umkehr würde zur Liebe.

Dies läßt den Gedanken variieren. Liebe braucht immer Utopien, sonst wäre sie bald so ernüchtert, daß sie keine Kraft mehr hätte, zu lieben. Jesu Botschaft von der Gottesherrschaft bietet uns – recht verstanden – eine solche Utopie an, wobei ich unter Utopie eine projektierte und menschlicherseits nie einholbare Zukunft verstehe, die geglaubt werden muß – und das heißt eben auch: in Aktionen versuchsweise realisiert werden muß. Wenn Umkehr als Versuch, die Liebe zum Strukturprinzip unserer Welt zu machen, diesen Glauben erfordert, dann ist oder müßte es unsere Sache sein, was das Markusevangelium als Zusammenfassung der „Sache" Jesu angibt: „Nahegekommen ist die Gottesherrschaft! Kehrt um und glaubt an das Evangelium!" (Mk 1,15).

2. Jesus, Künder des Reiches Gottes

§ 1. Zum Begriff

1. Zur Übersetzung des Begriffs

Der griechische Begriff βασιλεία τοῦ θεοῦ (Reich Gottes bzw. Gottesherrschaft) entspricht dem hebräischen *mal^{e}kût YHWH* (aram.: *mal^{e}kûta᾽ DYY*)[1]. Es handelt sich um eine jener frühjüdischen Abstraktbildungen, die alttestamentliche verbale Aussagen – hier konkret *mālak YHWH* (Gott [ist] König) – ersetzen[2]. Von der Semantik des Begriffes her ist deshalb nicht an ein beherrschtes Territorium, sondern an das König*sein* Gottes zu denken. *Basileia tou theou* ist „ein *dynamischer Begriff*", der „die königliche Herrschaft Gottes in actu" bezeichnet[3]. Unter dieser Rücksicht ist als Übersetzung „Königsherrschaft Gottes" oder „Gottesherrschaft" gegenüber dem ebenfalls gebräuchlichen „Reich Gottes" zu bevorzugen. Doch hat auch diese Übersetzung insofern ihr sachliches Recht, als das (eschatologische) König*sein* Gottes eine Wirklichkeit aus sich entläßt, welche die Welt in einen Bereich des Friedens und der Gerechtigkeit verwandelt. Andererseits muß bei Verwendung von *Gottesherrschaft* von jeder repressiven Vorstellung abstrahiert werden.

2. Zum sprachlichen Befund

Der Begriff der Basileia Gottes findet sich im Neuen Testament überwiegend bei den Synoptikern und dort fast ausschließlich im Munde Jesu. Zur traditionsgeschichtlich ältesten Sprechweise dürften die Logien bzw. Texte gehören, in denen die „Gottesherrschaft" als *aktiv-dynamische Größe* erscheint. Dazu ist neben den Gleichnissen wie Mk 4, 26–29.30–32 par; Lk 13, 18 f.20 f par und der ersten Seligpreisung Lk 6, 20 par der vor allem in Q belegte Satztyp zu rechnen, der die „Gottesherrschaft" als Subjekt mit einem Verbum der Bewegung verbin-

---

[1] Der von Mt bevorzugte Ausdruck βασιλεία τῶν οὐρανῶν (= *mal^{e}kût schāmajim*/Himmelreich) ist demgegenüber sekundär: *Jeremias* 100 f; gegen G. *Dalman*, Die Worte Jesu. Leipzig ²1930, 76 f.
[2] K. G. *Kuhn*, in: ThWNT I 570; vgl. *Dalman* 79.83.
[3] *Jeremias* 101; vgl. *Dalman* 77; *Kuhn* ebd.

det (Lk 10,9 par; 11,2.20 par; 16,16 bα; Mk 1,15; vgl. Mk 9,1)[4]. Dagegen sind die Aussagen, in denen die *basileia tou theou* das Heils*gut* oder den Heils*zustand* bezeichnet, aufs Ganze gesehen wohl jünger. Wie die im Zuge der christlichen Überlieferung sich mehrende Belegstellenzahl zeigt, wird *basileia tou theou* zunehmend zum christlichen terminus technicus für das eschatologische Heil, der dann analog zur frühjüdisch-rabbinischen Sprechweise vom „kommenden Äon" oder vom „(ewigen) Leben"[5] mit Verben wie „sehen" (Mk 9, 1 par), „annehmen" (Mk 10, 15 a par), „erben" (Mt 25, 34) und besonders „eingehen in" (Mk 9, 47; 10, 15 b par; 10, 23 par; 10, 24; 10, 25 par; Mt 5, 20; 7, 21; vgl. Mt 21, 31) verbunden werden kann[6].

Der synoptische Sprachgebrauch läßt keinen Zweifel daran, daß die *basileia tou theou* als *eschatologische Größe* zu verstehen ist. Ihr vom Ansatz her futurischer Charakter wird vor allem durch Verbindungen mit „kommen" (Lk 11, 2 par) oder „nahekommen" (Lk 10, 9 par; Mk 1, 15) unterstrichen und auch durch präsentische Aussagen wie Lk 11, 20 par (vgl. Lk 16, 16 par; Mk 4, 30–32 par) nicht in Frage gestellt, da letztere gerade dadurch ihre besondere Brisanz erhalten. Es ist daher davon auszugehen, daß Jesus begriffsgeschichtlich bei dem hauptsächlich von Deuterojesaja (Jes 52, 7; vgl. 61, 1–3) initiierten, von der nachexilischen Prophetie weiter gepflegten (vgl. Mi 2, 12 f; 4, 6–8; Zef 3, 14 f; Sach 14, 9. 16 f) und dann apokalyptisch vermittelten (vgl. Jes 24, 23; Dan 2; 7; Jub 1, 27 f; TestDan 5, 10–13; AssMos 10; u. ö.) eschatologischen Sprachgebrauch von „Gottesherrschaft" ansetzt. Der Bezug auf deuterojesajanische Tradition wird überdies durch Lk 6, 20 par; 7, 26 f par bestätigt. Auch die mehrfach belegte Verbindung der „Gottesherrschaft" mit „Evangeliums"-Terminologie (vgl. Mk 1, 15, die lukanische Rede vom „Verkündigen" [*euangelizesthai*] der Gottesherrschaft: Lk 4, 43; 8, 1; 16, 16 b; vgl. Apg 8, 12, sowie den matthäischen Ausdruck „das Evangelium der basileia": Mt 4, 23; 9, 35; 24, 14) wie auch Lk 4, 18 f (Jes 61, 1 f) diff Mk 1, 15 dürften zumindest eine wirkungsgeschichtliche Folge dieses traditionsgeschichtlichen Zusammenhanges sein[7].

„Nahegekommen ist die Gottesherrschaft" ist nach Mk 1, 15 die entscheidende Aussage der Verkündigung Jesu. Dies zu verkünden ist nach Q der Auftrag Jesu an seine Jünger (Lk 10, 9 par). Unabhängig davon, ob es sich hierbei um eine im Wortlaut authentische Aussage Jesu handelt, wird man diesen summarischen Zusammenfassungen wenigstens soviel entnehmen dürfen, daß die „Gottesherrschaft" den *zentralen Inhalt* der Verkündigung Jesu bezeichnet. Darüber herrscht auch ein breiter Konsens in der Forschung.

---

[4] Sätze, in denen die *basileia tou theou* als Objekt erscheint, sind in Q noch relativ selten (nur Lk 12, 31 par; 16, 16 b par).

[5] Zum frühjüdischen Vergleichsmaterial s. *Dalman* 88–108.

[6] Die Möglichkeit einer christlich-eigensprachlichen Entwicklung scheint mir naheliegender zu sein als die Annahme authentischer Rede Jesu; gegen *Jeremias* 41–43.

[7] Vgl. *P. Stuhlmacher*, Das paulinische Evangelium. Göttingen 1968, 225–243.

§ 2. Johannes der Täufer und die Gerichtssituation Israels als „anthropologische" Prämisse der Verkündigung Jesu

Eine sachgerechte religionsgeschichtliche Würdigung Jesu muß bei Johannes dem Täufer[8] ansetzen, da Jesus selbst zumindest anfänglich im Bannkreis der Wirksamkeit des Täufers gestanden hat, möglicherweise sogar als Jünger des Täufers.

1. Die Gerichtspredigt Johannes' des Täufers

Die Predigt Johannes' des Täufers dürfte vor allem in der Logienquelle Q (Mt 3,7–10.11 f par Lk 3,7–9.16 f) ihrem hauptsächlichen Inhalt nach zutreffend erhalten sein[9]. Es handelt sich im wesentlichen um eine Gerichtspredigt, die von der Sache wie auch von ihren Motiven her im Gefolge der deuteronomistischen Verkündigung steht[10], welche die im Exil offenkundige Unheilssituation Israels als permanente Gerichtssituation in die jeweilige Gegenwart fortschrieb. Während jedoch die deuteronomistischen Umkehrprediger den Väterbund als Hoffnungsinstanz für ein künftiges göttliches Umkehr- und Heilshandeln an Israel hervorkehrten, wird von Johannes gerade diese Möglichkeit bestritten. Der kommende Zorn, den Johannes verkündet (Mt 3,7 b par) und der in unmittelbarer Nähe bevorsteht (Mt 3,10 a.12 par), stellt Israel so radikal in Frage, daß selbst eine Berufung auf Abraham keine Heilshoffnung mehr zuläßt (Mt 3,9 par). Israel, wie es Johannes vorfindet, kann seinen bisherigen Status als Erwählungskollektiv nicht mehr beanspruchen, es gehört selbst zur Menge der Sünder. Ein künftiges Heil unter Berufung auf das bisherige Erwählungshandeln Gottes zu erwarten ist angesichts dieser Gerichtsverfallenheit sinnlos geworden. Sofern das Grundwissen der Apokalyptik in der „Beziehungslosigkeit zwischen Geschichte und Erlösung" zu suchen ist[11], könnte man Johannes unter diesem Aspekt als Vertreter eines apokalyptisch radikalisierten deuteronomistischen Geschichtsbildes bezeichnen.

Dem vom Gericht bedrohten Israel verbleibt allein die Umkehr, die Johannes als letzte, von Gott gesetzte Möglichkeit verkündet. Die ihr entsprechende „Frucht", die Israel zu erbringen hat (Mt 3,8 par), besteht wahrscheinlich in der Taufe, die Johannes vollzieht[12]. Sie besitzt sündentilgende Kraft (Mk 1,4)[13]; sie

---

[8] Vgl. dazu *Ph. Vielhauer* in: RGG 804–808 (Lit.), und bes. *Becker.*

[9] Zur Rekonstruktion und zur traditionsgeschichtlichen Analyse s. *P. Hoffmann,* Studien zur Theologie der Logienquelle. Münster 1972, 15–33. Zur Authentizität: *M. Dibelius,* Die urchristliche Überlieferung von Johannes dem Täufer. Göttingen 1911, 53–57; *Becker* 16.109, Anm. 21.

[10] Siehe dazu *O. H. Steck,* Israel und das gewaltsame Geschick der Propheten. Neukirchen 1967; vgl. *H. W. Wolff,* Das Kerygma des deuteronomistischen Geschichtswerks, in: ZAW 73 (1961) 171–186.

[11] *K. Müller,* Art. Apokalyptik/Apokalypsen III. Die jüdische Apokalyptik, in: TRE III 202–251, 212.

[12] Vgl. *H. Merklein,* Die Umkehrpredigt bei Johannes dem Täufer und Jesus von Nazaret, in: BZ 25 (1981) 29–46, 36 f.

[13] Vgl. *H. Thyen,* Studien zur Sündenvergebung im Neuen Testament und seinen alttestamentlichen und jüdischen Voraussetzungen. Göttingen 1970, 131 f.

vermag daher die Getauften aus der eigenen Unheilsgeschichte herauszureißen und vor der Feuertaufe des göttlichen Zorngerichts (Mt 3, 11 par) zu bewahren. Insofern kommt der Wassertaufe des Johannes (und diesem selbst) durchaus soteriologische Qualität zu, doch handelt es sich hierbei eher um eine praeparatio soteriologica für den Empfang des eschatologischen Heils, das bei Johannes im Unterschied zu apokalyptischen Entwürfen bezeichnenderweise nicht näher entfaltet wird. Positive Bilder des Heils sind in seiner Botschaft eher „versteckt"[14]. Der „Kommende" (Mt 3, 11 par), in dem Johannes wahrscheinlich Gott selbst gesehen hat, bleibt für ihn überwiegend Gerichtsgestalt. Im wesentlichen beschränkt sich also die Heilsperspektive des Johannes auf den negativen Aspekt, wie Israel angesichts seiner „anthropologischen" Prämisse, selbst zu den Sündern zu gehören, dem kommenden Zorn entrinnen kann.

2. Die Übereinstimmung Jesu mit Johannes in der „anthropologischen" Prämisse seiner Verkündigung

Obwohl der Begriff der „Umkehr" nicht im Zentrum der Verkündigung Jesu steht[15], kann der Gerichtsgedanke sachlich nicht aus seiner Botschaft eliminiert werden. Besonders wichtig ist in diesem Zusammenhang *Lk 13, 1–5*[16]. Demnach kommt für Jesus eine Diskussion darüber, wer in Israel Sünder oder wer ein größerer Sünder sei, nicht in Frage. Wenn Israel nicht umkehrt, trifft das göttliche Strafurteil vielmehr *alle*, weil alle ohne Ausnahme Sünder sind. In dieser Beurteilung der anthropologischen Situation Israels stimmt Jesus mit Johannes überein; sie bildet die „anthropologische" Prämisse auch seiner Verkündigung.

Allerdings unterscheidet sich Jesus auch ganz erheblich vom Täufer, nicht nur in der relativ seltenen Verwendung des Umkehrbegriffs, sondern auch im inhaltlichen Verständnis des damit Gemeinten[17]. Denn während es Johannes soteriologisch im wesentlichen darum ging, Israel eine Möglichkeit zu eröffnen, der Gerichtsverfallenheit zu entkommen, wagt es Jesus, dem sündigen Israel eine neue, von Gott gesetzte *Wirklichkeit* des Heils anzusagen, die im Begriff der „Gottesherrschaft" zur Sprache kommt. Deshalb ist Umkehr nicht mehr nur ein Ausbrechen aus dem auch von Jesus anthropologisch nicht bezweifelten Unheils-Gerichts-Zusammenhang, sondern Annahme des eschatologischen Erwählungshandelns Gottes. Zwar bleibt auch in diesem Konzept die Gerichtsaussage bestehen, doch kann sie nicht mehr apodiktisch sein (vgl. dagegen Mt 3,7b par). Das Gericht ist vielmehr Folge des zurückgewiesenen

---

[14] Vgl. *Becker* 22 f.
[15] Vgl. *H. Merklein,* in: EWNT II 1026 f.
[16] Zur Authentizität s. *Becker* 87 f. Ebd. 88–104 sind noch weitere Texte zur Umkehr- und Gerichtspredigt Jesu besprochen; hervorzuheben sind: Lk 12, 16–20.54–56; 16, 1–8 a; 10, 13–15 par; 11, 31 f par; Mk 8, 12 (Lk 11, 29 par); Lk 12, 8 f par.
[17] Vgl. dazu *Merklein* (s. Anm. 12).

Heils, Rückfall aus der von Gott gesetzten Wirklichkeit in die Israel anthropologisch allein verbleibende Möglichkeit des Gerichts.

§ 3. Die Verkündigung Jesu von der Heilszukunft der Gottesherrschaft

1. Zum traditionellen Vor-Verständnis des Begriffs

Mit dem Begriff der „Gottesherrschaft" greift Jesus eine Vorstellung auf, die im
alten Israel relativ selten begegnet[18]. Seit Deuterojesaja (Jes 52,7–10) bleibt die
Hoffnung auf eine endgültige, alle Not Israels wendende Königsherrschaft
Gottes jedoch ein lebendiges Thema der nachexilischen Prophetie[19]. Die trau-
matischen Erfahrungen der hellenistischen Religionsverfolgung lassen den Gedanken entstehen, daß die Gottesherrschaft zugleich den Abbruch der jetzt
ablaufenden (Unheils-)Geschichte herbeiführen und eine völlig neue Epoche
herauführen wird (vgl. Dan 2,34f.44f; 7,13f)[20].

Theologisch ist an die Vorstellung von der Gottesherrschaft vor allem die Erwartung geknüpft, daß Jahwe, den Israel als den einzigen Gott bekennt, seinen
Namen als den einzig maßgeblichen erweisen wird (bes. Sach 14,9; vgl. Lk 11,2
par). Es ist daher keineswegs eine nationalistische Idee, sondern nur die theologische Konsequenz des Jahweglaubens, daß die Gottesherrschaft die Entmachtung der heidnischen Götter einschließt. Für Israel bedeutet dies die Befreiung
aus der Fremdherrschaft der (Heiden-)Völker. Es wird einen Frieden ohne
Ende im Sinne umfassenden Heiles (*schālôm*) genießen[21], an dem auch die Völker teilhaben werden, indem sie – so wird es zumindest in der Tradition von Jes
2,2–5; Mi 4,1–4 erwartet – zum Zion pilgern und sich zu Jahwe bekehren[22].

Angesichts dieser traditionsgeschichtlichen Vorgaben ist es nahezu selbstverständlich, daß sich auch Jesu Botschaft von der Gottesherrschaft primär an
Israel wendet (vgl. Mt 10,5f)[23], dessen endzeitliche Neukonstitution er mit der
Berufung der Zwölf vorausbildet (Mk 3,14 par). Auffällig an Jesu Auffassung
von der Gottesherrschaft ist weniger, daß er sie – durchaus entsprechend apokalyptischer Tradition (vgl. TestDan 5,10b–13; AssMos 10) – als Opposition
zur Satansherrschaft versteht (s. u. § 4,1), sondern daß er auf deren irdische

---

[18] Zur Königsherrschaft Gottes im AT und im Frühjudentum: *G. v. Rad* in: ThWNT I 563–569;
W. H. Schmidt, Königtum Gottes in Ugarit und Israel. Berlin ²1966; *Dalman* (s. Anm. 1) 75–83; *K. G.
Kuhn* in: ThWNT I 570–573; *Schnackenburg* 1–47; *M. Lattke*, Zur jüdischen Vorgeschichte des synoptischen Begriffs der „Königsherrschaft Gottes", in: *P. Fiedler – D. Zeller* (Hg.), Gegenwart und
kommendes Reich. Stuttgart 1975, 9–25; *O. Camponovo*, Königtum, Königsherrschaft und Reich
Gottes in den frühjüdischen Schriften. Freiburg/Schweiz - Göttingen 1984.
[19] Vgl. die in § 1,2 angegebenen Stellen.
[20] Zur apokalyptischen Vorstellung vgl. *Müller* (s. Anm. 11).
[21] Nahezu selbstverständlich ist, daß die Gottesherrschaft sich auf der *Erde* realisieren wird. Dieser
Gedanke wird auch – wenngleich teilweise modifiziert durch die Vorstellung einer eschatologischen
Neuschöpfung – in der Apokalyptik durchgehalten.
[22] Vgl. dazu *J. Jeremias*, Jesu Verheißung für die Völker. Stuttgart ²1959.
[23] Vgl. dazu jetzt bes. *G. Lohfink*, Wie hat Jesus Gemeinde gewollt? Freiburg 1982, 17–41.

Entsprechung – die Opposition Israels zu den Heiden – nicht näher eingeht und deshalb auch den Gedanken an eine politische Befreiung Israels nicht thematisiert. Nun hatten schon apokalyptische Gruppen vor Jesus die traditionsgeschichtlich vorgegebene Opposition Israels zu den Heiden relativiert, indem sie mit dem Anspruch, das wahre Erwählungskollektiv (= Israel) zu sein, die Demarkationslinie mitten durch das (empirische) Israel hindurchgehen ließen[24]. Daß Jesus auf diese Opposition im Zusammenhang seiner Botschaft von der Gottesherrschaft überhaupt nicht eingeht, dürfte in der mit Johannes geteilten „anthropologischen" Prämisse seinen Grund haben, wonach Israel selbst zu den Sündern zählt und unter dieser Rücksicht auf der Seite seiner Opponenten (= der Heiden) steht. Das eigentliche Problem Israels sind daher nicht seine politischen Feinde, sondern ist Satan, der Israel und Heiden in einem einzigen Sünderkollektiv zusammenschließt; die elementare Frage kann dann nur mehr lauten, wie Israel überhaupt noch Heil finden und seine angestammte Heilsfunktion für die Völker[25] ausüben kann.

Angesichts der „anthropologischen" Prämisse, die Israel selbst in Opposition zur (traditionsgeschichtlich eng mit Israel bzw. dem Erwählungskollektiv verbundenen) Gottesherrschaft bringt, ist allein schon die Tatsache, *daß* Jesus Israel die Gottesherrschaft ansagt, keineswegs selbstverständlich und stellt insofern ein Novum dar, dessen Tragweite man auf dem Hintergrund der Botschaft des Täufers ermessen kann, der von der gleichen Prämisse ausgehend ganz Israel mit dem Gericht bedrohte.

2. Heilsverheißung für Israel: die Seligpreisungen

Was die Ansage der Gottesherrschaft inhaltlich für Israel bedeutet, kann in besonderer Weise an den Seligpreisungen abgelesen werden.

a) Der form- und traditionsgeschichtliche Befund

Von den bei Lk 6,20b–23 und Mt 5,3–12 unterschiedlich überlieferten Seligpreisungen lassen sich drei in etwa folgendem Wortlaut mit einiger Sicherheit auf Jesus selbst zurückführen[26]:

(I) Selig die Armen, denn ihrer ist die Gottesherrschaft.
(II) Selig die Hungernden, denn sie werden gesättigt werden.
(III) Selig die Weinenden, denn sie werden lachen.

Formgeschichtlich stehen die Seligpreisungen Jesu dem apokalyptischen Makarismus nahe. Er dient der eschatologischen Belehrung und will zu einem Wan-

---

[24] Angedeutet bereits in Dan 12,1–3; voll ausgeprägt bes. in Qumran (vgl. 1 QM); s. dazu: *P. v. d. Osten-Sacken,* Gott und Belial. Göttingen 1969; *H. W. Huppenbauer,* Der Mensch zwischen zwei Welten. Zürich 1959.

[25] Vgl. neben der Vorstellung von der Völkerwallfahrt auch Jes 42,6; 49,6.

[26] Zur näheren Begründung s. *Merklein* 1981, 48–51. Aus der Fülle der Lit. sei bes. verwiesen auf: *J. Dupont,* Les Béatitudes I–III. Paris 1969–1973.

del nach den Geboten Gottes ermuntern, indem er den danach Lebenden das eschatologische Heil in Aussicht stellt[27]. Auf dem Hintergrund dieses Befundes tritt das Charakteristikum der Seligpreisungen Jesu um so deutlicher hervor[28]. Sie preisen nämlich kurz und apodiktisch – und ohne nähere religiöse Qualifikation – Arme, Hungernde und Weinende und sprechen ihnen bedingungslos das eschatologische Heil zu. Sie sind daher nicht als eschatologische Belehrung, sondern als eschatologische *Proklamation* zu würdigen, die an Botschaft und Person Jesu gebunden ist.

Inhaltlich wurzelt insbesondere die Seligpreisung der Armen in alttestamentlich-frühjüdischer Überlieferung, die man meist als *Armenfrömmigkeit* bezeichnet[29]. Ihre wichtigste Grundlage hat sie in der deutero- und tritojesajanischen Tradition (vgl. Jes 41,17; 49,13 und bes. Jes 61,1f; 66,2). Dort ist der Begriff der „Armen" eine Kollektivbezeichnung für Israel. Obwohl er sich zunächst auf die reale Not des Exils bezieht, hat er doch auch eine religiöse Dimension. Denn indem Israel seine tatsächliche Notlage in demütiger Unterwerfung als gerechtes Gericht Gottes anerkennt, kann es auf Gottes Hilfe und Erlösung rechnen. Die „Armen" sind also zugleich die „Demütig-Frommen". Seit der Zeit der seleukidischen Religionsverfolgung dient der Begriff vielfach zur Bezeichnung der toratreuen Frommen, die wegen ihrer Ergebenheit unter Gottes Willen auch äußere Not zu ertragen haben, die *als* „Arme" aber Gottes endzeitliche Hilfe erwarten dürfen. In diesem Sinn wird der Begriff vor allem von oppositionellen Gruppen zur Bezeichnung des eigenen Erwählungsbewußtseins verwendet[30]. Dabei schließt die elitäre Anwendung den ursprünglich kollektiven Sinn keineswegs aus, da sie ja gerade mit dem Anspruch auftritt, das wahre Erwählungskollektiv (= Israel) zu sein. „Arm" hat dabei sowohl soziale wie religiöse, ja sogar eschatologische Dimension.

b) Die Bedeutung der Seligpreisungen Jesu

Schon aufgrund seiner „anthropologischen" Prämisse ist es ausgeschlossen, daß Jesus mit den seliggepriesenen Armen eine elitäre Gruppe von Frommen innerhalb Israels ansprechen wollte. Die II. und III. Seligpreisung lassen überdies erkennen, daß Jesus tatsächlich Notleidende im Auge hatte. Allerdings widerspräche eine rein soziale Interpretation der oben angezeigten Auslegungstradition. Unter dieser Rücksicht können Jesu Seligpreisungen nur kollektiv an ganz Israel gerichtet sein, dessen reale Notlage (unter der Römerherrschaft) für Jesus allerdings nur die Außenseite seiner wahren Befindlichkeit als Sünder vor Gott darstellt.

Entscheidend ist nun, daß Jesu Seligpreisungen proklamieren und nicht auf

---

[27] Vgl. äthHen 58,2; 82,4; slHen 42,6–14; 52,1–16; PsSal 4,23; 4 Esra 7,45; u.ö.

[28] Vgl. dazu E. *Schweizer*, Formgeschichtliches zu den Seligpreisungen Jesu, in: NTS 19 (1972/1973) 121–126.

[29] S. dazu: *Dupont* (s. Anm. 26) II 19–142; E. *Bammel* in: ThWNT VI 888–902; *J. Maier*, Die Texte vom Toten Meer II. München 1960, 83–87; *ders.* in: TRE IV 80–83.

[30] So bes. in Qumran: vgl. 4 QpPs 37 2,10; 3,10; 1 QpHab 12; 1 QH 5,22; 14,3 (vgl. 18,14f); 1 QM 11,9f; 14,9.

eine unabsehbare Zukunft vertrösten. Jesus preist vielmehr jetzt schon selig, und zwar – das ist das scheinbar Paradoxe daran – das *sündige* Israel. Dies hat nur dann einen Sinn, wenn zwischen dem sündigen Volk und dem zugesagten Heil jetzt schon ein sachlicher Zusammenhang besteht. Dieser kann jedoch nicht in Israel selbst begründet sein, dem aufgrund seiner Befindlichkeit nur noch das Gericht zukommen kann. Ein solcher Zusammenhang ergibt sich vielmehr nur, wenn Jesus voraussetzt und durch seine Seligpreisungen geradezu *proklamiert, daß Gott jetzt ein neues, eschatologisch endgültiges Erwählungshandeln an Israel veranstaltet.* Damit schließt sich auch der Kreis im Sinne der Auslegungstradition der Armenfrömmigkeit. Das heilsgeschichtlich abgewirtschaftete Israel, das als solches genau das Gegenteil von dem ist, was elitäre Gruppen mit dem Armenbegriff für sich als wahres Israel beanspruchen, wird durch Jesu Seligpreisungen zum Objekt des eschatologischen Erwählungshandelns Gottes proklamiert, so daß auch bei Jesus, wenngleich in dialektischer Weise und allein durch seine Proklamation getragen, die traditionell positive Seite des Begriffs der „Armen" im Sinne des Erwählungskollektivs zum Zuge kommt.

3. Die „Nähe" der Gottesherrschaft

Grundsätzlich ist davon auszugehen, daß die Gottesherrschaft, die Jesus ansagt, von ihrem Ansatz her eine eschatologisch-futurische Größe ist[31]. Sonst ergäbe die Vaterunserbitte Lk 11, 2 par keinen Sinn. Zu fragen bleibt aber, wie die Zukunft der Gottesherrschaft näher zu qualifizieren ist. Es besteht weitgehend Einigkeit darüber, daß Jesus mit einem *baldigen* Kommen der Gottesherrschaft gerechnet hat[32]. In diesem Zusammenhang wird nicht zuletzt auch auf die Seligpreisungen verwiesen, deren Nachsätze (vgl. bes. II und III) sich ganz ohne Zweifel auf die Heils*zukunft* beziehen.

Reichen aber zeitliche Kategorien aus, um die „Nähe" der Gottesherrschaft zu würdigen?[33] Hier ist daran zu erinnern, daß die Vordersätze der Seligpreisungen das *gegenwärtige* Israel ansprechen und es trotz seiner Sünden als eschatologisches Heilskollektiv qualifizieren. Dies bedeutet aber, daß die zugesagte Heilszukunft der Gottesherrschaft nicht nur eine bei Gott bereits beschlossene Sache ist, sondern sich *bereits jetzt schon* – eben in der in den Seligpreisungen proklamierten eschatologischen Erwählung – an Israel auswirkt. Die unverwechselbare Dynamik, die der Begriff der Gottesherrschaft im Munde Jesu besitzt, deutet sich an. Das künftige eschatologische Heil der Gottesherrschaft, das Jesus Israel zuspricht, berührt bereits *wirksam* die Gegenwart. Die Frage nach der „Nähe" der Gottesherrschaft kann daher nicht mehr allein mit zeitlichen Kategorien beantwortet werden. Dies schließt keineswegs

---

[31] Vgl. *Weiss; Schnackenburg* 49–56; *Jeremias* 101–105.
[32] Zur sachlichen Begründung vgl. bes. *G. Lohfink* in: *G. Greshake – G. Lohfink,* Naherwartung – Auferstehung – Unsterblichkeit. Freiburg (1975) ⁴1982, 41–50.
[33] Diese Frage ist in der Forschung sehr umstritten; zur Problemanzeige vgl. *Gräßer.*

aus, sondern macht es sogar noch wahrscheinlicher, daß Jesus aufgrund des bereits gefallenen Heilsentscheids Gottes auch mit einer baldigen endgültigen Realisierung des zugesagten Heils gerechnet haben wird. Als der sachliche Grund dieser zeitlichen Naherwartung bleibt jedoch die theo-logische Neuqualifizierung Israels und damit die von Gott gewährte sachliche Nähe von Israel und Heil festzuhalten.

Dazu paßt im übrigen auch, daß Jesus die Frage des *Termins* für das Kommen der Gottesherrschaft nicht zum ausdrücklichen Thema seiner Verkündigung gemacht hat. Die sog. Terminworte Mk 9,1; 13,30; Mt 10,23 dürften allesamt erst nachösterliche Bildungen sein[34]. Das Kommen der Gottesherrschaft ist menschlichem Zugriff und menschlicher Berechnung entzogen und allein Sache Gottes (vgl. Mk 4,26–29; 13,32; Lk 17,20b).

In den bisherigen Befund fügt sich auch der Ruf „Nahegekommen ist die Gottesherrschaft" (Mk 1,15; Lk 10,9 par) sehr gut ein, so daß an seiner Authentizität nicht gezweifelt zu werden braucht[35]. Wenn das Wort an das sündige Israel gerichtet ist, dem das eschatologische Heil zeitlich *und* sachlich nur ent-fernt sein kann, muß die „Nähe" – wenngleich die zeitliche Bedeutung mitgemeint ist[36] – in erster Linie sachlich bestimmt sein. Indem das Wort dem vom Gericht bedrohten Volk das eschatologische Heil als nahegekommen verkündet, zeigt es einen radikalen Umschwung der Situation Israels an. Es proklamiert geradezu den bereits gefallenen eschatologischen Heilsentscheid Gottes, der in einem schöpferischen Akt Israel zum eschatologischen Erwählungskollektiv macht. Es dürfte kein Zufall sein, daß die urchristliche Überlieferung den Ruf „Nahegekommen ist die Gottesherrschaft" zur Zusammenfassung der Botschaft Jesu herangezogen hat. Man könnte sich zu diesem Zweck in der Tat kaum einen treffenderen Satz vorstellen. Dies gilt um so mehr, als die darin angesprochene Proklamation des göttlichen Erwählungshandelns auch die sachlich-theologische Grundlage für die für Jesus so typischen Gegenwartsaussagen bildet.

---

[34] Vgl. *Gräßer,* Das Problem der Parusieverzögerung in den synoptischen Evangelien und in der Apostelgeschichte. Berlin ³1977, 128–141; *L. Oberlinner,* Die Stellung der „Terminworte" in der eschatologischen Verkündigung des Neuen Testaments, in: *Fiedler – Zeller* (s. Anm. 18) 51–66; *Merklein* 1981, 151–153.
[35] So zuletzt *Schürmann* 96–100 (Lit.). Bestritten wird die Authentizität von Mk 1,15 insbes. von Autoren, die Jesus eine zeitliche Naherwartung absprechen: vgl. u. a. *E. Fuchs,* Das Zeitverständnis Jesu, in: *ders.,* Zur Frage nach dem historischen Jesus. Tübingen ²1965, 304–376, 325; *E. Linnemann,* Hat Jesus Naherwartung gehabt?, in: *J. Dupont* (Hg.), Jésus aux origines de la christologie. Leuven !975, 103–110, 106f. Für die Echtheit des Wortes plädierte zuletzt *Schlosser* II 91–109.
[36] Auf sie hat *Kümmel* (1956, 16–18; *ders.,* Die Naherwartung in der Verkündigung Jesu, in: *ders.,* Heilsgeschehen und Geschichte. Marburg 1965, 457–470, 459–462) gegen die vor allem in der angelsächsischen Forschung vertretene präsentische Deutung (vgl. *C. H. Dodd,* The Parables of the Kingdom. London ¹³1953, 44 f: „The Kingdom of God has come") zu Recht, wenngleich m. E. zu einseitig, verwiesen.

§ 4. *Die Gottesherrschaft als bereits in Gang gekommenes Geschehen*

1. *Der subjektive Ermöglichungsgrund für die Heilszusage*

Die von Jesus proklamierte Entscheidung Gottes, das vom Gericht bedrohte Israel
zum Gegenstand eschatologischen Erwählungshandelns zu machen, setzt ein
eschatologisches Wissen voraus[37]. Wann und wie Jesus dieses Wissen zuteil
wurde, ist allerdings schwer auszumachen. Die Taufszene (Mk 1, 9–11 par) in
dieser Hinsicht auszuwerten ist wegen ihrer christologischen Reflektiertheit
problematisch[38]. Um so mehr ist *Lk 10, 18* Beachtung zu schenken[39]. Das Wort
spielt möglicherweise auf eine Vision Jesu an; theologisch ist die darin angesprochene Erfahrung als Offenbarung zu charakterisieren. Der Satanssturz aus
dem Himmel deutet die Verdrängung Satans aus seiner Anklägerfunktion gegen Israel an[40] und ist überdies im Zusammenhang mit dem apokalyptisch erwarteten endzeitlichen Entscheidungskampf zwischen Gott (bzw. Michael,
dem Völkerengel Israels) und dem Satan zu sehen[41]. Nach Lk 10, 18 ist die Entscheidung bereits gefallen, so daß angesichts der apokalyptischen Parallelität
von himmlischem und irdischem Geschehensablauf nun auch auf Erden Gottes
Herrschaft sich durchsetzen kann. Es ist daher nur konsequent, daß Jesus Israel, das aus seinem Status als Gerichtsträger entlassen ist, jetzt als eschatologisches Erwählungskollektiv seligpreist (Lk 6, 20f par), ihm die Nähe der
Gottesherrschaft ansagt (Mk 1, 15), ja daß er sogar – wie gleich zu erläutern ist
– die Gottesherrschaft als bereits gegenwärtiges Geschehen verkündet. Man
wird daher nicht fehlgehen, in Lk 10, 18 einen Reflex jener Erfahrung Jesu zu
sehen, die ihn zur Trennung vom Täufer veranlaßte und den subjektiven Ermöglichungsgrund für seine spezifische Verkündigung von der Gottesherrschaft bildete.

2. *Jesu Taten als Geschehensereignis der Gottesherrschaft*

Charakteristisch für die Jesustradition sind die Aussagen, die das eschatologische Heil als bereits gegenwärtige Größe artikulieren[42]. Hier ist vor allem auf
das in seiner Authentizität kaum bezweifelte Logion *Lk 11, 20 par* zu verweisen.
Jesus beansprucht darin, daß in seinen Dämonenbannungen die Gottesherr-

---

[37] Phänomenologisch vergleichbar ist das Wissen um die eschatologische Erwählung in der Zehnwochenapokalypse (äthHen 93, 10) oder das Wissen des Lehrers der Gerechtigkeit (vgl. *G. Jeremias*,
Der Lehrer der Gerechtigkeit. Göttingen 1963).

[38] Vgl. *A. Vögtle*, Die sogenannte Taufperikope Mk 1, 9–11, in: EKK.V 4, 105–139.

[39] Vgl. dazu: *M. Limbeck*, Satan und das Böse im Neuen Testament, in: *H. Haag* u. a., Teufelsglaube.
Tübingen 1974, 271–388, 282–287; *U. B. Müller*, Vision und Botschaft, in: ZThK 74 (1977) 416–448.

[40] So bes. *Limbeck* (s. Anm. 39) 286 f.

[41] Vgl. Dan 10, 13.20f; 12, 1; 1 QM 1; 15, 12–16, 1; 17, 5b–8 (dazu: *J. Becker*, Das Heil Gottes. Göttingen 1964, 74–83, und die Lit. in Anm. 24); Offb 12, 7–9. Zum Ende der Satansherrschaft als Zeichen der Heilszeit: Jub 23, 29; 50, 2; AssMos 10, 1.

[42] Vgl. dazu: *Kümmel* 1956, 98–107; *H.-W. Kuhn*, Enderwartung und gegenwärtiges Heil. Göttingen
1966, 189–204; *Merklein* 1981, 158–165.

schaft „schon zu euch gelangt ist". Das griechische *ephthasen* (aram.: *mᵉtā'*) ist keineswegs als übersetzungsbedingtes Synonym für *ēngiken* (aram.: *qarᵉba'* bzw. *qᵉrabat*) zu werten[43], so daß eine abschwächende Auslegung im Sinne eines bloßen „Naheseins" kaum in Frage kommt[44]. Jesus behauptet vielmehr einen bereits realen Einstand der Gottesherrschaft; seine Dämonenbannungen sind daher mehr als nur „die gegenwärtigen *Zeichen* des kommenden Reiches"[45]. Man darf sich allerdings nicht dazu verleiten lassen, die Aussagen vom (zukünftigen) Kommen der Gottesherrschaft im Sinne einer „Realized Eschatology" einzuebnen[46]. Es wird vielmehr deutlich, daß die „Gottesherrschaft" für Jesus ein dynamischer Begriff ist, der ein von Gott initiiertes (vgl. Lk 10, 18; Mk 1, 15) und getragenes *Geschehen* anzeigt, in dem die eschatologische Zukunft bereits die Gegenwart erfaßt (vgl. Mt 11, 12 par)[47]. Gerade als Geschehen ist die Gottesherrschaft unablöslich an die *Person Jesu* gebunden. Als ihr Proklamator ist er der irdische Repräsentant des im Himmel bereits vollzogenen Geschehens (Satanssturz!), das nun durch seine Proklamation auch die irdische Wirklichkeit erfaßt. Deshalb kann er seine Taten (Dämonenbannungen) als Teil dieses Geschehens verstehen. Sie sind zwar nicht identisch mit der Gottesherrschaft, deren endgültiges Kommen noch aussteht (vgl. Lk 11, 2 par); jedoch ereignet sich in ihnen bereits das Geschehen der Gottesherrschaft, so daß man sie als „*Geschehensereignis*" der Gottesherrschaft bezeichnen könnte[48].

Ähnlich wie in Lk 11, 20 par werden in *Lk 7, 22 f* par – hier allerdings unter Rückgriff auf Jes 26, 19; 29, 18 f; 35, 5 f; 61, 1 – Jesu Taten als eschatologisches Erfüllungsgeschehen (vgl. Lk 10, 23 f par; 11, 31 f par; Mk 2, 19 a) gewertet, wobei V. 23 unterstreicht, daß diese Wertung aufs engste mit der Stellungnahme zur Person Jesu verbunden ist.

Exkurs: Zum Verständnis der Wunder Jesu

In den Evangelien nehmen die Wundererzählungen einen breiten Raum ein[49]. Aufgrund der besonderen Überlieferungslage ist es jedoch bestenfalls in (wenigen) Einzelfällen möglich, ipsissima facta[50] im Sinne historisch verifizierbarer

---

[43] Vgl. *Dalman* (s. Anm. 1) 87 f; Kuhn (s. Anm. 42) 191 f.
[44] Gegen *Weiss* 220 f; *Becker* (s. Anm. 41) 201.
[45] So *H. Conzelmann*, Grundriß der Theologie des Neuen Testaments. München ²1968, 131 (Hervorhebung von H. M.); vgl. *Hiers* 63.
[46] Siehe Anm. 36.
[47] Vgl. *G. E. Ladd*, The Presence of the Future. Grand Rapids 1974, 138–144; *Becker* (s. Anm. 41) 206 f; *Kuhn* (s. Anm. 42) 200 f.
[48] Vgl. *Becker* (s. Anm. 41) 207.
[49] Lit.: *R. H. Fuller*, Die Wunder Jesu in Exegese und Verkündigung. Düsseldorf ³1969; *F. Mußner*, Die Wunder Jesu. München 1967; *R. Pesch*, Jesu ureigene Taten? Freiburg 1970; *G. Theißen*, Urchristliche Wundergeschichten. Gütersloh 1974; *A. Weiser*, Was die Bibel Wunder nennt. Stuttgart 1975; *K. Kertelge*, Die Wunder Jesu in der neueren Exegese, in: ThBer 5 (1976) 71–105; *A. Suhl*, Der Wunderbegriff im Neuen Testament. Darmstadt 1980, bes. 1–38 (Lit.).
[50] Zum Streit um die „ipsissima facta": *Pesch* (s. Anm. 49); *F. Mußner*, Ipsissima facta Jesu?, in: ThRv 68 (1972) 177–187.

Einzelereignisse zu erheben, wenngleich auch der Historiker nicht bezweifeln kann, *daß* Jesus zumindest Kranke geheilt und Dämonen ausgetrieben hat. Auch phänomenologisch läßt sich angesichts offenkundiger religionsgeschicht-· licher Parallelen[51] nur schwer von ipsissima facta Jesu sprechen. Dennoch hat die Rede von den ipsissima facta Jesu ihr sachliches Recht.

Nach Lk 11,20 par hat Jesus seine wunderbaren Taten *eschatologisch qualifiziert*. Als Geschehensereignis sind sie selbst schon Teil des eschatologischen Geschehens: Aus diesem Grund können sie auch nicht von diesem getrennt und zum Beweis für dieses als eschatologische Legitimationswunder gewertet werden. Die Ablehnung der Zeichenforderung unterstreicht dies auf das nachdrücklichste (Mk 8,11 f par; Lk 11,29 par). Selbst wenn hier kein authentisches Wort zugrunde liegen sollte, hätte die Gemeinde die ipsissima intentio der Wunder Jesu erfaßt und sich ein authentisches Kriterium für die Überlieferung von Wundern als ipsissima facta Jesu geschaffen.

Damit hängt aufs engste zusammen, daß die Wunder als objektivierbare Fakten nichts „beweisen" können, da sie auch gegen den von Jesus gegebenen Sinnzusammenhang interpretiert werden können (vgl. Mk 3,22 par). Als Wunder *Jesu* konfrontieren sie nicht mit dem wunderbaren Faktum als solchem, sondern mit dem Geschehen der Gottesherrschaft, das sich in ihnen ereignet. Daher fordern sie eine *Stellungnahme zur Botschaft* und letztlich *zur Person Jesu* selbst, dem Proklamator und Repräsentanten der Gottesherrschaft. In dieser Unablösbarkeit von der Botschaft und der Person Jesu sind sie als ipsissima facta Jesu anzusprechen, und darin hat auch die nachösterliche christologische Interpretation der Wundergeschichten ihr Recht[52].

Deswegen setzen die Wunder Jesu wenigstens in dem Sinn *„Glauben"* voraus, daß sie die Bereitschaft verlangen, sich auf sie als Teil eines von Gott getragenen Geschehens einzulassen[53]. Wo diese Bereitschaft fehlt, wirkt Jesus auch keine Wunder (vgl. Mk 6,1–6; Lk 4,23–27). Die grundsätzliche Glaubensbereitschaft vorausgesetzt, können Jesu Wunder zum *vollen Glauben hinführen*. Dies entspricht ihrer internen Dynamik als Geschehensereignis der Gottesherrschaft. Besonders im Johannesevangelium ist diese Funktion der „Zeichen" klar herausgearbeitet (Joh 2,11; 20,30 f), ohne daß deswegen einem Wunderglauben im Sinne einer Abhängigkeit des Glaubens von objektivierbaren Demonstrationen Raum gegeben wird (vgl. Joh 4,48).

---

[51] Vgl. *Kertelge* (s. Anm. 49) 84–94 (Lit.).

[52] Zur Problematik der Ersetzung des Begriffs „Wunder" durch „(Macht-)Taten" und der damit verbundenen Sachfrage nach einem „Eingreifen" Gottes vgl. *M. Seckler*, Plädoyer für Ehrlichkeit im Umgang mit Wundern, in: ThQ 151 (1971) 337–345; *R. Pesch*, Zur theologischen Bedeutung der „Machttaten" Jesu, in: ThQ 152 (1972) 203–213.

[53] Zum Glaubensmotiv vgl. *J. Roloff*, Das Kerygma und der historische Jesus. Göttingen 1970, 152–173; *E. Lohse*, Glaube und Wunder, in: ders., Die Vielfalt des Neuen Testaments. Göttingen 1982, 29–44.

3. Jesu Verkündigung (Gleichnisse) als Geschehensereignis der Gottesherrschaft

Als Geschehensereignis der Gottesherrschaft sind Jesu Taten auf sein interpretierendes Wort angewiesen (vgl. Lk 11, 20 par). Deshalb muß auch seine Verkündigung in diese Charakterisierung miteinbezogen werden. Es ist wohl kein Zufall, daß Jesus gerade die Botschaft von der Gottesherrschaft vor allem in Gleichnissen[54] verkündet hat, die dies deutlich unterstreichen. Das *Gleichnis vom Senfkorn* (Mk 4, 30–32 par; Lk 13, 18 f par = Q) knüpft bei der unscheinbaren Wirklichkeit an[55], in der sich die von Jesus proklamierte Gottesherrschaft darbietet. Selbst wenn man die Dämonenbannungen oder Heilungen Jesu als Ereignis ihres bereits gegenwärtigen Geschehens versteht, sind sie – gemessen am verbleibenden Leid und gemessen am umfassenden Heil, das die Gottesherrschaft verspricht – nur unscheinbare Vorkommnisse. Und dies um so mehr, als die Qualifikation der Wunder als eschatologisches Geschehen allein durch Jesu Wort gesichert ist. Die Gottesherrschaft als bereits gegenwärtiges Geschehen ist somit letztlich allein von Jesus als ihrem Proklamator und Repräsentanten getragen. Aber – und dies will das Gleichnis zum Ausdruck bringen – Jesu Proklamation der Gottesherrschaft ist nicht nur Hinweis auf eine uneinsehbare Zukunft, sondern *selbst* schon Teil des Geschehens der Gottesherrschaft, das auf deren volle Evidenz hinausläuft und diese in der Zukunft evidente Wirklichkeit bereits in sich schließt, wie das Senfkorn bereits die Senfstaude in sich birgt. Deshalb wäre das Gleichnis auch nur unzulänglich gewürdigt, wenn man es bloß als Lehre *über* die Gottesherrschaft würdigen wollte. Wenn Jesus die Gottesherrschaft im Gleichnis zur Sprache bringt, ereignet sich vielmehr bereits das Geschehen der Gottesherrschaft. Und Jesus will nichts anderes, als daß der Hörer das Sprachereignis des Gleichnisses als Geschehensereignis der Gottesherrschaft begreift und sich davon erfassen läßt. Gerade die Metapher vom winzigen Senfkorn, das, wenn es erst einmal auf die Erde gesät ist, mit innerer Konsequenz eine unübersehbare Staude aus sich entläßt, hat eine enorme Suggestionskraft, die den Hörer in das im Gleichnis zur Sprache kommende Geschehen zu verwickeln vermag.

Vielleicht noch deutlicher kommt dieser Charakter der Verkündigung Jesu in den *Gleichnissen vom Schatz im Acker und von der Perle* (Mt 13, 44.45 f) zum Zuge. Zu Recht betont *E. Jüngel,* daß „das Verhältnis der glücklichen Finder so sehr von dem Mehr des Gefundenen her dirigiert (ist), daß das scheinbar *passive* Element (das Gefundene) zum activum wird.“[56] Auch hier geht es also nicht

---

[54] Lit.: *A. Jülicher,* Die Gleichnisreden Jesu. 2 Bde. (³·²1910) Darmstadt 1969, *J. Jeremias,* Die Gleichnisse Jesu. Göttingen ⁶1962; *E. Linnemann,* Gleichnisse Jesu. Göttingen ⁵1969; *H.-J. Klauck,* Allegorie und Allegorese in synoptischen Gleichnistexten. Münster 1978; *H. Weder,* Die Gleichnisse Jesu als Metaphern. Göttingen 1978; vgl. *P. Ricœur – E. Jüngel,* Zur Hermeneutik religiöser Sprache. München 1974.
[55] Sachlich vergleichbar sind: Mk 4, 3–9.26–29; Lk 13, 20 f par. Zur Analyse von Mk 4, 30–32 par: *H.-W. Kuhn,* Ältere Sammlungen im Markusevangelium. Göttingen 1971, 99–104.
[56] *E. Jüngel,* Paulus und Jesus. Tübingen ⁴1972, 145. Trotzdem sollte man (gegen *Jüngel*) den verlangten „ganzen Einsatz“ (*Linnemann* [s. Anm. 54] 106) nicht in Frage stellen.

um eine Lehre *über* die Gottesherrschaft. Die einmalige Gelegenheit, von der die Gleichnisse sprechen, trifft als „Gelegenheit" der Gottesherrschaft in der Person Jesu auf den Hörer. Er, der sich mit Wonne in die Rolle des Finders versetzen läßt, müßte sich von dieser Rolle sofort wieder distanzieren, wenn er den in Jesus begegnenden „Fund" der Gottesherrschaft verweigern wollte. Durch das Sprachereignis der Gottesherrschaft im Gleichnis wird der Hörer hineingezogen in das Geschehen der Gottesherrschaft, das sich darin ereignet.

4. Die Tilgung der Schuldvergangenheit Israels: Jesu Botschaft von der eschatologischen Güte Gottes

Ein beachtlicher Teil der Gleichnisse Jesu spricht nicht direkt von der Gottesherrschaft, obwohl gerade in ihnen das Geschehen der Gottesherrschaft kräftig zum Zuge kommt. Exemplarisch sei dies am Gleichnis vom verirrten Schaf (Lk 15, 4–7 par Mt 18, 12–14) verdeutlicht[57], dessen Q-Fassung die Intention Jesu noch unmittelbar widerspiegeln dürfte[58]. Mit dem Gleichnis rechtfertigt Jesus seine Tischgemeinschaft mit Zöllnern und Sündern, an der (wohl pharisäische) Fromme Anstoß genommen haben (vgl. Lk 15, 1 f). Der Protest unterstreicht, daß es sich keineswegs um bußfertige Sünder handelt[59]. Jesus aber interpretiert seine Tischgemeinschaft als einen Akt des Wiederfindens. In die Freude über das wiedergefundene Verlorene will er mit dem Gleichnis seine Hörer verwickeln. Damit verbunden ist freilich ein ungeheurer Anspruch. Denn das Wiederfinden im Blick auf seine sündigen Tischgenossen kann ja nur die Wiederherstellung der durch die Sünde verlorengegangenen Gemeinschaft mit Gott betreffen; Jesus behauptet also, daß jetzt, wo er Sünder in seine Gemeinschaft zieht, Gott *von sich aus* auf die Sünder zugeht.

Dieser Anspruch fügt sich mit innerer Konsequenz in den Rahmen der eschatologischen Botschaft Jesu. Wenn Jesus dem sündigen Israel das Heil der Gottesherrschaft verheißt und als gegenwärtiges Geschehen zusagt, dann kann dies ja nur bedeuten, daß die Schuldvergangenheit Israels vor Gott gegenstandslos geworden ist. Die Güte, die im Gleichnis zur Sprache kommt, ist die *Güte des eschatologisch handelnden Gottes*, der um seines eschatologischen Erwählungshandelns willen von den Gerichtsfolgen der Unheilsgeschichte Israels absieht und ihm vergibt.

Daß Jesus sich mit Vorliebe Sündern und Zöllnern zuwendet (vgl. Lk 7, 34 par; Mk 2, 15–17; Lk 7, 36–50; 19, 1–10)[60], hat mit sozial motivierter Sorge um Randgruppen wenig zu tun. Die Sünder sind vielmehr die Repräsentanten der faktischen Situation ganz Israels. In der Tischgemeinschaft mit ihnen wird

---

[57] Sachlich vergleichbar sind: Lk 15, 8–10.11–32; 18, 9–14; Mt 20, 1–15; vgl. Mt 21, 28–32.
[58] Zur Rekonstruktion s. *S. Schulz*, Q. Die Spruchquelle der Evangelisten. Zürich 1972, 387–389.
[59] Dies betont zu Recht *Linnemann* (s. Anm. 54) 76. Bußfertige Sünder wurden durchaus akzeptiert: Bill. II 210–212.
[60] Zu den genannten Texten: *M. Trautmann*, Zeichenhafte Handlungen Jesu. Würzburg 1980, 132–166; *P. Fiedler*, Jesus und die Sünder. Frankfurt 1976, 119–153.

anschaulich, was Gottesherrschaft als gegenwärtiges Geschehen bedeutet, vollzieht sich zeichenhaft[61] das eschatologische Erwählungshandeln an Israel, geschieht bereits die Neukonstitution des eschatologischen Israel.

Das Gleichnis vom verirrten Schaf ist daher ebensowenig wie die im letzten Abschnitt besprochenen Gleichnisse nur Lehre *über* die Gottesherrschaft oder die eschatologische Güte Gottes. Das Gleichnis, das ohne die Tischgemeinschaft mit den Sündern ohnehin totes Wort wäre, bringt vielmehr das Geschehen der Gottesherrschaft zur Sprache, das sich eben im Verhalten Jesu ereignet.

5. Das neue Gottesverhältnis

Jesu Verkündigung von der Gottesherrschaft ist nicht denkbar ohne ein spezifisches Gottesbild. Terminologisch ist es mit der Bezeichnung Gottes als „Vater" bzw. „Abba" engstens verbunden. Dieses der familiären Umgangssprache entstammende Wort ist als Gebets*anrede* analogielos und als solche als ipsissima vox Jesu zu werten[62].

Jesus geht es dabei nicht um eine Verniedlichung Gottes. Ohne Zweifel bleibt für ihn Gott der Herr und Gebieter[63]. Jesus wagt es aber, diesen Gott als „Abba" *anzusprechen* und auch seine Jünger dazu zu ermutigen. Wer so beten darf, muß in einem neuen, bislang nicht gekannten Gottes*verhältnis* stehen. Jesu Gottesanrede zeigt daher nicht eine Veränderung *Gottes* an, sondern eine Veränderung des *Menschen,* die durch Gottes Handeln zustande kommt.

Bereits hier wird der Zusammenhang mit Jesu eschatologischer Botschaft deutlich[64]. Das darin proklamierte neue Erwählungshandeln Gottes beinhaltet nicht nur eine Wiederherstellung, sondern wirkliche Neuschöpfung, die die einstigen Sünder zum Empfang des eschatologischen Heils befähigt. Und weil dieses neuschaffende Handeln Gottes im Wirken Jesu bereits geschieht, steht derjenige, der sich diesem Geschehen anvertraut, in einem neuen, einzigartigen Verhältnis zu Gott und darf mit „Abba" Gott auf die von diesem selbst geschenkte Beziehung hin ansprechen.

Den eschatologischen Bezug der Abba-Anrede bestätigt nicht zuletzt auch das *Vaterunser* (Lk 11, 2–4 par)[65], in dem die Anrede Gottes als „Abba" sogleich mit der Bitte um die Heiligung des Namens und das Kommen der Herrschaft des Vaters verbunden ist. Wer in das neuschaffende Geschehen des Heils hineingezogen ist, das ihn „Abba" rufen läßt, kann in der Tat keinen dringlicheren Wunsch haben, als daß dieses Geschehen der Neuschöpfung sich durchsetzt

---

[61] Vgl. dazu: *Trautmann* (s. Anm. 60) 160–164.

[62] *J. Jeremias,* Abba, in: *ders.,* Abba. Göttingen 1966, 15–67; vgl. *Fiedler* (s. Anm. 60) 98–100.

[63] Vgl. *Jeremias* 175.

[64] Vgl. dazu auch *W. G. Kümmel,* Die Gottesverkündigung Jesu und der Gottesgedanke des Spätjudentums, in: *ders.* 1965 (s. Anm. 36) 107–125, 116–125.

[65] Siehe dazu: *Jeremias* 188–196; *H. Schürmann,* Das Gebet des Herrn als Schlüssel zum Verstehen Jesu. Freiburg [4]1981; *M. Brocke* u. a. (Hg.), Das Vaterunser. Freiburg 1974 (darin bes. *A. Vögtle,* Das Vaterunser – ein Gebet für Juden und Christen, 165–195).

und zum Ziele kommt, so daß alle den Namen des Vaters bekennen und sein Königsein anerkennen. Die sogenannten Wir-Bitten des Vaterunsers fallen aus diesem eschatologischen Bezug nicht heraus, sondern applizieren nur das in den ersten Bitten angesprochene Handeln *Gottes* auf die Existenz der davon Be-troffenen. Die Bitte um die Vergebung der Schuld unterstreicht das Angewie-sensein auf das schuldtilgende Erwählungshandeln Gottes und versichert sich dessen in der Bereitschaft, selbst Schuld zu vergeben. Die Schlußbitte bringt zum Ausdruck, daß der Beter das neue Gottesverhältnis nicht aus eigener Kraft durchhalten kann, sondern nur, wenn Gott ihn „vor dem Erliegen in der escha-tologischen Anfechtung" bewahrt[66]. Und schließlich ist auch die Brot-Bitte kein Rückfall in alltägliche uneschatologische Besorgtheit. Schon daß der Beter nur um das notwendige Brot für *heute* bittet, zeigt, daß er eine andere Zukunft hat als diejenige, die sich durch irdische Vor-Sorge planen läßt (vgl. auch Lk 12, 22 b–31 par). Es ist die eschatologische Zukunft, die in der vorausgehenden Bitte angesprochen war. Was in dieser Situation allein nötig ist, ist das, was man unmittelbar jetzt zum Leben braucht; die Sorge für morgen ist unnötig. Das Vaterunser ist also ein durch und durch eschatologisches Gebet. Sofern es das sachgerechte Gebet derer ist, die „Abba" rufen dürfen, muß die Abba-Anrede selbst eschatologisch bedingt und geprägt sein.

Jesus verkündet keinen neuen Gott, wohl aber erschließt sich der Gott Israels in dem von Jesus proklamierten Geschehen der Gottesherrschaft in ganz neuer Weise[67]. Indem er Israel zum Gegenstand seines eschatologischen Erwählungs-handelns macht, gewährt er ihm ein neues Gottesverhältnis, das es ermächtigt, „Abba" zu rufen.

§ 5. Eschatologisch qualifizierte Weisung

1. Allgemeine Überlegungen zur Stellung Jesu zur Tora

Über Jesu Stellung zur Tora ist nur schwer ein umfassendes Urteil zu gewinnen. Dies liegt zum einen am Charakter der entsprechenden neutestamentlichen Überlieferungen. Die Debatten um Toragebote (vgl. Mk 7, 1–23; 10, 1–12.17–22: 12, 28–34) dürften zumindest sehr stark von der nachösterlichen Reflexion bzw. Auseinandersetzung geprägt sein[68]. Das (auffallend wenige) Logienmate-rial zum Begriff νόμος (Tora) bietet keineswegs ein harmonisches Bild (vgl. Mt 5, 17; Mt 5, 18 par; Lk 16, 16 par), es läßt sich wohl ebenfalls nur im Rahmen der nachösterlichen Traditionsgeschichte befriedigend erklären[69]. Die andere Schwierigkeit ist religionsgeschichtlicher Art. Unter den religiösen Gruppie-

---

[66] *Jeremias* 196.
[67] Die Frage, was Jesus mehr bewegte – die Theo-logie oder die Eschato-logie (vgl. *H. Schürmann,* Das hermeneutische Hauptproblem der Verkündigung Jesu, in: *ders.,* Traditionsgeschichtliche Un-tersuchungen zu den synoptischen Evangelien. Düsseldorf 1968, 13–35, 28) –, ist unter dieser Rücksicht eigentlich müßig. Es handelt sich um die zwei Seiten derselben Sache.
[68] Darin dürfte *K. Berger,* Die Gesetzesauslegung Jesu. Neukirchen 1972, wohl recht haben.
[69] Vgl. *Merklein* 1981, 72–96.

rungen des Frühjudentums zur Zeit Jesu bestand weder in der Frage, welchen Umfang die normative Überlieferung habe, noch in der Frage, wie die Tora zu verstehen und auszulegen sei, verbindliche Einigkeit[70]. Es wäre daher methodisch falsch, etwaige Divergenzen Jesu zum rabbinischen Toraverständnis sofort als Stellungnahme gegen die Tora auszuwerten.

Daher wird man auch zögern, aus dem (wohl authentischen) Wort *Mk 7, 15* eine „grundsätzliche Torahabrogation" abzuleiten[71]. Dem Wort geht es um den Gedanken der Reinheit, der als solcher von Jesus nicht abgelehnt, sondern anerkannt wird. Sofern man Pharisäer als Kontrahenten voraussetzen darf, bleibt allerdings zu beachten, daß Jesus sich auf ihre Argumentationsebene nicht einläßt. Er streitet mit ihnen nicht darüber, ob ihre Reinheitsforderung vor dem Forum der Tora, die sie durch ihre kasuistische Auslegung und ihre religionsgesetzliche Tradition schützen bzw. für den Alltag praktikabel machen wollen, als legitim bestehen kann. Mit Mk 7, 15 behauptet Jesus vielmehr, *unmittelbar* den Gotteswillen offenzulegen. Dies ist kein Affront gegen die Tora, sondern hängt wahrscheinlich damit zusammen, daß Israel nach Einschätzung Jesu mit dem Gericht Gottes konfrontiert ist. Unter dieser Rücksicht ist es in der Tat müßig, im Rückgriff auf den Wortlaut der Tora und deren traditionsgebundene Exegese die Reinheit und Heiligkeit Israels bewahren oder herstellen zu wollen. Was jetzt allein not tut, ist, daß Israel sich für das von Gott veranstaltete eschatologische Erwählungshandeln öffnet. Die Entscheidung dafür muß aus der Unmittelbarkeit des Herzens kommen; von ihr darf keine schriftgelehrte Diskussion ablenken, die doch nur an der wahren (anthropologischen) Wirklichkeit Israels vorbeigeht. Deshalb muß Jesus auch den halachischen Streitigkeiten um die rechte Sabbatobservanz reserviert gegenüberstehen (vgl. Mk 2, 27; 3, 4; Lk 14, 5 par)[72].

Daß Jesus in seinen Weisungen Israel *unmittelbar* mit Gott konfrontieren will und aus diesem Grund eine Bestimmung des Gotteswillens unter Rückzug auf den Wortlaut der Tora und deren schriftgelehrte Interpretation als Ablenkungsmanöver ablehnt[73], bestätigen auch die (primären) Antithesen.

---

[70] Zu den Religionsparteien vgl. *J. Maier*, Geschichte der jüdischen Religion. Berlin 1972, 43–79 (Lit.).

[71] So *H. Hübner*, Mark VII. 1–23 und das ‚jüdisch-hellenistische' Gesetzesverständnis, in: NTS 22 (1976) 319–345, 343; vgl. *ders.*, Das Gesetz in der synoptischen Tradition. Witten 1973, 165–175. Diese These erfreut sich bes. seit *E. Käsemann*, Das Problem des historischen Jesus, in: *ders.*, Exegetische Versuche und Besinnungen I. Göttingen 1964, 187–214, 207, großer Beliebtheit. Zu Mk 7, 15 vgl. weiter: *W. Paschen*, Rein und Unrein. München 1970; *W. G. Kümmel*, Äußere und innere Reinheit des Menschen bei Jesus, in: *ders.*, Heilsgeschehen und Geschichte II. Marburg 1978, 117–129.

[72] Vgl. dazu: *E. Lohse*, Jesu Worte über den Sabbat, in: *ders.*, Die Einheit des Neuen Testaments. Göttingen 1973, 62–72; *Roloff* (s. Anm. 53) 52–88; *Trautmann* (s. Anm. 60) 278–318.

[73] Aus diesem Grund ist es auch von vornherein unwahrscheinlich, Jesu Weisungen unter dem Begriff der „Toraverschärfung" fassen zu können; zum Phänomen vgl. *H. Braun*, Spätjüdisch-häretischer und frühchristlicher Radikalismus. 2 Bde. Tübingen ²1969.

2. Die (primären) Antithesen

Von den sechs Antithesen[74] der Bergpredigt haben drei erst sekundär ihre antithetische Form erhalten (Mt 5, 31 f.38–42.43–48)[75]. Von den verbleibenden, den sogenannten primären Antithesen, dürften die *erste* (Mt 5, 21.22 a) und die *zweite* (Mt 5, 27 f)[76] – zumindest in ihrem Grundbestand[77] – bereits in antithetischer Form auf Jesus selbst zurückgehen[78]. Anders als in vergleichbarer rabbinischer Redeweise[79] stellt Jesus nicht einer allzu wörtlichen Toraauslegung die alle Gesichtspunkte berücksichtigende, richtige Interpretation gegenüber. Das Jesuswort steht vielmehr dem Wort der Tora selbst gegenüber. Dieses wird damit nicht abgelehnt, sondern durch die Zitationsformel „Es wurde gesagt"[80] ausdrücklich als Wille Gottes anerkannt. Was Jesus negiert, ist der Anspruch der Tradition („Ihr habt gehört")[81], den Gotteswillen im Wortlaut der Schrift gleichsam „dingfest" machen zu können, wovon natürlich auch jede schriftgelehrte Interpretation des Torawortlautes betroffen ist[82]. Mit „Ich aber sage euch" beansprucht Jesus dagegen, den Gotteswillen *unmittelbar* zu kennen und zu verkünden.

Inhaltlich enthalten die beiden Weisungen Jesu nichts grundlegend Neues; auch das sonstige Frühjudentum kennt eine Disqualifizierung des Zorns und eine Ächtung des begehrlichen Blicks[83]. Durch die Antithetik bekommen die Forderungen jedoch eine neue Qualität, da sie im Gegenzug zu der auf den Wortlauf der Tora fixierten Tradition klarmachen, worauf es jetzt ankommt. Der Wille Gottes ergibt sich unmittelbar aus der Bedingungslosigkeit seines eschatologischen Erwählungshandelns, wie es in der Verkündigung Jesu zum Zuge kommt. Sich darauf einzulassen ist die Forderung Gottes an Israel. Wenn es dies tut, wird es seinerseits sein Sozialverhalten in bedingungsloser, aus dem Herzen kommender Mitmenschlichkeit bestimmen müssen und können. Eine wortklauberische Diskussion um die Tora, die allzuleicht auf einen Rückzug in

---

[74] Aus der Lit. vgl. bes.: *Ch. Dietzfelbinger,* Die Antithesen der Bergpredigt. München 1975; *G. Strecker,* Die Antithesen der Bergpredigt (Mt 5, 21–48 par), in: ZNW 69 (1978) 36–72; *ders.,* Die Bergpredigt. Göttingen 1984, 64–99.

[75] Vgl. die Parallelen in Lk 16,18; 6, 29 f; 6, 27 f.32–36.

[76] Zum sekundären Charakter der IV. Antithese s. *G. Dautzenberg,* Ist das Schwurverbot Mt 5, 33–37; Jak 5, 12 ein Beispiel für die Torakritik Jesu?, in: BZ 25 (1981) 47–66.

[77] Vgl. dazu: *Hoffmann – Eid* 75–77.

[78] Neuere Versuche, auch die primären Antithesen der matth. Redaktion zuzuschreiben (*M. J. Suggs,* The Antitheses as Redactional Products, in: *G. Strecker* [Hg.], Jesus Christus in Historie und Theologie. Tübingen 1975, 433–444; *I. Broer,* Die Antithesen und der Evangelist Mattäus, in: BZ 19 [1975] 50–63; vgl. *ders.,* Freiheit vom Gesetz und Radikalisierung des Gesetzes. Stuttgart 1980, 102–113), sind m. E. nicht überzeugend; vgl. dagegen *V. P. Howard,* Das Ego Jesu in den synoptischen Evangelien. Marburg 1975, 185–198; *R. Guelich,* The Antitheses of Matthew V 21–48: Traditional and/or Redactional?, in: NTS 22 (1976) 444–457.

[79] Vgl. dazu: *E. Lohse,* „Ich aber sage euch", in: *ders.* (s. Anm. 72) 73–87.

[80] Vgl. *W. Bacher,* Die exegetische Terminologie der jüdischen Traditionsliteratur I (1899). Hildesheim 1965, 6; vgl. *Broer* 1980 (s. Anm. 78) 78 f.108 f.

[81] Vgl. Bill. I 253.

[82] Vgl. *W. G. Kümmel,* Jesus und der jüdische Traditionsgedanke, in: *ders.* 1965 (s. Anm. 36) 15–35,32.

[83] Vgl. Bill. I 276–282.298–301.

rechtliche Verbindlichkeiten hinausläuft[84], ist demgegenüber zur Bestimmung des Gotteswillens überflüssig, ja gefährlich, weil sie nur von der unmittelbaren Antwort auf das jetzt geschehene Erwählungshandeln Gottes ablenkt.

In diesem Kontext ist auch *Jesu Wort gegen die Ehescheidung* (Mt 5, 32*)[85] zu würdigen, obwohl seine antithetische Form erst sekundär ist. Schon die äußere Form des Rechtssatzes läßt erkennen[86], daß Jesus gegen bestehende Rechtspraxis polemisiert. Der damit verbundenen Diskussion um die rechte Auslegung von Dtn 24, 1[87] erteilt Jesus eine zwar indirekte, aber deutliche Absage. Demgegenüber verkündet er autoritativ den unmittelbaren Willen Gottes, wie er dem jetzt geschehenden Zugriff Gottes auf Israel allein entspricht. Gottes bedingungsloses Erwählungshandeln deckt die wahre Ordnung auch für die Ehe auf[88], die deshalb in unbedingter Güte und Treue (*ḥæsæd wæ*ᵉ*mæṯ'*) zu leben ist und daher eine vom eigenen Wohl her motivierte Inanspruchnahme des Rechtsstandpunktes – selbst unter Berufung auf die Tora – nicht zuläßt. Auch hier wendet sich Jesus weder direkt noch indirekt gegen die Tora. Aber er lehnt es ab, sie als kodifizierte Norm, um deren Buchstaben man streiten kann, gegen die Unmittelbarkeit Gottes auszuspielen.

3. *Das eschatologische Erwählungshandeln Gottes als der sachliche Grund der Weisung Jesu*

Ergab sich der eschatologische Charakter der bisher besprochenen Weisungen Jesu vorwiegend aus der formalen Autorität, mit der Jesus unmittelbar oder im Gegenzug zu einer starr schriftgebundenen Tradition den Willen Gottes zu verkünden beanspruchte, so gilt es jetzt zu zeigen, daß Gottes eschatologisches Erwählungshandeln auch unmittelbar den *Inhalt* der Weisungen Jesu berührt.

Dies läßt sich insbesondere an der für Jesus so typischen *Weisung zur Feindesliebe* verdeutlichen, deren authentische Fassung in Mt 5, 44 f.48 par in etwa erhalten sein dürfte[89]. Zwar kennt auch das zeitgenössische Judentum die Verpflichtung, einem in Not geratenen Feind beizustehen[90], die positive Forderung der *Liebe* zum Feind (Mt 5, 44 par) stellt jedoch ein Spezifikum Jesu dar[91].

---

[84] Vgl. ebd. 254–275.294–298.

[85] Ohne die sog. Unzuchtsklausel; zur traditionsgeschichtlichen Analyse s. *Merklein* 1981, 275–282.

[86] Zu Form und Sprachintention vgl. *G. Lohfink*, Jesus und die Ehescheidung, in: *H. Merklein – J. Lange* (Hg.), Biblische Randbemerkungen. Würzburg 1974, 207–217.

[87] Vgl. Bill. I 312–320.

[88] Der Verweis auf die Schöpfungsordnung Mk 10, 6–8 ist traditionsgeschichtlich wahrscheinlich sekundär; sachlich würde dies jedoch mit der eschatologischen Qualität des Ethos Jesu nicht in Spannung stehen (s. Anm. 95).

[89] Zur Analyse des Textes s. *Merklein* 1981, 222–231; vgl. auch *D. Zeller*, Die weisheitlichen Mahnsprüche bei den Synoptikern. Würzburg 1977, 101–104.110 f, der allerdings Mt 5, 48 par für einen selbständigen Spruch hält. Zur Sache vgl. auch *J. Piper*, „Love your enemies". Cambridge 1979.

[90] Vgl. Bill. I 368–370; *A. Nissen*, Gott und der Nächste im antiken Judentum. Tübingen 1974, 304–317; *Broer* 1980 (s. Anm. 78) 85–89.

[91] Vgl. *Nissen* (s. Anm. 90) 316.

Schon wegen dieser religionsgeschichtlichen Singularität kann der Verweis auf
das unterschiedslose Walten Gottes über Böse und Gute (Mt 5,45 par) – ein
Motiv, das auch dem sonstigen Frühjudentum sehr wohl bekannt war[92] – nicht
die eigentliche sachliche Begründung für die Forderung sein. Sie ergibt sich
vielmehr aus der Verpflichtung, barmherzig zu sein, wie der Vater barmherzig
ist (Mt 5,48 par), wobei im Kontext der Verkündigung Jesu selbstverständlich
nicht an eine allgemeine Barmherzigkeit Gottes, sondern an die Barmherzigkeit
des eschatologisch handelnden Gottes zu denken ist. Wenn Gottes eschatologisches Erwählungshandeln sich selbst durch die Sünde Israels nicht beirren
läßt, sich vielmehr gerade den Sündern zuwendet, ihnen voraussetzungs-
los alle Schuld erläßt und ihnen das Heil der Gottesherrschaft zuspricht,
dann kann es auch für Israel nichts mehr geben, wodurch sich Barmherzigkeit
begrenzen ließe. Selbst die Kategorie des Feindes muß überwunden werden, indem die empfangene barmherzige Zuwendung Gottes in einer alle Schuld ver-
gebenden und alle Feindschaft überwindenden Zuwendung zum Mitmenschen
in die eigene Praxis überführt wird. Die Forderung der Feindesliebe nimmt Israel nur beim Wort, indem sie die Ant-Wort einfordert, mit der Israel das Geschehen der Gottesherrschaft als ein Geschehen, das sich *an ihm* vollzieht,
erkennt. Die Feindesliebe ist das Kriterium und zugleich die Möglichkeit derer,
die Gottes eschatologisches Erwählungshandeln trifft, und daher wohl mit
Recht als *das* Zeichen des neuen Ethos des eschatologischen Gottesvolkes zu
werten[93]. In der Feindesliebe wird Gottes eschatologische Güte zur Tat-Wirklichkeit Israels, in der proleptisch bereits das Heil der Gottesherrschaft Platz
greift, in der alle Feindschaft sowohl in Israel als auch im Verhältnis zu den
Völkern aufgehoben ist.

Die Gottesherrschaft, die Jesus ansagt und als bereits gegenwärtiges Geschehen proklamiert, bestimmt demnach das inhaltliche Maß der Forderung und
schafft zugleich die Ermöglichung für das geforderte Handeln. Auf das nachdrücklichste wird dieser Zusammenhang bestätigt durch das *Gleichnis vom un-
barmherzigen Knecht* (Mt 18,23–34)[94], in dem die geforderte und ermöglichte
(V. 33) Zuwendung zum Mitmenschen als Verzicht auf das eigene Recht und
als Erlaß der fremden Schuld ausgelegt wird.

Im Rahmen des eschatologischen Erwählungshandelns Gottes, das neue Tat-
Wirklichkeit für Israel schafft, erschließen sich auch die übrigen Weisungen
Jesu, die zum großen Teil auch sachlich mit den hier behandelten zusammenhängen. Die neue Tat-Wirklichkeit vorausgesetzt, vermag selbst ein Angriff
nicht in die Gegenaggressivität abzudrängen, sondern fordert zur Kreativität
aggressionsabbauenden Handelns heraus (Mt 5,39b.40 par). Konkrete Feind-
bilder können abgebaut werden (Lk 10,30–35), und Vergebung ist auf keine
Begrenzung mehr angewiesen (Lk 17,3f par Mt 18,15.21f).

---

[92] Vgl. Bill. I 374–377; *Zeller* (s. Anm. 89) 108f.
[93] Im Anschluß an *E. Neuhäusler*, Anspruch und Antwort Gottes. Düsseldorf 1962, 51.
[94] Vgl. dazu: *Fiedler* (s. Anm. 60) 195–204; *Merklein* 1981, 237–242.

Insgesamt wird man daher die Weisungen Jesu als *eschatologisch qualifiziertes Ethos* zu bezeichnen haben, das aus dem von Jesus repräsentierten Geschehen der Gottesherrschaft seine Kraft bezieht. Weisheitliche Verweise auf die Schöpfungsordnung (vgl. Mt 5,45 par; Lk 12,6f.22–30 par; u.ö.) hindern diese Charakterisierung nicht; religionsgeschichtlich ist es jedenfalls so, daß auch in der Apokalyptik Schöpfungsordnung und eschatologische Belehrung aufs engste (sogar in noch stärkerem Maße als bei Jesus) zusammengehören[95].

§ 6. Die Gottesherrschaft und der Tod Jesu

Auf die Problematik der historischen Auswertbarkeit der neutestamentlichen Passionsüberlieferungen kann hier nicht eingegangen werden. Im Rahmen unserer Thematik genügt es auch, die Frage zu stellen, ob bzw. in welcher Weise der Tod Jesu im Zusammenhang mit seiner Botschaft von der Gottesherrschaft steht.

1. Wie kam es zum Tod Jesu?

Historisch sicher ist, daß Jesus durch die Römer den Kreuzestod erlitten hat, und zwar auf Grund „messianischer" Anschuldigungen, die von jüdischer Seite gegen ihn erhoben wurden. Unmittelbarer Anlaß für das jüdische Vorgehen gegen Jesus dürfte eine Aktion Jesu im Tempel gewesen sein (vgl. Mk 11,15–18 par; Joh 2,13–17)[96]. Zumindest die für den Tempel verantwortliche sadduzäische Priesteraristokratie mußte darin eine Störung des Kultbetriebes, ja sogar einen prinzipiellen Affront gegen die Sinnhaftigkeit des Kultvollzugs erblicken. Daß auch Jesus selbst sein Handeln so verstanden haben dürfte, legt das sogenannte Tempellogion nahe (Mk 14,58; 15,29 par Mt 26,61; 27,39f; Joh 2,19; vgl. Apg 6,13f)[97]. Auf solches Reden und Tun mußte die sadduzäische Hochpriesterschaft aus wirtschaftlichen und *religiösen* Gründen äußerst empfindlich reagieren[98], stellte doch der Kult durch seine Sühnewirkung eine wichtige Heilsgarantie für Israel dar. Von daher ist die Einleitung eines Verfahrens gegen Jesus nur zu verständlich. Daß eine Provokation gegen den Tempel zudem auch politische Relevanz bekommen konnte, liegt angesichts des römischen Interesses an der Aufrechterhaltung der tempelstaatlichen Ordnung auf der Hand, so daß sich von daher die Überstellung Jesu an die Römer – einschließ-

---

[95] Vgl. bes. äthHen 93,10 und *M. Limbeck*, Die Ordnung des Heils. Düsseldorf 1971, 63–90.
[96] Zur Analyse der Texte vgl. *F. Schnider – W. Stenger*, Johannes und die Synoptiker. München 1971, 26–53; *Roloff* (s. Anm. 53) 89–110; *Trautmann* (s. Anm. 60) 76–131.
[97] Vgl. außer den in Anm. 96 Genannten noch: *G. Theißen*, Die Tempelweissagung Jesu, in: *ders.*, Studien zur Soziologie des Urchristentums. Tübingen 1979, 142–159; *L. Oberlinner*, Todeserwartung und Todesgewißheit Jesu. Stuttgart 1980, 125–127.
[98] Siehe dazu: *G. Baumbach*, Jesus von Nazareth im Lichte der jüdischen Gruppenbildung. Berlin 1971, 65–68; *K. Müller*, Jesus und die Sadduzäer, in: *Merklein – Lange* (s. Anm. 86) 3–24, 15–20. Vgl. auch *Josephus*, De bello Jud. 6,300–305.

lich der damit verbundenen politischen (messianischen) Begründung – erklären läßt.

Zu fragen bleibt, was Jesus selbst mit seinem Vorgehen im Tempel intendierte. Mit gutem Grund wird fast allgemein angenommen, daß Jesus nach Jerusalem hinaufzog, um dort „ganz *bewußt* die Entscheidung" zu suchen[99]. Wenn er den Anspruch seiner Botschaft auf ganz Israel aufrechterhalten wollte, mußte er diese auch in Jerusalem, dem religiösen Zentrum Israels, ausrichten. Daß er dabei die Konfrontation mit den Kultinstitutionen suchte, dürfte weniger in einer prinzipiellen Negierung des Kultes als vielmehr – ähnlich wie im Falle der Auseinandersetzungen um die Tora – in seiner spezifischen Sicht Israels begründet sein. Denn solange Israel den Kult als Heilsmöglichkeit für sich beanspruchte, hatte es seine wahre Unheils- und Gerichtssituation noch nicht wahrgenommen. Solange konnte es auch nicht bereit sein, sich entschieden auf das von Jesus proklamierte eschatologische Erwählungshandeln Gottes einzulassen. Israel in zeichenhafter Handgreiflichkeit vor Augen zu führen, daß ihm der Kult, den es als Adressat göttlichen Zornes ohnehin nur usurpiert, nichts nützen kann und daß Gott selbst ihm diese usurpierte Möglichkeit aus der Hand schlagen wird, wenn es sich nicht radikal dem Geschehen der Gottesherrschaft öffnet, dürfte demnach der Sinn der Tempelaktion Jesu gewesen sein.

Daß es nicht ungefährlich war, Israel in dieser Weise vor die Existenzfrage zu stellen, dürfte Jesus bewußt gewesen sein. Gerade die kultischen Repräsentanten Israels konnten, sofern sie Jesus ernst nahmen[100], angesichts der unversöhnlich aufeinanderprallenden Einschätzungen Israels und seiner Heilsmöglichkeiten nur in äußerster, ja existenzbedrohender Härte reagieren. Es erscheint daher wahrscheinlich, daß Jesus mit der Möglichkeit eines gewaltsamen Todes gerechnet haben muß. Jesus ist dieser Möglichkeit nicht ausgewichen. Er konnte dies auch kaum tun, da sie sich in unmittelbarer Konsequenz seiner Botschaft von der Gottesherrschaft auftat.

2. Wie hat Jesus seinen Tod verstanden?

Offen bleibt dabei allerdings die Frage, wie Jesus seine Botschaft und seinen Tod zusammendenken konnte[101]. Denn obgleich sich die Möglichkeit seines Todes offensichtlich als Folge seiner Verkündigung einstellte, mußte ein gewaltsames Geschick doch ein zutiefst theologisches Problem aufwerfen. War damit nicht das Heilshandeln Gottes, das Jesus proklamiert hatte, ad absurdum geführt, da es sich sogar an Jesus selbst als wirkungslos erwies? Und mußte nicht eine Verwerfung durch die offiziellen Repräsentanten Israels gerade den von Jesus inkriminierten Kultbetrieb nur bestätigen, während der von Jesus da-

---

[99] *Gräßer* 95; vgl. *Oberlinner* (s. Anm. 97) 127–130.
[100] Vgl. auch die Perikope von der Vollmachtsfrage Mk 11, 27 b–33, die sich ursprünglich wohl an Mk 11, 15–18 anschloß.
[101] Vgl. dazu: *H. Schürmann*, Jesu ureigener Tod. Freiburg 1975, 41–46.

mit bezweckte Entscheidungsruf ganz offensichtlich ins Unrecht gesetzt wurde, so daß zu erwarten war, daß die große Mehrheit des Volkes sich erst recht der von Jesus eröffneten Heilsmöglichkeit verschloß und weiterhin in ihrem Unheilsstatus verharrte?

Nun könnte man annehmen, daß Jesus so sehr von seiner Sendung als einem von Gott getragenen Geschehen überzeugt war, daß er sich mit der formalen Einsicht begnügte, daß auch sein Tod „eine Möglichkeit dieses Wirkens Gottes" sein müsse[102]. Es fragt sich aber, ob zumindest die Sühnedeutung seines Todes im Anschluß an Jes 53, wie sie in den Abendmahlsworten überliefert ist (Mk 14, 24), nicht doch auf Jesus selbst zurückgeführt werden darf[103]. Sie erscheint fast wie die theologische Konsequenz seiner Botschaft, zumal dann, wenn man die „Vielen" nicht sofort universalistisch[104], sondern – wie im frühjüdischen Kontext nahezu selbstverständlich – auf die Gesamtheit Israels bezieht[105]. Dann nämlich bringt der Sühnegedanke, der sich übrigens auch durch den situativen Kontext – den Streit um die Sinnhaftigkeit des bestehenden Kultes – nahelegte, in aller Deutlichkeit zum Ausdruck, daß selbst die Verweigerung Israels den eschatologischen Heilsentschluß Gottes nicht rückgängig machen und daß der Tod seines Repräsentanten die Wirksamkeit des göttlichen Erwählungshandelns nicht in Frage stellen kann. Gerade im Tode Jesu erweist sich vielmehr das Geschehen der Gottesherrschaft als wirksames Geschehen, indem Gott durch den Tod Jesu Sühne schafft für die Sünder, die sich dem Heilshandeln Gottes verweigern. Israel bleibt weiterhin Adressat und Objekt göttlichen Heilshandelns. Jesu Sühnetod begründet demnach kein neues Heil, das auch nur im entferntesten in Spannung steht zu jenem Heilsgeschehen, das Jesus seit Beginn seines Wirkens proklamiert und repräsentiert hat[106]. Das Heil des Sühnetodes Jesu ist vielmehr integraler Bestandteil eben dieses Geschehens.

Unter dieser Voraussetzung wäre zugleich der sachliche Grund benannt, *warum* Jesus beim letzten Mahl das in Mk 14, 25 überlieferte Wort sprechen kann, das in seiner Authentizität kaum bezweifelt wird[107]. Es ist weit mehr als

---

[102] So *Oberlinner* (s. Anm. 97) 133.
[103] So auch *H. Schürmann*, Der Einsetzungsbericht Lk 22, 19–20. Münster 1955, 99 f; *J. Jeremias*, Die Abendmahlsworte Jesu. Göttingen ⁴1967, 218–223; *H. Patsch*, Abendmahl und historischer Jesus. Stuttgart 1972, 180–182.227; *R. Pesch*, Das Abendmahl und Jesu Todesverständnis. Freiburg 1978, 107–111; *M. Hengel*, Der stellvertretende Sühnetod Jesu, in: IKaZ 9 (1980) 1–25.135–147, 145 f; *ders.*, The Atonement. Philadelphia 1981, 71 ff; *Lohfink* (s. Anm. 23) 34–37; vgl. *Schürmann* (s. Anm. 101) 46–53. Meine eigene Auffassung zum möglichen historischen Bestand der Abendmahlsüberlieferungen habe ich dargelegt in: Erwägungen zur Überlieferungsgeschichte der neutestamentlichen Abendmahlstraditionen, in: BZ 21 (1977) 88–101.235–244.
[104] So zumeist im Anschluß an *J. Jeremias* in: ThWNT VI 536–545, 540.545; vgl. *ders.* (s. Anm. 103) 171–174.
[105] Vgl. dazu: *R. Pesch*, Das Markusevangelium II. Freiburg 1977, 360; *ders.* (s. Anm. 103) 99 f; *Lohfink* (s. Anm. 23) 36 f. Die universale Bedeutung ist damit nicht ausgeschlossen, da die Verwirklichung des Heils für Israel die Völkerwallfahrt zum Zion (vgl. Jes 2, 2–5; Mi 4, 1–4) erwarten läßt.
[106] Gegen *Fiedler* (s. Anm. 60) 277–281, bes. 280 f (hier ist m. E. auch das zugrundegelegte Sühneverständnis falsch); vgl. auch *Vögtle* 21–24, der jedoch viel differenzierter argumentiert.
[107] Vgl. dazu zuletzt: *Oberlinner* (s. Anm. 97) 130–134 (Lit.).

eine „Verzichterklärung"[108], es ist Todesprophetie und in ihr zugleich Vollendungsverheißung[109]. Jesus proklamiert noch im Angesicht seines Todes seine Botschaft von der Gottesherrschaft und gibt seiner Gewißheit Ausdruck, daß er selbst trotz seines Todes am vollendeten Heilsmahl der Gottesherrschaft teilnehmen werde. Damit ist die für die Verkündigung Jesu so bezeichnende unauflösliche Verbindung von Botschaft und Person Jesu auch über seinen Tod hinaus gewahrt.

§ 7. Zum Selbstverständnis Jesu

Bei der Frage nach dem Selbstverständnis Jesu kann es schon wegen der überwiegend christologisch orientierten neutestamentlichen Quellen nicht um die Erhebung der psychischen Verfassung oder Entwicklung Jesu gehen. Zu erörtern ist daher allein die theologische Sachfrage, wie Jesus selbst seine Rolle in dem von ihm proklamierten Geschehen der Gottesherrschaft verstanden hat bzw. – objektiv ausgedrückt – welche Rolle der *Person* Jesu in diesem Geschehen zukommt.

Auch hier ist zunächst eine negative Feststellung nötig, insofern sich eine Antwort auf unsere Frage kaum über die christologischen Titel finden läßt. „Bei keinem Hoheitstitel läßt sich mit genügender Sicherheit erweisen, daß Jesus selbst ihn für sich in Anspruch genommen hat; und auch da, wo vielleicht eine gewisse Wahrscheinlichkeit dafür erreicht werden kann – im Falle des Menschensohntitels – ist der genaue Sinn, den Jesus selbst mit ihm verbunden haben könnte, allzusehr umstritten."[110] Möglich ist, daß Jesus sich als den geistgesalbten endzeitlichen Boten (Propheten) Gottes in Analogie zum Freudenboten von Jes 61, 1; 52, 7 verstanden hat[111], oder – sofern die Sühnedeutung seines Todes authentisch ist (s. o. § 6, 2) – daß er sich zumindest in seinen letzten Tagen in der Rolle des deuterojesajanischen Gottesknechtes gesehen hat. Eine titulare Christologie wird man jedoch auch daraus für Jesus selbst kaum ableiten können. Dieser zunächst negativ erscheinende Befund hängt wohl damit zusammen, daß in dem (auch religionsgeschichtlich) einzigartigen Geschehen, das Jesus proklamiert, keines der traditionellen messianischen oder eschatologischen Prädikate die spezifische Rolle Jesu adäquat zum Ausdruck bringen

---

[108] *Jeremias* (s. Anm. 103) 199.
[109] Vgl. *F. Hahn*, Die alttestamentlichen Motive in der urchristlichen Abendmahlsüberlieferung, in: EvTh 27 (1967) 337–374; 340; vgl. *Schürmann* (s. Anm. 101) 42 f.57.
[110] *W. Thüsing*, Die neutestamentlichen Theologien und Jesus Christus I. Düsseldorf 1981, 87 f. Zur Sache vgl. die Übersichten bei *Conzelmann* (s. Anm. 45) 147–156; *E. Lohse*, Grundriß der neutestamentlichen Theologie. Stuttgart 1974, 43–50, sowie bes. *F. Hahn*, Christologische Hoheitstitel. Göttingen ³1966. Vgl. auch *H. Merklein*, Die Auferweckung und die Anfänge der Christologie, in: ZNW 72 (1981) 1–26; zur Menschensohnvorstellung, deren Sachgehalt durch die folgenden Ausführungen zumindest angedeutet werden soll, siehe *ders.* 1983, 152–164.
[111] Die Vorstellung scheint durch 11 QMelch für das Frühjudentum bestätigt zu sein; vgl. *P. Stuhlmacher*, Das paulinische Evangelium I. Göttingen 1968, 142–153.

kann[112]. Insofern muß das Fehlen eines titularen Selbstverständnisses bei Jesus nicht einmal als Negativum gewertet werden[113].

1. Die Gottesherrschaft und die Person Jesu

Für eine positive Darstellung des Selbstverständnisses Jesu wird man sich in erster Linie an die Tatsache zu halten haben, daß Jesus die Gottesherrschaft verkündet hat, und die spezifische Art, *wie* er dies getan hat, auswerten müssen. Von besonderer Bedeutung dabei ist, daß Jesus die Gottesherrschaft nicht nur verheißen, sondern als bereits gegenwärtiges Geschehen proklamiert hat. Sachlich ist es daher nicht ausreichend, Jesus als den eschatologischen Boten zu werten, der dem Eschaton vorausgeht. Da die Gottesherrschaft, die im Himmel bereits verwirklicht ist (s. o. § 4, 1), durch Jesu Verkündigung und Wirken als Geschehen nun auch auf der Erde Platz greift (s. o. § 4, 2–3), muß er prägnant als der irdische Repräsentant des göttlichen Geschehens der Gottesherrschaft bezeichnet werden. Repräsentant und Geschehen der Gottesherrschaft bilden dabei insofern eine Einheit, als es ohne die Person Jesu das Geschehen der Gottesherrschaft nicht gäbe[114]. Die Gottesherrschaft bleibt daher unablöslich an die Person Jesu gebunden. Im Anschluß und in Präzisierung eines Wortes von *E. Fuchs,* der das Verhalten Jesu als „das Verhalten eines Menschen" gewürdigt hat, „der es wagt, an Gottes Stelle zu handeln"[115], könnte man Jesus als den *unmittelbaren und unvertretbaren irdischen Repräsentanten des eschatologisch handelnden Gottes* bezeichnen[116].

2. Das unmittelbare Gottesverhältnis Jesu

Diese Repräsentanz setzt ein *singuläres, unmittelbares Gottesverhältnis* voraus. Terminologisch am deutlichsten ist dieses in der „Abba"-Anrede Gottes zu greifen (s. o. § 4, 5). Der Befund, daß diese Gottesanrede ein neues Gottesverhältnis voraussetzt, das Jesus für ganz Israel proklamiert, so daß er auch seine Jünger ermächtigen kann, „Abba" zu rufen, hindert nicht die Einzigartigkeit des Gottesverhältnisses Jesu. Da das neue Gottesverhältnis Israels in der von *Jesus* proklamierten eschatologischen Erwählung Gottes begründet ist (s. o. § 3, 2 u. § 4, 4), ist es an Jesus als den Repräsentanten des eschatologisch han-

---

[112] Zumal mit dem Messiastitel dürfte zu sehr die Gefahr eines politischen Mißverständnisses verbunden gewesen sein, so daß er wohl erst in der Paradoxie des nachösterlichen Bezugs auf den Gekreuzigten rezipiert werden konnte; vgl. *Merklein* 1981 (s. Anm. 110) 4–16.

[113] *Bornkamm* 163; *E. Fuchs,* Die Frage nach dem historischen Jesus, in: *ders.* (s. Anm. 35) 143–167, 155 f; *E. Schweizer* in: ThWNT VIII 367, 14–18.

[114] Daß deswegen die Gottesherrschaft nicht in der Person Jesu aufgeht, wird in § 8 noch kurz anzusprechen sein.

[115] *Fuchs* (s. Anm. 113) 156.

[116] Textlich schlägt sich dieser Gedanke nicht nur in Lk 11, 20 par, sondern wahrscheinlich auch in Jesu Rede vom Menschensohn (vgl. Lk 12, 8 f par) nieder; vgl. *Merklein* 1983, 158–164.

delnden Gottes gebunden und insofern immer ein von Jesus vermitteltes, dem das Gottesverhältnis Jesu bleibend, da es begründend, gegenübersteht. Wirkungsgeschichtlich schlägt diese Relation in der Christologie (insbesondere in der Rede vom präexistenten Sohn) in der Weise zu Buche, daß Jesus unter dieser Rücksicht bleibend auf die Seite Gottes gestellt und dem Erwählungskollektiv (Israel bzw. Kirche) gegenübergestellt werden muß. Aus dieser Einzigartigkeit und Unmittelbarkeit des Gottesverhältnisses Jesu erklärt sich schließlich auch die Autorität, mit der Jesus beansprucht, den Willen Gottes unmittelbar zu verkünden, selbst im Gegensatz zur Tradition, die sich auf den Wortlaut der Tora stützt (s. o. § 5).

3. Jesus und Israel

Für das Selbstverständnis Jesu ist noch ein Letztes zu beachten. Jesu Repräsentanz der eschatologischen Gottesherrschaft schließt es in sich, daß das Geschehen der Gottesherrschaft ihn selbst bereits voll erfaßt hat. Das eschatologische Erwählungshandeln Gottes, das Israel gilt, ist in ihm proleptisch schon vollendet. Unter dieser Rücksicht ist Jesus nicht nur als der Repräsentant Gottes vor Israel, sondern – zumindest von der Sache her – auch als der Ersterwählte und der Repräsentant des eschatologisch zu sammelnden Israel vor Gott zu bezeichnen. Zur textlichen Absicherung dieser sachlichen Folgerung läßt sich immerhin auf die Berufung der Zwölf verweisen, die nicht nur den Anspruch Jesu auf ganz Israel, sondern auch seinen Willen, Israel zu repräsentieren, widerspiegeln dürfte. In aller Deutlichkeit kommt der Gedanke der Repräsentanz Israels allerdings zum Tragen, wenn Jesus seinen Tod als Sühnetod für Israel verstanden hat. Für die Ausbildung christologischer Aussagen ist dieser Gesichtspunkt – Jesus als Repräsentant des Erwählungskollektivs – wahrscheinlich nahezu ebenso wichtig wie der Gedanke der Gottesunmittelbarkeit Jesu. Dies dürfte besonders für die Rezeption der Gottesknechtsvorstellung (vgl. Mk 1, 11 par), aber auch für die des Messiastitels gelten.

Zusammenfassend läßt sich sagen: Gottesherrschaft und Person Jesu gehören aufs engste und untrennbar zusammen. Jesus ist nicht nur der Verkündiger, sondern der Repräsentant der Gottesherrschaft. Dies gilt in doppelter Hinsicht. Vom Ursprung des Geschehens der Gottesherrschaft her, das in seinem Auftreten Ereignis wird, ist er der Repräsentant des eschatologisch handelnden und erwählenden Gottes. Auf der anderen Seite, vom Ziel des Geschehens her, ist er der Repräsentant des eschatologisch zu erwählenden Israel. Im Schnittpunkt dieser doppelten Repräsentanz der Gottesherrschaft, die ihn einerseits in das Verhältnis der Unmittelbarkeit zu Gott und andererseits in das Verhältnis unvertretbarer Proexistenz[117] für Israel rückt, ist das Selbstverständnis Jesu anzusiedeln, von dem seine Sendung sachlich getragen ist.

---

[117] Zum Begriff vgl. auch *Thüsing* (s. Anm. 110) 93 f. 110–112.

§ 8. Ausblick

Jesu Verkündigung wendet sich primär an *Israel*. Ihm sagt er mit seiner Botschaft von der Gottesherrschaft das eschatologische Heil zu, das die Welt insgesamt in einen Bereich umfassenden Friedens (Schalom) verwandeln wird. Schon dies ist – angesichts des Unheilsstatus des vorfindlichen Israel – eine aufsehenerregende Aussage. Jesus spitzt sie aber noch dahingehend zu, daß er das eschatologische Heil als gegenwärtiges Geschehen proklamiert, das sich bereits in seinem Wirken ereignet.

Aus diesem Befund ergeben sich zwei Fragen, die in bezug auf den *Glauben* an Jesus und seine Botschaft zu stellen sind: Kann ein Geschehen, das selbst nach knapp 2000 Jahren noch nicht zum Ziel gekommen ist, heute noch geglaubt und den Menschen als Hoffnungsinstanz angeboten werden? Und: Kann sich eine Kirche, die sich längst von Israel gelöst hat, überhaupt auf die Botschaft Jesu berufen, bzw. – umgekehrt gefragt – ist durch die Verweigerung Israels das von Jesus proklamierte Erwählungshandeln Gottes, da offensichtlich unwirksam, nicht ad absurdum geführt?

Für beide Fragen ist zunächst auf die Bedeutung des Osterkerygmas hinzuweisen, das den Gekreuzigten als den Auferweckten bekennt. Mit diesem Bekenntnis steht und fällt die Botschaft Jesu. Denn dieses erst ermöglicht ein Festhalten an ihrer Gültigkeit auch über den Tod Jesu hinaus, sofern es das eschatologische Handeln Gottes *an* Jesus als Bestätigung und Kontinuum seines eschatologischen Handelns *in* Jesus werten muß. Das Bekenntnis zum Auferweckten läßt jeden aus menschlicher Erfahrungsperspektive stammenden Zweifel an der Wirksamkeit des von Jesus proklamierten göttlichen Geschehens als theologisch unangemessen zurückweisen. Dies gilt sowohl in bezug auf die Zeitproblematik als auch im Hinblick auf die Verweigerung Israels. Denn die Auferweckung des Gekreuzigten fordert dazu heraus und ermöglicht es, Gott, dessen sich durchsetzende Herrschaft Jesu verkündet hat, als den zu glauben, der die Toten lebendig macht, und das, was nicht ist, ins Dasein ruft (Röm 4, 17).

In diesem Glauben muß übrigens die Auferweckung Jesu selbst als Bestätigung des von ihm proklamierten Geschehens der Gottesherrschaft gewürdigt werden. Denn dieses ist in dem auferweckten Jesus bereits zum Ziel gekommen. In ihm ist die neue Schöpfung, auf welche die Gottesherrschaft abzielt, bereits verwirklicht. Was auf diese Welt noch zu-kommt, ist in ihm schon Realität. Es ist daher nur konsequent, daß das Urchristentum eine *Christologie* ausbildet und in Jesus den kommenden Menschensohn der Endzeit oder den Messias, in dem die Hoffnung Israels erfüllt ist, erblickt. Verständlich ist daher auch, daß es schon früh Versuche gegeben hat, die Botschaft von der Gottesherrschaft rein christologisch zu fassen[118]. Sosehr es richtig ist, daß der Glaube an die Got-

---

[118] Vgl. die Meinung Markions, wonach im Evangelium das Reich Gottes Christus selbst ist (*Tertullian*, Adv. Marc. IV 33, 8), oder die Rede des Origenes von Christus als der ‚*autobasileia*‘ (In Matth. Comm. XIV 7 zu Mt 18, 23).

tesherrschaft nach Ostern nur im Glauben an Christus festgehalten werden kann, so bleibt doch zu betonen, daß die volle Bedeutung der Christologie sich erst dann entfaltet, wenn sie umfangen ist von einer *theo*-logisch orientierten Eschatologie, die zu dem Christus, in dem bereits das Geschehen der Gottesherrschaft zum Ziel gekommen ist, alle Menschen und alle Welt versammelt, damit einmal Gott alles in allem sein kann, wie es Paulus in sachlicher Umschreibung des Gedankens der Gottesherrschaft ausdrückt (1 Kor 15, 23–28).

Bereits Jesus mußte die Erfahrung machen, daß das Volk, das zu sammeln er sich gesandt wußte, seiner Botschaft wohl mehrheitlich ablehnend gegenüberstand. Und als nach Ostern die Botschaft Jesu unablösbar an das Bekenntnis zum gekreuzigten Messias gebunden war, setzte sich diese Erfahrung seitens der Jüngergemeinde fort. Da Israel nach eigenem theologischen Selbstverständnis letztlich im erwählenden Handeln *Gottes* begründet ist, konnte und mußte sich die junge (judenchristliche) „Gemeinde Gottes" zunehmend von dem Gedanken leiten lassen, der eigentliche Sammlungsort des Erwählungskollektivs Israel zu sein, ohne jedoch der Idee esoterischer Separation etwa qumranischen Zuschnitts zu verfallen. Im Gegenteil, das durch Ostern als Erfüllungsgeschehen der Verkündigung Jesu noch drängender gewordene Selbstverständnis, das Israel der *Endzeit* zu sein, veranlaßte die Gemeinde dazu, im missionarischen Vorstoß auf die Heidenwelt die eschatologische Völkerwallfahrt zum Zion anzustoßen[119]. Zu beachten bleibt, daß selbst Paulus den für Jesus konstitutiven Gedanken der eschatologischen Erwählung Israels nicht aufgibt. In Röm 11 wird er geradezu von der prophetischen Vision geleitet, daß das Heil der Heiden – nun in Umkehrung des Völkerwallfahrtsmotivs – Israel reizen soll (V. 11) und daß der Eingang der Vollzahl der Heiden zur Rettung ganz Israels führen wird (V. 25 f). Diese Vision des Paulus hat sich zwar nicht erfüllt. Theologisch bleibt der Gedanke des Paulus jedoch für jede Ekklesiologie unverzichtbar, die an der Gültigkeit der Botschaft Jesu festhalten will. Denn diese wäre in der Tat völlig ad absurdum geführt, wenn sich das erwählende Handeln Gottes, das sie für Israel proklamiert, gerade an Israel als wirkungslos erweisen würde. Insofern ist für Paulus jener Rest Israels so wichtig, der sich dem Evangelium nicht verschlossen hat (Röm 11, 5–7). Er stellt zu der Wurzel das Kontinuum dar, in das auch die wilden Zweige des heidnischen Ölbaums eingepflanzt wurden (Röm 11, 16–18). Nur in der Kontinuität zu jenem Israel, das sich dem von Jesus proklamierten Erwählungshandeln Gottes geöffnet hat, kann sich die christliche Kirche als Gottesvolk verstehen. Auf diese Kontinuität ist sie bleibend angewiesen.

---

[119] Diese Idee dürfte auch der Heidenmission des Paulus mit zugrunde liegen und etwa in der Kollektentätigkeit für die „Armen" in Jerusalem (Gal 2, 10) ihren Ausdruck finden (vgl. Jes 60, 5–17; 61, 6; 66, 12). Im übrigen dürfte der Streit um die Heidenmission zwischen Paulus und den Jerusalemern weniger das Daß als das Wie betroffen haben. Konkret ausgelöst wurde die Heidenmission wohl durch die „Hellenisten" (vgl. dazu: *M. Hengel*, Zwischen Jesus und Paulus, in: ZThK 72 [1975] 151–206), die die tempel- und torakritische Relevanz des Sühnetods Jesu deutlich erkannt haben dürften und daher auch als erste die Volksgrenzen Israels überschritten (vgl. Apg 8, 4–8; 11, 20 f).

Angewiesen bleibt sie aber auch auf das andere Israel, das als Volk der Juden in geschichtlicher Kontinuität steht zu jenen, die sich der Botschaft Jesu verschlossen haben. Denn das eschatologische Erwählungshandeln Gottes, auf das sich ja auch die Kirche beruft, wäre zumindest zur Farce verkommen, wenn es – unbeschadet aller menschlichen Freiheit, sich ihm zu verweigern – nur zur Schaffung eines Rest-Israels mit der geschichtlich begrenzten Funktion, die Kontinuitätsbrücke zur nahezu ausschließlich heidenchristlichen Kirche zu bilden, fähig wäre und Israel als Volk fallen ließe. Insofern darf die Kirche auch das Volk Israel nie aus ihren Augen verlieren, weil ihre eigene Vollendung engstens mit der Hoffnung verbunden ist, daß die ausgebrochenen Zweige wieder in den Ölbaum eingepflanzt werden (Röm 11,24), dessen Wurzel auch die Zweige der Kirche aus den Heiden trägt.

Nur in Kontinuität zu Israel, dem Jesus die Botschaft von der Gottesherrschaft verkündet hat, und in der Hoffnung auf die endliche Erlösung Israels, das sich der Botschaft Jesu verweigert hat, läßt sich an der Gültigkeit der Botschaft Jesu festhalten (vgl. Röm 11,25–27). Unter dieser Voraussetzung darf und muß die Kirche sich aber auch als Adressatin der Botschaft Jesu und gleichzeitig als deren Sachwalterin verstehen.

LITERATUR

Weitere Literatur in den Forschungsberichten von *W. G. Kümmel* in: ThR 31 (1965/1966) 15–46.289–315; 40 (1975) 289–336; 41 (1976) 197–258.295–363; 43 (1978) 105–161.233–265; 45 (1980) 40–84.293–337; 46 (1981) 317–363; 47 (1982) 136–165.348–383.

Becker, J., Johannes der Täufer und Jesus von Nazareth. Neukirchen 1972.
Ben-Chorin, Sch., Bruder Jesus. München 1967.
Blank, J., Jesus von Nazareth. Freiburg [6]1980.
Bornkamm, G., Jesus von Nazareth. Stuttgart [12]1980.
Braun, H., Jesus. Stuttgart [3]1972.
Bultmann, R., Jesus. Hamburg [2]1965.
Dibelius, M., Jesus. Berlin [4]1966 (mit einem Nachtrag von W. G. Kümmel).
Flender, H., Die Botschaft Jesu von der Herrschaft Gottes. München 1968.
Flusser, D., Jesus in Selbstzeugnissen und Bilddokumenten. Hamburg 1968.
Goppelt, L., Theologie des Neuen Testaments I. Göttingen 1975.
Gräßer, E., Die Naherwartung Jesu. Stuttgart 1973.
Hiers, R. H., The historical Jesus and the Kingdom of God. Gainesville 1973.
Hoffmann, P. – Eid, V., Jesus von Nazareth und eine christliche Moral. Freiburg [3]1979.
Holtz, T., Jesus aus Nazaret. Einsiedeln 1981.
Jeremias, J., Neutestamentliche Theologie I. Gütersloh 1971.
Kümmel, W. G., Verheißung und Erfüllung. Zürich [3]1956.
–, Die Theologie des Neuen Testaments nach seinen Hauptzeugen. Göttingen 1969.
Lapide, P. E. – Luz, U., Der Jude Jesus. Einsiedeln 1979.
Leroy, H., Jesus. Darmstadt 1978.
Merklein, Die Gottesherrschaft als Handlungsprinzip. Würzburg [2]1981 ([3]1984).
–, Jesu Botschaft von der Gottesherrschaft. Stuttgart 1983 ([2]1984).

Percy, E., Die Botschaft Jesu. Lund 1953.
Schillebeeckx, E., Jesus. Freiburg ⁷1980.
Schlosser, J., Le Règne de Dieu dans les dits de Jésus. 2 Bde. Paris 1980.
Schnackenburg, R., Gottes Herrschaft und Reich. Freiburg ³1963.
Schürmann, H., Gottes Reich – Jesu Geschick. Freiburg 1983.
Schweizer, E., Jesus Christus im vielfältigen Zeugnis des Neuen Testaments. Hamburg 1968.
Trilling, W., Die Botschaft Jesu. Freiburg 1978.
Vögtle, A., Jesus von Nazareth, in: *R. Kottje – B. Moeller* (Hg.), Ökumenische Kirchengeschichte I. München 1970, 3–24.
Weiss, J., Die Predigt Jesu vom Reiche Gottes. Göttingen ³1964.

3. Erwägungen zur Überlieferungsgeschichte der neutestamentlichen Abendmahlstraditionen

Die folgenden Erwägungen konzentrieren sich auf die Texte des Neuen Testaments, die unmittelbar vom Abendmahl Jesu sprechen: Mk 14, 22–25 parr und 1 Kor 11, 23–25. Sie erheben keineswegs den Anspruch, am Ende ein «gesichertes» Ergebnis vorzuweisen; eher handelt es sich um eine These, die der exegetischen Forschung zur Diskussion gestellt werden soll.

Daß die Abendmahlstexte unter traditionsgeschichtlicher Fragestellung weitgehend unabhängig von ihrem Kontext untersucht werden können, ist seit dem Aufkommen der formgeschichtlichen Betrachtungsweise, welche die konkrete Form der Texte mit der liturgischen Praxis der Gemeinde in Zusammenhang brachte, nahezu allgemein anerkannt. Im Falle von 1 Kor 11, 23–25 ist dies durch die Zitation in V. 23 ohnehin klar. Bei der mk Abendmahlsüberlieferung könnte man freilich darauf verweisen, daß sie integraler Teil des Erzählzusammenhanges des mk bzw. schon vor-mk Passionsberichtes sei und daher nur im Kontext recht gewürdigt werden könne.

Tatsächlich sind die «berichtenden» Elemente in Mk 14, 22–25 zahlreicher als in der von Paulus (= Pl) bezeugten Tradition (vgl. bes. V. 23). Die Verbindung mit dem Erzählzusammenhang ist nach rückwärts durch καὶ ἐσθιόντων αὐτῶν V. 22 (vgl. V. 18 und VV. 12–16) und nach vorne durch καὶ ὑμνήσαντες ἐξῆλθον ... V. 26 hergestellt.

Dennoch zeigt schon das V. 18 wiederaufnehmende καὶ ἐσθιόντων αὐτῶν in V. 22, unabhängig davon, ob man es literarkritisch ausnützt[1] oder nicht, daß VV. 22–25 auch unter rein textlinguistischen Rücksichten als eine besondere, in sich geschlossene Szene betrachtet sein wollen[2]. Im übrigen ist damit zu rechnen, daß

---

[1] So z. B. R. Bultmann, Die Geschichte der synoptischen Tradition (FRLANT 29), Göttingen ⁶1964, 285; M. Dibelius, Die Formgeschichte des Evangeliums, Tübingen ⁵1966, 207 Anm. 2; E. Klostermann, Das Markusevangelium (HNT 3), Tübingen ⁵1971, 147; E. Schweizer, Das Evangelium nach Markus (NTD 1), Göttingen ²1968, 172; L. Schenke, Studien zur Passionsgeschichte des Markus. Tradition und Redaktion in Markus 14, 1–42 (fzb 4), Würzburg 1971, 286f. 287–290; H. Patsch, Abendmahl und historischer Jesus, Stuttgart 1972, 62.

[2] Das bestätigt auch V. 26, der durch ὑμνήσαντες in auffälligem Gegensatz zum fehlenden Paschacharakter der VV. 22–25 steht. Entweder sind daher VV. 22–25 sekundär eingefügt (R. Bultmann, Tradition [Anm. 1] 300f. 286) oder

auch bei einem übergreifenden Textzusammenhang die Abendmahlspraxis der überliefernden Gemeinde die Form der VV. 22–25
beeinflußt hat. Das gilt insbesondere für die sog. Einsetzungs-
worte, auf die es uns vorrangig ankommt.

1. *Ein erster Vergleich der vier Abendmahlstexte*

Geht man von den im qualifizierten Sinn eucharistisch relevanten Passagen der Abendmahlstexte aus (Mk 14, 22–24; Mt 26, 26–28;
Lk 22, 19f [3]; 1 Kor 11, 23b–25), so erlaubt ein erster Vergleich
folgende Feststellungen:

1.1. *Zwischen Mk/Mt einerseits und Lk/Pl andererseits besteht
trotz gewisser Unterschiede ein Verhältnis der Verwandtschaft.*

Mk/Mt stimmen in wichtigen Punkten gegen Lk/Pl überein
und umgekehrt:

	Mk/Mt	*Lk/Pl*
Rahmen des Brotwortes:		
(1)	εὐλογήσας	εὐχαριστήσας
Brotwort:		
(2)	——	Sühnemotiv
(3)	——	Wiederholungsbefehl
Rahmen des Kelchwortes:		
(4)	λαβών	ὡσαύτως
(5)	——	μετὰ τὸ δειπνῆσαι
(6)	εὐχαριστήσας	——
(7)	ἔδωκεν αὐτοῖς	——
(8)	Mk 14, 23b	——
	(bei Mt im Kelchwort)	

---

aufgrund der liturgischen Abendmahlspraxis sekundär überformt. In beiden
Fällen bestätigt sich die methodische Möglichkeit, VV. 22–25 für sich zu be-
trachten. Vgl. auch *E. Schweizer*, Das Herrenmahl im Neuen Testament, in:
Neotestamentica, Zürich–Stuttgart 1963, 344–370, hier 351f.

[3] Zur Ursprünglichkeit des Langtextes: *J. Jeremias*, Die Abendmahlsworte
Jesu, Göttingen [4]1967, 133–145; *H. Schürmann*, Lk 22, 19b–20 als ursprüngliche
Textüberlieferung, in: Traditionsgeschichtliche Untersuchungen zu den synop-
tischen Evangelien, Düsseldorf 1968, 159–192, bes. 159–171. Zur Diskussion vgl.
H. Lessig, Die Abendmahlsprobleme im Lichte der neutestamentlichen Forschung
seit 1900, Diss. Bonn 1953, 11–39.

Kelchwort:

(9) τοῦτο   τοῦτο τὸ ποτήριον
(10) τὸ αἷμά μου   ἡ καινὴ διαθήκη
     τῆς διαθήκης   ἐν τῷ (ἐμῷ) αἵματί (μου)

Weiter ist zu nennen:

(11) Bei Mk/Mt ist Brot- und Kelchwort parallel gebaut.
(12) Die Sühne geschieht bei Mk/Mt für πολλοί, bei Lk/Pl für ὑμεῖς.

1.2. Das Verwandtschaftsverhältnis von Mk/Mt einerseits und Lk/Pl andererseits kann näher bestimmt werden:

1.21. Mt ist von Mk abhängig:

Die Abweichungen des Mt sind teils als stilistische (Mt V. 26a –
Mk V. 22a), teils als sachliche (Mt V. 27b – Mk V. 23b) Erleichte-
rungen des Mk-Textes zu erklären. Letzteres ist im Zusammen-
hang mit der aus der liturgischen Praxis bzw. aus der typisch
mt Parallelisierungstendenz erwachsenen Erweiterung des mt
Brotwortes durch φάγετε (V. 26b; als Analogiebildung zu πίετε
V. 27b) zu sehen. εἰς ἄφεσιν ἁμαρτιῶν Mt V. 28 ist als theologische
Weiterinterpretation des Mk-Textes zu verstehen.

1.22. Lk/Pl gehen auf den gleichen Traditionsstrang zurück, sind aber nicht voneinander abhängig:

Daß Pl nicht von Lk abhängig sein kann, ergibt sich schon aus
der literarischen Priorität von 1 Kor. Doch kann auch Lk nicht
von 1 Kor abhängen:

(1) Lk übernimmt nicht die redaktionellen Änderungen des
Pl: τοῦτό μου ἐστιν ...; ἐν τῷ ἐμῷ αἵματι (1 Kor 11, 24. 25)[4].

(2) Im Abhängigkeitsfall müßte Lk den zweiten Wiederholungsbefehl ausgelassen haben[5].

(3) Nach H. Schürmann lassen sich zwei Eigenheiten des Lk –
διδόμενον im Brotwort, und das Fehlen von ἐστίν im Kelchwort –
sehr gut aus einem vorauszusetzenden aramäischen bzw.
hebräischen Original erklären[6].

---

[4] *H. Schürmann,* Der Einsetzungsbericht Lk 22, 19–20 (NTA XX, 4), Münster
1955, 39–41. 60–62; vgl. *J. Jeremias,* Abendmahlsworte (Anm. 3) 170. 178. Anders:
P. Neuenzeit, Das Herrenmahl. Studien zur paulinischen Eucharistieauffassung
(StANT 1), München 1960, 106f, der überhaupt der paulinischen Fassung den
Vorzug vor der lukanischen gibt.

[5] *H. Schürmann,* Einsetzungsbericht (Anm. 4) 69–72; *J. Jeremias,* Abendmahlsworte (Anm. 3) 240.

[6] Zu διδόμενον: Einsetzungsbericht (Anm. 4) 17–30 (vgl. unten Anm. 32) (mit
Recht stellt hier *P. Neuenzeit,* Herrenmahl [Anm. 4] 108f die Annahme pl Redak-

Trotz der Unmöglichkeit direkter gegenseitiger Abhängigkeit gehen Lk und Pl aufgrund von 1.1. auf den gleichen Traditionsstrang zurück. Dabei steht Lk der ursprünglichen Form dieser Tradition aufs Ganze gesehen wegen 1.22. (1) und (3) näher als Pl, weist in manchen Punkten aber auch sekundäre Züge auf, die sich vorläufig (vgl. 3.11.) als Angleichung an Mk verstehen lassen: καὶ ἔδωκεν (V. 19) und τὸ ὑπὲρ ὑμῶν (Mk: πολλῶν) ἐκχυννόμενον (V. 20).

1.3. Ergebnis:

Die vier Abendmahlstexte lassen zwei unterschiedliche Traditionsstränge erkennen, die *mk Traditionsform*, die dann von Mt weitergeführt wird, und eine *lk/pl Vorform*, die von Lk und Pl in unterschiedlicher Weise bezeugt wird. Dieses Ergebnis wird bestätigt durch:

2. Die unterschiedliche Verwendung
der zugrundeliegenden alttestamentlichen Motive

2.1. Das Motiv der stellvertretenden Sühne:[7]

Im Frühjudentum ist neben der kultischen Sühne auch der Gedanke nichtkultischer Sühne weitverbreitet. Die Leiden bzw. der Tod des Gerechten bzw. des Märtyrers gelten als Sühnemittel sowohl für die eigenen Sünden als auch stellvertretend für die Sünden des Volkes. Das Motiv der stellvertretenden Sühne ist in beiden Strängen der Abendmahlstradition aufgegriffen, jedoch unterschiedlich angewendet:

(1) Bei Lk/Pl ist es mit dem Brotwort verbunden.

(2) Bei Mk (Mt) ist es mit dem Kelchwort verbunden (und dringt von hier aus auch sekundär in das lk Kelchwort ein).

(3) Bei Mk (Mt) nimmt es darüber hinaus mit ὑπὲρ (περὶ) πολλῶν eindeutig auf *Jes 53* Bezug[8].

---

tion in Frage; damit ist aber noch nicht der sekundäre Charakter der pl Fassung widerlegt [vgl. unten Anm. 36]). – Zu ἐστιν: Einsetzungsbericht 36–39; vgl. *J. Jeremias,* Abendmahlsworte (Anm. 3) 161 (anders wieder *P. Neuenzeit,* a. a. O. 116f).

[7] Vgl. dazu *E. Lohse,* Märtyrer und Gottesknecht. Untersuchungen zur urchristlichen Verkündigung vom Sühntod Jesu Christi (FRLANT 64), Göttingen ²1963; *F. Hahn,* Die alttestamentlichen Motive in der urchristlichen Abendmahlsüberlieferung: EvTh 27 (1967) 337–374, hier 358–366.

[8] *J. Jeremias,* Abendmahlsworte (Anm. 3) 219f; *F. Hahn,* Motive (Anm. 7) 361f.

2.2. *Das Bundesmotiv:* [9]

Das Bundesmotiv taucht ebenfalls in beiden Traditionssträngen auf, hat aber unterschiedliche atl Textgrundlagen:

(1) Die lk/pl Tradition nimmt mit dem «neuen Bund» auf *Jer 31,31* Bezug. Der Tod Jesu wird als eschatologische Erfüllung prophetischer Verheißung gedeutet.

(2) Die mk Tradition reflektiert eindeutig (wegen des im AT singulären αἷμα τῆς διαθήκης) *Ex 24,8*. Im Gegensatz zu (1) handelt es sich hier um eine typologische Deutung. Der Tod Jesu wird als (eschatologische) Überhöhung des atl Bundesopfers, auf das als Typos zurückgegriffen wird, verstanden. Mit dem Bundesmotiv ist hier zugleich das Opfermotiv gegeben.

2.3 *Das Motiv der Sündenvergebung*, das ausdrücklich nur in *Mt 26,28* auftaucht, ist wohl von Jes 53 (Mk!) und nicht von Jer 31 (Lk/Pl!) beeinflußt. Ob das Bundesopfer Ex 24 als Sühnopfer zur Vergebung der Sünden vorgestellt wurde, ist unsicher.

3. *Der gemeinsame Ursprung der beiden Traditionsstränge*

Trotz der gezeigten Unterschiede ist die Verwandtschaft der beiden Traditionsstränge so groß, daß ihre Entstehung völlig unabhängig voneinander unvorstellbar ist. Beide müssen vielmehr auf einen gemeinsamen Ursprung zurückgehen [10].

Die Rekonstruktion einer gemeinsamen Ursprungsform (nicht Urform!) ist allerdings äußerst schwierig und muß bis zu einem gewissen Grade immer hypothetisch bleiben. Denkbar ist, daß die mk oder die lk/pl Traditionsform mit der Ursprungsform identisch ist. Denkbar ist aber auch, daß sowohl die mk wie auch die lk/pl Traditionsform Elemente aus der Ursprungsform enthalten. Methodisch gesehen ist daher jeweils nach den relativ älteren Elementen zu fragen, freilich nicht so, daß die einzelnen Elemente isoliert für sich betrachtet werden und dann zu einem − wohl inhomogenen − Ganzen zusammengefügt werden können. Vielmehr ist immer ihr Zusammenhang untereinander zu berücksichtigen (das gilt besonders für die Abendmahls w o r t e !), so daß die Rekonstruktion auf ein integrales Ganzes abzielt, aus dem sich dann die Entstehung der verschiedenen Traditionen erklären läßt [11].

---

[9] Vgl. dazu F. *Hahn*, Motive (Anm. 7) 366–373.

[10] Vgl. H. *Lietzmann*, Messe und Herrenmahl, Bonn 1926, 227; M. *Dibelius*, Formgeschichte (Anm. 1) 207; J. *Jeremias*, Abendmahlsworte (Anm. 3) 131; W. *Marxsen*, Der Ursprung des Abendmahls: EvTh 12 (1952/53) 293–303, hier 296f; H. *Patsch*, Abendmahl (Anm. 1) 64.

[11] Kriterien zur Textbeurteilung bei H. *Patsch*, Abendmahl (Anm. 1) 68f.

Zu beachten bleibt auch, daß die anvisierte Ursprungsform wohl der mündlichen Traditionsstufe zugehört, auf der mit einer gewissen Variabilität des Wortlautes zu rechnen ist. Das gilt ganz besonders für die Überlieferung der Rahmenhandlung, so daß sich hier die Rekonstruktion wenigstens teilweise mit der Fixierung des Sachverhaltes (nicht des Wortlautes) begnügen muß.

Daß die zu rekonstruierende Ursprungsform nicht unbedingt historisch – als Abendmahl des historischen Jesus (= Urform) – ausgewertet werden darf, braucht unter methodischer Rücksicht nicht eigens betont zu werden.

3.1. Die Rahmenhandlung

3.11. Zum Brotwort:

Sicher gehört λαβὼν ἄρτον ... ἔκλασεν der ältesten Tradition an, da es allen Traditionsformen gemeinsam ist. Wahrscheinlich ist das mk εὐλογήσας ursprünglicher als das lk/pl εὐχαριστήσας[12]. Ersteres entspricht eher dem hebräischen בֵּרַך, das den Einleitungsritus des jüdischen Festmahles (nicht unbedingt Paschamahles)[13] bezeichnet. Dann könnte auch (das bei Pl fehlende) ἔδωκεν zum Original gehören[14] – es ist jedenfalls logisch vorausgesetzt – und muß bei Lk nicht unbedingt eine Übernahme von Mk sein (s. o. 1.22.). Insgesamt macht hier die mk Traditionsform einen sehr urtümlichen Eindruck.

3.12. Zum Kelchwort:

Die lk/pl Bemerkung μετὰ τὸ δειπνῆσαι erinnert noch deutlich an jüdische Mahlsitte, wonach der Segensbecher nach dem Mahl gereicht wurde. Zumindest der Sache nach ist daher Lk/Pl in diesem Punkt älter als die mk Tradition, die eine dazwischenliegende Mahlzeit nicht mehr zu kennen und eine einheitliche eucharistische Handlung vorauszusetzen scheint[15]. Das mk λαβὼν (ποτήριον) εὐχαριστήσας ἔδωκεν αὐτοῖς könnte eine Angleichung der Kelch- an die Brothandlung sein. Sachlich ist es jedoch auch in dem lk/pl

---

[12] J. Jeremias, Abendmahlsworte (Anm. 3) 167.

[13] Diese Frage braucht uns hier nicht näher zu beschäftigen, «weil sich, abgesehen vom Passalamm, zur Zeit Jesu ein normales jüdisches Gast- und Festmahl nur wenig vom Passamahl unterschied» (P. Neuenzeit, Herrenmahl [Anm. 4] 69f). Vgl. auch unten Anm. 49.

[14] H. Schürmann, Einsetzungsbericht (Anm. 4) 58f.

[15] G. Bornkamm, Herrenmahl und Kirche bei Paulus, in: Studien zu Antike und Christentum. Gesammelte Aufsätze II, München ³1970, 138–176, hier 154; W. Marxsen, Ursprung (Anm. 10) 297; E. Schweizer: RGG³ I 13; H. Schürmann, Einsetzungsbericht (Anm. 4) 87; F. Hahn, Motive (Anm. 7) 339; P. Neuenzeit, Herrenmahl (Anm. 4) 115f; L. Schenke, Studien (Anm. 1) 310f; H. Patsch, Abendmahl (Anm. 1) 71–73.

ὡσαύτως enthalten. Eine Entscheidung über den ursprünglichen Wortlaut ist hier nicht möglich. Logisch ist jedenfalls die von Mk genannte Sache vorausgesetzt.

Schwierig ist Mk 14, 23b. Möglicherweise gehört es stärker mit Mk 14, 25 zusammen [16]. Es sei deshalb bis zur Behandlung von Mk 14, 25 zurückgestellt (s. u. 4. 3).

3.2. Die Einsetzungsworte

3.21. Für eine Reihe von Forschern vereint die *mk Version insgesamt die älteren Elemente* in sich [17].

Sieht man einmal von den methodisch problematischen Semitismen ab, die J. Jeremias geltend macht [18], sind es vor allem folgende Argumente, die man anführt: Für das Brotwort wird auf das Fehlen einer weiteren Deutung hingewiesen; demgegenüber erwecke das Sühnemotiv bei Lk/Pl eher den Eindruck sekundärer Interpretation [19]. Beim Kelchwort werden der grammatikalisch schwierige doppelte Genitiv (τὸ αἷμά μου τῆς διαθήκης) [20] und die jedenfalls gegenüber Pl doppelte Deutung (Bundes- und Sühnemotiv) als Kriterien für die Ursprünglichkeit angegeben. Hinzu kommt noch, daß das lk/pl ὑπὲρ ὑμῶν sich als Applikation des mk ὑπὲρ πολλῶν verstehen läßt.

Bei Rückfrage nach dem Ursprünglichen wird die grammatikalische Schwierigkeit des doppelten Genitivs gelegentlich literar-

---

[16] W. *Schenk*, Der Passionsbericht nach Markus, Gütersloh 1974, 191f; D. *Dormeyer*, Die Passion als Verhaltensmodell (NTA NS 11), Münster 1974, 105f.

[17] So vor allem J. *Jeremias*, Abendmahlsworte (Anm. 3) 181–183. passim; vgl. E. *Käsemann*, Das Abendmahl im Neuen Testament, in: Abendmahlsgemeinschaft?, München 1938, 60–93, hier 81; A. J. B. *Higgins*, The Lord's Supper in the New Testament, London ⁴1960, 34; E. *Lohse*, Märtyrer (Anm. 7) 122f; P. *Benoit*, Die eucharistischen Einsetzungsberichte und ihre Bedeutung, in: Exegese und Theologie, Düsseldorf 1965, 86–109, hier 87; J. *Dupont*, ‹Ceci est mon corps›, ‹Ceci est mon sang›: NRTh 80 (1958) 1025–1041, hier 1027; K. G. *Kuhn*, Über den ursprünglichen Sinn des Abendmahles und sein Verhältnis zu den Gemeinschaftsmahlen der Sektenschrift: EvTh 10 (1950/51) 508–527, hier 513; H. *Patsch*, Abendmahl (Anm. 1) 73–87.

[18] Abendmahlsworte (Anm. 3) 165–179. Zur Kritik: H. *Schürmann*, Die Semitismen im Einsetzungsbericht bei Markus und Lukas: ZKTh 73 (1951) 72–77, hier 75f; J. *Betz*, Die Eucharistie in der Zeit der griechischen Väter. II/1 Die Realpräsenz des Leibes und Blutes Jesu im Abendmahl nach dem Neuen Testament, Freiburg ²1964, 12f; W. *Marxsen*, Ursprung (Anm. 10) 300f; N. *Turner*, The Style of St. Mark's Eucharistic Words: JThS 8 (1957) 108–111; L. *Schenke*, Studien (Anm. 1) 308f.

[19] Nach F. *Hahn*, Motive (Anm. 7) 341 dient dies «zur Entlastung des Kelchwortes».

[20] Siehe dazu J. *Jeremias*, Abendmahlsworte (Anm. 3) 186. Er plädiert daher (187) für eine veränderte Wortstellung im Hebr./Aram. (dam berithi/ʾadham qejami); zur berechtigten Kritik: F. *Hahn*, Motive (Anm. 7) 363 Anm. 91.

kritisch aufgelöst und τῆς διαθήκης als sekundäre Einfügung aus Ex 24, 8 erklärt[21].

Der Gang der Überlieferung stellt sich dann so dar:

(1) Die Ursprungsform lautete:

τοῦτό ἐστιν τὸ σῶμά μου

τοῦτό ἐστιν τὸ αἷμά μου τὸ ἐκχυννόμενον ὑπὲρ πολλῶν

(2) Das Kelchwort wurde durch Einfluß des Bundesopfermotivs Ex 24, 8 sekundär erweitert. Auf dieser Fassung basiert die mk Tradition.

(3) In der von Lk/Pl bezeugten Tradition fanden zwei weitere Veränderungen statt: Da das Kelchwort überladen war, wurde das Sühnemotiv zum Brotwort gestellt. Das Kelchwort bekam unter dem Einfluß von Jer 31, 31 seine jetzige lk/pl Form (bei Lk dann sekundäre Angleichung an Mk).

3.22. Gegen diese Sicht sind jedoch *kritische Einwände* zu erheben:

(1) *Eine literarkritische Eliminierung des Bundesgedankens ist zumindest problematisch*[22]. Zum andern dürfte die Bezugnahme auf Jer 31, 31 (Lk/Pl) traditionsgeschichtlich älter sein als die Bezugnahme auf Ex 24, 8 (Mk). «In sachlicher Hinsicht hat unter allen Umständen Jer. 31, 31 Prävalenz»[23].

(2) *Überlieferungsgeschichtlich ist das lk*[24]/*pl Kelchwort älter als das mk.* Die mk Form des Kelchwortes (τοῦτό ἐστιν τὸ αἷμά μου) läßt sich leicht als sekundäre Angleichung an das Brotwort verstehen, zumal Parallelisierung einer liturgischen Tendenz entgegenkommt. Eine umgekehrte Entwicklung von der parallelen mk zur nicht-parallelen lk/pl Form ist dagegen nur schwer vorstellbar[25].

Dagegen hat man eingewandt, daß das Stichwort «Parallelisierung» den postulierten Vorgang nicht befriedigend, da nur teilweise, erkläre. H. Patsch drückt das so aus: «Man kann sich gut vorstellen, daß – die Umwandlung des Becherwortes vorausgesetzt – die ὑπέρ-Wendung auch an das jetzige Blutwort angehängt wird, zumal wenn ihr eine ähnliche beim Brotwort entspricht. Auch

---

[21] *R. Bultmann*, Theologie des Neuen Testaments, Tübingen ⁴1961, 148; *E. Lohse*, Märtyrer (Anm. 7) 123f; *F. Hahn*, Motive (Anm. 7) 363 Anm. 91. Vgl. *J. Jeremias*, Abendmahlsworte (Anm. 3) 187 Anm. 1.

[22] Vgl. *L. Schenke*, Studien (Anm. 1) 321.

[23] *F. Hahn*, Motive (Anm. 7) 371; vgl. *P. Neuenzeit*, Herrenmahl (Anm. 4) 119; *H. Schürmann*, Einsetzungsbericht (Anm. 4) 97–105.

[24] Ohne τὸ ὑπὲρ ὑμῶν ἐκχυννόμενον, s. o. 1. 22.

[25] Vgl. *R. Seeberg*, Das Abendmahl im Neuen Testament, Berlin 1905, 12; *J. Behm*: ThWNT III 730; *W. Marxsen*, Ursprung (Anm. 10) 297f; *H. Schürmann*, Einsetzungsbericht (Anm. 4) 109f; *J. Betz*, Eucharistie (Anm. 18) 21; *F. Hahn*, Motive (Anm. 7) 340; *E. Schweizer*, Mk (Anm. 1) 173.

die Einfügung eines ‹vergossen› ist dann denkbar. Aber damit ist noch keinesfalls die ‹Streichung› beim Brotwort erklärt. Das Streben nach Parallelisierung,
das z. B. bei der Gegenüberstellung von σῶμα αἷμα walten soll, hätte auch
hier . . . zu einer Verdoppelung führen müssen»[26] !

Dieser Einwand ist berechtigt, beweist aber nicht, daß der
postulierte Vorgang als solcher falsch ist, sondern nur, daß die
Charakterisierung des Vorgangs mit der *literarischen* Kategorie
der Parallelisierung nicht ausreicht.

Damit kommen wir zum eigentlich überlieferungsgeschichtli-
chen und entscheidenden Argument. Die mk Formulierung τοῦτό
ἐστιν τὸ σῶμά μου / τοῦτό ἐστιν τὸ αἷμά μου bekundet ein viel stärkeres
Interesse an den Elementen als solchen, zeigt also eine größere
Tendenz zu der sich später entfaltenden, dezidiert «sakramentalen» Betrachtungsweise[27]. Schon unter diesem Gesichtspunkt ist
die mk Form überlieferungsgeschichtlich unter allen Umständen
als sekundär anzusehen. Unter Voraussetzung der genannten Tendenz erklärt sich dann auch sehr leicht, daß die Parallelisierung sich nur auf die Bezeichnung der Elemente, nicht aber auf
ihre weitere Deutung bezieht. Wo die Elemente das Schwergewicht gewinnen, bekommen ihre weiteren Deutungen, die für
die eucharistisch feiernde Gemeinde ohnehin als bekannt vorauszusetzen sind, eine untergeordnete Rolle. In letzter Konsequenz
führt diese Tendenz zu einer Formulierung der Abendmahlsworte,
wie sie uns Justin (Ap. 66,3) bezeugt: τοῦτό ἐστιν τὸ σῶμά μου / τοῦτό
ἐστιν τὸ αἷμά μου. Bei Mk zeigen sich erste Ansätze dieser Tendenz. Das Hauptinteresse liegt bei den Elementen, deshalb hier
die Parallelisierung. Die näheren Deutungen der Elemente sind
zwar noch nicht entbehrlich geworden, können jedoch – da sie
eben nur noch als deutende Zusätze zu dem eigentlich Gemeinten
und Bezeichneten empfunden werden – gleichsam zusammenfassend an das Ende gerückt, also im Anschluß an die Bezeichnung
des Kelchelements gebracht werden; dies zumal dann, wenn – wie
es die mk Tradition vorauszusetzen scheint – Brot- und Kelchwort
zu einer einheitlichen eucharistischen Feier zusammengestellt
waren.

Schließlich läßt sich gegen die Ursprünglichkeit der mk Form
der Abendmahlsworte noch anführen, daß das mk Kelchwort im
jüdischen Raum kaum vorstellbar ist (Blutgenuß!)[28]. Zudem könnte

---

[26] Abendmahl (Anm. 1) 75.
[27] Vgl. G. *Bornkamm,* Herrenmahl (Anm. 15) 161; *L. Schenke,* Studien
(Anm. 1) 314–317. 324–328.
[28] *E. Schweizer,* Herrenmahl (Anm. 2) 349f; *M. Dibelius,* Formgeschichte
(Anm. 1) 208; *W. G. Kümmel,* Verheißung und Erfüllung. Untersuchungen zur
eschatologischen Verkündigung Jesu, Zürich ³1956, 113.

das fehlende ἐστίν im lk Kelchwort noch auf eine aramäische bzw. hebräische Grundlage verweisen[29].

(3) Unter der Voraussetzung der Priorität des lk/pl Kelchwortes ist zu überlegen, ob nicht auch das *Sühnemotiv ursprünglich mit dem Brotwort verbunden* war, wie dies bei Lk/Pl noch der Fall ist[30].

Tatsächlich dürfte dies wahrscheinlicher sein, da ein Brotwort ohne weitere Deutung (Mk) in der ursprünglichen Form der Abendmahlsfeier, wo Brot- und Kelchwort durch eine ganze Mahlzeit voneinander getrennt waren (vgl. Lk/Pl), kaum verständlich gewesen wäre[31]. Dann aber dürfte die lk Form des Brotwortes (mit διδόμενον) ursprünglicher sein als die pl; jedenfalls ist im Hebräischen bzw. Aramäischen nur eine Konstruktion mit Partizip möglich[32].

Allerdings dürfte dem mk ὑπὲρ πολλῶν die Priorität zukommen gegenüber dem lk/pl ὑπὲρ ὑμῶν, das eine Applikation an die Eucharistie-Feiernden darstellen wird[33].

Doch kann auch der umgekehrte Vorgang – also sekundäre theologische Interpretation der lk/pl Sühneaussage im Sinne von Jes 53 – nicht gänzlich ausgeschlossen werden[34].

3.23. Positiv ist dann die Überlieferungsgeschichte von der Ursprungsform hin zur mk und lk/pl Tradition folgendermaßen zu beschreiben:

---

[29] Siehe oben Anm. 6.

[30] *H. Schürmann*, Einsetzungsbericht (Anm. 4) 115–123; *W. Marxsen*, Ursprung (Anm. 10) 298f; *P. Neuenzeit*, Herrenmahl (Anm. 4) 110.

[31] *H. Schürmann*, Einsetzungsbericht (Anm. 4) 118: «Ein zusatzloses Brotwort ist, isoliert gehört, ein nicht zu verstehendes Rätselwort»; vgl. *P. Neuenzeit*, Herrenmahl (Anm. 4) 109f. Dies gilt a fortiori, wenn das Brotwort authentisch ist (s. u. 4.2). Denn wie hätten die Jünger das Brot als den *in den Tod* gehenden Leib Jesu verstehen sollen, zumal ja nicht der Vorgang des Brechens (so *G. Dalman*, Jesus-Jeschua, Darmstadt 1967, 131f) oder die Tatsache des Gebrochenseins (vgl. *J. Jeremias*, Abendmahlsworte [Anm. 3] 215), sondern die Gabe des Brotes selbst gedeutet wird (so zu Recht: *H. Schürmann*, Das Weiterleben der Sache Jesu im nachösterlichen Herrenmahl: BZ NF 16 [1972] 1–24, hier 10; vgl. *ders.*, Einsetzungsbericht Anm. 413 und *J. Jeremias*, a. a. O. 212 selbst; auch *F. Hahn*, Art. Abendmahl: PThH 27–56, hier 30). Nimmt man aber an, die Jünger hätten (etwa aufgrund der Situation) «Leib» als den in den Tod gehenden Leib verstehen können, so bedurften sie – angesichts des doch wohl als Katastrophe empfundenen Todes Jesu – einer Erklärung, wieso der Leib Jesu gerade durch seinen Tod zu einer heilsamen Gabe werden konnte, als welche ihnen Jesus das gedeutete Brot darreichte (zur Bedeutung des Darreichens und Essens des gesegneten Brotes als einer heilsamen Gabe [= «Anteil am Tischsegen»] im Rahmen des jüdischen Mahlritus allgemein, s. *J. Jeremias*, a. a. O. 224; *H. Schürmann*, Weiterleben 8f).

[32] *G. Dalman*, Jesus (Anm. 31) 132f.

[33] *J. Jeremias*, Abendmahlsworte (Anm. 3) 165 und die meisten. Zu πολλοί רבים(ה) im Sinn von «alle» s. ders. ThWNT VI 536–545.

[34] *H. Schürmann*, Einsetzungsbericht (Anm. 4) 75ff; *P. Neuenzeit*, Herrenmahl (Anm. 4) 110f.

(1) Die Ursprungsform lautete: [35]

τοῦτό ἐστιν τὸ σῶμά μου τὸ ὑπὲρ πολλῶν διδόμενον

τοῦτο τὸ ποτήριον ἡ καινὴ διαθήκη ἐν τῷ αἵματί μου

(2) Lk/Pl basieren auf nur geringfügig weiterentwickelten Stadien der Ursprungsform. Im ersten Stadium wird ὑπὲρ πολλῶν durch ὑπὲρ ὑμῶν ersetzt. Daran schließt sich Lk an. Im zweiten Stadium wurde διδόμενον im Brotwort gestrichen [36] und ἐστίν (analog zum Brotwort) im Kelchwort zugefügt. Daran schließt sich Pl an. Die übrigen Unterschiede zwischen Lk und Pl sind redaktionell zu erklären, wobei sich bei Lk Einfluß mk Tradition bemerkbar macht (s. o. 1.22.).

(3) Die Zusammenfassung der ursprünglich voneinander getrennten Brot- und Kelchhandlung zu einer qualifizierten eucharistischen Handlung führt zur Angleichung des Kelchwortes an das Brotwort. Ausschlaggebend ist ein stärkeres Interesse an den Elementen, gepaart mit der liturgischen Tendenz zur Parallelisierung.

Da αἷμα nun im Nominativ steht und διαθήκη in den Genitiv treten muß, legt sich die Formulierung des Bundesgedankens im Sinne von Ex 24, 8 nahe. Weil aber auf μου nicht verzichtet werden kann, entsteht der schwierige doppelte Genitiv in Mk 14, 24.

Schließlich kann jetzt – bei Zusammenfassung der beiden Handlungen zu einer – das Sühnemotiv an den Schluß, also zum Kelchwort, rücken. τοῦτό ἐστιν τὸ σῶμά μου bleibt auch ohne weitere Deutung nicht unverständlich, da es durch das unmittelbar anschließende Kelchwort erläutert wird. Auch sachlich läßt sich die Umstellung des Sühnemotivs rechtfertigen. Assoziativ paßt es nämlich besser zum Kelchwort, da das (vergossene) Blut den Todesgedanken deutlicher zum Ausdruck bringt als der Begriff Leib [37]. So entsteht eine Traditionsform, die dann von Mk aufgenommen wird.

3.3. Die Wiederholungsbefehle

Schwierig – für uns jedoch von untergeordnetem Interesse – ist die Frage, ob die Wiederholungsbefehle zur Ursprungsform gehörten [38]. Wenn dies der Fall

---

[35] Ähnlich: G. Bornkamm, Herrenmahl (Anm. 15) 154; W. Marxsen, Ursprung (Anm. 10) 296–299; H. Schürmann, Einsetzungsbericht (Anm. 4) bes. 131f; E. Schweizer: RGG³ I 13f; N. Turner, Style (Anm. 18) 110f; J. Betz, Eucharistie (Anm. 18) 12. 25; P. Neuenzeit, Herrenmahl (Anm. 4) 109–120; L. Schenke, Studien (Anm. 1) 307–319; F. Lang, Abendmahl und Bundesgedanke im Neuen Testament: EvTh 35 (1975) 524–538, hier 527.

[36] Dahinter steckt wohl die Tendenz, σῶμα stärker als Gabe für die Feiernden (vgl. H. Schürmann, Einsetzungsbericht [Anm. 4] 28f) zu charakterisieren, während ursprünglich mehr das Sich-Hingeben im Vordergrund stand.

[37] Vgl. P. Neuenzeit, Herrenmahl (Anm. 4) 110.

[38] So H. Schürmann, Einsetzungsbericht (Anm. 4) 123–129; P. Neuenzeit, Herrenmahl (Anm. 4) 111–114; vgl. W. Marxsen, Ursprung (Anm. 10) 296. 299f.

war, müßte man annehmen, daß sie im mk Traditionszweig weggelassen wurden. Das ist denkbar. Man müßte dann im mk Text die liturgische Vollzugsform dessen sehen, was bei Lk/Pl mehr berichtend dargestellt wird [39]. Andererseits zeigt ein Vergleich von Lk und Pl, daß mit einem Wachstum der Wiederholungsbefehle zu rechnen ist. So sind die Wiederholungsbefehle doch eher einem späteren Stadium der Tradition zuzusprechen [40].

Damit stellt sich die weitergehende Frage nach dem Ursprung der rekonstruierten Ursprungsform. Ist sie ein Werk der Gemeinde oder hat sie einen Anhalt im Leben des historischen Jesus?

3.4. Die Abendmahlstexte als «Kultätiologien» und die Frage nach dem historischen Jesus

3.41. Die rekonstruierte Ursprungsform kann aus methodischen Gründen nicht eo ipso als Wiedergabe der *ipsissima* vox bzw. der *ipsissima facta* Jesu angesehen werden:

Nach unseren bisherigen Beobachtungen ließ sich im Laufe der Traditionsgeschichte eine wechselnde und wachsende Verwendung atl Motive feststellen. Aus methodischen Gründen ist daher zu fragen, ob die Verwendung der atl Motive nicht überhaupt Zeichen für die theologische Reflexion der Gemeinde ist.

Zum andern ist mit einem liturgischen Interesse der Gemeinde an den Abendmahlstexten zu rechnen. Die Abendmahlspraxis konnte nicht ohne Einfluß auf die Form der Texte bleiben. Auch das ließ bereits die bisher verfolgte Traditionsgeschichte erkennen. Mit gutem Grund können daher die uns bekannten Abendmahlstexte formkritisch als Kultätiologien bezeichnet werden, «die den Brauch der Gemeinden begründen sollen und zugleich widerspiegeln» [41]. Dabei mag es dahingestellt bleiben, ob man noch weiter zwischen Kultätiologie im eigentlichen Sinn (kultbegründend; keine Funktion innerhalb der Feier) und Kultanamnese

---

302; *E. Schweizer*, Das Abendmahl eine Vergegenwärtigung des Todes Jesu oder ein eschatologisches Freudenmahl?: ThZ 2 (1946) 81–101, hier 88; *A. J. B. Higgins*, Lord's Supper (Anm. 17) 55.

[39] *L. Schenke*, Studien (Anm. 1) 314.

[40] *J. Jeremias*, Abendmahlsworte (Anm. 3) 161. 229; *F. Hahn*, Motive (Anm. 7) 341f; *H. Patsch*, Abendmahl (Anm. 1) 79. *J. Jeremias*, a. a. O. 246 stellt allerdings erneut die Echtheitsfrage, nachdem er S. 242 die Übersetzung «Tut dies, damit Gott meiner gedenke» vorgeschlagen hat. Letzteres ist jedoch nicht überzeugend: *W. Marxsen*, Ursprung (Anm. 10) 300 Anm. 44; *F. Hahn*, a. a. O.; *H. Schürmann*, Einsetzungsbericht (Anm. 4) 126 Anm. 434.

[41] *F. Hahn*, Motive (Anm. 7) 339; vgl. *A. Eichhorn*, Das Abendmahl im Neuen Testament, Leipzig 1898, 25; *R. Bultmann*, Tradition (Anm. 1) 285. 333; *M. Dibelius*, Formgeschichte (Anm. 1) 207; *W. Marxsen*, Ursprung (Anm. 10) 296; *J. Jeremias*, Abendmahlsworte (Anm. 3) 100–130; *P. Benoit*, Einsetzungsberichte (Anm. 17) 87; *J. Betz*, Eucharistie (Anm. 18) 10f; *P. Neuenzeit*, Herrenmahl (Anm. 4) 96–100.

(kultbegleitend) unterscheiden kann [42] oder ob man allgemein von Kultlegende sprechen soll [43]. Entscheidend ist, daß «Kultätiologie» eine rein literarische (formkritische) Kategorie darstellt, die als solche über die historische Frage keine Auskunft gibt [44]. Allerdings kann mit dieser Feststellung – und das ist gerade im Blick auf die konkrete Verwendung der Termini in der Forschungsgeschichte zu betonen – die historische Frage nicht beiseitegeschoben werden. Läßt sich der formkritische Terminus auch historisch verwenden? D. h., ist die Gemeinde, die mit einer Kultätiologie ihren Brauch begründet, zugleich Begründerin ihres Brauches, oder nimmt sie mit ihrer Kultbegründungsformel gerade Bezug auf einen Brauch bzw. eine Handlung des historischen Jesus? Daß methodisch und prinzipiell eher mit Letzterem zu rechnen ist, ergibt sich aus den folgenden Überlegungen.

3.42. Der historische Ausgangspunkt für die Abendmahlstradition ist bei Jesus zu suchen:

(1) Bereits Pl führt die «Ätiologie» auf Jesus zurück, und zwar nicht irgendwie auf den Kyrios, sondern auf Jesus in einer ganz bestimmten historischen Situation: «... in der Nacht, in der er ausgeliefert wurde ...» (1 Kor 11, 23). Darin sind sich alle ntl Abendmahlstraditionen (außer Joh) einig. Wer daher die Abendmahlstradition auf die Gemeinde zurückführt, muß erklären, warum sie von der Gemeinde auf Jesus, und zwar speziell auf das Letzte Mahl Jesu zurückgeführt wird. Dies gilt umso mehr, als die übrigen Wurzeln des nachösterlichen Herrenmahles [45], die sog. Erscheinungsmahle [46] und die Mahlgemeinschaften des Irdischen [47], (im Gegensatz zum Letzten Mahl) von der Überlieferung eben nicht ausdrücklich als solche gekennzeichnet werden.

(2) Schon in frühester Tradition ist mit dem Abendmahl das Sühne- und Bundesmotiv verbunden. Da aber eine isolierte Formu-

---

[42] So z. B. *L. Schenke*, Studien (Anm. 1) 312–314 am Beispiel des Pl und Mk.
[43] So z. B. *R. Bultmann*, Tradition (Anm. 1) 285f.
[44] *F. Hahn*, Motive (Anm. 7) 339 Anm. 10.
[45] *F. Hahn*, Motive (Anm. 7) 338; *ders.*, Abendmahl (Anm. 31) 26f; *ders.*, Zum Stand der Erforschung des urchristlichen Herrenmahls: EvTh 35 (1975) 553–563, hier 533f.
[46] Darauf hat bes. *O. Cullmann*, Urchristentum und Gottesdienst (AThANT 3), Zürich ³1950, 17–23. 29–34, verwiesen.
[47] *E. Lohmeyer*, Vom urchristlichen Abendmahl: ThRu NS 9 (1937) 168–227. 273–312; 10 (1938) 81–99, bes. 201ff passim. Bei der großen Speisung hat man gelegentlich umgekehrten Einfluß, also Einwirken eucharistischer Terminologie, angenommen. Doch trifft dies kaum zu; vgl. *G. H. Boobyer*, The Eucharistic Interpretaion of the Miracles of the Loaves in St. Mark's Gospel: JThS NS 3 (1952) 161–171.

lierung τοῦτό ἐστιν τὸ σῶμά μου bzw. τοῦτό ἐστιν τὸ αἷμά μου [48] kaum
denkbar ist (s. o. 3.22. [3]), bleibt nur die Alternative, Sühne- und
Bundesgedanken oder wenigstens einen von ihnen mit auf Jesus
zurückzuführen oder die Abendmahlsworte Jesus ganz abzu-
sprechen. Letzteres ist aber schwierig, besonders wenn man den
eschatologischen Ausblick Mk 14, 25 für Jesus reklamiert. Denn
dann wird man zumindest mit der Möglichkeit rechnen müssen,
daß Jesus beim Letzten Mahl seinem Tod eine positive Deutung
gegeben hat (s. u. 4.2.).

(3) Nicht befriedigend zu erklären ist auch die religionsgeschichtliche Analogielosigkeit des christlichen Abendmahls [49],
wenn man die Gemeinde dafür verantwortlich macht. Warum
wählt sie die Form eines Mahles, um Sühne- und Bundesgedanken
zu artikulieren? Warum deutet sie Brot und Wein? – H. Schürmann
weist schließlich auf zwei Besonderheiten der Abendmahlshand-
lung hin, die als solche am ehesten Jesus selbst zuzuschreiben
sind: 1. Der *eine* Becher wird allen gereicht. 2. Brot- und Becher-
darbietung sind von deutenden Worten begleitet [50].

(4) Auch der Zeitfaktor ist zu berücksichtigen. W. Marxsen
formuliert das so: «Die hinter der *Paulustradition* liegende Urform
rückt so nahe an das letzte Mahl Jesu heran, daß kein Platz
mehr bleibt für eine (nun ja in der palästinischen Urgemeinde)
erfundene ätiologische Kultlegende zu einem dort entstandenen
Ritus. Eine solche Hypothese könnte nur in grenzenloser Skepsis
begründet sein. Sie wäre aber ‹ebenso unbeweisbar wie unwahrscheinlich›. Ich glaube vielmehr, daß wir in 1. Kor. 11, 23–25
eine authentische Kunde vom Abschiedsmahl Jesu haben» [51].

---

[48] *R. Bultmann*, Theologie (Anm. 21) 148 sieht darin die ursprünglichen
liturgischen Worte; zur Kritik: *F. Hahn*, Motive (Anm. 7) 341.

[49] Versuche, das Abendmahl von hellenistischen Kultmahlen, dem Mahl aus
Joseph und Aseneth (*G. D. Kilpatrick*, The Last Supper: ET 64 [1952/53] 4–8)
bzw. dem Mahl der Therapeuten oder den essenischen Mählern (vgl. *K. G. Kuhn*,
Sinn [Anm. 17]; *ders.*, The Lord's Supper and the Communal Meal at Qumran, in:
K. Stendahl, [Hrsg.], The Scrolls and the New Testament, New York 1957, 65–93;
J. Gnilka, Das Gemeinschaftsmahl der Essener: BZ NF 5 [1961] 39–55; *H. Braun*,
Qumran und das Neue Testament II, Tübingen 1966, 29–54) abzuleiten, konnten
nicht überzeugen; vgl. *H. Patsch*, Abendmahl (Anm. 1) 17–34. Auch das Pascha-
mahl muß trotz des eindrucksvollen Plädoyers von *J. Jeremias*, Abendmahls-
worte (Anm. 3) 9–82 und passim als Interpretationsschema fraglich bleiben:
E. Käsemann, Abendmahl (Anm. 17) 60–62; *F. Hahn*, Motive (Anm. 7) 343; *ders.*,
Abendmahl, (Anm. 31) 27f; *ders.*, Stand (Anm. 45) 563; *P. Neuenzeit*, Herrenmahl
(Anm. 4) 69f; *L. Schenke*, Studien (Anm. 1) 307f; *E. Schweizer*, Herrenmahl
(Anm. 2) 352–355; vgl. *R. Feneberg*, Christliche Passafeier und Abendmahl
(StANT 27), München 1971, bes. 121f. Unsicher ist auch die Verbindung, die
W. v. Meding, 1 Kor 11, 26: Vom geschichtlichen Grund des Abendmahls: EvTh
35 (1975) 544–552, zum jüdischen Tröstungsmahl (Jer 16, 7) herstellen will.

[50] Weiterleben (Anm. 31) 5–7. passim.

[51] Ursprung (Anm. 10) 303.

4. Erwägungen zur Gestalt des Abendmahles
beim historischen Jesus

In Analogie zu W. Marxsen könnte man die rekonstruierte Ursprungsform dem historischen Jesus zuschreiben. Jesus hätte dann das Sühne- und Bundesmotiv zur Deutung seines eigenen Todes herangezogen. Undenkbar ist dies nicht. Allerdings bleiben dann die methodischen Vorbehalte von 3.41. uneingeschränkt bestehen. Hier kann eine Betrachtung von Mk 14, 25 weiterhelfen.

4.1. Die Todesprophetie und Vollendungsverheißung von Mk 14, 25:

Auf die Problematik von Mk 14, 25, insbesondere auf das Verhältnis zu Lk 22, 15–18, kann hier im einzelnen nicht eingegangen werden. Gelegentlich wird Mk 14, 25 als Rudiment eines, dann durch den Eucharistiebericht Mk 14, 22–24 bzw. Lk 22, 19f verdrängten Paschamahlberichtes verstanden, wie er vollständiger noch in Lk 22, (14) 15–18 erhalten ist [52]. Dies würde jedoch eine höchst komplizierte Traditionsgeschichte voraussetzen [53]. Es ist deshalb viel wahrscheinlicher, daß Lk 22, 15–18 eine Weiterentwicklung von Mk 14, 25 darstellt [54], dessen Ursprünglichkeit gegen-

---

[52] *R. Bultmann*, Tradition (Anm. 1) 286. 300; *K. G. Kuhn*, Die Abendmahlsworte: ThLZ 75 (1950) 399–408, hier 404; *H. Schürmann*, Der Paschamahlbericht Lk 22, (7–14) 15–18 (NTA XIX, 5), Münster 1953, bes. 42–46; *J. Jeremias*, Abendmahlsworte (Anm. 3) 153–159; *E. Klostermann*, Mk (Anm. 1) 147; vgl. *E. Lohmeyer*, Abendmahl (Anm. 47) 179; *E. Käsemann*, Abendmahl (Anm. 17) 67.
[53] *W. G. Kümmel*, Verheißung (Anm. 28) 24f; *L. Schenke*, Studien (Anm. 1) 303–305; *D. Dormeyer*, Passion (Anm. 16) 106–108.
[54] *F. Hahn*, Motive (Anm. 7) 340. 353–357; *M. Dibelius*, Formgeschichte (Anm. 1) 180 Anm. 1; 211f; *H. Vogels*, Mk 14, 25 und Parallelen, in: N. Adler (Hrsg.), Vom Wort des Lebens (Festschr. f. M. Meinertz), Münster 1951, 93–104, hier 95; *H. Lietzmann*, Messe (Anm. 10) 216; *E. Schweizer*, Abendmahl (Anm. 38) 98; ders., Herrenmahl (Anm. 2) 358. *H. Patsch*, Abendmahl (Anm. 1) 94 rechnet mit zweifacher Überlieferung.

über Lk 22, 18 ohnehin auch von den Verfechtern der Rudimenten-hypothese anerkannt wird[55].

Die Authentie von Mk 14, 25 ist kaum zu bestreiten; dann aber ist auch das Letzte Mahl als ursprüngliche Situation vorauszu-setzen[56]. Unter diesen Umständen wird Mk 14, 25 geradezu zum heuristischen Schlüssel, um hinter die rekonstruierte Ursprungs-fassung der Abendmahlstraditionen zum historischen Jesus selbst zurückzufragen: Eine auf Jesus selbst zurückzuführende Abend-mahlstradition muß sich mit Mk 14, 25 koordinieren lassen.

Inhaltlich läßt Mk 14, 25, das mit dem Stichwort «Verzicht-erklärung»[57] nur höchst unzureichend charakterisiert ist, zwei Schlüsse zu: (1) Jesus rechnet mit seinem baldigen, gewaltsamen Tod (Todesprophetie). Trotz der damit gegebenen Infragestellung des eschatologischen Boten und seiner eschatologischen Botschaft hält Jesus (2) an der Geltung seiner Botschaft von der herein-brechenden Basileia fest: über seinen Tod hinaus verheißt er das Neutrinken des Bechers in der (wohl bald hereinbrechenden) Basileia (Vollendungsverheißung)[58].

Dies bedeutet, daß Jesus seinem Tod eine positive Deutung gibt und ihn als einen notwendigen Schritt im eschatologischen, auf die Basileia hinzielenden Handeln Gottes versteht.

4.2. *Der Sühnegedanke als Interpretationsschema:*

Nun ist nicht zu leugnen, daß die Sühnevorstellung ein ausge-zeichnetes und passendes Schema zur positiven Interpretation des Todes Jesu zur Verfügung stellt, wobei es dahingestellt bleiben mag, ob hier an die allgemeine frühjüdische Sühnevorstellung oder – wahrscheinlicher – an Jes 53 zu denken ist (s. o. 3.22.[3.]). Jedenfalls bestehen von Mk 14, 25 her keinerlei Bedenken, das Brotwort, das ursprünglich das Sühnemotiv enthielt, dem histori-schen Jesus zuzusprechen[59]. Es würde im Gegenteil ausgezeichnet zum Gedanken von Mk 14, 25 passen:

---

55 *R. Bultmann*, Tradition (Anm. 1) 286 Anm. 2; *J. Jeremias*, Abendmahlsworte (Anm. 3) 156f; *H. Schürmann*, Paschamahlbericht (Anm. 52) 45.

56 *F. Hahn*, Abendmahl (Anm. 31) 27; vgl. *R. Bultmann*, Tradition (Anm. 1) 286f; *K. G. Kuhn*, Abendmahlsworte (Anm. 52) 403; *ders., Sinn* (Anm. 17) 522; *G. Bornkamm*, Jesus von Nazareth, Stuttgart ⁸1968, 148. – Redaktionelle Bildung des Verses, wie es *L. Schenke*, Studien (Anm. 1) 293–299. 302–306 erwägt, liegt kaum vor (vgl. aber unten Anm. 68).

57 So *J. Jeremias*, Abendmahlsworte (Anm. 3) 199ff.

58 *F. Hahn*, Motive (Anm. 7) 340; *H. Schürmann*, Weiterleben (Anm. 31) 16; *L. Schenke*, Studien (Anm. 1) 333; *W. Schenk*, Passionsbericht (Anm. 16) 193.

59 Zur Möglichkeit, daß Jesus seinen Tod als heilsbedeutsam interpretiert hat: *H. Schürmann*, Weiterleben (Anm. 31) 13. 15f. 22f; und jetzt bes. *H. Patsch*, Abendmahl (Anm. 1) 151–225. 227.

Im Wissen um die nahe Katastrophe feiert Jesus mit seinen Jüngern das Letzte Mahl. Zu Beginn des Mahles (Brotbrechen) ergreift er die Gelegenheit, um ihnen gegen allen Anschein die Notwendigkeit und Sinnhaftigkeit seines Todes zu erklären. Er interpretiert ihn als von Gott gesetzte Notwendigkeit und Möglichkeit im Sinne der stellvertretenden Sühne (Jes 53): Er selbst ist der Gottesknecht, der im unaufhaltsam anbrechenden Eschaton – gerade angesichts der Ablehnung seiner Heilsbotschaft – Gott Sühne ὑπὲρ πολλῶν darbringt.

Sein Tod signifiziert somit nicht die Ungültigkeit seiner Botschaft von der hereinbrechenden Basileia, sondern erscheint als notwendiger Schritt im eschatologischen Heilshandeln Gottes. Um den Jüngern sinnenfällig diese positive Funktion seines Todes vor Augen zu stellen und um sie gleichzeitig in dieses Heilshandeln mithineinzunehmen (soteriologischer Aspekt), nimmt er das Brot, bricht es und gibt es ihnen mit den Worten: «Dies ist mein Leib, der für viele hingegeben wird».

Dem griechischen σῶμα dürfte dabei ein hebräisches ‹guph› zugrunde liegen und zur Bezeichnung der ganzen Person Jesu dienen, die jetzt in den Tod geht [60].

4.3. *Das ursprüngliche Kelchwort im Munde Jesu:*

Wie das Sühnemotiv könnte Jesus in ähnlicher Weise auch das Bundesmotiv aus Jer 31, 31 entsprechend dem Kelchwort der rekonstruierten Ursprungsform zur Deutung seines Todes benutzt haben. Doch ist diese Vorstellung schwieriger. Denn Mk 14, 25 setzt wohl voraus, daß Jesus das eschatologische (καινόν) Trinken (= das eschatologische Mahl) [61] erst für die Basileia erwartet, während das Kelchwort bereits das jetzige Trinken als die eschatologische καινὴ διαθήκη qualifiziert [62].

Deshalb ist eher anzunehmen, daß entweder auch das Kelchwort vom Sühnemotiv bestimmt war [63], wobei allerdings völlig offen bleiben muß, wie es gelautet hat, oder – wahrscheinlicher – daß das Kelchwort Jesu mit Mk 14, 25 zu identifizieren ist [64].

---

[60] *G. Dalman*, Jesus (Anm. 31) 129ff; *E. Schweizer:* ThWNT VII 1056; *F. Hahn*, Stand (Anm. 45) 558f. Gegen *J. Jeremias*, Abendmahlsworte (Anm. 3) 191–194.

[61] Daß καινόν das Trinken eschatologisch qualifiziert, s. *G. Dalman*, Jesus (Anm. 31) 165. – Der Gräzismus (*G. Dalman*, ebd. 164f; *J. Jeremias*, Abendmahlsworte [Anm. 3] 177) schließt eine Rückübersetzung nicht aus: *G. Dalman*, ebd.

[62] Zu καινὴ διαθήκη und βασιλεία τοῦ θεοῦ als Korrelatbegriffen: *J. Behm:* ThWNT II 137.

[63] *E. Lohse*, Märtyrer (Anm. 7) 124; vgl. *F. Hahn*, Motive (Anm. 7) 362f.

[64] Vgl. *R. Bultmann*, Tradition (Anm. 1) 286f; *F. Hahn*, Abendmahl (Anm. 31) 27; *ders.*, Motive (Anm. 7) 341; *ders.*, Stand (Anm. 45) 559. – Nicht zu verwech-

Letzteres gewinnt auch dadurch an Wahrscheinlichkeit, weil sich so die schon lange festgestellten literarkritischen Spannungen zwischen Mk 14, 23b und 24 einerseits und zwischen Mk 14, 24 und 25 andererseits [65] hervorragend erklären lassen. Nach unserem Modell wären dann jedoch nicht VV. 23b. 25 sekundär mit der Abendmahlstradition VV. 22. 23a. 24 verbunden worden [66], sondern umgekehrt wäre das Abendmahl in seiner Urform – bestehend aus Brotwort (s. o. 4. 2. und 3.23.[1.]) + Mk 14, 23. 25 – durch ein weiteres Kelchwort (im Sinne von 3.23.[1.]) erweitert worden [67].

Den Vorgang beim Letzten Mahle Jesu müßte man sich dann folgendermaßen vorstellen: Am Ende des Mahles ergreift Jesus den Becher (Segensbecher), segnet ihn und gibt ihn den Jüngern zum Trinken; schon dies allein ist signifikativ – s. o. 3.42.(3.) – und weckt die Erwartung einer Erklärung. Als alle getrunken haben (vgl. Mk 14, 23b), spricht Jesus Mk 14, 25 [68], und gibt so dem Mahl, das von Anfang an unter dem Eindruck seines Todes stand (vgl. Brotwort), einen hoffnungsvollen Charakter. Den Becher, aus dem Jesus wohl schon in bedeutungsvoller Weise nicht mehr getrunken hat, wird er neu trinken beim eschatologischen Mahl in der Basileia [69]. Allem Anschein zum Trotz hält Jesus damit an der hereinbrechenden Basileia als einem unaufhaltsamen Werk Gottes fest (eschatologischer Aspekt).

---

seln ist unser Modell mit dem «jerusalemitischen» bzw. «galiläischen» Abendmahlstypus (vgl. H. *Lietzmann*, Messe [Anm. 10] 252. 249 bzw. E. *Lohmeyer*, Abendmahl [Anm. 47] 281 Anm. 1; *ders.*, Das Abendmahl in der Urgemeinde: JBL 56 [1937] 217–252, hier 228–242; zur Kritik zweier Abendmahlstypen: E. *Schweizer*, Herrenmahl [Anm. 2] 344–347), den man vielfach als Abendmahlsfeier ohne Wein charakterisierte. Doch vermag auch unser Modell («eucharistisches» Brotwort + «eschatologisches» Kelchwort) den Ausdruck «Brotbrechen» (vgl. J. *Behm:* ThWNT III 728f) besser verständlich zu machen, wie auch neues Licht auf die Feier sub una (J. *Behm*, a. a. O. 737 Anm. 69; Lit. bei J. *Jeremias*, Abendmahlsworte [Anm. 3] 46 Anm. 5) zu werfen, wenngleich ihr Nachweis im NT fraglich bleiben muß. Jedenfalls wird man Mk 14, 23 (vgl. E. *Klostermann*, Mk [Anm. 1] 147f) nach unserem Modell dafür gerade nicht anführen können; auch ὁσάκις ἐὰν πίνητε 1 Kor 11, 25 (vgl. A. *Schlatter*, Paulus der Bote Gottes, Stuttgart ³1962, 324; F. *Hahn*, Stand [Anm. 45] 556f) ist nicht zwingend (vgl. ὁσάκις . . . ἐὰν in V. 26; s. P. *Neuenzeit*, Herrenmahl [Anm. 4] 114f). Zum Wiederholungsbefehl allein beim lk Brotwort s. u. 5.1.
[65] W. *Schenk*, Passionsbericht (Anm. 16) 189–193; D. *Dormeyer*, Passion (Anm. 16) 100–110. Vgl. A. *Eichhorn*, Abendmahl (Anm. 41) 26; R. *Bultmann*, Tradition (Anm. 1) 286; H. *Schürmann*, Paschamahlbericht (Anm. 52) 42; J. *Jeremias*, Abendmahlsworte (Anm. 3) 184; L. *Schenke*, Studien (Anm. 1) 290ff.
[66] So W. *Schenk*, a. a. O. Nach D. *Dormeyer*, a. a. O. 106 gehören VV. 23. 24a. 25 zur Vorlage des Mk.
[67] Vgl. E. *Hirsch*, Frühgeschichte des Evangeliums I, Tübingen 1941, 153f, der V. 24b literarkritisch ausscheidet.
[68] ἀμὴν λέγω ὑμῖν ὅτι und die doppelte Negation könnten allerdings mk Redaktion sein: W. *Schenk*, Passionsbericht (Anm. 16) 191f.
[69] Implizit dürfte Jesus damit auch die eschatologische Tischgemeinschaft mit den Jüngern (so ausdrücklich Mt 26, 29) ins Auge gefaßt haben.

5. Die Entwicklung vom Abendmahl Jesu
zu den neutestamentlichen Abendmahlstraditionen

5.1. Ostern als Ausgangspunkt des nachösterlichen Abendmahls:

Die eindeutig eschatologisch qualifizierte Erfahrung der Auferweckung Jesu mußte die von Jesus selbst initiierte und gerade
bei seinem Letzten Mahl über seinen Tod hinaus zugesicherte Verheißung der Basileia im Erwartungshorizont der Gemeinde bestärken und intensivieren. So mußte das Letzte Mahl geradezu als
Vermächtnis Jesu verstanden werden, das der eschatologischen
Hoffnung der Gemeinde in der noch laufenden Geschichte Sicherheit und Spannkraft verlieh. Die Gedächtnisfeier des Letzten
Mahles stellte die Gemeinde mitten hinein in das Eschaton, das
mit dem Tod Jesu, der nun durch Ostern als notwendiges Ereignis
im eschatologischen Handeln Gottes legitimiert war (vgl. die Deutung Jesu selbst; s. o. 4.1. und 4.2.), in das entscheidende Stadium
getreten war und der Vollendung in der Basileia harrte. Im Rahmen dieser Abendmahlsfeier dürfte dann auch der Ruf des
Maranatha (1 Kor 16, 22; vgl. Offb 22, 20; Did 10, 6) anzusiedeln
sein [70].

Ob bereits in diesem Stadium die faktische Wiederholung des
Letzten Mahles Jesu zur Formulierung eines Wiederholungsbefehles führte, muß offen bleiben.

Einerseits könnte diese Annahme sehr gut den merkwürdigen Tatbestand
der lk Tradition erklären, die nur einen Wiederholungsbefehl nach dem Brotwort kennt (22, 19). Dies wäre nämlich nicht verwunderlich, solange noch kein
Kelchwort im Sinne der späteren Tradition existierte. Andererseits müßte man
unter der Voraussetzung einer so frühen Entstehung des Wiederholungsbefehls
annehmen, daß ihn der mk Traditionszweig weggelassen hat (s. o. 3.3).

Deshalb dürfte es wahrscheinlicher sein, daß die Wiederholungsbefehle erst nach der Aufspaltung in die beiden Traditionsstränge, genauer in der vor-lk/vor-pl Tradition, entstanden sind.
Daß der Wiederholungsbefehl zunächst nur nach dem Brotwort zu
stehen kam, wird dann wohl darin seinen Grund haben, daß es bei
einer Abendmahlsfeier, die zwischen Brot- und Becherhandlung
ein Sättigungsmahl kannte, genügte, am Anfang – also nach dem
Einleitungsritus des Brotbrechens – darauf zu verweisen, daß hier
Gedächtnis Jesu geschieht, um der ganzen Feier diesen Charakter
zu geben.

---

[70] Vgl. *B. Sandvik*, Das Kommen des Herrn beim Abendmahl im Neuen
Testament (AThANT 58), Zürich 1970, 13–36. – Vgl. auch ἀγαλλίασις Apg 2, 46.

5.2. Der «neue Bund» (Jer 31, 31) als erste nachösterliche Interpretation des Abendmahles Jesu:

Mußte eine Deutung des Todes Jesu im Sinne von Jer 31, 31 vor Ostern als schwierig gelten (s. o. 4.3.), so ändert sich die Sachlage mit dem Osterereignis. Sobald nämlich sowohl die eschatologische Botschaft Jesu (Basileia) als auch die soteriologische Deutung seines Todes durch die Auferweckung legitimiert und der Tod Jesu selbst als eschatologisches Ereignis qualifiziert war, konnte auch die Sühne, die Jesus durch seinen Tod intendierte, nun eindeutig als eschatologische Sühne gewürdigt werden. Ostern ermöglichte es so, den Tod Jesu als den Akt der eschatologischen Vergebung Gottes (eben aufgrund der stellvertretenden Sühne Jesu) zu erkennen und damit als den neuen Bundesschluß[71] Gottes mit seinem Volk im Sinne von Jer 31, 31 (vgl. 31, 34b) zu interpretieren. Der Tod Jesu begründete die καινὴ διαθήκη, bzw. umgekehrt: der «neue Bund» war die καινὴ διαθήκη ἐν τῷ αἵματι Ἰησοῦ[72].

ἐν τῷ αἵματι ist (isoliert für sich genommen) zunächst nichts anderes als Umschreibung des Todes Jesu: Der neue Bund ist im Tod und kraft des Todes Jesu geschlossen[73]. Daß man den Tod Jesu gerade mit «Blut» zum Ausdruck brachte, ist in der allgemeinen assoziativen Nähe von Blut und Tod[74] und noch mehr in der konkreten Todesart Jesu begründet, der sterbend tatsächlich Blut vergossen hat. Hinzu kommt, daß das Motiv der Bundesschließung durch Blut sowohl im AT (vgl. Ex 24) wie auch im Frühjudentum (vgl. Jub 6, 2. 11. 14) geläufig ist[75].

Der Zusammenhang von Vergebung, die der neue Bund nach Jer 31 mit sich bringt (V. 34), und Blut ist möglicherweise auch assoziativ durch die kultische Regel beeinflußt, die später in Hebr 9, 22 dann ausdrücklich zitiert wird: Ohne Blutvergießen gibt es keine Vergebung[76].

Damit ist freilich erst erklärt, daß der Tod Jesu nach Ostern als der «neue Bund im Blute Jesu» gedeutet werden konnte. Offen ist noch, wie dieser Gedanke mit dem Abendmahl in Verbindung treten konnte. Doch bestehen hier kaum Schwierigkeiten. Denn

---

[71] Auf die Problematik der Übersetzung von διαθήκη mit «Bund» kann hier nicht eingegangen werden (vgl. zur Information *P. Neuenzeit,* Herrenmahl [Anm. 4] 191–200). Der Hauptakzent ist auf die Initiative Gottes zu legen (vgl. *E. Kutsch:* THAT I 339–352).

[72] Daß καινή ursprünglich fehlte (*W. Marxsen,* Ursprung [Anm. 10] 298 Anm. 30; *E. Schweizer,* Herrenmahl [Anm. 2] 349 Anm. 29), ist m. E. unwahrscheinlich. Das gilt noch mehr von der Meinung V. *Wagners,* Der Bedeutungswandel von בְּרִית הֲדָשָׁה bei der Ausgestaltung der Abendmahlsworte: EvTh 35 (1975) 538–544, hier 543, der von τοῦτο τὸ ποτήριον ἡ καινὴ διαθήκη ἐστίν als ältester Gestalt des Kelchwortes ausgeht.

[73] *J. Behm:* ThWNT I 173, 27ff.

[74] Vgl. *J. Behm:* ThWNT I 172f.

[75] Explizit kommt dieser Zusammenhang dann in der mk Traditionsform zum Ausdruck.

[76] Vgl. *O. Michel,* Der Brief an die Hebräer (KEK XIII), Göttingen [6]1966, 319 (mit weiteren Belegen).

zum einen mußte das Abendmahl schon aufgrund der von Jesus selbst gegebenen Deutung (des Brotes) nach Ostern als Gedächtnisfeier des Todes Jesu begangen werden. Zum andern hatte ebenfalls Jesus selbst dem Letzten Mahl soteriologische Qualität verliehen, indem er seinen Tod im Sinne der stellvertretenden Sühne gedeutet und seinen Jüngern im Mahl daran sinnenfällig Anteil gegeben hatte. Die Gemeinde, die das Abendmahl als Gedächtnis des nun eschatologisch qualifizierten Todes Jesu feierte (vgl. auch 1 Kor 11, 26), konnte sich als das eschatologische Gottesvolk[77] verstehen, dem gerade in der Feier des Abendmahles der im Tod und kraft des Todes Jesu konstituierte eschatologische Bund zugeeignet und zeichenhaft erfahrbar wurde[78]. Die Abendmahlsfeier konnte so als die Feier des neuen Bundes im Blute Jesu verstanden werden.

Möglicherweise spielt für die Verbindung von Abendmahl und Bundesgedanken auch die Vorstellung von Jesus als dem Gottesknecht, die sich bereits mit dem Deutewort Jesu über das Brot ankündigte, eine Rolle. Immerhin sagt das erste und zweite Gottesknechtslied, daß der Gottesknecht eingesetzt ist εἰς διαθήκην γένους (42, 6) bzw. ἐθνῶν (49, 8)[79].

Kein Zufall ist es, daß sich die Deutung des Todes Jesu mit dem Bundesgedanken an den zu trinkenden Kelch und nicht an das Brotwort anhängte. Abgesehen von den mehr äußerlichen Gründen, daß das Brotwort bereits durch eine Deutung «besetzt» war, und daß der Kelch (mit Wein) zu dem unter dem Stichwort «Blut» formulierten Todesgedanken größere assoziative Nähe hatte, dürfte hier vor allem das Kelchwort Jesu (Mk 14, 25) als Katalysator gewirkt haben. Darin hatte bereits Jesus über seinen Tod hinaus auf die Vollendung in der Basileia hingewiesen und damit gegen allen Anschein, den sein Tod erwecken konnte, den sicheren Anbruch des von ihm angesagten Eschatons der Basileia verheißen. Da der Tod Jesu (durch Ostern) nun selbst eschatologisch qualifiziert war, mußte diese Verheißung Jesu in einer Weise als bereits erfüllt gelten: Gott hatte sein, von Jesus verheißenes, eschatologisches Handeln schon wahr gemacht, der «neue Bund»

---

[77] Vgl. die alte Jerusalemer Bezeichnung «die Heiligen».

[78] Für den palästinischen Raum ist die Möglichkeit einer Bezugnahme auf den «neuen Bund» von Jer 31 im Zusammenhang eines eschatologischen Selbstverständnisses der Gemeinde durch qumranische Parallelen auch religionsgeschichtlich abgedeckt; vgl. CD 6, 19; 8, 21; 19, 33; 20, 12; 1 QpHab 2, 3; 1 QS 2, 12. 18; 4, 22; 5, 11. 18; 1 QM 14, 4; 17, 7; 1 QH 4, 18f. 23f; 5, 23; 7, 20 u. ö. (vgl. auch LXX Bar 2, 35; Jub 1, 16–25). Zum Bundesbegriff im nachbiblischen Judentum vgl. *J. Behm:* ThWNT II 130f und *A. Jaubert,* La notion de l'alliance dans le Judaïsme aux abords de l'ère Chrétienne, Paris 1963.

[79] Vgl. *G. Dalman,* Jesus (Anm. 31) 154; *H. Schürmann,* Einsetzungsbericht (Anm. 4) 99; *P. Neuenzeit,* Herrenmahl (Anm. 4) 160f. Zur Problematik dieser Verbindung s. jedoch auch *F. Hahn,* Motive (Anm. 7) 366.

ist bereits geschlossen, wiewohl die Vollendung der Basileia noch aussteht. So wurde der Kelch, den Jesus zum Anlaß eschatologischer Verheißung genommen hatte (Mk 14, 25), für die Gemeinde Anlaß, die im Tode Jesu erkannte, eschatologische Tat Gottes zu formulieren (im Sinne von 3.23.[1.]), ohne daß sie die noch ausstehende Vollendung aus dem Gesichtsfeld verlieren mußte.

Nicht zufällig ist auch die besondere Formulierung des Kelchwortes, die es in der Schwebe läßt, ob direkt der zu trinkende Wein (als Blut) gedeutet wird, oder ob das Trinken – der kreisende Becher – primärer Gegenstand der Deutung ist [80]. Doch wird man auf dieser Stufe der Entwicklung eher mit letzterem rechnen müssen: Die Gemeinschaft der das Abendmahl Feiernden bekommt im Trinken des Bechers Anteil an dem im Tode (Blute) Jesu konstituierten neuen Bund und repräsentiert das Volk des neuen Bundes (ekklesiologischer Aspekt).

Wenn diese Überlegungen richtig sind, wird man sich die Gestalt einer solchen alten Abendmahlsfeier etwa so vorstellen können:

Derjenige, der dem Mahle vorstand, referiert zu Beginn das Letzte Mahl Jesu, wobei er die referierten Gesten selbst vollzieht: «Er nahm das Brot, sprach den Segen, brach es und gab es ihnen (seinen Jüngern) und sprach: ‹Dies ist mein Leib, der für viele hingegeben wird›.» Dann folgt das Mahl. Danach referiert er wiederum das Tun Jesu: «Er nahm den Kelch, segnete ihn und gab ihn ihnen (seinen Jüngern). Und alle tranken aus ihm.» Ob die Deutung des Kelches – «Dieser Kelch ist der neue Bund in meinem Blute» – sich hier sofort anschloß oder erst während des Trinkens gesprochen wurde, ist von untergeordneter Bedeutung. Ebenso muß es offen bleiben, ob Mk 14, 25 sogleich diesem Deutewort folgte oder erst ganz am Ende des Mahles zitiert wurde.

Jedenfalls wird die Tatsache, daß es einmal eine Abendmahlsfeier mit einem doppelten Wort zum Becher gegeben hat, durch die beiden Überlieferungsstränge der Abendmahlstradition nahegelegt. Am deutlichsten ist dies noch in der mk Tradition erkennbar, wo sich an das Deutewort über den Kelch (14, 24) unmittelbar der eschatologische Ausblick anschließt. Doch auch bei Pl hat sich noch eine Reminiszenz an diese Form des Abendmahles erhalten, wenn er in 1 Kor 11, 26 sagt: «Sooft ihr nämlich dieses Brot eßt und den Kelch trinkt, verkündet ihr den Tod des Herrn, ἄχρι οὗ ἔλθῃ» [81].

Die vorgestellte Abendmahlsfeier kann als die Form des Abendmahles gelten, aus der sich dann die beiden Überlieferungsstränge (Mk und Lk/Pl) entwickelten. Damit wären die Ergebnisse unserer

---

[80] So W. _Marxsen,_ Das Abendmahl als christologisches Problem, Gütersloh ²1965, 12ff. Vgl. F. _Hahn,_ Stand (Anm. 45) 559f.

[81] Daß Lk seinen Abendmahlsbericht unmittelbar mit dem Deutewort über den Kelch schließt, ist kein Indiz gegen die vorgenannte Abendmahlsform, da bei ihm Mk 14, 25 bereits in Lk 22, 15–18 aufgefangen ist. Letzteres ist wahrscheinlich die Ätiologie einer christlichen Paschafeier, die sich aus Mk 14, 25 entwickelte (so auch F. _Hahn,_ Motive [Anm. 7] 342. 354ff; _ders.,_ Abendmahl [Anm. 31] 27. 32). Zur christlichen Paschafeier vgl. J. _Jeremias,_ Abendmahlsworte (Anm. 3) 115–118; H. _Schürmann,_ Die Anfänge christlicher Osterfeier, in: Ursprung und Gestalt, Düsseldorf 1970, 199–206; B. _Lohse,_ Das Passafest der Quartadezimaner (BFChTh II 54), Gütersloh 1953.

Analyse (s. o. 3.), die allerdings Mk 14, 23b. 25 nicht berücksichtigt hatte, weiter präzisiert. Es bleibt jetzt nur noch darzustellen, wie sich die bislang einheitliche Tradition in zwei Überlieferungen aufspaltete.

5.3. Die Aufsplitterung der Abendmahlstradition in zwei Überlieferungsstränge:

Daß sich eine Tradition unterschiedlich entwickelt, läßt sich hinlänglich mit dem je verschiedenen geographischen Verbreitungsgebiet und dem dazugehörigen religiös-geistigen Milieu erklären. Doch dürfte der eigentliche Anlaß für die unterschiedliche Weiterentwicklung der Abendmahlstradition in beiden Strängen der gleiche gewesen sein:

In der Liturgie mußte von der doppelten Aussage über den Kelch sehr bald die erste, das Deutewort über den Kelch, als direkte Analogie zum Deutewort über das Brot das Schwergewicht bekommen. Diese Tendenz artikuliert sich in den beiden Traditionssträngen allerdings unterschiedlich.

5.31. Im *lk/pl Traditionsstrang* bekommt das Deutewort über den Kelch im liturgischen Vollzug ein solches Schwergewicht, daß der eschatologische Ausblick im Sinne von Mk 14, 25 für die eigentliche Kelchhandlung an Bedeutung verliert. Ob er dann als direktes Zitat überhaupt wegfiel und mehr indirekt das Bewußtsein der das Abendmahl Feiernden bestimmte, läßt sich nicht mehr sagen. Immerhin ist – wie bereits vermerkt – bei Pl noch eine Reminiszenz des eschatologischen Ausblicks erhalten.

Das primäre Interesse am Deutewort (über den Kelch) trägt schließlich dazu bei, daß die bei Mk noch erhaltenen referierenden Bemerkungen über das Tun der Jünger (Mk 14, 23b) entfallen und daß auch das Referat über das Tun Jesu am Kelch (vgl. Mk 14, 23a) auf die kurze Bemerkung ὡσαύτως καὶ τὸ ποτήριον zusammenschrumpft.

5.32. In der *von Mk erhaltenen Tradition* bleibt im Gegensatz zur lk/pl Tradition der eschatologische Ausblick Mk 14, 25 verbal erhalten. Doch ist es auch hier das Deutewort über den Kelch (14, 24), das im liturgischen Vollzug des Abendmahls das eigentliche Schwergewicht erhält. Das macht sich vor allem dadurch bemerkbar, daß das Deutewort über den Kelch dem über das Brot formal angeglichen wird: τοῦτό ἐστιν τὸ σῶμά μου - τοῦτό ἐστιν τὸ αἷμά μου. Ein stärkeres Interesse an den zu deutenden Elementen kommt zum Vorschein (speziell sakramentaler Aspekt).

Die Parallelisierung des Kelchdeutewortes geht einher mit der Ersetzung des Bundesmotivs von Jer 31, 31 durch das Bundesopfermotiv Ex 24, 8. Der ganze Vorgang ist – wie bereits dargestellt (3.23.) – im Zusammenhang einer Zusammenstellung der beiden Deuteworte zu einer qualifizierten eucharistischen Handlung zu sehen, bei der schließlich das Sühnemotiv vom Brotwort zum Kelchwort rücken kann.

4. Der Tod Jesu als stellvertretender Sühnetod

Entwicklung und Gehalt einer zentralen neutestamentlichen Aussage

I. Zur Problematik

Im Neuen Testament wird der Tod Jesu in bemerkenswerter Breite und von ganz unterschiedlichen Überlieferungsschichten im Sinne stellvertretender Sühne gedeutet. Dies wirft eine Reihe von Fragen auf, zunächst rein exegetischer Art: Wo sind die religionsgeschichtlichen Wurzeln des neutestamentlichen Sühnegedankens zu suchen? Und wie hat man sich seine traditionsgeschichtliche Entwicklung vorzustellen? Noch schwieriger dürfte aber die eigentliche Sachfrage nach dem Gehalt dieser Vorstellung zu beantworten sein, wobei sich ganz von selbst zugleich das hermeneutische Problem einstellt, wie der neutestamentliche Sachverhalt zu über-setzen ist in den Verständnishorizont von heute.

Im Leben der modernen Gesellschaft spielt Sühne kaum mehr eine Rolle. Bestenfalls im gerichtlichen (forensischen) Kontext besitzt der Begriff noch ein gewisses Heimatrecht. Die damit gegebenen Assoziationen bereiten einer theologischen Auswertung jedoch eher Schwierigkeiten. Was ist das für ein Gott, der als Genugtuung (Satisfaktion) den blutigen Tod eines Menschen, ja seines eigenen Sohnes, fordert? So ist es nur zu verständlich, daß Theologie und Verkündigung den Bereich der Sühne weitgehend gemieden oder gar verdrängt haben. Um so notwendiger ist eine Neubesinnung, zumal der Sühnetod Jesu zu den zentralen Aussagen der neutestamentlichen Verkündigung gehört. |

II. Herkunft und Entwicklung der neutestamentlichen Aussage

1. Zur religionsgeschichtlichen Herkunft

Untermauert insbesondere durch die Untersuchung von E. Lohse[1], war die These, daß die Sühnedeutung des Todes Jesu ihre religionsgeschichtlichen Wurzeln im *palästinischen Judentum* habe, nahezu zum Allgemeingut der

---

[1] E. Lohse, *Märtyrer und Gottesknecht*. Untersuchungen zur urchristlichen Verkündigung vom Sühntod Jesu Christi (FRLANT 64) Göttingen ²1963.

Forschung geworden. Dieser Auffassung wurde jüngst u. a. von K. WENGST widersprochen[2]. Tatsächlich ist eine stellvertretende Sühne durch Menschen ein Gedanke, der dem Alten Testament eher fremd ist (vgl. Dtn 24,16; Ex 32,30–35). Der Gottesknecht von Jes 53, der sein Leben als Schuldopfer hingibt und die Sünden der vielen trägt (VV. 10.12), nimmt sich in diesem Umfeld fast wie ein erratischer Block aus. Dagegen ist im griechischen Kulturkreis das „Sterben für" (die Freunde oder die Gemeinschaft im Sinne ihrer Rettung) durchaus bekannt. Interessanterweise tauchen vergleichbare Gedanken dann auch in *hellenistisch*-jüdischen Schriften auf. WENGST folgert daraus, daß die spezifische Vorstellung vom Sühnetod (vgl. 2Makk 7,37f; 4Makk 6,27–29; 17,21 f) aus einer Verbindung der griechischen Idee mit dem alttestamentlich-jüdischen Sühnegedanken erwachsen sei, und zwar im Bereich des *hellenistischen Judentums;* von dort sei sie dann auch auf das *hellenistische Judenchristentum* übergegangen[3]. Diese Sicht bedarf jedoch einer Korrektur. Man darf ja nicht vergessen, daß seit Alexander dem Großen auch Palästina ein Teil der hellenistischen Welt war und das dortige Judentum – trotz teilweise heftiger Abwehrreaktion – bewußt oder unbewußt von hellenistischer Geistigkeit beeinflußt wurde. Palästinisches und hellenistisches Judentum wird man daher kaum als religionsgeschichtlich exklusive Größen behandeln dürfen. Im übrigen gibt es immerhin einige (wenngleich nicht ganz eindeutige) Indizien für das Vorhandensein der Sühnevorstellung auch im Bereich des aramäisch sprechenden Judentums[4].

Für unsere Frage nach der Herkunft der *christlichen* Sühneaussage bedeutet dies, daß aramäisch sprechende Urgemeinde und hellenistisches Judenchristentum nur eine relative Alternative darstellen. Dies gilt um so mehr, als beide Größen von ihren Ursprüngen her engstens miteinander verbunden sind. Bereits kurze Zeit nach dem Tode Jesu gab es in Jerusalem neben der aramäisch sprechenden Urgemeinde (um Kephas und die Zwölf) eine griechisch sprechende Christengruppe, die sog. Hellenisten, die sich um Stephanus und die Sieben scharten (vgl. Apg 6)[5]. Unter dieser Voraussetzung relativiert sich der alte Streit, ob die Tradition von 1Kor 15,3b–5 in Jerusalem (J. JEREMIAS) oder in Antiochien (H. CONZELMANN) entstanden ist[6], wohin

---

[2] K. WENGST, *Christologische Formeln und Lieder des Urchristentums* (StNT 7) Gütersloh 1972, bes. 62–71.

[3] WENGST, a.a.O. 68–70.

[4] Vgl. M. HENGEL, *Der stellvertretende Sühnetod Jesu.* Ein Beitrag zur Entstehung des urchristlichen Kerygmas: IKaZ 9 (1980) 1–25. 135–147, hier 136–141; vgl. auch die (etwas ausführlichere) englische Fassung: *The Atonement.* The Origin of the Doctrine in the New Testament, Philadelphia 1981, hier 55–65.

[5] Siehe dazu: M. HENGEL, *Zwischen Jesus und Paulus.* Die „Hellenisten", die „Sieben" und Stephanus (Apg 6,1–15; 7,54–8,3): ZThK 72 (1975) 151–206.

[6] J. JEREMIAS, *Die Abendmahlsworte Jesu,* Göttingen ⁴1967, 95–98; DERS., *Artikelloses Χριστός.* Zur Ursprache von I Cor 15,3b–5: ZNW 57 (1966) 211–215; H. CONZELMANN, *Zur Analyse der Bekenntnisformel 1. Kor. 15,3–5,* in: DERS., *Theologie als Schriftauslegung.* Aufsät-

die Hellenisten nach dem Tode des Stephanus versprengt wurden (Apg 8,1; 11,19). Bei 1Kor 15,3b–5 handelt es sich wahrscheinlich um die griechische Version einer Glaubensformel, deren sachlichen Kern die Hellenisten bereits von der Urgemeinde übernommen haben. Auf die Urgemeinde verweist im übrigen auch die Erwähnung des Kephas und der Zwölf (V. 5; vgl. V. 7: Jakobus) sowie die Beteuerung des Paulus in 1Kor 15,11. Das Bekenntnis zum stellvertretenden Sühnetod Jesu dürfte daher bereits zum gemeinsamen Glaubensbestand *aller* Jerusalemer Jesusanhänger gehört haben. Dies schließt selbstverständlich nicht aus, daß es wohl vor allem die Hellenisten waren, die den Sühnetod Jesu in das Zentrum ihrer theologischen Reflexion rückten.

2. Zur Traditionsgeschichte

(1) Der bisherige Konsens der kritischen Forschung, daß die Sühnedeutung des Todes Jesu erst nach Ostern entstanden sei, wird in jüngster Zeit immer öfter in Zweifel gezogen[7]. Tatsächlich bleibt ernsthaft zu überlegen, ob der fest mit der *Abendmahlstradition* verbundene Sühnegedanke nicht doch einen historischen Haftpunkt hat. Zu denken ist dann wohl an eine Bezugnahme auf Jes 53 („für die *vielen*"; vgl. Mk 14,24 par) im Rahmen des letzten Mahles Jesu[8]. |

Spätestens seit dem Zusammenstoß mit der sadduzäischen Tempelhierarchie (vgl. Mk 11,15–19.27–33) muß *Jesus* zumindest die Möglichkeit eines gewaltsamen Endes vor Augen gestanden haben. Wollte er dennoch an der Gültigkeit seiner Botschaft festhalten (vgl. Mk 14,25), so mußte er seinem Tod eine sinnvolle Funktion im Geschehen der hereinbrechenden Gottesherrschaft beimessen können. Dies um so mehr, als eine Ablehnung durch die politischen und religiösen Repräsentanten Israels die Gültigkeit seiner Botschaft weit mehr in Frage stellte als eine Ablehnung durch einzelne. Eine „offizielle" Verweigerung drohte das Erwählungshandeln Gottes, das Jesus für ganz Israel verkündet hatte, als wirkungsloses Geschehen zu entlarven, das sich damit selbst ad absurdum führte.

Gerade unter dieser Voraussetzung ist es durchaus glaubwürdig, daß Jesus seinen zu erwartenden Tod als Lebenshingabe für „die vielen" im Sinne der

---

ze zum Neuen Testament (BEvTh 65) München 1974, 131–141; DERS., *Der erste Brief an die Korinther* (KEK V) Göttingen ²1981, 305–309.

[7] M. HENGEL, *Sühnetod* (s. Anm. 4) 145f; P. STUHLMACHER, *Existenzstellvertretung für die Vielen: Mk 10,45 (Mt 20,28)*, in: DERS., *Versöhnung, Gesetz und Gerechtigkeit. Aufsätze zur biblischen Theologie*, Göttingen 1981, 27–42, hier 38–42; DERS., *Warum mußte Jesus sterben?*: Theologische Beiträge 16 (1985) 273–285, hier 279–282; R. PESCH, *Das Abendmahl und Jesu Todesverständnis* (QD 80) Freiburg–Basel–Wien 1978, 107–111; G. LOHFINK, *Wie hat Jesus Gemeinde gewollt? Zur gesellschaftlichen Dimension des christlichen Glaubens*, Freiburg–Basel–Wien 1982, 34–37; u. a.

[8] Vgl. dazu: H. MERKLEIN, *Jesu Botschaft von der Gottesherrschaft. Eine Skizze* (SBS 111) Stuttgart ²1984, 137–144.

Gottesknechtsüberlieferung von Jes 53 gedeutet hat, wobei er – im Einklang mit dem sonstigen frühjüdischen Verständnis – bei „den vielen" zunächst an die Gesamtheit Israels gedacht haben dürfte. Theologisch ist mit einer derartigen Interpretation sichergestellt, daß die Wirksamkeit des eschatologischen Erwählungshandelns Gottes selbst durch eine Verweigerung Israels nicht in Zweifel gezogen werden kann. Vielmehr erweist Gott gerade in der Ablehnung die Wirkmächtigkeit seines Handelns, indem er durch den Tod seines eschatologischen Boten Sühne schafft für das sich verweigernde Israel. So verstanden, ist es völlig ausgeschlossen, in Jesu Sühnetod eine zusätzliche Bedingung für das Heil zu sehen, das Jesus ansonsten als unbedingtes verkündet hat. Damit entfällt auch das entscheidende Sachargument, das man meist gegen die Authentizität der Sühneaussage ins Feld führt. Jesu Sühnetod erscheint als integraler Bestandteil, ja als die letzte Konsequenz und Aufgipfelung jenes eschatologischen Heilshandelns Gottes, das mit Jesu Proklamation der Gottesherrschaft begonnen hat.

Der Rückgriff auf Jes 53 erlaubt wohl kaum die Annahme, daß Jesus seinen Tod direkt als *kultischen Akt* verstanden hat. Dennoch ist auf einen wenigstens indirekten Bezug zum Kult aufmerksam zu machen. Wie bereits angedeutet, hatte Jesus den tödlichen Konflikt mit der sadduzäischen Hochpriesterschaft durch eine provozierende Aktion im Tempelbereich heraufbeschworen. Bei dieser Gelegenheit muß auch das sog. Tempellogion gefallen sein (vgl. Mk 14,58; 15,29 par; Joh 2,19; Apg 6,13f). Soweit wir noch erkennen können, kündigte Jesus mit diesem Wort das Ende von Tempel und Kult für den Fall an, daß Israel und seine Repräsentanten der jetzt fälligen Entscheidung auswichen und die Botschaft ablehnten, mit der er sie konfrontierte. Vor diesem Hintergrund erhält Jesu Deutung seines Todes im Sinne stellvertretender Sühne zumindest implizit eine kultkritische Note. Der Sache nach ist damit die Vorstellung vom Sühnetod Jesu als dem eschatologischen Ersatz des Tempelkultes bereits vorbereitet.

(2) Unter der Voraussetzung, daß Jesus selbst seinem Tod Sühnebedeutung beigemessen hat, wird es auch traditionsgeschichtlich plausibel, daß eine Aussage wie *1Kor 15,3b* (s. o.) bereits auf die aramäisch sprechende Urgemeinde zurückgehen könnte. Man könnte sogar fragen, ob es allein aufgrund einer (wie immer gearteten) Ostererfahrung möglich gewesen wäre, den Gedanken der eschatologischen Totenerweckung auf Jesus zu übertragen, wenn nicht *zugleich* sein Tod als Sühnegeschehen gedacht und verstanden werden konnte. Umgekehrt gilt natürlich auch, daß Ostererfahrung und Auferweckungskerygma zu einer intensiven Reflexion des Todes Jesu zwangen.

Trotz der Ablehnung Jesu durch die Repräsentanten Israels machte sich die Urgemeinde sehr bald daran, gerade diesen Jesus als Heilbringer für Israel auszurufen. Dies war keineswegs so selbstverständlich, wie es meist hingestellt wird, und läßt sich mit dem Auferweckungskerygma allein kaum ausreichend erklären. Theologisch konsequent ist dieses Vorgehen jedoch, wenn man voraussetzt, daß bereits Jesus seinen Tod als Möglichkeit der Sühne für das sich verweigernde|Israel gedeutet hat. Unter dieser Voraussetzung agiert wohl auch die hinter der *Logienquelle Q* stehende Gruppe, wenn sie nach Ostern Israel erneut mit der Botschaft Jesu von der Gottesherrschaft konfrontiert; daß das Kerygma von Tod und Auferstehung nicht in die Logienquelle eingegangen ist, dürfte gattungsbedingt sein.

Vom Sprachlichen her könnte im Bereich der Urgemeinde bzw. des aramäisch sprechenden Judenchristentums auch die Wurzel der sog. *Dahingabeformel* zu suchen sein. Wie vielleicht schon bei 1Kor 15,3b hat man ursprünglich wohl an eine Bezugnahme auf Jes 53 zu denken. Vor allem zwei Überlieferungen verdienen in diesem Zusammenhang Beachtung (zum weiteren Material s. u. [4]). Die eine zitiert Paulus in *Röm 4,25:* „Der dahingegeben wurde wegen unserer Verfehlungen und auferweckt wurde wegen unserer Rechtfertigung" (vgl. Röm 8,32). Die andere – *Mk 10,45b* – spricht vom „Geben seiner Seele (= Leben; hebr. ,næfæš') als Lösegeld für viele (vgl. auch 1Joh 3,16; 1Tim 2,6). Allerdings bleibt die traditionsgeschichtliche Einordnung der beiden Stellen problematisch.

Ebenso wird sich kaum mehr eindeutig klären lassen, ob die Sühnedeutung des Todes Jesu bereits in der Urgemeinde zu einer kritischen Haltung gegenüber dem Jerusalemer Tempelkult führte. Immerhin ist beachtlich, daß die Apostel und die Urgemeinde sich nach der Apostelgeschichte allein zum Zwecke des Betens im Tempel versammeln.

(3) In aller Schärfe wurden die theologischen Konsequenzen, die sich aus der Sühnedeutung des Todes Jesu ergaben, wohl erstmals von den *griechisch sprechenden Judenchristen, den sog. Hellenisten, in Jerusalem* bedacht. Es ist jedenfalls bezeichnend, daß gegen Stephanus der Vorwurf erhoben wird, er würde – unter Berufung auf das Tempellogion (!) – „andauernd gegen diesen heiligen Ort (= Tempel) und das Gesetz reden" (Apg 6,13f). Der sachliche Impetus der Hellenisten ist unschwer zu erkennen: Wenn Jesu Tod eschatologische Sühne gewährt, dann ist das Sühnegeschehen im Tempel ein für allemal überholt.

Diese Einschätzung des Todes Jesu dürfte u. a. zum Ausdruck kommen in jener Formel, die Paulus – wohl vermittelt durch die Hellenisten in Antiochien – in *Röm 3,25f** zitiert: „Ihn (= Christus Jesus) hat Gott öffentlich eingesetzt als Sühneort (griech. ,hilastērion') in seinem Blute zum Erweis seiner Gerechtigkeit zum Zwecke der Vergebung der zuvor geschehenen Sünden in der (Zeit der) Geduld Gottes." Entgegen einer abschwächenden Übersetzung („Sühne") ist ,hilastērion' hier im Anschluß an den Sprachgebrauch der LXX mit „Sühneort" wiedergegeben. Die LXX übersetzt mit ,hilastērion' das hebr. ,kapporæt', womit nach Ex 25,17–22 die goldene Deckplatte auf der Bundeslade bezeichnet ist. Sie spielt im Kultritual des Versöhnungstages eine besondere Rolle. Nach Lev 16 erscheint auf ihr

Jahwe (V. 2); vor sie hin sprengt der Hohepriester das Blut des Opfertieres zur Sühnung des Tempels (V. 14); dadurch wird zugleich Sühne geschaffen für den Hohenpriester selbst, sein Haus und die ganze Gemeinde Israels (V. 17). In Röm 3,25 f* handelt es sich demnach um eine typologische Deutung. Christus, der am Kreuz sein Blut vergossen hat, wird als der eschatologische Sühneort verstanden, den Gott öffentlich aufgerichtet hat. In sprachlich prägnanter Weise ist damit der schärfste Gegensatz zum Jerusalemer Tempelkult markiert. Diesem kommt im Rahmen der Typologie nur noch vorläufige Funktion zu; als aktueller Sühneort aber hat er ausgedient, da als solcher von Gott nun endgültig der gekreuzigte Christus festgesetzt ist.

Bemerkenswert ist, daß in Röm 3,25 f* mit der Sühnedeutung des Todes Jesu zugleich die *Bundesvorstellung* verbunden ist. Die im Tode Jesu zum Zuge kommende „Gerechtigkeit" Gottes ist nichts anderes als die Bundestreue, mit der Gott die bisher begangenen Sünden in Geduld ertragen hat, um sie jetzt im Blute Jesu zu sühnen. Hellenistisch-judenchristliche Reflexion dürfte den Bundesgedanken auch in die *Abendmahlstradition* eingebracht haben. Dabei ist es hier von untergeordneter Bedeutung, ob Jesu Tod primär im Anschluß an Ex 24,8 als eschatologisches Bundesopfer (Mk 14,24) | oder als Erfüllung der Verheißung von Jer 31,31–34 verstanden wurde. Der kultische Bezug ist in beiden Fällen durch die Betonung des „Blutes" deutlich.

Das frühe hellenistische Judenchristentum stellte also den Tod Jesu ganz dezidiert in einen *kultischen bzw. kulttypologischen Verstehenshorizont*. Dieser Vorgang ist theologiegeschichtlich von allergrößter Bedeutung. Die daraus resultierende Relativierung von Tempel und Tora war eine ganz wesentliche Prämisse für die Übertragung der (ansonsten mit Tempel und Tora verquickten) Weisheitsspekulation auf Jesus und damit für die Ausbildung der Präexistenzchristologie[9]. Aus einer ähnlichen, kulttypologischen Wurzel dürfte auch die Vorstellung von der Gemeinde als dem eschatologischen Tempel bzw. Haus Gottes hervorgegangen sein (vgl. 1Kor 3,16 f; 2Kor 6,16; Eph 2,21; 1Petr 2,5; Hebr. 3,6; 10,21; u. ö.). Es konnte nicht ausbleiben, daß gerade die Hellenisten mit einem Judentum, das Tempel und Tora als seine angestammten Heilsmittel verstand, in Konflikt geraten mußten, der schließlich zu ihrer Vertreibung aus Jerusalem führte (vgl. Apg 8,1; 11,19). Daß die Vertriebenen dann auch die ersten waren, die sich den Heiden zuwandten (Apg 11,20), ist nicht verwunderlich. Die kulttypologische Deutung des Todes Jesu zielt letztlich auf eine neue Bestimmung der (theologischen) Grenzen des Gottesvolkes. Der Gedanke von der Bundestreue Gottes, der nach dem ursprünglichen, retrospektiven Verständnis von Röm 3,25 f* wohl noch streng im Horizont Israels verblieben war, mußte daher neue theologische Dimensionen gewinnen (s. u. [4]).

---

[9] Vgl. dazu: *Zur Entstehung der urchristlichen Aussage vom präexistenten Sohn Gottes,* in diesem Band S. 247–276.

(4) Bei *Paulus* wird der Sühnegedanke relativ häufig im Rückgriff auf die traditionelle *Dahingabe- und Sterbensformel* artikuliert (Röm 8,32; Gal 2,20; vgl. 1Tim 2,6. – Röm 5,6.8; 14,15; 1Kor 8,11; 2Kor 5,15; 1Thess 5,10; vgl. 1Petr 2,21; 3,18). Dabei dürfte die Kurzform („für uns" o. ä.) gegenüber der älteren Langform („für unsere Sünden": Röm 4,25; 1Kor 15,3b; Gal 1,4) deutlich unter dem Einfluß griechischer Ausdrucksweise stehen (s. o. 1). Der kultische Hintergrund dürfte dennoch nicht gänzlich abhanden gekommen sein (vgl. Eph 5,2.25; Tit 2,14!).

Er ist auch bei Paulus noch deutlich wahrzunehmen. So greift Paulus in *Röm 5,8f* die traditionelle Vorstellung vom „Blute" Christi als Sühnemittel auf (vgl. Kol 1,20; Eph 1,7; 2,12; 1Petr 1,2.19; Apg 20,28; Offb 1,5; 5,9; 7,14; 12,11; zu Hebr und 1Joh s. u.). Noch bezeichnender aber ist *2Kor 5,21:* „Den, der die Sünde (,hamartia') nicht kannte, hat er (= Gott) für uns zur Sünde (,hamartia') gemacht, damit wir in ihm Gerechtigkeit Gottes würden" (vgl. auch Gal 3,13). Die auffällige Wendung *„zur Sünde* gemacht" ist wahrscheinlich auf dem Hintergrund des Sündopferritus von Lev 4 zu sehen. Bemerkenswert ist jedenfalls, daß die LXX den Begriff „Sündopfer" (hebr. ,haṭṭā't') in der Deklaration des Priesters („Das ist das Sündopfer der Gemeinde": Lev 4,21; vgl. 4,24) mit ,hamartia' wiedergibt. Ein ähnlich typologischer Konnex dürfte in *Röm 8,3* vorliegen: „Gott sandte seinen Sohn in Gleichgestalt des Sündenfleisches und *für* (die) *Sünde* (,peri hamartias')"; dieses ,peri hamartias' dient der LXX fast stereotyp zur Wiedergabe von ,lᵉḥaṭṭā't' bzw. 'al-ḥaṭṭā't' (= als Sündopfer") in Lev 4 und 5 (vgl. auch Lev 16,27; u. ö.).

An sich unterscheidet das Griechische zwischen „Versöhnen" (,katallassein') und „Sühnen" (,hilaskesthai'). Um so auffälliger für griechische Ohren ist die Rede von einer *Versöhnung*, die ausschließlich und einseitig von Gott ausgeht, während der Mensch nur Objekt ist (2Kor 5,18–20; Röm 5,10; vgl. Kol 1,20.22). Wahrscheinlich steht auch diese Vorstellung, die Paulus aus dem hellenistischen Judenchristentum übernimmt (2Kor 5,19ab)[10], unter dem semantischen Einfluß des biblischen Sühnegedankens; in dieselbe Richtung weist ja auch 2Kor 5,21.

Daß Paulus auch seine *Rechtfertigungslehre* als Auslegung des Sühnetodes Jesu versteht oder wenigstens verstehen kann, zeigt die Integration von Röm 3,25 f*. Interessant ist, daß bereits die Tradition in der Aufrichtung Christi als eschatologischen Sühneort einen Erweis der „Gerechtigkeit Gottes" gesehen hatte. Diese Gerechtigkeit Gottes, die als Bundestreue sich ursprünglich wohl nur auf Israel bezog (s. o. [3]), wird von Paulus – unter Rückgriff auf den Glau-|ben Abrahams – allerdings neu definiert, so daß sie allen gilt, die glauben, Juden wie Heiden (vgl. Röm 3,26c–30). Überdies reflektiert Paulus die am Kreuz geschehene Sühne nicht nur rückblickend (so

---

[10] Vgl. P. STUHLMACHER, *Gerechtigkeit Gottes bei Paulus* (FRLANT 87) Göttingen 1965, 74–78 (bes. 77f Anm. 2).

die Tradition in Röm 3,25b: „zum Zwecke der Vergebung der zuvor geschehenen Sünden"), sondern stellt pointiert deren endgültigen Charakter heraus, der alle noch ablaufende Zeit im eschatologischen „Jetzt" (‚en tō nyn
kairō': Röm 3,26b) des Christusgeschehens aufhebt.

Natürlich läßt sich die paulinische Theologie nicht auf den Sühnegedanken reduzieren. Dennoch bleibt zu betonen, daß gerade die kulttypologische
Deutung des Todes Jesu durch das hellenistische Judenchristentum – einschließlich der daraus folgenden Hinwendung zu den Heiden und der Aufhebung der Kult- und Reinheitstora – zu den wesentlichen Voraussetzungen
des paulinischen Denkens gehört. Selbst die paulinische Abkehr vom pharisäischen Toraverständnis wird unter dieser Voraussetzung verständlicher,
wenn man bedenkt, daß die Toraerfüllung der Pharisäer letztlich ein kultisches Anliegen verfolgte, d. h. ganz Israel zu einem Ort ritueller Reinheit
und Heiligkeit machen wollte.

(5) Das *Johannes-Evangelium* sieht in Jesus „das Lamm, das die Sünden der
Welt hinwegnimmt" (1,29) und erinnert mit der Rede vom „Hingeben des
Lebens für . . ." an die Aussage der Dahingabeformel (10,11.15.17; 15,13;
vgl. 1Joh 3,16). Ganz eindeutig in kulttypologischen Kategorien wird der
Tod Jesu im *1. Johannes-Brief* beschrieben. Jesus Christus ist die „Sühne für
unsere Sünden" (2,2; 4,10); sein „Blut" (vgl. 5,6.8) „reinigt" uns von den
Sünden (1,7.9).

(6) Die kulttypologische Sicht des Todes Jesu wird im *Hebräerbrief* direkt
zum theologischen Konzept erhoben. Jesus erscheint als der „Hohepriester"
(2,17; 3,1; 4,14f; u. ö.), dessen Aufgabe es ist, „die Sünden des Volkes zu
sühnen" (2,17). Als Hoherpriester nach der Ordnung des Melchisedek (5,
5–10) überbietet er das aaronitisch-levitische Priestertum (7; 9,1–10). Sein
Tod wird als Vollzug des eschatologischen Versöhnungstages gedeutet
(9,11–28; 10,10–14.18; vgl. 13,11 f): Mit seinem eigenen Blut ist Jesus in das
himmlische Heiligtum eingegangen, um ein für allemal ewige Erlösung zu
bewirken. So ist er Mittler des besseren Bundes (8,6), wobei sowohl auf Jer
31,31–34 (8,7–13; 10,16f) als auch auf Ex 24,8 (9,15–22; vgl. 10,29) verwiesen wird. Interessant ist, daß auch Jes 53,12 in kulttypologischem Kontext
(Versöhnungstag) rezipiert ist (9,28).

III. Zum inhaltlichen Verständnis

(1) Der kurze Überblick hat gezeigt, daß die neutestamentliche Aussage
vom stellvertretenden Sühnetod Jesu ganz erheblich von alttestamentlichen,
und d. h. von *kultischen* Vorstellungen beeinflußt ist. Eine Ausnahme stellen
lediglich die Bezugnahmen auf Jes 53 dar; doch dürfte Jes 53 seinerseits
wieder von kultischer Sprache geprägt sein (vgl. V. 10: ‚ᵓāšām' = „Schuld-

opfer"). Dieser grundsätzlich kultische Hintergrund mag uns Heutigen die Sühnevorstellung noch problematischer erscheinen lassen. Von daher ist es auch nicht verwunderlich, daß renommierte Theologen erhebliche Mühe darauf verwandten, die neutestamentlichen Sühneaussagen von etwaigen kultischen Relikten zu säubern. Man hat dabei freilich übersehen, daß gerade die kultische Dimension eine hermeneutische Chance darstellt[11].

Überspitzt ausgedrückt, dürften unsere Schwierigkeiten gerade daher rühren, daß wir uns angewöhnt haben, Sühne unkultisch, d. h. vorwiegend juristisch-forensisch, zu denken. Damit hängt ein gleichfalls forensisch bestimmtes Sündenverständnis zusammen. Sünde reduziert sich im wesentlichen auf persönliche Schuld, die der einzelne durch einen Verstoß gegen die moralische Ordnung auf sich lädt. Getilgt wird die Schuld entweder durch Vergebung (also gleichsam auf dem Gnadenwege) oder durch eine angemessene Strafe, durch die die schuldhafte Tat gesühnt wird. Sofern die sittliche Ordnung religiös begründet ist, ist Sünde eine Übertretung der Gebote Gottes und als solche eine Beleidigung Gottes, der|dann als Voraussetzung der Vergebung Sühne, d. h. Genugtuung, fordert. Daß ein in ein derartiges Koordinatensystem eingepaßter Sühnetod Jesu notwendigerweise zu einem fragwürdigen Gottesbild führen muß, liegt auf der Hand.

Um so dringlicher ist es, sich den *biblischen Horizont* von Sühne und Sünde vor Augen zu führen. Für das biblische Denken ist *Sünde* eine konkrete, fast dingliche Wirklichkeit: Tat-Wirklichkeit, die durch bewußte oder unbewußte Fehltat gesetzt wird und dann zur Wirkung kommt. Zunächst ist Sünde daher weniger eine Beleidigung Gottes als vielmehr eine Störung der *menschlichen* Lebenssphäre, als welche Gott Recht und Gerechtigkeit über diese Erde gebreitet hat. Durch die Sünde wird gleichsam die Atmosphäre und der Lebensraum des Menschen vergiftet. Als Tat-Wirklichkeit kommt Sünde erst zur Ruhe, wenn sie im Sinne des Tun-Ergehen-Zusammenhanges sich auf den Täter selbst ausgewirkt hat. Erst wenn der Täter vernichtet ist, wenn also der Strahlungsherd der Tat-Wirklichkeit Sünde beseitigt ist, ist die Sünde aus der Welt geschafft.

In diesem Zusammenhang wird nun auch der biblische *Sühnegedanke* verständlich. Es wäre ein grobes Mißverständnis, wenn man in den alttestamentlichen Sühneriten, in den Sünd- und Schuldopfern (Lev 4; 5) oder in dem Blut- und Asaselritus des Versöhnungstages (Lev 16) Vorleistungen zur Besänftigung Gottes sehen wollte. Alle diese Rituale sind vielmehr als Gabe Gottes zu verstehen. Der Priester, der sie vollzieht, handelt als Repräsentant Gottes! *Gott* schenkt dem Sünder die Möglichkeit, der Tat-Wirklichkeit der

---

[11] Positiv hervorzuheben ist hier vor allem U. Wilckens, *Der Brief an die Römer*. 1. Teilband Röm 1–5 (EKK VI/1) Zürich–Einsiedeln–Köln/Neukirchen-Vluyn 1978, 233–243. Für die Aufarbeitung des alttestamentlichen Materials ist jetzt maßgebend: B. Janowski, *Sühne als Heilsgeschehen*. Studien zur Sühnetheologie der Priesterschrift und zur Wurzel KPR im Alten Orient und im Alten Testament (WMANT 55) Neukirchen-Vluyn 1982.

Sünde zu entrinnen. An der todbringenden Aus-wirkung der Sünde wird freilich festgehalten. Gott hebt die Wirklichkeit nicht auf, aber er gewährt im Opfertier einen Ersatzträger, an dem die Wirklichkeit der Sünde sich austrägt. Sühne hat also immer mit *Stellvertretung* zu tun, allerdings mit Stellvertretung, die *Gott* einräumt. Das gilt auch für den Gottesknecht von Jes 53, auf den der Herr „unser aller Sünde warf" (V. 6). Erst wenn im stellvertretenden Sühnegeschehen die Tat-Wirklichkeit der Sünde sich aus-gewirkt hat, ist der Sünder ent-sündigt und seine Sünde vergeben.

Im Horizont dieser Vorstellung ist auch die neutestamentliche Aussage vom Sühnetod Jesu zu würdigen, wobei die differentia specifica in der eschatologischen Qualität des Todes Jesu zu suchen ist. Damit ist die tiefste Differenz zwischen Urchristentum und Judentum benannt und zugleich deutlich gemacht, daß die faktische Abkehr der Christen vom jüdischen Kult nicht einer pauschalen Verwerfung kultischen Denkens entsprungen ist. Mit mehr Recht könnte man die Trennung sogar kultisch bedingt nennen: Die Sühne, auf die der Kult (nachexilisch) hauptsächlich abzielte, war ein für allemal vollzogen. Das *eschatologische* Verständnis der im Tode Jesu gewährten Sühne – gleichgültig, ob es unter Rückgriff auf Jes 53 oder direkt kulttypologisch begründet wurde – macht den Tempelkult christlich überflüssig.

(2) Wenn man den Sühnetod Jesu nur entschlossen genug in seinen angestammt biblischen Verstehenshorizont hineinstellt, dürfte gerade der heutige Mensch ihm erneut einen Sinn abgewinnen können. Dies ist nicht zuletzt dadurch bedingt, daß eine neue Sensibilität für die Sünde als Tat-Wirklichkeit erwacht ist. So dürfte beispielsweise uns Deutschen schmerzlich bewußt sein, daß die Verbrechen, die im Namen unseres Volkes und durch Deutsche an anderen Völkern begangen wurden, nicht einfach durch Wiedergutmachungszahlungen und nicht einmal durch ein Wort der Vergebung aus der Welt zu schaffen sind, so erleichternd und willkommen uns ein solches Wort von seiten der ehemals Unterdrückten auch sein mag. Die durch die Sünde geschaffene Tat-Wirklichkeit, d. h. die Fakten und ihre Folgen, die durch die Verbrechen geschaffen wurden, können mit alledem nicht einfach rückgängig gemacht werden. Im übrigen können wir heute – um ein zweites Beispiel anzuführen – wieder leichter nachvollziehen, wie wirklichkeitsnah das scheinbar so mythologische Denken der Bibel ist, wenn es in der Sünde eine Realität sieht, die nicht zur Ruhe kommt, bis sie auf den Täter|zurückgeschlagen hat. Daß Sünde den menschlichen Lebensraum vergiftet, bedarf heute keines langen Beweises mehr, da wir die Folgen einer egoistisch auf das eigene Wohl abzielenden Ausbeutung der Schöpfung (so sollten wir Christen anstelle von „Umwelt" sagen!) schon am eigenen Leibe zu verspüren beginnen.

Im Kontext dieser oder ähnlicher Erfahrung von Sünde als Tat-Wirklichkeit könnte uns auch der neutestamentliche Gedanke vom stellvertretenden

Sühnetod Jesu wieder neu aufgehen. Besagt er doch, daß am Kreuz Jesu Christi alle Sünden dieser Welt in all ihrer schrecklichen Wirklichkeit zu Ende gekommen sind, weil sich am Gekreuzigten alle Tat-Wirklichkeit der Sünde ausgewirkt hat. Der todbringende Teufelskreis der Sünde, die auf den Täter zurückschlägt, ist damit von Gott aufgehoben. Gerade so wird der Tod Jesu zu einem echten Zeichen der Liebe Gottes, die sich eben nicht mit einem billigen Wort des Verzeihens zufriedengibt, sondern sich einläßt in die sündige Wirklichkeit des Menschen, diese am fleischgewordenen Sohn zum Austrag kommen läßt (vgl. Röm 8,3) und gerade so dem Sünder, der an sich den Tod verdient hat, Leben eröffnet.

Diese umfassende und endgültige Sühne, die Gott uns im Gekreuzigten geschenkt hat, ist freilich eine Wirklichkeit, die dem Zugriff unmittelbarer Erfahrung entzogen und dem *Glauben* vorbehalten ist. Im Bereich unserer Erfahrung, die an der vorfindlichen Welt orientiert ist, bleibt die Sünde eine Wirklichkeit, die offenkundig den menschlichen Lebensraum noch immer vergiftet und noch heute auf ihre Täter zurückschlägt. Und doch kann der Glaubende mit dieser Wirklichkeit anders umgehen! Wer sich zu Jesus Christus als dem von Gott gewährten Sühneort (vgl. Röm 3,25) bekennt, gewinnt erst die Kraft, sich wirklich und mit offenen Augen seiner, durchaus von Sünde geprägten Erfahrungswirklichkeit zu stellen. Selbst vor einer offensichtlich irreparabel gesetzten Sünden-Wirklichkeit muß er sich nicht „zu Tode" schämen, noch muß er fatalistischer Resignation anheimfallen. Wer seine eigene Erfahrungswirklichkeit im Lichte des Sühnetodes Jesu zu sehen wagt, dem wird selbst seine und der übrigen Menschen Sünde samt ihren Unheilsfolgen noch zur Möglichkeit der Hoffnung und des Lebens. Denn der Glaubende darf im Gekreuzigten, der für uns zur Sünde (2Kor 5,21) und zum Fluch (Gal 3,13) wurde, den Gott erkennen, der die Toten lebendig macht (Röm 4,17), und das heißt für uns Menschen, den Gott, der den Gottlosen gerecht macht (Röm 4,5). Die am Kreuz gewährte Sühne erlaubt es, unsere von Sünde gezeichnete und damit selbstzerstörerische Erfahrungswirklichkeit als Möglichkeit göttlicher Neuschöpfung zu deuten.

Vom christlichen Bekenntnis zum Sühnetod Jesu könnte somit ein ungeheurer Schub von Hoffnung in unsere oftmals so resignative Welt hineingehen. Glaubwürdig wird dieses Bekenntnis allerdings erst, wenn es konkretisiert wird in Taten, die auf die neue Welt Gottes hin getan werden. Als heiliger Tempel Gottes könnte die christliche Gemeinde der Ort sein, wo den Hoffnungslosen neue Zukunft eröffnet und denen, die am Teufelskreis der Sündenwirklichkeit verzweifeln, wenigstens die Möglichkeit eines anderen Lebens aufgezeigt wird.

5. Politische Implikationen der Botschaft Jesu?

In der gegenwärtigen Diskussion um den Frieden werden nicht selten Jesus und die Bergpredigt als Kronzeugen für bestimmte politische Optionen herangezogen. Wie legitim ist diese „Politisierung" der Botschaft Jesu? Wird Jesus hier nur „vereinnahmt" und vor einen Karren gespannt, den er selbst nie ziehen wollte? Oder enthält die Botschaft Jesu tatsächlich politische Implikationen, die zu übersehen gerade in der heutigen Situation eine schlimme Vernachlässigung christlicher Nachfolgepflicht wäre? Eine redliche Antwort wird zunächst den historischen Befund zu beachten haben.

I. Der historische Befund

Aus methodischen Gründen empfiehlt es sich nicht, bei Einzelworten der Bergpredigt zu beginnen. Deren sachgerechte Interpretation kann ohnehin nur im Rahmen einer Würdigung der Botschaft Jesu insgesamt stattfinden. Unter diesem Gesichtspunkt ist insbesondere nach der politischen Relevanz der Rede Jesu von der Gottesherrschaft zu fragen, die das Zentrum seiner Botschaft bildet (vgl. Mk 1,15; Lk 10,9 par).

1. Die begriffs- und traditionsgeschichtlichen Vorgaben

Es kann hier nicht darum gehen, den Gehalt des Begriffs der „Gottesherrschaft" im vollen Um-|fang und in allen Variationen seiner geschichtlichen Verflechtung darzulegen. Wesentliche Denotationen und Bezüge, wie z. B. der enge Konnex zu Begriffen wie Heil, Frieden oder Gerechtigkeit, müssen als bekannt vorausgesetzt werden. Die folgenden Ausführungen stehen von vornherein unter der semantischen Beschränkung der Frage nach einer möglichen politischen Konnotation.

Beim *Begriff der „Gottesherrschaft"* handelt es sich um eine jener frühjüdischen Abstraktbildungen, die alttestamentliche Verbalaussagen – hier den Satz „Gott (ist) König" – umschreiben. „Gottesherrschaft" meint also zunächst einen rein *religiösen* Sachverhalt, nämlich, daß Gott König ist bzw. – in eschatologischer Anwendung – daß Gott sein Herr- und Königsein durchsetzen und erweisen wird. Diese religiöse Ausrichtung des Begriffs erlaubt jedoch keineswegs den Schluß, er könne mit Politik nichts zu tun haben.

Dazu einige Beobachtungen aus der alttestamentlich-frühjüdischen Traditionsgeschichte des Begriffs:

Die Gottesherrschaft und die irdische Wirklichkeit

Das Heil, das die Gottesherrschaft mit sich bringt, ist keine abstrakte, rein geistige Größe. Es wird sehr konkret gedacht und betrifft in jedem Fall die *irdische Wirklichkeit.* Selbst das apokalyptische Denken, das die jetzt ablaufende Geschichte nur mehr negativ zu werten vermag und das eschatologische Heil als Folge eines direkten Eingreifens Gottes bzw. sogar als einen Akt der Neuschöpfung begreift, verlagert das Heil der Gottesherrschaft nicht in den Himmel. „Gottesherrschaft" zielt auf die Veränderung und Verwandlung der irdischen Wirklichkeit. Daß diese Wirklichkeit auch von der Politik als Feld ihres Handelns beansprucht wird, läßt zwar noch nicht auf eine politische Relevanz der Gottesherrschaft schließen, stellt aber doch die Frage nach einer möglichen Relation.

Die Gottesherrschaft im Kontext der Opposition „Israel – Heidenvölker"

Das Recht dieser Fragestellung wird unterstrichen durch eine weitere überlieferungsgeschichtliche Beobachtung. Der Gedanke der Gottesherrschaft, der in Israel wohl nicht zufällig seit dem Exil und der damit verbundenen politischen Entmachtung Platz greift, steht in einem engen Vorstellungskonnex mit *„Israel"* bzw. dem Gegensatzpaar *„Israel– (Heiden-) Völker".* Seit Deutero-Jesaja ist mit der Hoffnung auf Jahwes eschatologisches Königtum fest der Gedanke der Befreiung Israels aus der Knechtschaft der Heidenvölker bzw. der Sammlung und Rückführung des Volkes verbunden[1], dem auf der anderen Seite ganz selbstverständlich der Gedanke der Unterwerfung der Heiden unter Gottes universale Herrschaft entspricht[2]. Im apokalyptischen Denken tritt die Gottesherrschaft stärker in Opposition zur Herrschaft Satans. Doch handelt es sich hierbei nicht zuletzt um eine überhöhende Transposition der traditionsgeschichtlich angestammten irdischen Opposition von Israel und Heiden auf die himmlische Ebene. Die Übertragung der Königsherrschaft auf den himmlischen Repräsentanten Israels (Michael, Menschensohn) hat daher die Übergabe der Herrschaft an Israel auf Erden zur Folge[3]. Und die Vernichtung Satans (Belials) durch Gott hat ihre irdische Parallele in der Befreiung Israels aus der Gefangenschaft bzw. in der Unterwerfung der Heidenvölker[4]. Eine gewisse Modifikation der Opposition von Israel und Heidenvölkern tritt in bestimmten apokalyp-

---

[1] Vgl. Jes 57,10–12; Mi 2,12f; 4,6–8; Zef 3,14f.
[2] Vgl. Jes 41; Obd 15–21; Mi 4,1–13; Zef 3,15; Sach 14,12–19; Jes 24; 25,7; Ps 22,28–30.
[3] Vgl. Dan 7,13f.27; 1QM 17,6–8.
[4] Vgl. TestDan 5,10–13; AssMos 10.

tisch beeinflußten Kreisen ein, die nicht mehr mit der Rettung ganz Israels rechnen[5], so daß die Opposition „Gerechte – Sünder" stärker in den Vordergrund tritt. Doch bleibt auch hier der Gedanke des eschatologischen Heils mit dem Erwählungskollektiv verbunden, das sich meist auch explizit als „Israel", d. h. als wahres Israel, versteht[6]. Diese enge Verknüpfung von Gottesherrschaft und Israel ist allerdings alles andere als eine nationalistische Idee, wie gelegentlich unterstellt wird. Es handelt sich vielmehr um eine theologische Konsequenz des Glaubens an die | Einzigkeit Jahwes (Dtn 6,4 f), dessen eschatologisches Königsein sich eben darin erweist, daß sein Name als der einzig maßgebliche angerufen wird (vgl. Sach 14,9). Dies aber impliziert notwendigerweise den Gedanken an die Entmachtung der heidnischen Götter bzw. Satans und den Gedanken an die Anerkennung Jahwes durch die Heidenvölker, wobei der letztere Gedanke seinen tiefsten Ausdruck in der Vorstellung von der endzeitlichen Völkerwallfahrt zum Zion findet[7]. Der enge Konnex von Gottesherrschaft und Israel ist also theologisch begründet. Dennoch bleibt im Rahmen unserer Fragestellung festzustellen, daß die Hoffnung auf die Gottesherrschaft – gerade aus theologischen Gründen – auch mit der Erwartung einer Änderung der politischen Verhältnisse zugunsten Israels verbunden ist.

Verhältnis von göttlichem und menschlich-politischem Handeln

Damit erhebt sich erneut die Frage nach dem *Verhältnis von göttlichem und menschlich-politischem Handeln.* Diese Frage ist noch nicht mit dem Hinweis erledigt, daß Gottesherrschaft per definitionem eine göttliche Prärogative ist und allein durch Gottes Aktivität herbeigeführt wird. Aus dieser Einsicht haben zwar bestimmte apokalyptische Gruppen ein grundsätzliches Mißtrauen gegen jede real-politische Aktivität abgeleitet[8] und sich in die politische Abstinenz zurückgezogen. Andererseits kann das Wissen um Gottes eschatologische Aktivität jedoch auch zur Erkenntnis führen, daß das göttliche Handeln ein korrespondierendes menschliches Handeln einfordert. So konnte noch der Autor der Tiervision (äthHen 85–90) dem makkabäischen Kampf eine durchaus konstitutive Rolle im Endgeschehen zubilligen, wenngleich er die entscheidende Wende durch die Hilfe Michaels bzw. durch das Eingreifen Gottes selbst erwartete[9]. Für die Qumransekte war es selbstver-

---

[5] So wahrscheinlich schon das Daniel-Buch; mit Sicherheit ist diese esoterische Haltung vorhanden bei der hinter der Zehnwochenapokalypse (äthHen 93; 91,12–17) stehenden Gruppe und bei der Qumran-Sekte.

[6] So ganz deutlich die Qumran-Sekte.

[7] Vgl. Jes 2,2–5; Mich 4,1–4.

[8] Vgl. Dan 2,34.45: „Ohne Zutun von Menschenhand". In Dan 11,34 wird die makkabäische Erhebung immerhin noch als „kleine Hilfe" gewertet, während ihr die Zehnwochenapokalypse keinerlei Bedeutung mehr beimißt.

[9] Vgl. äthHen 90,9–19.

ständlich, daß der eschatologische Kampf Gottes bzw. Michaels gegen Belial und seine Mächte durch einen heiligen Krieg der Sekte gleichsam nach- und mitvollzogen werden mußte. Analog dazu wird man den militanten Einsatz der Zeloten kaum als menschliche Usurpation göttlichen Vorrechts disqualifizieren dürfen: Nicht Gott sollte unter Zugzwang gesetzt werden; vielmehr war es *Gottes* Wille (konkret: das 1. Gebot) und die Aussicht auf *Gottes* Eingreifen, welche Israel nach zelotischer Interpretation unter Zugzwang setzten und von ihm ein aktives Handeln in Erfüllung seiner Gehorsamspflicht verlangten. Daß es allein in der Macht Gottes steht, sein eschatologisches Königsein durchzusetzen, schließt also den Gedanken an ein korrespondierendes menschliches Handeln von politischer Relevanz nicht notwendigerweise aus.

2. Die „politische" Haltung Jesu

Übereinstimmung mit der Tradition

Unbeschadet der Tatsache, daß Jesu Botschaft von der Gottesherrschaft ihr eigenes, unverwechselbares Profil besitzt, bleibt zunächst zu betonen, daß sich dieses Profil auf einer mit der frühjüdischen Tradition gemeinsamen Basis erhebt. In unserem Zusammenhang sind besonders drei Aspekte hervorzuheben:

a) Die Gottesherrschaft betrifft und verwandelt auch nach Meinung Jesu die *irdische Wirklichkeit*. Das kommende Heil wird mit konkreten Bildern ins Auge gefaßt (vgl. Lk 6,20b. 21 par), insbesondere mit dem traditionellen Bild vom eschatologischen Mahl (Lk 14,15–24 par; 13,28f par; vgl. Jes 25, 6–8). Weil Gottes Herrschaft diese Welt erfassen wird, kann Jesus seine Dämonenbannungen als bereits gegenwärtiges Ereignis des mit ihr kommenden Heils interpretieren (Lk 11,20 par).

b) Die Heilszusage der Gottesherrschaft gilt unbeschadet ihrer universalen, alle Völker umfassenden Ausrichtung[10] zunächst *Israel*. Die „verlorenen Schafe des Hauses Israel" sind die Primäradressaten der Botschaft Jesu (vgl. Mt 10,5b.6). Israel für die Gottesherrschaft zu sammeln, ist der Sinn der Sendung Jesu; die Einsetzung der Zwölf (Mk 3,14) nimmt dieses Ziel | der eschatologischen Neukonstitution Israels in prophetischer Zeichenhandlung vorweg.

c) Das Kommen der Gottesherrschaft schließt zumindest den Gedanken an das Ende der *politischen Knechtschaft Israels* ein. Die Hoffnung auf eine Befreiung aus der Herrschaft der heidnischen Römer ist in der Jesustraditon zwar nirgends ausdrücklich ausgesprochen; im Rahmen der alttestamentlich-frühjüdischen Tradition ist sie aber eine so selbstverständliche Konse-

---

[10] Völkerwallfahrt! Vgl. Lk 13,28f par.

quenz des Glaubens an die Einzigkeit Jahwes, daß ohne sie eine Rede von der Gottesherrschaft nicht denkbar wäre.

Der Ausfall der Opposition „Israel – Heidenvölker"

Um so mehr Beachtung verdient der Befund, daß Jesus den Gedanken an eine politische Befreiung Israels nicht thematisiert hat. Jesus greift auf die (schon vorgeprägte) Opposition von Gottesherrschaft und Satansherrschaft zurück, ohne deren irdische Parallelopposition zu realisieren[11]. Der Ausfall der Opposition „Israel – Heiden" (bzw. „Erwählungskollektiv – Sünder") hängt wahrscheinlich mit dem spezifischen Urteil über Israel zusammen, das Jesus mit Johannes dem Täufer teilt. Demnach steht Israel, so wie es sich vor-findet, unter dem Zorn Gottes; durch seine Sünden hat es sich derart ins Unheil verstrickt, daß ihm nicht einmal der Rekurs auf früheres Erwäh-lungshandeln Gottes (Abrahamsbund) noch Aussicht auf Heil eröffnen kann (vgl. Mt 3,7b–10 par). Mit diesem negativen Urteil über das vor-findliche Israel bricht die traditionelle Opposition „Israel – Heiden" zusammen; sie kann nicht einmal mehr in der Modifikation esoterischer Gruppen aufrecht erhalten werden, die nur noch ein Rest-Israel als eigentliches Erwählungs-kollektiv der übrigen sündigen massa damnata aus Israel und Heiden gegen-überstellen. Aus der Sicht Jesu ist vielmehr Israel insgesamt an die Seite seiner traditionsgeschichtlichen Opponenten (Heiden bzw. Sünder) getre-ten. Die politische Knechtschaft unter den heidnischen Römern kann daher bestenfalls nur die Außenseite einer viel tiefer gehenden Knechtschaft unter dem Satan sein, der Israel und Heiden zu einem einzigen Kollektiv von Sündern zusammenschließt.

Kein Befreiungskampf

Bei dieser Beurteilung der Sachlage ist es nur konsequent, wenn Jesus einem Befreiungskampf gegen die Römer keine Bedeutung für die Gottes-herrschaft beimißt. Denn unter der Voraussetzung, daß Israel selbst zur Menge der Sünder gehört, läßt sich mit ihm kaum die Erhebung gegen die Heiden als heilige Pflicht zur Durchsetzung der rechtmäßigen Freiheit des Erwählungskollektivs in Zusammenhang bringen. Nicht etwa eine „pazifi-stische" Haltung modernen Denkzuschnitts, sondern das negative Urteil über das vor-findliche Israel, dem allein noch ein neues Erwählungshandeln Gottes helfen kann, dürfte also der Grund sein, daß Jesus die militante Auslegung des 1. Gebotes durch die Zeloten nicht teilen kann. Gegenteilige Folgerungen aus bestimmten Jesusworten (Mt 10,34 par; Lk 22,35–38; vgl. auch Mk 14,47) müssen als verfehlt zurückgewiesen werden[12]. Hier spre-

---

[11] Vgl. dagegen TestDan 5,10–13; Ass Mos 10.
[12] Vgl. A. Vögtle, Was ist Frieden?, Freiburg 1983, 74–90.

chen die Weisungen Jesu über den Widerstandsverzicht (Mt 5,39b.40 par) und die Feindesliebe (Mt 5,44 f.48 par) eine zu deutliche Sprache.

Nun wird allerdings gegen eine solch „politische" Applikation der beiden Jesusworte immer wieder eingewandt, daß sie nur auf den individualethischen Bereich abzielen würden. Unter rein gattungskritischem Gesichtspunkt (weisheitliche Mahnsprüche) mag dies zunächst auch richtig sein. Berücksichtigt man jedoch die konkrete zeitgeschichtliche Situation, welche die Hörer Jesu nahezu ständig mit der Präsenz römischer Besatzungstruppen konfrontierte, so muß es unrealistisch erscheinen, den Geltungsbereich der Jesuworte rein individualethisch zu reduzieren. Ihnen muß wenigstens insoweit auch politische Relevanz zugebilligt werden, als sich mit ihnen eben kein antirömischer Aufstand organisieren ließ. Auch bleibt zu vermerken, daß der Begriff „Feinde" (‚echthroi': Mt 5,44 par) entsprechend der Übersetzungsgewohnheit der LXX nicht nur die persönlichen Gegner, sondern gerade auch die Heidenvölker als Feinde Israels bezeichnet[13]. Unter sachlicher Rücksicht ist eine Diskussion um eine individual- *oder* sozialethische Geltung der Jesus-|worte in jedem Fall verfehlt, weil damit wieder jene Kasuistik ins Spiel gebracht wird, die die Jesustradition für den Bereich des Liebesgebotes ausdrücklich ausschließt (vgl. Lk 10,25–28.29–37).

Keine unmittelbare politische Programmatik

Es würde jedoch weit über das Ziel hinausschießen, wollte man die genannten Jesusworte unmittelbar im Sinne politischer Programme auswerten. Nichts weist darauf hin, daß Jesus den Römern gegenüber die Taktik gewaltfreien Widerstandes gefordert oder praktiziert hätte. Dies wäre auch schwerlich mit der theologischen Konzeption seiner Botschaft zu vereinbaren. Dann nämlich würde sich Jesus von den Zeloten zwar in der Methode des Handelns, nicht aber im grundsätzlichen Urteil über die Wertigkeit menschlichen Handelns in bezug auf das Kommen der Gottesherrschaft unterscheiden. Feindesliebe und Widerstandsverzicht können für Jesus kein Mittel sein, um „das Ende herbeizudrängen"[14]. Dabei dürfte der entscheidende Unterschied zwischen Jesus und den Zeloten nicht einmal darin zu suchen sein, daß für Jesus das Kommen der Gottesherrschaft allein der Initiative Gottes vorbehalten ist (Mk 4,26–29; Lk 17,20b). Diesem Urteil dürften die Zeloten grundsätzlich ebenfalls zugestimmt haben. Der entscheidende Unterschied liegt darin, daß die Gottesherrschaft nach Auffassung Jesu als Geschehen bereits die Gegenwart erfaßt hat. Die Gottesherrschaft ist für Jesus mehr als nur Gegenstand der Hoffnung, mehr als nur eine von Gott eingeräumte Chance, deren in Aussicht gestellte Verwirklichung

---

[13] W. Foerster, Art. „echthros, echthra": ThWNT II 810–815, hier 811 f.
[14] Zum Ausdruck vgl. M. Hengel, Die Zeloten. Untersuchungen zur jüdischen Freiheitsbewegung in der Zeit von Herodes I. bis 70 n. Chr. (AGJU 1) Leiden-Köln ²1976, 129 f.

Gott erst noch von einem entsprechenden Handeln Israels abhängig machen würde. Das Kommen der Gottesherrschaft steht für Jesus fest, einfach deshalb, weil der entscheidende eschatologische Eingriff Gottes schon erfolgt ist. Der Satan als der eigentliche Oppressor Israels ist schon gestürzt (Lk 10,18), so daß Jesus das vom Unheil gezeichnete Volk der Armen, Hungernden und Weinenden (= Israel) als Heilskollektiv proklamieren kann, dem bereits jetzt Gottes eschatologisch erwählendes Handeln gilt (vgl. Lk 6,20b.21 par). Die Gottesherrschaft bricht sich bereits mit Macht Bahn (vgl. Mt 11,12 par). Was von Israel in dieser Situation allein verlangt ist, ist dies, daß es *als* sündige Gemeinde, der als solcher kein eigenes Tun mehr helfen kann, sich die völlig unverdiente eschatologische Erwählung Gottes gefallen läßt.

In diesem theologischen Konzept können Forderungen wie Mt 5,39b.40 par; 5,44f.48 par nicht in umgekehrter Analogie zur zelotischen Aufstandsforderung unmittelbar als theologisch gebotene politische Programme gewertet werden, sofern „Programme" auf die Erreichung eines Ziels, hier der Gottesherrschaft, ausgerichtet sind. Feindesliebe und Widerstandsverzicht zielen nicht darauf ab, das Kommen der Gottesherrschaft zu ermöglichen; sie sind unter dieser Rücksicht nicht Programme, sondern bezeichnen umgekehrt zuallererst die Möglichkeit und die Freiheit derer, die sich von der Gottesherrschaft als einem bereits gegenwärtigen Geschehen erfassen ließen. Diese im Zusammenhang der Botschaft Jesu gebotene Zurückhaltung gegen eine allzu schnelle Überführung der Bergpredigt in politische Programmatik bedeutet allerdings nicht, daß die darin eingeforderte Freiheit nicht auch sozialethisch zu verantworten ist. Auch ist keineswegs grundsätzlich ausgeschlossen, daß in bestimmten Situationen aus der Intention und dem Geist der genannten Weisungen der Bergpredigt politisch praktikable Strategien zu erarbeiten sind, die im Blick auf die Gottesherrschaft als das von Gott gesetzte und auch von ihm allein herbeizuführende Ziel der Welt eine dazu approximative Veränderung der Welt-Wirklichkeit versuchen. Was das letztere betrifft, so ist bei Jesus selbst allerdings Fehlanzeige zu erstatten. Dies dürfte mit seiner Überzeugung zusammenhängen, daß das von ihm proklamierte Geschehen der Gottesherrschaft auch *in unmittelbarer zeitlicher Nähe* zum Abschluß und zur Vollendung kommen wird. Unter dieser Voraussetzung liegt in der Tat der Entwurf sozialer und politischer Veränderungsstrategien alles andere als nahe.

II. Fast 2000 Jahre nach Jesus

Es wäre nicht das schlechteste Ergebnis einer geschichtlichen Betrachtungsweise, wenn uns | Heutigen die Botschaft Jesu zunächst wieder fremd erscheinen würde. Dieser, durchaus sachlich bedingte Verfremdungseffekt könnte zumindest verhindern, daß sie allzu naiv aus ihrem geschichtlichen Horizont herausgerissen und allzu kurzschlüssig zur Lösung gegenwärtiger Probleme herangezogen wird. Der Abstand zwischen Jesus und heute ist in jedem Fall mitzubedenken; er sollte nicht vorschnell mit dem Verweis auf den für den Christen allein maßgeblichen „gegenwärtigen" Herrn beiseitegeschoben werden. Denn auch der erhöhte Herr verliert seine Bedeutung, wenn es nicht gelingt, einen sachlichen Zusammenhang zwischen ihm und dem geschichtlichen Jesus festzuhalten.

1. Zur „Fremdheit" der Botschaft Jesu

Gottesherrschaft – Israel – Kirche

Die erste „Fremdheit", die es zu bedenken gilt, ergibt sich aus der Tatsache, daß Jesus primär Israel angesprochen hat bzw. daß die Gottesherrschaft in jedem Fall mit der eschatologischen Rettung Israels zu tun hat. Daß sich die Kirche in der Vergangenheit diesem Problem nicht ernst genug gestellt hat, führte zu erheblichen Konsequenzen auch politischer Art, in erster Linie für das jüdische Volk, dann aber auch für die übrigen Völker, zumal für das deutsche. Erst der Holocaust ließ eine neue Sensibilität dafür erwachen, daß Jesus und seine Botschaft nicht an Israel vorbei beansprucht werden können. Als Adressatin seiner Botschaft und als Volk Gottes kann sich die Kirche nur verstehen, wenn sie sich ihrer Herkunft aus Israel bewußt bleibt. Kirche ist bleibend angewiesen auf die Kontinuität zu jenem Israel, dem Jesus das Heil der Gottesherrschaft verkündet hat. Dies gilt unbeschadet der Tatsache, daß Israel in seiner Mehrheit sich der Botschaft des Evangeliums verweigert hat. Der Schmerz, den Paulus darüber empfunden hat (Röm 9,1–5), muß ein brennender Schmerz der christlichen Kirche bleiben. Denn ihre eigene Hoffnung auf eschatologisches Heil läßt sich nur in der Verkoppelung mit der hoffnungsvollen Gewißheit aufrechterhalten, daß am Ende auch ganz Israel gerettet wird (vgl. Röm 11,26 f).

Gottesherrschaft als Geschehen und die sich dehnende Zeit

Daß es überhaupt zu einer Heidenmission und damit zu einer Kirche aus Juden *und* Heiden (die freilich bald zu einer rein heidenchristlichen Kirche wurde) kam, hat seinen wesentlichen Grund im österlichen Bekenntnis zum auferweckten Gekreuzigten. Nur unter dieser Voraussetzung läßt sich eine zweite „Fremdheit" der Botschaft Jesu aushalten, die jetzt nicht nur den Adressaten, sondern den Gehalt der Botschaft selbst betrifft. Angesprochen ist damit zunächst weniger das Problem der Naherwartung Jesu als vielmehr die Tatsache, daß Jesus die Gottesherrschaft als bereits gegenwärtiges Geschehen verstanden und proklamiert hat. Dieser Tatbestand muß – für sich betrachtet – unweigerlich zu der Frage führen, die die Botschaft Jesu bis in die Grundfesten ihrer Gültigkeit erschüttert: Kann ein *Geschehen*, das per definitionem auf ein Ziel (hier: das endgültige Kommen der Gottesherrschaft) hindrängt, noch als gültig geglaubt werden, obwohl es nach fast 2000 Jahren die Welt der Vollendung offensichtlich noch nicht näher gebracht hat? Diese Frage wäre in der Tat zu verneinen, wenn es nicht Ostern und das österliche Bekenntnis gegeben hätte. Gott, der den gekreuzigten Verkündiger der Gottesherrschaft auferweckt hat, ermöglicht es und nötigt dazu, das Geschehen der Gottesherrschaft als weiterhin gültig zu glauben. Denn der in diesem Geschehen zur Herrschaft kommende Gott ist der, der die Toten lebendig macht und das, was nicht ist, ins Dasein ruft (Röm 4,17). Das Bekenntnis zu diesem Gott, dessen opus proprium die creatio ex nihilo ist, weist jeden Einwand zurück, der die Dynamik des *göttlichen* Geschehens der Gottesherrschaft mit menschlichen Erfahrungswerten vermeint disqualifizieren zu können. Das österliche Bekenntnis ist der hermeneutische Schlüssel, welcher der Botschaft Jesu über ihre unmittelbare geschichtliche Situation hinweg Gültigkeit verleiht. Es gibt den nötigen hermeneutischen „Spielraum", um sie auch heute noch über-setzen zu können. Unter dieser Prämisse stellt sich dann auch die Frage nach einer möglichen politischen Relevanz in der Gegenwart. |

2. Zur politischen Relevanz der Botschaft Jesu

Die Notwendigkeit der Reflexion der politischen Relevanz

Wenn es richtig ist, daß Gottesherrschaft ein Geschehen ist, das *diese Welt* betrifft und eschatologisch verändern will, muß sie bzw. die sich aus ihr ergebende ethische Verpflichtung hinsichtlich ihrer Relationalität zum politischen Handeln reflektiert werden, welch letzteres ja ebenfalls diese Welt als ein Aktionsfeld beansprucht. Dieses Postulat gilt unabhängig davon, ob das Ergebnis einer solchen Reflexion politisches Engagement oder politische Abstinenz gebietet. Letztere kann jedoch nicht schon mit dem Hinweis auf die Praxis Jesu als gegeben vorausgesetzt werden. Daß Jesus keine politischen Strategien entwickelt bzw. das Verhältnis seiner Botschaft zur Politik wohl überhaupt nicht näher reflektiert hat, dürfte mit seiner Naherwartung zusammenhängen, die selbst kritisch zu reflektieren ist.

Die grundsätzliche Haltung: die Relativierung der Politik

Wenn das Heil der Welt letztlich Sache Gottes ist und wenn, wie Jesu Botschaft von der Gottesherrschaft proklamiert, Gott dieses Heil bereits „in die Hand genommen" hat, dann kann für den Christen Politik grundsätzlich nur mehr einen relativen Stellenwert besitzen. Dieses theologische Urteil vermag vor einer Überschätzung der Politik zu bewahren. Wo immer Politik mit Heilsansprüchen auftritt, wird ihr der Christ mißtrauisch und ablehnend begegnen müssen. Im Blick auf die gegenwärtige Friedensdiskussion scheint unter dieser Rücksicht der Hinweis nötig, daß Frieden durch Politik nicht zu „schaffen" ist. Was in entsprechenden Parolen gemeint ist, deckt sich jedenfalls nicht mit dem, was die Bibel im tiefsten Sinn unter Frieden versteht. Frieden im Sinn umfassenden Heils für Mensch und Welt ist letztlich eine Frucht der Gottesherrschaft, also Gabe Gottes, um die zuallererst zu beten ist. Der „Frieden", der durch Politik zu erreichen ist, ist bestenfalls ein Zustand, der sich dem Frieden annähert, ist immer nur vorläufiger Frieden, der zudem gefährdet und zerbrechlich bleibt. Diese Skepsis gegen allzu enthusiastische Erwartungen an politische Programme ist keineswegs das pessimistische Bekenntnis politischer Resignation, sondern nur die Kehrseite jenes hoffnungsvollen Glaubens, daß Gott allein Frieden schaffen kann und ihn auch *schaffen wird.* Die Hoffnung auf den seine Herrschaft durchsetzenden Gott gibt dem Christen die Kraft, sich durch keine politisch scheinbar ausweglose Situation in die panische Perspektive der Aussichtslosigkeit treiben zu lassen. Der Glaube an diesen Gott erlaubt es vielmehr und nötigt geradezu, selbst in der Aussichtslosigkeit und nach jedem Scheitern mit unausrottbarer Hoffnung neu zu beginnen.

Politisches Handeln asymptotischen Charakters

Damit stellt sich allerdings die Frage, ob der Christ bei dieser *theologischen* Hoffnung stehen bleiben kann oder ihr auch in sozialethischen und politischen Handlungsstrategien konkreten Ausdruck verleihen muß. Jesus hat letzteres offensichtlich nicht getan. Sollte es aber richtig sein, daß dieser Ausfall sich im wesentlichen im apokalyptischen Horizont der Naherwartung gründet, dann wäre es purer Biblizismus, die bei Jesus tatsächlich zu erstattende Fehlanzeige als notwendige Konsequenz seiner Botschaft über diesen Horizont hinaus zu prolongieren. Dies widerspräche auch dem österlichen Bekenntnis, das den Christen in die Pflicht nimmt, die Botschaft Jesu von der Gottesherrschaft als einem bereits gegenwärtigen Geschehen über alle augenscheinlichen Zusammenbrüche hinweg zu glauben – auch über den Zusammenbruch der Naherwartung Jesu hinweg. In der nachösterlichen Situation einer – gemessen an der Vorstellung Jesu – sich dehnenden Zeit würde der Christ, der aufgrund des österlichen Bekenntnisses weiterhin um das Kommen der Gottesherrschaft betet und sie als gegenwärtiges Geschehen glaubt, sich gerade von diesem Glauben verabschieden, wenn er sich auf eine rein mentale Hoffnung oder eine verbale Verkündigung zurückzöge und tatenlos Welt und Mensch ihrer konkreten Not überlassen würde. Der Christ, der das Geschehen der Gottesherrschaft glaubt und verkündet, kann sich vielmehr mit keiner Gegenwart abfinden, die offensichtlich vom Ziel|dieses Geschehens noch weit entfernt ist. Seiner unaufgebbaren Hoffnung auf die Gottesherrschaft kann der Christ nur dadurch treu bleiben, daß er darauf drängt und daran mitarbeitet, die vor-findliche Welt, soweit nur irgend möglich, auf die in seiner Hoffnung lebendige Gegen-Welt der Gottesherrschaft zu verändern. Daß dieses verändernde Tun nicht nur im individuellen Bereich, sondern auch im Bereich sozialethischer und politischer Verantwortung wahrgenommen werden muß, ergibt sich nicht zuletzt aus dem Charakter der Gottesherrschaft selbst, die nicht nur auf das Heil des Individuums, sondern der Welt und der Menschheit insgesamt abzielt. Das heißt: In einer sich dehnenden Zeit muß der von Jesus mit dem Auftrag zur Verkündigung der Gottesherrschaft ausdrücklich verbundene Auftrag zur Krankenheilung (vgl. Lk 10,9 par) in den Entwurf und die Praxis sozialethischer und politischer Strategien zur Verbesserung der defizitären Welt-Wirklichkeit umgesetzt werden. Not, Hunger und Unfrieden sind dabei die ureigensten Aktionsräume des Christen, die ihm von der Sache der Gottesherrschaft vorgegeben sind. Gerade in solch notwendendem und friedenstiftendem Tun können sich die Christen als eine vom Geschehen der Gottesherrschaft erfaßte Gemeinschaft (Kirche) erfahren und der Welt präsentieren, ohne damit ihre hoffnungsvolle Botschaft mit dem Anspruch diskreditieren zu müssen, daß ihr eigenes Tun die Gottesherrschaft herbeiführt. Christliches Handeln besitzt im Verhältnis zur Gottesherrschaft notwendigerweise *asymptotischen Charakter*. Dies bedeutet: Es muß sich einerseits an der hoffnungsvollen Perspektive der Gottesherrschaft orientieren, ja sogar sich als Funktion des göttlichen Geschehens der Gottesherrschaft bestimmen, darf aber andererseits niemals beanspruchen, mit dem Geschehen der Gottesherrschaft selbst identisch zu sein oder das endgültige Kommen der Gottesherrschaft aus eigener Kraft herbeiführen zu können.

Freiheit zur Liebe als Grundpotential politischer Handlungsstrategien

Das Wissen um den asymptotischen Charakter menschlichen Handelns bringt es mit sich, daß der Christ beim gebotenen Entwurf sozialer und politischer Weltveränderungsstrategien einerseits auf idealistische und utopische Programme verzichten, sich andererseits aber niemals auf den Standpunkt eines puren Pragmatismus zurückziehen kann. Gerade die das Asymptotische des Handelns ausmachende eschatologische Orientierung schafft das innovatorische Potential, das festgefahrene Pragmatismen sprengen und überwinden kann. Um sich diese Kreativität zu bewahren, tut der Christ gut daran, vor und bei der Erstellung konkreter Veränderungsstrategien immer wieder den grundsätzlichen Freiheitsraum christlichen Handelns zu bedenken.

Dieser Freiheitsraum gründet in der Glaubensgewißheit, daß sich schon jetzt das Geschehen der Gottesherrschaft vollzieht, indem – im Sinne der Botschaft Jesu gesprochen – Gott durch sein erwählendes Handeln Menschen der Herrschaft Satans entreißt und sie in einem schöpferischen Akt ungeschuldeter, grenzenloser Güte zu seinem Volk macht, das sich für das endgültige Kommen der Gottesherrschaft sammelt. Wer sich von diesem Geschehen erfassen läßt, verliert die Angst vor einer undurchschaubaren Welt und vor einer unberechenbaren und damit bedrohlichen Geschichte. Letztlich verliert er die Angst um den eigenen Bestand, die Menschen anderen gegenüber aggressiv werden oder wenigstens stur auf das eigene Recht pochen läßt. Oder positiv ausgedrückt: Er gewinnt die Freiheit zu einer Liebe, die sich selbst keine Grenzen setzt und sich durch keine gesetzte Grenze abschrecken läßt. Nicht von ungefähr werden daher im Neuen Testament die Weisungen Jesu im Liebesgebot zusammengefaßt (vgl. Mk 12,28–34 par).

Wenn es in einer sich dehnenden Zeit dem Christen aufgegeben ist, Strategien zur Verbesserung der Welt-Wirklichkeit zu entwerfen, dann muß die Freiheit zur Liebe das Grundpotential sein, aus dem heraus die konkreten Strategien erwachsen. Ein von der Sache her vorgegebener Schwerpunkt christlich verantworteter Politik wird dann ganz selbstverständlich im *sozialen Bereich* liegen müssen. Gerade in einer Gesellschaft, in der jeder einzelne und jede Gruppe das Prinzip des suum cuique zunehmend im Sinn eines Kampfes um das *eigene* Wohl interpretieren, könnten Christen oder christliche|Gruppen allein durch gegenteilige Praxis bereits erhebliche politische Signalwirkung erzielen. Seine Freiheit zur Liebe erlaubt es dem Christen, die Sensibilität für die sozial Schwachen in der Gesellschaft wachzuhalten und darauf zu drängen, durch konkrete Maßnahmen die Möglichkeiten gesellschaftlich bedingter physischer und psychischer Not so weit wie möglich einzuschränken. Mehr denn je muß dieses soziale Engagement heute auch auf den *zwischenstaatlichen Bereich* ausgedehnt werden, wo in einer enger zusammengerückten Welt die (armen) Länder des Südens nicht mehr in exotischer Ferne, sondern – wie der arme Lazarus (vgl. Lk 16,19–31) – unmittelbar vor der Tür und in Sichtweite der (reichen) Länder des Nordens liegen.

Es gehört zur Freiheit des Christen, daß er das Wohl des anderen selbst dann nicht aus dem Auge verliert, wenn der andere als *Feind* entgegentritt. Nicht umsonst gipfeln die Weisungen der Bergpredigt in der Forderung: „Liebet eure Feinde!" (Mt 5,44 par). Und weil dem Christen eben Freiheit zur *Liebe* geschenkt ist, wird er auch bei zwischenstaatlichen Spannungen, etwa im Ost-West-Konflikt, nicht nur darauf drängen, daß nicht Vormachtstreben, Vergeltungsdenken oder gar Haß die politische Strategie bestimmen. Christlich verantwortete Politik wird darüber hinaus immer auf der Suche nach Wegen und Möglichkeiten sein, die es erlauben, positiv auf die Gegenseite zuzugehen, mögliche Ängste abzubauen und Vertrauen zu wecken. Christliches Handeln steht dabei unter der Freiheit, sich durch kein Mißtrauen und durch keine Aggressivität des Gegners selbst in die Abgrenzung und die Aggressivität abdrängen zu lassen. Liebe ist die Freiheit, immer wieder auf den Gegner zuzugehen und dabei den ersten Schritt zu tun. In der Bergpredigt ist diese Freiheit angesprochen in dem Wort: „Dem, der dich auf die rechte Wange schlägt, dem halt auch die andere hin. Und dem, der mit dir prozessieren und dein Hemd nehmen will, dem laß auch den Mantel!" (Mt 5,39b.40 par).

Einseitiger Verzicht? – Zum Problem der Übersetzung von Jesusworten in politische Handlungsanweisung

Das angeführte Jesuswort hat in der gegenwärtigen Diskussion um den Frieden viele Christen betroffen gemacht[15]. Es sollte unter Christen nicht bezweifelt werden, daß einseitiger Verzicht auf Gegenwehr eine auch politisch ernstzunehmende Möglichkeit christlicher Freiheit bleiben muß. Daß sie im politischen Handeln von Christen bislang weitgehend ungenutzt blieb, ist kein Beweis für die politische Ineffizienz des Verzichts, sondern zeigt eher ein Defizit im politischen Verantwortungsbewußtsein der Christen an. Allerdings muß nachdrücklich davor gewarnt werden, das zitierte Jesuswort in fundamentalistischer Naivität zum unmittelbaren und schlechthinnigen „Gesetz" des politischen Handelns zu erklären. Das Jesuswort wie auch die übrigen Worte der Bergpredigt formulieren keine „Gesetze", die – legalistisch befolgt – von der eigenen Verantwortlichkeit entbinden würden.

Im Falle unseres konkreten Wortes will beachtet sein, daß es nicht bei der Forderung des Verzichts stehenbleibt, also nicht Verzicht um des Verzichtes willen fordert. Es sollte selbstverständlich sein, daß Widerstandsverzicht nicht auf Kosten des Wohles Dritter gehen darf. Zumindest hätte dann eine sorgfältige Güterabwägung stattfinden, aus der sich im Extremfall sogar die Verpflichtung zum Widerstand ergeben könnte. Eine solche Entscheidung ist sicherlich immer problematisch, wird aber, wie z.B. im Falle des Widerstands gegen ein offenkundiges Unrechtsregime, auch von Christen kaum als Konflikt mit dem Jesuswort empfunden (ob zu Recht oder zu Unrecht, kann hier dahingestellt bleiben).

Das Jesuswort bleibt nicht beim Verzicht stehen, sondern mündet in positive Forderungen, die auf den Gegner abzielen: Ihm soll auch der nicht eingeklagte Mantel noch dazugegeben werden. Das Wort appelliert somit an die Freiheit des Christen, durch kreatives, uneigennütziges, nicht auf das eigene Recht pochendes Handeln dem Gegner gerade in der Konfliktssituation Möglichkeiten schaffen zu können, von seiner Aggressivität abzulassen. Dieses Ziel, das Klima der Aggressivität abzubauen, muß bei jeder Anwendung des Jesuswortes mitbedacht| werden. Und hier entstehen Fra-

---

15 Vgl. dazu vor allem das viel beachtete Buch von F. Alt, Frieden ist möglich. Die Politik der Bergpredigt, München-Zürich ¹⁴1983.

gen, die keineswegs immer eindeutig zu beantworten sind. Denn was ist, wenn durch einseitigen Verzicht die Aggressivität nicht gemildert würde? Und was ist, wenn durch einen Verzicht der Gegner nur zu größerer Dreistigkeit ermuntert würde? So kommt eine politische Anwendung des Jesuswortes nicht an einer sorgfältigen Analyse der Situation und einer höchst differenziert zu führenden, rationalen Argumentation vorbei.

Damit ist weder das Jesuswort entschärft noch dem Politiker ein Freiraum eigenmächtiger Entscheidung aufgetan. Das Jesuswort muß ein permanenter Impuls der Unruhe bleiben, die verhindert, sich allzu schnell mit einer noch so verantwortungsvoll gefällten Entscheidung zu beruhigen. In der Pragmatik einer zu treffenden Entscheidung (und darüber hinaus) muß das Jesuswort den Christen und zumal den christlichen Politiker mit der brennenden Frage behaften, ob denn wirklich alle Möglichkeiten kreativen Handelns erschöpft sind, um das Klima der Aggressivität zu entschärfen.

Es zeigt sich also: Das Jesuswort läßt sich nicht unmittelbar in politische Handlungsanweisung umsetzen. Es läßt sich andererseits aber auch nicht interpretatorisch domestizieren. Es gemahnt an die christliche Freiheit, aus der heraus der Christ auch im politischen Bereich sein Handeln zu bestimmen hat, nimmt aber nicht die Verantwortung für die konkret zu treffende Entscheidung ab. Es ist ein provozierendes Wort, das allen ein Stachel im Fleisch sein müßte. Letztlich zielt das Jesuswort auf eine *umfassende positive Versöhnungsstrategie* ab, an deren Entwurf Christen m. E. noch viel energischer arbeiten müßten als dies bislang geschehen ist.

Im Blick auf die dabei nötige innerchristliche Diskussion und Auseinandersetzung ergibt sich aus den bisherigen Überlegungen schließlich noch eine wichtige Einsicht. Die Erkenntnis, daß der Christ auch politische Entscheidungen aus dem Geist der Bergpredigt zu fällen und vor ihr zu verantworten hat, damit aber nicht seiner Verantwortlichkeit für die Entscheidung enthoben ist, könnte eine Ideologisierung der Auseinandersetzung verhindern, die dazu führt, daß man sich den Buchstaben des Evangeliums oder die Vernunft oder, was sonst noch als Argument eingesetzt wird, als nicht hinterfragbare Instanzen um die Ohren schlägt. Auch wenn sie aus dem Geist der Bergpredigt gefällt werden, sind pragmatische Handlungsentscheidungen immer relativ, stehen – theologisch gesprochen – unter eschatologischem Vorbehalt (vgl. 1Kor 4,4); dies gehört zum asymptotischen Charakter menschlichen Handelns. Das damit gegebene Fehlen letzter Sicherheit könnte einer Auseinandersetzung jene Bescheidenheit und Toleranz geben, die der Auseinandersetzung selbst den Charakter eines exemplarischen Versöhnungsprozesses verleihen, in dem das Geschehen der Gottesherrschaft asymptotisch zum Zuge kommt.

Literaturhinweise

a) *zur „Gottesherrschaft":*

H. MERKLEIN, *Jesu Botschaft von der Gottesherrschaft.* Eine Skizze (SBS 111) Stuttgart (1983) ²1984.

R. SCHNACKENBURG, *Gottes Herrschaft und Reich.* Eine biblisch-theologische Studie, Freiburg-Basel-Wien ³1963.

H. SCHÜRMANN, *Gottes Reich – Jesu Geschick.* Jesu ureigener Tod im Licht seiner Basileia-Verkündigung, Freiburg-Basel-Wien 1983.

b) *zur politischen Implikation:*

J. BLANK, *Die Entscheidung für den Frieden,* in: P. EICHER (Hg.), *Das Evangelium des Friedens.* Christen und Aufrüstung. München 1982, 13–26.

I. BROER, *Plädierte Jesus für Gewaltlosigkeit?* Eine historische Frage und ihre Bedeutung für die Gegenwart, in: BiKi 37 (1982) 61–69.

O. CULLMANN, *Jesus und die Revolutionären seiner Zeit.* Gottesdienst, Gesellschaft, Politik, Tübingen ²1970.

E. GRÄSSER, *Zum Verständnis der Gottesherrschaft,* in: ZNW 65 (1974) 3–26.

M. HENGEL, *War Jesus Revolutionär?* (CwH 110) Stuttgart 1970.

DERS., *Gewalt und Gewaltlosigkeit.* Zur „politischen Theologie" in neutestamentlicher Zeit (CwH 118) Stuttgart 1971.

DERS., *Das Ende aller Politik.* Die Bergpredigt in der aktuellen Diskussion, in: EK 14 (1981) 686–690. – *Die Stadt auf dem Berge.* Die Bergpredigt in der aktuellen Diskussion (II) in: EK 15 (1982) 19–22.

P. HOFFMANN, *Eschatologie und Friedenshandeln in der Jesusüberlieferung,* in: U. LUZ u. a., *Eschatologie und Friedenshandeln.* Exegetische Beiträge zur Frage christlicher Friedensverantwortung (SBS 101) Stuttgart ²1982, 115–152.

G. KLEIN, *„Reich Gottes" als biblischer Zentralbegriff,* in: EvTh 30 (1970) 642–670.

G. LOHFINK, *Der ekklesiale Sitz im Leben der Aufforderung Jesu zum Gewaltverzicht (Mt 5,39b–42/Lk 6,29f),* in: ThQ 162 (1982) 236–253.

N. LOHFINK – R. PESCH, *Weltgestaltung und Gewaltlosigkeit.* Ethische Aspekte des Alten und Neuen Testaments in ihrer Einheit und in ihrem Gegensatz, Düsseldorf 1978.

W. SCHMITHALS, *Jesus und die Weltlichkeit des Reiches Gottes,* in: DERS., *Jesus Christus in der Verkündigung der Kirche.* Aktuelle Beiträge zum notwendigen Streit um Jesus, Neukirchen 1972, 91–117.

DERS., *Zum Friedensauftrag der Kirche und der Christen,* in: E. WILKENS (Hg.), *Christliche Ethik und Sicherheitspolitik.* Beiträge zur Friedensdiskussion, Frankfurt/M. 1982, 11–34.

R. SCHNACKENBURG (Hg.), *Die Bergpredigt.* Utopische Vision oder Handlungsanweisung? Düsseldorf 1982.

W. SCHRAGE, *Die Christen und der Staat nach dem Neuen Testament,* Gütersloh 1971, bes. 14–49.

DERS., *Ethik des Neuen Testaments* (GNT 4) Göttingen 1982, bes. 107–115.

DERS., *Das Ende aller Politik?* Kritische Fragen an MARTIN HENGEL, in: EK 15 (1982) 333–337.

A. VÖGTLE, *Was ist Frieden?* Orientierungshilfen aus dem Neuen Testament, Freiburg-Basel-Wien 1983.

6. Basileia und Ekklesia

Jesu Botschaft von der Gottesherrschaft und ihre Konsequenzen für die Kirche

Wenn man als Exeget Reich Gottes und Kirche miteinander in Verbindung bringt, muß man damit rechnen, daß einem das Wort von Alfred Loisy entgegengehalten wird: „Jesus kündigte das Reich Gottes an, und was kam, war die Kirche."[1] Tatsächlich hat Jesus das Reich Gottes verkündet; die Botschaft von der Gottesherrschaft ist der Kern und die Mitte seiner gesamten Verkündigung. Und richtig ist auch, daß Jesus nicht vorhatte, eine Kirche im Sinne der später tatsächlich entstandenen Institution zu gründen[2]. Dennoch stehen Reich-Gottes-Verkündigung und Kirche nicht in Konkurrenz zueinander, sondern sind aufeinander bezogen. Im übrigen verdient es festgehalten zu werden, daß Loisy selbst mit seinem berühmten Wort auf die Kontinuität und nicht – wie meist unterstellt wird – auf die Diskontinuität zwischen den beiden Größen aufmerksam machen wollte[2a].

I. Gottesherrschaft und Kirche – eine Verhältnisbestimmung

A. Das Verhältnis von Gottesherrschaft und Israel in alttestamentlicher und frühjüdischer Sicht

Der Begriff der βασιλεία τοῦ θεοῦ („basileia tou theou") bzw. dessen aramäisches oder hebräisches Äquivalent ist eine frühjüdische Abstraktbildung, der ursprünglich die Aussage „Gott ist König" zugrunde liegt[3]. „Basileia tou theou" meint daher kein territoriales Reich, sondern den Akt des königlichen Herrschens Gottes, also das König*sein* oder die König*herrschaft* Gottes. Wo immer dieser aktiv-dynamische

---

1 *A. Loisy*, L'Évangile et l'Église, Paris 1902, 111.
2 Dies ist nahezu einhelliger Konsens der heutigen Exegese. Bezeichnend ist schon der terminologische Befund: Während ἐκκλησία („ekklēsia") im Corpus Paulinum (ohne Hebr) 62mal vorkommt, begegnet der Begriff in der Evangelientradition nur dreimal, und zwar nur bei Mt (16,18; 18,17 [bis]). Lukas verwendet „ekklēsia" zwar 23mal in der Apg, aber nie in seinem Evangelium!
2a Darauf hat mich freundlicherweise Herr Kollege Hans Weder aufmerksam gemacht.
3 *K. G. Kuhn*, βασιλεύς κτλ. (C), in: ThWNT I 570–573, hier 570. Zur Gottesherrschaft im Alten Testament und im Frühjudentum vgl. vor allem: *W. H. Schmidt*, Königtum Gottes in Ugarit und Israel. Zur Herkunft der Königsprädikation Jahwes (= BZAW 80), Berlin ²1966; *O. Camponovo*, Königtum, Königsherrschaft und Reich Gottes in den frühjüdischen Schriften (= OBO 58), Freiburg/Schweiz – Göttingen 1984.

Charakter des Begriffs noch gewahrt ist – und dies gilt ganz besonders für den Sprachgebrauch Jesu –, ist daher die Übersetzung „Gottesherrschaft" gegenüber „Reich Gottes" zu bevorzugen.

Im Alten Testament wird mit der Königsprädikation Gottes vor allem die Überlegenheit Jahwes über die heidnischen Götter bzw. die Einzigkeit Jahwes hervorgehoben (Ps 29; 95,3; 97,1.7; Jes 41,21-29; 44,6-8; Sach 14,9; u. ö.). Im Exil erhält der Glaube an das Königtum Jahwes erstmals eine *eschatologische* Perspektive: Gottes Königsherrschaft, von der in der Gegenwart augenscheinlich so wenig zu spüren ist, wird in der Zukunft offenkundig und endgültig hervortreten (Jes 52,7-10; Mi 2,12f; 4,6-8; Zef 3,14f; Sach 14,6-11.16f; Jes 24,21-23; Ps 22,28-30). Dann werden die Götter der Heiden entmachtet werden; Israel wird aus der Knechtschaft der Völker befreit werden und die Fülle des Heils und des Friedens genießen. Dies ist keineswegs eine nationalistische Idee, sondern nur die Konsequenz des Glaubens Israels an die Einzigkeit Jahwes. Im übrigen ist die Teilhabe der Völker am endzeitlichen Heil nicht ausgeschlossen. Die Heidenvölker werden vielmehr in einer grandiosen Wallfahrt zum Zion pilgern und selbst die Güter der Heilszeit genießen (vgl. Jes 2,2-5; Mi 4,1-5; Sach 14,16; Jes 25,6-8).

Einen neuen Akzent setzt die *Apokalyptik:* Hatte man bisher die Durchsetzung der Königsherrschaft Gottes als innergeschichtliche Heilswende erwartet, so vermag man diese Hoffnung jetzt nur mehr in Diskontinuität zur gegenwärtig ablaufenden Geschichte aufrechtzuerhalten (vgl. Dan 2,34f.44f; 7,13f). Als Gegenüber zur Königsherrschaft Gottes erscheint nicht selten die Vorstellung einer jetzt währenden Herrschaft Satans (vgl. TestDan 5,10-13; AssMos 10,1.7-10). Doch ist diese Gegenüberstellung gleichsam nur die himmlische Entsprechung der traditionellen Opposition zwischen Israel und den Völkern, so daß der Sieg Gottes[4] über den Satan zugleich das Heil bzw. die Herrschaft für Israel heraufführt (Dan 7,15-27; vgl. 1 QM 17,7f). Die zunehmend schärfer gestellte Frage nach dem wahren Israel hat allerdings zur Folge, daß sich die ursprünglich auch völkisch definierte Demarkationslinie zwischen Israel und den Heiden verschiebt, so daß oftmals nur noch ein neu zu bestimmendes Erwählungskollektiv von Gerechten als der primäre Adressat des Heils fungiert.

Als Fazit bleibt festzuhalten: Die Gottesherrschaft gehört engstens mit dem Gedanken des Gottesvolkes zusammen. Sie zielt auf die Befreiung Israels bzw. des Erwählungskollektivs aus der Knechtschaft der Heiden bzw. der Sünder, als deren metahistorische Repräsentanten die heidnischen Götter bzw. Satan figurieren.

B. Das Verhältnis von Gottesherrschaft und Israel in der Botschaft Jesu

Wie in der prophetisch-apokalyptischen Tradition ist auch für Jesus[5] die Gottesherrschaft eine strikt eschatologische Größe, und das heißt zunächst, eine futurische und

---

4 Bzw. Michaels, der in der Völkerengelvorstellung als der Engel Israels figuriert.
5 Zur näheren Begründung der folgenden Ausführungen vgl. *H. Merklein*, Jesu Botschaft von der Gottesherrschaft. Eine Skizze (= SBS 111), Stuttgart ²1984. Aus der Fülle der Literatur sei weiter verwiesen auf: *J. Weiß*, Die Predigt Jesu vom Reiche Gottes, Göttingen ³1964 (Nachdr. d. 2. neubearb. Aufl. von 1900); *W. G. Kümmel*, Verheißung und Erfüllung. Untersuchungen zur eschatologischen Verkündigung Jesu, Zürich ³1956; *G. Bornkamm*, Jesus von Nazareth (= UB 19) Stuttgart 1956 (u. ö.); *R. Schnackenburg*, Gottes Herrschaft und Reich. Eine biblisch-theologische Studie, Freiburg ⁴1965; *J. Jeremias*, Neutestamentliche Theologie, Bd. I. Die Verkündigung Jesu, Gütersloh 1971; *G. Lohfink*, Wie hat Jesus

allein Gott vorbehaltene Größe (vgl. Mk 4,26-29; Lk 17,21). Um ihr Kommen kann der Mensch nur beten: „Es komme deine Königsherrschaft!" (Lk 11,2 par). Die im Vaterunser damit verbundene Bitte um die Heiligung des Namens Gottes läßt erkennen, daß es auch Jesus um die Einzigkeit Gottes geht, also darum, daß Jahwe, der Gott Israels, sich und seinen Namen als einzig maßgeblich erweise[6]. Dem entspricht es, daß Jesus sich mit seiner Botschaft primär an Israel wendet. „Geht nicht zu den Heiden, und betretet keine Stadt der Samariter, sondern geht zu den verlorenen Schafen des Hauses Israel" (Mt 10,5f; vgl. 15,24). Dieser restriktive Satz ist in seiner jetzigen Form zwar kaum ein echtes Jesuswort[7]. Doch wäre er auch als nachösterliche Bildung nicht erklärlich, wenn bereits Jesus eine Heidenmission befohlen oder praktiziert hätte. Israel ist also der Primäradressat der Botschaft Jesu.

Allerdings fällt auf, daß Jesus die sicher auch von ihm erwartete Befreiung Israels aus der Unterdrückung seiner Feinde nicht thematisiert, sondern allein auf die Herrschaft Satans abstellt, unter der offensichtlich auch Israel steht. In Übereinstimmung mit Johannes dem Täufer ist Jesus davon überzeugt, daß Israel, so wie es sich vorfindet, dem Gericht verfallen ist (vgl. Mt 3,7-10 par; Lk 13,1-5). Doch während Johannes mit seiner Umkehr-Taufe (Mk 1,4) nur mehr eine Möglichkeit zu offerieren weiß, dem ansonsten sicheren Gericht zu entfliehen, wagt es Jesus, zwei Größen wieder miteinander in Verbindung zu bringen, die nach Lage der Dinge nichts mehr miteinander zu tun haben: Jesus kündigt dem *sündigen* Israel, das als solches nur noch Gerichtsperspektive haben kann, die Nähe der *Gottesherrschaft* an (Mk 1,15; Lk 10,9 par). Theologisch ist eine derartige Verkündigung nur sinnvoll, wenn sich Jesus sicher ist, daß Gott jetzt alle Sünden seines Volkes tilgt, es erneut zum Gegenstand seiner Erwählung, ja seiner eschatologischen Erwählung, macht und es somit neu konstituiert. In diesen | Kontext gehört es, wenn Jesus sich Zöllnern und Sündern zuwendet (Lk 7,34 par; Mk 2,15-17; Lk 15; u.ö.). Im gemeinsamen Mahl mit ihnen praktiziert Jesus zeichenhaft die Vergebung, auf die *ganz Israel* angewiesen ist und die ihm jetzt von Gott auch geschenkt wird. Jesus kündigt das Heil der Gottesherrschaft also nicht nur an; indem er die Armen, Hungernden und Weinenden seligpreist, proklamiert er Israel vielmehr jetzt schon zum eschatologischen Erwählungskollektiv (Lk 6,20f par). Jesu Verkündigung und Wirken zielt also auf die Sammlung bzw. Konstituierung des eschatologischen Israel[8]. In der Berufung der Zwölf nimmt er — ebenfalls zeichenhaft – diese Neukonstituierung bereits vorweg (vgl. Mk 3,13-19). Dies alles setzt eine völlige

---

Gemeinde gewollt? Zur gesellschaftlichen Dimension des christlichen Glaubens, Freiburg 1982; *H. Schürmann*, Gottes Reich – Jesu Geschick. Jesu ureigener Tod im Licht seiner Basileia-Verkündigung, Freiburg 1983.

6 Vgl. Sach 14,9: Dann wird Jahwe König sein über die ganze Erde. An jenem Tag wird Jahwe der einzige sein und sein Name der einzige.

7 Vgl. dazu *M. Trautmann*, Zeichenhafte Handlungen Jesu. Ein Beitrag zur Frage nach dem geschichtlichen Jesus (= FzB 37), Würzburg 1980, 200–208.220–225, die Mt 10,6 als authentisches Jesuswort werten möchte.

8 Der Begriff „Konstituierung" ist m. E. gegenüber dem häufig gebrauchten Begriff „Sammlung" (vgl. *G. Lohfink*, Jesus [Anm. 5], 13 passim) sachlich zutreffender, da die Erwählung, die Jesus proklamiert, konkret dem *sündigen* Israel gilt, das von sich aus nicht mehr beanspruchen kann, Gottes Volk zu sein. In der Erwählung des sündigen Israel wird bereits die *universale Intention* des eschatologischen Handelns Gottes erkennbar; denn wenn Gott sich treu bleibt, dann wird er, der das zum Nicht-Volk gewordene Israel erneut erwählt, auch die Heidenvölker nicht ausschließen können.

Umkehrung der Situation Israels vor Gott voraus. Tatsächlich ist nach Meinung Jesu die eschatologische Entscheidung im Himmel schon gefallen und der Satan gestürzt (vgl. Lk 10,18). Jesus kann daher seine Wunder und überhaupt sein ganzes Wirken als schon gegenwärtiges Einbrechen des Heils interpretieren (Lk 11,20 par; 10,23f par; 7,22 par; 11,31f par; Mk 2,19a; 3,27). Die Gottesherrschaft ist für Jesus demnach ein Geschehen, dessen volle Verwirklichung zwar noch der Zukunft vorbehalten ist, das sich aber jetzt schon ereignet[9].

Auch für Jesus bleibt also festzuhalten: Gottesherrschaft und Israel gehören untrennbar zusammen. Als gegenwärtiges Geschehen ereignet sich die Gottesherrschaft geradezu in dem eschatologischen Erwählungshandeln, das Jesus für Israel proklamiert. Das Geschehen der Gottesherrschaft schafft jetzt schon das eschatologische Gottesvolk.

C. Die Gottesherrschaft, Israel und die Kirche

Wenn Jesus sich derart dezidiert an Israel gewandt hat, dann erhebt sich die Frage, ob und mit welchem Recht sich die christliche Kirche auf ihn und seine Botschaft berufen kann. Hier ist vor allem folgendes zu berücksichtigen: So sehr es richtig ist, daß Jesus auf die Sammlung ganz Israels abzielt, so wenig läßt sich das Erwählungshandeln, das er proklamiert, als Zwangsrekrutierung auslegen; die zugesprochene eschatologische Erwählung appelliert vielmehr an die freie Entscheidung: „Wer sich vor den Menschen zu mir bekennt, zu dem wird sich auch der Menschensohn vor den Engeln Gottes bekennen. Wer mich aber vor den Menschen verleugnet, der wird auch vor den Engeln Gottes verleugnet werden" (Lk 12,8f par). So verwundert es nicht, daß die nachösterliche Jüngergemeinde sich schon bald als die eschatologische Gemeinde der „Heiligen", als das endzeitliche Volk Gottes, als ἐκκλησία τοῦ θεοῦ („ekklēsia tou theou"), begriff[10] und sich damit von einem rein ethnisch definierten Israel absetzte, ohne jedoch in eine esoterische Separation, etwa qumranischen Zuschnitts, zu verfallen. Es kommt hinzu, daß Ostern nicht nur als Bestätigung, sondern darüber hinaus – zumindest paradigmatisch – auch als Erfüllung der Botschaft Jesu verstanden werden mußte[11]. Hatte doch im auferweckten Jesus das Geschehen der Gottesherrschaft seine definitive Qualität bereits erreicht. Am Auferweckten ist die neue Schöpfung schon verwirklicht, die man von der Königsherrschaft Gottes erwartete. Wenngleich unter heftigen Kontroversen, setzte sich im Urchristentum recht bald die Überzeugung durch, daß es nun an der Zeit sei, im missionarischen Vorstoß auf die Heidenwelt die eschatologische Völkerwallfahrt zum Zion einzuleiten und auch den Völkern das eschatologische Erwählungshandeln Gottes zu verkünden[12]. Das eschatologische Israel, das Jesus zu konstituieren begonnen hatte,

---

9 Besonders in Gleichnissen, die ihrerseits die Hörer in dieses Geschehen hineinziehen wollen, kommt dies zum Ausdruck; vgl. Mk 4,3–9.30–32 par; Mt 13,33 par; Mt 13.44.45f.

10 Vgl. dazu: *H. Merklein*, Die Ekklesia Gottes. Der Kirchenbegriff bei Paulus und in Jerusalem, in: BZ 23 (1979) 48–70; *N. A. Dahl*, Das Volk Gottes. Eine Untersuchung zum Kirchenbewußtsein des Urchristentums, Darmstadt ²1963, 175–208.

11 Vgl. dazu auch: *K. Müller*, Jesu Naherwartung und die Anfänge der Kirche, in: *Ders.*, Die Aktion Jesu und die Re-Aktion der Kirche. Jesus von Nazareth und die Anfänge der Kirche, Würzburg 1972, 9–29.

12 Zur Heidenmission vgl. *R. Pesch*, Voraussetzungen und Anfänge der urchristlichen Mission, in: Mission im Neuen Testament, hrsg. v. *K. Kertelge* (= QD 93), Freiburg 1982, 11–70, bes. 33–45; 54–68.

weitet sich zum Gottesvolk der Kirche, das Juden und Heiden umfassen soll. So gesehen, kann es zwischen Kirche und Reich Gottes keinen Gegensatz geben. Die Kirche ist vielmehr das Geschöpf des eschatologischen Erwählungshandelns Gottes, das Jesus mit seiner Botschaft von der Gottesherrschaft Israel gegenüber proklamiert hat und das dann – begründet durch die Auferweckung Jesu – auch den Heidenvölkern verkündet werden mußte. Unter dieser Rücksicht erscheint die Kirche als der Ort, wo im schöpferischen Akt der Erwählung das Geschehen der Gottesherrschaft Ereignis wird. Die Kirche selbst ist Ereignis des Geschehens der Gottesherrschaft. Trotz des engen Zuordnungsverhältnisses dürfen jedoch Gottesherrschaft und Kirche nicht identifiziert werden. Denn daß sich in der Kirche das Geschehen der Gottesherrschaft ereignet, ist nicht Werk der Kirche, sondern allein Werk Gottes. Im übrigen zielt das Geschehen der Gottesherrschaft auf Vollendung, auf volle und offenkundige Verwirklichung des Königseins Gottes. Unter dieser Rücksicht ist die Kirche immer nur eine vor-läufige Größe, die darauf angelegt ist, einmal aufzugehen in der vollendeten Gottesherrschaft. Die Kirche ist der Ort, an dem Gott sein Volk sammelt und bereit macht für seine kommende Herrschaft (vgl. Did 10,5).

II. Konsequenzen für Selbstverständnis und Praxis der Kirche

Ist mit den vorausgehenden Ausführungen das Verhältnis von Gottesherrschaft und Kirche wenigstens ansatzweise geklärt, so soll im folgenden nach den Konsequenzen gefragt werden, die sich daraus für das Selbstverständnis und die Praxis der Kirche und der Gemeinden ergeben.

A. Die Rolle Israels im Selbstverständnis der Kirche

Angesichts der innigen Relation von Gottesherrschaft und Israel, wie sie in der alttestamentlich-frühjüdischen Tradition und auch bei Jesus zu beobachten war, dürfte sich zuallererst die Frage nach der Rolle Israels im Selbstverständnis der Kirche stellen. Denn unbeschadet der theologischen Gültigkeit der bereits getroffenen Aussage, daß das eschatologische Gottesvolk der Kirche Juden und Heiden umfassen soll, ist festzustellen, daß die tatsächliche historische Entwicklung ganz anders verlaufen ist. An die Stelle der theologisch konzipierten Idee einer Kirche aus Juden und Heiden (vgl. Eph 2,11-22) trat eine fast ausnahmslos heidenchristliche Kirche, die sich ihrerseits wieder von Israel absetzte. Ist „Israel" für diese Kirche nur noch als Größe der Vergangenheit von Belang? Ist das „Volk der Juden", das sich dem Ruf Jesu widersetzt hat, zu einem Faktor geworden, der theologisch vernachlässigt werden kann?

Beide Fragen sind entschieden zu verneinen! Wenn immer die Kirche sich als Folge und Sachwalterin der Botschaft Jesu verstehen will, dann ist und bleibt sie *durch alle Zeiten hindurch* angewiesen auf die *heilsgeschichtliche Kontinuität* zu jenem Israel, das Gott als sein Eigentumsvolk berufen und dem Jesus die eschatologische Erwählung Gottes zugesprochen hat. Ohne dieses Israel gäbe es keine Kirche, weder historisch noch theologisch. Eine Kirche, die diese ihre Wurzel als ablösbare Größe der Vergangenheit betrachtete, wäre nicht mehr Kirche. Aber noch mehr! Nicht nur aus Gründen heilsgeschichtlicher Kontinuität, auch *eschatologisch* bleibt Kirche auf Israel angewiesen. Es wäre ein folgenschwerer Irrtum, wenn die Kirche aus der faktischen Trennung von Israel die Verwerfung des Volkes Israel und seine endgültige Ablösung durch die Kirche ableiten wollte. Unbeschadet aller menschlichen Freiheit, sich Gott zu verweigern, bleibt theologisch daran festzuhalten, daß göttliches Handeln ein *wirksames* Handeln sein muß. Wenn daher das göttliche Erwählungshandeln, das Jesus für Israel proklamiert hat, sich letztendlich gerade an Israel als unwirksam erweisen sollte, wäre die Botschaft Jesu selbst ad absurdum geführt. Im übrigen würde die Kirche, die sich auf das gleiche Erwählungshandeln beruft, einer trügerischen Hoffnung nachjagen. Jesu Botschaft von der Gottesherrschaft als einem immer noch wirksamen Geschehen und das Selbstverständnis der Kirche als des eschatologischen Gottesvolkes lassen sich nur aufrechterhalten in der eschatologischen Vision des Paulus, daß am Ende *ganz Israel* gerettet werden wird (Röm 11,25-27)[13].

Wenn dies immer klar und deutlich im Bewußtsein der Kirche gestanden hätte, wäre dem jüdischen Volk wahrscheinlich viel von seinem unsäglichen Leid erspart geblieben. Um so demütiger und zugleich energischer muß sich die Kirche und müssen sich die Gemeinden erneut auf ihr heilsgeschichtliches und eschatologisches Angewiesensein auf Israel besinnen. Dies ist eine erste und bleibende Konsequenz der Botschaft Jesu von der Gottesherrschaft.

B. Die Kirche als Sammlung und Versammlung der Sünder

Wenn es richtig ist, daß die Kirche letztlich aus dem göttlichen Erwählungshandeln resultiert, das Jesus mit der Proklamation der Gottesherrschaft einem ansonsten *sündigen* Volk verkündet hat, dann ist die Kirche in einem ganz radikalen und prinzipiellen Sinn Sammlung und Versammlung der *Sünder,* die Gott in souveräner Freiheit gerufen hat. Es ist eine unzulässige Engführung, wenn man die neutestamentlichen Texte, die vom Umgang Jesu mit Sündern sprechen, ausschließlich zur Begründung einer Randgruppenpastoral heranzieht, in den „Sündern" also Ausnahmen sieht: Menschen, die von den üblichen kirchlichen Normen abweichen. Unbeschadet der Möglichkeit (und Notwendigkeit), die Texte auch in diese Richtung auszuwerten, ist eine derart exklusive Auslegung nicht selten das Indiz einer latenten Heuchelei, die darüber hinwegtäuscht, daß die *Kirche als solche* die Sammlung der von Gott erwählten Sünder ist. Die Gleichnisse von der Suche und Annahme der Sünder sind zutiefst ekklesiologische Texte, d. h. sie beziehen sich auf das Erwählungskollektiv als Ganzes[14]. Das verirrte Schaf, dem der Hirt nachläuft (Lk 15,4-7 par), gibt nach Auffassung Jesu die Situation *ganz Israels* und nicht nur die Situation einiger Sünder in Israel wieder. Die Geschichte vom verlorenen Sohn (Lk 15,11-32) ist nicht nur die Geschichte des ersten Sohnes, der als notorischer Sünder auftritt,

---

13 Aus der überaus reichen und kontroversen Literatur zu Röm 9–11 vgl. *F. Mußner,* Traktat über die Juden, München 1979, bes. 52–67 passim (Lit.); *L. Steiger,* Schutzrede für Israel. Römer 9–11, in: Fides pro mundi vita. Festschrift für H. W. Gensichen, Gütersloh 1980, 44–58; *E. Gräßer,* Christen und Juden. Neutestamentliche Erwägungen zu einem aktuellen Thema, in: PTh 71 (1982) 431–449. – Die Rede von einem „Sonderweg" Israels sollte m. E. vermieden werden, da sie leicht mißverstanden werden kann; in jedem Fall bleibt festzuhalten, daß auch die eschatologische Rettung Israels nicht unter Umgehung der Christologie gedacht werden kann.

14 Dasselbe gilt für die Praxis des Umgangs Jesu mit den Sündern; zum zeichenhaften Charakter der Sündermähler vgl. *M. Trautmann,* Handlungen (Anm. 7), 132–166.

sondern letztlich die Geschichte der verlorenen Söhne[15], weil auch der zweite Sohn verloren ist, wenn er nicht wahrnimmt und akzeptiert, daß auch er nur aus der gleichen Güte leben kann, die der Vater dem heimgekehrten Sohn so ärgerniserregend zuteil werden ließ. In zwar paulinischer, aber durchaus sachgerechter Interpretation heißt dies: Aus sich und vor Gott sind alle Menschen Sünder (vgl. Röm 1,18-3,20). Erst vor diesem Hintergrund wird deutlich, was Kirche ist. Sie hebt sich nämlich nicht aus eigener Kraft von dem Unheilskollektiv der Menschheit ab. Die Kirche erhält und bewahrt ihr Selbstsein vielmehr nur dadurch, daß Gott Sünder in seine Gemeinschaft ruft und die Berufenen, die aus sich immer nur Sünder bleiben, in seiner Gemeinschaft hält.

Von daher ist es nicht nur eine moralische, sondern eine existentielle Notwendigkeit, daß die Kirche und die einzelnen Gemeinden sich auch tatsächlich als Versammlung erwählter Sünder präsentieren. Zumal in den *Eucharistiefeiern* müßte dies deutlich zutage treten. Sie müßten als Fortsetzung jener Tischgemeinschaft transparent werden, die Jesus mit den Sündern gepflegt hat[16]. Wenn vor der Kommunion das „Herr, ich bin nicht würdig . . .“ gesprochen wird, so ist dies nicht ein Bekenntnis zu mehr oder minder großen moralischen Schönheitsfehlern, sondern das Bekenntnis zur grundsätzlichen Unwürdigkeit des Menschen vor Gott. Für den Christen ist dieses Bekenntnis kein Akt krankhafter Selbstverdemütigung, sondern ein Stück christlicher Freiheit, die es erlaubt, sich selbst in all seiner verlorenen menschlichen Realität ernst zu nehmen. Gerade so können Christen in jeder Eucharistiefeier neu und fast handgreiflich erfahren, daß sie, die an sich Verlorenen, von Gott Wiedergefundene, von Gott in freier Gnade erwählte Söhne und Töchter sind. Wo Gemeinde sich derart als Sammlung und Versammlung von Sündern versteht, die Gott nicht fallen läßt, sondern als sein eschatologisches Volk erwählt, ereignet sich je neu das Geschehen der Gottesherrschaft, das Jesus proklamiert und in Gang gesetzt hat.

C. Die Kirche als Ort praktizierter Vergebung und gelebter Barmherzigkeit

Doch nicht nur in liturgischer Feier[17], sondern auch im praktischen Vollzug alltäglichen Lebens muß Kirche – will sie der Botschaft Jesu treu bleiben – sich als Geschöpf unverdienter Erwählung erweisen. Weil die Kirche die Sammlung und Versammlung der Sünder ist, die selbst nur aus der Vergebung Gottes leben, weil die Kirche selbst *Existenz aus der Vergebung* ist, können die konkreten christlichen Gemeinden Orte praktizierter Vergebung und gelebter Barmherzigkeit sein. Dabei ist es ganz wesent-

---

15 Vgl. dazu auch: *F. Schnider,* Die verlorenen Söhne. Strukturanalytische und historisch-kritische Untersuchungen zu Lk 15 (= OBO 17), Freiburg/Schweiz – Göttingen 1977.

16 Zwei mögliche Mißverständnisse sind auszuschließen: 1. Mit der Analogie zwischen Sündermählern und Eucharistie soll in keiner Weise bestritten werden, daß das eigentliche Konstitutivum der Eucharistiefeier im letzten Mahl Jesu zu suchen ist; doch ist auch dabei der Bezug zu den Sündern im Sühnemotiv (s. Anm. 20) unübersehbar. – 2. Aus dem Verständnis der Eucharistie als Versammlung der erwählten Sünder ergibt sich nicht, daß die Teilnahme an der Eucharistie ethisch unverbindlich ist. Das göttliche Erwählungshandeln ermöglicht vielmehr ein bestimmtes Ethos, dessen Realisierung die menschliche Antwort auf das göttliche Handeln darstellt. Wo das menschliche Tun entfällt, kann auch der Vollzug des Sakraments nicht automatisch als Versicherung der Erwählung gelten (vgl. 1 Kor 11,17–34).

17 Was oben am Beispiel der Eucharistie erläutert wurde, könnte selbstverständlich auch anhand der übrigen Sakramente entfaltet werden.

lich, daß die Gemeinden sich diese *existentielle Dimension* der verlangten Vergebungsbereitschaft immer wieder ins Bewußtsein rufen und Barmherzigkeit nicht einfach zu einer Tugend und einem moralischen Ideal verkommen lassen. Die Forderung Jesu „Seid barmherzig, wie euer Vater barmherzig ist" (Lk 6,36 par) zwingt nicht etwas ab, was nur mit letzter Kraftanstrengung zu erfüllen ist; das Wort Jesu verweist vielmehr auf den Grund und die Ermöglichung einer christlich praktizierten Barmherzigkeit. Wo Christen wirklich wissen, daß sie selbst – als Christen – nur aus der Vergebung Gottes leben, werden sie überhaupt nicht anders können, als beständig zu vergeben, und zwar nicht nur siebenmal, sondern – grenzenlos – siebenundsiebzigmal (Mt 18,21f).

Wo dies aber nicht geschieht, da hat das erwählende und vergebende Handeln Gottes diejenigen, die es theoretisch beanspruchen, gar nicht wirklich getroffen. Das Geschehen der Gottesherrschaft hat sich an ihnen nicht ereignet, und eschatologisches Gottesvolk hat sich nicht konstituiert. Insofern könnte man das Gleichnis vom unbarmherzigen Knecht (Mt 18,23-34) als Beispiel nicht akzeptierter Erwählung und somit auch nicht geglückter Kirche bezeichnen. Der Knecht hat die Barmherzigkeit seines Herrn zwar äußerlich angenommen, sich davon aber – das Verhalten zu seinem Mitknecht zeigt es – nicht wirklich erfassen lassen. Zu Recht steht er deshalb am Ende wieder genau dort, wo er am Anfang gestanden hat: in der Ver-haftung seiner Schuld und isoliert von seinen Mitknechten. Die Praxis der Vergebung und der Barmherzigkeit wird zum Gradmesser für das Kirchesein der Kirche. Und daran ist nicht nur das Verhalten der einzelnen Christen zu bemessen; auch die Normen, die die Kirche als Institution zur Regelung des eigenen Zusammenlebens aufstellt, unterliegen dem gleichen Kriterium[18]. |

D. Die Kirche als Ort der Liebe und des Dienens

Die Barmherzigkeit, die im vorausgehenden Abschnitt als praktizierte Vergebung ausgelegt wurde, ist nun auch positiv zu entfalten. Es ist wohl kein Zufall, daß in der Jesustradition die Barmherzigkeit des Vaters als der tiefste Grund für das Gebot der *Liebe* angegeben wird (Lk 6,32.35f par). Wo Gott den Sündern nicht nur vergibt, sondern in seiner Barmherzigkeit das Nicht-Volk wieder zu seinem Volk macht, wird dieses Volk selbst nicht nur vergeben können, sondern positiv zur Liebe befähigt. Daß die Kreativität dieser Liebe grenzenlos ist, zeigt u. a. die Weisung der Feindesliebe. Doch bevor auf den Feind als Adressat christlicher Liebe eingegangen wird (s. u. F), soll die spezifisch gemeinderelevante Dimension der ermöglichten Liebe wenigstens kurz ins Auge gefaßt werden. Gerade unter dieser Rücksicht ist Liebe als *Dienst* zu interpretieren.

Schon in der alttestamentlichen und frühjüdischen Tradition steht die Gottesherrschaft im Gegensatz zu menschlicher Unterdrückung und Knechtung. Die Gottes-

---

18 Im konkreten Fall ist die Verwirklichung dieses theologisch gebotenen Prinzips nicht immer einfach und fordert differenzierte Lösungen. So dürfen z. B. Regelungen, die für die sog. wiederverheirateten Geschiedenen getroffen werden, selbstverständlich nicht die Verbindlichkeit des Jesuswortes von Mt 5,32 par in Frage stellen. M. E. schöpfen jedoch die tatsächlich getroffenen Regelungen – auch unter Berücksichtigung der Intention von Mt 5,32 par – noch keineswegs die Möglichkeiten der Barmherzigkeit aus, die Jesu Botschaft und Praxis eröffnen.

herrschaft läßt geradezu die Befreiung von jedweder repressiven menschlichen Herrschaft erwarten. Die Kirche, in der sich das Geschehen der Gottesherrschaft schon ereignet, muß daher – in einem theologischen Sinn – herrschaftsfrei sein[19]. Die Frage der Zebedaidensöhne nach den Ehrenplätzen und Ministerposten kann nur negativ beschieden werden (Mk 10,35-40). Dies schließt selbstverständlich nicht aus, daß es in der Kirche ein Amt gibt. Aber kirchliches Amt bestimmt sich nicht als ἀρχή („archē" = „Herrschaft"), sondern ausschließlich als διακονία („diakonia" = „Dienst"). Zumal für das Amt gilt, was die gesamte Kirche und jedwede Gemeinde bestimmen muß: „Ihr wißt, daß die, die als Herrscher gelten, ihre Völker unterdrükken und die Mächtigen ihre Macht über die Menschen mißbrauchen. Bei euch aber soll es nicht so sein, sondern wer bei euch groß sein will, der soll euer Diener sein, und wer bei euch der Erste sein will, der soll der Sklave aller sein" (Mk 10,42-44). Gottesherrschaft und repressive Herrschaft von Menschen vertragen sich nicht. Vielleicht sollte die Kirche das – gewiß rigorose – Bild des Matthäus doch ernster nehmen, der seine Gemeinde als Brüdergemeinde zeichnet und ihr deshalb Titel wie „Vater" oder „Lehrer" untersagt (Mt 23,8-10).

Abschließend bleibt noch auf Jesus selbst zu verweisen. Wenn es richtig ist, daß Jesus seinen Tod als Sühne für das sich verweigernde Israel verstanden hat (vgl. Mk 14,24; 1 Kor 11,24; Lk 22,19f), dann kann dies nur als die letzte Konsequenz seiner Heilsverkündigung von der Gottesherrschaft verstanden werden[20]. Die Liebe und der Dienst, die diese Verkündigung fordern und ermöglichen, werden von Jesus selbst in letzter Folgerichtigkeit verwirklicht.

E. Die missionarische Verantwortung der Kirche

Bislang wurde die Basileia-Botschaft Jesu vorwiegend nach ihren Konsequenzen für den kirchlichen Binnenraum befragt. Es könnte der Eindruck entstehen, daß das Geschehen der Gottesherrschaft nur eine kircheninterne Angelegenheit sei. Außenwirkungen würden dann primär über die Anziehungskraft der Kirche laufen, die als „Kontrastgesellschaft"[21] in dieser Welt steht. Dieser Auffassung liegt die prophetische Vision von der Völkerwallfahrt zugrunde, die wohl auch Jesus voraussetzt: Wenn Gottes Königsherrschaft in Israel verwirklicht ist, dann werden die Völker herbeiströmen und sich bekehren.

Dennoch kann der Begriff der „Kontrastgesellschaft" leicht mißverstanden werden[22]. Es ist jedenfalls zu berücksichtigen, daß die nachösterliche Gemeinde sich nicht passiv mit der eigenen Anziehungskraft begnügte. Man überschritt vielmehr – und zwar aus theologischen Motiven – sehr bald die Grenzen Israels, um in missionarischer Aktivität eine Art geistlicher Völkerwallfahrt zu dem Messias und Kyrios Jesus

---

19 Vgl. dazu auch: *P. Hoffmann – V. Eid,* Jesus von Nazareth und eine christliche Moral. Sittliche Perspektiven der Verkündigung Jesu (= QD 66), Freiburg 1975, 186–256.
20 Zum Sühnegedanken vgl. *H. Merklein,* Der Tod Jesu als stellvertretender Sühnetod. Entwicklung und Gehalt einer zentralen neutestamentlichen Aussage, in: Pastoralblatt 37 (1985) 66–73.
21 Der Begriff wird vor allem von *Norbert* und *Gerhard Lohfink* favorisiert; vgl. *G. Lohfink,* Jesus (Anm. 5), 142–154.
22 Daß das hier befürchtete Mißverständnis einer passiv sich abgrenzenden Kirche nicht im Sinne der Brüder *Lohfink* ist, sei ausdrücklich hervorgehoben; vgl. *G.* und *N. Lohfink,* „Kontrastgesellschaft". Eine Antwort an David Seeber, in: HerKorr 38 (1984) 189–192.

einzuleiten, an dem das Geschehen der Gottesherrschaft – im neuschöpferischen Akt der Auferweckung – schon zur Vollendung gekommen war.

Wenn dieses urchristliche Vorgehen als legitime österliche Auslegung der Botschaft Jesu anzusprechen ist, dann gilt auch die Schlußfolgerung, daß das Geschehen der Gottesherrschaft mit Ostern in eine neue Phase getreten ist und selbst zur Mission drängt. Das Geschehen der Gottesherrschaft, das Kirche schafft und sich in der Kirche ereignet, muß sich nach außen ereignen. Die Erwählung und die Vergebung, aus denen die Kirche lebt, müssen verkündet werden. Die Liebe und das gegenseitige Dienen, die in der Kirche lebendig sind, müssen als Möglichkeiten des Lebens exportiert werden. Der Befehl zur Missionierung der Völker am Schluß des Matthäusevangeliums (Mt 28,16-20) ist die österliche Konsequenz des Auftrags des Irdischen an seine Jünger: „Geht und verkündet: Die Gottesherrschaft ist nahegekommen!" (Mt 10,7 par). Die Kirche muß mehr sein als nur der Leuchtturm für die Gottesherrschaft. Pointiert ausgedrückt: Das Geschehen der Gottesherrschaft ist nicht darauf angelegt, die Welt in die Kirche hineinzuziehen, sondern will umgekehrt durch die Kirche die Welt erfassen.

F. Die politische Verantwortung der Kirche

Missionsauftrag wie Kirche selbst sind eine Folge der nachösterlichen bzw. christologischen Hermeneutik der Basileia-Botschaft Jesu. Der Auftrag zur *Weltgestaltung* ist aber – wenigstens ansatzweise – bereits in der Botschaft des irdischen Jesus vorhanden. Zu erinnern ist hier vor allem an das Gebot der *Feindesliebe* (Mt 5,44f.48 par). Der Streit, ob Jesus nur an den persönlichen Feind oder auch an den Volksfeind gedacht hat, ist müßig und verfehlt. Er bringt nur wieder jene Kasuistik ins Spiel, die Jesus ausgeschlossen wissen wollte. Selbstverständlich ist Feindesliebe zunächst einmal innerhalb des Gottesvolkes zu verwirklichen[23]. Doch darf sie an seinen Grenzen nicht haltmachen. Der Hinweis, daß im griechischen Urtext nicht von den πολέμιοι (polemioi), sondern von den ἐχθροί (echthroi) die Rede sei[24], ist nicht stichhaltig; nach der Übersetzungsgewohnheit der Septuaginta werden u. a. auch die Heidenvölker (als die Feinde Israels) mit dem Terminus „echthroi" belegt[25]. In eine ähnliche Richtung weist die Rezeption des Gebotes der Feindesliebe durch Matthäus, der die Feindesliebe der bloßen Liebe zum „Nächsten", dem Volks- bzw. Gruppengenossen, gegenüberstellt (Mt 5,43f). Auch ist es wohl kein Zufall, daß Jesus am Beispiel eines Samariters erläutert, was Liebe ist (vgl. Lk 10,30-37). Im übrigen hat Jesus selbst, wiewohl er keine Heidenmission betrieben hat, keine Berührungsängste gegenüber den Heiden[26]. Feindesliebe darf also nicht nur innerhalb des Gottesvolkes gelten, sondern muß auch die Außenstehenden umfassen[27]. Die Feindesliebe ist letztlich die

---

23 Unter den Erwählten des eschatologischen Gottesvolkes darf es die Kategorie des Feindes nicht mehr geben, und zwar gerade deshalb, weil das erwählende und vergebende Geschehen der Gottesherrschaft zu grenzenloser Vergebung und Liebe befähigt.

24 Im Griechischen bezeichnet ἐχθρός überwiegend den persönlichen Feind, während der (im NT nicht vorkommende) Begriff πολέμιος den Kriegsfeind meint.

25 Vgl. W. *Foerster*, ἐχθρὸς κτλ., in: ThWNT II 810–815, hier: 811f.

26 Vgl. Mk 7,24–30; Mt 8,5-13 par; Lk 17,11-19; u. ö.

27 Indirekt ergibt sich dies auch aus den Begründungen, die dem Gebot der Feindesliebe beigefügt sind: Wenn die geforderte Barmherzigkeit der Barmherzigkeit Gottes korrespondieren soll (Lk 6,36 par) und diese ihren konkreten Ausdruck in der Erwählung des

Vorwegnahme jenes Friedens, der in der vollendeten Gottesherrschaft Israel und die Völker verbinden wird, wenn diese vom Osten und Westen kommen und mit Abraham, Isaak und Jakob zu Tische sitzen werden (vgl. Lk 13,28f par). Wo Feinde geliebt werden, wird die kommende Gottesherrschaft als bereits gegenwärtiges Geschehen transparent.

So verstanden, enthält das Gebot der Feindesliebe durchaus auch die Aufforderung und die Befähigung zur politischen Weltgestaltung[28]. Zwar wird man das Wort von | der Feindesliebe wie auch das benachbarte Wort von der Überwindung der gegnerischen Aggressivität (Mt 5,39f par) nicht unmittelbar in politische Handlungsanweisung ummünzen können. Aber mit diesen Worten im Ohr und im Herzen wird man sich kaum mit einer Welt und einer Politik abfinden können, die Feindschaft und Mißtrauen durch Abschreckung neutralisieren. Die Kirche wird daher das stets unruhige Gewissen einer sich selbst rechtfertigenden Hochrüstungsgesellschaft sein müssen. Als Gemeinschaft, die auf die kommende Gottesherrschaft hofft und vom Geschehen der Gottesherrschaft schon jetzt erfaßt ist, ist die Kirche befähigt, immer wieder positive Impulse für ein nie resignierendes, aggressionsfreies und kreatives Zugehen auch auf den politischen Feind zu geben. Die Kirche besitzt zudem die Kraft, dafür auch konkrete Zeichen der Tat zu setzen.

G. Die soziale Verantwortung der Kirche

Mit dem Hinweis auf die politische Verantwortlichkeit ist bereits eine weitere Konsequenz der Botschaft Jesu angesprochen, nämlich der soziale Auftrag der Kirche im weitesten Sinn. Eine Kirche, die um das Kommen der Gottesherrschaft betet und davon überzeugt ist, daß die Gottesherrschaft ein schon gegenwärtiges Geschehen ist, hätte sich von ihrem eigenen Glauben verabschiedet, wenn sie sich auf eine rein verbale Verkündigung zurückzöge und tatenlos Welt und Mensch ihrer konkreten Not überließe. Die Kirche, die das Geschehen der Gottesherrschaft verkündet, kann sich mit keiner Gegenwart abfinden, die offensichtlich vom Ziel dieses Geschehens noch weit entfernt ist. Der Botschaft Jesu kann die Kirche vielmehr nur treu bleiben, wenn sie darauf drängt und daran mitarbeitet, die vorfindliche Welt, soweit nur irgend möglich, auf die in der Verkündigung proklamierte Gegen-Welt der Gottesherrschaft hin zu verändern. Wo immer das physische

---

sündig gewordenen Israel findet, das als solches keine Präferenz gegenüber den nicht erwählten Heidenvölkern beanspruchen kann, dann kann auch das neu konstituierte Gottesvolk die bisherige Grenze zwischen Israel und den Heiden nicht mehr als Begrenzung seines Handelns aufrechterhalten. Dieser Konklusion könnte man sich nur dann entziehen, wenn man die eschatologische Erwählung Israels als erneute Grenzziehung gegenüber den Heidenvölkern auffassen dürfte. Dem widerspricht jedoch die letztlich universale Ausrichtung des eschatologischen Handelns Gottes (s. o. Anm. 8), das Jesus ganz offensichtlich nach dem Modell des gnädigen Waltens des Vaters über seine Schöpfung begreift (vgl. auch unten II. H.), der *allen* – Bösen und Guten, Gerechten und Ungerechten – das Licht seiner Sonne und die Kraft seines Regens schenkt (Mt 5,45 par).

28 Gegen diese Schlußfolgerung kann man schwerlich die Praxis Jesu ins Feld führen, der sich um die politischen Verhältnisse seiner Zeit offensichtlich wenig gekümmert hat. Dies dürfte mit seiner Naherwartung zusammenhängen, die wir heute so nicht mehr übernehmen können: Vgl. dazu und zum gesamten Problemkreis: *H. Merklein*, Politische Implikationen der Botschaft Jesu?, in: LS 35 (1984) 112–121.

oder psychische Leben von Menschen bedroht ist und deren Würde mißachtet oder
geschändet wird, muß Kirche als der geborene Anwalt der Not auf den Plan treten
und durch eigenen Einsatz für Abhilfe sorgen. Und wo an der Not nichts zu ändern
ist, muß Kirche wenigstens solidarisch an der Seite der Armen stehen; dies sollte ihr
nicht schwerfallen, wenn sie das Wort ihres Herrn bedenkt: „Eher geht ein Kamel
durch ein Nadelöhr, als daß ein Reicher in das Reich Gottes gelangt" (Mk 10,25).

Nachdrücklich ist zu betonen, daß das soziale Engagement nicht eine sekundäre
und notfalls auch verzichtbare Angelegenheit nach der eigentlich religiösen Aufgabe
der Kirche ist. Beides gehört vielmehr untrennbar zusammen, wie bereits Jesus mit
dem Auftrag zur Verkündigung der Gottesherrschaft ausdrücklich den Auftrag zur
Krankenheilung verbunden hat (Lk 10,9 par). Beides bleibt für das Wirken der
Kirche wesentlich, wenngleich diese heute in der Regel nicht mehr über charismatische Heilfähigkeiten verfügt und ihre Heilungsaufgabe in viel nüchternerer Weise
verwirklichen muß.

H. Die Verantwortung der Kirche für die Schöpfung

Wie verschiedentlich schon angeklungen, hat die Gottesherrschaft, die Jesus verkündet, mit Neuschöpfung zu tun. Gottesherrschaft zielt auf die Neukonstituierung
Israels, auf die Schaffung des eschatologischen Gottesvolkes und schließlich auf die
Neuschöpfung der ganzen Welt. Verfehlt wäre es allerdings, wenn man aus dem
Gedanken der eschatologischen Neuheit eine *totale* Diskrepanz zwischen dieser und
der neuen Welt ableiten würde. Nicht nur, daß in biblischer Tradition das neuschaf- |
fende Handeln Gottes sich fast immer an *dieser* Welt (die in ihrer Vorfindlichkeit
durchaus als „böse" gedacht sein kann) vollzieht und diese Welt in die eschatologisch
neue verwandelt; als *Schöpfung* steht die gegenwärtige Welt darüber hinaus in
theologischer Kontinuität zur eschatologischen Welt, die ebenfalls nur Schöpfung,
d. h. Werk ein und desselben Gottes, sein kann.

Es ist daher kein Zufall, daß für Jesus das Handeln Gottes an seiner Schöpfung und
das eschatologische Handeln Gottes in einem analogen Verhältnis zueinander stehen.
Das letztere gleicht dem gütigen Walten, mit dem Gott alle seine Geschöpfe umsorgt
und erhält. Gerade deshalb kann die endzeitlich gebotene Furchtlosigkeit mit der
Sorge Gottes begründet werden, der selbst die Spatzen nicht fallen läßt (Lk 12,4-7
par). Die Sorglosigkeit, die Jesus um der allein notwendigen Suche der Basileia willen
verlangt, kann mit dem Hinweis auf die Raben, die Gott ernährt, und die Lilien, die
Gott prächtiger als Salomo kleidet, veranschaulicht werden (Lk 12,22-31 par). Und
schließlich kann das Gebot der Feindesliebe, das sich sachlich aus der Analogie zum
barmherzigen eschatologischen Erwählungshandeln Gottes ergibt, zugleich auch mit
der schöpfungserhaltenden Güte motiviert werden, die Gott allen ohne Ausnahme
zuteil werden läßt (Mt 5,44f.48 par). Es wäre überhaupt weiteren Nachdenkens wert,
ob Jesus das eschatologische Ethos, das er verkündet, nicht insgesamt an der
(ursprünglichen) Schöpfungswirklichkeit ausrichtet und auch die (mosaische) Tora,
soweit er auf sie Bezug nimmt, von daher auslegt[29]. Das Streitgespräch über die

---

29 Vgl. dazu: *Merklein*, Botschaft (Anm. 5), 102f; *H. Stegemann*, Der lehrende Jesus. Der
   sogenannte biblische Christus und die geschichtliche Botschaft Jesu von der Gottesherrschaft, in: NZSTh 29 (1982) 3–20.

Ehescheidung Mk 10,2-9 würde dies, selbst wenn es nicht authentisch sein sollte, zumindest wirkungsgeschichtlich unterstreichen.

Wenn Schöpfung und eschatologische Gottesherrschaft derart aufeinander bezogen sind, kann auch das eschatologische Gottesvolk nicht von der Schöpfung absehen oder mit Berufung auf die einzig maßgebliche eschatologische Zukunft sich aus seiner Verantwortung für die Schöpfung stehlen[30]. Gottesherrschaft zielt nicht auf ein exklusiv anthropologisches Heil, sondern auf das Eschaton der gesamten Schöpfung. Wenn die eschatologische Neuschöpfung der Gottesherrschaft von demselben Gott vollzogen wird, der als der Schöpfer der gegenwärtig sichtbaren Schöpfung zu preisen ist, dann kann das Flehen der Kirche um das Kommen der Gottesherrschaft nur als das Stimme gewordene Seufzen der Schöpfung verstanden werden, die insgesamt auf die eschatologische Herrlichkeit wartet (vgl. Röm 8,18-21). Dann aber ist es der Kirche zugleich aufgegeben, Anwalt der Schöpfung zu sein gegenüber einer Gesellschaft, die meint, diese einem rein anthropozentrischen Zweckdenken unterjochen zu dürfen. Eine egoistische und nur auf den eigenen Vorteil bedachte Ausbeutung der übrigen (belebten und unbelebten) Schöpfung pervertiert das Geschöpfsein des Menschen, der sich, obwohl selbst Geschöpf, als Herr aufführt. Ausbeutung der Schöpfung ist immer ein Zeichen von Eigenmächtigkeit, weil sie der Schöpfung gewalttätig Heil (für den Menschen!) abzwingen will, das allein – als Gabe Gottes – die Gottesherrschaft mit sich bringen kann.

Das bedeutet selbstverständlich nicht, daß der Christ der übrigen Schöpfung gegenüber sich rein passiv zu verhalten hat. Es gehört zu den auszeichnenden Aufgaben des Menschen, Schöpfung zu gestalten (vgl. Gen 1,28f). Als Christ wird er diese Aufgabe in Verantwortung vor dem Schöpfer wahrnehmen und in seinem Gestalten auf jene Harmonie bedacht sein, die er von der Gottesherrschaft in eschatologischer Wiederherstellung des paradiesischen Friedens erwartet (vgl. Jes 11,6-9; Mk 1,13).

Von der „Kraft der Hoffnung", die unter Anspielung auf den Wahlspruch des verehrten Jubilars im Titel dieser Festgabe angekündigt ist, war expressis verbis in dem vorliegenden Beitrag nur wenig die Rede. Dies freilich nicht deshalb, weil Gottesherrschaft und Kirche mit Hoffnung nichts zu tun hätten; hinter dem begrifflichen Schweigen stand vielmehr die Befürchtung, eine allzu inflatorisch gebrauchte Terminologie könnte zu einem verbilligten Ausverkauf der Sache führen. Der Sache nach war vom Anfang bis zum Ende dieses Beitrags von der Kraft der Hoffnung die Rede.

Daß Gott seine Herrschaft aufrichten will, befähigt die Kirche zu einer Hoffnung, die alle irdischen Dimensionen übersteigt. Und weil die Gottesherrschaft ein schon gegenwärtiges Geschehen ist, das sich nicht zuletzt in der Kirche ereignet, wird die Kirche selbst zum Zeichen der Hoffnung, sowohl durch ihre Existenz als auch durch ihre Praxis. Dies im übrigen gerade deshalb, weil es nicht *ihr* Tun ist, das die Gottesherrschaft herbeiführen wird oder das Geschehen der Gottesherrschaft im Gange hält. Die Kirche selbst und ihr Tun sind vielmehr nur deshalb voll Hoffnung, weil und insofern sich darin *göttliches* Geschehen ereignet. Gerade dies macht die

---

30 Zur ethischen Verantwortung für die Schöpfung vgl. *O. H. Steck*, Welt und Umwelt (= Kohlhammer Taschenbücher 1006), Stuttgart 1978; *E. Gräßer*, Neutestamentliche Erwägungen zu einer Schöpfungsethik, in: WPKG 68 (1979) 98–114.

Kraft der Hoffnung der Kirche aus. Wäre es anders, müßte die Kirche an sich selbst verzweifeln, da sie redlicherweise eingestehen muß, daß sie es meist nur halbherzig wagt, sich selbst vom Geschehen der Gottesherrschaft erfassen zu lassen. Für die Kirche bleibt es daher tröstlich, zu wissen, daß es Gottes und nicht ihre eigene Herrschaft ist, um die sie bittet, und daß sie mit der Bitte um das Kommen des Reiches Gottes zugleich die Bitte um die Vergebung der eigenen Schuld aussprechen darf (Lk 11,2.4 par).

7. Die Auferweckung Jesu und die Anfänge der Christologie (Messias bzw. Sohn Gottes und Menschensohn)*

Die folgenden Ausführungen haben − dies sei gleich eingangs betont − keineswegs den Charakter fertiger Ergebnisse. Eher handelt es sich um eine These, die verschiedene, höchst unterschiedlich beurteilte Problemfelder in einen Zusammenhang integrieren und sich als solche zur Diskussion stellen möchte[1]. Entstanden ist sie im Anschluß an einen Aufsatz, den ich im Jahre 1979 veröffentlicht habe[2]. Darin hatte ich mich mit der Präexistenzchristologie beschäftigt, deren Anfänge m. E. auf die Gruppe der sog. Jerusalemer »Hellenisten« zurückgehen. Von daher legte es sich nahe, nun auch die Anfänge der für die aramäisch sprechende Urgemeinde spezifischen Christologie näher in den Blick zu fassen[3].

1. Die älteste Auferweckungsaussage

Daß ich bei der Auferweckungsaussage beginne, impliziert bereits eine These, die ich hier einfach voraussetzen muß: nämlich, daß Ostern als der Ausgangspunkt für die Formulierung einer expliziten Christologie anzusehen ist[4].

---

* Leicht überarbeitete Fassung meiner Antrittsvorlesung anläßlich meiner Berufung an die Rheinische Friedrich-Wilhelms-Universität zu Bonn am 3. Dezember 1980.

[1] Der Thesencharakter scheint es mir auch zu rechtfertigen, daß die Auseinandersetzung mit anderen Positionen nur in bescheidenem Umfang geschehen konnte.

[2] H. Merklein, Zur Entstehung der urchristlichen Aussage vom präexistenten Sohn Gottes, in: G. Dautzenberg u. a. (Hrsg.), Zur Geschichte des Urchristentums (QD 87) Freiburg−Basel−Wien 1979, 33−62.

[3] Damit soll natürlich nicht behauptet werden, daß es zwischen den beiden »Gruppen« in Jerusalem keine Beziehungen gegeben hätte. Im Gegenteil! Vgl. O. Cullmann, Die Christologie des Neuen Testaments, Tübingen ⁴1966, 333. Es geht also um Schwerpunkte, nicht um Exklusivitäten! Vgl. H. R. Balz, Methodische Probleme der neutestamentlichen Christologie (WMANT 25) Neukirchen 1967, 146.

[4] Dies schließt nicht aus, sondern im Gegenteil ein, daß die Christologie sachlich das Wort und das Wirken und den darin zum Ausdruck kommenden eschatologischen Anspruch des historischen Jesus voraussetzt. Doch ist es m. E. nach wie vor höchst problematisch, explizite christologische *Titel* mit dem historischen Jesus zu verbinden. Das gilt a fortiori für den Titel »Sohn Gottes«; vgl. E. Schweizer, Art. υἱός κτλ.: ThWNT VIII 355−357.

Was den Gehalt der Auferweckungsaussage betrifft, so können wir uns hier auf die älteste Form dieser Aussage konzentrieren. Soweit wir heute erkennen können, ist sie in der Auferweckungsformel (πιστεύομεν ὅτι) ὁ θεὸς ἤγειρεν (τὸν) Ἰησοῦν ἐκ νεκρῶν (Röm 10 9b; 1 Kor 6 14; 15 15; 1 Thess 1 10; Act 3 15; 4 10; vgl. 2 32) bzw. in der Gottesprädikation ὁ ἐγείρας (τὸν) Ἰησοῦν ἐκ νεκρῶν (vgl. Röm 4 24; 8 11; 2 Kor 4 14; Gal 1 1; Kol 2 12; Eph 1 20; [Act 13 33; 17 31; Hebr 13 20]) zu suchen[5]. Als Sitz im Leben dieser Formulierungen, die bis in die Anfänge der Urgemeinde zurückreichen dürften, läßt sich der Gottesdienst ausmachen[6].

Inhaltlich ist bemerkenswert, daß Gott der Handelnde ist und daß das Objekt des Handelns mit dem Eigennamen »Jesus« und nicht mit einem christologischen Titel bezeichnet wird. In dieser strikt theologischen Ausrichtung greift die Auferweckungsaussage das Bekenntnis Israels zu seinem Gott, der sich als der machtvoll Handelnde erweist[7], auf und spezifiziert es.

Der Ausdruck »von den Toten auferwecken« ist trotz des Widerspruchs, der in jüngster Zeit laut wurde[8], auf dem Hintergrund der

---

[5] Siehe dazu: W. Kramer, Christos Kyrios Gottessohn (AThANT 44) Zürich–Stuttgart 1963, 16–22. 29–34; R. Deichgräber, Gotteshymnus und Christushymnus in der frühen Christenheit (StUNT 5) Göttingen 1967, 111f.; K. Wengst, Christologische Formeln und Lieder des Urchristentums (StNT 7) Gütersloh 1972, 27–48; Ph. Vielhauer, Geschichte der urchristlichen Literatur, Berlin 1975, 15f.; J. Becker, Das Gottesbild Jesu und die älteste Auslegung von Ostern, in: G. Strecker (Hrsg.), Jesus Christus in Historie und Theologie. FS H. Conzelmann, Tübingen 1975, 105–126, hier 118–122; P. Hoffmann, Art. Auferstehung: TRE IV 450–467. 478–513, hier 478–481; vgl. auch G. Kegel, Auferstehung Jesu – Auferstehung der Toten, Gütersloh 1970, 12–29.

[6] Wengst, a.a.O. 42f.; Becker, a.a.O. 120f.; G. Delling, Geprägte partizipiale Gottesaussagen in der urchristlichen Verkündigung, in: ders., Studien zum Neuen Testament und zum hellenistischen Judentum, Göttingen 1970, 401–416, hier 411. 413. 414f.; vgl. Deichgräber, a.a.O. 112.

[7] Vgl. Ps 115 15; Ex 16 6; Num 15 41; Dtn 32 39; 1 Sam 2 6; XVIII-Gebet 2; tBer 7,5. – Bill III 212; G. Delling, Partizipiale Gottesprädikationen in den Briefen des Neuen Testaments: StTh 17 (1963) 1–59, hier 15–42; O. Hofius, Eine altjüdische Parallele zu Röm IV. 17b: NTS 18 (1971/72) 93f.; Wengst, a.a.O. 43f.; Hoffmann, a.a.O. 486.

[8] R. Pesch, Zur Entstehung des Glaubens an die Auferstehung Jesu. Ein Vorschlag zur Diskussion: ThQ 153 (1973) 201–228. 270–283; vgl. ders. – H. A. Zwergel, Kontinuität in Jesus, Freiburg 1974; sowie die Ausführungen R. Peschs in: A. Vögtle– R. Pesch, Wie kam es zum Osterglauben?, Düsseldorf 1975, 133–181. – Grundlegend ist: K. Berger, Die Auferstehung des Propheten und die Erhöhung des Menschensohnes (StUNT 13) Göttingen 1976. Berger, der den Zusammenhang von Auferstehung Jesu und allgemeiner Auferstehung der Endzeit bestreitet, will das christliche Bekenntnis zur Auferweckung Jesu aus der Vorstellung einer individuellen Auferstehung von Propheten verständlich machen. Das traditionsgeschichtliche Verfahren, mit dem Berger aus meist späteren, teils christlich überarbeiteten Apokalypsen diese Vorstellung für die Zeit Jesu ableiten möchte, ist jedoch problematisch und läßt in den meisten Fällen (das gilt bes. für

apokalyptisch-pharisäischen Vorstellung von der endzeitlichen Totenerweckung zu verstehen[9], wobei »das Theologumenon vom leidenden
und zu verherrlichenden Gerechten sehr wohl *den grundlegenden Verstehenshorizont* abgegeben haben (könnte), um den Glauben an ein Eingreifen Gottes zu artikulieren«.[10] Gerade letzteres könnte einerseits die
Anwendung der apokalyptischen Aussage von der endzeitlichen Auferstehung der Toten auf einen einzelnen – angesichts einer offensichtlich
noch ablaufenden Geschichte – erleichtert haben[11] und könnte andererseits das Verständnis der Auferweckung als Erhöhung erklären[12].

Apk 11) auch gegenteilige Schlußfolgerungen zu (vgl. die Rezension von E. Schweizer:
ThLZ 103 [1978] 874–878). Die wenigen Belege, die evtl. einer kritischen Prüfung
standhalten könnten (ApkEl; Apk 11 ?), dürften jedenfalls kaum ausreichen, um im
Palästina der Zeit Jesu die Auferweckung eines individuellen Propheten als allgemein
verständliche Interpretationskategorie nahezulegen (vgl. J. M. Nützel, Zum Schicksal der
eschatologischen Propheten: BZ NF 20 [1976] 59–94). – Religionsgeschichtlich ent-
gegengesetzt ist die These von H.-P. Hasenfratz, Die Rede von der Auferstehung Jesu
Christi (FThL 10) Bonn 1975, »daß der Topos der Auferstehung eines einzelnen im
griech.-röm. (und nicht im at.-jüd.) Raum heimisch sein muß« (67); zur Kritik kann hier
nur auf die o. a. Rezension von Schweizer verwiesen werden.

[9] So zuletzt: Hoffmann, a. a. O. (Anm. 5) 486 f. – Zu den (keineswegs einheitlichen) Vor-
stellungen des Judentums über das postmortale bzw. endzeitlich-metahistorische Ge-
schick: P. Hoffmann, Die Toten in Christus (NTA NS 2) Münster ²1969, 58–174;
U. Wilckens, Auferstehung (ThTh 4) Stuttgart–Berlin 1970, 111–127; G. W. E.
Nickelsburg, Ressurrection, Immortality, and Eternal Life in Intertestamental Judaism
(HThS 26) Cambridge–London 1972; G. Stemberger, Der Leib der Auferstehung
(AnBib 56) Rom 1972; ders., Art. Auferstehung (Judentum): TRE IV 443–450 (Lit.);
U. Kellermann, Auferstanden in den Himmel. 2 Makkabäer 7 und die Auferstehung der
Märtyrer (SBS 95) Stuttgart 1979.

[10] A. Vögtle, in: ders. – R. Pesch, Wie kam es zum Osterglauben? (Anm. 8) 9–131, hier
113. – Zur Vorstellung vom leidenden und erhöhten Gerechten vgl. bes.: E. Schweizer,
Erniedrigung und Erhöhung bei Jesus und seinen Nachfolgern (AThANT 28) Zürich
²1962; L. Ruppert, Der leidende Gerechte. Eine motivgeschichtliche Untersuchung zum
Alten Testament und zwischentestamentlichen Judentum (FzB 5) Würzburg 1972; ders.,
Jesus als der leidende Gerechte? Der Weg Jesu im Lichte eines alt- und zwischentestamentlichen Motivs (SBS 59) Stuttgart 1972. Ruppert verweist vor allem auf Weish
2 12+–20; 5 1–7 (zur hebräischen Vorlage: Gerechte 87–95) und Dan 11 33–35; 12 1–3:
»Auf Einwirkung apokalyptischer Märtyrertheologie ist . . . die Neufassung des mit der
›passio iusti‹ korrespondierenden Motivs der (innerweltlichen) Errettung und Erhöhung
des (leidenden) Gerechten als Auferstehung und Erhöhung des Gerechten (vgl. Dan 12,
1–3; Weish 5, 1–7) zurückzuführen« (Jesus 40).

[11] Zu Recht betont Vögtle, a. a. O. 110–112, daß die Vorstellung von der allgemeinen endzeitlichen Totenauferweckung als Deutehorizont für die Aussage, daß Jesus auferweckt
wurde, kaum ausreicht. Der Begründungszusammenhang von Auferweckung Jesu und
allgemeiner Totenauferweckung (Jesus als Erstling der Entschlafenen: 1 Kor 15; vgl.
2 Kor 4 14; Röm 8 11; 1 Kor 6 14) dürfte denn auch nicht ursprünglich sein: Wengst,
Formeln (Anm. 5) 33–45; Hasenfratz, Rede (Anm. 8) 170–179; Becker, Gottesbild

Wie es zu dem Bekenntnis zur Auferweckung Jesu kam, kann hier nicht näher erörtert werden. Nach dem Zeugnis der neutestamentlichen Texte handelte es sich um eine von Gott verursachte *Erfahrung*. Der Versuch, die Auferweckungsaussage als Interpretament der Legitimität der Sendung des irdischen Jesus angesichts seines Kreuzestodes zu werten[13], wird den Texten m. E. nur unzulänglich gerecht; dies gilt auch für die Qualifizierung der Erscheinungsaussage aus 1 Kor 15 5 zu einer bloßen Legitimationsformel[14].

2. Der Auferweckte als Messias und Gottessohn

Der Glaube an die Auferweckung Jesu, der zunächst eine Aussage über Gott zum Inhalt hatte, mußte sehr bald auch zu christologischen

---

(Anm. 5) 119; Berger, Auferstehung (Anm. 8) 15f. 250f. Primärer Gehalt der ältesten Auferweckungsaussage ist »eine Gottesaussage mit exklusivem Sinn: Gott ist der, der Jesus auferweckte, und nur dieser Gott ist Verkündigungsinhalt« (Becker, a.a.O. 120); daß Gott gerade an Jesus sich als der »erwiesen (hat), der Tote erwecken kann . . ., bedeutet dessen ›Rechtfertigung‹ angesichts der Kreuzigung« (Berger, a.a.O. 16).

[12] Nach E. Schweizer, Der Menschensohn (Zur eschatologischen Erwartung Jesu), in: ders., Neotestamentica, Zürich–Stuttgart 1963, 56–84, ist »das Osterereignis zuerst als Erhöhung, d. h. als göttliche Rechtfertigung (1 Tim. 3, 16!), als Einsetzung in eine Würdestellung vor Gott, nicht eigentlich als Auferstehung im Sinne der Überwindung des Todes verstanden« worden (76). Doch ist zu beachten, daß auch die Auferweckungsaussage die Rechtfertigung Jesu beinhaltet (vgl. vorige Anm.). Zum Verhältnis von Auferweckungs- und Erhöhungsaussage vgl. W. Thüsing, Erhöhungsvorstellung und Parusieerwartung in der ältesten nachösterlichen Christologie (SBS 42) Stuttgart o. J. (1969); G. Lohfink, Die Himmelfahrt Jesu (StANT 26) München 1971, 81–98.

[13] Vgl. Pesch, Entstehung (Anm. 8) 225.

[14] Wilckens, Auferstehung (Anm. 9) 147; Pesch, a.a.O. 212–218; Berger, Auferstehung (Anm. 8) 215ff. 225ff. – Die Behauptung einer österlichen Erfahrung schließt nicht aus, daß Jesus selbst seinem Tod – zumal im Angesicht dieses Todes, etwa beim letzten Mahl – einen positiven Sinn gegeben hat (dazu: H. Schürmann, Wie hat Jesus seinen Tod bestanden und verstanden?, in: ders., Jesu ureigener Tod. Exegetische Besinnungen und Ausblick, Freiburg–Basel–Wien 1975, 16–65; H. Merklein, Zur Überlieferungsgeschichte der neutestamentlichen Abendmahlstraditionen: BZ NF 21 [1977] 88–101. 235–244; vgl. auch die Beiträge von J. Gnilka, A. Vögtle und R. Pesch in: K. Kertelge [Hrsg.], Der Tod Jesu [QD 74] Freiburg–Basel–Wien 1976) und damit auch seinen Jüngern eine positive Deutung seines Todes ermöglichte. Doch zeigt schon die sog. Jüngerflucht (vgl. Mk 14 27-31), daß die Aktualisierung dieser Deutung etwa im Sinne der Auferweckungsaussage eines weiteren Faktors – ich meine: der Ostererfahrung – bedurfte. Dabei ist Pesch wohl zu konzedieren, daß »wir . . . keineswegs zu der Annahme gezwungen (sind), die Jünger hätten die Mission Jesu resigniert für gescheitert gehalten« (Entstehung 219); aber offensichtlich fehlte den Jüngern die »Sprache« (z. B. die reale Möglichkeit, im Angesicht des Kreuzestodes von der Auferweckung Jesu zu reden), um in der gesellschaftlichen und theologischen Öffentlichkeit Jerusalems »be-stehen« zu können.

Aussagen führen. Denn daß sich Gottes eschatologisches Handeln gerade auf *Jesus* bezog, unterstrich ja nur die besondere Bedeutsamkeit Jesu, die es nun auch explizit zu erheben galt. Besonders zu nennen sind hier die Bezeichnungen »Messias« und »Sohn Gottes«, die unter bestimmten traditionsgeschichtlichen Voraussetzungen eng zusammengehören. Diese Bezeichnungen sind deutlich erkennbar eine christologische Interpretation der Aussage, daß Gott Jesus von den Toten auferweckte. Jesus selbst dürfte den Titel »Messias« kaum auf sich angewendet haben. Hier ist ein wenig weiter auszuholen.

a) »Messias« (der Gesalbte) bezeichnet in *alttestamentlicher Zeit* neben dem Hohenpriester vor allem den König[15]. Besonders David und dann der jeweils regierende Davidide (Sohn Davids) tragen den Titel משיח יהוה. Nach der sog. Natanprophetie aus 2 Sam 7 wird der Sohn Davids von Gott als »Sohn« angenommen (V. 14; vgl. Ps 89 4f. 20–38). Dahinter steckt das Bemühen um eine göttliche Legitimation des davidischen Herrscherhauses. Die Inthronisation des (judäischen) Königs kann daher als Einsetzung zum Sohn Gottes oder – in Anklang an ägyptische Vorstellungen – als göttliche Zeugung verstanden werden: Ps 2 7[16]. »Messias« und »Sohn Gottes« (in diesem königlichen Kontext) sind also Würdebezeichnungen, welche die Bedeutung, die Funktion und zugleich die göttliche Legitimation des Herrschers aus Davids Haus zum Ausdruck bringen. Was in den Königspsalmen und in einzelnen Jes-Stellen bestenfalls implizit mitschwang[17], verdichtete sich in der *nachexilischen Zeit* zu ausdrücklicher messianischer, d. h. eschatologischer Hoffnung, wobei der erwartete Messiaskönig zum Teil sogar in Analogie zur tatsächlichen politischen Machtlosigkeit des judäischen Gemeinwesens die Züge des Armentypos auf sich ziehen konnte (vgl. Sach 9 9f.).

Falsch wäre es allerdings, wenn man für das *Frühjudentum* und für die *Zeit Jesu* annehmen würde, die messianische Hoffnung sei ausschließlich auf eine königliche (davidische) Gestalt fixiert gewesen[18]. Vielmehr ist hier die Erwartung eines endzeitlichen Hohenpriesters bzw. Propheten mit in Rechnung zu stellen. Dies hängt zum einen damit zusammen, daß »salben« schon im Alten Testament eben keineswegs auf die Königs-

---

[15] Vgl. die Übersicht bei F. Hesse, Art. χρίω κτλ. (AT): ThWNT IX 485–500.

[16] Vgl. dazu H.-J. Kraus, Psalmen (BK XV/1) Neukirchen ⁴1972, 17–20. – Allgemein zur Vorstellung vom König als Sohn Gottes: G. Fohrer, Art. υἱός κτλ. (AT): ThWNT VIII 340–354, hier: 349–352 (Lit.); H. Haag, Art. בֵּן (II/III): ThWAT I 670–682, hier: 678–680 (Lit.: 668); ders., Sohn Gottes im Alten Testament: ThQ 154 (1974) 223–231; W. Schlißke, Gottessöhne und Gottessohn im Alten Testament, Stuttgart 1973, 88–94. 105–111; P. A. H. de Boor, The Son of God in the Old Testament: OTS 18 (1973) 188–207.

[17] Vgl. Hesse, a. a. O. 496f.

[18] Vgl. M. de Jonge, The use of the word »anointed« in the time of Jesus: NT 8 (1966) 132–148.

salbung beschränkt war, so daß auch der Hohepriester als ein »Gesalbter« bezeichnet bzw. die Beauftragung des Propheten als Geistsalbung (vgl. Jes 61 1) verstanden werden konnte. Zum andern ist dies durch die konkrete geschichtliche Erfahrung Israels bedingt. Denn der messianische Hohepriester gewinnt gerade dann Bedeutung, als das davidische Königtum an Bedeutung verliert; er wird „als Rechtsnachfolger der davidischen Königsdynastie gesehen«[19]. Im Rahmen dieser Entwicklung sind auch die beiden Gesalbten von Sach 4 3f. 11–14 zu sehen. Interessant ist dabei, daß der im Sach-Text noch mehr oder minder gleichberechtigte hohepriesterliche Messias im Laufe der Entwicklung dem königlichen Messias übergeordnet wird[20]. Zum Teil kommt es auch zu einer Verbindung von priesterlichen und prophetischen Elementen[21].

Dies alles bedeutet jedoch nicht, daß zur Zeit Jesu die Rede vom Messias je nach Interessengruppe beliebig – königlich, priesterlich bzw. prophetisch – inhaltlich gefüllt werden konnte. Und erst recht kann man nur unter erheblichen Vorbehalten behaupten: »Im Sinne einer bestimmten spätjüdischen Tradition ist der Christos der vom heiligen Geist gesalbte Prophet«[22].

Zwar wird »salben« oder »gesalbt(er)« attributiv oder verbal mit dem Hohenpriester[23] bzw. Propheten (vgl. Jes 61 1; auch Sir 48 8) verbunden. Auffällig aber bleibt, daß der substantivisch verwendete Begriff »der Gesalbte«, sofern er nicht durch eine Beifügung (z. B. מָשִׁיחַ אהרן

---

[19] Hesse, a. a. O. 490. – Bemerkenswert ist, daß an den vier Stellen (Lev 4 3. 5. 16; 6 15), wo »Messias« für den Hohenpriester verwendet wird, »der Begriff nicht wie sonst als Substantiv oder gar als Titel empfunden, sondern attributiv gebraucht« wird; es handelt sich hier um einen bewußten Rückgriff »auf den bisher den Davididen vorbehaltenen מָשִׁיחַ-Titel . . . In dieser königslosen Zeit, in der der priesterschriftliche Autor lebt, ist der *gesalbte Priester* . . . das, was ehemals der judäische König darstellte« (ebd. 495). Nur Dan 9 25 f. wird das – allerdings undeterminierte – Nomen מֹשִׁיח wohl auf den Hohenpriester (Josua bzw. Onias III.) bezogen; vgl. N. W. Porteous, Das Buch Daniel (ATD 23) Göttingen ²1968, 116 f. Zu der (in diesem Zusammenhang beachtlichen) Übersetzung von Dan 9, 25 f. in LXX und Θ vgl. A. S. v. d. Woude, Art. χρίω κτλ. (Spätjudentum): ThWNT IX 500–502. 508–511. 512–518, hier 501 Anm. 74.

[20] Ganz deutlich ist dies der Fall in Qumran; dazu: K. G. Kuhn, Die beiden Messias Aarons und Israels: NTS 1 (1954/55) 168–179; A. S. v. d. Woude, Die messianischen Vorstellungen der Gemeinde von Qumrân (SSN 3) Assen 1957; ders., a. a. O. (s. vorige Anm.) 508–511 (Lit.: S. 482 f.). – Zu den TestXII vgl. M. de Jonge, Art. χρίω κτλ. (Spätjudentum): ThWNT IX 502–508. 511 f., hier 503 f.

[21] Vgl. K. Berger, Zum traditionsgeschichtlichen Hintergrund christologischer Hoheitstitel: NTS 17 (1970/71) 391–425, hier 394 f.

[22] Berger, a. a. O. 393. Vgl. dagegen: C. F. D. Moule, The Origin of Christology, Cambridge 1977, 34: ». . . *Christos*, by itself and without further qualification, would inevitably have been taken as the designation of a King rather than of a prophet or other inspired person«.

[23] Siehe dazu Anm. 19.

in Qumran) im Sinne des hohenpriesterlichen (bzw. prophetischen[24]) Messias monosemiert ist, immer den (erwarteten) königlichen bzw. davidischen Herrscher meint[25]. Ganz deutlich ist dies der Fall bei der Bezeichnung »Gesalbter des Herrn« bzw. »mein/dein/sein Gesalbter«, die von der alttestamentlichen bis in die frühjüdische Zeit nur auf eine königliche Gestalt bezogen wird[26]. Besonders zu verweisen ist hier auf PsSal 17. 18[27]. Auch der möglicherweise älteste Beleg für das absolute, determinierte המשיח in 1 QSa 2,12 bezieht sich wohl auf den königlichen Gesalbten[28] (vgl. auch in 4 Qpatr 3 den משיח הצדק). Sicher belegt ist das absolute »der Gesalbte« allerdings erst in syrBar und 4 Esr, und zwar in bezug auf eine königliche eschatologische Gestalt[29]. Für die älteste rabbinische Literatur ist der Messias fraglos der Herrscher aus davidischem Geschlecht (vgl. XVIII-Gebet 14, pal. Rez.)[30].

---

[24] Hierfür könnte auf den משיח הרוח von 11 QMelch 18 verwiesen werden, womit der Freudenbote von Jes 61 1 gedeutet wird (zum Text vgl. M. de Jonge–A. S. v. d. Woude, 11 QMelchizedek and the New Testament: NTS 12 [1966] 301–326). Doch wird man aus dieser singulären Anwendung von »Messias« nur mit äußerster Vorsicht schließen dürfen, die Qumrangemeinde habe neben dem königlichen und priesterlichen Messias auch einen prophetischen Messias erwartet. In jedem Fall ist der Begriff hier nicht technisch gebraucht, wobei die Formulierung von der zu deutenden Stelle Jes 61 1f. beeinflußt ist. In 1 QS 9, 11 wird denn auch der »Prophet«, der mit dem Freudenboten von 11 QMelch 18 identisch sein dürfte (vgl. de Jonge–v. d. Woude, ebd. 306f.), *neben* den Gesalbten Aarons und Israels genannt.

[25] Zu Dan 9 25f. s. Anm. 19.

[26] Zu Kyros als משיח יהוה Jes 45 1 wie auch zu den Erzvätern als »meine Gesalbte« Ps 105 15 und zur Beziehung dieser Bezeichnungen zum davidischen משיח יהוה s. Hesse, a.a.O. (Anm. 15) 494f. – Auch die LXX bezeichnet mit (ὁ) χριστός bzw. χριστὸς κυρίου, μου, σου, αὐτοῦ immer eine königliche Gestalt; vgl. v. d. Woude, a.a.O. (Anm. 19) 501f.

[27] In äthHen ist nur zweimal von »seinem Gesalbten« die Rede, wobei 48, 10 klar der Bezug zu Ps 2 erkennbar ist und auch 52, 4 (»Herrschaft seines Gesalbten, damit er mächtig und stark auf Erden sei«) deutlich die »königliche« Denotation des Messias zeigt. Zum redaktionellen Charakter der beiden Stellen s. K. Müller, Menschensohn und Messias. Religionsgeschichtliche Vorüberlegungen zum Menschensohnproblem in den synoptischen Evangelien: BZ NF 16 (1972) 161–187; 17 (1973) 52–66; hier 169–171.

[28] Der Text ist leider verderbt, so daß keine letzte Klarheit zu gewinnen ist; vgl. J. Maier, Die Texte vom Toten Meer II, München–Basel 1960, 158f.

[29] 4 Esr 12, 32; syrBar 29, 3; 30, 1; vgl. 70, 9. Vgl. auch »mein Messias«: syrBar 39, 7; 40, 1; 72, 2. Weiteres Material bei de Jonge, a.a.O. (Anm. 20) 506–508. Zur Verbindung mit der Menschensohnvorstellung s. Müller, a.a.O. 179–187. 52–58. Vgl. auch U. B. Müller, Messias und Menschensohn in jüdischen Apokalypsen und in der Offenbarung des Johannes (StNT 6) Gütersloh 1972.

[30] Zum Alter der Stelle vgl. K. G. Kuhn, Achtzehngebet und Vaterunser und der Reim (WUNT 1) Tübingen 1950, bes. 22f. – Weiteres Material bei v. d. Woude, a.a.O. (Anm. 19) 512f. Wenn das Fehlen von Aussagen über den Messias in der Mischna u. a.

Dieser königliche Messias darf allerdings nicht als eine exklusiv national-politische Gestalt mißverstanden werden. Vor dieser Engführung sollte schon PsSal 17, 32−44 warnen[31]. Seine Herrschaft hat durchaus auch geistig-geistliche Dimension, so daß der Messias auch als Prophet und Gesetzeslehrer verstanden werden kann, wie dies dann ganz deutlich im rabbinischen Schrifttum (Targume) der Fall ist[32]. Doch bleibt als die eigentliche semantische Konstante der Bezeichnung »Messias«, soweit sie nicht in eindeutig in andere Richtung semierenden Syntagmemen zu stehen kommt, der königliche (davidische) Bezug festzuhalten.

Selbst wenn man diesen Befund als ein mehr oder minder zufälliges Produkt der faktischen Quellenlage ansehen sollte, wird man angesichts des Einflusses der hinter PsSal (17.18; vgl. XVIII-Gebet 14) stehenden (pharisäischen) Traditionsträger auf die zeitgenössische Öffentlichkeit schließen müssen, daß die dort artikulierten Hoffnungen »wohl die popu-

---

von der »Ablehnung zelotischer Machenschaften« (v. d. Woude, ebd. 513) bedingt gewesen sein sollte, so wäre dies ein indirekter Beleg für ein politisch höchst relevantes Messiasverständnis der Zeloten; vgl. dazu: M. Hengel, Die Zeloten (AGJU 1) Leiden−Köln ²1976, 296−307. − Zum Nicht-Davididen Simon bar Koseba (Kochba) vgl. v. d. Woude, ebd. 514 f.

[31] Vgl. dazu auch: H. R. Balz, Probleme (Anm. 3) 54 f. − Nachdrücklich ist davor zu warnen, das sog. national-politische Messiastum gegen ein weisheitlich-prophetisches Messiasverständnis auszuspielen, welch letzteres K. Berger nachzuweisen sucht; vgl. Berger, Hintergrund (Anm. 21) 393−400; ders., Zum Problem der Messianität Jesu: ZThK 71 (1974) 1−30, bes. 1−15; ders., Die königlichen Messiastraditionen des Neuen Testaments: NTS 20 (1974) 1−44, bes. 22−28. Es ist zu betonen, daß auch der zweifellos national-politisch gedachte Messias von PsSal 17 (18) deutlich weisheitlich-prophetische Züge aufweist. Er wirkt durch die Macht seines Wortes (17, 24. 35 f. 43) und ist mit Weisheit und heiligem Geist ausgestattet (17, 23. 29. 35. 37; 18, 7) (zu den zahlreichen Anspielungen auf atl., bes. jes Stellen s. die Anmerkungen in: S. Holm−Nielsen, Die Psalmen Salomos [JSHRZ IV/2] Gütersloh 1977). Im übrigen läßt sich mit den von Berger beigebrachten Belegen m. E. kaum der Nachweis führen, daß im Palästina der Zeit Jesu unter dem Titel »Messias« bzw. »König der Juden (Israels)« eine prophetische Gestalt (ohne politische Bezüge) verstanden werden konnte. Daß im Diasporajudentum, bes. in der allegorisierenden Exegese Philos, ein völlig unpolitisches Königtum dargestellt wird, hat seine besonderen Ursachen (auf die auch Berger, Problem 8, verweist), doch sind die Philo-Stellen (ebd. 7) kaum geeignet, um einen messianischen Anspruch Jesu plausibel zu machen (vgl. ebd. 6). Die Belege, die Berger, Messiastraditionen 22−28, beibringt, müßten einer eingehenden traditionsgeschichtlichen Würdigung unterzogen werden (was hier schon aus Raumgründen unterbleiben muß), doch dürften auch sie kaum den o. a. Nachweis erbringen können.

[32] Vgl. v. d. Woude, a. a. O. (Anm. 19) 515 f. − Zur rabbinischen Auffassung vgl. weiter: Bill IV/2 815−844. 857−968; M. Zobel, Gottes Gesalbter. Der Messias und die messianische Zeit in Talmud und Midrasch, Berlin 1938; J. Klausner, The Messianic Idea in Israel from Its Beginning to the Completion of the Mishnah, London 1956, 387−517; H.-W. Kuhn, Die beiden Messias in den Qumrantexten und die Messiasvorstellung in der rabbinischen Literatur: ZAW 70 (1958) 200−208.

lären messianischen Erwartungen (vergegenwärtigen), wie diese zur Zeit Jesu in breiten Kreisen des jüdischen Volkes bestanden zu haben scheinen«[33].

Schon von daher ist es unwahrscheinlich, daß einerseits Jesus die Messiasbezeichnung auf sich angewandt hat und daß andererseits der (nachösterliche) Christus*titel* − unbeschadet aller weiteren (z. B. prophetischen; vgl. Jes 61 1f.) Einflußfaktoren − von seinem Ursprung her nicht wesentlich von der königlichen (davidischen) Messiasvorstellung geprägt ist.

Dagegen spricht auch, daß der christliche »Sohn Gottes«-Titel in seiner traditionsgeschichtlich ältest greifbaren Anwendung (zu Röm 1 3f. und anderen Stellen s. u.) seinen Ursprung in der königlichen Messianologie hat, d. h. sich hauptsächlich einer, nun durch 4 QFlor 1, 10−13 auch für das Judentum eindeutig belegten eschatologischen Deutung der Natanweissagung 2 Sam 7 14 bzw. Ps 2 7 verdankt[34].

---

[33] V. d. Woude, a.a.O. 513; vgl. S. Talmon, Typen der Messiaserwartung um die Zeitenwende, in: H. W. Wolff (Hrsg.), Probleme biblischer Theologie. FS G. v. Rad, München 1971, 571−588, hier 578: »Sowohl innerhalb des alttestamentlichen Gesichtskreises als auch in der weitgehenden Majorität der auf den Messias gerichteten Aussprüche des sogenannten ›normativen‹ Judentums des zweiten Tempels wird die ›Endzeit‹ als eine überraschend greifbare Restitution der davidisch-salomonischen Epoche gesehen.« Weiter: U. Kellermann, Die politische Messias-Hoffnung zwischen den Testamenten: PTh 56 (1967) 362−377. 436−448; F. Dexinger, Die Entwicklung des jüdisch-christlichen Messianismus: BiLi 47 (1974) 5−31. 239−266.

[34] Vgl. dazu E. Lohse, Art. υἱός κτλ. (Palästinisches Judentum): ThWNT VIII 358−363, hier 361ff.; M. Hengel, Der Sohn Gottes. Die Entstehung der Christologie und die jüdisch-hellenistische Religionsgeschichte, Tübingen 1975, 71−73 (vgl. dort auch den Text aus dem Daniel-Apokryphon aus 4 Q = 4 QpsDan A^a [= 4 Q 243] dazu: J. A. Fitzmyer, The contribution of Qumran Aramaic to the Study of the New Testament: NTS 20 [1974] 382−407, hier 391−394). Zum rabbinischen Material: Bill III 19ff. − Daß der ntl. Gottessohntitel (wobei hier von der Rede vom präexistenten Sohn abzusehen ist; vgl. dazu H. Merklein, Entstehung [Anm. 2]) nicht in der Menschensohnvorstellung (vgl. S. Mowinckel, He that cometh, Oxford ²1959, 362−370) oder der Erwartung des messianischen Hohenpriesters (vgl. G. Friedrich, Beobachtungen zur messianischen Hohenpriestererwartung in den Synoptikern: ZThK 53 [1956] 265−311; W. Grundmann, Sohn Gottes. Ein Diskussionsbeitrag: ZNW 47 [1956] 113−133), sondern in der königlichen Messianologie wurzelt, hat Hahn, Christologische Hoheitstitel. Ihre Geschichte im frühen Christentum (FRLANT 83) Göttingen ³1966, 280−287, mit Recht herausgestellt. Dagegen hat Berger die These vertreten, »der Titel ›Sohn Gottes‹ könnte primär weisheitlichen Ursprungs sein« (Problem [Anm. 31] 15−24 [Zitat: 22]; entschiedener noch in: Messiastraditionen [Anm. 31] 28−37 [bes. 34]; vgl. ders., Hintergrund [Anm. 21] 422−424). Als Hauptbeleg dient ihm Weish 2−5. Dies ist jedoch schon deswegen unwahrscheinlich, weil »Sohn Gottes« Weish 2 18 (vgl. 2 13. 16) generisch von dem exemplarischen Gerechten ausgesagt und daher prinzipiell von jedem (leidenden) Gerechten ausgesagt werden kann (das gilt auch für Weish 5 5, wonach der Gerechte nach seinem Tod den »Söhnen Gottes« [Engeln] zugerechnet wird; diese »Engelsgleich-

b) Obwohl also Jesus selbst kaum Würdebezeichnungen wie »Messias« oder »Sohn Gottes« für sich beansprucht hat, dürfte die Messianität im *Prozeß Jesu* eine ausschlaggebende Rolle gespielt haben. Denn der trotz mancher kritischer Bedenken wohl doch als historisch zu beurteilende titulus crucis »Der König der Juden« (Mk 15 26)[35], der den Grund für die Verurteilung Jesu angibt, besagt ja nichts anderes, als daß Jesus von den *Römern* als Messiasprätendent hingerichtet wurde. Entgegen den Angaben von Mk 14 61f. dürfte aber der Messiastitel im Verhör Jesu durch die *jüdischen Behörden* historisch gesehen keine Rolle gespielt haben[36]; ein messianischer Anspruch wäre vom jüdischen Standpunkt aus auch kaum ein todeswürdiges Verbrechen gewesen[37]. Der jüdischen Verurteilung Jesu dürfte ein Konflikt mit der sadduzäischen Priesteraristokratie vorangegangen sein, der sich hauptsächlich an Jesu Tempelkritik entzündete[38]. Da aber eine religiöse Anklage beim römischen Statthalter kaum auf Erfolg hoffen konnte, überstellte man Jesus an Pilatus mit der vorgeschobenen Beschuldigung, er sei einer der damals immer

---

heit« soll wohl auch in Jos. As. 6, 2. 6; 13, 13; 21, 4; 23, 10 ausgedrückt werden). Die exklusive christologische Verwendung des ntl. Gottessohntitels ist von daher gerade nicht zu begründen, während sie sich ohne Schwierigkeit aus einer eschatologisch-messianischen Deutung der atl. königlichen Sohn-Gottes-Stellen ergibt (Berger hält die Ableitung aus Ps 2 7 für sekundär: Problem 16; Messiastraditionen 34). Damit soll natürlich nicht bestritten werden, daß die Vorstellung von der Errettung und Erhöhung des leidenden Gerechten, die wohl schon für die Auferweckungsaussage mitzuberücksichtigen ist (s. o. 1), und insbesondere Weish 2 auf die weitere Ausgestaltung der Sohn-Gottes-Christologie eingewirkt hat.

[35] Vgl. N. A. Dahl, Der gekreuzigte Messias, in: H. Ristow–K. Matthiae (Hrsg.), Der historische Jesus und der kerygmatische Christus, Berlin ²1961, 149–169, hier 159–163; E. Dinkler, Petrusbekenntnis und Satanswort. Das Problem der Messianität Jesu, in: ders., Signum Crucis. Aufsätze zum Neuen Testament und zur Christlichen Archäologie, Tübingen 1967, 283–312, hier 305f.; P. Winter, On the Trial of Jesus (SJ 1) Berlin ²1974, 153–157; M. Hengel, Nachfolge und Charisma (BZNW 34) Berlin 1968, 42f.; ders., Sohn (Anm. 34) 95f.; R. Pesch, Das Markusevangelium II (HThK II/2) Freiburg–Basel–Wien 1977, 484f. Skeptisch ist H.-W. Kuhn, Jesus als Gekreuzigter in der frühchristlichen Verkündigung bis zur Mitte des 2. Jahrhunderts: ZThK 72 (1975) 1–46, hier 5f. Anm. 12.

[36] Die Messiasfrage ist »durch das christliche Bekenntnis zu Jesus, der Messias und Sohn Gottes ist ... bestimmt« (W. Grundmann, Art. χρίω κτλ. [NT]: ThWNT IX 518–570, hier 520). Daß Mk 14 61f. nicht authentisch ist, ist fast allgemeiner Konsens; anders jetzt: Pesch, a.a.O. 436–439. 442f.

[37] Indirekt wird dies bestätigt durch die Unsicherheit in der Deutung der vom Hohenpriester festgestellten Blasphemie (Mk 14 63f.); vgl. Pesch, a.a.O. 440 (der im übrigen auch nicht auf die Messianität abhebt).

[38] Vgl. dazu K. Müller, Jesus und die Sadduzäer, in: H. Merklein–J. Lange (Hrsg.), Biblische Randbemerkungen. Schülerfestschrift R. Schnackenburg, Würzburg ²1974, 3–24.

wieder auftauchenden Messiasprätendenten[39]. Diesem Vorgehen mag zu
Hilfe gekommen sein, daß sich im Volke durchaus messianische Erwartungen mit der Person Jesu verbanden. Da den Römern die politische
Relevanz messianischer Ansprüche sehr wohl bekannt war, machte man
mit Jesus kurzen Prozeß; man kreuzigte ihn als Messiasanwärter bzw.
– in der Sprache der Römer – als »König der Juden«[40]. Damit war
– vordergründig gesehen – das letzte Kapitel der Geschichte Jesu geschrieben. Die Römer hatten einen möglichen oder vermeintlichen Un-
ruheherd beseitigt. Die sadduzäischen Behörden hatten den religiösen
Umstürzler ausgeschaltet. Im übrigen mußte allen Leuten, die messianische Hoffnungen mit Jesus verbanden, klar werden, daß sie einer Illusion erlegen waren. Denn entsprechend zeitgenössischer Deutung von
Dtn 21 23 ist ein Gekreuzigter zugleich auch ein von Gott Verfluchter[41].
Ein gekreuzigter Messias ist im jüdischen Kontext ein Unding, ein Widerspruch in sich[42]. Aus demselben Grund mußte der Karfreitag aber auch
die Jünger – wenigstens zunächst – in die völlige Konsternation entlassen[43].

---

[39] Vgl. etwa die zelotischen Messiasprätendenten: Hengel, Zeloten (Anm. 30) 296–307,
vgl. 235–251. 261–268.

[40] Vgl. G. Baumbach, Jesus von Nazareth im Lichte der jüdischen Gruppenbildung
(AVTRW 54) Berlin 1971, 24; Schürmann, Wie hat Jesus (Anm. 14) 28f.; Kuhn, Jesus
(Anm. 35) 3–7. – Kreuzigungen waren im damaligen Judäa keine Seltenheit, vgl.
JosBell 2, 75 (Ant 17, 295). 241 (Ant 20, 129). 253. 306. 308; 3, 321; 4, 317; 5, 289.
449–451; 7, 202; Vita 420. Gekreuzigt wurden vor allem λῃσταί, zu denen nach
römischer Auffassung Aufständische jedweder Färbung zählten (vgl. Hengel, Zeloten
[Anm. 30] 31ff.). Zur Kreuzesstrafe in der Antike: M. Hengel, Mors turpissima crucis.
Die Kreuzigung in der antiken Welt und die »Torheit« des »Wortes vom Kreuz«, in:
J. Friedrich u. a. (Hrsg.), Rechtfertigung. FS E. Käsemann, Tübingen–Göttingen 1976,
125–184 (Lit.).

[41] Neben Gal 3 13 (vgl. 1 Kor 1 23) kann nun auch auf 4 QpNah 3–4 I 6–8 und die sog.
Tempelrolle (Kol. 64, 6–13) verwiesen werden (vgl. dazu: Y. Yadin, Pescher Nahum
[4 QpNahum] Reconsidered: IEJ 21 [1971] 1–12; ders., Megillat ham-Miqdaš. The
Temple Scroll [Hebrew Edition], Jerusalem 1977, Vol. I–III A; jetzt auch in deutscher
Übersetzung: J. Maier, Die Tempelrolle vom Toten Meer [UTB 829] München–Basel
1978). Die Tempelrolle, Kol. 64, 12, stellt ausdrücklich fest, daß Gekreuzigte »Verfluchte
Gottes und der Menschen sind«. Vgl. auch JustDial 89f. (32, 1; 96, 1), dazu: Kuhn,
a. a. O. 34.

[42] Zu Recht sagt Hengel, Mors (Anm. 40) 177: ». . . wurde das Kreuz nie zum Symbol des
jüdischen Leidens; der Einfluß von Dtn 21, 23 machte dies unmöglich. Auch ein gekreuzigter Messias konnte darum nicht akzeptiert werden.«

[43] Das eigentliche Problem bei der Frage nach Jesu Verständnis seines eigenen Todes
scheint mir nicht zu sein, ob Jesus seinem bevorstehenden Tod (etwa beim letzten Mahl)
einen positiven Sinn geben konnte (dies scheint mir ziemlich sicher zu sein; s. Anm. 14),
sondern vielmehr, wie Jesus seinen *Kreuz*tod bewältigt hat. Selbst wenn man die von
R. Bultmann, Das Verhältnis der urchristlichen Christusbotschaft zum historischen Jesus,
in: ders., Exegetica. Aufsätze zur Erforschung des Neuen Testaments, Tübingen 1967,

c) Allerdings müssen die Jünger kurze Zeit später eine Erfahrung gemacht haben[44], die es ihnen ermöglichte bzw. sie dazu nötigte, zu sagen, daß Gott Jesus von den Toten auferweckt hat. Dies schuf eine völlig neue Situation; denn nun konnte und mußte auch nach Karfreitag über alle Unsicherheiten hinweg, die der Kreuzestod Jesu ausgelöst hatte, an Jesus und seiner eschatologischen Botschaft festgehalten werden. Das Bekenntnis zur Auferweckung wies somit zurück auf den irdischen Jesus und bestätigte das, was wir implizite Christologie nennen[45]. Doch ging es nicht nur um die Bestätigung von etwas Vergangenem, sondern weit mehr noch um die bleibende Geltung des eschatologischen Anspruchs Jesu. Er war durch die Auferweckung *definitiv* geworden und mußte als solcher, gerade weil Jesus selbst ihn nicht in unmittelbarem Sprechen und Handeln vertreten konnte, in der Benennung einer definitiven, endzeitlichen Funktion Jesu ausgedrückt werden.

Daß man dafür die Kategorie des Messianischen wählte, dürfte nicht zuletzt im konkreten Verlauf des Prozesses Jesu begründet sein. Daß man Jesus als Messiasprätendenten denunziert und als »König der Juden« hingerichtet hatte, mußte im Lichte von Ostern geradezu als providentiell erscheinen und eine paradoxe Übernahme messianischer Bezeichnungen in das christliche Bekenntnis befördern[46]. Oder anders ausgedrückt: Das

---

445–469, hier 453, erwogene »Möglichkeit, daß er zusammengebrochen ist«, für wenig wahrscheinlich hält, so wird man doch ernstlich bedenken müssen, daß angesichts des zeitgenössischen Verständnisses von Dtn 21 23 die konkrete Verurteilung zum Tod am *Kreuz* selbst eine vorher gegebene positive Deutung (etwa im Sinne des Sühnetodes) noch einmal in die Krise geführt haben muß. Den Jüngern jedenfalls scheint – trotz einer eventuellen vorherigen Bereitstellung einer Deutekategorie durch Jesus – der *Kreuze*stod die Sprache verschlagen zu haben (s. Anm. 14); das nach der Darstellung des Mk keiner der Jünger bei der Kreuzigung dabeiwar, spricht für sich!

[44] Dabei ist es im Rahmen der vorliegenden Überlegungen relativ belanglos, ob die »Erscheinungen . . . auf die Protophanie vor Simon Petrus reduziert werden« müssen (Pesch, Entstehung [Anm. 8] 210). – Einen Versuch, den Ablauf der Osterereignisse zu rekonstruieren, hat G. Lohfink unternommen: Der Ablauf der Osterereignisse und die Anfänge der Urgemeinde: ThQ 160 (1980) 162–176.

[45] Vgl. Vögtle, Wie kam es (Anm. 8) 113: »Wenn sich Gott zu dem gewaltsam Getöteten bekannte, konnte sein Ende am Fluchholz nicht mehr als Erweis seines Scheiterns und seiner Verwerfung durch Gott gelten; dann hatte der unerhörte Vollmachtsanspruch seines Redens und Tuns zu Recht bestanden und war seine Hinrichtung als das gewaltsame Sterben eines Gerechten erwiesen«; vgl. auch Hoffmann, Auferstehung (Anm. 5) 486 f.

[46] Auf diesen Zusammenhang machte bereits Dahl, Messias (Anm. 35) 161, nachdrücklich aufmerksam: ». . . aus den Erscheinungen des Auferstandenen konnte man folgern, daß Jesus lebe und zum Himmel erhöht, nicht aber, daß er der Messias sei. . . . Die Auferstehung bedeutete . . ., daß Jesus von Gott seinen Widersachern gegenüber ins Recht gesetzt worden war. War er als angeblicher Messias gekreuzigt worden, dann – aber auch nur dann – mußte der Glaube an seine Auferstehung zum Glauben an die Auferstehung

Bekenntnis zur Auferweckung Jesu mußte auf dem Hintergrund seines Kreuzestodes zur Erkenntnis führen, daß Gott selbst den als Messiasanwärter Gekreuzigten definitiv bestätigt und ihn tatsächlich zum »Messias« bzw. »Sohn Gottes« eingesetzt hat.

Diese altertümliche Christologie, welche die Auferweckung als Einsetzung in das messianische Amt deutete, ist uns im Neuen Testament an mehreren Stellen erhalten. Zunächst sind zwei Stellen aus der Apostelgeschichte zu nennen: Act 2 (32–)36 und 13 33, die trotz lukanischer Bearbeitung noch deutlich traditionelle Vorstellungen wiedergeben[47]. Ihren klassischen Ausdruck hat diese Christologie in der Formel gefunden, die Paulus in Röm 1 3f. zitiert: (Jesus [Christus],) der geboren ist aus dem Samen Davids (dem Fleische nach), der eingesetzt wurde zum Sohn Gottes (dem Geist der Heiligkeit nach) seit (kraft) der Auferstehung von den Toten[48].

---

des gekreuzigten Messias werden.« Vgl. auch J. Gnilka, Jesus Christus nach frühen Zeugnissen des Glaubens (BiH 8) München 1970, 75–78. Auch Kramer, Christos (Anm. 5) 22–40, weist auf die feste Verbindung von Sterbensaussage und Christusbezeichnung hin (vgl. bes. 23. 36f.); er macht dafür das griechisch sprechende Judenchristentum verantwortlich (37). Doch selbst wenn dies – vor allem wegen des Sterbens ὑπέρ (vgl. 31; auch Wengst, Formeln [Anm. 5] 78–86, führt die »Sterbensformel« auf die hellenistischjudenchristliche Gemeinde zurück) – richtig ist, bleibt immer noch die Frage, warum gerade mit dem Sterben die Christusbezeichnung verbunden wurde. Traditionsgeschichtlich wäre dies leichter verständlich, wenn der Christustitel tatsächlich mit dem (Kreuzes)-Tod Jesu zusammenhängt. – Zu betonen bleibt, daß die hier postulierte Genese »einen vorösterlichen Ansatz« natürlich nicht ausschließt (J. Jeremias, Neutestamentliche Theologie I, Gütersloh 1971, 243); nur wird man diesen nicht titular, sondern sachlich im eschatologischen Anspruch Jesu festmachen dürfen. Vgl. H. Merklein, Die Gottesherrschaft als Handlungsprinzip. Untersuchung zur Ethik Jesu (FzB 34), Würzburg ²1981, 213f.

[47] Ob und inwieweit Act 2 36 traditionell ist, ist allerdings sehr umstritten. Für die Aufnahme älterer Tradition plädieren u. a.: C. H. Dodd, The Apostolic Preaching and its Development, London ³1963 (repr. 1970) 20–22; E. Haenchen, Die Apostelgeschichte (KEK III) Göttingen ⁵1965, 150; Schweizer, Erniedrigung (Anm. 10) 59f.; Hahn, Hoheitstitel (Anm. 34) 115–117; vgl. E. Gräßer, Das Problem der Parusieverzögerung in den synoptischen Evangelien und in der Apostelgeschichte (BZNW 22) Berlin–New York ³1977, 210; Grundmann, χρίω (Anm. 36) 527 Anm. 285. Dagegen wenden sich: U. Wilckens, Die Missionsreden der Apostelgeschichte (WMANT 5) Neukirchen ³1974, 171–175. 237–240; H. Conzelmann, Die Apostelgeschichte (HNT 7) Tübingen 1963, 30; G. Schneider, Die Apostelgeschichte I (HThK V/1) Freiburg–Basel–Wien 1980, 276f. Zur ganzen Problematik vgl. die sehr ausgewogenen Überlegungen von R. Schnackenburg, Christologie des Neuen Testaments: MySal 3/1, 227–388, hier 257–260. – Zu Act 13 33: Schnackenburg, a.a.O. 261f.; Wilckens, a.a.O. 177f. 240; Hahn, a.a.O. 291.

[48] Umstritten ist bei der Rekonstruktion der Formel vor allem, ob κατὰ σάρκα bzw. κατὰ πνεῦμα ἁγιωσύνης traditionell (so: E. Schweizer, Röm 1, 3f. und der Gegensatz von Fleisch und Geist vor und bei Paulus, in: Neotestamentica [Anm. 12] 180–189, hier 180;

Diese für uns ungewohnte Christologie ist ganz dem jüdischen Denk-
horizont verpflichtet. Dies spricht für ihr hohes Alter, zumindest was den
in allen Texten konstanten Sachzusammenhang von Auferweckung und
Einsetzung in das messianische Amt anbelangt[49]. Gerade dieser Sachzu-

---

Hahn, a. a. O. 252; Kramer, Christos [Anm. 5] 105 f.; Ch. Burger, Jesus als Davidssohn
[FRLANT 98] Göttingen 1970, 25 f.) oder paulinisch ist (so: R. Bultmann, Theologie des
Neuen Testaments [UTB 630] Tübingen ⁷1977, 52; Wengst, Formeln [Anm. 5] 112 f.;
Vielhauer, Geschichte [Anm. 5] 30 f.; E. Käsemann, An die Römer [HNT 8 a] Tübingen
1973, 8 f.; nach H. Schlier, Die Anfänge des christologischen Credo, in: B. Welte [Hrsg.],
Zur Frühgeschichte der Christologie [QD 51] Freiburg−Basel−Wien 1970, 13−58, hier
25. 40 f.; ders., zu Röm 1, 3 f., in: H. Baltensweiler−B. Reicke (Hrsg.), Neues Testament
und Geschichte. FS O. Cullmann, Zürich−Tübingen 1972, 207−218, hier 211−218, sind
die beiden Wendungen zwar vorpaulinisch, aber nicht ursprünglich). Unterschiedlich wird
auch die Zugehörigkeit von ἐν δυνάμει beurteilt (traditionell: Hahn, ebd.; Käsemann,
a. a. O. 10; paulinisch: Burger, a. a. O. 31 f.; Wengst, a. a. O. 113 f.; u. a.). ἐξ ἀναστάσεως
νεκρῶν (das nach Hasenfratz, Rede [Anm. 8] 172 f. 176 f. nicht zur Formel gehört;
ähnlich Schlier, Anfänge 25; anders: ders., Röm 1, 3 f. 214) steht wohl als Kurzform für
ἐκ (τῆς) ἀν. αὐτοῦ (τῆς) ἐκ νεκρ. (H. Lietzmann, An die Römer [HNT 8] Tübingen
⁵1971, 25; so auch: Hahn, a. a. O. 255 f.; Wengst, a. a. O. 114 Anm. 16; dagegen: Käsemann, a. a. O. 9 f.). − Zu betonen ist, daß es sich bei Röm 1 3 f. keineswegs um eine Zwei-
stufenchristologie handelt (so: Schweizer, υἱός [Anm. 4] 368; Hahn, a. a. O. 252; u. a.).
Der Davidssohnschaft in der ersten Zeile kommt kein Eigengewicht zu, sie bildet nur die
genealogische Voraussetzung für die in der zweiten Zeile genannte Gottessohnschaft
(Wengst, a. a. O. 115; vgl. Vielhauer, a. a. O. 30 f.): Der Messiasprätendent aus Davids
Samen wird von Gott durch die Auferweckung in das messianische Amt eingesetzt. − Zur
temporalen wie kausalen Bedeutung von ἐξ ἀναστάσεως vgl. Wengst, a. a. O. 114 f.;
H. Schlier, Röm 1, 3 f. 214.

[49] Daß die Form der hier angeführten Texte schon Anzeichen eines etwas fortgeschritteneren
Traditionsstadiums (unter hellenistisch-judenchristlichem Einfluß?) aufweist, kann hier
im einzelnen nicht erläutert werden; doch steht dies der o. a. Auffassung nicht im
Wege. − Den ältesten Eindruck erweckt noch Röm 1 3 f., dessen judenchristliche Herkunft unbestritten ist. Zum Teil wird die Formel mit dem hellenistischen Judenchristentum in Verbindung gebracht; die Argumente dafür sind jedoch nicht unbedingt schlüssig:
Zu Hahns These (a. a. O. 251) von der »Ersetzung der endzeitlichen Inthronisation durch
das Motiv der mit der Auferstehung verbundenen Erhöhung«, s. u. Daß am Anfang der
Bekenntnisbildung nur einzeilige Formulierungen stehen dürfen (Burger, a. a. O. 29,
unter Verweis auf O. Cullmann), ist ein Postulat (im übrigen ist die These Burgers in
bezug auf Röm 1 3 f. zu relativieren, wenn Wengst [s. vorige Anm.] recht hat); daß Paulus
auch sonst »Traditionen, die einem fortgeschrittenen Stadium der Überlieferung ... ent-
stammen« zitiere bzw. daß die römische Gemeinde sich »zumeist aus griechisch sprechenden Diasporajuden rekrutiert« habe (Burger, a. a. O. 29 f.), besagt, wenn man z. B. die
nach Antiochien vertriebenen »Hellenisten« als Zwischenstation ansieht, nicht viel. Das
gleiche gilt für fehlende Übersetzungsmerkmale (Burger, a. a. O. 30; Wengst, a. a. O.
116; Vielhauer, a. a. O. 32). Damit soll nicht geleugnet werden, daß die *Formel*, die ihren
Sitz im Leben möglicherweise im Taufbekenntnis gehabt hat (Wengst, Vielhauer), in
ihrer jetzigen Form in der hellenistisch-jüdischen Gemeinde artikuliert wurde. Doch muß,
bevor eine Formel formuliert wird, die formulierte *Sache* ja schon feststehen. In diesem

sammenhang macht es wahrscheinlich, daß wir es bei der sog. Inthroni-
sationsaussage mit einer sehr frühen, wenn nicht der frühesten, Stufe der
Christologie zu tun haben und daß sie dort entstanden ist, wo auch die
Auferweckungsaussage beheimatet ist, nämlich in der aramäisch sprechen-
den Gemeinde von Jerusalem, die sich um Kefas und die Zwölf sammelte.
Für Jerusalem spricht auch, daß gerade dort das Bekenntnis zur Auf-
erweckung permanent mit dem Gottesfluch konfrontiert war, der am
Kreuz offenkundig über den »Messias« Jesus ergangen war. M. a. W.:
Das Bekenntnis zur Auferweckung konnte gerade in Jerusalem nur im
Rahmen einer messianischen Christologie durchgehalten werden. Sozio-
logisch gesehen, könnte man die so entstandene Christologie als eine
Verteidigung nach vorwärts betrachten, die zur Paradoxie nötigte und die
geläufige Messiasvorstellung, indem sie sie aufgriff und auf den Gekreuzigten anwandte, zugleich sprengte[50].

   Andererseits war diese Paradoxie geradezu die Voraussetzung für
die Rezeption messianischer Bezeichnungen, die zur Zeit des irdischen
Wirkens Jesu wegen der zu befürchtenden Mißverständnisse kaum statt-
haben konnte[51]. Wenn aber mit dem paradoxen »Messias« bzw. »Gottes-

---

Sinn dürfte Hengels, Sohn (Anm. 34) 95, Schlußfolgerung zu Recht bestehen, »daß es
sich hier wirklich um ein sehr frühes, im eigentlichen Sinn ›vorpaulinisches‹ Bekenntnis
handelt, das in einer einfacheren Form vermutlich auf die erste judenchristliche Gemeinde in Jerusalem zurückgehen könnte«. Vgl. auch: Kramer, a. a. O. 108 (aramäisch-
sprechende Urgemeinde); Schlier, Anfänge 40; ders., Röm 1, 3f. 213; Käsemann, a. a. O.
10 (»mindestens palästinischen Einfluß«). – Die hinter Röm 1 3f. (vgl. Act 2 (32–)36;
13 33f.; Lk 1 32; Hebr 1 5; 5 5) stehende ursprüngliche Sachaussage verdankt sich wohl
primär der Deutung der Auferweckung im Lichte von 2 Sam 7 12–16 (vgl. 4 QFlor
1, 10–13; s. o. 2a [Ende]): Hengel, a. a. O. 100f. (unter Verweis auf O. Betz und
E. Schweizer); vgl. auch B. M. F. van Iersel, ›Der Sohn‹ in den synoptischen Jesusworten
(NT. S 3) Leiden ²1964, 73. – M. E. gewaltsam heruntergespielt werden Röm 1 3f. und
die anderen angeführten Stellen von Berger, Messiastraditionen (Anm. 31) 17f.; ders.,
Auferstehung (Anm. 8) 411 Anm. 586.

50 Hier waren in der Folge eine Reihe weiterer präzisierender theologischer Reflexionen
notwendig. Vor allem mußte man erklären, warum dieser Messias bzw. Sohn Gottes Jesus
überhaupt leiden und sterben mußte. Bewältigt wurde dieses Problem u. a. durch Zuhilfe-
nahme des Motivs vom leidenden Gerechten, das sachlich bereits in der Auferweckungsaussage involviert war (s. o. 1) und das dann in expliziter Form die älteste Gestalt der
Passionstradition beherrschen sollte.

51 Mit der Auferweckung war die Möglichkeit und Notwendigkeit einer gegenüber der
jüdischen Messianologie christlich-eigensprachlichen Entwicklung gegeben. Diese Entwicklung forderte freilich noch Zeit, und es kann keinesfalls angenommen werden, daß
sie schon in der aramäisch sprechenden Urgemeinde auch nur zu einem vorläufigen Abschluß gekommen ist. Von daher erklärt sich auch, daß man möglicherweise die zwar
messianische, aber keineswegs so geläufige Bezeichnung »Sohn Gottes« (vgl. Röm 1 3f.;
1 Thess 1 9f. [dazu s. u. 3a]) bevorzugte und mit dem »Messias«- bzw. »Davidssohn«-
Titel relativ vorsichtig umging; vgl. Wengst, Formeln (Anm. 5) 115.

sohn« Jesus kaum die üblichen königlichen Funktionen, die zumindest nach landläufiger Auffassung auch politische (vgl. PsSal) bzw. religiös-kriegerische (vgl. Qumran) Dimensionen hatten, zu verbinden waren, so stellte sich um so mehr die Frage, welche Bedeutung dann die Einsetzung Jesu in das messianische Amt hatte. In welchem Sinn kann dann Jesus als messianischer Heilbringer bekannt werden? D. h. mit der christlichen Rezeption messianischer Würdebezeichnungen waren Fragen gestellt, deren Beantwortung die Rezeption geradezu erst ermöglichte und daher gleichzeitig, d. h. im gleichen traditionsgeschichtlichen Stratum der aramäisch sprechenden Urgemeinde, vonstatten gegangen sein muß.

3. Der »Messias« bzw. »Gottessohn« Jesus in der Funktion des Menschensohnes

Bei der Suche nach einer näheren inhaltlichen Bestimmung der messianischen Funktion Jesu stößt man fast zwangsläufig auf jene Texte, die bereits F. Hahn zur Stützung seiner speziellen These herangezogen hatte; es handelt sich vorwiegend um Texte, die den Messias- bzw. Gottessohntitel mit Vorstellungen aus der apokalyptischen Menschensohnerwartung verbinden: Mk 13 21f.26; 14 61f.; Act 3 20.21a; Mt 25 31–46; 1 Thess 1 9f. Hahn folgerte aus diesen Texten, daß die Titel »Messias« und »Gottessohn« anfänglich ausschließlich auf das endzeitliche Wirken Jesu (bei der Parusie) angewandt wurden und nicht im Hinblick auf seine Auferstehung und Erhöhung[52]. Die Erhöhungsvorstellung und damit die Aussage von der Inthronisation in das messianische Amt sei erst allmählich – bedingt durch die Parusieverzögerung – aus der Anschauung von Jesu endzeitlicher Messianität hervorgewachsen[53]. Diese These Hahns ist jedoch zu Recht kritisiert worden, weil die Erhöhungsvorstellung ein integraler Teil der Auferweckungsaussage ist und zur ältesten Schicht der christlichen Glaubensüberzeugung gehört[54].

Wenn man dies in Rechnung stellt und wenn die bisherigen Ausführungen über den Gang der christologischen Entwicklung richtig sind, fordern die von Hahn bemühten Texte geradezu die *Gegenthese*: Nicht die apokalyptisch geprägte Vorstellung von der messianischen Funktion Jesu bei der Parusie führte allmählich zur Auffassung von der Inthroni-

---

[52] Vgl. Hahn, Hoheitstitel (Anm. 34) 180. 288.

[53] A. a. O. 113; vgl. 112 ff. 126 ff.

[54] Am schärfsten protestierte Ph. Vielhauer, Ein Weg zur neutestamentlichen Christologie?, in: ders., Aufsätze zum Neuen Testament (TB 31) München 1965, 141–198, der betonte, daß die Erhöhungsvorstellung »ein Urdatum christlichen Glaubens« sei (174) und bereits zur »ältesten palästinischen Urgemeinde« gehöre (175). Vgl. auch Thüsing, Erhöhungsvorstellung (Anm. 12).

sation in das messianische Amt aufgrund der Auferweckung, sondern umgekehrt: Das messianische Amt, das Jesus aufgrund der Auferweckung erlangt hat, wurde im Sinne der endzeitlichen Funktion des apokalyptischen Menschensohnes interpretiert.

Im folgenden soll diese These in vier Schritten etwas näher erläutert und begründet werden.

a) Was die o. a. *Texte* betrifft, so ist selbstverständlich zuzugeben, daß sie unterschiedlichen Alters sind. Zu beachten ist allerdings, daß die Verbindung von Messias- und Menschensohnaussagen in literarisch und traditionsgeschichtlich sehr verschiedenen Stoffen begegnet[55]. Dies erlaubt zumindest die Vermutung, daß diese Verbindung schon früh zustandegekommen sein muß.

Auf die einzelnen Texte kann hier nur sehr allgemein eingegangen werden[56]. Am deutlichsten greifbar ist die Verbindung von Messias bzw. Gottessohn und Menschensohn in Mk 14 61 f., weil hier beide Titel auch explizit genannt sind. Die beiden Verse dürften schon vormarkinisch zusammengehören[57], doch wird man ihre konkrete Form − vor allem wegen des komplexen Schriftzitates (Dan 7 13; Ps 110 1) − kaum einem allzu frühen Traditionsstadium zuschreiben dürfen[58]. Sehr urtümlich hingegen

---

[55] Diese Verbindung läßt sich übrigens über die angeführten Texte hinaus in die speziell markinische und johanneische Christologie verfolgen (vgl. bes. Mk 8 29. 31; Joh 1 49. 50 f.; 3 13 f. 16 f.; 5 25 f. 27; 12 34). Die markinischen Leidensansagen (Mk 8 31; 9 31; 10 33 f.) stellen eine radikale Form dieser Verbindung dar. Leiden und Auferstehung, die ursprünglich mit der Christusbezeichnung zusammengehören, werden nun direkt vom Menschensohn ausgesagt; die Voraussetzung dafür ist, daß der Christus die Menschensohnfunktion auf sich gezogen hat. Unter diesem Gesichtspunkt gehorcht auch die markinische redaktionelle Verkoppelung von 8 29 mit 8 31 traditionellen christologischen Mustern und aktualisiert sie.

[56] Mk 13 21 f. 26 und Mt 25 31−46 werden wegen ihrer besonderen Problematik von vornherein ausgeklammert. Zu Mk 13 21 f. vgl. R. Pesch, Naherwartungen. Tradition und Redaktion in Mk 13, Düsseldorf 1968, 112−118; zu Mt 25 31−46 vgl. E. Brandenburger, Das Recht des Weltenrichters. Untersuchung zu Matthäus 25, 31−46 (SBS 99) Stuttgart 1980, bes. 43 ff. 45−55.

[57] Vgl. Hahn, Hoheitstitel (Anm. 34) 181 f.; J. Gnilka, Das Evangelium nach Markus II (EKK II/2) Zürich−Einsiedeln−Köln−Neukirchen 1979, 276 f.; R. Pesch, Mk II (Anm. 35) 436−439. 442 f. (der allerdings die ganze Szene für historisch glaubwürdig hält). Anders: W. Schmithals, Das Evangelium nach Markus II (ÖTK 2/2) Gütersloh−Würzburg 1979, 659 f. (insgesamt Redaktion des Mk).

[58] Mit Ph. Vielhauer, Erwägungen zur Christologie des Markusevangeliums, in: ders., Aufsätze (Anm. 54) 199−214, hier 203−205, gegen Hahn, ebd. Vgl. H. E. Tödt, Der Menschensohn in der synoptischen Überlieferung, Gütersloh 1959, 33−37; E. Schweizer, Das Evangelium nach Markus (NTD 1) Göttingen ²1968, 188 f.; L. Schenke, Der gekreuzigte Christus (SBS 69) Stuttgart 1974, 37−44 (rechnet V. 62 b einer hellenistisch-judenchristlichen Redaktion zu); Gnilka, a. a. O. 281 f.

dürfte die hinter Act 3 20.21a erkennbare Vorstellung sein[59]. Zwar fällt hier der Begriff »Menschensohn« nicht, doch ist es menschensohn-typisch, wenn der Christus Jesus vom Himmel her erwartet wird. Dieses Motiv verbindet Act 3 20f. mit 1 Thess 1 9f. Diese Stelle ist etwas näher zu besprechen, weil sich an ihr der Gang der hier postulierten Entwicklung am deutlichsten ablesen läßt.

Schon lange wurde erkannt, daß Paulus in 1 Thess 1 9f. auf herkömmliche Formulierungen zurückgreift, welche die Topoi der hellenistisch-judenchristlichen Missionspredigt wiedergeben[60]. Deutlich ist aber auch, daß insbesondere V. 10 »in den palästinischen Traditionsbereich« zurückverweist[61]. K. Wengst spricht in diesem Zusammenhang von »der aramäisch sprechenden Urgemeinde«[62]. Dabei setzt er allerdings mit G. Friedrich und E. Schweizer voraus[63], daß anstelle von »Gottessohn« ursprünglich »Menschensohn« gestanden habe, weil das Kommen »aus den Himmeln« und das »Entreißen aus dem kommenden Zorn« typische Aussagen über den Menschensohn sind.

---

[59] Der Text ist bezüglich seines Alters stark umstritten. Während die einen eine zugrundeliegende ältere (ja älteste) Tradition vermuten (J. A. T. Robinson, The most primitive Christology of all?: JThS 7 [1956] 177–189; Hahn, a.a.O. 184–186. Aufnahme jüdischer Elija-Tradition: O. Bauernfeind, Die Apostelgeschichte [ThHK 5] Leipzig 1939, 65–69; U. Wilckens, Missionsreden [Anm. 47] 153–156. 234f.), plädieren andere mit Nachdruck für lukanische Redaktion (E. Haenchen, Act [Anm. 47] 170f.; Conzelmann, Act [Anm. 47] 34f.; G. Lohfink, Himmelfahrt [Anm. 12] 224f.; vgl. ders., Christologie und Geschichtsbild in Apg 3, 19–21: BZ NF 13 [1969] 223–241). Eine Entscheidung ist nicht einfach. Denn auf der einen Seite enthält Act 3 20f. unverkennbar apokalyptische Vorstellungen, paßt auf der anderen Seite aber genau in das theologische Schema des Lukas. Lohfink, Himmelfahrt 225, folgert daraus:»Lukas hat . . . verstärkt Wendungen und Vorstellungen der Apokalyptik eingebaut, um eine Rede an Juden über Eschata *sachgemäß* formulieren zu können.« Dieses Verfahren wäre allerdings verständlicher, wenn Lukas nicht nur Motive aus dem apokalyptischen Steinbruch zusammengetragen hätte, sondern wenn ihm bereits ein apokalyptisch beeinflußter, christlicher Motivzusammenhang vorgegeben war. Dieser bestand m. E. darin, daß der in den Himmel erhöhte Messias (constitutus, nicht designatus! So mit Recht: R. Schnackenburg, Christologie [Anm. 47] 252) Jesus am Ende aus dem Himmel kommen wird zur Aufrichtung bzw. Vollendung des Heils. Letztlich handelt es sich um eine Variante des Gedankens von 1 Thess 1 10ac, nur daß in Act 3 20f. der mit der Parusie verbundene Gedanke der Rettung aus dem Gericht positiv (unter stärkerem Einfluß der »Messias«-Bezeichnung bzw. der Elija-Tradition) formuliert ist.

[60] Vgl. Wilckens, Missionsreden (Anm. 47) 81–86; P. Stuhlmacher, Das paulinische Evangelium I (FRLANT 95) Göttingen 1968, 258–266 (Lit.).

[61] Hoffmann, Auferstehung (Anm. 5) 488.

[62] Wengst, Formeln (Anm. 5) 41. Kramer, Christos (Anm. 5) 121f. rechnet die Formel dem griechisch-sprechenden Judenchristentum zu, für den Parusiegedanken nimmt er aber die aramäisch-sprechende Urgemeinde in Anspruch. Zu Becker vgl. Anm. 67. 68.

[63] G. Friedrich, Ein Tauflied hellenistischer Judenchristen. 1 Thess 1, 9f.: ThZ 21 (1965) 502–516, bes. 513f.; Schweizer, υἱός (Anm. 4) 372. 384.

Diese Operation ist jedoch schon deswegen unwahrscheinlich, weil eine Verbindung von Menschensohn- und Auferweckungsaussage, wie man sie dann für 1 Thess 1 10 postulieren müßte, — abgesehen von einigen, traditionsgeschichtlich späten Stellen[64] — neutestamentlich nicht zu belegen ist, während die Verbindung von Auferweckung und Gottessohnschaft — wie oben gezeigt wurde — durchaus geläufig ist.

Man müßte dann schon mit dem Gottessohntitel auch den Relativsatz »den er (Gott) auferweckte von (den) Toten« als sekundär eliminieren. Dafür plädierte u. a. J. Becker[65], der allerdings auch mit Recht hervorhob, daß für eine so verstandene Einfügung nicht Paulus selbst verantwortlich sein könne[66]. »Diese Sachlage fordert die Ansetzung der Bearbeitung in 1 Thess 1, 10 in recht früher Zeit«[67]. Unter dieser Voraussetzung ist jedoch zu fragen, ob es dann überhaupt legitim ist, den literarkritischen Terminus der »Bearbeitung« auf 1 Thess 1 10 anzuwenden, oder ob man den Vers nicht besser als eine ursprüngliche Aussageneinheit zu verstehen hat, wobei die Vereinigung der motiv- und traditionsgeschichtlich sicher zu unterscheidenden einzelnen Vorstellungen dem gar nicht im Wege stehen muß. Doch selbst wenn die von Becker vorgenommene literarkritische Scheidung in 1 Thess 1 10 zutreffen sollte, bliebe immer noch zu fragen, ob die Bearbeitung nicht in umgekehrter Richtung verlaufen ist, etwa in der Art, daß die Auferweckungsformel, abgewandelt als Bekenntnis zum »Sohn Gottes, den er (Gott) von (den) Toten auferweckte«, am Anfang stand und dann in einem zweiten Schritt durch Menschensohnvorstellungen erweitert wurde. Sachlich berührt sich dieses Denkmodell — vom Gottessohntitel einmal abgesehen — mit der Auf-

---

[64] Vgl. Mk 8 31; 9 31; 10 33 f.; 9 9; Mt 12 40 diff Q. Zu den markinischen Leidensansagen vgl. P. Hoffmann, Mk 8, 31. Zur Herkunft und markinischen Rezeption einer alten Überlieferung, in: ders. (Hrsg.), Orientierung an Jesus, FS J. Schmid, Freiburg—Basel—Wien 1973, 170—204; R. Pesch, Die Passion des Menschensohnes. Eine Studie zu den Menschensohnworten der vormarkinischen Passionsgeschichte, in: ders. — R. Schnackenburg (Hrsg.), Jesus und der Menschensohn. FS A. Vögtle, Freiburg—Basel—Wien 1975, 166—195. Beide bestimmen die traditionsgeschichtlich älteste Form zwar unterschiedlich (Hoffmann: Mk 8 31; Pesch: Mk 9 31), stimmen aber darin überein, daß die Auferstehungsaussage sekundär ist: Hoffmann, a. a. O. 182—184; Pesch, a. a. O. 176—179.

[65] J. Becker, Auferstehung der Toten im Urchristentum (SBS 82) Stuttgart 1976, 33—35; vgl. Hoffmann, Auferstehung (Anm. 5) 488. Nur den Relativsatz scheiden aus: Kramer, Christos (Anm. 5) 121 (paulinische oder vorpaulinische Einfügung); Kegel, Auferstehung (Anm. 5) 34 (von Paulus eingesetzt); Hasenfratz, Rede (Anm. 8) 170—172 (neigt zur Interpolation durch Paulus).

[66] Becker, ebd.

[67] Becker, a. a. O. 35. Nach ihm gehören »der Grundstock wie auch die erweiterte Form von 1 Thess 1,9 f . . . in die frühe Zeit syrisch-antiochenischer Missionsverkündigung« (38). Für v. 10 gibt er jedoch zu bedenken: »Der Grundstock aus 1 Thess 1,10 stammt . . . eventuell schon aus der Zeit der frühen palästinischen Urgemeinde« (36); vgl. auch die folgende Anm.

fassung von Wengst, der meint, daß »in der aramäisch sprechenden Urgemeinde ... in der Aussage, daß Gott Jesus von den Toten auferweckt
hat, ... impliziert gewesen (sei), daß Jesus durch diese Auferweckung
zum Menschensohn erhöht wurde, als den ihn die Gemeinde in nächster
Nähe erwartete, und daß sie auf ihre Rettung durch ihn bei dem dann
stattfindenden Zornesgericht hofft«[68].

Doch damit sind wir wieder beim Ausgangspunkt unserer Überlegungen, welche die Problematik literarkritischer Operationen in 1 Thess
1 10 verdeutlichen sollten. Aufs Ganze gesehen, legt sich daher nahe,
1 Thess 1 10 – wenn überhaupt, dann insgesamt – der aramäisch sprechenden Urgemeinde zuzuschreiben, zumindest der Sachaussage nach.
Deutlich erkennbar ist noch – wie in Röm 1 3f. – der Sachzusammenhang von Auferweckung und Gottessohnschaft, nur daß hier nicht, wie in
Röm 1 3f., die Auferweckung als formale Einsetzung in das messianische
Amt gewertet wird, sondern dies auch noch nach seiner inhaltlichen
Bedeutung qualifiziert wird. Die Kategorien dafür stellt die Menschensohnvorstellung zur Verfügung. Das messianische Herrschaftsamt, in das
Jesus kraft der Auferweckung eingesetzt ist, besteht darin und kommt
darin zum Vorschein, daß der zum Messias bzw. Sohn Gottes inthroni-
sierte Jesus als Menschensohn zum Endgericht aus dem Himmel erscheint
und die, die sich zu ihm bekennen, aus dem Zorn des Gerichtes errettet.

Hahn ist also darin im Recht, daß die früheste Messias- bzw. Gottes-
sohnbezeichnung eminent eschatologisch ausgerichtet war. Doch schließt
dies die Erhöhungs- bzw. Inthronisationsvorstellung keineswegs aus, sondern setzt sie voraus, wie denn auch die Anwendung der Menschensohnfunktion auf Jesus die Messias- bzw. Gottessohn-Prädikation gedanklich
(was nicht unbedingt zeitlich auszuwerten ist; vgl. oben 2c [Ende]) voraussetzt.

b) Dies wird indirekt durch eine andere, mehr *allgemeine Beobachtung* bestätigt. Wenn man davon ausgeht, daß »Menschensohn« keine
unmittelbare Selbstbezeichnung des irdischen Jesus gewesen ist[69], dann

---

[68] Wengst, Formeln (Anm. 5) 42. Ähnlich auch Becker, Gottesbild (Anm. 5) 122f.:
»Dieser Gebetsruf (= Maranatha, Anm. d. Verf.) und 1 Thess 1,10 repräsentieren ...
ein theologiegeschichtliches Stadium, in dem die Auferstehung Jesu Anlaß wird, direkte
Christologie zu betreiben, und zwar eine futurisch-soteriologische. Zweifelsfrei ist dies
eine alte, der aramäisch sprechenden Urgemeinde in sehr früher Zeit zuzuweisende
Christologie ...« (123).

[69] Auch wenn unter religionsgeschichtlichen Voraussetzungen die Worte vom irdischen
Menschensohn keineswegs eo ipso als sekundär angesehen werden können (vgl. K. Müller,
Menschensohn [Anm. 27] bes. 66), so ist aus traditionsgeschichtlicher Sicht m. E. immer
noch die Auffassung am überzeugendsten, welche die Sprüche vom kommenden Menschensohn für ursprünglich hält; gerade dort, wo noch keine direkte Identifikation Jesu
mit dem Menschensohn vorliegt, dürfte es sich mit hoher Wahrscheinlichkeit um authentische Worte handeln (Lk 12 8f. par; 17 24. 26f. par). Vgl. Tödt, Menschensohn (Anm. 58);

muß die Identifizierung Jesu mit dem Menschensohn in irgendeiner Weise
von der Ostererfahrung verursacht sein, d. h. sie setzt sachlich die Auf-
erweckungs- bzw. Erhöhungsaussage und deren *christologische* Interpretation im Sinne – so ist zunächst zu vermuten – der Erhöhung Jesu zum
Menschensohn voraus. Tatsächlich ist die Behauptung, die Ostererfahrung
habe die Gemeinde zur Erkenntnis geführt, daß Jesus zum Menschensohn
erhöht worden sei, nahezu ein Topos der einschlägigen neutestamentlichen
Literatur. Um so verwunderlicher ist es, daß es im Neuen Testament
keinen einzigen Beleg gibt, der explizit von einer Einsetzung bzw. Erhöhung Jesu zum Menschensohn spricht[70]. Daß die neutestamentlichen
Texte einen ähnlich negativen Befund für die Verbindung von Auferweckungsaussage und Menschensohnbezeichnung darbieten, wurde bereits erwähnt[71].

Dieser Befund findet aber eine sehr einleuchtende Erklärung, wenn
die Menschensohnbezeichnung bzw., genauer gesagt, die Menschensohnfunktion zunächst und zuerst zur Verdeutlichung der durch die Inthronisation in das messianische Amt (als Sohn Gottes) erlangten Funktion

---

Hahn, Hoheitstitel (Anm. 34) 12–53; P. Hoffmann, Studien zur Theologie der Logienquelle (NTA NF 8) Münster 1972, 82 ff. passim; A. J. B. Higgins, The Son of Man in
the teaching of Jesus (MSSNTS 39) Cambridge 1980. – Zum Menschensohn-Problem
überhaupt vgl. C. Colpe, Art. ὁ υἱὸς τοῦ ἀνθρώπου: ThWNT VIII 403–481; R. Pesch–
R. Schnackenburg (Hrsg.), Jesus und der Menschensohn. FS A. Vögtle, Freiburg–Basel–
Wien 1975; W. G. Kümmel, Jesusforschung seit 1965: ThR NF 45 (1980) 40–84, bes.
50–84.

[70] Nur an wenigen Stellen ist »Menschensohn« und Erhöhung zusammengebracht (Mk
14 62; Mt 25 31; Joh 3 14; 6 62; Act 7 56; Apk 14 14; vgl. Mt 19 28?). Doch dürfte es sich
durchweg um traditionsgeschichtlich sekundäres Material handeln; entscheidend aber ist,
daß auch hier nirgends von einer *Erhöhung Jesu* zum Menschensohn die Rede ist, vielmehr wird nur die Erhöhung des Menschensohnes angesprochen bzw. vorausgesetzt. Mit
Tödt, a.a.O. 264, ist festzuhalten: »In den Worten vom kommenden Menschensohn
fehlt . . . das Motiv der Erhöhung als selbständiges christologisches Moment.« Hahn (vgl.
a.a.O. 126; nicht Tödt selbst!) hatte daraus gefolgert, die Erhöhungsvorstellung sei erst
sekundär zugewachsen.

[71] Wo die Auferweckung als Inthronisation interpretiert wird, ist vorwiegend die Bezeichnung »Messias« oder »Sohn Gottes« gebraucht. Parallel dazu bezieht sich die österliche
»Offenbarung« bzw. das österliche »Sehen« auf den »Sohn Gottes« (vgl. Gal 1 12. 15 f.)
bzw. auf »Christus« oder den »Kyrios« (vgl. 1 Kor 15 3. 5; 9 1; Lk 24 34). – Auch das
Logion Lk 10 21 f. par bekundet, sofern man es mit Hoffmann, Studien (Anm. 69)
102–142, als Wiedergabe der österlichen Erfahrung der Q-Gruppe verstehen darf, nicht
direkt den Glauben an den zum kommenden Menschensohn Erhöhten (so Hoffmann,
a.a.O. 145). Bezeichnenderweise taucht hier »der Sohn« auf, dessen Hoheit allerdings
mit Vorstellungen aus der Menschensohntradition ausgedrückt wird. Dies würde aber
eher die hier vorgetragene These stützen; doch dürfte Lk 10 21 f. par überhaupt in den
Traditionsbereich des hellenistischen Judenchristentums gehören (vgl. Merklein, Entstehung [Anm. 2] 57 f.).

diente. Eine christologische Explikation der Erhöhung im Sinne der Erhöhung zum Menschensohn war nicht notwendig, weil die auf Jesus bezogene Menschensohnbezeichnung bzw. -funktion die christologische Interpretation der Auferweckung bzw. Erhöhung im Sinne der messianischen Inthronisation voraussetzen konnte.

M. a. W.: Der Tatbestand, daß das Neue Testament nicht von einer Auferweckung bzw. Erhöhung Jesu zum Menschensohn spricht, läßt sich bei gleichzeitiger Annahme, daß die Menschensohnbezeichnung sachlich Auferweckung und Erhöhung voraussetzt, befriedigend nur verstehen, wenn die Adaption der Menschensohnbezeichnung bzw. -funktion auf Jesus logisch (nicht unbedingt zeitlich) einer vorgängigen *christologischen* Interpretation der an sich theologischen Aussage von Auferweckung bzw. Erhöhung nachfolgte. Eine solche christologische Interpretation liegt aber eindeutig bei der Aussage von der Inthronisation in das messianische Amt unter klarem Rückgriff auf die Auferweckungsaussage vor[72].

c) An *religions- und traditionsgeschichtlichen Voraussetzungen* für die Verbindung von Messias- und Menschensohnvorstellung in der Person des auferweckten Jesus sind zu nennen: Einmal die Tatsache, daß es bereits im zeitgenössischen Judentum zu bestimmten Kontaminationen von »Messias« und »Menschensohn« gekommen war[73]. Zum andern war der durch die Auferweckung in den Himmel Erhöhte geradezu prädestiniert, Züge der an sich himmlischen Menschensohngestalt auf sich zu ziehen. Und schließlich dürfte insbesondere das aller Wahrscheinlichkeit nach authentische Q-Logion Lk 12 8f. par eingewirkt haben[74].

---

[72] Der umgekehrte Vorgang, daß die Menschensohnbezeichnung die erste und unmittelbare christologische Interpretation der Auferweckungsaussage unter stillschweigender Implikation der Erhöhung (zum Menschensohn) gewesen sei und daß die messianische Christologie diese Implikation dann expliziert habe, ist deswegen unwahrscheinlich, weil so nicht verständlich wird, (a) daß gerade die Erhöhung zum *Menschensohn* nicht (oder wenigstens auch) expliziert worden ist und (b) daß sich in den älteren Menschensohnworten keine Spuren der Auferweckungsaussage als ihres ursprünglichen Interpretationsansatzes erhalten haben.

[73] Dabei muß hier nicht entschieden werden, ob von der Überlieferungsgeschichte her eine Überlagerung der Menschensohn- durch die Messiasvorstellung (so: K. Müller, Menschensohn [Anm. 27]) oder von einem Einfluß der Menschensohnidee auf die Messiasvorstellung (so: U. B. Müller, Messias [Anm. 29]) anzunehmen ist. Entscheidend ist, *daß* Messias- und Menschensohnvorstellung zusammengebracht werden konnten.

[74] Zur Authentie: Tödt, Menschensohn (Anm. 58) 50–56.60; Hahn, Hoheitstitel (Anm. 34) 33–36; W. G. Kümmel, Das Verhalten Jesus gegenüber und das Verhalten des Menschensohns. Markus 8,38 par und Lukas 12,3f (sic!) par Mattäus 10,32f., in: R. Pesch–R. Schnackenburg (Hrsg.), Jesus und der Menschensohn. FS A. Vögtle, Freiburg–Basel–Wien 1975, 210–224 (der allerdings Mk 8 38 gegenüber dem Q-Logion für ursprünglich hält); R. Pesch, Über die Autorität Jesu. Eine Rückfrage anhand des Bekenner- und Verleugnerspruchs Lk 12,8f par., in: R. Schnackenburg u. a. (Hrsg.), Die Kirche des Anfangs. FS H. Schürmann, Freiburg–Basel–Wien 1978, 25–55.

Nach seinem ursprünglichen Verständnis unterscheidet das Logion zwar zwischen Jesus und dem Menschensohn, stellt jedoch auch eine innige, wahrscheinlich bewußt änigmatische Relation her, indem es von der Stellungnahme zu Jesus das Ergehen im Gericht des Menschensohnes abhängig macht[75]. Im Lichte der österlichen Auferweckungs- und Erhöhungsaussage konnte diese Relation kaum anders gedeutet werden, als daß Jesus selbst, und das heißt nach Ostern: der Messias bzw. Sohn Gottes Jesus, die in Lk 12 8f. par angesprochene Funktion des Menschensohnes ausüben wird[76]. Dem Messias Jesus mußte die Funktion des Menschensohnes zugesprochen werden.

d) Auf einen Einwand ist noch einzugehen, der möglicherweise gegen die hier dargestellte christologische Entwicklung erhoben werden könnte. Wenn die Menschensohnwürde Jesus ursprünglich im Zusammenhang mit seiner Einsetzung in das messianische Amt (als Sohn Gottes) zugesprochen wurde, wie kommt es dann, daß die *Q-Tradition*, die im besonderen Maße am Menschensohn interessiert war, kaum Verbindungen zwischen Menschensohnfunktion Jesu und seinem messianischen Amt herstellte?[77] Dies gilt auch und gerade für die älteste, in das aramäisch sprechende Christentum zurückreichende Schicht von Q[78].

[75] M. E. zu direkt wird die Rätselhaftigkeit des Spruches von Pesch, a.a.O. 48, aufgelöst: »Der Hörer darf glauben, was Jesus glaubt: Er ist der Menschensohn«. Zu einer solch deutlichen Aufschlüsselung kommt nicht einmal das nachösterliche christologische Bekenntnis (s. u. d)! Vorsichtiger spricht Kümmel, a.a.O. 221, davon, daß der Spruch »eine wie immer geartete personale Beziehung zwischen dem jetzt redenden Jesus und dem erwarteten Menschensohn« voraussetzt.

[76] Vom Ausgangspunkt her bezieht M. Hengel, Christologie und neutestamentliche Chronologie. Zu einer Aporie in der Geschichte des Urchristentums, in: H. Baltensweiler—B. Reicke, Neues Testament und Geschichte. FS O. Cullmann, Zürich–Tübingen 1972, 43–67, hier 64, die gleiche Position: »Nur die Tatsache, daß schon Jesus vom kommenden Menschensohn und seiner Verbindung mit ihm (Lk 12,8f) gesprochen hatte, macht die Tatsache verständlich, daß die Jünger zur Interpretation der Auferstehungserfahrung gerade diesen im Judentum nur am Rande bekannten christologischen Titel aufnehmen konnten.« Seine Folgerungen lassen sich allerdings am neutestamentlichen Befund nicht verifizieren: »Die Auferstehung wurde dabei als Erhöhung und Inthronisation des Menschensohnes gedeutet« (a.a.O. 65; vgl. dazu oben 3b!). »Auf den Menschensohn wurde sehr rasch, entsprechend seinen verschiedenen ›Funktionen‹, eine ganze Reihe von Bezeichnungen übertragen. Dies gilt in erster Linie für den Messiastitel« (ebd.; hier ist der Vorgang m. E. genau umgekehrt gewesen).

[77] Nach Vielhauer, Weg (Anm. 54) 172, begegnet »die Verschmelzung der Anschauungen von Messias und Menschensohn . . . in den älteren Schichten der synoptischen Tradition nur noch einmal in Q . . . (Mt 24,26f par)«. Doch handelt es sich bei v. 26 sicherlich um sekundäre Bildung (vgl. Hahn, Hoheitstitel [Anm. 34] 36f.), wobei der messianische Bezug des Verses erst in der Redaktion des Mattäus (durch Rezeption von Mk 13 21–23 = Mt 24 23–25) eindeutig hergestellt wird; doch ist er sachlich möglicherweise schon in Q vorhanden (vgl. S. Schulz, Q – Die Spruchquelle der Evangelisten, Zürich 1972. 283f.).

[78] Zu betonen wäre hier natürlich auch, daß selbst die aramäische Schicht von Q nicht

Hier ist zunächst daran zu erinnern, daß im frühesten Stadium der Entwicklung, wie wir es m. E. etwa in 1 Thess 1 10 noch erkennen können, der *Titel* »Menschensohn« überhaupt nicht verwendet wird; vielmehr werden *Funktionen* des apokalyptischen Menschensohnes zur Beschreibung des messianischen Amtes Jesu herangezogen. Der christliche »Menschensohn« ist also von seinen traditionsgeschichtlichen Ursprüngen her gar keine christologische *Titulatur,* sondern dient zur Umschreibung der christologischen Funktion.

Dieser Befund ist äußerst wichtig, da sich von ihm her einige eigentümliche Züge der neutestamentlichen Menschensohntradition besser verstehen lassen. So zum Beispiel, daß »Menschensohn« nie zur christologischen *Prädikation* Jesu verwendet wird. Es kommt nie zur Aussage: »Jesus ist der Menschensohn«[79]. Erst recht findet sich im Neuen Testament nirgends ein *Bekenntnis* zu Jesus als dem Menschensohn[80].

Daher ist es auch unwahrscheinlich, daß das Aufkommen der direkten Menschensohnbezeichnung dem christologischen Bekenntnis entstammt. Viel eher wird man hier mit der *Rezeption* von Menschensohnworten des irdischen Jesus rechnen müssen. Denn sobald die Einsicht vorhanden war, daß der Messias bzw. Sohn Gottes Jesus die Funktion des Menschensohnes ausüben wird, mußten die Worte, in denen Jesus vom Menschensohn − ohne sich direkt damit zu identifizieren − gesprochen hatte, ein neues Interesse finden und in neuem Licht rezipiert werden, d. h. mit dem Bewußtsein, daß dieser Menschensohn Jesus selbst sein wird. Neben Lk 12 8f. par sind für dieses Traditionsstadium vor allem noch Lk 17 24. 26f. par zu nennen[81].

---

einfach mit der Tradition der aramäisch sprechenden Urgemeinde von Jerusalem identifiziert werden darf, wiewohl eine traditionsgeschichtliche Verbindung höchstwahrscheinlich ist.

[79] Vgl. dagegen etwa J. Ernst, Anfänge der Christologie (SBS 57) Stuttgart 1972, 49: »Die Aussage: ›Jesus ist der Menschensohn‹ ist für die Gemeinde nach Ostern ohne Zweifel ein titulares Bekenntnis.« In etwas abgeschwächter Form finden sich solche Urteile recht häufig in der Literatur!

[80] Schon Dahl, Messias (Anm. 35) 160f., hatte zur Begründung seiner Auffassung, daß »die Christologie der Urgemeinde von Anfang an eine Messias-Christologie gewesen sein« muß, darauf hingewiesen: »Zwar hat man auch von Jesus als ›Menschensohn‹ und ›Knecht Gottes‹ geredet; aber diese Würdenamen kommen niemals als Prädikate vor. Im Kerygma und Bekenntnis heißt es nicht ›Jesus ist der Menschensohn‹, ›Jesus ist der Knecht Gottes‹, sondern immer ›Jesus ist der Messias‹, und dann ferner ›Jesus ist der Sohn Gottes‹, ›Jesus ist der Kyrios‹.« Daß die Menschensohnwürde Jesu nicht zum Kerygma von Q gehört, hat auch Hoffmann, Studien (Anm. 69) 307, zu Recht herausgestellt: »Das Bekenntnis zum Menschensohn Jesus ist der Grund, nicht der Inhalt der Verkündigung von Q« (von Bekenntnis sollte man besser aber nicht sprechen!).

[81] Vgl. oben Anm. 69.

Daß der traditions- und formgeschichtliche Ort der Menschensohnworte der älteren Q-Tradition gar nicht das christologische Bekenntnis, sondern die Rezeption der Jesustradition ist, erklärt auch, daß die Menschensohnworte keine Verbindung mit der messianischen Christologie eingegangen sind. Letztere ist zwar die Voraussetzung für die Rezeption und gibt auch den Impuls für die Neubildung von Logien, in denen die Menschensohnbezeichnung auf den Irdischen übertragen wird. Doch wirkt auch hier die ursprüngliche formgeschichtliche Verhaftung noch so stark nach, daß vom Menschensohn im Neuen Testament immer nur in der dritten Person die Rede ist und daß − von ganz wenigen Ausnahmen abgesehen (Act 7 56; Apk 1 13; 14 14) − immer nur Jesus selbst vom Menschensohn spricht.

Genau genommen, handelt es sich daher bei der Menschensohntradition von Q nicht um die Ausbildung einer Menschensohn*christologie* (sofern Christologie direkt mit Bekenntnis zu tun hat), sondern um die Rezeption und Neubildung von Menschensohnworten des irdischen Jesus aufgrund des christologischen Bekenntnisses zum Messias bzw. Gottessohn Jesus[82].

4. Ausblick

Ich möchte nicht schließen, ohne wenigstens einige Bemerkungen zur theologischen Relevanz der hier dargestellten Christologie zu machen.

Zunächst ist festzustellen, daß die messianische Christologie, die von Jesu Einsetzung zum messianischen Sohn Gottes handelt, im Laufe der christologischen Streitigkeiten der nachfolgenden Jahrhunderte an den Rand gedrängt bzw. in die Häresie abgedrängt wurde. Den entscheidenden Aspekt der bis heute führenden Christologie lieferte die Präexistenzchristologie, deren Anfänge ins hellenistische Judenchristentum zurückgehen. Dieser Prozeß ist verständlich, da die Präexistenzchristologie ent-

---

[82] Daß dieses christologische Bekenntnis in Q nicht genannt wird, sollte ebensowenig verwundern wie das Fehlen der Auferweckungsaussage. Beides ist Anlaß, nicht Inhalt der Verkündigung, der in der Basileia-Botschaft bzw. der Paränese (dann auch der Gerichtsbotschaft) zu suchen ist. Wenn der auferweckte und zum Messias erhöhte Jesus die Funktion des Menschensohnes ausüben und dieser Menschensohn nach der Stellungnahme zu Jesus entscheiden wird, dann verweist das christologische Bekenntnis zurück auf die Botschaft und die Weisung des irdischen Jesus. Diese Botschaft weiter zu verkünden und nach Jesu Weisung zu leben, ist die pragmatische Folge des christologischen Bekenntnisses. Diese Pragmatik und nicht direkt die Christologie ist der überlieferungsgeschichtliche Kristallisationspunkt zumindest der aramäischen Schicht von Q. So verfolgen denn auch zumindest die älteren Menschensohnworte nicht primär das Interesse, christologische Aussagen *über* Jesus zu machen, sondern stehen im Dienste der Paränese im Angesicht der nahen Parusie.

scheidende Vorteile hatte, sobald die Christologie als Versuch verstanden wurde, das *Wesen* Jesu zu beschreiben. Im übrigen mußte die messianische Christologie, sobald sie als Alternative zur Präexistenzchristologie ins Feld geführt wurde, auf der Strecke bleiben.

Eine heutige Christologie, die sich am Neuen Testament ausrichten will, wird jedoch beide christologischen Entwürfe nicht als Alternative werten dürfen. Denn das Neue Testament bezeugt uns sowohl die Präexistenzchristologie des Johannesevangeliums und des Paulus wie die messianische Christologie, die vorwiegend bei den Synoptikern – zumal bei Lukas – aufgegriffen und weitergeführt wurde.

Beide Christologien haben entscheidende Vorteile, aber auch Nachteile. Die Präexistenzchristologie neigt zur Überbetonung der Menschwerdung als Heilsereignisses, zumal wenn sie – wie es bis heute oft geschehen ist – die traditionsgeschichtlich »unheilige Allianz« mit der Jungfrauengeburt des Lukas eingeht, die an sich der messianischen Christologie zugehört. Demgegenüber hat die messianische Christologie den Vorteil, daß sie – besonders in ihrer originären Ausprägung – Kreuz und Auferweckung als eschatologisches Heilsereignis konsequent in den Mittelpunkt zu stellen vermag[83] und daß sie unter Einbeziehung der Menschensohnerwartung dem Bekenntnis eine eminent pragmatische Ausrichtung auf das christliche Leben verleiht, die dem christologischen Bekenntnis in der christlichen Praxis heute meist abgeht. Im Hinblick auf einen Dialog mit dem Judentum ist ihre Verlebendigung unerläßlich. Ihr Nachteil liegt darin, daß sie, sofern sie absolut gesetzt wird, die Gefahr des Adoptianismus in sich birgt.

Die Spannung zwischen den beiden christologischen Entwürfen wird synthetisch kaum auszugleichen sein. Sie ist daher als positives theologisches Anliegen aufzugreifen, d. h. als Indiz dafür, daß Jesus als Person und Ereignis größer ist als jede christologische Aussage. Gerade dies könnte ein fruchtbarer Ansatz für eine heutige Christologie sein.

---

[83] Daß dies grundsätzlich auch die Präexistenzchristologie zu leisten vermag, zeigt eindrucksvoll Paulus.

8. Zur Entstehung der urchristlichen Aussage vom präexistenten Sohn Gottes

Ausgangspunkt der Untersuchung ist die grundsätzliche Unterscheidung zweier Aussagenkreise innerhalb der neutestamentlichen Sohneschristologie. Der eine spricht von der Einsetzung Jesu zum Sohn Gottes (vgl. Röm 1,3f) und wurzelt in der messianischen Deutung alttestamentlicher Stellen wie 2 Sam 7,14; Ps 2,7; 89,27[1]. Der andere bezieht seine Begrifflichkeit vorwiegend aus dem hellenistischen Judentum (Weisheits- und Logosspekulation)[2] und bezeichnet Jesus von allem Anfang an, also bereits vor seiner irdischen Existenz, als Sohn Gottes. Mit der Frage nach der Genese dieser Präexistenzchristologie befassen sich die folgenden Ausführungen.

---

[1] Zu den alttestamentlichen Stellen: *W. Schlißke*, Gottessöhne und Gottessohn im Alten Testament (Stuttgart 1973) 88–94.105–111; vgl. *P. A. H. de Boer*, The Son of God in the Old Testament: OTS 18 (1973) 188–207; *H. Haag*, Sohn Gottes im Alten Testament: ThQ 154 (1974) 223–231. – Ein anderes Konzept verfolgt *K. Berger*, Die königlichen Messiastraditionen des Neuen Testaments: NTS 20 (1973/74) 1–44; *ders.*, Zum Problem der Messianität Jesu: ZThK 71 (1974) 1–30. Ps 2,7 sei möglicherweise „lediglich ‚sekundär‘ zitiert" (Problem 16). Der Gottessohntitel sei „primär weisheitlichen Ursprungs" (a.a.O. 22), wobei Berger vor allem Weish im Auge hat (a.a.O. 17ff).

[2] Dazu: *U. Wilckens:* ThWNT VII 465–475.497–529, hier: 497–510; *E. Schweizer,* ThWNT VIII 355–357.364–395, hier: 355–357; *H. Kleinknecht:* ThWNT IV 76–89, hier: 86–88; *O. Cullmann,* Die Christologie des Neuen Testaments (Tübingen ⁴1966) 260–264; *R. H. Fuller,* The Foundations of New Testament Christology (New York 1965) 72–81; *H. Hegermann,* Die Vorstellung vom Schöpfungsmittler im hellenistischen Judentum und Urchristentum (Berlin 1961) 67–87; *F. B. Craddock,* The Pre-existence of Christ in the New Testament (Nashville – New York 1968) 31–41; *R. G. Hamerton-Kelly*, Pre-existence, Wisdom, and the Son of Man (Cambridge 1973) 15–21; *B. L. Mack*, Logos und Sophia (Göttingen 1973); *M. Hengel,* Der Sohn Gottes (Tübingen 1975) 87–89; vgl. *W. Kelber,* Die Logoslehre (Stuttgart 1976) 85–132.

1.1 Die Stellen Gal 4,4f; Röm 8,3f; Joh 3,16f; 1 Joh 4,9 dürften auf eine *traditionelle Sendungsformel* zurückgreifen[3]. Zwar könnte man zunächst auch vermuten, hier sei nur von einer Sendung in Analogie zur Prophetensendung und nicht von einer Sendung des Präexistenten die Rede[4]. Doch ist zu beachten, daß die Formel sowohl bei Paulus wie bei Johannes im Zusammenhang der Präexistenzchristologie erscheint. E. Schweizer macht außerdem darauf aufmerksam, daß „Sendung durch Gott und Gottessohntitel ... sich nur im Bereich der Logos- und Weisheitsspekulation des ägyptischen Judentums verbunden" finden[5]. Dort findet sich im übrigen auch die für die neutestamentliche Sendungsformel bezeichnende Angabe der Finalität der Sendung (mit ἵνα [= damit]-Satz): Weish 9,10[6].

· 1.2 Zwar nicht den Titel „Sohn Gottes", dafür aber um so deutlicher die Präexistenz bezeugen einige *traditionelle Hymnen*: Phil 2,6–11[7]; Kol 1,15–20[8]; Joh 1,1–16[9]. Hierzu zu rechnen sind wohl auch: Hebr 1,2f[10]; 1 Tim 3,16[11].

---

[3] *A. Seeberg*, Der Katechismus des Urchristentums (1903) (München 1966) 59–61; *F. Hahn*, Christologische Hoheitstitel (Göttingen [3]1966) 315–317; *W. Kramer*, Christos-Kyrios-Gottessohn (Zürich – Stuttgart 1963) 108–112; *G. Dautzenberg*, Christusdogma ohne Basis? (Essen 1971) 27f. Vgl. vor allem die Arbeiten von *E. Schweizer*: Zur Herkunft der Präexistenzvorstellung bei Paulus, in: Neotestamentica (Zürich 1963) 105–109, hier: 108; *ders.*, Zum religionsgeschichtlichen Hintergrund der „Sendungsformel" Gal 4,4f; Röm 8,3f; Joh 3,16; 1 Joh 4,9; in: Beiträge zur Theologie des Neuen Testaments (Zürich 1970) 83–95; *ders.*, Jesus Christus im vielfältigen Zeugnis des Neuen Testaments (Hamburg [3]1972) 83–87; *ders.*, ThWNT VIII 376–378.

[4] Skeptisch: *R. Schnackenburg*, Christologie des Neuen Testaments, in: Mysterium Salutis III/1 (Einsiedeln – Zürich – Köln 1970) 227–388, hier: 327; *W. Thüsing*, Neutestamentliche Zugangswege zu einer transzendental-dialogischen Christologie, in: *K. Rahner – W. Thüsing*, Christologie – systematisch und exegetisch (Freiburg i. Br. 1972) 79–315, hier: 245.

[5] ThWNT VIII 377,3f.

[6] Vgl. *G. Dautzenberg*, Christusdogma (A.3) 28.

[7] Vgl. *J. Gnilka*, Der Philipperbrief (Freiburg i. Br. 1968) 131–147 (mit Besprechung von E. Lohmeyer, J. Jeremias, L. Cerfaux, Th. Boman, G. Strecker, D. Georgi); weiter: *R. P. Martin*, Carmen Christi (Cambridge 1967) (Lit.); *J. T. Sanders*, The New Testament Christological Hymns (Cambridge 1971) 9–12; *R. G. Hamerton-Kelly*, Pre-existence (A.2), 156–168; *O. Hofius*, Der Christushymnus Philipper 2,6–11 (Tübingen 1976) (Lit.).

[8] *E. Käsemann*, Eine urchristliche Taufliturgie, in: Exegetische Versuche und Besinnun-

1.3 *Sophia-Logien:* Zu berücksichtigen sind ferner die überwiegend aus der Tradition der Logienquelle (Q) stammenden Worte, die Jesus mit der (präexistenten) Sophia in Zusammenhang bringen: Lk 7, 31–35 par Mt 11, 16–19; Lk 11, 49–51 par Mt 23, 34–36; Lk 13, 34f par Mt 23, 37–39 [12]; Mt 11, 28–30 [13] (vgl. Lk 10, 21 f par Mt 11, 25–27). Nach

---

gen I (Göttingen 1964) 34–51; *H. Hegermann,* Vorstellung (A. 2) 88–157; *H. J. Gabathuler,* Jesus Christus, Haupt der Kirche – Haupt der Welt (Zürich 1965) (Lit.); *E. Schweizer,* Kolosser 1, 15–20, in: EKK. Vorarbeiten 1 (Zürich – Neukirchen 1969) 7–31; *R. Schnackenburg,* Die Aufnahme des Christushymnus durch den Verfasser des Kolosserbriefes, in: EKK. Vorarbeiten 1 (Zürich – Neukirchen 1969) 33–50; *J. T. Sanders,* a.a.O. 12–14; *K. Wengst,* Christologische Formeln und Lieder des Urchristentums (Gütersloh 1972) 170–180; *R. G. Hamerton-Kelly,* a.a.O. 168–177.

[9] *R. Bultmann,* Das Evangelium des Johannes (Göttingen [9]1964) 1–5; *R. Schnackenburg,* Logos-Hymnus und johanneischer Prolog: BZ NF 1 (1957) 69–109; *ders.,* Das Johannesevangelium I (Freiburg i. Br. 1965) 200–205; *E. Käsemann,* Aufbau und Anliegen des johanneischen Prologs, in: Exegetische Versuche und Besinnungen II (Göttingen [3]1968) 155–181; *S. Schulz,* Komposition und Herkunft der johanneischen Reden (Stuttgart 1960); *E. Haenchen,* Probleme des johanneischen „Prologs": ZThK 60 (1963) 305–334; *J. Jeremias,* Der Prolog des Johannesevangeliums (Stuttgart 1967); *Ch. Demke,* Der sogenannte Logos-Hymnus im johanneischen Prolog: ZNW 58 (1967) 45–68; *J. T. Sanders,* a.a.O. 20–24; *K. Wengst,* a.a.O. 200–208; *R. G. Hamerton-Kelly,* a.a.O. 200–215; *H. Zimmermann,* Christushymnus und johanneischer Prolog, in: *J. Gnilka* (Hrsg.), Neues Testament und Kirche. FS R. Schnackenburg (Freiburg i. Br. 1974) 249–265. Die Einheitlichkeit des Prologs vertreten: *E. Ruckstuhl,* Die literarische Einheit des Johannesevangeliums (Freiburg/Schweiz 1951) 67–97; *W. Eltester,* Der Logos und sein Prophet, in: Apophoreta. FS E. Haenchen (Berlin 1964) 109–134.

[10] *G. Bornkamm,* Das Bekenntnis im Hebräerbrief, in: Ges. Aufs. II (München 1970) 188–203; *G. Deichgräber,* Gotteshymnus und Christushymnus in der frühen Christenheit (Göttingen 1967) 137–140; *K. Wengst,* a.a.O. 166–170; *J. T. Sanders,* a.a.O. 19f; *E. Gräßer,* Hebräer 1, 1–4, in: EKK. Vorarbeiten 3 (Zürich – Neukirchen 1971) 55–91; *O. Hofius,* Christushymnus (A. 7) 76–88.

[11] *R. Deichgräber,* a.a.O. 133–137; *J. T. Sanders,* a.a.O. 15–17; *K. Wengst,* a.a.O. 156–160; *W. Stenger,* Der Christushymnus in 1 Tim 3, 16: TThZ 78 (1969) 33–48.

[12] Zur Rekonstruktion: *F. Christ,* Jesus Sophia (Zürich 1970); *S. Schulz,* Q – Die Spruchquelle der Evangelisten (Zürich 1972). F. Christ hält die Authentie der Logien für möglich bzw. wahrscheinlich, aber nicht beweisbar (a.a.O. 74.92.117.148). Demgegenüber gehen die neueren Arbeiten zu Q (m.E. zu Recht) vom nachösterlichen Charakter der Worte aus. S. Schulz rechnet sie insgesamt zur jüngeren hellenistisch-jüdischen Schicht; *P. Hoffmann,* Studien zur Theologie der Logienquelle (Münster 1971), führt zunächst die jetzige Komposition auf Q zurück (102–142.164–180.224–233), und *D. Lührmann,* Die Redaktion der Logienquelle (Neukirchen 1969), bringt diese noch stärker mit der Redaktion von Q in Verbindung (29–31.45–48.64–68).

[13] Zur Diskussion über die Zugehörigkeit zu Q vgl. *P. Hoffmann,* a.a.O. 104 Anm. 6; *D. Lührmann,* a.a.O. 67.99.

F. Christ tritt Jesus hier „als Sprecher und Träger der Weisheit, darüber hinaus aber auch als die Weisheit selbst auf"[14].

Möglicherweise ist diese Aussage zu kategorisch, doch dürfte die gegenteilige Behauptung von D. Lührmann, daß „Jesus nirgends in Q... mit der Weisheit selbst identifiziert" wird[15], noch weniger zutreffen. Am ehesten könnte man noch bei Lk 7,31–35 par; 11,49–51 par vermuten, daß Jesus (nur) als Bote der Weisheit auftritt[16]. Anders ist dies bei Lk 13,34f par. Die Vorstellungen sind so massiv weisheitlich geprägt, daß man sogar (wohl nicht zu Unrecht) vermutet hat, daß hier ein jüdisches Wort vorliegt, dessen Sprecherin die Weisheit ist[17]. Im Kontext von Q ist durch V. 35 b[18] aber eindeutig, daß jetzt Jesus der Sprecher ist und damit die Attribute der Weisheit auf sich gezogen hat. Unter dieser Voraussetzung bleibt zumindest zu fragen, ob die „Kinder der Weisheit" Lk 7,35 par nicht die Anhänger Jesu (Q-Gemeinde) sind[19]

---

[14] *F. Christ*, a.a.O. 153; vgl. *E. Schweizer*, Aufnahme und Korrektur jüdischer Sophiatheologie im Neuen Testament, in: Neotestamentica (Zürich – Stuttgart 1963) 110–121, hier: 110; *U. Wilckens*, Weisheit und Torheit (Tübingen 1959) 197–200; *J. M. Robinson*, LOGOI SOPHON, in: *H. Köster – J. M. Robinson*, Entwicklungslinien durch die Welt des frühen Christentums (Tübingen 1971) 66–106, hier: 105; *A. Feuillet*, Jésus et la sagesse divine d'après les évangiles synoptiques: RB 62 (1955) 161–196; *P.-E. Bonnard*, La Sagesse en personne annoncée et venue: Jésus Christ (Paris 1966) 124–133; *W. A. Beardslee*, The Wisdom Tradition and the Synoptic Gospels: JAAR 35 (1967) 231–240; *W. Grundmann*, Weisheit im Horizont des Reiches Gottes, in: *R. Schnackenburg* (Hrsg.), Die Kirche des Anfangs. FS H. Schürmann (Freiburg i. Br. 1978) 175–199, hier: 179–183.

[15] *D. Lührmann*, Redaktion (A. 12) 99. *H. Köster*, Grundtypen und Kriterien frühchristlicher Glaubensbekenntnisse, in: *ders. – J. M. Robinson*, Entwicklungslinien (A. 14) 191–215, geht (in Anschluß an M. J. Suggs) davon aus, daß erst Mattäus Jesus mit der Weisheit identifiziert habe (206).

[16] *P. Hoffmann*, Studien (A. 12) 230.170f.183ff; *U. Wilckens:* ThWNT VII 516; vgl. *S. Schulz*, Q (A. 12) 352 Anm. 208; *R. G. Hamerton-Kelly*, Pre-existence (A. 2) 22–47, bes. 29–32 (bei Lk 13,34f par schließt er nicht aus, daß eine Identifikation vorliegt [33.35f]).

[17] *O. H. Steck*, Israel und das gewaltsame Geschick der Propheten (Neukirchen 1967) 53–58; *F. Christ*, Jesus Sophia (A. 12) 138ff; *S. Schulz*, a.a.O. 348 (Lit.).

[18] V. 35 b ist christliche Bildung (gegen *O. H. Steck*, a.a.O. 56f): *U. Wilckens:* ThWNT VII 516 Anm. 350; *P. Hoffmann*, Studien (A. 12) 176f; *S. Schulz*, a.a.O.

[19] *F. Christ*, Jesus Sophia (A. 12) 71f (vgl. 65f); *P. Hoffmann*, a.a.O. 229. – Daß Johannes und Jesus einfach parallel (als Boten der Weisheit) gesehen werden dürfen, verbietet schon die Bezeichnung Jesu als „Menschensohn"; so auch: *R. G. Hamerton-Kelly*, Preexistence (A. 2) 30.35.46f; und bes.: *W. Grundmann*, Weisheit (A. 14) 180f. Von der Sache her ist eher eine Parallelität von Weisheit und Menschensohn anzunehmen, der ja ebenfalls präexistent gedacht werden kann: vgl. äthHen 46–47; 48,2–7; dazu: *E. Sjöberg*, Der Menschensohn im äthiopischen Henochbuch (Lund 1946); *U. B. Müller*, Messias und Menschensohn in jüdischen Apokalypsen und in der Offenbarung des Johannes (Gütersloh 1972) 47–51; *K. Müller*, Menschensohn und Messias: BZ NF 16 (1972) 161–187; 17 (1973) 56–66; hier: 163–167 (weitere Konvergenzen zur Weisheit bei:

bzw. ob das Wort der Weisheit Lk 11,49–51 par (ἡ σοφία τοῦ θεοῦ εἶπεν = die Weisheit Gottes sprach V. 49a) in Q nicht als Jesuswort verstanden wurde[20], so daß auch diese beiden Logien die Übertragung der Vorstellung von der Weisheit auf Jesus voraussetzen. Das Fehlen einer expliziten, formalen Identifikation in Q besagt wenig, wenn davon ausgegangen werden muß, daß Aussagen, die sonst von der Weisheit gemacht wurden, nun auf Jesus angewendet werden (gegen Lührmann). Das gilt noch mehr von Mt 11,28–30, wo die Parallelität zu Aussagen und Funktionen der (besonders sirazidischen) Weisheit eklatant ist[21]. (Zu Lk 10,21 f par s. u. 3.2.2.3)

1.4 Vorausgesetzt, rezipiert und mit je eigenen Akzenten versehen ist die Präexistenzchristologie schließlich bei Paulus und Johannes. Doch kann darauf hier, wo es um ihre Genese geht, nicht im einzelnen eingegangen werden.

2. Die Genese der Präexistenzchristologie in der neueren Forschung (Auswahl)

Für eine traditionsgeschichtliche Erklärung der Genese der Präexistenzchristologie ist sicher schon viel gewonnen, wenn man die religionsgeschichtlichen Voraussetzungen ihrer Begrifflichkeit und ihrer Inhalte näher deklarieren kann (etwa: palästinisches Judentum, hellenistisches Judentum, Hellenismus etc.). Doch muß man sich darüber im klaren sein, daß damit die wichtigere Frage nach dem *Grund* für die – wie anzunehmen ist – interpretativ verändernde Übertragung vorgegebener Vorstellungen auf Jesus noch nicht beantwortet ist[22].

F. Christ, a. a. O. 69 f). *A. Feuillet*, Jésus et la sagesse (A. 14) 168, meint, die Stelle tendiere „vers l'identification du Fils de l'Homme avec la Sagesse"; vgl. *O. Cullmann*, Christologie (A. 2) 166. *R. G. Hamerton-Kelly*, a. a. O. 47, folgert aus der Verbindung mit der Menschensohntradition, daß Q Jesus verstanden habe als „heavenly being, not protologically pre-existent like Wisdom or Enoch's Son of Man, but nevertheless pre-existent before his coming as Wisdom's eschatological envoy".

[20] Dies wäre noch deutlicher, wenn Lk 13,34 f par die ursprüngliche Fortsetzung von Lk 11,49–51 par (aus frühjüdischer Weisheitstradition) sein sollte (vgl. Mt 23,34–36.37–39); so: *R. Bultmann*, Die Geschichte der synoptischen Tradition (Göttingen ⁶1964) 120 f; weitere Lit. bei *S. Schulz*, Q (A. 12) 348 Anm. 186. Zum traditionellen Charakter von Lk 11,49–51 par: *O. H. Steck*, Israel (A. 17) 51–53.223–237 (anders: *S. Schulz*, a. a. O. 341).

[21] Vgl. Sir 6,23–31; 24,19–22; 51,23–30 (auch: Spr 1,23; 8,32 f); weiteres Material bei: *F. Christ*, Jesus Sophia (A. 12) 102–117 (Lit.).

[22] Vgl. *M. Hengel*, Sohn (A. 2) 92 f.

Welche Erfahrung führte dazu, daß das Urchristentum Jesus als „Sohn Gottes" bezeichnen konnte oder mußte? Dabei wird es für eine differenzierte Würdigung eines so komplexen Phänomens notwendig sein, auf die historischen, soziologischen und theologischen Bedingungen zu achten. M.a.W.: Die Entstehung der Präexistenzchristologie ist einzuordnen der Geschichte des Urchristentums.

2.1 Einem weitgehenden exegetischen Konsens zufolge ist Ostern als der eigentliche Grund der Christologie anzusprechen. Stellvertretend für viele andere sei *G. Dautzenberg* zitiert, der am Ende seiner kleinen Studie „Christusdogma ohne Basis?" zu dem Ergebnis kommt: „Voraussetzung und Ursprungsort des christologischen Denkens im Neuen Testament ist die Erfahrung der Auferweckung des Gekreuzigten, des Bekenntnisses Gottes zu dem, der im Namen Gottes gehandelt hatte, aber irdisch gescheitert war. Der Auferstandene wurde... als der ‚Sohn Gottes' erkannt"[23]. Die Präexistenzchristologie bezeichnet Dautzenberg als „eine Konklusion, einen letzten Gedanken"[24]. Sie eröffnet der Gemeinde „die Möglichkeit, die Sendung Jesu von der Sendung der Propheten abzugrenzen, die Einmaligkeit dieser Sendung und ihre eschatologische Bedeutung auszudrükken"[25]. Die Übertragung des messianischen Sohn-Gottes-Titels auf den irdischen Jesus wie die Ausbildung der Präexistenzchristologie siedelt Dautzenberg im hellenistischen Judenchristentum an[26].

2.2 Nach *E. Schweizers* Artikel über υἱός (Sohn) im ThWNT liegt „die Wurzel" der Präexistenzchristologie „im Bereich der Logos- und Weisheitsspekulation des ägyptischen Judentums"[27]. Die Sendungsformel wird „vor Paulus auf die Menschwerdung des präexistenten Sohnes gedeutet" und erst „von Paulus auf den stellvertretenden Tod Jesu am Kreuz... bezogen"[28]. Für die Frage nach dem Grund der Christologie gibt der Artikel Schweizers wenig ab[29].

2.3 Eine deutliche Tendenz, neben Ostern auch die Bedeutung des irdischen Jesus für die Entwicklung der Christologie herauszustellen, läßt *R. Schnackenburg* in seinem Beitrag „Christologie des Neuen

---

[23] *G. Dautzenberg,* Christusdogma (A. 3) 36.
[24] Ebd. [25] A.a.O. 28.
[26] A.a.O. 18.28.
[27] ThWNT VIII (A. 2) 377.
[28] A.a.O. 385,25 ff; vgl. 386,26 ff.
[29] Daß auch für Schweizer Ostern den entscheidenden Faktor darstellt, vgl. Herkunft (A. 3) 109; Aufnahme (A. 14) 120.

Testaments" in „Mysterium Salutis" erkennen[30]. Die Auferstehung
Jesu markiert zwar „den geschichtlichen *Anfang* des Christusglaubens"; das heißt aber nicht, „daß auch sein eigentlicher *Ursprung* oder
Urgrund erst in jenem Ereignis liegt"[31]. Schnackenburg verweist auf
„die irdische Geschichte Jesu"[32]. Dennoch ruht das eigentliche
Schwergewicht auf Ostern. Die Auferweckung wird „als theologischer
Ansatzpunkt der urchristlichen Christologie" gewürdigt[33]; sie war
„nicht nur das auslösende Moment für den Christusglauben der Jünger", sondern wurde „auch zum Quellgrund der Christologie"[34]. In
seiner neuesten einschlägigen Veröffentlichung „Der Ursprung der
Christologie" faßt Schnackenburg zusammen: „Für die im Neuen
Testament nachweisbaren christologischen Artikulationen und Entwürfe gibt es zwei Ansätze bzw. Erkenntnisquellen, die aber nicht un-
verbunden nebeneinander stehen: Der irdische Jesus mit allem, was er
gesagt, getan und indirekt von sich selbst bezeugt hat, und der auferweckte Jesus, insofern er sich den Jüngern in neuer Weise und doch
als der ihnen bekannte Jesus erschlossen hat"[35].

2.4 *M. Hengel* nimmt in seinem sehr materialreichen Büchlein „Der
Sohn Gottes" bereits im Hinblick auf Röm 1,3f eine „zweifache Wurzel der Christologie" an[36]. „Die erste Wurzel ist der irdische Jesus aus
dem Geschlecht Davids"[37], die zweite bildet „das Auferstehungsge-
schehen"[38]. Ein gewisses Übergewicht behält Ostern allerdings insofern, als es sich „bei dem Bekenntnis zu dem ‚Sohn Gottes'" zunächst
„um eine ausgesprochene *Erhöhungsaussage*" handelt[39]. Die Präexi-

---

[30] Siehe *R. Schnackenburg*, Christologie (A. 4); vgl. auch *ders.:* LThK² V 932–940.
[31] Christologie 233.   [32] Ebd.
[33] A. a. O. 237.
[34] A. a. O. 238.
[35] *R. Schnackenburg*, Der Ursprung der Christologie, in: *ders.*, Maßstab des Glaubens
(Freiburg i. Br. 1978) 37–61, hier: 58. – Zur Weisheits-Präexistenz-Christologie stellt
Schnackenburg fest: Sie „wird sich weder auf Weisheitslogien Jesu noch auf unmittelbare
Reflexionen über den auferweckt-erhöhten Herrn zurückführen lassen, sondern beruht
wahrscheinlich auf früher nachösterlicher Reflexion über die eschatologische Sendung
Jesu" (Ursprung 57).
[36] *M. Hengel*, Sohn (A. 2) 95.
[37] Ebd.
[38] A. a. O. 97. Für die Wahl der Bezeichnung „Sohn Gottes" nennt er vier „gute historische Gründe": das einzigartige Gottesverhältnis Jesu, den messianischen Schriftbeweis,
die Rede Jesu vom kommenden Menschensohn, und die Möglichkeit, das hebräische
äbäd mit παῖς zu übersetzen und dieses dann als „Sohn" zu deuten (99–104).
[39] A. a. O. 104.

stenzchristologie versteht Hengel als eine „Weiterentwicklung der Christologie"[40]. Aus dem „Bekenntnis zur Erhöhung Jesu als Menschen- und Gottessohn in der Auferstehung" ergab sich die Notwendigkeit, „nach dem Verhältnis Jesu zu anderen Mittlerwesen" (Engel, Weisheit-Tora) und seiner Relation zu den bisherigen Heilsmitteln des Judentums (Tempeldienst, Tora) zu fragen[41]. So stellte sich der Präexistenzgedanke „aus innerer Notwendigkeit" ein[42]. Eine weitere Folge war, „daß der erhöhte Gottessohn auch die Schöpfungs- und Heilsmittlerfunktion der jüdischen Weisheit an sich zog"[43].

Was die Herkunft der Sohneschristologie anbelangt, so vermutet Hengel für Röm 1,3f „die erste judenchristliche Gemeinde in Jerusalem"[44]. Für die Präexistenzchristologie rechnet er damit, „daß sie erst in den Kreisen jener griechisch sprechenden Judenchristen entfaltet wurde, die, aus Jerusalem vertrieben, in den hellenistischen Städten Palästinas, Phöniziens und Syriens die Heidenmission begannen"[45].

2.5 Ein ganz anderes Konzept verfolgt *F. Mußner* in seinem Beitrag „Ursprünge und Entfaltung der neutestamentlichen Sohneschristologie"[46]. „Die Auferweckung Jesu von den Toten" habe „weder unmittelbar zu einer Messiaschristologie und erst recht nicht unmittelbar zu einer Sohneschristologie" geführt[47]. Ausgangspunkt ist für Mußner der irdische Jesus bzw. die Erfahrung, welche die Jünger mit Jesus machten. Die daran anknüpfende Reflexion ging zunächst „in Richtung einer Prophetenchristologie"[48]. In Anlehnung an U. Mauser[49] versteht Mußner die Propheten als Stellvertreter (repraesentatio)

---

[40] A.a.O. 105; vgl. *R. Schnackenburg*, Christologie (A.4) 322.
[41] A.a.O. 106.
[42] A.a.O. 111f.
[43] A.a.O. 113.
[44] A.a.O. 95; vgl. 93. Etwas anders (Hellenisten Jerusalems) in: Zwischen Jesus und Paulus: ZThK 72 (1975) 151–206, hier: 201f.
[45] *M. Hengel*, Sohn (A.2) 105. Einen unmittelbaren heidnischen Einfluß hält er für höchst unwahrscheinlich (ebd.); vgl. *O. Cullmann*, Christologie (A.2) 282–284.
[46] *F. Mußner*, Ursprünge, in: *L. Scheffczyk* (Hrsg.), Grundfragen der Christologie heute (Freiburg i.Br. 1975) 77–113. Vgl. auch *ders.*, Christologische Homologese und evangelische Vita Jesu, in: *B. Welte* (Hrsg.), Zur Frühgeschichte der Christologie (Freiburg i.Br. 1970) 59–73.
[47] Ursprünge 101.
[48] A.a.O. 84. Die vorösterliche Erfahrung der Jünger führte „nicht unmittelbar zum christologischen Sohnesprädikat" (86).
[49] Gottesbild und Menschwerdung (Tübingen 1971).

Jahwes[50]. Im Unterschied zu der nur fragmentarischen Aktionseinheit
der Propheten mit Jahwe[51] beinhaltete die Erfahrung der Jünger „eine
bis zur Deckungsgleichheit gehende Aktionseinheit Jesu mit Jahwe.
Um diese Erfahrung in der nachösterlichen Reflexion sprachlich zu artikulieren, stellte sich das Sohnesprädikat wie von selbst ein"[52]. Die
Sohneschristologie ist also eine Transformation der Prophetenchristologie[53]. Als maßgeblich dafür nennt Mußner „die vorösterliche Erfahrung des μᾶλλον und μεῖζον" (= des Überragenden) und „die ebenfalls
vorösterliche Erfahrung des ‚Rätselhaften' an Jesus"; dazu noch „die
nachösterliche Erinnerung an bestimmte ‚Weisheits'-Logien Jesu", die
in der Reflexion in Verbindung mit dem aus dem Alten Testament
„vorgegebenen Weisheitsmodell sehr früh eine Weisheitschristologie"
begründeten[54].

3. Versuch einer positiven Darstellung

3.1 Grundsätzliche Überlegungen und exegetische Beobachtungen

3.1.1 Die Bedeutung der Ostererfahrung

Daß Ostern der eigentliche Grund für die Christologie gewesen ist,
sollte man wenigstens für die Aussage vom messianischen Sohn Gottes
nicht bezweifeln. Hier spricht Röm 1,3f eine zu deutliche Sprache[55].
Inwieweit weitere Faktoren aus dem Leben des Irdischen noch maßgeblich waren[56], kann hier nicht weiter verfolgt werden.
    Im übrigen dürfte die Ostererfahrung auch für die Ausbildung der

---

[50] Ursprünge 93.95.
[51] A.a.O. 96.
[52] A.a.O. 97.
[53] Letztere ist „kein christologischer ‚Nebenkrater', der alsbald verdrängt wurde, sondern sie führte *von ihrem Wesen her* in der weiteren christologischen Reflexion der
Urkirche konsequent zur Sohneschristologie" (a.a.O. 97).
[54] A.a.O. 100f. – Ähnlich wie F.Mußner meint auch *R.G.Hamerton-Kelly*, Pre-existence (A.2) 101, daß „the initial impulse for the Christology of pre-existence … came …
from the historical Jesus"; er verweist bes. auf die Selbstbezeichnung „Menschensohn":
„he and his hearers understood it to imply his pre-existence".
[55] Vgl. *R. Schnackenburg*, Ursprung (A.35) 57.
[56] Vgl. etwa die Erklärung M. Hengels oben A.38.

Präexistenzvorstellung eine wichtige Rolle gespielt haben. Mit Sicherheit stellt sie den „geschichtlichen Beginn" im Sinne des terminus a quo dar[57]. Doch ist Ostern kaum der unmittelbare Ansatzpunkt wie bei der messianischen Sohnesaussage. Tatsächlich spielt in der Formel von der Sendung des Sohnes der Gedanke der Auferweckung keine Rolle. Dasselbe gilt für den Johannesprolog und für die synoptischen Jesus-Sophia-Worte[58]. Direkt genannt wird die Auferstehung bzw. Erhöhung allerdings im Kolosser- und Philipperhymnus (Kol 1,18; Phil 2,9) sowie in 1 Tim 3,16. Doch ist zu beachten, daß aus der Auferstehungs- bzw. Erhöhungsaussage die Präexistenz des Irdischen weder gefolgert werden kann noch in den Texten gefolgert wird. Vielmehr wird die Präexistenz für die Erhöhungs- bzw. Auferweckungsaussage vorausgesetzt, und das nicht nur zeitlich, sondern auch sachlich, was sich am deutlichsten in der kosmisch-universalen Qualifikation der Auferstehung bzw. Erhöhung in den drei Texten niederschlägt. Ostern dürfte also kaum der unmittelbare Ansatzpunkt für die Vorstellung von der Präexistenz Jesu gewesen sein, was nicht ausschließt, daß „die Auferweckung Jesu von den Toten... den hermeneutischen Prozeß" entscheidend vorangetrieben hat[59].

3.1.2 Transformation der Prophetenchristologie?

Von der Sache her stellt die Sohneschristologie eine Sprachkategorie zur Verfügung, die das Nicht-Verrechenbare, das Rätselhafte, das Überragende des irdischen Jesus adäquat umschreiben kann. Dies wird man F. Mußner bereitwillig zugestehen. Auch wird man kaum bestreiten können, daß entsprechende Erfahrungen mit Jesus inhaltlich für die Ausbildung der Sohneschristologie eine wichtige Rolle gespielt haben. Zu fragen bleibt aber, ob diese Erfahrungen den traditionsgeschichtlichen Ansatzpunkt der Sohneschristologie darstellen. Hätten sie in diesem Fall nicht einen stärkeren Niederschlag in den Sohnesaussagen finden müssen?[60] Auch der Umweg über die Transformation der

---

[57] Vgl. *R. Schnackenburg*, Christologie (A. 4) 230.
[58] Zu Lk 10,21 f par s. u. 3.2.2.3 (Ende).
[59] *F. Mußner*, Ursprünge (A. 46) 101.
[60] Es ist bezeichnend für die Präexistenztexte, daß sie auf die rätselhafte, alle Kategorien sprengende, machtvolle Erscheinung Jesu nicht eingehen, sondern im Gegenteil neben dem Daß seiner irdischen Existenz gerade seine Niedrigkeit bzw. seinen Tod betonen (s. u.).

Prophetenchristologie dürfte hier nicht weiterhelfen. Denn gerade, wenn man von der Erfahrung der „bis zur Deckungsgleichheit mit Jahwe gehende(n) totale(n) Aktionseinheit" Jesu ausgeht, ist zu bezweifeln, ob sich diese „zunächst in der nachösterlichen Prophetenchristologie" versprachlichte[61], schon wegen des notwendig mit dem Prophetischen verbundenen Gedankens fragmentarischer Stellvertretung. Hätte die erfahrene Aktionseinheit nicht eher eine Prophetenchristologie verhindern müssen? Die Prophetenchristologie muß kein Nebenkrater der Christologie sein, aber sie läßt sich auch kaum auf eine Linie mit der Sohneschristologie bringen[62], womit nicht geleugnet werden soll, daß zwischen beiden vielfältige Berührungen und Verbindungen bestehen.

Daß die Erinnerung an bestimmte Weisheitslogien Jesu die nachösterliche Reflexion in Richtung einer Weisheitschristologie beeinflußt haben könnte, ist denkbar, doch wird man schon in der Beurteilung der Authentie der Worte vorsichtig sein müssen[63]. Am ehesten könnte noch Lk 11,31 par Mt 12,42 (vgl. Lk 11,32 par) authentisch sein[64]. Doch wird man an diesem Wort allein kaum eine Weisheitschristologie aufhängen können.

Im folgenden sei daher versucht, einen Ansatzpunkt zu finden, der sich aus den Präexistenztexten selbst ergibt.

3.1.3 Präexistenz und Tod Jesu

3.1.3.1 *Die Sendungsformel:* Es fällt auf, daß die Sendung des präexistenten Sohnes Gal 4,4f; Röm 8,3f; Joh 3,16f; 1 Joh 4,9 immer mit ἵνα[= damit]-Sätzen verbunden ist, also die Heilsbedeutsamkeit der Sendung zum Ausdruck bringt. Die Präexistenzaussage hat demnach soteriologische Finalität. Es stellt sich die Frage nach dem Verhältnis von Präexistenzchristologie und Soteriologie: Ist eine bestimmte Soteriologie Voraussetzung der Präexistenzchristologie, oder hat die Präexistenzchristologie eine bestimmte Soteriologie zur Folge, die dann mit der Menschwerdung zu verbinden wäre?[65]

---

[61] *F. Mußner,* Ursprünge (A. 46) 108.
[62] Vgl. *O. Cullmann,* Christologie (A. 2) 48.
[63] Siehe o. A. 12.
[64] Zur Authentie: *F. Mußner,* Wege zum Selbstbewußtsein Jesu: BZ NF 12 (1968) 161–172, hier: 169–171. Anders: *R. Bultmann,* Geschichte (A. 20) 118; *D. Lührmann,* Redaktion (A. 12) 38.64; *S. Schulz,* Q (A. 12) 253.
[65] Vgl. *E. Schweizer,* oben 2.2.

Nun ist nicht mehr bekannt, wie der ἵνα-Satz der traditionellen Formel ursprünglich gelautet hat. Auffallend aber ist, daß die Formel nach den jetzigen Kontexten immer mit der Heilsbedeutsamkeit des Todes Jesu in Verbindung gebracht wird[66]. Dies gilt sowohl für Paulus wie für Johannes. Diese Tatsache dürfte sich – trotz zugegebener redaktioneller Formulierung der einschlägigen Wendungen – am besten dadurch erklären, daß bereits die traditionelle Formel entweder direkt einen Hinweis auf den Tod Jesu enthielt oder wenigstens assoziativ mit dem Tod Jesu (als ihrem situativen Kontext in der Sprachkompetenz ihrer Sprecher und Rezipienten) verbunden war[67]. Es dürfte also nicht erst Paulus gewesen sein, der die Formel auf den stellvertretenden Tod Jesu bezogen hat (gegen E. Schweizer)[68]. Daß tatsächlich die Präexistenzaussage mit dem Tod Jesu in engster Verbindung steht, bestätigt eine Reihe weiterer Beobachtungen.

3.1.3.2 *Die Hymnen:* Die Entäußerung des ἐν μορφῇ θεοῦ ὑπάρχων (der in der Daseinsweise Gottes sich befand) im Philipperhymnus erschöpft sich nicht in der Menschwerdung als solcher, sondern hat ihr letztes Ziel in der Aussage der Erniedrigung: γενόμενος ὑπήκοος μέχρι θανάτου (gehorsam geworden bis zum Tod) (2,8)[69]. Ausdrücklich soteriologisch endigt der Kolosserhymnus: δι᾽ αὐτοῦ

---

[66] Dies betont ausdrücklich auch *E. Schweizer* (!), Jesus Christus (A. 3) 86 f („An allen vier Stellen … steht nicht etwa seine Menschwerdung im Mittelpunkt der Aussage, sondern sein Kreuzestod": 86). Gal 4,5 ἵνα τοὺς ὑπὸ νόμον ἐξαγοράσῃ bezieht sich eindeutig auf den Heilstod Jesu am Kreuz, vgl. Gal 3,13. Derselbe Bezug ergibt sich aus Röm 8,3, wenn die Sendung ἐν ὁμοιώματι σαρκὸς (ἁμαρτίας) als περὶ ἁμαρτίας κατέκρινεν τὴν ἁμαρτίαν ἐν τῇ σαρκί verdeutlicht wird. Joh 3,14f gibt als Folie für das Verständnis von 3,16f die Erhöhung des Menschensohnes an, was nach dem Kontext sich ebenfalls nur auf den Kreuzestod beziehen kann. 1 Joh 4,10 nennt als Ziel der Sendung des Sohnes den ἱλασμὸς περὶ τῶν ἁμαρτιῶν ἡμῶν, was nach allgemein urchristlicher Sprachkompetenz den Sühnetod Jesu meint.

[67] Schon *A. Seeberg*, Katechismus (A. 3) 59, bemerkte, „daß die Formel Menschwerdung und Tod Jesu nebeneinander nannte".

[68] Vgl. oben 2.2. Zur grundsätzlichen Fragwürdigkeit eines Inkarnations-Erhöhungs-Schemas vgl. *O. Hofius*, Christushymnus (A. 7) 13 f.

[69] *O. Hofius,* a. a. O. 3–17, vertritt gegen die herrschende Meinung wieder die Auffassung, daß θανάτου δὲ σταυροῦ (bis zum Tod am Kreuz) ursprünglich sei (so schon M. Dibelius, An die Thessalonicher I.II [Tübingen ³1937] 81). Daraus folgert er: „Es drängt sich… die Vermutung auf, daß im Hymnus eine feste Anschauung von der Heilsbedeutung des Sterbens Jesu bereits vorausgesetzt ist" (17). Vgl. *G. Schneider,* Präexistenz Christi, in: *J. Gnilka* (Hrsg.), Neues Testament und Kirche. FS *R. Schnakkenburg* (Freiburg i. Br. 1974) 399–412, hier: 407 f.

ἀποκαταλλάξαι τὰ πάντα εἰς αὐτόν (durch ihn zu versöhnen das All auf ihn hin). Dies verdeutlicht der Verfasser des Kolosserbriefes durch εἰρηνοποιήσας διὰ τοῦ αἵματος τοῦ σταυροῦ αὐτοῦ (Frieden schaffend durch das Blut seines Kreuzes) (1,20)[70], und dies wohl kaum gegen die ursprüngliche Intention der traditionellen Aussage[71]. Das gleiche dürfte für die Wendung καθαρισμὸν τῶν ἁμαρτιῶν ποιησάμενος (nachdem er Reinigung von den Sünden bewirkt hatte) im Hebräerhymnus gelten (1,3), sofern sie nicht schon zum ursprünglichen Überlieferungsmaterial gehörte[72].

Keinen direkten Bezug zum Tod Jesu scheinen der Johannesprolog und 1 Tim 3, 16 herzustellen. Doch dürfte dies im letzten Fall durch die pointiert auf die weltweite Mission gerichtete Zielsetzung bedingt sein. Darüber hinaus bleibt zu überlegen, ob die Gegenüberstellung von Erscheinung ἐν σαρκί (im Fleisch) und Rechtfertigung ἐν πνεύματι (im Geist) nicht den Gedanken des Todes Jesu impliziert, wie dies z. B. sicher in 1 Petr 3, 18 der Fall ist[73]. Ähnlich ist es im Falle des Johannesprologs immerhin erwägenswert, ob σὰρξ ἐγένετο (ist Fleisch geworden) nicht wenigstens assoziativ den Kreuzestod im Auge hat, was mit einiger Sicherheit für den Evangelisten gelten dürfte[74].

---

[70] So die opinio communis.

[71] *B. Klappert*, Die Auferweckung des Gekreuzigten (Neukirchen ²1974) 283 Anm. 68; vgl. *R. Schnackenburg*, Aufnahme (A. 8) 45 f; *H. Hegermann*, Vorstellung (A. 2) 120–123. *K. Wengst*, Formeln (A. 8) 172 f, möchte die Wendung sogar zum ursprünglichen Bestand des Hymnus rechnen.

[72] So: *G. Bornkamm*, Bekenntnis (A. 10) 197 f; *R. Deichgräber*, Gotteshymnus (A. 10) 137–140; *J. T. Sanders*, Hymns (A. 7) 19 f; *K. Wengst*, a. a. O. 166–170. Gelegentlich wird die Wendung dem Verfasser zugeschrieben: *G. Theißen*, Untersuchungen zum Hebräerbrief (Gütersloh 1969) 50 f; *E. Gräßer*, Hebräer 1, 1–4 (A. 10) 66 f, der aber gegen Theißen das Glied nicht völlig eliminieren will (a. a. O. Anm. 96); vgl. *O. Hofius*, Christushymnus (A.7) 84.

[73] Vgl. *J. T. Sanders*, a. a. O. 25.94 f; J. Jeremias, Die Briefe an Timotheus und Titus (NTD 9) (Göttingen 1975) 29; *R. Deichgräber*, a. a. O. 134; *O. Hofius*, Christushymnus (A. 7) 14 f. – *R. Deichgräber*, a. a. O. 163 f, stellt überhaupt fest, daß keiner der christologischen Hymnen (wobei er allerdings Joh 1 nicht behandelt) „Jesu irdisches Leben, und zwar speziell sein Leiden und sein Sterben, ausläßt". Dazu weiter: *B. Klappert*, Auferweckung (A. 71) 282.

[74] *R. Schnackenburg*, Joh I (A. 9) 243; vgl. *W. Thüsing*, Zugangswege (A. 4) 245; anders: *H. Zimmermann*, Christushymnus (A. 9) 262 f. – Ich folge hier der Rekonstruktion von *R. Schnackenburg*, Logos-Hymnus (A. 9); vgl. ders., Joh I 200–205 (ähnlich: *R. Bultmann*, Joh [A. 9] 3 f). Andere lassen den Hymnus schon mit V. 11 bzw. 12 endigen: *J. T. Sanders*, a. a. O. 20–24; *E. Käsemann*, Aufbau (A. 9); *Ch. Demke*, Logos-Hymnus (A. 9); *G. Richter*, Die Fleischwerdung des Logos im Johannesevangelium: NT 13 (1971)

3.1.3.3 *Jesus-Sophia-Logien:* Bemerkenswert ist auch, daß der überwiegende Teil der synoptischen Jesus-Sophia-Worte von der Ablehnung Jesu bzw. von der Tötung der Boten der Weisheit spricht (Lk 7,31–35; 11,49–51; 13,34 f par)[75]. Ablehnung Jesu und Tötung der Boten sind dabei parallel zu sehen. Die Ablehnung der Boten der Weisheit ist eine Ablehnung der Weisheit selbst, als deren Sprecher Jesus auftritt bzw. mit ihr identisch ist[76]. In Lk 13,34f par ist denn auch die Tötung der Boten und die Ablehnung Jesu direkt verbunden[77]. Man wird deshalb nicht fehlgehen, wenn man die Ablehnung der Weisheit bzw. Jesu in Analogie zum Schicksal der Boten sieht, also auf Jesu Tod bezieht[78].

3.1.3.4 *Paulus:* Explizit ist dieser Zusammenhang von (präexistenter) Weisheit und Jesu Tod bei Paulus in 1 Kor 1.2 gegeben. Die meistgegebenen Hinweise, daß der hier massiert auftretende Begriff „Weisheit" sich aus der Polemik gegen eine Weisheitstheologie der Gegner und die besondere Betonung des Kreuzes sich aus der spezifischen Denkstruktur des Paulus verstehen[79], sind ohne Zweifel richtig, erklären aber noch nicht befriedigend, warum Paulus beides zusammen bringen kann. Es sollte zumindest mit der Möglichkeit gerechnet werden, daß Paulus an vorgegebene Gedanken, die Weisheit und Jesu Todesgeschick in Verbindung brachten, anknüpfen kann[80].

3.1.3.5 *Das Winzergleichnis:* Schließlich ist noch auf das sog. Winzergleichnis Mk 12,1–12 aufmerksam zu machen, wo ebenfalls die Sendung des Sohnes (V. 6) in engem Konnex mit seinem Tod (V. 7f) steht. Die Präexistenz ist hier zwar nicht direkt ausgesprochen, doch

---

81–126. In diesem Fall wäre der Bezug auf den Tod m. E. noch deutlicher, weil dann V. 11 nicht mehr auf das vorinkarnatorische Sein des Logos (vgl. *R. Schnackenburg,* Joh I 243), sondern auf die Inkarnation zu beziehen ist; die Ablehnung durch die Seinigen schließt den Tod wenigstens implizit mit ein (vgl. *M. Rissi,* Die Logoslieder im Prolog des vierten Evangeliums: ThZ 31 [1975] 321–336, hier: 329).

[75] Zu Lk 10,21f par s. u. 3.2.2.3 (Ende).

[76] Siehe o. 1.3.

[77] Dem entspricht, daß Jesus einerseits sendet, andererseits selbst gesandt ist: Lk 7,31–35 par; Mt 10,40 par (vgl. *F. Christ,* Jesus Sophia [A. 12] 130).

[78] Vgl. *F. Christ,* a. a. O. 146f.

[79] Vgl. dazu: *U. Wilckens,* Weisheit und Torheit (Tübingen 1959); *D. Lührmann,* Das Offenbarungsverständnis bei Paulus und in den paulinischen Gemeinden (Neukirchen 1965) 113–117.133–140; *H.-W. Kuhn,* Jesus als Gekreuzigter in der frühchristlichen Verkündigung: ZThK 72 (1975) 1–46, hier: 30f.

[80] Siehe u. 3.2.2.3 (Ende).

kann sie aufgrund der Parallelität der Sendung der Knechte (Propheten) und der Sendung des Sohnes auch nicht ausgeschlossen werden[81].
Auf die „Verbindung von Weisheitstradition und Tradition des dtr GB
(deuteronomistischen Geschichtsbildes), die schon in der asidäischen
Bewegung begonnen hat", hat bereits O. H. Steck aufmerksam gemacht[82]. Unmittelbare neutestamentliche Belege hierfür sind die o. a.
Jesus-Sophia-Logien[83]. Unter dieser Voraussetzung wird man fragen
müssen, ob die qualitativ der Sendung der Knechte überlegene Sendung
des Sohnes und insbesondere die Qualifikation des Gesandten als des
Sohnes im Winzergleichnis sich ausreichend mit der eschatologischen
Qualität des Gesandten erklärt[84] oder ob die eschatologische Bedeutung seiner Sendung nicht dadurch zustande kommt, daß der Gesandte
von vornherein in besonderer Nähe zu Gott steht, also Sohn ist. Damit
wäre aber ein mittelbarer Bezug zum Präexistenzgedanken gegeben,
der m. E. wenigstens implizit im Winzergleichnis vorausgesetzt ist[85].

3.1.3.6 Festzuhalten bleibt, daß nach Ausweis der angeführten
Texte die Präexistenzchristologie in einem engen Zusammenhang mit
dem Tode Jesu steht, dessen soteriologische Qualität häufig herausgestellt wird, teils direkt (Sendungsformel; Kolosser- und Hebräerhymnus), teils wenigstens indirekt, indem Jesu Ablehnung zur Gerichtsaussage gewendet wird (Lk 11,49–51; 13,34f par; Mk 12,1–12)[86].
Da der Zusammenhang von Präexistenz und Tod Jesu nahezu durchgängig – trotz der sonst nicht unerheblichen Unterschiede der einzelnen
Autoren und Traditionen – zu beobachten ist, ist zu vermuten, daß die
Vorstellung von Jesus als der präexistenten Weisheit bzw. dem präexistenten Sohn von allem Anfang an im Zusammenhang mit dem Tode
Jesu gedacht wurde. Bezüglich der Frage nach dem Verhältnis von

---

[81] Gegen *F. Hahn*, Hoheitstitel (A. 3) 315f; *J. Blank*, Die Sendung des Sohnes, in:
J. Gnilka (Hrsg.), Neues Testament und Kirche. FS R. Schnackenburg (Freiburg i. Br.
1974) 11–41, hier: 17.22.
[82] *O. H. Steck*, Israel (A. 17) 224.
[83] Lk 11,49–51; 13,34f par werden auch von *J. Blank*, Sendung (A. 81) 22–25, als Parallelen zu Mk 12,1–12 herausgestellt.
[84] Vgl. *J. Blank*, a.a.O. 17.22.
[85] So auch *R. H. Fuller*, Foundations (A. 2) 194.
[86] Zu betonen bleibt außerdem, daß das Fehlen einer ausdrücklichen Artikulation des
soteriologischen Bezuges keineswegs berechtigt, ihn auch sachlich auszuschließen.
Grundsätzlich dürfte *J. Blank*, Paulus und Jesus (München 1968) 265, im Recht sein,
wenn er feststellt, daß das Neue Testament „vom konkreten Heilsgeschehen losgelöste
Präexistenzvorstellungen" nicht kennt.

Soteriologie und Präexistenzchristologie (s. o. 3.1.3.1) ist eher ein Primat der Soteriologie anzunehmen [87], da eine traditionsgeschichtlich vorgängige Präexistenzchristologie eher eine Soteriologie der Menschwerdung „produziert" haben dürfte. Damit ist natürlich noch nicht bewiesen, daß eine bestimmte Soteriologie, nämlich der Gedanke der Heilsbedeutsamkeit des Todes Jesu, die Voraussetzung für die Präexistenzchristologie darstellt. Doch läßt sich für diese Annahme ein theoretisches Modell erstellen, das sich der Geschichte des Urchristentums relativ gut zuordnen läßt.

3.2 Die Entstehung der Präexistenzchristologie im Rahmen der Geschichte des Urchristentums

3.2.1 Der religionsgeschichtliche Rahmen: Das weisheitliche Denken der Hellenisten Jerusalems

Die Ausbildung der Präexistenzchristologie dürfte religionsgeschichtlich gesehen besonders stark vom hellenistischen Judentum beeinflußt sein [88]. Dort – unsere Belege beziehen sich vor allem auf das ägyptische Judentum – liegt ein Großteil der präexistenzchristologisch relevanten Begriffe und Vorstellungen bereit. Zu verweisen ist insbesondere auf die alexandrinische Sapientia Salomonis und die Logos-Spekulation des Philo [89].

Dies bedeutet keineswegs, daß die Präexistenzchristologie in Ägypten oder auch nur außerhalb Palästinas entstanden sein muß. Auf palästinisches Milieu verweist u. a. die Verbindung der Weisheitstradition mit dem deuteronomistischen Geschichtsbild [90], die zum Teil für die Jesus-Sophia-Logien typisch ist (s. o. 3.1.3.5). Im übrigen ist das hellenistische Judentum keine Größe, die man geographisch vom palä-

---

[87] Ähnlich *B. Klappert*, Auferweckung (A.71) 283: „Die Präexistenz- und Inkarnationsaussage der Hymnen ist traditionsgeschichtlich als Ausweitung der auch isoliert auftretenden Passions- und Erhöhungsaussage zu begreifen."
[88] Zumindest bezüglich des religionsgeschichtlichen Materials wird sich dies kaum bestreiten lassen. Vgl. dazu vor allem die Arbeiten von *E. Schweizer*: Hintergrund (A. 3); Aufnahme (A. 14); Herkunft (A. 3); ThWNT VIII 364–395; weiter: *R. Schnackenburg*, Joh I (A.9) 257–269.290–302; *H. Hegermann*, Vorstellung (A.2); *M. Hengel*, Sohn (A. 2) 104–120.
[89] Vgl. dazu unten 3.2.3.1; Lit. oben A. 2.
[90] Vgl. *O. H. Steck*, Israel (A. 17) 164 Anm. 5; 205 ff.222.

stinischen Judentum absetzen könnte, wie man sich denn auch von
dem immer noch nachwirkenden Dogma freimachen muß, das hellenistische Judenchristentum stelle traditionsgeschichtlich eine auf das
palästinische Judenchristentum folgende Phase der Geschichte des
Urchristentums dar. Die Gruppe der „Hellenisten" Jerusalems (Apg
6,1), als deren Exponenten Stephanus und die Sieben anzusehen sind,
beweist zur Genüge, daß das hellenistische Judenchristentum eine
Größe der ersten Tage des Urchristentums gewesen ist[91].

Angesichts des engen Kontaktes, den Paulus mit diesen Hellenisten
nach ihrer Vertreibung in Antiochien gehabt hat, ist damit zu rechnen,
daß ihm die Präexistenzchristologie, die er ja voraussetzt, über diese
Quelle wenigstens vermittelt wurde. Daß darüber hinaus die Entstehung der Präexistenzchristologie mit den hellenistischen Judenchristen Jerusalems zusammenhängen könnte, wird dadurch nahegelegt,
daß für diese weisheitliches Denken eine nicht unerhebliche Rolle gespielt haben muß. Immerhin dürfte es schwerlich ein Zufall sein, daß
die Apostelgeschichte das Wort σοφία (Weisheit) nur im Zusammenhang mit der Einsetzung der Sieben (6,3) und bezogen auf Stephanus
(6,10) bzw. innerhalb der Stephanusrede (7,10.22) bringt[92]. Ob dabei
die Bezugnahme auf den ägyptischen Josef bzw. die Bemerkung, daß
Mose „in aller Weisheit der Ägypter" ausgebildet wurde, auf ein direktes Interesse der Hellenisten an ägyptischer Weisheitsspekulation
schließen läßt, muß offenbleiben. Verbindungen zum Judentum Ägyp-
tens sind in jedem Fall vorauszusetzen; dies ergibt sich schon aus der
Apg 6,9 bezeugten Synagoge der Alexandriner[93].

Daß ein weisheitlich geprägtes hellenistisches Judentum in Jerusalem nun besonderes Interesse an Spekulationen gehabt haben muß, die
die Weisheit mit der Tora und dem Tempel bzw. dem Zionsberg in
Zusammenhang brachten – erwähnt seien hier nur Bar 4,1; Sir 24,23;

---

[91] Darauf hat bereits O. *Cullmann*, Christologie (A. 2) 332 f, verwiesen. Thematisiert
wird das Problem bei *M. Hengel*, Christologie und neutestamentliche Chronologie, in:
H. Baltensweiler – B. Reicke (Hrsg.), Neues Testament und Geschichte. FS O. Cullmann
(Zürich – Tübingen 1972) 43–67 (dort, 51–55, auch die berechtigte Kritik an *F. Hahn*, Hoheitstitel [A.3], und *W. Kramer*, Christos [A.3], die das zeitliche Nebeneinander von aramäisch sprechender Gemeinde und hellenistisch-jüdischer Gemeinde zu wenig berücksichtigen); vgl. *W. Thüsing*, Erhöhungsvorstellung und Parusieerwartung in der ältesten
nachösterlichen Christologie (Stuttgart 1969) 28 f.
[92] Vgl. *M. Hengel*, Jesus (A. 44) 186.
[93] Dazu *M. Hengel*, a. a. O. 182–184.

24,8–12[94] –, bedarf keiner Diskussion. Zu Recht betont M. Hengel: „Die aus der Diaspora nach Jerusalem zurückgekehrten Juden hatten für ihre Heimkehr in erster Linie religiöse Motive, sie waren in der Regel gerade nicht ‚liberal‘ und standen wohl häufig jener geistigen Haltung nahe, die Paulus für seine vorchristliche pharisäische Zeit von sich bezeugt. Man fühlte sich als Rückkehrer mit Tempel und Tora auf das Intensivste verbunden, sonst wäre man nicht in das wirtschaftlich und kulturell wenig anziehende Judäa zurückgekehrt und hätte sich einen anderen Wohnort als Jerusalem herausgesucht."[95]

Sofern die Präexistenzchristologie weisheitliches Denken voraus-setzt, stellt das hellenistische Judenchristentum Jerusalems religions-geschichtlich gesehen den denkbar besten Nährboden für ihre Entste-hung und Entwicklung zur Verfügung, da sich hier die hellenistisch-jüdische (uns vorwiegend aus ägyptischen Belegen bekannte) Weisheitsspekulation mit dem Weisheitsdenken des palästinischen Judentums auf das Innigste verbinden konnte, ja, das besondere Inter-esse der Hellenisten an Tempel und Tora vorausgesetzt, sogar verbin-den mußte. Daß es in diesem Milieu auch zur Adaption deuteronomi-stisch gefärbter Aussagen, gerade sofern sie bereits mit der Weis-heitstradition verquickt waren, kommen konnte, ist zumindest gut denkbar.

3.2.2 Der traditionsgeschichtliche Ansatzpunkt: Der Gedanke der Heilsbedeutsamkeit des Todes Jesu

3.2.2.1 Die religionsgeschichtliche Möglichkeit, die Präexistenz-christologie mit den Hellenisten Jerusalems in Verbindung zu brin-gen, ist noch keine traditionsgeschichtliche Erklärung ihrer Entste-hung. Hierfür ist vor allem die an den Texten beobachtete Nähe von Präexistenz und Tod Jesu mit zu berücksichtigen. D. h., die Präexi-stenzchristologie muß in einem Milieu entstanden sein, wo dem Tod Jesu eine besondere Bedeutsamkeit beigemessen wurde.

Auch hier stößt man wieder auf die Hellenisten Jerusalems, sofern

---

[94] Zur Entstehung und zur hebräischen Herkunft von Baruch und Sirach: *L. Rost*, Ein-leitung in die alttestamentlichen Apokryphen und Pseudepigraphen (Heidelberg 1971) 47–53; zur Sache vgl. *M. Hengel*, Sohn (A. 2) 78–80; *J. Marböck*, Gesetz und Weisheit: BZ NF 20 (1976) 1–21 (Lit.).
[95] *M. Hengel*, Jesus (A. 44) 185; vgl. 189.

man für sie die Aussage von der Heilsbedeutsamkeit des Todes Jesu, etwa im Sinn der alten Formel von 1 Kor 15,3–5, voraussetzen darf. Im Hinblick darauf vermutet M. Hengel sogar, „daß ihr eigentlicher Ursprungsort in der Gemeinde der ‚Hellenisten' in Jerusalem zu suchen ist"[96]. Unabhängig davon ist aber der Gedanke von der Heilsbedeutsamkeit des Todes Jesu zum theologischen Inventar der ältesten Christenheit allgemein zu rechnen[97].

Jedenfalls würden sich unter der Voraussetzung, daß diejenigen, die die Präexistenzchristologie ausgebildet haben, von der Heilsbedeutsamkeit des Todes Jesu ausgingen, die oben 3.1.3 gemachten Textbeobachtungen hervorragend erklären:

a) Es würde verständlich, warum in den Präexistenztexten durchgängig die Ablehnung bzw. der Tod Jesu und nicht das Leben des Irdischen im allgemeinen (oder gar ein bestimmtes Ereignis daraus) von elementarem Interesse ist.

b) Noch eindeutiger begründbar würde die Tatsache, daß in nicht wenigen Texten die Sendung des Präexistenten direkt mit der Heilsbedeutsamkeit seines Todes in Zusammenhang gebracht wird.

c) Allerdings wird man sich die Verbindung von Soteriologie und Präexistenzchristologie nicht so vorstellen dürfen, daß letztere traditionsgeschichtlich eine Transformation der Aussage vom heilsbedeutsamen Tod Jesu darstellt. Doch würde, das Wissen von dieser Aussage vorausgesetzt, sehr gut verständlich, warum das deuteronomistische Geschichtsbild gerade in Verbindung mit der (heilsmittlerischen) Weisheit rezipiert wird. Dies ist im folgenden weiter zu entfalten.

3.2.2.2 Zunächst läßt sich aus dem Gedanken der Heilsbedeutsamkeit des Todes Jesu nur folgern, daß er – konsequent gedacht – zur Konfrontation mit den bisherigen Heilsmitteln des Judentums, das sind insbesondere Tempeldienst und Tora, führen mußte. Auf diese Konfrontation mit den jüdischen Heilsmitteln hat bereits M. Hengel hingewiesen[98]. Allerdings sieht er – anders als hier – das Bekenntnis

---

[96] A.a.O. 201.
[97] Wahrscheinlich hat Jesus selbst diesen Gedanken (beim Abendmahl) initiiert; vgl. *H. Merklein*, Erwägungen zur Überlieferungsgeschichte der neutestamentlichen Abendmahlstraditionen: BZ NF 21 (1977) 88–101.235–244, bes. 236f; *H. Schürmann*, Jesu ureigener Tod (Freiburg i. Br. 1975) 56–63.73–96; *P. Stuhlmacher*, Achtzehn Thesen zur paulinischen Kreuzestheologie, in: *J. Friedrich* u.a. (Hrsg.), Rechtfertigung. FS E. Käsemann (Tübingen 1976) 509–525, hier: 522.
[98] *M. Hengel*, Sohn (A. 2) 106.

zum Gottessohn als Ausgangspunkt und nicht als Folge der (soteriologisch bedingten) Konfrontation an.

Tatsächlich findet sich bei den Hellenisten Jerusalems Tempel- und Torakritik (vgl. Apg 6,11.13.14). Letztere wird man sich allerdings noch nicht so antithetisch wie bei Paulus vorstellen dürfen. „Der Jesus, der ‚die Gesetze, die uns Mose überliefert hat, ändern wird'..., scheint eher ein neuer Gesetzgeber als ‚des Gesetzes Ende' (Röm 10,4) zu sein"[99].

Darauf ist später noch einzugehen. Vorab ist festzuhalten, daß eine christologisch bedingte Tempel- und Torakritik den Hauptstreitpunkt mit den hellenistischen Synagogen darstellt.

Daß die aramäisch sprechende Christengruppe unter der Führung der Zwölf in Jerusalem verbleiben kann (vgl. Apg 8,1), liegt einerseits daran, daß die Streitigkeiten ein vorwiegend innerhellenistisches Problem darstellen[100], ist andererseits aber auch sachlich darin begründet, daß die „Hebräer" Tempel und Tora gegenüber eine „loyalere" Haltung eingenommen haben. Dies aber ist auf dem Hintergrund der „hellenistischen" Stellungnahme zunächst verwunderlich, da der Gedanke der Heilsbedeutsamkeit des Todes Jesu für die Hebräer in gleicher Weise vorauszusetzen ist.

Die Art des Theologisierens speziell der Hellenisten muß also eine Komponente enthalten haben, die ihnen eine grundsätzlichere Formulierung der Konsequenz der Aussage von der soteriologischen Bedeutung des Todes Jesu bezüglich der bisherigen jüdischen Heilsmittel ermöglichte, ja sie dazu nötigte. Diese Komponente dürfte im weisheitlichen Denken des hellenistischen Judentums zu suchen sein, das im Falle der hellenistischen Rücksiedler nach Jerusalem und ihres ausgeprägten Eifers für Tora und Tempel vor allen Dingen an einer weisheitlichen Reflexion von Tempel und Tora interessiert war (s. o. 3.2.1). Ergab sich doch von hier aus die Möglichkeit, die Offenbarungs- und Heilsmittlerfunktion von Tempel und Tora in umfassender, einzigartiger und nicht mehr zu überbietender Weise zu artikulieren. Jede Debatte um Tempel und Tora mußte sich in diesem Milieu auf einem noch grundsätzlicheren Forum bewegen, als dies ohnehin im Judentum schon üblich war. In diesem Denkschema mußte insbesondere das Bekenntnis zur Heilsbedeutsamkeit des Todes Jesu zu einer

---

[99] M. Hengel, Jesus (A.44) 191, in bezug auf Apg 6,14.
[100] Vgl. M. Hengel, a.a.O. 187–190.

tiefgreifenden Erschütterung führen. Denn durch die Identifizierung
der Tora mit der Weisheit bzw. mit deren Lokalisierung im Tempel war
die Heilsmittlerfunktion von Tora bzw. Tempel so exklusiv-umfas-
send und endgültig, da bereits präexistent und damit ewig, formuliert,
daß sie eine Heilsmittlerschaft daneben oder gar darüber hinaus nicht
zulassen konnte. In diesem Milieu konnte eine Frage nach dem Verhältnis von Heilsmittlerschaft von Tempel bzw. Tora zur Heilsmittlerschaft Jesu nicht aufkommen bzw. mußte, wenn sie aufkam, unwei-
gerlich zur Konfrontation führen. Wenn Jesu Tod das endgültige Heil
verkörperte, war nicht mehr der bestehende Tempel der Ort der
Erwählung und der Gegenwart Gottes, war nicht mehr die Mose-Tora
die Offenbarung Gottes zum Heil der Menschen, sondern Jesus selbst,
und zwar in paradoxer Weise gerade in der Niedrigkeit seines Todes.
Das Bekenntnis zum Heilstod Jesu mußte unter den weisheitlich orientierten hellenistischen Juden Jerusalems zur Krise führen, sei es, daß
man das Bekenntnis übernahm und damit Tora und Tempel kritisch
relativierte, sei es, daß man diesem Bekenntnis und seinen Anhängern
den Kampf ansagte. Beides ist unter den hellenistischen Juden Jerusalems geschehen.

Wenn es richtig ist, daß weisheitliches Denken als Motiv für Tempel-
bzw. Torakritik der Hellenisten anzusprechen ist, dann war ein weiterer Schritt nur die notwendige Folge. Daß Jesu Heilstod die Heilsmittlerfunktion von Tempel und Tora in Frage stellte, konnte ja nicht als
Infragestellung der Heilsmittlerfunktion der Weisheit ausgelegt werden. Vielmehr mußte in dem Maße, als man Tempel und Tora aus ihrer
Verbindung mit der Weisheit löste, Jesus selbst das Gepräge der Weisheit bekommen: Jesus mußte als Verkörperung und Offenbarung der
Weisheit bekannt werden.

Damit war die Idee der Präexistenzchristologie geboren, und die
grundsätzlichen Möglichkeiten ihrer weiteren, sicher noch einige Zeit
erfordernden Ausgestaltung waren vorgegeben. Daß mit der Idee von
der Verkörperung der präexistenten Weisheit in Jesus auch eine Sprachkategorie gefunden war, die das Unverrechenbare und Unerfaßbare im
Wirken und Auftreten des irdischen Jesus zu artikulieren vermochte,
steht außer Frage[101]. *Religions- und traditionsgeschichtlich aber dürfte*

---

[101] Siehe o. 3.1.2. Eine gewisse katalytische Funktion könnte Lk 11,31 par zukommen,
doch dürfte eine direkte Übertragung der Weisheitsvorstellung auf Jesus eine Präzisierung jenes „mehr als Salomo" voraussetzen.

sich die Präexistenzchristologie als eine Transformation der an Tem-
pel und Tora orientierten Weisheitsspekulation des hellenistischen
Judentums Jerusalems aufgrund des Bekenntnisses zur Heilsbedeut-
samkeit des Todes Jesu darstellen[102].

3.2.2.3 Dies wird weiter dadurch bestätigt, daß im Umkreis der
neutestamentlichen Präexistenzaussagen immer wieder der Gesetzesgedanke auftaucht. Ausdrücklich in Konfrontation mit dem Gesetz
wird die Christologie bei *Paulus,* besonders im Galater- und Römerbrief, entfaltet. Doch ist dies keine exklusiv paulinische Idee, die der
Apostel etwa in Reaktion auf seine pharisäische Vergangenheit entwik-
kelt. Paulus tritt hier vielmehr – freilich unter Zuspitzung des Gedankens (dazu unten) – das Erbe der Hellenisten Jerusalems an. Bemerkenswert ist, daß die *Sendungsformel* kontextuell mit der Gesetzesthematik verbunden ist. Ganz unmißverständlich ist dies in Gal 4,4 und
Röm 8,3f der Fall. Doch auch im johanneischen Schrifttum finden sich
entsprechende Zusammenhänge. Joh 3,16f ist mit einer Mose-Typo-
logie verbunden (vgl. 3,13–15); 1 Joh 4,9 wird im Rahmen einer Paränese zur Liebe eingebracht (vgl. 4,7–12), die nach johanneischer
Sprechweise als das „neue Gebot" zu verstehen ist[103]. Trotz eindeutig
redaktionellen Charakters der jeweiligen Wendungen wird dies
schwerlich nur zufälliges redaktionelles Arrangement sein, sondern
dürfte einen bereits traditionellen Motivzusammenhang von Präexistenzaussage und Gesetzesthematik wiedergeben. Parallel zu 1 Joh 4,9
steht übrigens der Philipperhymnus im Rahmen einer Mahnung zur
Liebe (2,1–5), die nach Paulus die Zusammenfassung des Gesetzes ist
(vgl. Gal 5,14; Röm 13,9). Und ganz auf der Linie von Joh 3,13–15.16f
bewegt sich Joh 1,17, wo im Anschluß an die traditionelle Präexistenzaussage des Logos-Prologes Jesus Christus als Überbietung des
Mose-Gesetzes hervorgehoben wird.

Schwerlich zufällig dürfte es auch sein, daß in den synoptischen
Jesus-Sophia-Logien der Gesetzesgedanke eine wichtige Rolle spielt,

---

[102] Vgl. *P. Stuhlmacher,* Thesen (A. 97) 520: „Interpretierte man… Kreuz und Auferweckung Jesu als von Gott gestiftetes, eschatologisches Sühneereignis und stellte man
dieses Ereignis in den Zusammenhang der genannten Traditionen hinein (gemeint sind
priesterlich-weisheitliche Traditionen, u.a. Sir 24; Anm. d. Verf.), dann durfte und
mußte man sogar den Gekreuzigten und Auferstandenen als Verkörperung der… Weisheit Gottes, als Mittler der… neuen Schöpfung… verstehen".
[103] Vgl. 1 Joh 3,23 (verbunden übrigens mit dem Glauben an den „Sohn"); 4,21.

nun allerdings nicht in polemischer Distanz, sondern in Identifikation mit Jesus. Daß die Logien eine Identifizierung Jesus-Weisheit-Tora voraussetzen, hat besonders F. Christ herauszuarbeiten gesucht[104]. Auf die Logien im einzelnen kann hier nicht eingegangen werden, doch sind wenigstens einige Hinweise angebracht:

Besonders deutlich ist die Identifikation in *Mt 11, 28–30*, wo Jesus wie die (sirazidische) Weisheit zu sich einlädt: „Er wirbt für sich als das *Gesetz*, indem er sich selbst als Joch und Last anbietet, gleichwie die Weisheit, die als Gesetz auftritt."[105] In bezug auf *Lk 11,49–51 par* hat bereits O. H. Steck herausgestellt, daß die Verbindung der deuteronomistischen Prophetenaussage mit der Weisheitstradition (s. o. 3.1.3.5) die Identifikation von Weisheit und Gesetz voraussetzt[106]. Besonders interessant ist das Jerusalem-Wort *Lk 13,34f par*. In dem aus jüdischer Tradition stammenden Wort (s. o. 1.3) ist das ursprüngliche Subjekt „die in Jerusalem wohnende Weisheit von Sir 24, die Israel von Gott zur Bleibe erhalten hat ... und die mit dem Gesetz identisch ist"[107]. Angewandt auf Jesus besagt dieses Wort dann: „Wie die präexistente Weisheit wohnt Jesus-Sophia als Schekina in Jerusalem, wirbt als Gesetz durch Boten (Propheten und Gesandte) um Israel, wird von den Juden abgelehnt und entzieht sich, bis er als Menschensohn zum Gericht wiederkommt"[108]. Im Zusammenhang dieser Untersuchung ist das Jerusalem-Wort besonders deshalb bemerkenswert, weil es eine Vielzahl von Momenten enthält, die es nahelegen, es mit den Hellenisten Jerusalems in Verbindung zu bringen.

a) Jesus wird mit der präexistenten Weisheit identifiziert.

b) Der Tod Jesu wird als Auszug der Weisheit aus dem Tempel[109] gedeutet, was durchaus zur Tempelkritik der Hellenisten passen könnte.

---

[104] Jesus Sophia (A. 12), vgl. die Zusammenfassung: 153.

[105] *F. Christ*, a.a.O. 116f.

[106] *O. H. Steck*, Israel (A. 17) 224f; vgl. *F. Christ*, a.a.O. 127f.

[107] *O. H. Steck*, a.a.O. 232.

[108] *F. Christ*, Jesus Sophia (A. 12) 152. Zur Identifizierung des „Kommenden" mit dem Menschensohn s. a.a.O. 141.

[109] Zur Bedeutung von οἶκος vgl. die Übersicht bei *F. Christ*, a.a.O. 140. *O. H. Steck*, Israel (A. 17) 237–239, bezieht Lk 13,35 auf die Zerstörung des Tempels (so auch *F. Christ*, a.a.O. 141) und datiert dann das Wort „zwischen 66 und 70 n. Chr." (238). Demgegenüber ist zu betonen, daß ἀφίεται ὑμῖν ὁ οἶκος ὑμῶν, wenn man es nicht schon von Mt 24 her deutet, von einer Zerstörung des Tempels nichts sagt. Richtig *G. Strecker*, Der Weg der Gerechtigkeit (Göttingen ³1971) 113: „... die politischen Ereignisse der

c) Die vorausgesetzte Identifizierung Jesu mit dem Gesetz könnte die Vermutung M. Hengels stützen (zu Apg 6,13f; s.o. 3.2.2.2), wonach Jesus nach Auffassung der Hellenisten nicht das Ende des Gesetzes markiert (vgl. Röm 10,4), sondern eher als neuer Gesetzgeber auftritt. Die Torakritik würde sich dann nicht grundsätzlich gegen das Gesetz wenden, sondern der Mose-Tora das Gesetz Jesu bzw. Jesus als Gesetzgeber gegenüberstellen. Die Antithese Christus-Gesetz wäre dann erst von Paulus ausgebildet worden, wobei aber ein Ausdruck wie ὁ νόμος τοῦ Χριστοῦ (das Gesetz Christi) Gal 6,2 noch seine traditionsgeschichtliche Herkunft erkennen läßt.

d) Die Erwartung des Menschensohnes findet ihre Parallele in der Stephanus-Vision Apg 7,55f [110].

e) Daß die Heilsbedeutsamkeit des Todes Jesu, die nach der hier vorgetragenen These die Voraussetzung für die Anwendung weisheitlicher Vorstellungen auf Jesus bildet, in einem aus jüdischer Tradition stammenden Wort nicht explizit ausgesprochen ist, ist selbstverständlich. Doch dürfte es kein Zufall sein, daß eine Tradition rezipiert wird, welche die deuteronomistische Prophetenaussage mit der Weisheit verbindet [111]. Jesu Ablehnung bekommt dadurch eine, das Prophetengeschick übersteigende, nämlich eschatologische Bedeutung; die Soteriologie kehrt sich in die Ansage des Gerichtes um [112].

Jahre 66 bis 70 sind in unserem Text nicht einmal angedeutet. ... Daß ‚euer Haus‘ verlassen wird, bedeutet nichts anderes, als daß die Juden selbst allein gelassen werden". Zeitlich dürfte Lk 13,34.35a in die Nähe des sachlich verwandten Wortes Lk 11,49–51 gehören, das *O. H. Steck*, a.a.O. 226 „zwischen 150 v. Chr. und Q" einordnet (vgl. auch oben 1.3 und A.20).

[110] *H. Langkammer*, Der Ursprung des Glaubens an Christus den Schöpfungsmittler: SBFLA 18 (1968) 55–93, hier: 62–65, möchte Apg 7,56 sogar für ein authentisches Wort des Stephanus halten. – Vielleicht stellt die Verquickung von apokalyptischer Menschensohnvorstellung und Weisheitstradition (vgl. auch Lk 7,31–35 par) die speziell hellenistisch-jerusalemische Menschensohnrezeption dar (vgl. *R. G. Hamerton-Kelly*, Pre-existence [A.2] 275, und unten A.133). *M. Hengel*, Jesus (A.44) 202f, vermutet, daß die ungewöhnliche Übersetzung des bᵉrā’ᵃnaš(ā) mit ὁ υἱὸς τοῦ ἀνθρώπου auf die Hellenisten Jerusalems zurückgeht. *O. Cullmann*, Christologie (A.2) 168f.187–189, möchte überhaupt die Menschensohnchristologie mit den Hellenisten zusammenbrin-

[111] Siehe o. 3.2.2.1 unter c.   [gen.

[112] Richtig stellt *H. Kessler*, Die theologische Bedeutung des Todes Jesu (Düsseldorf ²1971) 239, fest: „Die Ablehnung *dieses* Boten bekommt... einzigartige Relevanz: ...Seine Ablehnung bedeutet... Unheil im kommenden Endgericht". Wenn er aber fortfährt: „Daß der Tod Jesu selbst dieses Gericht sei, läßt sich im Sinne von Q nicht behaupten", so ist dies zwar nicht falsch, spielt aber doch den sachlichen (kausalen) Zusammenhang von Ablehnung Jesu und Gericht zu sehr herunter.

f) Inwieweit man darüber hinaus noch fragen darf, ob die konkrete Erfahrung der Verfolgung, die die Hellenisten machen mußten, und die Steinigung des Stephanus die Rezeption eines jüdischen Traditionsstückes beflügelte, das von der Tötung der Propheten und der Steinigung der Gesandten sprach, sei nur zur Erwägung gestellt.

Nimmt man diese Beobachtungen zusammen, so dürfte eine Zuordnung von Lk 13,34f par zu den Hellenisten Jerusalems gerechtfertigt sein. Das gleiche wird für die übrigen Jesus-Sophia-Logien gelten[113], die damit – neben der Aussage von der Sendung des Sohnes (s.u. 3.2.3) – die älteste Schicht der Präexistenzchristologie darstellen.

Sofern die Jesus-Sophia-Logien mit den Hellenisten Jerusalems zusammenhängen, wäre die Traditionsgeschichte der Spruchquelle Q neu zu durchdenken[114]. Auf keinen Fall könnte die gängige Hypothese, einer älteren palästinischen Schicht würde eine jüngere hellenistisch-jüdische folgen[115], aufrechterhalten werden. Vielmehr wäre davon auszugehen, daß die Redaktion zwei nebeneinander laufende Traditionsströme – die Tradition der palästinischen (aramäischen) Gemeinden und die Tradition der Hellenisten, die über Antiochien vermittelt sein könnte – vereinigt (wohl im syrischen Raum).

Erneut zu überprüfen wäre auch der sog. Jubelruf *Lk 10,21f par*, der in den nämlichen (hellenistischen) Traditionsbereich gehören dürfte[116]. Vor allem das viel umrätselte ταῦτα (dies), das vor den Weisen und Klugen verborgen, den Einfältigen aber geoffenbart ist (Lk V.21 par), wäre dann nicht auf die Erkenntnis zu beziehen, daß Jesus „zu Recht Gottes Vollmacht in Anspruch nimmt"[117], noch auf „Jesu Menschensohnwürde"[118], sondern würde primär das Geheimnis der Ablehnung Jesu und seines Todesgeschickes im Auge haben[119]. Dies würde einerseits mit den übrigen Jesus-Sophia-Logien überein-

---

[113] Daß die Sophia-Christologie „schon vor Q" zurückreicht und „zu den allerältesten Christologien" gehört, betont auch *F. Christ*, Jesus Sophia (A.12) 154. Als Träger vermutet er „judenchristlich-‚gnostisierende‘ Kreise in Palästina" (ebd.).

[114] Überlegungen zum Verhältnis Q – Hellenisten: *H. R. Balz*, Methodische Probleme der neutestamentlichen Christologie (Neukirchen 1967) 171–174.

[115] Vgl. etwa *S. Schulz*, Q (A.12).

[116] Auf die traditionsgeschichtliche Problematik des Logions kann hier im einzelnen nicht eingegangen werden. Wahrscheinlich ist Lk V.22 als Interpretament zu V.21 zu verstehen: vgl. *P. Hoffmann*, Studien (A.12) 109.118ff; *S. Schulz*, a.a.O. 215.

[117] *P. Hoffmann*, a.a.O. 110.

[118] *Ders.*, Jesusverkündigung in der Logienquelle, in: *W. Pesch* (Hrsg.), Jesus in den Evangelien (Stuttgart 1970) 50–70, hier: 60.

[119] Zunächst mag es verwunderlich erscheinen, daß die Gemeinde ein Wort gebildet haben soll, in dem Jesus selbst seine eigene Ablehnung (den Tod einschließend) ausspricht;

stimmen, in denen „Jesu Ablehnung als eschatologisches Zeichen" erscheint[120], und würde andererseits bestätigt durch die dem Jubelruf m.E. verwandte Stelle 1 Kor 2,6–10, wo Paulus die Offenbarung der verborgenen Weisheit Gottes mit dem Kreuzestod Jesu zusammenbringt, möglicherweise unter Aufnahme „hellenistischer" Denkstrukturen (s.o. 3.1.3.4). Die Offenbarung des Sohnes in Lk 10,22 par kann durchaus mit der Ostererfahrung zusammenhängen. Doch wird man bei „Sohn" nicht primär an den Menschensohn zu denken haben, sondern an den Präexistenten in Analogie zur Weisheit[121], wobei sich beides nicht ausschließen muß[122]. Mit der Bezeichnung „Sohn" ist bereits die letzte Frage angeschnitten, auf die noch kurz einzugehen ist.

3.2.3 Die Rede vom präexistenten „Sohn"

3.2.3.1 Bereits das Judentum kennt innerhalb der Weisheitsspekulation bestimmte Relationsangaben, die das Verhältnis der Weisheit bzw. der Tora zu Gott bzw. zur Welt oder zu den Menschen angeben[123]. Zu erinnern wäre an die (alexandrinische) Sapientia Salomonis, die die Weisheit als ἀπαύγασμα (Abglanz) und εἰκών (Abbild) Gottes be-

---

S. *Schulz*, Q (A.12) 217, meint daher,ταῦτα könne sich „nur auf seine (= Jesu) eschatologische Geschichte beziehen, in der die Gegenwart der Basileia sich ereignet hat". Doch kann auf die Parallele in Lk 13,34f par verwiesen werden. Die traditionsgeschichtliche Parallelität wäre übrigens nahezu perfekt, wenn man auch für Lk 10,21 par jüdische Tradition annehmen könnte, wie es *R. Bultmann*, Geschichte (A. 20) 172, schon einmal vermutet hat (zur palästinisch-jüdischen Prägung des Wortes vgl. *P. Hoffmann*, Studien [A. 12] 110f; *S. Schulz*, a.a.O. 217). Die religionsgeschichtlich unvergleichliche, negative Wertung der „Weisen und Klugen" könnte sich aus der weisheitlich geprägten Theologie der hellenistischen Juden Jerusalems erklären, mit denen sich die christlichen „Hellenisten" auseinandersetzen.

[120] *F. Christ*, Jesus Sophia (A. 12) 153.
[121] Zur „weisheitlichen" Funktion des Sohnes: *A. Feuillet*, Jésus (A. 14); *D. Lührmann*, Redaktion (A. 12) 65f; *F. Christ*, a.a.O. 87–91; *S. Schulz*, Q (A. 12) 222–228; vgl. *O. Cullmann*, Christologie (A 2) 294f; *P. Hoffmann*, Studien (A. 12) 136–138.
[122] Von der Menschensohn-Konzeption geprägt ist Lk 10,22a par: *S. Schulz*, a.a.O. 222f; *P. Hoffmann*, a.a.O. 119–122; *F. Christ*, a.a.O. 86f. Zur Verquickung von Menschensohnvorstellung und Weisheitstradition vgl. auch Lk 13,34f; 7,31–35 par. Richtig stellt *F. Christ*, a.a.O. 88, fest: „Der ‚Sohn' erscheint auch hier als Menschensohn. Auch hier aber genügt der Menschensohn allein nicht zur Erklärung. Das Verhältnis zwischen Vater und Sohn ist in (Mt 11,)27b,c streng *exklusiv*. Diese absolute Exklusivität erklärt sich ausschließlich von der Weisheitstradition her".
[123] Belege bei: *M. Hengel*, Sohn (A. 2) 78–89; *E. Schweizer:* ThWNT VIII 356f.376–378; *U. Wilckens:* ThWNT VII 498–510.

zeichnet (Weish 7,26)[124]. Sie lebt in vertrauter Gemeinschaft mit Gott (8,3), nach 9,4 ist sie sogar Throngenossin Gottes. Nach 8,1 durchwaltet sie – analog zum stoischen Logos – das ganze All[125]. Ähnlich spricht Philo von der Weisheit[126]. Nach Fug 109 hat der göttliche Logos Gott, den Vater des Alls, zum Vater, und die Weisheit, durch die das All in Erscheinung trat, zur Mutter[127]. Andererseits kann Philo die Weisheit auch „Tochter Gottes" nennen[128]. Diese Bezeichnung findet sich auch bei den Rabbinen für die Tora, die mit der Weisheit identifiziert wird[129]. Noch bemerkenswerter ist der philonische Logos, der einerseits die Weisheit zur Mutter hat (s.o.), andererseits aber genau die Funktionen der Weisheit übernimmt[130] als Mittler, Gesandter, Bote, Abbild und Organ Gottes, ja als Gottes erstgeborener Sohn[131].

Es bestand offensichtlich gerade innerhalb der *hellenistisch*-jüdischen Weisheitsspekulation eine starke Tendenz zur Personifizierung der Relationen von Weisheit bzw. Logos, wobei die Identifikationsgestalten eine reiche Variationsbreite, je nach Aussageintention und -funktion, aufweisen.

3.2.3.2 Unter dieser Rücksicht wird man damit rechnen müssen, daß unter den Hellenisten Jerusalems auch für Jesus, nachdem einmal weisheitliche Kategorien auf ihn angewandt waren, sehr bald entsprechende Relationen angegeben wurden, sofern der Vorgang nicht mehr oder minder gleichzeitig mit der Weisheitsidentifikation anzusetzen ist. Dabei lag die Bezeichnung „Sohn" schon als Analogie zur Weisheit als „Tochter Gottes" nahe. Jesu unvergleichliche Nähe zu Gott und seine damit gegebene offenbarungsmittlerische Funktion konnten adäquat artikuliert werden (vgl. Lk 10,22 par).

Sehr früh, wenn nicht von Anfang an, dürfte die Bezeichnung

---

[124] Im Neuen Testament vgl. Hebr 1,3; Kol 1,15; 2 Kor 4,4; zur Sache: *J. Jervell,* Imago Dei (Göttingen 1960); *F.-W. Eltester,* Eikon im Neuen Testament (Berlin 1958).

[125] Im Neuen Testament vgl. Kol 1,16f; Joh 1,3.

[126] Vgl. *U. Wilckens:* ThWNT VII 501f, bes. 502,6f.

[127] Ähnlich ist die Vorstellung in Ebr 30f; vgl. Det 54.

[128] Fug 50–52; vgl. Virt 62; Quaest in Gn 4,97.

[129] Bill. II 355f; vgl. *M. Hengel,* Judentum und Hellenismus (Tübingen 1969), 310 Anm. 404.

[130] Vgl. *H. Kleinknecht:* ThWNT IV 87,29ff (mit Anm. 88).

[131] *E. Schweizer:* ThWNT VIII 357,8–13; vgl. *M. Hengel,* Sohn (A.2) 83.

„Sohn" mit der Vorstellung von der Sendung durch Gott verbunden gewesen sein (vgl. Sendungsformel). Religionsgeschichtlich gesehen könnte hier eine Beeinflussung durch die ägyptisch-jüdische Logos- und Weisheitsspekulation vorliegen [132], was für die Hellenisten Jerusalems durchaus denkbar ist (s. o. 3.2.1). Traditionsgeschichtlich dürfte aber der Gedanke der Sendung durch die deuteronomistische Prophetenaussage beeinflußt sein, mit deren Hilfe man Jesu Ablehnung bzw. Todesgeschick deuten konnte. Die Rezeption dieser Aussage bei den Hellenisten kann aufgrund von Lk 11,49–51; 13,34 f par (vgl. 7,31–35 par) vorausgesetzt werden. Hatte im Falle dieser Logien die Verbindung mit der Weisheitstradition verhindert, Jesu eschatologische Bedeutung zu nivellieren, so konnte jetzt, nachdem die auf Jesus übertragenen Funktionen der Weisheit ihre angemessene Personifizierung in der Sohnes-Bezeichnung gefunden hatten, unbedenklich die deuteronomistische Aussage von der Sendung der Propheten – nun als Sendung des Sohnes – auf Jesus angewandt werden [133]. Man könnte die Sendungsformel als eine christlich-eigensprachliche Weiterführung einer zunächst mit traditionellen Aussagen operierenden Weisheitschristologie verstehen.

Daß zwischen den Jesus-Sophia-Logien und der Sendungsformel ein traditionsgeschichtlicher Zusammenhang angenommen werden darf, bestätigt das Winzergleichnis Mk 12,1–12. Besonders mit Lk 11,49–51; 13,34 f par ist es

---

[132] Nur dort finden sich Sendung durch Gott und Gottessohntitel verbunden: s. o. 1.1.

[133] Ein ähnlicher Vorgang könnte hinter der Bezeichnung „Menschensohn" in Lk 7,34 par stehen. Das Verhältnis von Menschensohn- und Sohnes-Bezeichnung bei den Hellenisten kann hier nicht näher verfolgt werden, wiewohl es dringend notwendig wäre. Die Klammer stellt wahrscheinlich die Weisheitsvorstellung dar (vgl. oben A. 110). In Lk 13,34 f par jedenfalls wird die Vorstellung (der aramäischen Gemeinde?) vom kommenden Menschensohn im weisheitlichen Kontext rezipiert: Der „Kommende" ist identisch mit Jesus, der in V. 34.35a als Weisheit auftritt (vgl. auch Lk 10,22 par und oben A. 122). Dies erlaubt dann auch die Aussage vom Gekommensein des (präexistent gedachten? vgl. oben A. 19) Menschensohnes in Lk 7,31–35 par. „Menschensohn" und „Sohn" wären funktional sehr angenähert. Unter dieser Rücksicht könnte 1 Thess 1,9 f mit den Hellenisten in Verbindung gebracht werden (zum hellenistisch-jüdischen Hintergrund: *P. Stuhlmacher*, Das paulinische Evangelium I [Göttingen 1968] 260 f), und man müßte nicht erst Paulus für die Ersetzung des Menschensohnes in V. 10 verantwortlich machen (so *E. Schweizer*: ThWNT VIII 372,11 ff). Von daher fiele dann auch neues Licht auf die eigentümliche Pose des Menschensohnes in Apg 7,56 (zur Problematik: *H. E. Tödt*, Der Menschensohn in der synoptischen Überlieferung [Gütersloh 1959] 274–276).

wegen der deuteronomistischen Prophetenaussage verwandt, verbindet aber diese bereits mit der Sendung des Sohnes.

Inhaltlich ist die Sendungsformel eine genuin christliche Sprachleistung. Mit der Bezeichnung „Sohn" blieb die eschatologische Qualität der Sendung Jesu gewahrt[134]. Zugleich ergab sich die Möglichkeit, die Heilsbedeutsamkeit des Todes Jesu, die den Ausgangspunkt für die Übertragung weisheitlichen Denkens auf Jesus bildete (s. o. 3.2.2.2), unmittelbar für die Präexistenzaussage fruchtbar zu machen im Sinne der auf den Heilstod Jesu abzielenden Sendung des Präexistenten.

Im übrigen zeigt gerade letzteres, daß die Übertragung der Weisheitsvorstellung auf Jesus zu einer nicht unerheblichen, innovierenden Veränderung der Vorstellung selbst führen mußte, bedingt durch „die historische Einmaligkeit wie die eschatologische Bedeutung der Sendung"[135].

Ob die hellenistisch-judenchristliche Aussage von Jesus als dem Sohn bzw. von der Sendung des Sohnes schon in Jerusalem oder erst später (in Antiochien?) gemacht wurde, ist nicht mehr sicher zu entscheiden[136]. Jedenfalls setzt Paulus sie bereits voraus. Im übrigen ist eine Entstehung in Jerusalem selbst nicht unwahrscheinlich, wenn man die Aussage vom messianischen Sohn Gottes – wie M. Hengel annimmt – für die aramäisch sprechende Urgemeinde voraussetzen darf (s. o. 2.4). Diese Bezeichnung könnte geradezu der Katalysator gewesen sein, um die im Lichte der Weisheit verstandene Sendung Jesu als Sendung des Sohnes zu artikulieren. Allerdings handelt es sich auch dann nicht um eine Weiterführung der messianischen Christologie (gegen Hengel), sondern um eine Präzisierung des der Präexistenzvorstellung immanent und unabhängig innewohnenden Bedeutungsgehaltes.

3.2.3.3 Die Ausgestaltung der präexistenzchristologischen Hymnen (s. o. 1.2) wird man einem späteren traditionsgeschichtlichen Stadium zurechnen müssen. Wahrscheinlich unterscheidet R. H. Fuller zu

---

[134] Mit der eschatologischen Qualität der Sendung Jesu hängt möglicherweise die Bezeichnung Jesu als *des* Sohnes im absoluten Sinn zusammen (vgl. Lk 10,21 f par), was dann im Rahmen der Vorstellung von der Sendung durch Gott die Rede von „seinem Sohn" ergibt (vgl. Sendungsformel).

[135] E. Schweizer: ThWNT VIII 377,17; vgl. dazu auch: H. Leroy, Jesus von Nazareth – Sohn Gottes: ThQ 154 (1974) 232–249, hier: 238–242.244.

[136] In jedem Fall dürfte Mk 12,1–12 in seiner jetzt vorliegenden Ausgestaltung nicht zur ältesten Traditionsschicht zählen.

Recht zwischen einer „conception of inactive pre-existence and send-
ing" (vgl. Sendungsformel) und einem „type of pre-existence...
which postulates an activity of the pre-existent One, and his Own initiative in the incarnation" [137]. Erwägungen über das präexistente Verhältnis Jesu zu Gott und seiner präexistenten Aktivität (Schöpfungs-
mittlerschaft) scheinen erst eine Konsequenz der Aussagen zu sein, die
Jesu irdische Sendung und Todesgeschick bzw. seinen heilsbedeutsamen Tod durch Identifikation mit der präexistenten, von Gott gesandten Weisheit (Sohn) als auf göttliche Initiative zurückgehend deuten
wollen [138]. Doch lassen auch die Hymnen, teils direkt, teils wenigstens
indirekt, noch den ursprünglichen Ansatzpunkt der Präexistenzaussage beim Tode Jesu erkennen (s. o. 3.1.3.2).

Ob diese Hymnen mit den aus Jerusalem vertriebenen Hellenisten
in Verbindung zu bringen sind, ist eine andere Frage [139]. Auf Jerusalem selbst dürften sie kaum zurückgehen. Eher könnte man an Antiochien denken. Doch ist ihre Entstehung auch überall sonst im hellenistischen Judenchristentum denkbar (Kleinasien?). In jedem Fall ist
der Beitrag der Jerusalemer Hellenisten als Initialzündung nicht hoch
genug einzuschätzen.

---

[137] Foundations (A. 2) 194 f.
[138] *H. Hegermann*, Vorstellung (A. 2) 124, bemerkt, „daß eine konsequente Ausgestaltung der Schöpfungsmittler-Christologie nicht am Anfang der Entwicklung stand, sondern ein späteres Stadium darstellt". Vgl. dazu auch: *H. Langkammer*, Ursprung
(A. 110), wobei jedoch fraglich bleibt, ob die Schöpfungsmittler-Christologie sich „aus
der Erhöhungs-Christologie" entwickelt hat (86); mehr Gewicht dürfte der „Glaube an
Christus den Heilsmittler" (89) gehabt haben. *G. Schneider*, Präexistenz (A. 69), bemerkt zu 1 Kor 8,6: „Erst von dem soteriologischen ‚durch Christus' her konnte das auf
die Schöpfung bezogene διά gefunden werden" (404), und bestimmt „die Schöpfungs-
mittlerschaft als Interpretament der als Neuschöpfung verstandenen Erlösungstat, die
Christus vermittelte" (412).
[139] *R. H. Fuller*, Foundations (A. 2) 203–242, weist sie generell der hellenistischen Heidenmission, genauer gesagt, der Heidenmission durch hellenistische Judenchristen zu;
eine Verbindung mit den „Hellenisten" wäre damit nicht ausgeschlossen (vgl. a. a. O.
203).

C. Studien zu Paulus

9. Zum Verständnis des paulinischen Begriffs »Evangelium«[1]

Der Begriff »Evangelium« (εὐαγγέλιον) begegnet in den anerkannt echten Paulusbriefen insgesamt 48mal. Dabei ist sechsmal vom »Evangelium Gottes«, achtmal vom »Evangelium Christi« (und einmal vom »Evangelium seines Sohnes«) und 22mal absolut von »dem Evangelium« die Rede. Dazu kommt noch das Verbum εὐαγγελίζομαι ([das Evangelium] verkündigen) mit 19 Belegstellen. Diese Häufigkeit wie auch die Tatsache, daß »Evangelium« nahezu regelmäßig über alle Paulusbriefe verteilt ist, unterstreicht, daß es sich um einen zentralen Begriff paulinischen Denkens handelt. Um die spezifisch paulinische Bedeutung dieses Begriffs zu erheben, genügt es nicht, sich mit der einebnenden Antwort zufrieden zu geben, »Evangelium« sei als Inbegriff der christlichen Lehre zu verstehen, mit dem die Summe aller Heilstatsachen auf den begrifflichen Nenner gebracht werden könne. Dieser Sprachgebrauch macht das Wort zu einem geschichtslosen Lehrbegriff, welcher der differenzierten Verwendung im Neuen Testament nicht gerecht zu werden vermag und – was seine Wirksamkeit betrifft – wohl auch ein Leerbegriff bleibt. Um die Dynamik und Aussagekraft des neutestamentlichen und zumal paulinischen Begriffs neu zu entdecken, lohnt es sich, der sprachlichen und traditionsgeschichtlichen Herkunft des Begriffs nachzugehen.

---

[1] Allgemeine Literaturhinweise: *J. Schniewind*, Euangelion. Ursprung und erste Gestalt des Begriffs Evangelium (BFChTh.M 13/25) Gütersloh 1927/1931 (Nachdruck Darmstadt 1970); *G. Friedrich*, εὐαγγελίζομαι κτλ. in: ThWNT II, 705–735; *P. Stuhlmacher*, Das paulinische Evangelium I. Vorgeschichte (FRLANT 95), Göttingen 1968 (Lit.!); *G. Dautzenberg*, Die Zeit des Evangeliums. Mk 1,1–15 und die Konzeption des Markusevangeliums: BZ NF 21 (1977) 219–234; 22 (1978) 76–91; *ders.*, Der Wandel der Reich-Gottes-Verkündigung in der urchristlichen Mission, in: *ders.* – *H. Merklein* – *K. Müller* (Hrsg.), Zur Geschichte des Urchristentums (QD 87), Freiburg – Basel – Wien 1979, 11–32; *U. Wilckens*, Der Brief an die Römer. Röm 1–5 (EKK VI/1), Zürich – Einsiedeln – Köln – Neukirchen 1978, 74 f (Exkurs: »Evangelium«).

1. Zum griechisch-hellenistischen Sprachgebrauch

Im Griechischen[2] bezeichnet εὐαγγέλιον beziehungsweise εὐαγγελίζεσθαι die Siegesbotschaft beziehungsweise das Überbringen der Siegesnachricht. Es können damit aber auch andere, selbst private Nachrichten (Geburt, Hochzeit) gemeint sein. Meist handelt es sich um freudige Nachrichten. Gelegentlich kann das Verbum aber auch ganz abgeschliffen gebraucht werden, so daß es mit ἀγγέλλειν »melden« synonym ist. In Verbindung mit | εὐαγγέλιον beziehungsweise εὐαγγελίζεσθαι findet man häufig die Begriffe σωτηρία »Heil, Rettung« und εὐτυχία »Glück, glückliches Geschick«. Auch im Orakelwesen sind εὐαγγέλιον beziehungsweise εὐαγγελίζεσθαι bekannt. Das Substantiv meint dann den Orakelspruch, das Verbum hat die Bedeutung »verheißen«.

Besonders wichtig ist die Verwendung von »Evangelium« im *Kaiserkult*. Vor allem die 1899 veröffentlichte Kalenderinschrift von Priene (in Kleinasien) ist hier erwähnenswert. Sie stammt aus dem Jahre 9 v. Chr., in dem die hellenistischen Städte Kleinasiens den Neujahrstag auf den 23. September, den Geburtstag des Kaisers Augustus, festlegten:

> Da [die göttlich] unser Leben durchwaltende Vorsehung, Eifer beweisend und Ehrgeiz, das vollkommenste [Gut] dem Leben einfügte, indem sie Augustus hervorbrachte, den sie zum Wohle der Menschen mit Tugend erfüllte, und damit uns und unseren Nachkommen [den Heiland schenkte,] der dem Krieg ein Ende setzte und ordnen wird [den Frieden; da nun bei seinem irdischen Erscheinen] der Kaiser die Hoffnung der Früheren [... über] bot, der nicht nur die vor ihm aufgetreten[en Wohltäter über]traf, sondern nicht einmal für die Künftigen Hoffnung [des Übertreffens ließ;] da also für die Welt den Anfang der ihm geltenden Freudenbotschafte[n der Geburtstag] des Gottes bildete (ἦρξεν δὲ τῶι κόσμωι τῶν δι' αὐτὸν εὐαγγελί[ων ἡ γενέθλιος] τοῦ θεοῦ), ..., so hat Paulus Fabius Maximus, der Prokonsul der Provinz, ... das bisher den [Griech]en Unbekannte zur Ehre des Augustus ersonnen: daß von dessen Geburt die Zeit des Lebens beginne. Darum beschließen die Griechen in Asien zu gutem Gelingen und zum Heile, daß das neue Jahr in allen Städten am 9. Tag vor den Kalenden des Oktober beginne, das ist am Geburtstag des Augustus.[3]

---

[2] *Friedrich*, εὐαγγελίζομαι 708–710.719–722.

[3] zitiert nach *J. Leipold – W. Grundmann* (Hrsg.), Umwelt des Urchristentums II, Berlin 1967, 106 f.

In dieser Inschrift wird Augustus als Heiland gefeiert, der aller Welt den Frieden schenkt. Der Kaiser ist die Epiphanie des Göttlichen. Darum ist die Nachricht von seiner Geburt der »Anfang der ... Evangelien«. Andere Ereignisse, vor allem die Thronbesteigung, lösen weitere »Evangelien« aus, die dann mit jährlichen Feiern begangen werden. Die religiöse Dimension dieser »Evangelien« ist überdeutlich. Sie sind an die Person des Kaisers gebunden und proklamieren das von ihm garantierte und heraufgeführte Heil.

Es ist nicht verwunderlich, daß im Gefolge der Veröffentlichung der Inschrift von Priene nicht wenige Forscher meinten, die Christen hätten den Begriff »Evangelium« aus dem Kaiserkult übernommen und auf die Freudenbotschaft von dem alleinigen Heiland (σωτήρ) Jesus Christus übertra- | gen.[4] Dem schien entgegenzukommen, daß der Begriff im Neuen Testament vorwiegend im Bereich der hellenistischen Missionspredigt (z. B. bei Paulus) vorkommt, während er für den palästinischen Bereich und für die Botschaft Jesu, die hauptsächlich mit dem Begriff der »Gottesherrschaft« verknüpft ist, nicht typisch zu sein schien.

Unbefriedigend an dieser Sicht blieb, daß zwischen der Botschaft Jesu von der »Gottesherrschaft« und dem apostolischen »Evangelium« sich eine Kluft aufzutun drohte, die man – wenn überhaupt – nur durch systematische Überlegungen schließen konnte. Außerdem vermochte der hellenistische Begriff »Evangelium« viele Eigenheiten des neutestamentlichen Befundes nicht zu erklären. Ganz abgesehen davon, daß das Neue Testament nur vom »Evangelium« (Singular) und nie von den »Evangelien« (Plural) spricht, blieb vor allem die eschatologische Komponente des neutestamentlichen Begriffs unerklärt. Gerade das eschatologische Moment weist aber sehr stark in den alttestamentlich-jüdischen Bereich. Was also not tat, waren genauere traditionsgeschichtliche Untersuchungen.

Zu bemerkenswerten Ergebnissen kamen bereits *J. Weiß* und *A. von Harnack*[5]. Wirklich bahnbrechend waren dann die Arbeiten von *J. Schniewind* und *G. Friedrich*. Monographisch wurde der Begriff zuletzt von *P. Stuhlmacher* behandelt. Beachtenswert sind ferner die beiden Aufsätze von *G. Dautzenberg*. Gestützt auf diese Arbeiten, läßt sich folgendes traditionsgeschichtliche Modell für den christlichen Begriff »Evangelium« entwerfen:

---

[4] vgl. dazu den forschungsgeschichtlichen Überblick bei *Stuhlmacher*, Paulinisches Evangelium 11–19.

[5] vgl. dazu den Bericht bei *Stuhlmacher*, Paulinisches Evangelium 20–25.

2. Zur vorpaulinischen Traditionsgeschichte des christlichen Begriffs »Evangelium«

2.1 Das palästinische Judenchristentum

Einer der ältesten christlichen Belege für das Verbum εὐαγγελίζεσθαι findet sich in der *Logienquelle Q* Mt 11,5 f par Lk 7,22 b.23:

> (V. 5) Blinde sehen, Lahme gehen, Aussätzige werden rein, Taube hören, Tote stehen auf und *Armen wird die frohe Botschaft verkündet* (πτωχοὶ εὐαγγελίζονται).
> (V. 6) Und selig ist, wer an mir nicht Anstoß nimmt.

Der erste Teil dieses Wortes besteht aus einer Reihe von Anspielungen auf jesajanische Texte (Jes 35,5 f; 29,18 f; 26,19). Die uns vor allem interessierende Wendung »Armen wird die frohe Botschaft verkündet« stammt aus *Jes 61,1:*

Freudenbotschaft zu verkünden hat er mich gesandt.
›lᵉbaśśer ʿᵃnāwîm schᵉlāḥanî‹
LXX: εὐαγγελίσασθαι πτωχοῖς ἀπέσταλκέν με

Diese Stelle bezieht sich wiederum auf den »Freudenboten« (›mᵉbaśśer‹ = εὐαγγελιζόμενος), von dem insbesondere bei Deutero-Jesaja (Jes 52,7; 41,27; 40,9), aber auch schon bei Nahum (Nah 2,1), die Rede ist.

Jes 52,7: Wie lieblich sind auf den Bergen die Füße des Freudenboten (›mᵉ-baśśer‹), der Frieden verkündet, gute Botschaft bringt (›mᵉbaśśer‹), der Heil verkündet, zu Zion spricht: Dein Gott ist König!

Durch die Qumranschriften haben wir nun die Gewißheit, daß es im Frühjudentum eine (bereits vorchristliche) Auslegungstradition gab, die den deutero-jesajanischen »Freudenboten« auf den endzeitlichen Propheten bezog (besonders 11 QMelch; vgl. 1 QH 18,14; s. auch PsSal 11,1). An diese Auslegungstradition dürfte auch die Gemeinde der Logienquelle anknüpfen, wenn sie diesen ›mᵉbaśśer‹ mit Jesus identifiziert, der die »Königsherrschaft Gottes« (oder: »Gottesherrschaft«; griech.: βασιλεία τοῦ θεοῦ) ansagt (Mt 10,7 par Lk 10,9; Mk 1,15). Unter dieser Voraussetzung ist es sehr wahrscheinlich, daß bereits im palästinischen Judenchristentum die Ansage der »Gottesherrschaft« als ›bᵉśôrāh‹ = »Freudenbotschaft« bezeichnet wurde (vgl. auch Offb 14,6; Mt 10,7)[6]. Ein Nachklang dieser Redeweise könnte noch der mattäische Ausdruck εὐαγγέλιον τῆς βασιλείας (=

---

[6] vgl. dazu *Stuhlmacher*, Paulinisches Evangelium 210–218.

»Evangelium der Herrschaft« [sci. der Himmel bzw. Gottes]) sein (Mt 4,23;
9,35; 24,14). Und auch die Kombination von »Gottesherrschaft« und
»Evangelium« in Mk 1,15 könnte durchaus noch ein Reflex dieser paläsi-
nisch-judenchristlichen Sicht sein, so sehr man ansonsten davon auszugehen hat, daß das Material des Summariums Mk 1,14 f dem Evangelisten
durch das hellenistische Judenchristentum (vgl. »Evangelium Gottes« in
V. 14; dazu unten 2.2) vermittelt ist.

Mk 1,15: Erfüllt ist die Zeit und nahe gekommen ist die *Gottesherrschaft,*
kehrt um und glaubt an das *Evangelium.*

So kompliziert und unentwirrbar die Traditionslage im einzelnen auch
ist, so wird man doch mit gutem Grund schließen müssen, daß die urchristliche Evangeliumsterminologie nicht eine Übernahme aus dem Kaiserkult
ist, sondern im Gefälle einer eschatologischen Auslegungstradition von
Deutero- und Trito-Jesaja, besonders Jes 61,1 und 52,7, steht (vgl. dazu
auch Lk 4,18 f; Apg 10,36.38). Ob Jesus selbst seine Botschaft von der »Gottesherrschaft« als »Freudenbotschaft« = ›b^eśôrah‹ bezeichnet hat, muß unsicher bleiben. Der Begriff scheint doch eher auf die palästinische
Gemeinde zu verweisen; aber es ist nicht unwahrscheinlich, daß Jesus sich
als den eschatologischen Heils- oder Freudenboten im Sinne von Deutero-
und Trito-Jesaja verstanden hat (vgl. Lk 6,20 par Mt 5,3).

Damit kann eine erste *inhaltliche Umschreibung* des Begriffes »Evangelium« = ›b^eśôrah‹ auf dieser *ersten Traditionsstufe* versucht werden:
»Evangelium« ist schon aufgrund der Herkunft aus der genannten Auslegungstradition ein dezidiert *eschatologischer* Begriff. Inhaltlich meint er
das Kommen Gottes, primär zum Heil, dann aber auch zum Gericht, denn
die »Freudenbotschaft« fordert zur Umkehr heraus (vgl. Mk 1,15) und
scheidet zwischen denen, die sie annehmen, und denen, die sie ablehnen.
In diesem Sinne wird man Mt 11,6 par verstehen müssen. Wenn der Begriff
als *eschatologischer* bestimmt wird, dann bleibt allerdings zu beachten, daß
damit nicht bloße *Rede* von etwas Kommendem gemeint ist; die Botschaft
ist vielmehr *wirksam,* gleichsam Vorwegnahme (Prolepse) des kommenden
Heils. Dies macht Mt 11,5 par besonders deutlich.
Eine Heidenmission im Sinne des paulinischen »Evangeliums« an die
Völker ist auf dieser frühen Stufe des Evangeliumsbegriffs noch nicht in
Sicht. Die Freudenbotschaft gilt unmittelbar nur *Israel.* Die frühe (Q-)Ge-
meinde hat wohl wie Jesus selbst die Rettung der Heiden im Sinne der Vorstellung von der Völkerwallfahrt erwartet, die ja auch im Umfeld der
genannten Jesaja-Stellen sehr deutlich zu greifen ist (vgl. bes. Jes 60,1–3).
Bemerkenswert ist schließlich, daß »Evangelium« von seinem Ursprung
her streng *theologisch,* nicht christologisch, orientiert ist. »Evangelium« ist

Rede vom Kommen *Gottes*. Allerdings deutet sich hier schon eine christologische Füllung des Begriffs im Sinne einer impliziten Christologie an. Denn der »Freudenbote« *Jesus* gehört unablösbar in das eschatologische Geschehen mit hinein, das die Evangeliumsverkündigung in Gang setzt. Besonders deutlich wird diese implizite Christologie in Mt 11,6 par, wo die Anteilhabe an dem kommenden und jetzt schon wirksam einstehenden Heil an die Entscheidung für Jesus, den eschatologischen Boten, gebunden ist.

Allerdings lag es in der Konsequenz der Sache, daß diese implizite Christologie alsbald auch explizit entfaltet werden mußte, wenn die Botschaft vom Kommen Gottes, die vom »Freudenboten« Jesus ja nicht zu trennen war, angesichts des offenkundigen Scheiterns dieses Freudenboten am Kreuz noch sagbar bleiben sollte. In diesem Zusammenhang scheinen zwei Texte besonders bedeutsam zu sein:

> *1 Thess 1,10:* ... zu erwarten seinen Sohn aus den Himmeln, den er auferweckt hat von den Toten, Jesus, der uns aus dem kommenden Zorn(-Gericht) errettet.
>
> *Röm 1,3 f:* Der geboren ist aus dem Samen Davids dem Fleische nach, der eingesetzt ist zum Sohn Gottes in Macht dem Geist der Heiligkeit nach aufgrund der Auferweckung von den Toten.

Beide Texte gehen in ihrem Grundbestand wohl schon auf die Urgemeinde zurück. Sie sind ein Bekenntnis zu Jesus, dessen Auferweckung als Inthronisation zum Messias beziehungsweise Sohn Gottes gedeutet wird und der in der Funktion des Menschensohnes in Bälde aus dem Himmel erwartet wird, um die Seinen aus dem kommenden Zorngericht zu erretten. Beide Texte stehen bei Paulus klar erkennbar im Zusammenhang mit dem Begriff »Evangelium«. Der zweite Text dient direkt zur inhaltlichen Bestimmung des »Evangeliums« (vgl. Röm 1,1), der erste erscheint in einem Kontext, der ihn deutlich als Inhalt des »Evangeliums« verstehen läßt (vgl. 1 Thess 1,5; 2,2). Nun wird man daraus nicht folgern dürfen, daß bereits die palästinische Gemeinde dieses christologische Bekenntnis zum Inhalt ihrer *Evangelium*sverkündigung gemacht hat. Nimmt man etwa die Gemeinde der Logienquelle zum Maßstab, so ist dies eindeutig nicht der Fall. Der Inhalt ihrer Verkündigung ist die Ansage der Gottesherrschaft (vgl. Mt 10,7 par Lk 10,9), mit der man die Freudenbotschaft Jesu fortsetzt. Als sachlicher Grund und als Voraussetzung dafür, daß man dies tun konnte, bleibt aber auch für Q das Bekenntnis zum auferweckten und zur Parusie erwarteten Jesus festzuhalten. Es konnte nicht ausbleiben, daß dieses Bekenntnis dann selbst in die Verkündigung einging und damit zum Inhalt des »Evangeliums« wurde.

2.2 Das hellenistische Judenchristentum

Verantwortlich dafür dürften die sogenannten »Hellenisten« gewesen sein, die – wie der Kreis um Stephanus erkennen läßt – ihren Ursprung in Jerusalem hatten, dann aber nach Antiochien versprengt wurden (vgl. Apg 8,1; 11,19) und von dort zur Heidenmission aufbrachen. Ihnen haben wir aller Wahrscheinlichkeit nach die Übersetzung von ›bᵉśôrah‹ in εὐαγγέλιον zu verdanken. Im Zusammenhang mit der Heidenmission scheint auch die Rede vom »Evangelium *Gottes*« aufgekommen zu sein. Der Genitiv macht in heidnischer Umwelt deutlich, daß es sich bei diesem »Evangelium« nicht um eines der immer wieder verbreiteten »Evangelien« (vgl. Kaiserkult) han- | delt. Vielmehr geht es – was einem mit der Auslegungstradition von Deutero- und Trito-Jesaja vertrauten Judenchristen schon beim Begriff »Evangelium« präsent war – um die eschatologische Freudenbotschaft, die von *Gott* her kommt. Daraus ergibt sich zugleich, daß dieses »Evangelium Gottes« von den Heiden vor allen Dingen verlangt, daß sie sich zu dem *einen* Gott bekehren müssen. Und weiter war es nun notwendig, auch den Grund und den Anlaß der Verkündigung der Freudenbotschaft, nämlich das Bekenntnis zu Jesus, den Gott von den Toten auferweckt hat, in die Verkündigung des »Evangeliums« aufzunehmen. Denn mochte im palästinischen Raum schon die Tatsache, daß Jünger *Jesu* die Freudenbotschaft Jesu fortsetzten, es offenkundig machen, daß ihr Bekenntnis zum Auferweckten Anlaß und Grund ihrer Verkündigung war, so mußte dies den Heiden ausdrücklich gesagt werden.

Als Beleg für diese hellenistische Missionspredigt läßt sich auf 1 Thess 1,9f verweisen. Darin greift Paulus die traditionellen Topoi der hellenistischen Missionspredigt auf, die ihrerseits wieder auf das bereits erwähnte palästinische Bekenntnis (V. 10) zurückgegriffen hatte. Inhaltlich verkündet und verlangt demnach das *»Evangelium Gottes«*, sich »von den Götzen zu Gott zu bekehren, um dem lebendigen und wahren Gott zu dienen und seinen Sohn aus den Himmeln zu erwarten, den er auferweckt hat von den Toten, Jesus, der uns aus dem kommenden Zorn errettet« (1 Thess 1,9f).

Gegenüber dem Verständnis des »Evangeliums« auf der ersten Traditionsstufe ergeben sich einige bemerkenswerte Akzente: Wie dort ist auch im Bereich der hellenistisch-judenchristlichen Missionspredigt »Evangelium« ein dezidiert *theologischer* Begriff, wie schon die Genitivverbindung »Evangelium *Gottes*« klar zum Ausdruck bringt. Allerdings geht es dem Begriff jetzt weniger um das eschatologische Kommen Gottes, wie es im palästinischen Bereich der Fall war, wo »Evangelium« inhaltlich nahezu synonym war mit der Ansage der »Gottesherrschaft«. Vielmehr stellt jetzt die theologische Qualifikation des »Evangeliums« die Notwendigkeit der Bekehrung zu dem einen Gott heraus, dessen Freudenbotschaft proklamiert wird. Aus der eschatologischen Ansage der »Gottesherrschaft« wird ein Aufruf zum Monotheismus. Es ist daher kein Zufall, daß in der hellenistischen Missionspredigt und dann bei Paulus selbst der Begriff der »Gottesherrschaft« nur mehr eine geringe Rolle spielt. Allerdings wäre es falsch, aus dieser Wende des theologischen Aspektes zu schließen, dem »Evangelium« sei im hellenistischen Milieu die *eschatologische* Dimension verlorengegangen. Doch ist es bezeichnend, daß die eschatologische Dimension mit dem Verweis auf die Parusie Jesu nun direkt in *christologischer* Inter- | pretation erscheint. Im übrigen kann der theologische Ansatz des »Evangeliums Gottes« gerade in heidnischer Umwelt nur dadurch vor einer Vermengung mit den Heilslehren geschichtsloser hellenistischer Götter bewahrt werden, wenn er christologisch beziehungsweise *christologisch-heilsgeschichtlich* interpretiert wird: Es geht um die Freudenbotschaft *des* Gottes, der Jesus von den Toten auferweckt hat (vgl. 1 Thess 1,9 f). In diesem Zusammenhang dürfte auch die traditionelle Formel von Röm 1,3 f zu nennen sein, die wohl nicht erst von Paulus zur Inhaltsangabe des »Evangeliums Gottes« (vgl. Röm 1,1) herangezogen wurde. Noch eindeutiger wird diese christologisch-heilsgeschichtliche Reflexion des »Evangeliums« greifbar, wenn Gottes Handeln in Christus mit der ebenfalls und vorwiegend im hellenistischen Judenchristentum heimischen Aussage vom Sühnetod Jesu ausgedrückt wird. Eine derartige hellenistisch-judenchristliche Umschreibung des »Evangeliums« ist uns in der von Paulus zitierten Formel von *1 Kor 15,3b–5* erhalten:

Christus starb für unsere Sünden gemäß den Schriften
und wurde begraben,
und er wurde auferweckt am dritten Tage gemäß den Schriften
und er erschien dem Kephas, dann den Zwölfen.

Damit ist das »Evangelium« (vgl. 1 Kor 15,1) nun eindeutig christologisch gefüllt. Die Vermutung ist nicht von der Hand zu weisen, daß bereits das hellenistische Judenchristentum dieses, solchermaßen christologisch interpretierte »Evangelium« mit der Bezeichnung »Evangelium Christi« auf den begrifflichen Nenner gebracht hat, auch wenn Paulus in 1 Kor 15,1 nicht vom »Evangelium Christi«, sondern nur vom »Evangelium« spricht. Jedenfalls ist damit zu rechnen, daß der bei Paulus achtmal vorkommende Ausdruck »Evangelium Christi« bereits traditionell ist.

Der christologische Inhalt des »Evangeliums« (insbesondere die Aussage vom Sühnetod Christi) dürfte auch der maßgebliche Grund dafür gewesen sein, daß das hellenistische Judenchristentum mit diesem »Evangelium« die Grenzen Israels sprengte und sich auch den Heiden zuwandte (vgl. Apg 11,19 f). Denn das Bekenntnis, daß Jesu Tod eschatologische Sühne erbracht hatte, mußte fast zwangsläufig die bisherigen Heilsmittel des Judentums,

Tempel und Tora, relativieren beziehungsweise den Heiden, die keinen direkten Zugang zu diesen Heilsmitteln hatten, eine unmittelbare Möglichkeit des Heiles erschließen. Tatsächlich wurden denn auch die
»Hellenisten« Jerusalems wegen tempel- und torakritischer Äußerungen
(vgl. Apg 6,13 f) angefeindet und schließlich aus Jerusalem vertrieben. |

Für die *zweite Traditionsstufe* läßt sich demnach der Inhalt der Evangeliumsterminologie *zusammenfassen:* Insbesondere »Evangelium Gottes« ist
deutlich der monotheistischen *Missionspredigt* verhaftet. Die eschatologische Dimension des semitischen Äquivalents ist gewahrt, allerdings in klar
christologischer Interpretation. Das »Evangelium« ist die Freudenbotschaft
von dem einen Gott, der an Jesus eschatologisch gehandelt hat (Auferwek-
kung) und ihn deshalb zum Retter im Endgericht bestimmt hat (Parusie).
Noch eindeutiger stellt die Rede vom »Evangelium Christi« Jesu Tod selbst
als das eschatologische Ereignis heraus, durch welches Sühne für die Sünden geschehen ist. Die hellenistische Missionsgemeinde proklamiert daher
mit dem Evangelium vom Heilswerk Christi Heil für jeden, der den Namen
des Herrn anruft (vgl. Joël 3,5 und die christliche Auslegungstradition in
Apg 2,21; 9,14.21; 22,16; 1 Kor 1,2; Röm 10,12 f; 2 Tim 2,22), das heißt
auch für den Heiden.

3. Zur paulinischen Akzentuierung des Begriffs »Evangelium«

Es unterliegt keinem Zweifel, daß die paulinische Evangeliumsterminologie an den Sprachgebrauch der hellenistisch-jüdischen Missionsgemeinde
(wahrscheinlich Antiochiens) anknüpft. Eindeutige Indizien dafür sind die
christologischen Formeln, die Paulus auf dem Wege über das hellenistische
Judenchristentum übernimmt und – wie wahrscheinlich schon dieses – zur
inhaltlichen Bestimmung des von ihm verkündeten »Evangeliums« verwendet: 1 Kor 15,1.3–5; Röm 1,1.3 f. Wie bei den »Hellenisten« ist auch bei Paulus das »Evangelium« mit der *monotheistischen Missionspredigt* verbunden; sowohl die Übernahme des Terminus »Evangelium Gottes« (vgl. in
diesem Zusammenhang besonders Röm 1,1; 1 Thess 2,2) wie auch dessen
inhaltliche Umschreibung in 1 Thess 1,9 f unterstreichen dies.

3.1 Die eschatologisch-prophetische Dimension

Bemerkenswert ist, daß gerade bei Paulus die eschatologisch-prophetische
Dimension des »Evangeliums«, die den Begriff von seinem Ursprung her
prägt (vgl. die erste Traditionsstufe oben 2.1), noch gut erkennbar ist. Auch
dies ist ein Indiz dafür, daß »Evangelium« christlicherseits nicht aus dem

Kaiserkult übernommen ist. In diesem Zusammenhang kann etwa auf Röm 10,15 verwiesen werden, wo Paulus direkt Jes 52,7 (vgl. Nah 2,1) zitiert: |

Röm 10,15f:
(15) Wie sollen sie aber verkündigen, wenn sie nicht gesandt sind (ἀπο-στέλλειν), wie geschrieben steht:
Wie lieblich sind die Füße derer, die gute Botschaft bringen (τῶν εὐαγ-γελιζομένων ἀγαϑά)!
(16) Nicht alle jedoch sind dem *Evangelium* gehorsam geworden ...

Diese Stelle, die »Evangelium« direkt zu Jes 52,7 in Beziehung setzt, untermauert also auf der einen Seite die dargestellte traditionsgeschichtliche Ableitung des Evangeliumsbegriffes. Auf der anderen Seite markiert sie eine bemerkenswerte Umakzentuierung. Denn Paulus zitiert nicht wörtlich, sondern spricht in Abweichung sowohl vom hebräischen wie vom griechischen Text des Alten Testamentes nicht vom »Freudenboten« = εὐαγγελιζόμενος (Singular), sondern von denen, »die gute Botschaft bringen« = εὐαγγελιζόμενοι (Plural). Gemeint damit sind diejenigen, die zur Verkündigung »gesandt sind« (ἀποστέλλειν), also die Apostel. Diese Verschiebung gegenüber der ersten Traditionsstufe, wo Jesus selbst noch der »Freudenbote« war, ist eine Folge der christologischen Interpretation des Evangeliumsbegriffes. Aus dem Verkündiger des »Evangeliums« (im Sinne der ›bᵉśôrah‹) wird der Verkündigte. Die Christologie wird zum Inhalt des »Evangeliums«. An die Stelle des Verkündigers Jesus treten jetzt als seine Stellvertreter und Repräsentanten die Apostel.

Es lassen sich noch einige weitere Beobachtungen hinzufügen, welche die prophetisch-eschatologische Abkunft des paulinischen Begriffs »Evangelium« unterstreichen:

Wie die »Freudenbotschaft« von der »Gottesherrschaft« in der frühen palästinischen Gemeinde steht auch bei Paulus das »Evangelium« im eschatologischen Horizont *apokalyptischer Naherwartung.* Die Evangeliumsverkündigung ist Endzeitgeschehen, also Geschehen kurz vor dem nahen Ende. Von daher dürfte sich der Eifer und die Eile des Paulus erklären, das »Evangelium Christi«, das er – wie er in Röm 15,19 sagt – bereits von Jerusalem bis Illyrien »vollendet« hat (πληρόω), weiterzutragen bis an die Grenzen der Erde, d. h. bis nach Spanien (vgl. Röm 15,23 f).

Interessant ist, daß die ursprüngliche *Ausrichtung des »Evangeliums«* *auf Israel* und das damit verbundene Motiv der *Völkerwallfahrt* bei Paulus noch durchscheint, allerdings in bezeichnender Verschiebung der Akzente. Paulus weiß um die heilsgeschichtliche Priorität Israels, auch in bezug auf die heilschaffende Kraft des »Evangeliums«: |

Röm 1,16: ... Ich schäme mich des *Evangeliums* nicht, denn es ist Kraft Gottes zum Heil für jeden, der glaubt, *dem Juden zuerst und auch dem Griechen* (vgl. auch Röm 2,9.10).

Das Motiv der Völkerwallfahrt dürfte hinter der eifrigen Kollektentätigkeit für Jerusalem stehen, die Paulus mit seiner Evangeliumsverkündigung verbindet (vgl. Gal 2,10). Offensichtlich will er damit den Jerusalemern, die sich als die »Armen« im Sinne von Jes 61,1 verstehen, demonstrieren, daß seine Evangeliumsverkündigung (an die Heiden) nichts anderes ist als die Einlösung der gerade auch von Trito-Jesaja vorhergesagten Wallfahrt der Heiden, die ihre Schätze nach Jerusalem bringen (vgl. Jes 60; 61,6; u. ö.).

Und auch die angesichts des Unglaubens Israels sich dem Paulus aufzwingende Vorstellung, daß die *Bekehrung der Heiden Israel »reizen«* soll (παραζηλόω: Röm 11,11), so daß das Eingehen der Vollzahl (πλήρωμα) der Heiden zur Rettung ganz Israels führt (Röm 11,12.25 f), dürfte nur eine Umakzentuierung des Motivs der Völkerwallfahrt sein. Wenngleich Israel in seiner Mehrheit dem »Evangelium« gegenüber nicht gehorsam geworden ist (Röm 10,16.19–21; vgl. 11,5), ist es von Gott nicht verstoßen (Röm 11,1). Das Motiv der Völkerwallfahrt wird von Paulus gleichsam umgedreht. War es ursprünglich die Rettung Israels, welche die Wallfahrt der Heiden zum Zion auslöste und damit ihre Rettung bewirkte, so ist es jetzt die Rettung der Heiden, die schließlich zur Rettung Israels führt.

3.2 Die Wirksamkeit des »Evangeliums«

Ebenfalls an das eschatologisch-prophetische Verständnis knüpft die Vorstellung von der Wirksamkeit des »Evangeliums« an. Das »Evangelium« ist nicht nur Rede (λόγος), sondern Kraft (δύναμις).

1 Thess 1,5:
Denn unser(e Verkündigung des) *Evangelium*(s) geschah bei euch nicht nur *in Rede (*ἐν λόγῳ), sondern auch *in Kraft (*ἐν δυνάμει) und im heiligen Geist und in voller Gewißheit ...

Wahrscheinlich ist es kein Zufall, sondern nur eine Folge der traditionsgeschichtlich ursprünglichen Verbindung von »Evangelium« (›*beśôrāh*‹) und »Gottesherrschaft«, wenn Paulus in 1 Kor 4,20 in derselben Gegensätzlichkeit von »Rede« und »Kraft« die »Gottesherrschaft« nennt.

1 Kor 4,20:
Denn nicht *in Rede* (ἐν λόγῳ) (erweist sich) die *Gottesherrschaft,* sondern *in Kraft* (ἐν δυνάμει).

Diese schon in der Tradition angelegte Auffassung von der Wirksamkeit des »Evangeliums« wird von Paulus theologisch weiter durchdrungen, so daß man letztlich von einer spezifisch paulinischen Auffassung sprechen kann. Die klassische Stelle dafür ist *Röm 1,16 f*:

> (V. 16) Denn ich schäme mich des *Evangeliums* nicht, denn es ist Kraft Gottes zum Heil für jeden, der glaubt, den Juden zuerst und auch den Griechen.
>
> (V. 17) Denn Gottes Gerechtigkeit wird in ihm offenbar aus Glauben zum Glauben, wie geschrieben steht: Der Gerechte aber aus Glauben wird leben.

Im »Evangelium« ist also *Gottes Heilsmacht* (δύναμις θεοῦ εἰς σωτηρίαν) selbst am Werke. »Evangelium« ist Endgeschehen, ihm kommt daher *entscheidende, scheidende Funktion* zu, das heißt, es stellt vor die Entscheidung und scheidet zwischen Glaubenden und Ungläubigen, zwischen denen, die gerettet werden, und denen, die verlorengehen (vgl. 1 Kor 1, 18). Dieser Gedanke wird besonders im zweiten Korintherbrief artikuliert.

2 Kor 4,3 f:

> (V. 3) Ist unser *Evangelium* auch verhüllt, so ist es (doch nur) bei denen verhüllt, die verlorengehen,
>
> (V. 4) in denen der Gott dieses Äons verblendet hat die Gedanken der Ungläubigen, damit sie nicht schauen können das Leuchten des *Evangeliums* von der Herrlichkeit Christi, der das Ebenbild Gottes ist.

Der Apostel, der das »Evangelium« verkündet, wird daher selbst zur Person, die Heil oder Unheil verbreitet, den Wohlgeruch des Lebens oder den Verwesungsgestank des Todes, wie man in Anlehnung an *2 Kor 2,14–17* sagen könnte:

> (V. 14) Gott aber sei Dank, der uns überall in Christus herumführt und den Geruch seiner Erkenntnis durch uns an jedem Ort offenbart.
>
> (V. 15) Denn Christi Wohlgeruch sind wir für Gott unter denen, die gerettet werden, und unter denen, die verlorengehen,
>
> (V. 16) den einen Geruch vom Tod zum Tod, den anderen Geruch vom Leben zum Leben. Und wer ist dazu geeignet?
>
> (V. 17) Nicht nämlich sind wir wie die meisten, die Geschäfte machen | mit dem Wort Gottes, sondern wie aus reiner Gesinnung, sondern wie aus Gott (ἐκ θεοῦ), vor Gott (κατέναντι θεοῦ), in Christus (ἐν Χριστῷ) reden wir.

Die drei letzten Präpositionalausdrücke umschreiben und bestimmen die Dimensionen, in denen nach paulinischer Auffassung der Apostel steht, der das »Wort Gottes«, wie es hier für »Evangelium« heißt, verkündet: Er redet »aus Gott«, weil sein Evangelium von Gott her kommt und er damit von Gott betraut ist. Er redet »in Christus«, weil er Christi Wohlgeruch ist und somit an Christi Stelle steht. Und er redet »vor Gott«, weil die Verkündigung des Evangeliums vor das Forum des Gerichtes Gottes stellt, ja das Gericht Gottes vorwegnimmt (vgl. VV. 15 f). Das »Evangelium« ist demnach für Paulus *Gerichtsgeschehen,* scheidendes und wirksames Geschehen, das Tod und Leben verbreitet.

Natürlich steht dieses Geschehen noch immer unter eschatologischem Vorbehalt, so daß dem Ungläubigen die Chance der Bekehrung bleibt und der Gläubige immer bedenken muß: »Wer meint zu stehen, der sehe zu, daß er nicht falle« (1 Kor 10,12). Die durch das »Evangelium« herbeigeführte Scheidung zwischen denen, die verlorengehen, und denen, die gerettet werden, ist also keine deterministische, dualistisch-ontische, sondern hängt von der Glaubensentscheidung ab.

Damit ist eigentlich auch klar, daß das »Evangelium« nicht nur formale Wirksamkeit hat, als ob es etwa nur scheiden würde zwischen denen, die gerecht *sind,* und denen, die nicht gerecht *sind,* oder nur *aufdecken* würde, wer gerecht und wer nicht gerecht *ist.* Das »Evangelium« ist vielmehr wirksame, be-wirkende, zur Wirklichkeit rufende Kraft Gottes, darauf ausgerichtet, eine allenthalben und ausnahmslos unter die Sünde versklavte Welt zum Heil zu führen: Das »Evangelium« ist »Kraft Gottes zum Heil für jeden, der glaubt« (Röm 1,16).

3.3 Die christologische Reflexion des »Evangeliums«

Diese Sicht des »Evangeliums« ist für Paulus *christologisch* begründet, wie dies schon für das hellenistische Judenchristentum, von dem Paulus den Begriff übernommen hat, der Fall war. Aber gerade in der christologischen Begründung erweist sich Paulus als der konsequentere und kreativere Denker. Das hellenistische Judenchristentum hatte das »Evangelium« vorwiegend *christologisch-heilsgeschichtlich* reflektiert, wie es etwa in 1 Kor 15,3b–5 zum Ausdruck kam. Das »Evangelium« verweist auf das Heilswerk, | das Christus getan und in dem er Vergebung unserer Sünden erwirkt hat. Dies alles kann Paulus vorbehaltlos unterschreiben, sonst hätte er die Formel von 1 Kor 15 auch nicht zitiert und an seine Gemeinde weitergegeben. Aber für Paulus ist »Evangelium« mehr als nur Vergegenwärtigung des Heilswerkes. Er begnügt sich nicht mit einer heilsgeschichtlich-retrospektiven Christologie. Das »Evangelium« verkündet für sein Verständnis nicht nur Vergebung der vorher geschehenen Sünden (vgl. Röm 3,25 f, wo Paulus ebenfalls eine Formel zitiert), also Wiedereinsetzung in den bisherigen Stand, Wiederherstellung der verlorenen Unschuld. Für Paulus beinhaltet

»Evangelium« mehr: »Evangelium« ist δύναμις, Kraft Gottes, und das heißt – gerade weil δύναμις christologisch zu verstehen ist – schöpferische, Neues schaffende Kraft Gottes. Denn die Kraft Gottes, die im »Evangelium« wirksam ist, ist dieselbe, die Jesus von den Toten auferweckt hat, die also die Toten lebendig macht und das, was nicht ist, ins Dasein ruft (Röm 4,17; vgl. 1 Kor 6,14; 2 Kor 13,4).

Deshalb verkündet und repräsentiert Paulus mit seiner Verkündigung des »Evangeliums« nicht nur heilsgeschichtliche Vergangenheit, vielmehr versteht er seine Evangeliumsverkündigung als Teil jenes Geschehens, das mit Gottes Handeln an dem gekreuzigten, toten und nicht mehr seienden Jesus begonnen hat und das abzielt auf die Neuschöpfung der Welt insgesamt. Paulus verbindet also mit dem Begriff »Evangelium« nicht eine Christologie der heilsgeschichtlichen Retrospektive, sondern eine Christologie, die eschatologisch offen ist, die auf Vollendung drängt. Oder anders ausgedrückt: Paulus verbindet mit »Evangelium« eine Christologie, die er als Vorwegnahme und Auftakt eschatologischer Vollendung und Neuschöpfung versteht (Christologie als *Prolepse der Eschatologie*). »Evangelium« ist daher nichts anderes als *schöpferische Offenbarung* dieses *eschatologischen Geschehens*, das mit Christus begonnen hat und die ganze Welt auf den Punkt zusteuern will, der »in Christus« schon erreicht ist (vgl. den Gedanken der Herrschaft Christi 1 Kor 15,20–28). Deshalb ist der, der sich von der Dynamik des »Evangeliums« erfassen läßt, das heißt glaubt und somit »in Christus« ist, schon jetzt »neue Schöpfung« (2 Kor 5,17).

Damit stoßen wir bereits auf die Grundlinien der paulinischen *Rechtfertigungslehre*. Denn dieses eschatologische Geschehen ist nichts anderes als Erweis der »Gerechtigkeit Gottes«, das heißt Erweis jener Treue, die Gott dem glaubenden Abraham und in ihm den Völkern geschworen hat (Röm 4,16f; vgl. Gen 15,5). Von dieser Treue ist Gott durch keine Untreue der Menschen – weder der Juden noch der Heiden – abzubringen; diese Treue hält er auch dann noch aufrecht, wenn er – wie es ja tatsächlich der Fall ist | – das sündige, gottlose und todverfallene Geschöpf rechtfertigen und neuschaffen muß (vgl. Röm 4,5), was er in seinem Handeln am gekreuzigten Jesus eindrucksvoll erwiesen hat. Genau dies meint Paulus, wenn er Röm 1,17 sagt, daß im »Evangelium« Gerechtigkeit Gottes offenbar wird.

Von dem Gedanken der eschatologischen Neuschöpfung her erklärt sich auch, daß Paulus das »Evangelium«, das die schöpferische Heilsmacht Gottes (δύναμις) offenbart und wirksam werden läßt, nicht nur dem *Juden*, sondern auch und gerade dem *Heiden* verkündet. Denn Juden und Heiden präsentieren sich dem in Christus handelnden Gott als faktisches Kollektiv von Sündern (vgl. Röm 1,18 – 3,20). Deshalb braucht und kann Gott keinen Unterschied machen, wenn er die Gottlosen aus dem Nichts reißt und rechtfertigt. Gerade so bleibt er seiner Verheißung gegenüber Abraham

treu, der dem aus Nichts schaffenden Gott geglaubt hat (Röm 4,17). In
Christus gibt es daher keinen Unterschied mehr (Röm 3,22), gilt nicht
mehr Jude noch Grieche (Gal 3,28), gibt es nur noch neue Schöpfung (2 Kor
5,17; Gal 6,15).

Aus demselben Grund muß Paulus im Galaterbrief sich dagegen wehren,
daß – wie es die Gegner der Sache nach fordern – sein »Evangelium« ergänzt
werden müsse durch die Befolgung von Gesetzesvorschriften, so als ob die
im »Evangelium« verkündete und geschehende Rechtfertigung den Menschen nur wieder zurückbringe auf den alten (für Paulus ohnehin nur vermeintlichen) Heilsweg des Tuns von Gesetzeswerken. Für Paulus wäre dies
ein Verrat an der eschatologischen und wirklich neuschaffenden Qualität
des Handelns Gottes in Christus. Deshalb kann es für Paulus kein anderes
Evangelium geben (vgl. Gal 1,6–9) als das, welches Jesus Christus zum Inhalt hat, der sich für uns dahingegeben und den Gott von den Toten auferweckt hat (Gal 1,1.4).

Das »Evangelium« hat also Jesus Christus zum Inhalt, ist Freudenbotschaft von seinem Heilswerk in Tod und Auferstehung. Darin stimmt Paulus mit der Tradition überein. Der *spezifisch paulinische Gedanke* liegt
darin, daß Paulus diesen christologischen Inhalt des »Evangeliums« zuspitzt
auf das Handeln Gottes an dem Gekreuzigten und von daher das »Evangelium« als Botschaft und zugleich wirksames Geschehen der neuen Schöpfung deuten kann. »Evangelium« ist daher nicht nur Botschaft *von* dem
Heilsereignis, sondern ist selbst heilswirksames Geschehen, in dem Gottes
schöpferische δύναμις neue Schöpfung schafft, bis einmal vollendet sein
wird, was in Christus schon vollendet ist.

4. Existentielle Aspekte

Für den Verkündiger, aber auch für jeden Christen – sofern jeder Christ für
seinen Herrn einzutreten und ihn so durch die Praxis seines Lebens zu verkündigen hat – ergeben sich wichtige existentielle Konsequenzen. Drei Gesichtspunkte seien besonders hervorgehoben:

4.1 Das Evangelium zu verkünden, ist in erster Linie nicht eine Angelegenheit der Indoktrination, also der Vermittlung einer Lehre. So sehr auch
Lehrtraditionen weitergegeben werden müssen und auch von Paulus weitergegeben wurden (vgl. 1 Kor 15,3–5), so darf das »Evangelium« doch nicht
zu einer »Sache« verobjektiviert werden. Der Verkündiger des »Evangeliums« wird sich vielmehr als *Repräsentant eines Geschehens* verstehen
müssen, in dem sich Gottes Recht auf diese Welt durchsetzt. Rein konser-
vative Tradition, die nur auf die Bewahrung und Sicherung des objektiven

Lehrbestandes ausgerichtet ist, widerspricht daher dem Wesen des »Evangeliums«, das zutiefst Dynamik (δύναμις) ist. Dieser göttlichen Dynamik wird der Verkündiger nur dann gerecht, wenn er die zu bewahrende Tradition immer neu entbindet auf die Welt hin, die vom »Evangelium« als Geschehen erfaßt und durch es neugeschaffen werden soll.

4.2 Aus dem genannten Selbstverständnis des Verkündigers als Repräsentanten eines Geschehens ergeben sich *Würde und So-sein* des Verkündigers. Seine Würde besteht darin, daß er nicht für sich steht, sondern in prophetischer Weise Wort Gottes ausrichtet. Diese Würde kann und darf jedoch nicht zur Ehre und zum Ruhm der eigenen Person ausgenutzt werden. Wo ein Verkündiger sich im Glanz der eigenen Fähigkeiten sonnt, wird seine Verkündigung zur Propaganda und das »Evangelium« in seinem Munde zur Ideologie.

Umgekehrt bewahrt das Selbstverständnis, als Evangeliumsverkündiger Repräsentant eines von Gott verantworteten und getragenen Geschehens zu sein, vor der Resignation, die den Verkündiger angesichts der nach menschlichem Ermessen oft und oft unwirksam erscheinenden Verkündigung zu befallen droht. Gerade in solchen Situationen wird sich der Verkündiger darüber im klaren sein müssen, daß er die Botschaft von dem Gekreuzigten ausrichtet bzw. die Botschaft von dem Gott, der den Toten ins Leben ruft. In der Erfahrung offenkundigen Scheiterns wird der Verkündiger lernen, daß die Botschaft, die er ausrichtet, eben nicht objektivierbar ist, das heißt *neben* seine Person und sein Leben zu stellen ist, sondern daß sie gerade ihn selbst und seine Existenz befällt und zeichnet. Er wird zu | erweisen haben, daß er glaubt, was er verkündet, daß nämlich Gottes Kraft (δύναμις) selbst in der Vernichtung zur Wirksamkeit kommt. Das »Evangelium« zu verkünden ist also eine existentiell zu tragende und zu verspürende Angelegenheit. Erst wer selbst von dem Geschehen des »Evangeliums« erfaßt ist, wird von seiner Dynamik zeugen können.

4.3 »Evangelium« ist wirksames, ent-scheidendes, scheidendes Geschehen, das Leben oder Tod verbreitet. Dieses Wissen nimmt den Verkündiger in eine *Verantwortung,* die er selbst gar nicht zu tragen vermag, sondern die letztlich vor den Richterstuhl Gottes stellt. Das Gericht über seine Adressaten sollte der Verkündiger daher Gott überlassen (dieses Richterrecht Gottes tangiert Paulus auch in 1 Kor 5,1–5 nicht, vgl. V. 5!), dessen Gericht auch über den Verkündiger befinden wird (vgl. 1 Kor 4,3–5). Das »Evangelium« als Gerichtsgeschehen ist immer eschatologisch offenes Geschehen, das letztlich sogar mit der Rettung der noch so »Verstockten« zu rechnen vermag, wie umgekehrt das »Evangelium« als Heilsgeschehen immer nur unter der Prämisse der Hoffnung, daß Gottes Güte die Glaubenden nicht fallen läßt, zur Gewißheit werden darf. Daher wird auch der Verkündiger immer von dem Bewußtsein getragen sein müssen, daß auch sein eigener Glaube, ja selbst seine Repräsentanz göttlichen Geschehens nicht Sicherheit verleihen, sondern daß er selbst immer angewiesen bleibt auf Gottes stets neu schaffendes Handeln.

10. Die Ekklesia Gottes

Der Kirchenbegriff bei Paulus und in Jerusalem*

In den deutschen Übersetzungen wird ἐκκλησία sowohl mit «Kirche» wie auch mit «Gemeinde» wiedergegeben[1]. Damit deutet sich bereits das zu behandelnde Sachproblem an. Ist die Ekklesia grundlegend «Gemeinde», so daß die Kirche erst durch den Zusammenschluß von Gemeinden zustandekommt? Oder ist die Gesamtkirche das Primäre, so daß die Gemeinden nur Teile derselben sind? Oder läßt sich beides so vereinen, daß die Lokalkirchen Repräsentationen der Universalkirche sind? Das Vaticanum II formuliert in Lumen Gentium 23, daß die Teilkirchen «nach dem Bild der Gesamtkirche gebildet» sind, und daß «in ihnen und aus ihnen die eine und einzige katholische Kirche besteht».

1. Zur Forschungsgeschichte

Die Fragestellung Gesamtkirche – Teilkirche bzw. Kirche – Gemeinde beherrscht seit geraumer Zeit auch die Exegese[2].

1.1 Katalytisch wirkte dabei vor allem die Diskussion zwischen *Rudolf Sohm* und *Adolf Harnack*. Nach Sohm kennt das Urchristentum nur einen rein religiösen Kirchenbegriff im Sinne einer charismatischen Gesamtkirche[3]. Obwohl sich Sohm in seinem «Kirchenrecht» weitgehend an die Gliederung des Werkes

---

* Der Aufsatz stellt die überarbeitete Fassung der Öffentlichen Probevorlesung dar, die ich zur Erlangung des Grades eines habilitierten Doktors der Theologie sowie der Lehrbefähigung für das Fach Exegese des Neuen Testaments am 16. Dezember 1976 an der Julius-Maximilians-Universität Würzburg gehalten habe.

[1] Zum Übersetzungsproblem vgl. auch K. L. *Schmidt*, Art. ἐκκλησία, ThWNT III (1938) 502–539, hier: 503–505.

[2] Vgl. O. *Linton*, Das Problem der Urkirche in der neueren Forschung, Uppsala 1932; H. *Koehnlein*, La notion de l'Église chez l'apôtre Paul, RHPhR 17 (1937) 357–377; F. M. *Braun*, Neues Licht auf die Kirche, Einsiedeln–Köln 1946; W. G. *Kümmel*, Das Urchristentum, ThR 17 (1948/49) 122–133; 18 (1950) 4–11; K. *Stendahl*, Art. Kirche (II. Im Urchristentum), RGG³ III (1959) 1297–1309; V. *Warnach*, Art. Kirche, BThW² II (1962) 713–717 (Lit.).

[3] R. *Sohm*, Kirchenrecht I, Berlin 1970 (= ²1923; zuerst: 1892); vgl. *Ders.*, Wesen und Ursprung des Katholizismus, Leipzig (1909) ²1912.

von Adolf Harnack anschloß[4], hatte er mit dieser Sicht eine wichtige Differenzierung Harnacks, die dieser in Weiterführung der Arbeit von *Edwin Hatch* getroffen hatte[5], ausgeschieden. Nach Harnacks Hypothese kannte die Urkirche eine doppelte Organisation, nämlich eine gesamtkirchliche, charismatische Organisation und eine, auch rechtlich verfaßte Gemeindeorganisation[6].

1.2 Diese Differenzierung von Charismatischem und Rechtlichem schlägt sich – freilich in ganz anderer Weise – in dem für unsere Fragestellung höchst bedeutsamen Aufsatz von *Karl Holl* über den «Kirchenbegriff des Paulus in seinem Verhältnis zu dem der Urgemeinde» nieder[7]. Holl unterscheidet einen paulinischen und einen Jerusalemer Kirchenbegriff. Nach Jerusalemer Verständnis ist die Kirche «eine einzige große Gemeinde» mit Jerusalem als ihrem «unverrückbaren Mittelpunkt»[8]. Jerusalem «ist befugt und verpflichtet, ein Aufsichts- und ... Besteuerungsrecht über die ganze Kirche auszuüben»[9]. «Zu diesem Kirchenbegriff tritt nun der des Paulus in ausgesprochenen Gegensatz»[10]. Paulus schiebt «gegenüber den ‹Aposteln› ... den lebendigen Christus in den Vordergrund»; dadurch kommt «die Selbständigkeit der Gemeinde ... zu stärkerer Geltung»[11]. Für Paulus muß daher jede Gemeinde «als ἐκκλησία τοῦ θεοῦ im vollen Sinn gelten ... Jerusalem verbleibt nur die Bedeutung eines Sinnbilds»[12].

1.3 Diese Unterscheidungen werden bei *Karl Ludwig Schmidt* in gewisser Weise wieder integriert[13]. Ihmzufolge ist die «Ekklesia Gottes» nach paulinischem Verständnis Einzelgemeinde und Gesamtgemeinde bzw. Kirche, wobei letztere nicht erst durch die

---

[4] *A. Harnack*, Die Lehre der zwölf Apostel, Leipzig 1884; *Ders.*, Art. Verfassung ..., PRE 20 (1908) 508–546.
[5] *E. Hatch*, The Organisation of the Early Christian Churches, London 1881. Die 2. Aufl. (1882) wird von Harnack übersetzt: Die Gesellschaftsverfassung der christlichen Kirchen im Alterthum, Gießen 1883.
[6] Zum Streit Sohm–Harnack vgl.: *A. Harnack*, Entstehung und Entwickelung der Kirchenverfassung und des Kirchenrechts, Leipzig 1910, 121–182; *R. Sohm*, Wesen (A. 3), bes. das Vorwort zur 2. Aufl.
[7] *K. Holl*, Der Kirchenbegriff des Paulus in seinem Verhältnis zu dem der Urgemeinde, in: Ges. Aufs. zur Kirchengeschichte II, Tübingen 1928, 44–67.
[8] A.a.O. 61.
[9] A.a.O. 62.
[10] Ebd.
[11] A.a.O. 63.
[12] A.a.O. 64. Ähnlich wie Holl äußerte sich *M. Goguel*: vgl. bes. L'Église Primitive, Paris 1947, 7–53 (zur Kritik: *F. M. Braun*, Licht [A. 2] 48–56).
[13] *K. L. Schmidt*, Die Kirche des Urchristentums, in: Festgabe A. Deissmann, Tübingen 1927, 258–319; *Ders.*, Das Kirchenproblem im Urchristentum, ThBl 6 (1927) 293–302; *Ders.*, Le Ministère et les ministères dans le N. T., RHPhR 17 (1937) 313–336; *Ders.*, ThWNT III 502–539. – Schon zuvor hatte *W. Mundle*, Das Kirchenbewußtsein der ältesten Christenheit, ZNW 22 (1923) 20–42, die Unterscheidung Holls relativiert.

Vereinigung der Einzelgemeinden zustandekommt. Damit kann er an einem, Paulus und Jerusalem verbindenden Grundgedanken festhalten. Auf einer ähnlichen Linie bewegt sich *Alfred Wikenhauser*[14]. Eine deutliche Verschiebung der Diskussion ist zu erkennen. Waren Sohm und Harnack vor allem an der Verfassungsfrage interessiert, so ist die Fragestellung jetzt dezidiert theologisch[15]. Betont wird die eschatologische Qualität der Kirche als des Volkes Gottes, konkret verifiziert durch die Rückführung des Ekklesia-Begriffes auf die LXX-Übersetzung von ‹qehal Jahwe›[16].

1.4 Die These Schmidts vom doppelten Kirchenbegriff des Paulus wurde von der Forschung weitgehend übernommen, doch blieb sie nicht ganz unwidersprochen. Schon *Lucien Cerfaux* wies es als unbewiesen zurück, daß «Ekklesia» immer und überall direkt und explizit die Idee einer universellen Kirche hervorgerufen habe[17]. In dieselbe Richtung geht die neueste Monographie über den Kirchenbegriff des Paulus, die *Josef Hainz* verfaßt hat[18]. Eine seiner Hauptthesen lautet: «Paulus kennt keine Gesamt-

---

14 *A. Wikenhauser*, Die Kirche als der mystische Leib Christi nach dem Apostel Paulus, Münster 1937.

15 Bezeichnend für die neue Problemstellung ist neben der Betonung der eschatologischen Qualität der Kirche die Frage nach ihrer Relation zum Messias bzw. zum Reich Gottes. Bes. Erwähnung verdient hier: *F. Kattenbusch*, Der Quellort der Kirchenidee, in: Festgabe A. Harnack, Tübingen 1921, 143–172; *Ders.*, Die Vorzugsstellung des Petrus und der Charakter der Urgemeinde zu Jerusalem, in: Festgabe K. Müller, Tübingen 1922, 322–351. Vgl. außerdem: *T. Schmitt*, Der Leib Christi, Leipzig–Erlangen 1919, bes. 217–223; *G. Gloege*, Reich Gottes und Kirche im NT, Gütersloh 1929; *H.-D. Wendland*, Die Eschatologie des Reiches Gottes bei Jesus, Gütersloh 1931; *A. Fridrichsen*, Église et sacrement dans le N. T., RHPhR 17 (1937) 337–356; *Ders.*, Messias und Kirche, in: G. Aulén (Hrsg.), Ein Buch von der Kirche, Berlin 1950, 29–50; *H. Koehnlein*, Notion (A. 2) 369f; *F. J. Leenhardt*, Étude sur l'Église dans le N. T., Genève 1940; *O. Cullmann*, Königsherrschaft Christi und Kirche im NT, Zollikon–Zürich 1941; *N. A. Dahl*, Das Volk Gottes, Darmstadt ²1963 (= Oslo 1941); *G. Lindeskog*, Gottes Reich und Kirche im NT, in: G. Aulén, a.a.O. 145–157.

16 Darauf verwiesen hatten bereits: *R. Sohm*, Kirchenrecht (A. 3) 17f; *C. Weizsäcker*, Das apostolische Zeitalter, Tübingen–Leipzig ³1902, 39f; *E. Schürer*, Geschichte des jüdischen Volkes II, Leipzig 1907, 504 A. 11; vgl. *J. Weiß*, Das Urchristentum, Göttingen 1917, 483. Als entscheidend für die Wahl von ἐκκλησία (nicht συναγωγή) wird gerne die typologische Entsprechung zum Gottesvolk des Wüstenzuges (meist unter direkter Bezugnahme auf Dtn 23) angesehen: *L. Rost*, Die Vorstufen von Kirche und Synagoge im AT, Stuttgart 1938, 155. passim (vgl. ThWNT III 533 A. 90); *L. Cerfaux*, La théologie de l'Église suivant saint Paul, Paris 1965 (zuerst: 1942), 81–100; *A. Oepke*, Das neue Gottesvolk, Gütersloh 1950, 94f.

17 A.a.O. 91 (erst in den späteren Briefen [Kol, Eph] trete die «Universalkirche» deutlich hervor: 91–97. 253f). Mit einer Entwicklung vom Konkreten zum Abstrakten rechneten vorher schon: *P. Batiffol*, Urkirche und Katholizismus, Kempten–München 1910, 73–77; *H. Leclercq*, Art. Église, DACL IV (1921) 2220ff; *W. Koester*, Die Idee der Kirche beim Apostel Paulus, Münster 1928, bes. 8.

18 *J. Hainz*, Ekklesia. Strukturen paulinischer Gemeinde-Theologie und Gemeinde-Ordnung, Regensburg 1972.

‹Kirche›»[19]. Im übrigen knüpft Hainz weitgehend bei Holl an und
unterscheidet ein paulinisches und ein jerusalemisches Kirchenverständnis. Letzteres ist «zentralistisch, statisch ..., wobei Jerusalem als die ἐκκλησία τοῦ θεοῦ, d. h. als Vorort und Repräsentantin
der Gesamtekklesia verstanden sein wollte» und daraus auch
rechtliche Konsequenzen abzuleiten versuchte[20]. «Demgegenüber
entwickelte Paulus, obwohl er denselben, der Tradition entnom-
menen Begriff benützte, ein konkurrierendes ἐκκλησία-Verständnis,
das er gegen das Jerusalemer durchzusetzen unternahm»[21]. Nach
Paulus ist jede Gemeinde «für sich und in vollem Sinn ἐκκλησία
τοῦ θεοῦ»[22].

1.5 Damit wird die Aktualität unserer Fragestellung nur unterstrichen. Denn setzt man die These von Hainz als richtig voraus,
dann läßt sich wohl vom sogenannten Jerusalemer Kirchenbegriff
eine nahezu lineare Entwicklung zum römischen Kirchenverständnis annehmen. Wo aber bleibt dann der paulinische Kirchenbegriff? Zwar nimmt ihn die eingangs zitierte Formulierung aus
Lumen Gentium insofern wieder auf, als sie betont, daß die eine
Kirche nicht nur *aus,* sondern auch *in* den Teilkirchen bestehe.
Aber bereits die Unterscheidung Universal- und Partikularkirche,
wie auch die Beibehaltung der Formulierung, daß die Kirche *aus*
Teilkirchen bestehe, läßt erkennen, daß sich die Gesamtlinie mehr
nach dem Jerusalemer Modell richtet. Wenn man ferner bedenkt,
daß Paulus nach Hainz sein Kirchenverständnis polemisch *gegen*
Jerusalem durchzusetzen bemüht war, müßte man dann nicht die
Schlacht, die Paulus geschlagen und verloren hat, erneut schlagen,
und zwar im Namen des paulinischen Evangeliums, nun aber
nicht gegen Jerusalem, sondern gegen Rom?

2. Der exegetische Befund

Für die These von Hainz, daß Paulus keine Gesamt-Kirche
kenne, spricht, daß an der überwiegenden Mehrzahl der Stellen
ἐκκλησία konkret verwendet wird.

2.1 Abgesehen von den Stellen, wo ἐκκλησία im genuin hellenı-
stischen Sinn des Wortes[23] die «*Versammlung*» (als Akt oder

---

[19] A.a.O. 251.
[20] A.a.O. 250.
[21] A.a.O. 251.
[22] A.a.O. 239.
[23] Vgl. *C. G. Brandis,* Art. ἐκκλησία, PRE V (1905), 2163–2200; *K. L. Schmidt,*
ThWNT III 516–520; *K. Berger,* Volksversammlung und Gemeinde Gottes, ZThK
73 (1976) 167–207, hier: 168–170.

Konkretum) meint[24], ist hier vor allem auf die Stellen aufmerksam
zu machen, wo Paulus mit ἐκκλησία (τοῦ θεοῦ[25]) eine oder mehrere
konkrete Gemeinden bezeichnet. Dies ist mit Sicherheit dort der
Fall, wo der Begriff im Singular mit dem Namen eines *bestimmten
Ortes*[26] oder im Plural mit dem Namen einer *bestimmten Provinz
bzw. Landschaft*[27] verbunden wird. Hierher zu rechnen sind auch
die Stellen, an denen ἐκκλησία im Syntagma mit πᾶς, ἄλλος bzw.
λοιπός oder οὐδείς erscheint[28], wie überhaupt die Texte, die den
Begriff im Plural verwenden[29]. Die konkrete Note des paulinischen
Begriffs macht sich schließlich noch darin bemerkbar, daß Paulus
sogar die *Hausgemeinde* als ἐκκλησία bezeichnen kann[30]. Insgesamt
sprechen von den 44 Stellen ad vocem ἐκκλησία 37 – das sind knapp
85%/o – eindeutig für die These von Hainz. Die verbleibenden
Stellen sind etwas näher zu besprechen.

2.2 Zunächst könnte man für *1 Kor 6, 4; 10, 32; 11, 22* ein gesamtkirchliches Verständnis erwägen. Doch schon die Tatsache, daß
der Kontext jeweils Probleme der Gemeinde von Korinth – Pro-
zesse vor heidnischen Richtern, das Essen von Götzenopferfleisch
und Mißstände bei der Herrenmahlsfeier – behandelt, läßt es geraten erscheinen, auch hier primär an die konkrete korinthische
Gemeinde zu denken[31], wenngleich eine übergreifende (gesamtkirchliche) Bedeutung – das gilt besonders für die erste Stelle –
nicht mit Sicherheit ausgeschlossen werden kann[32].

2.3 Gegen ein konkretes Verständnis von «Ekklesia» muß auch
nicht *1 Kor 12, 28* sprechen, der für die These von Hainz zweifellos schwierigste Text. Mit Cerfaux verweist Hainz auf den Kontext in Kapitel 11–14, der ausschließlich von der Gemeinde in
Korinth handelt, und insbesondere auf den unmittelbar vorausgehenden V. 27, der diese direkt anspricht[33]. Den nur schwer zur
Einzelgemeinde passenden Plural «Apostel» erklärt Hainz damit,

---

[24] Vgl. 1 Kor 11, 18; 14, 4. 5. 12. 19. 23 (?). 28. (33 [?]. 34. 35 = sek.: G. *Dautzenberg*, Urchristliche Prophetie, Stuttgart 1975, 263–273).
[25] 1 Thess 2, 14; Gal 1, 13; 1 Kor 1, 2; 10, 32; 11, 16. 22; 15, 9; 2 Kor 1, 1. Vgl.
ἐ. τοῦ Χριστοῦ: Röm 16, 16.
[26] 1 Thess 1, 1; 1 Kor 1, 2; 2 Kor 1, 1; Röm 16, 1 (wohl auch 16, 23).
[27] 1 Thess 2, *14*; Gal 1, 2. 22; 1 Kor 16, 1. 19a; 2 Kor *8, 1*.
[28] 1 Kor 4, *17*; *7, 17*; 14, *33*; 2 Kor 8, *18*; *11, 28*; Röm *16, 4. 16*. – 2 Kor *11, 8*. –
2 Kor *12, 13*. – Phil 4, *15*.
[29] 1 Kor 11, 16; 2 Kor 8, 18f. 23f; sowie die in den vorausgehenden A. *kursiv*
gesetzten Stellen.
[30] Vgl. Phlm 2; 1 Kor 16, 19b; Röm 16, 5.
[31] Vgl. L. *Cerfaux*, Théologie (A. 16) 94–97; J. *Hainz*, Ekklesia (A. 18) 251.
[32] Vgl. R. *Schnackenburg*, Ortsgemeinde und «Kirche Gottes» im ersten
Korintherbrief, in: H. Fleckenstein (Hrsg.), Ortskirche – Weltkirche, FS
J. Döpfner, Würzburg 1973, 32–47, hier: 39.
[33] L. *Cerfaux*, Théologie (A. 16) 167–171; J. *Hainz*, Ekklesia (A. 18) 252–255.

daß die Argumentation des Paulus zwar konkret, zugleich aber auch prinzipiell ist: «daher der generische Plural ἀποστόλους usw. und das konkret, aber auch generell zu verstehende ἐν τῇ ἐκκλησίᾳ»[34]. Daß in solch genereller Aussage «eine gesamtkirchliche Implikation liegt», kann auch Hainz nicht bestreiten, sieht darin aber (wohl zu Recht) keinen Widerspruch zum prinzipiell konkreten Wortgebrauch bei Paulus[35]. Im übrigen dürfte die Ungewöhnlichkeit der Aussage von 1 Kor 12, 28 dadurch bedingt sein, daß Paulus mit der angesprochenen Trias auf antiochenische Tradition zurückgreift[36].

2.4 Es bleiben noch drei Stellen: *1 Kor 15, 9; Gal 1, 13; Phil 3, 6.* Paulus spricht jeweils davon, daß er die ἐκκλησία (τοῦ θεοῦ) verfolgt habe. Auch hier besteht kein Anlaß, an eine abstrakte Gesamtkirche zu denken[37]. Die Verfolgung des Paulus richtete sich konkret zunächst gegen die Christen in bzw. um Jerusalem (vgl. Apg 8, 1. 3; 9, 21; Gal 1, 22f, dazu unten). Daß Jerusalem nicht eigens genannt wird, könnte daher rühren, daß das absolute ἡ ἐκκλησία τοῦ θεοῦ terminus technicus für die Gemeinde in Jerusalem ist[38]. Doch sollte man diesen technischen Gebrauch nicht überstrapazieren, da Paulus bei seinen Lesern wohl soviel an geschichtlichem Wissen voraussetzen konnte, daß sie die von ihm verfolgte Ekklesia in Zusammenhang mit Jerusalem bringen konnten. Immerhin lassen nicht zuletzt die drei Verfolgungs-Stellen vermuten, daß die Bezeichnung ἡ ἐκκλησία τοῦ θεοῦ in ihren Ursprüngen auf Jerusalem zurückweist[39].

2.5 Daß der Terminus nicht eine Schöpfung des Paulus darstellt, sondern gerade an den zuletzt genannten Stellen als vorgegebener übernommen ist, bestätigt *Gal 1, 22f.* Dort interpretiert nämlich Paulus die «Ekklesia Gottes», die er nach Gal 1, 13 verfolgt hat, pluralisch als die ἐκκλησίαι τῆς Ἰουδαίας (ἐν Χριστῷ). Dieser Aus-

---

[34] A.a.O. 254.
[35] Ebd.
[36] *H. Merklein,* Das kirchliche Amt nach dem Epheserbrief, München 1973, 244–247; vgl. *R. Schnackenburg,* Ortsgemeinde (A. 32) 40.
[37] Vgl. *L. Cerfaux,* Théologie (A. 16) 93f. 271. 298; *J. Hainz,* Ekklesia (A. 18) 230. 223f. 251.
[38] *J. Hainz,* a.a.O. 233; vgl. *R. Asting,* Die Heiligkeit im Urchristentum, Göttingen 1930, 152f; *L. Cerfaux,* a.a.O. 93. 97; *J. Blank,* Paulus und Jesus, München 1968, 240–242.
[39] *L. Cerfaux,* a.a.O. 98–100. 164; vgl. *F. Kattenbusch,* Vorzugsstellung (A. 15) 348; *K. Holl,* Kirchenbegriff (A. 7) 45; *W. G. Kümmel,* Kirchenbegriff und Geschichtsbewußtsein in der Urgemeinde und bei Jesus, Göttingen [2]1968, 20; *R. Schnackenburg,* Die Kirche im NT, Freiburg [3]1966, 53; *Ders.,* Ortsgemeinde (A. 32) 36; *W. Schrage,* «Ekklesia» und «Synagoge», ZThK 60 (1963) 178–202, hier: 198.

druck entspricht dem sonstigen, konkreten paulinischen Sprachgebrauch (vgl. 1 Thess 2, 14), von dem sich dann aber die Rede von
der Verfolgung der «Ekklesia Gottes» (im Singular!) in bezeichnender Weise abhebt[40]. Hainz möchte «in dieser Ausweitung auf
die ‹Gemeinden Judäas›» eine erste Korrektur des Hoheitsanspru-
ches Jerusalems sehen[41]. Ob dies zutrifft, sei dahingestellt. Vorab
genügt eine traditionsgeschichtlich neutralere Erklärung: Paulus
greift in 1 Kor 15, 9; Gal 1, 13 und Phil 3, 6 auf einen traditionellen
Terminus zurück, wohl auf die Terminologie der Verfolgten selbst,
derzufolge der Begriff der «Ekklesia Gottes», obwohl wahrscheinlich in der konkreten Gemeinde von Jerusalem entstanden, nicht
primär die Bedeutung «konkrete Einzelgemeinde» hatte, sondern
für einen umfassenderen Horizont geöffnet war, und zur Bezeichnung der Christengemeinschaft insgesamt – in welchem Sinn, ist
noch zu klären (s. u. 3.6) – diente. Abgesehen von der atl.-jüdi-
schen Sprachkompetenz, auf die ebenfalls noch zurückzukommen
ist (s. u. 3.5), legt Letzteres schon die Beobachtung nahe, daß die
Christen in und um Jerusalem zur Zeit der Verfolgertätigkeit des
Paulus die Jesusanhänger in ihrer Gesamtheit, d. h. sofern sie sich
als Gemeinschaft verstanden und «organisierten», repräsentierten[42]. Unter dieser Voraussetzung sind Holl und Hainz jedenfalls
soweit im Recht, als im Unterschied zum speziell paulinischen
Sprachgebrauch nach Jerusalemer Auffassung *«die christliche
Kirche eine einzige große Gemeinde»* (ist)[43].

---

[40] Als Objekte der gleichen Verfolgertätigkeit meinen ἐκκλησία τοῦ θεοῦ
(V. 13) und ἐκκλησίαι τῆς Ἰουδαίας (V. 22f) grundsätzlich den nämlichen Per-
sonenkreis; eine Aufteilung: Jerusalem – Gemeinden außerhalb Jerusalems, ist
also nicht gestattet. Daß die Verfolgten die «Hellenisten» gewesen sind (s. u.
3.2/3), erlaubt nicht, sie grundsätzlich von den judäischen Gemeinden (die dann
«von der Verfolgung ... nicht unmittelbar betroffen» gewesen wären) zu unterscheiden, und damit ἤμην δὲ ἀγνοούμενος τῷ προσώπῳ zu erklären (gegen *J. Blank,*
Paulus [A. 38] 246); dagegen spricht V. 23. Die Wendung besagt nicht, daß die
Gemeinden Paulus (als Verfolger!) überhaupt nicht gekannt hätten, sondern will
im Zusammenhang der Argumentation (die sich übrigens nur auf die Zeit nach
der Bekehrung bezieht) nur herausstellen, daß Paulus auch während seines
Syrien- und Kilikienaufenthaltes (V. 21) zu den judäischen Gemeinden weiterhin
(dazu: *F. Mußner,* Der Galaterbrief, Freiburg 1974, 98) keinen persönlichen Kontakt aufgenommen hat (etwa, um dort zu «verkündigen», wie man aus V. 23b
ergänzen könnte; von seiner Verkündigung [anderswo] hören die Gemeinden
nur: V. 23a). Für V. 23 eine Tradition anzunehmen, halte ich für überflüssig
(gegen: *E. Bammel,* Galater 1, 23, ZNW 59 [1968] 108–112).
[41] Ekklesia (A. 18) 234.
[42] Vgl. *E. Schweizer,* Gemeinde und Gemeindeordnung im NT, Zürich ²1962,
30f. Das schließt nicht aus, daß es auch anderswo (Galiläa) Jesusanhänger gegeben hat. In Damaskus scheint erst durch die Jerusalemer Verfolgung eine
eigene Gemeinde entstanden zu sein: vgl. das vorsichtige ἐάν τινας εὕρῃ Apg 9, 2
und die «vielen» Apg 9, 13 (dazu: *E. Haenchen,* Die Apostelgeschichte, Göttingen
⁵1965, 269. 272).
[43] *K. Holl,* Kirchenbegriff (A. 7) 61; vgl. *J. Hainz,* Ekklesia (A. 18) 233.

Dieses Verständnis muß dann mit Sicherheit dem Paulus bekannt und auch seinen (heidenchristlichen) Lesern nicht unverständlich gewesen sein, wenngleich letzteren nicht aus originärer
(hellenistischer), sondern erst aus speziell christlich übernommener Sprachkompetenz. Dies schließt nicht aus, daß Pauli Leser bei
Gal 1, 13; 1 Kor 15, 9 und Phil 3, 6 primär an die Gemeinde(n) in
und um Jerusalem dachten (vgl. Gal 1, 22f und oben 2.4), erlaubt
aber dem Paulus, den Begriff der Ekklesia in bestimmten Zusammenhängen für einen, über die unmittelbar angesprochene konkrete Gemeinde hinausgehenden Sinn offen zu lassen. Unter
dieser Rücksicht hat die These von K. L. Schmidt vom doppelten
Kirchenbegriff des Paulus (1.3) etwas Richtiges erkannt, wenngleich Holl und Hainz wohl zu Recht betonen, daß Pauli eigentliches Anliegen in der Charakterisierung der Einzelgemeinde als
Ekklesia Gottes liege.

2.6 *Zusammenfassung:* Paulus wendet den Begriff der «Ekklesia», sofern er ihn nicht allgemein im Sinne von «Versammlung»
gebraucht, nahezu ausschließlich auf die konkrete einzelne Gemeinde an. Gewisse Divergenzen sind nur dort zu verzeichnen,
wo Paulus den Begriff generell verwendet, bzw. dort, wo der traditionelle Charakter des übernommenen Begriffs noch durch-
schlägt.

3. Das Kirchenverständnis von Jerusalem
und die Herkunft des Begriffes ἐκκλησία τοῦ θεοῦ

3.1 In welcher Weise Jerusalem die christliche Gemeinschaft
durch ἐκκλησία τοῦ θεοῦ qualifizieren wollte, kann zunächst durch
semantisch verwandte Begriffe wie «die Heiligen» (bzw. «die berufenen Heiligen»), «die Auserwählten» und «die Armen», die
ebenfalls auf Jerusalem zurückverweisen, etwas näher geklärt
werden[44]. Auf die Forderung der «Heiligkeit» für den «qahal» bzw.
die «ἐκκλησία» unter priesterlichem Einfluß hat bereits Klaus
Berger verwiesen, wie auch darauf, daß ‹heilig› und ‹berufen›
«schon im zeitgenössischen Judentum speziell alle (sind), die sich
zu Gott bekehren und Proselyten werden. κλητός bezeichnet daher
wie ἐκλεκτός die einmalig und endgültig bewirkte Zugehörigkeit

---

[44] Röm 15, 25f. 31; 1 Kor 16, 1; 2 Kor 8, 4; 9, 1. 12; Gal 2, 10; vgl. Röm 8, 33;
Kol 3, 12. Dazu: *K. Holl*, a.a.O. 58–60; *R. Asting*, Heiligkeit (A. 38) 151–159;
A. Wikenhauser, Kirche (A. 14) 21–34; *W. G. Kümmel*, Kirchenbegriff (A. 39)
16–19; *N. A. Dahl*, Volk (A. 15) 186f; *E. Bammel*, ThWNT VI 909; *W. Schrage*,
Ekklesia (A. 39) 189; *R. Schnackenburg*, Ortsgemeinde (A. 32); anders:
W. Mundle, Kirchenbewußtsein (A. 13) 26f. Zur Sache vgl.: *G. Delling*, Merk-
male der Kirche nach dem NT, NTS 13 (1966/67) 297–316, hier: 302–306.

zur Gruppe der Auserwählten»[45]. Dabei ist im christlichen Kontext natürlich vorauszusetzen, daß die Heiligkeit nicht kultisch o. ä., sondern durch das Geheiligtsein durch Jesus Christus begründet ist[46]. Unter dieser Voraussetzung legt sich die Vermutung nahe, daß nach Jerusalemer Verständnis die ἐκκλησία τοῦ θεοῦ die Gruppe der von Gott Auserwählten und in Christus Geheiligten darstellt, oder anders ausgedrückt: die ἐκκλησία τοῦ θεοῦ ist das von Gott auserwählte und in Christus geheiligte (eschatologische) Volk Gottes[47].

3.2 Für Holl und Hainz impliziert das gesamtkirchliche jerusalemische Verständnis von ἐκκλησία τοῦ θεοῦ, daß durch missionarische Tätigkeit «nur *Ableger* der *einen* Gemeinde (entstehen), die in Jerusalem ihren eigentlichen Sitz hat»[48], bzw. daß sich Jerusalem als «*die* Ekklesia Gottes» im Sinne einer *Repräsentantin der Gesamtekklesia* verstanden hat und daraus entsprechende *Konsequenzen* – auch *rechtlicher Art* – ableitete[49]. Dies ist jedoch strikt abzulehnen[50]:

a) Die «Ekklesia Gottes» ist nach den Beobachtungen zum Gal (2.5) nicht einfach identisch mit der Jerusalemer Ortsgemeinde, sondern umfaßt auch die judäischen Christengemeinschaften. Dies weist eher auf ein gesamtkirchliches Verständnis (im Sinne des Gottesvolkes) und läßt ein exklusives Verständnis, das die anderen Gemeinden zu Ablegern der einen Ekklesia = Jerusalem degradiert, als unwahrscheinlich erscheinen. Das schließt keineswegs aus, daß die Gemeinde von Jerusalem als Ursprungsort einen besonderen Platz innerhalb der «Ekklesia Gottes» innehat. Doch dürfte dies nicht in erster Linie an dem Begriff hängen (vgl. dazu auch oben 2.4).

Ähnliches gilt für das Prädikat «die Heiligen» bzw. «die Armen». Gerade wenn man davon ausgeht, daß diese Termini ursprünglich in Jerusalem entstanden sind und das Bewußtsein, Gottes erwähltes Volk zu sein, zum Ausdruck brachten, ist nicht einzusehen, warum die Jerusalemer bei quantitativer

---

[45] Volksversammlung (A. 23) 190f (Zitat 191).
[46] Vgl. *K. Berger*, ebd. Zur näheren Differenzierung s. u. 3.6.
[47] Ein ähnliches, nun allerdings explizit christologisch reflektiertes, gesamtkirchliches Ekklesia-Verständnis liegt in Mt 16, 18 und Apg 20, 28 vor. Obwohl Mt 16, 18 kaum authentisch ist (vgl. *A. Vögtle*, Zum Problem der Herkunft von «Mt 16, 17–19», in: Orientierung an Jesus. FS J. Schmid, Freiburg 1973, 372–393; *P. Hoffmann*, Der Petrus-Primat im Matthäusevangelium, in: NT und Kirche. FS R. Schnackenburg, Freiburg 1974, 94–114; *Chr. Kähler*, Zur Form- und Traditionsgeschichte von Matth. XVI. 17–19, NTS 23 [1976/77] 36–58), dürfte noch ein sehr urtümliches Ekklesia-Verständnis durchscheinen, s. u. 3.6.
[48] *K. Holl*, Kirchenbegriff (A. 7) 56.
[49] *J. Hainz*, Ekklesia (A. 18) 250; vgl. *K. Holl*, a.a.O. 45f. 61f.
[50] Vgl. *W. Mundle*, Kirchenbewußtsein (A. 13); *F. M. Braun*, Licht (A. 2) 45–47; *O. Moe*, Urchristentum und Kirche, ThLZ 76 (1951) 705–710, hier: 707f.

Ausbreitung dieses Gottesvolkes beanspruchen sollten, die Exklusiv-Heiligen (bzw. -Armen) zu sein[51]. Dem widerspricht auch die paulinische Übertragung dieser Terminologie auf andere Gemeinden, wobei von antijerusalemischer Polemik nichts zu verspüren ist[52]. Im übrigen ist zu berücksichtigen, daß dort, wo «die Heiligen» bzw. «die Armen» mit der Jerusalemer Gemeinde identisch sind, sich dies nicht aus dem Begriff, sondern aus dem literarischen oder situativen Kontext ergibt.

b) Einen besonders deutlichen Hinweis auf das zentralistische Kirchenverständnis Jerusalems sehen Holl und Hainz in den sogenannten «Rechtsforderungen» Jerusalems. Als Paradebeispiel dient die von Jerusalem mit Paulus vereinbarte Kollekte (vgl. Gal 2, 10; 2 Kor 8. 9; Röm 15, 25ff)[53]. Der «rechtliche» Charakter dieser Kollekte ist jedoch nur dann zu eruieren, wenn man die religiös-sittliche Motivation des Paulus von vornherein als eine Kaschierung Jerusalemer Rechtsansprüche interpretiert[54]. Was hindert aber, die Texte ohne «doppelten Boden» zu lesen und die Kollekte auch nach Jerusalemer Sicht das sein zu lassen, was sie aus paulinischer Sicht gewesen ist? Es geht bei der Kollekte nicht um die Durchsetzung oder Ablehnung eines bestimmten Kirchenbegriffes, sondern – ähnlich wie bei der Vorlage des paulinischen «Evangeliums» in Jerusalem (vgl. Gal 2) – um die Gemeinschaft (κοινωνία) mit Jerusalem, das Ursprung und Garant der Überlieferung ist[55].

c) Auch dürfte die Behauptung, daß die Kirche nach Jerusalemer Verständnis «an einen bestimmten Ort, (nämlich) an *Jerusalem*, gebunden ist»[56], so undifferenziert kaum zutreffen. Daß nicht der Ort Jerusalem das eigentliche Konstitutivum des Jerusalemer Kirchenbegriffs ausmacht, legt insbesondere die um Stephanus und die Sieben versammelte Gruppe der «Hellenisten» nahe (vgl. Apg 6)[57], die sich konkret hinter der von Paulus verfolgten «Ekklesia Gottes» verbirgt. Für sie bricht das ekklesiologische Selbstverständnis nicht zusammen, als sie Jerusalem verlassen müssen. Überhaupt ist angesichts ihrer sonstigen gesetzes- und tempelkritischen Haltung kaum anzunehmen, daß sie «Jerusalem» zum Konstitutivum ihres ekklesiologischen Selbstverständnisses gemacht hätten.

---

[51] Vgl. *R. Asting*, Heiligkeit (A. 38) 153ff; *W. G. Kümmel*, Kirchenbegriff (A. 39) 16f.

[52] *W. Mundle*, Kirchenbewußtsein (A. 13) 26f.

[53] *K. Holl*, Kirchenbegriff (A. 7) 58–61; *J. Hainz*, Ekklesia (A. 18) 242–245.

[54] Vgl. *J. Hainz*, a.a.O. 244f.

[55] Vgl. *J. Hainz*, a.a.O. 245–250 (bes. 250!); *W. G. Kümmel*, Kirchenbegriff (A. 39) 25; *G. Bornkamm*, Paulus, Stuttgart 1969, 61f; *D. Georgi*, Die Geschichte der Kollekte des Paulus für Jerusalem, Hamburg–Bergstedt 1965, 30. passim; *K. Berger*, Almosen für Jerusalem, NTS 23 (1976/77) 180–204, bes. 198ff.

[56] *K. Holl*, Kirchenbegriff (A. 7) 55. Dagegen: *W. Mundle*, Kirchenbewußtsein (A. 13) 29–33.

[57] Dazu: *M. Hengel*, Zwischen Jesus und Paulus, ZThK 72 (1975) 151–206.

Mit den «Hellenisten» kommt ein neuer Gesichtspunkt ins Spiel, der von Hainz nicht berücksichtigt wurde. Vorab aber ist festzuhalten: Im Unterschied zum vorwiegend konkreten Wortgebrauch des Paulus ist das Jerusalemer Verständnis umfassender. «Ekklesia Gottes» meint die Gesamtgemeinde, nach den bisherigen Beobachtungen wahrscheinlich im Sinn des Gottesvolkes. Daß Jerusalem sich unter dem Begriff der «Ekklesia Gottes» als Repräsentantin der Gesamtkirche mit bestimmten rechtlichen Konsequenzen verstanden habe, hält einer kritischen Überprüfung nicht stand. Es ist deshalb auch zu bestreiten, daß die Differenzen zwischen dem paulinischen und dem Jerusalemer Kirchenbegriff einer antijerusalemischen Tendenz des Paulus entsprungen sind.

3.3 Der Vermutung, daß «Ekklesia Gottes» nach Jerusalemer Verständnis die Christengemeinschaft als Volk Gottes qualifiziere, käme die von vielen geteilte Auffassung sehr gelegen, wonach der Terminus zur Bezeichnung der Kirche als eschatologischer Größe unter Rückgriff auf atl Tradition, konkret auf die LXX-Übersetzung von «qehal Jahwe», diente (s. o. 1.3). Dagegen hat sich mit aller Entschiedenheit *Wolfgang Schrage* gewandt[58]. Die Annahme eines direkten Rückgriffs auf den LXX-Sprachgebrauch könne nicht erklären, warum die christliche Gemeinde ausschließlich ἐκκλησία und nicht bzw. nicht auch συναγωγή wählte[59]. Beide Begriffe werden in der LXX – wie schon «qahal» und «edah» im hebräischen AT[60] – nahezu synonym gebraucht. Auch würde man dann nicht «Ekklesia *Gottes*», sondern «Ekklesia *des Herrn*» erwarten[61]. Positiv führt Schrage «Ekklesia Gottes» auf die hellenistische Gemeinde Jerusalems zurück, die sich mit diesem Begriff bewußt von der jüdischen Gemeinde absetzen wollte, deren enge Bindung an das Gesetz vor allem in der Bezeichnung «Synagoge» zum Ausdruck komme[62]. Die Wahl des Begriffes wäre dann «primär ... nicht durch das heilsgeschichtliche Interesse und das Bewußtsein einer Kontinuität und Solidarität mit Israel motiviert, sondern durch das Bewußtsein einer Diskontinuität gegenüber einer durch das Gesetz gekennzeichneten Vergangenheit»[63]. Überzeugend an der These Schrages ist die Ablehnung eines direkten Rückgriffs auf die LXX, wie auch, daß der Begriff der «Ekklesia Gottes», der hier bislang pauschal auf Jerusalem zurückgeführt

---

[58] Ekklesia (A. 39).
[59] A.a.O. 180–186.
[60] Vgl. *H. W. Hertzberg*, Werdende Kirche im AT, München 1950, 19.
[61] A.a.O. 187f.
[62] A.a.O. 196–198.
[63] A.a.O. 199f.

wurde, zumindest in dieser, seiner griechischen Ausprägung auf
die «Hellenisten» zurückgeht. Zu Recht stellt Schrage auch fest,
daß nach atl wie frühjüdischer Auffassung ἐκκλησία nicht einfachhin «als idealer bzw. eschatologischer Begriff gelten» könne[64]. Zu
kritisieren ist jedoch, daß er – trotz tatsächlich vorhandener ge-
setzeskritischer Haltung der Hellenisten – den Terminus zu einer
gesetzeskritischen Parole deklariert, und die Vermeidung des Begriffes συναγωγή in dessen stärkerer Verbindung mit dem Gesetzes-
gedanken begründet[65], zumal eine gewisse Verengung des Syn-
agogenbegriffes (im Sinne der jüdischen Einzelgemeinde bzw. des
Synagogengebäudes) eine zwar weniger theologische, dafür aber
um so unverdächtigere Motivation bereitstellt[66]. Nicht überzeugend ist schließlich, wenn mit der gesetzeskritischen Note der
heilsgeschichtliche Gedanke weitgehend ausgeschieden wird.
Denn zumindest für das Syntagma ἐκκλησία τοῦ θεοῦ wird man
daran festhalten müssen, daß sich damit im jüdischen Kontext der
Gedanke des Gottesvolkes verband.

3.4 An diesem Punkt der Überlegungen ist *Klaus Berger* mit in
die Diskussion einzubeziehen. Wie Schrage bestreitet auch er eine
Übernahme des Begriffs ἐκκλησία aus dem AT und fragt «nach der
Bedeutung ..., die evtl. das hellenistische Judentum für unsere
Fragestellung gehabt haben könnte»[67]. Nach Durchmusterung
eines reichen Belegmaterials kommt er zu dem Ergebnis, daß «die
christliche ‹ekklesia› der jüdisch-hellenistischen und der profan-
hellenistischen ‹ekklesia› wirklich vergleichbar (ist)»[68]. Differenzen im Verhältnis zur jüdischen Institution aufgrund eines Gegen-
satzes von «Ekklesia» und «Synagoge» lehnt er ab, wobei er sich
gegen die von Schrage supponierte gesetzeskritische Funktion des
Begriffs wie auch gegen die These wendet, «Ekklesia» bezeichne
im Gegensatz zu «Synagoge» das neue Gottesvolk[69]. «Nicht Aufnahme und Gebrauch der Terminologie markiert den Unterschied
zwischen jüdischer und christlicher Versammlung, sondern eher
der ‹pragmatische Kontext›», d. h. das Begründetsein der christlichen Ekklesia «in Jesus Christus»[70]. Letzteres hat für die Ge-

---

[64] A.a.O. 192.
[65] H. *Conzelmann*, Der erste Brief an die Korinther, Göttingen 1969, 35 A. 26;
K. *Berger*, Volksversammlung (A. 23) 184.
[66] Vgl. W. *Schrage*, a.a.O. 195; H. *Frankemölle*, Jahwebund und Kirche
Christi, Münster 1974, 224f. Belege bei: W. *Schrage*, Art. συναγωγή, ThWNT VII
(1964) 806–808.
[67] Volksversammlung (A. 23) 167f (Zitat 168).
[68] A.a.O. 184.
[69] A.a.O. 184f.
[70] A.a.O. 186.

schichte des Begriffs die «Konsequenz, daß aus dem Wort für die ‹Versammlung› eine Gruppenbezeichnung wurde»[71]. Dabei geht Berger von der These aus, daß «qahal wie ἐκκλησία ... vor dem Neuen Testament nur als Bezeichnungen für aktuell versammelte Gemeinschaft gebräuchlich» sind[72]. Dieser Sprachgebrauch findet sich auch im NT[73]. Daß an anderen Stellen (Gal 1, 13; Phil 3, 6) «Ekklesia» bereits eindeutig die Gruppe bezeichnet, versteht Berger im Sinne einer Entwicklung, für die er «Voraussetzungen» und «etwaige Zwischenglieder» namhaft machen möchte[74]. Gegen diese Sicht wird man jedoch skeptisch sein, denn einmal scheint ἐκκλησία τοῦ θεοῦ als Gruppenbezeichnung, sofern man sie auf die «Hellenisten» von Jerusalem zurückführen kann, nicht am Ende der ntl Entwicklung, sondern eher am Anfang zu stehen. Zum andern muß Berger selbst im Zusammenhang mit der Auslegungsgeschichte von Dtn 23 seine Ausgangsthese relativieren, wenn er feststellt, daß die in diesem Zusammenhang gegebenen «Zulassungsbedingungen ... nun nicht mehr nur für je eine ‹ekklesia› (gelten), sondern ... bereits generelle Kriterien von Gruppenmitgliedschaft geworden (sind)»[75].

3.5 Tatsächlich dürfte die These Bergers, so sehr sie für den isolierten Terminus ἐκκλησία zutreffen mag, zu pauschal sein, wenn man bestimmte, stereotype *syntagmatische Verbindungen* beachtet.

a) Zunächst sind die Syntagmen zu nennen, in denen ἐκκλησία ausdrücklich mit «Israel» verbunden wird, meist in der Formulierung πᾶσα ἐκκλησία ᾿Ισραηλ[76]. Sofern es sich jeweils um konkrete Versammlungen handelt, ist als semantisches Basismerkmal noch deutlich «Versammlung» erkennbar. πᾶς stellt jedoch sicher, daß ἐκκλησία nicht primär als Akt (des Versammelns), sondern als Konkretum (versammelte Gemeinschaft) zu verstehen ist, wobei die damit angesprochene Ganzheit der versammelten Gemeinschaft durch «Israel» dahingehend determiniert wird, daß sie entweder mit Israel identisch ist oder Israel in seiner Gesamtheit repräsentiert.

πᾶσα ἐκκλησία ᾿Ισραηλ kann daher auch als Substituens bzw.

---

[71] A.a.O. 187.
[72] Ebd.
[73] *Berger* verweist auf 1 Kor 11, 18. 22; 14, 4. 5. 12. 19. 23. 28. 34. 35 (a.a.O. 188 A. 110).
[74] A.a.O. 188–198.
[75] A.a.O. 190.
[76] LXX: Dtn 31, 30; 3 Kön 8, 14. 22. 55; 12, 3 (A); 2 Chr 6, 3. 12. 13; 10, 3; Sir 50, 13; 1 Makk 4, 59; vgl. Jos 9, 2; Sir 50, 20.

Substituendum von πᾶς Ἰσραηλ o. ä. verwendet werden[77]. Gelegentlich kann sogar das bloße ἐκκλησία «Israel» substituieren[78], bzw. direkt die «Gemeinde» (in ihrer Gesamtheit, wobei der Aspekt des Versammeltseins zurücktritt) bezeichnen[79].

ἐκκλησία *kann* also durchaus die Bedeutung «Gemeinde» im Sinne der Volksgemeinde Israels gewinnen, wobei freilich diese Bedeutung nicht an dem Term als solchem hängt, sondern sich aus seiner syntagmatischen Verbindung ergibt.

b) Besonders aufschlußreich für den ntl Gebrauch ist das Syntagma ἡ ἐκκλησία (τοῦ) θεοῦ bzw. κυρίου (קְהַל יְהוָה), in dem ἐκκλησία (קָהָל) immer eine, die konkrete Versammlung übersteigende Bedeutung bekommt, die wenigstens in Richtung Gruppenbezeichnung tendiert. Dies läßt sich vor allem an Dtn 23 und seiner Auslegungsgeschichte kontrollieren, wo jeweils nationale oder religiöse Gruppierungen genannt werden, die von dieser «Ekklesia» ausgeschlossen sind bzw. zu ihr Zugang haben[80]. Dies hatte – wie Berger zu Recht feststellt – zur Folge, «daß man diesen qahal auf ganz Israel bezog und in den Bestimmungen ... Bedingungen für die Zugehörigkeit zu Israel als Volk erblickte»[81]. Dann aber ist zu wenig gesagt, wenn Berger behauptet, daß «innerhalb der Auslegungsgeschichte von Dtn 23 der Inhalt von qahal/ekklesia noch nirgends verändert oder zur Gruppenbezeichnung geworden» sei[82], oder wenn er für das christliche Verständnis des Begriffes «den Gedanken an so etwas wie eine ‹heilsgeschichtliche Kontinuität mit Israel› » a limine ablehnt[83], zumal an fast allen Stellen der Zusammenhang des Syntagmas mit «Israel» (qua Gottesvolk) noch deutlich hervortritt[84]. Dies ist um so mehr zu kriti-

---

[77] Vgl. Dtn 31, 40 mit 32, 44f; 3 Kön 8, 14. 22. 55 mit 8, 5. 14. 62f. 65 (= 2 Chr 6, 3. 12. 13 mit 7, 3. 4f. 6. 8); 3 Kön 12, 3 (A) mit 12, 1 bzw. 12, 3 (= 2 Chr 10, 3 mit 10, 1); Jos 9, 2f mit 9, 2c-d; 1 Makk 4, 59 mit 4, 55. 58; Sir 50, 15 mit 50, 17. 19f.

[78] 2 Chr 1, 2. 3. 5; vgl. die Parallelität von «Israel» bzw. «Volk» und «Ekklesia» in 1 Makk 2, 55f; Joel 2, 16.

[79] II Esr 2, 64 (17, 66 = Neh 7, 66); 10, 8 (vgl. V. 7); 18, 17 (= Neh 8, 17).

[80] Dtn 23, 2. 3. 4. 9 (vgl. dazu auch: J. D. W. *Kritzinger*, Qᵉhal Jahwe, Kampen o. J. [1957], 77–98); II Esr 23, 1 (= Neh 13, 1): Ammoniter und Moabiter; vgl. Klgl 1, 10. – Heiligkeit als Bedingung: 4 QFlor 1, 4; vgl. 1 QSa 1, 25 – 2, 10; CD 11, 22; 12, 6 (dazu: K. *Berger*, Volksversammlung [A. 23] 189). – Philo: Atheisten und Polytheisten (Spec. leg. I 344) bzw. die in der Tugend (Weisheit) Unfruchtbaren (Ebr. 213). Zum Sprachgebrauch Philos: ἐ. θεοῦ (Leg. all. III 8; Ebr. 213); ἐ. κυρίου (Leg. all. III 81; Conf. ling. 144; Post. Caini 177); ἐ. τοῦ πανηγεμόνος (Mut. nom. 204); ἐ. θεῖα (Conf. ling. 144; vgl. Leg. all. III 81; Post. Caini 177); ἐ. ἱερά (Migr. Abr. 69; Somn. II 184); ἐ. (Virt. 108).

[81] A.a.O. 189.

[82] A.a.O. 190.

[83] A.a.O. 199.

[84] Dtn ist dies ohnehin klar. Zu Neh 13, 1 vgl. V. 2f. In Klgl 1, 10 vgl. Gegensatz ἔθνη. Zu Mich 2, 5 vgl. VV. 4. 7. 8f. Zu Sir 24, 2 vgl. VV. 1. 8. 12. Trotz allegorischer Deutung ist dieser Zusammenhang selbst bei Philo noch zu er-

sieren, als die semantische Tendenz des Syntagmas zur Bedeutung
«Israel (als Gottesvolk)» zumindest nicht ausschließlich an den
kontextuell beigegebenen konkreten Einlaßbedingungen hängt,
sondern auch für das isolierte Syntagma zu bestehen scheint (vgl.
Mich 2, 5; Sir 24, 2; 1 QM 4, 10), so daß man eher fragen müßte,
ob nicht die Qualifikation der Ekklesia durch «Gott» bzw. «Herr»
oder «Jahwe» für diese Bedeutung des Syntagmas entscheidend
ist.

Das wird bestätigt durch קְהַל יהוה in Num 16, 3; 20, 4 (wo die LXX συναγωγή
κυρίου übersetzt) bzw. durch עֲדַת יהוה in Num 27, 17; 31, 16; Jos 22, 16. 17 (LXX:
συναγωγή κυρίου).

Für den atl-jüdischen Sprachgebrauch ist also folgendes festzuhalten: Im Unterschied zu πᾶσα ἐκκλησία 'Ισραηλ, das Israel primär
nach seiner äußeren, phänomenologischen Ganzheit bestimmte,
kommt in ἐκκλησία (τοῦ) θεοῦ (κυρίου) stärker die theologische Grundlage Israels zum Ausdruck. Die ursprünglich konkrete Bedeutung
von ἐκκλησία (Versammlung) ist dabei vorausgesetzt. Da es aber
Gott ist, der diese Versammlung beruft und ihre, für ihren Charakter als Ekklesia *Gottes,* konstitutiven Merkmale und Bedingungen festlegt, und da gerade dieses Von-Gott-Konstituiert-Sein
für das Selbstverständnis Israels als Volk überhaupt grundlegend
ist[85], impliziert das Syntagma eine die jeweilige Versammlung
übersteigende Bedeutung, die Israel auf sein theologisches Konstitutivum als Volk Gottes anspricht und verpflichtet. Oder kurz
gesagt: Die «Ekklesia Gottes» ist Israel qua Gottesvolk.

3.6 Diese Grundbedeutung ist auch für die *christliche Verwendung* von ἐκκλησία τοῦ θεοῦ vorauszusetzen. Die Formulierung τοῦ
θεοῦ (im Gegensatz zum τοῦ κυρίου der LXX) ist nach dem Ausweis
von Philo und Qumran für die damalige Zeit nichts Ungewöhn-
liches. Ein Rückgriff auf die LXX muß ebensowenig postuliert

---

kennen, am deutlichsten Virt. 108, wo die Berufung der Ägypter (Proselyten,
vgl. 102) in die Ekklesia als Übertritt πρὸς τὴν 'Ιουδαίων πολιτείαν bezeichnet
wird. Spec. leg. I 344 wird der Ausschluß bestimmter Gruppen mit der Ablehnung des Monotheismus begründet, und ihnen die Anhängerschaft des Mose
gegenübergestellt (345); vgl. das Grundbekenntnis Israels: Dtn 6, 4f. Ähnliche
Zusammenhänge sind vorauszusetzen: Leg. all. III 8; Mut. nom. 204f (vgl. 209:
der «schauende ... Geist» = Israel [s. 207. 81]); Migr. Abr. 69 (vgl. das «große
Volk» [= Israel] 53ff). Zu Conf. ling. 144f vgl. die Zuordnung zum Logos
(= Israel) 146 (148), in Leg. all. III 81 den Gegensatz zu «dem Sehenden»
(= Israel) (vgl. Post. Caini 177), zu Ebr. 213 und Somn. II 184 den Gegensatz
von Pharao und Israel (Somn. II 183. 173). – Zu 1 QM 4, 10 vgl. 5, 1. – Vgl.
außerdem die rabbinische Auslegung von Dtn 23: Jeb 8, 2b; Jad 4, 4.
  [85] Vgl. *N. A. Dahl,* Volk (A. 15) 5–7. 49f. 53–56. 140–143; *A. Oepke,* Gottes-
volk (A. 16) 87–154; *H. J. Kraus,* Das Volk Gottes im AT, Zürich 1958; *H. W.
Hertzberg,* Kirche (A. 60) 5–10; *R. Schnackenburg – J. Dupont,* Die Kirche als
Volk Gottes, Conc(D) 1 (1965) 47–51, hier: 48 (Lit.).

werden wie eine direkte Anspielung auf bestimmte AT-Stellen. Nicht auszuschließen ist, daß der Terminus bereits in der aramäisch sprechenden Gemeinde von Jerusalem gebräuchlich gewesen ist (als hebräisch/aramäisches Äquivalent kann קְהָלָא/קְהַל, verbunden wohl mit der Gottesbezeichnung אֵל, vermutet werden)[86]; eine grundsätzliche Bedeutungsverschiebung vom hebräischen (und damit wohl auch aramäischen) zum hellenistisch-jüdischen Sprachgebrauch, die zur gegenteiligen Annahme nötigte, ist nicht zu erkennen. Aus diesem Grund ist es auch unwahrscheinlich, daß «Ekklesia Gottes» eine auf die Hellenisten beschränkte Selbstbezeichnung gewesen sein soll; ein Zwang, Gal 1, 13 in einem solch exklusiven Sinn zu interpretieren, besteht nicht[87].

Positiv ist aufgrund der angeführten atl-jüdischen Sprachkompetenz davon auszugehen, daß die christliche Gemeinde mit «Ekklesia Gottes» von Anfang an ihren Anspruch zum Ausdruck brachte, Gottes erwähltes, heiliges Volk zu sein, dessen Heiligkeit nun allerdings nicht durch speziell kultisch relevante Voraussetzungen, sondern durch das Geheiligtsein in Jesus Christus konstituiert ist (s. o. 3.1).

Möglicherweise war das Kirchenverständnis der (aramäisch sprechenden) Urgemeinde stärker «apokalyptisch» bestimmt, in dem Sinne, daß sie sich als «das zur Basileia gehörende Volk», als die im Hinblick auf die Basileia zu versammelnde Heilsgemeinde verstanden hat[88]. Doch läßt sich auch dieser Konzeption kaum ein christologischer Bezug absprechen[89]. Denn schon die Basileia, für die sich die «Ekklesia Gottes» jetzt versammelt, kann nicht ohne die Verkündigung und die Person Jesu gedacht werden, der dann aufgrund der Ostererfahrung, und d. h. auch aufgrund der Verkündigung über ihn, zur Begründung der Ekklesia Gottes wird[90].

---

[86] *N. A. Dahl*, a.a.O. 181f. 164f; *A. Oepke*, a.a.O. 167 A. 1; u. v. a. Anders ('edah'): *H. Kosmala*, Hebräer – Essener – Christen, Leiden 1959, 65. Zur Sache vgl. *R. Schnackenburg*, Kirche (A. 39) 53–58. Zu den hebr./aram. Äquivalenten: *K. L. Schmidt*, ThWNT III 528–530; Ders., Kirche (A. 13) 258–280; *L. Rost*, Vorstufen (A. 16) 149–156; Bill I 733–736.

[87] Gegen *W. Schrage*, Ekklesia (A. 39) 198.

[88] Vgl. *K. Berger*, Volksversammlung (A. 23) 203–206. Davon unterscheidet Berger die «(vor-)paulinisch-jüdisch-hellenistische» Konzeption (206), nach der die Ekklesia – «christologisch bedingt» – «eine schon gegenwärtige Größe» ist (204).

[89] Das ergeben auch die von *Berger*, a.a.O. 203f, angeführten Stellen (Did 9, 4; Mt 16, 18!) nicht. Gegen eine rein futurische Interpretation der Ekklesia Gottes Did 9, 4 (a.a.O. 203) spricht die Verbindung mit εἰς τὴν σὴν βασιλείαν; und daß Did 10, 5, wo der christologische Bezug eindeutig hergestellt wird, sekundär sein soll (ebd.), ist m. E. eine petitio principii.

[90] Gegen die Annahme, daß Jesus selbst die «Ekklesia Gottes» begründet hat (vgl. *K. Berger*, a.a.O. 198ff. 207), stehen sachliche Gründe: vgl. *A. Vögtle*, Jesus und die Kirche, in: Begegnung der Christen. FS O. Karrer, Stuttgart–Frankfurt 1959, 54–81; Ders., Der Einzelne und die Gemeinschaft, in: Sentire Ecclesiam. FS H. Rahner, Freiburg 1961, 50–91. Eher ist mit einer «impliziten Ekklesiologie» zu rechnen, vgl. *W. Trilling*, Die Botschaft Jesu, Freiburg 1978, 57–72.

Dieses Begründetsein in Jesus (bzw. damit verbunden: das Aus-
gerichtetsein auf die Basileia), nicht der Begriff selbst, macht denn
auch den eschatologischen Charakter der «Ekklesia Gottes» aus.

3.7 Über das *Verhältnis der christlichen «Ekklesia Gottes» zu
«Israel»* läßt sich nur vermutungsweise etwas ausmachen. Mehr
Probleme aufzuwerfen als zu lösen scheint die Behauptung, die
Christen hätten sich mit der Selbstbezeichnung «Ekklesia Gottes»
als das wahre bzw. neue Israel charakterisieren wollen[91]. Unglaub-
würdig ist zumindest, daß die *ursprüngliche* Verwendung der Bezeichnung eine Diskontinuität zu Israel herausstellen wollte, und
zwar schon aufgrund der Tatsache, daß der Begriff verwendet
wurde. Es ist im Gegenteil eher anzunehmen, daß der Begriff eine
gewisse Kontinuität zum Ausdruck bringt[92] und den Anspruch der
Jesusanhänger auf ganz Israel artikulieren wollte[93]. Man könnte
allenfalls sagen, daß Israel als Kontinuum (und als theologische
Größe ist es nur als Kontinuum denkbar) angesichts der Ereignisse um Jesus nach Auffassung der Jesusanhänger in ein neues
Stadium getreten war, freilich nicht so, daß diese in polemischer
Weise dem vorfindlichen Israel sein Israel- und Volk-Gottes-Sein
in Abrede stellen und demgegenüber sich selbst als das wahre
bzw. neue Israel herausstellen wollten, sondern eher als Frage an
dieses Israel, wie es denn seine eigene Kontinuität gerade als
Gottesvolk bewahren will, wenn es das Handeln Gottes in und an
Jesus ablehnt und sich der von Gott veranstalteten Sammlungs-
bewegung in die «Ekklesia Gottes» verschließt.

Stärker könnte der Gedanke der Diskontinuität bei der Verwendung des Begriffs im Munde der *Hellenisten* Jerusalems hervor-
getreten sein, wofür aber nicht der Begriff selbst, sondern der
Umstand maßgeblich war, daß die Hellenisten aus der Konstituierung des Begriffs in Jesus Christus – theologisch durchaus
konsequent – tora- und tempelkritische Impulse ableiteten[94]. Tatsächlich waren denn auch die Hellenisten die ersten, die mit
ihrem ekklesiologischen Anspruch die Grenzen Israels überschritten. Dennoch sollte man den Begriff ἐκκλησία τοῦ θεοῦ nicht
zu einer gesetzeskritischen Parole der Jerusalemer Hellenisten

---

[91] Vgl. *A. Wikenhauser*, Kirche (A. 14) 13f; *N. A. Dahl*, Volk (A. 15) 182;
A. Oepke, Gottesvolk (A. 16) 168. Zur Problematik vgl. *R. Schnackenburg* –
J. Dupont, Kirche (A. 85) 49 (Lit.).

[92] Vgl. *H. Frankemölle*, Jahwebund (A. 66) 224.

[93] Dies würde unmittelbar bei dem Anliegen anknüpfen, das Jesus mit der
Berufung der «Zwölf» intendierte. Dazu zuletzt: *W. Trilling*, Zur Entstehung des
Zwölferkreises, in: Die Kirche des Anfangs. FS H. Schürmann, Freiburg 1978,
201–222 (Lit.).

[94] Vgl. *M. Hengel*, Jesus (A. 57) 187. 190–199.

hochstilisieren, da ein solches Verständnis nicht nur zu einer Absetzung von der Synagoge, sondern auch von dem gesetzestreueren, aramäisch sprechenden Teil der Gemeinde von Jerusalem hätte führen müssen.

4. Die paulinische Rede von der «Ekklesia Gottes»

Abschließend bleibt noch die Frage zu klären, was Paulus veranlaßte, den Begriff der «Ekklesia Gottes», den er über die Hellenisten Jerusalems übernahm, zu modifizieren, obwohl er damit nicht gegen Jerusalem zu Felde ziehen wollte (s. o. 3.2). Konkret geht es um die Klärung des Befundes, daß Paulus den Begriff, der von seiner Herkunft her das Gottesvolk in seiner Gesamtheit bezeichnete, nahezu ausschließlich auf konkrete Gemeinden anwendete. Diese Frage ist um so dringlicher, als Paulus an der Idee des Gottesvolkes und an der Kontinuität zu Israel durchaus nicht uninteressiert war[95].

4.1 Geht man vom Sprachlichen aus, so ist zunächst auf den *Unterschied zwischen jüdischer und hellenistischer Sprachkompetenz* aufmerksam zu machen. Beiden gemeinsam ist, daß ἐκκλησία (bzw. ‹qahal›) für sich genommen die konkrete Versammlung bedeutet. Dieses Verständnis ist im Profan-Griechischen das ausschließliche: ἐκκλησία ist die «Versammlung des Volkes» einer Polis, also immer ein Konkretum[96]. Eine Tendenz bestimmter Syntagmen, ἐκκλησία im Sinne Israels qua Gottesvolk zu werten (s. o. 3.5), besteht nach hellenistischer Sprachkompetenz nicht, und der hellenistische Hörer bzw. Leser kann eine solche Wertigkeit bestenfalls über die christlich vermittelte jüdische Sprachkompetenz erkennen. Aber auch dann, wenn er also mit «Ekklesia Gottes» den Bedeutungsgehalt «Gottesvolk, Heilsgemeinde» verbindet, wird er aufgrund seiner eigenen Sprachkompetenz diesen Bedeutungsgehalt stärker im Lichte der Vorstellung von der je konkreten *Versammlung* verstehen und nicht unbedingt den Gedanken des Gottesvolkes in seiner *Gesamtheit* oder gar des Gottesvolkes «Israel» assoziieren, sofern er nicht durch bestimmte syntagmatische Voraussetzungen dazu gezwungen ist. Für Paulus bedeutet dies: Er kann (und muß?) seinen hellenistischen Lesern den traditionellen Begriff der «Ekklesia Gottes» vom profanen griechischen Begriff der Ekklesia-Versammlung her erklären.

---

[95] Vgl. *A. Oepke*, Gottesvolk (A. 16) 198–240; *L. Cerfaux*, Théologie (A. 16) 22–69.
[96] *K. L. Schmidt*, ThWNT III 516f.

Dabei bleibt zu betonen, daß dieser Prozeß keinen diametralen Widerspruch zur jüdischen Sprachkompetenz markiert, da er nur die dort eingetretene semantische Verfestigung des Syntagmas wieder relativiert, und zwar mit Hilfe des dort ebenfalls zugrundeliegenden Basiswertes von der konkreten Versammlung. Aus diesem Grund wird die paulinische Rede von der Ekklesia Gottes (im Plural bzw. angewandt auf die einzelne Gemeinde) auch dem hellenistisch-judenchristlichen Leser, wenngleich ungewöhnlich, so doch nicht unverständlich gewesen sein.

Diese mehr theoretischen Überlegungen lassen sich noch relativ gut an 1 Kor 11, 17–22 auch textlich verifizieren[97]. In V. 18 liegt das übliche konkrete Verständnis der «Versammlung» vor: «Wenn ihr zusammenkommt ἐν ἐκκλησίᾳ». In V. 20 greift Paulus die Formulierung – ein wenig verändert – wieder auf: «Wenn ihr also zusammenkommt ἐπὶ τὸ αὐτό», d. h. «eben zu diesem Zweck», also: um «Ekklesia» zu sein[98]. Die «Ekklesia» kommt durch die Ekklesia-Versammlung zustande. Freilich ist damit der Charakter der Ekklesia-Versammlung noch nicht hinreichend bestimmt. Denn schon der Gedanke, daß man zusammenkommt, um «Ekklesia» zu sein, ist im Deutschen nicht mehr hinlänglich mit dem Begriff der «Versammlung» wiederzugeben. Diese Ekklesia hat einen ganz bestimmten Charakter, der vor allem daher rührt, daß es sich um eine Ekklesia-Versammlung der angesprochenen *christlichen* Korinther handelt. Es ist im Gegensatz zur üblichen Vorstellung von der Versammlung der Polis die Versammlung derer, die – wie es in Gal 3, 26f heißt – «auf Christus getauft sind», bzw. – um eine beliebte paulinische Formel zu gebrauchen – die «in Christus» sind[99]. Als solche Ekklesia – und hier müßte man im Deutschen wohl von «Gemeinde» sprechen – in Erscheinung zu treten, ist das Ziel der Ekklesia-Versammlung. Besonders interessant ist dann V. 22. Paulus qualifiziert das Tun der Reichen, die ihr eigenes Mahl vorwegnehmen, noch bevor die Ärmeren zum Herrenmahl erschienen sind, als Verachtung der «Ekklesia Gottes». Die «Ekklesia Gottes» besteht also auch unabhängig von ihrer numerischen Vollständigkeit in der Versammlung. Dies zeigt, daß der Terminus eindeutig Gruppenbezeichnung ist, bzw. – traditionsgeschichtlich ausgedrückt – daß Paulus an die traditionelle Begrifflichkeit und damit an die Idee des Gottesvolkes anknüpft. Andererseits zeigt die Anwendung auf die konkrete Gemeinde von Korinth, daß im Gegensatz zur traditionsgeschichtlichen Herkunft für das paulinische bzw. korinthische Verständnis von «Ekklesia Gottes» das Zusammenkommen bzw. Zusammenkom-

---

[97] Dazu: *J. Hainz*, Ekklesia (A. 18) 74–77. 230f.
[98] *J. Hainz*, a.a.O. 231.
[99] Dazu: *A. Deissmann*, Die ntl. Formel «in Christo Jesu», Marburg 1892, 119f.

men-können in konkreter Ekklesia-Versammlung geradezu konstitutiv ist. «Ekklesia Gottes», eschatologische Heilsgemeinde, ist deshalb für Paulus überall dort, wo Getaufte, In-Christus-Seiende, sich in «Ekklesia» versammeln oder versammeln können, d. h. eine Gemeinschaft bilden, bzw. – wie es Paulus in 1 Kor 12 unter Anwendung des ebenfalls konkret adressierten Bildes vom Leib sagt – «in einen Leib hineingetauft sind» (V. 13; vgl. V. 27)[100].

4.2 Die Eigenart des paulinischen Ekklesia-Begriffs rührt also nicht aus einer Polemik gegen Jerusalem, sondern läßt sich schon auf rein sprachlicher Ebene mit dem Wechsel des Begriffs in eine andere Sprachkompetenz hinlänglich begründen. Doch ist dies gleichsam nur die äußere Begründung, die von Paulus nun auch inhaltlich *theologisch bzw. christologisch gefüllt und ausgestaltet* wird. Zunächst ermöglicht es der Ausfall der in jüdischer Sprachkompetenz gegebenen Affinität des Syntagmas ἐκκλησία τοῦ θεοῦ zu «Israel», daß Paulus beim Ekklesia-Begriff – anders als beim Begriff «Israel» selbst[101] – auf komplizierte (z. T. dialektische) heilsgeschichtliche Erwägungen verzichten kann. Positiv bedeutet dies, daß Paulus die theologische Qualifikation der Ekklesia *Gottes* unmittelbar seiner dezidiert christologischen Sicht einordnen und damit das «In-Christus-Sein», das der Sache nach auch für das Jerusalemer Kirchenverständnis maßgeblich war, als das eigentliche und ausschließliche Konstitutivum der Ekklesia explizit herausstellen kann.

Deutlich kommt dies schon in 1 Thess zum Zuge. Die Adresse wendet sich an «die Ekklesia der Thessalonicher in Gott, dem Vater, und dem Herrn Jesus Christus» (1.1). Der besondere Charakter der christlichen Ekklesia besteht darin, daß sie «in Gott» begründet ist, und zwar in dem Gott, wie er in Jesus Christus sich geoffenbart hat[102]. Klarer noch formuliert sich dies in 1 Thess 2, 14: Die Gemeinden sind ἐκκλησίαι τοῦ θεοῦ, weil sie ἐν Χριστῷ Ἰησοῦ sind (vgl. Gal 1, 22)[103]. Ähnlich wird die Ekklesia Gottes in Korinth als «die Geheiligten in Christus Jesus» bestimmt (1 Kor 1, 2). Das «In-Christus-Sein» macht den eschatologischen Charakter der Ekklesia

---

[100] Vgl. *J. Hainz*, a.a.O. 78–88, bes. 84.
[101] Gal 3; 6, 16; Röm 9–11.
[102] Vgl. *A. Oepke*, Gottesvolk (A. 16) 200f.
[103] Vgl. *W. Mundle*, Kirchenbewußtsein (A. 13) 38.

Gottes aus. Wer «in Christus ist», ist «neue Schöpfung» (2 Kor 5, 17). Gerade deswegen ist dort, wo In-Christus-Seiende in Ekklesia zusammenkommen, Ekklesia Gottes, eschatologische Heilsgemeinde Gottes. Der Gedanke der Kontinuität zum atl Gottesvolk Israel tritt damit deutlich zurück[104]. Die Gottesvolk-Idee, von Haus aus heilsgeschichtlich-retrospektiv orientiert, wird von Paulus also radikal christologisch interpretiert, so daß er in einer letzten Zuspitzung des Gedankens von den ἐκκλησίαι τοῦ Χριστοῦ sprechen kann (Röm 16, 16). Daß solche ἐκκλησίαι untereinander und vor allem mit der Ekklesia Gottes in Jerusalem als dem Ursprungsort der Tradition der κοινωνία bedürfen, ist für Paulus keine Frage[105]. Doch ist jede für sich und im vollen Sinne «Ekklesia Gottes».

Letztlich dürfte diese Sicht der Ekklesia bei Paulus eine Folge seiner Christologie bzw. Rechtfertigungslehre sein, die es nicht zuläßt, die Volk-Gottes-Idee für sich als Heilsgröße zu begreifen, und ihn zwingt, das Heil dezidiert an die Glaubensentscheidung des Einzelnen zu binden.

5. Schlußerwägungen

Paulinischer und jerusalemischer Kirchenbegriff unterscheiden sich also in bezeichnender Weise. Brachte Jerusalem mit «Ekklesia Gottes» die Idee des *einen* (eschatologischen) Gottesvolkes zum Ausdruck, so betonte Paulus, daß bereits jede einzelne Gemeinde im vollen Sinn «Ekklesia Gottes» zu nennen ist. Es handelt sich jedoch nicht um zwei konkurrierende Kirchenbegriffe. Da beide von ihrem Ansatz her streng theologisch bzw. christologisch orientiert sind, stellen sie relativ ungeeignete Hilfsmittel für eine Entscheidung in Fragen der Kirchenverfassung dar. Es handelt sich um zwei Aspekte der «Ekklesia Gottes», deren beider theologische Aussage für eine Ekklesiologie fruchtbar zu machen ist. Wie dies unter aktueller Problematik geschehen könnte, sei – mehr im Sinne einer Anfrage an die Systematik – in einigen abschließenden Erwägungen versuchsweise dargestellt.

5.1 Mit dem Jerusalemer Verständnis von der einen Ekklesia Gottes, das die Gesamtheit der an Christus Glaubenden als das eine Volk Gottes, als die eine eschatologische Heilsgemeinde, be-

---

[104] Das dürfte auch der Grund sein, daß im Corpus des Röm (bes. 9–11) der Begriff «Ekklesia Gottes» fehlt; gegen K. *Berger*, Volksversammlung (A. 23) 199.
[105] Zu skeptisch ist H. *Seesemann*, Der Begriff KOINΩNIA im NT, Gießen 1933, 99. Vgl. dagegen J. *Hainz*, Ekklesia (A. 18) 245–247.

greift, ist ein unverzichtbares Postulat christlichen Selbstverständnisses gegeben, dem Paulus keineswegs widerspricht, und das übrigens auch im paulinischen Traditionsbereich – in m. E. nur konsequenter Weise – bald nach dem Tode des Apostels unüberhörbar zur Geltung kommt (vgl. Kol, Eph). Dieses Moment ist das tiefste theologische Anliegen des katholischen, universal ausgerichteten Kirchenverständnisses. Ob dies allerdings zu einer gewissen, wenigstens teilweisen Reserve gegenüber dem Anspruch anderer, mit Rom nicht in verfassungsmäßiger Einheit lebender christlicher Gemeinschaften, «Kirche» zu sein, berechtigt, ist unter rein theologischen Prämissen zumindest zu fragen[106]. Wenn es richtig ist, daß bereits für das Jerusalemer Kirchenverständnis das Bekenntnis zu Jesus Christus (wenigstens der Sache nach) das eigentliche Konstitutivum war, müßte es erlaubt sein, zu überlegen, ob die verschiedenen christlichen Gemeinschaften und Konfessionen in einem tiefsten theologischen Sinn, nämlich wegen ihres gemeinsamen Bekenntnisses zu Jesus Christus, als die eine Ekklesia Gottes verstanden und artikuliert werden dürfen[107]. Natürlich ist damit die Problematik nur verschoben, doch dürfte der Mut zu einer gemeinsamen Artikulation die einzelnen christlichen Gemeinschaften um so stärker in ihre ökumenische Pflicht nehmen.

5.2 Die Unterscheidung Gesamtkirche – Teilkirche ist, sofern sie zur Charakterisierung eines theologischen Anliegens und nicht bloß zur Feststellung eines verfassungsmäßigen Faktums dient, wohl als der Versuch zu verstehen, das Anliegen Jerusalems mit dem des Paulus zu verbinden. Doch erweist sie sich, gemessen gerade an diesen Anliegen, als nicht allzu glücklich. Jerusalem

---

[106] Einen entscheidenden Schritt nach vorne hat das II. Vatikanische Konzil getan. Die Aussage LG 8, wonach die Kirche Christi in der katholischen Kirche *subsistiert*, gibt die frühere, ausschließliche Identifizierung bewußt auf (vgl. *H. Müller*, Zugehörigkeit zur Kirche als Problem der Neukodifikation des kanonischen Rechts, ÖAKR 28 [1977] 81–98, hier: 89f). Ausdrücklich als «Ecclesiae» werden die orientalischen Kirchen anerkannt (Ökumenismus-Dekret 14ff). Die vom Apostolischen Stuhl getrennten Gemeinschaften des Abendlandes werden als «Ecclesiae et Communitates ecclesiales» bezeichnet (a.a.O. 19ff); diese Redeweise ist bewußt gewählt, um offen zu lassen, ob die aus der Reformation hervorgegangenen Gemeinschaften als Kirchen zu bezeichnen sind oder nicht (vgl. *J. Hamer*, Die ekklesiologische Terminologie des Vatikanums II und die protestantischen Ämter, Cath [M] 26 [1972] 146–153, bes. 152f). Hier könnte m. E. noch entschiedener formuliert werden.

[107] Einen Ansatz dazu könnte man in LG 49 erblicken: «Universi enim qui Christi sunt, Spiritum eius habentes, in unam Ecclesiam coalescunt et invicem cohaerent in Ipso». Allerdings ist die Aussage nicht ökumenisch, sondern auf pilgernde und himmlische Kirche bezogen. Ein weiterer Ansatz zeigt sich auch in der Lehre von der gestuften Communio: plena – non perfecta (vgl. *H. Müller*, a.a.O. 88f).

könnte von seinem Gedanken des einen Gottesvolkes aus wohl kaum von Teilkirchen reden, sondern bestenfalls von Teilen der Kirche. Vom paulinischen Ansatz her ist die Qualifikation «Teilkirche» theologisch zu dürftig. Immerhin versucht die eingangs zitierte Formulierung des II. Vaticanums dem paulinischen Anliegen wenigstens insofern gerecht zu werden, als sie die Kirche nicht nur *aus,* sondern auch *in* Teilkirchen bestehen läßt. Die Teilkirchen sind also Repräsentationen der Kirche überhaupt, die nicht nur das Ergebnis der Summe ihrer Teile ist. Paulus geht mit seiner Sicht theologisch allerdings noch einen Schritt weiter, als er es wagt, den Gedanken der Repräsentation ohne die Idee der Teilkirche zu denken. Jede einzelne Kirche ist für sich und in vollem Sinne «Ekklesia Gottes». Gerade diesen Aspekt neben einer doch stark zentralistisch orientierten Unterscheidung Universal-/Partikular-Kirche erneut und noch stärker ins Bewußtsein zu bringen, dürfte eine lohnende Aufgabe heutiger katholischer Ekklesiologie sein, zumal bestimmte Formulierungen des II. Vaticanums – hier sei nur an den Begriff der «communio ecclesiarum» aus dem Missionsdekret (AG 19) erinnert – wenigstens ansatzweise in diese Richtung zeigen[108]. Unter ökumenischer Rücksicht dürfte das dezidiert christologisch orientierte Kirchenverständnis des Paulus noch weniger als das Jerusalems ein Hindernis für die volle Anerkennung der «Kirchlichkeit» anderer christlicher Gemeinden darstellen, jetzt nicht im Sinne ihrer Zugehörigkeit zur einen Kirche, sondern im Sinne ihrer Anerkennung als «Kirchen».

---

[108] Daß dies nicht auf Kosten der Einheit der Kirche noch auf Kosten der Anerkennung der Bedeutung *einer* Gemeinde für die Einheit der Kirche gehen muß, zeigt Paulus selbst, der das Verhältnis der Kirchen untereinander und zur Kirche in Jerusalem mit dem Begriff der κοινωνία bestimmt.

11. Entstehung und Gehalt des
paulinischen Leib-Christi-Gedankens

I. Das Problem

Der Leib-Christi-Gedanke[1] wird von Exegeten und Theologen nahezu einmütig als Mittelpunkt der paulinischen Ekklesiologie angesehen. Dabei geht man meist davon aus, daß ›Leib Christi‹ nicht bildlich, sondern im eigentlichen Sinne gemeint sei.[2] Im letzteren Falle scheint man – so belegt es zumindest ein breiter Forschungskonsens – an einer Identifizierung von Christus und Kirche im Sinne von ›Christus = Leib Christi = Kirche‹ kaum vorbeizukommen.[3] Die Kirche als ›Leib Christi‹ ist dann der (weltweit) sich weitende Leib des Gekreuzigten und/oder[4] Erhöhten.

1. Sofern man sich nicht mit Verweis auf den rein *mystischen* Charakter von jedweder rationalen Erklärung dispensiert, bleibt die Frage, unter welchen *religionsgeschichtlichen Prämissen* Paulus oder vielleicht schon das Christentum vor ihm eine derartige Leib-Christi-Vorstellung konzipieren konnten. Hierfür sicher nicht ausreichend ist der Organismusgedanke, obwohl er in 1 Kor 12,14–26 (vgl. Röm 12,4) ganz

---

[1] Zur Vorstellung bei Paulus vgl. u. a.: *E. Best,* One Body in Christ, London 1955; *R. H. Gundry,* Sōma in biblical theology (= MSSNTS 29), Cambridge 1976; *R. Jewett,* Paul's Anthropological Terms (= AGSU 10), Leiden 1971, 201–304; *E. Käsemann,* Leib und Leib Christi (= BHTh 9), Tübingen 1933; *ders.,* Das theologische Problem des Motivs vom Leibe Christi, in: ders., Paulinische Perspektiven, Tübingen 1969, 178–210; *J. J. Meuzelaar,* Der Leib des Messias, Amsterdam 1961; *E. Percy,* Der Leib Christi (Σῶμα Χριστοῦ) in den paulinischen Homologumena und Antilegomena, Lund 1942; *J. Reuss,* Die Kirche als ›Leib Christi‹ und die Herkunft dieser Vorstellung bei dem Apostel Paulus: BZ NF 2 (1958) 103–127; *J. A. T. Robinson,* The Body, Chicago 1952; *H. Schlier,* Corpus Christi: RAC II, 437–453; *T. Schmidt,* Der Leib Christi (Σῶμα Χριστοῦ), Leipzig-Erlangen 1919; *E. Schweizer,* Die Kirche als Leib Christi in den paulinischen Homologumena, in: ders., Neotestamentica, Zürich-Stuttgart 1963, 272–292; *ders.,* σῶμα κτλ. in: ThWNT VII, 1024–1042. 1043–1091; *A. Wikenhauser,* Die Kirche als der mystische Leib Christi nach dem Apostel Paulus, Münster 1940.

[2] Für eine strikt metaphorische Bedeutung ist *J. J. Meuzelaar,* a.a.O. 40.42.168–174, eingetreten; vgl. jetzt auch: *C. Wolff,* Der erste Brief des Paulus an die Korinther II (= ThHK VII, 2), Berlin ²1982, 110–114.

[3] Vgl. z. B. *E. Käsemann,* Leib, a.a.O. 185: Die Kirche ist »die Konkretion des mit ihr identischen Christus«; *W. G. Kümmel,* in: H. Lietzmann – W. G. Kümmel, An die Korinther I.II (= HNT 9), Tübingen ⁴1949, 187: »Der Leib = Leib Christi = Christus«. Gegen eine Identifizierung spricht sich *E. Best,* a.a.O. 83–114 (bes. 113) aus.

[4] Zur Problematik vgl. *E. Käsemann,* Problem, a.a.O. 191–194.

eindeutig zu Wort kommt. Er ist dann bestenfalls »ein Hilfsgedan-
ke«[5], und man hat »zwischen bildlicher Ausführung des Motivs und
der zugrundeliegenden Konzeption des weltweiten Erlöserleibes zu
unterscheiden«[6]. Wie man allerdings diese Konzeption religionsgeschichtlich einzuordnen hat, ist äußerst umstritten.

a) Das umfassendste Erklärungsmodell lieferte der *gnostische Anthro-
posmythos,* der insbesondere von Ernst Käsemann auf die Homologumena angewendet wurde.[7] Heute ist diese Erklärung nur mehr von for-
schungsgeschichtlichem Interesse. Neuere Untersuchungen haben gezeigt, daß die gnostische Urmenschlehre aus zeitlichen und sachlichen
Gründen zur Erklärung des neutestamentlichen Sachverhalts nicht in
Frage kommt.[8]

b) Sich von der gnostischen Interpretation ausdrücklich absetzend,
versuchte Karl Martin Fischer, den ›Leib Christi‹ »als christliche Variante der Vorstellung vom Allgott als Makroanthropos« begreiflich
zu machen.[9] Daß hier tatsächlich Verbindungslinien bestehen, ist
kaum zu bestreiten.[10] Dennoch erheben sich ernste Bedenken gegen
den Vorschlag Fischers. Sein grundlegender Fehler liegt darin, daß er
zwischen den echten Paulusbriefen und den Deuteropaulinen nicht
unterscheidet und damit unter anderem die räumliche Vorstellung der
letzteren auch für die Homologumena präsupponieren muß.

c) Andere bringen den Leib-Christi-Gedanken in Zusammenhang mit
der semitischen Vorstellung von der *corporate personality.*[11] Danach
kann Einer, der Stammvater, eine Vielheit repräsentieren und deren
Schicksal in sich schließen. Diese Vorstellung ist bei Paulus tatsächlich vorhanden (vgl. Röm 5,12–21; 1 Kor 15,22.45–49). Die Rede vom
Leib Christi wäre dann nichts anderes als ein Ausdruck für Christus,
der als Stammvater seinen Stamm (Leib) in sich schließt. Positiv könnte man auf die Wendung ἐν τῷ Ἀδάμ in 1 Kor 15,22 verweisen und
müßte dann das bei Paulus häufige ἐν Χριστῷ als Parallele dazu verstehen. Die Leib-Christi-Vorstellung wäre demnach schon in der ἐν
Χριστῷ-Formel enthalten. Hier sind zweifellos richtige Zusammenhänge erfaßt, insofern das In-Christus-Sein tatsächlich die Grundlage
des paulinischen Leib-Christi-Gedankens bildet.[12] Fraglich aber muß

---

[5] Vgl. *H. Conzelmann,* Der erste Brief an die Korinther (= KEK V), Göttingen ²1981, 258.
[6] *E. Käsemann,* An die Römer (= HNT 8a), Tübingen ⁴1980, 323.
[7] *E. Käsemann,* Leib, a.a.O.
[8] Vgl. bes. *H.-M. Schenke,* Der Gott ›Mensch‹ in der Gnosis, Göttingen 1962; *C. Colpe,* Die religionsgeschichtliche Schule (= FRLANT 78), Göttingen 1961; *K. M. Fischer,* Tendenz und
Absicht des Epheserbriefes (= FRLANT 111), Göttingen 1973, 58–68.
[9] *K. M. Fischer,* ebd. 68–78.
[10] S. u. Exkurs (III).
[11] Vgl. bes. *E. Schweizer,* Kirche, a.a.O.; *ders.,* in: ThWNT VII, 1069f.
[12] S. u. II. 7.

bleiben, ob Stammvater- und Leib-Christi-Idee semantisch nahezu
äquivalent sind, so daß die zweite der Sache nach schon mitgedacht
ist, wenn die erste geäußert wird. Einen direkten Beleg, wo eine derartige Implikation auch explizit realisiert wird, gibt es in den Paulusbriefen nicht.

d) Oftmals verbunden mit der soeben vorgestellten Ableitung wird
der Christusleib der Kirche mit dem *verklärten Kreuzesleib* identifiziert.[13] Die Eingliederung in den Kreuzesleib wird meist *sakramental*
begründet.[14] Diese Auffassung hat zweifellos »den Vorzug, daß sie auf
religionsgeschichtliche Erklärungen verzichten kann und das Motiv
aus innerchristlichen Prämissen erklärt«[15]. Allerdings läßt sich zwischen dem ekklesiologischen ›Leib Christi‹ und dem auf den Kreuzesleib bezogenen σῶμα τοῦ Χριστοῦ von Röm 7,4, worauf man gern verweist, kein textlich erkennbarer Zusammenhang herstellen. Umgekehrt besteht für die ansonsten noch bemühten Stellen – vor allem 1
Kor 10,16 f; 12,12 f – kein zwingender Grund, sie auf den *Kreuzes*leib
zu beziehen.

Alle Erklärungsmodelle bleiben somit in irgendeiner Weise unbefriedigend. Sie scheinen mehr vorauszusetzen, als sich aus dem Befund
der Texte ablesen läßt.

2. Hinzu kommt noch ein *sachliches Problem,* das in der Diskussion
meist vernachlässigt wird. Geht man nämlich von der oben erwähnten
Gleichung ›Christus = Leib Christi = Kirche‹ aus, dann erscheint
der ›Leib Christi‹ als ekklesiologische Explikation des ›Christus‹; die
Ekklesiologie wird zur unmittelbaren Funktion oder gar zur Variante
der Christologie. Dann besteht aber die Gefahr, daß der Kirche selbst
soteriologische Relevanz beigemessen wird: Die Kirche wird zum
Heilsraum, in den die zu Erlösenden hineinversetzt werden müssen.
Daß der Epheserbrief die Dinge tatsächlich so sieht,[16] sollte nicht über
die grundsätzliche theologische Problematik dieser Sicht und ihre Ge-
fährlichkeit für das Selbstverständnis der Kirche hinwegtäuschen.[17]

---

[13] Vgl. *E. Percy,* Leib, a.a.O. 28 f passim; *E. Schweizer,* in: ThWNT VII, 1006. 1070; *J. Reuss,* Kirche, a.a.O. 117 f.

[14] Vgl. *J. Reuss,* Kirche, a.a.O. 111. 116–118; *E. Schweizer,* in: ThWNT VII, 1065 f; vgl. *A. Wikenhau-ser,* Leib, a.a.O. 98. 102. 108–114.

[15] *E. Käsemann,* An die Römer, a.a.O. 325.

[16] Vgl. *H. Merklein,* Paulinische Theologie in der Rezeption des Kolosser- und Epheserbriefes, in: K. Kertelge (Hrsg.), Paulus in den neutestamentlichen Spätschriften (= QD 89), Freiburg u. a. 1981, 25–69, hier 46–51.

[17] Der Vorwurf, den *E. Käsemann,* An die Römer, a.a.O. 325, gegen eine Identifizierung von Kreuzesleib und Kirche richtet, trifft zumindest als Gefahrenanzeige *alle* Erklärungen, die Christus und Leib Christi identifizieren: »Die Kirche wird zur Prolongation Christi ..., die

Im übrigen bewegt sich die Auffassung des Epheserbriefs im Rahmen einer Gesamtkonzeption, die einer Mißdeutung dieser ekklesiologischen Christologie einige Riegel vorschiebt. Dazu gehört unter anderem die Ansicht, daß Christus das ›*Haupt*‹ des Leibes (Eph 1,22 f; 4,15 f; 5,23) und die Kirche ›*Kreatur*‹ des Gekreuzigten ist (Eph 2,15 f). Gerade diese Aussagen sind in den Homologumena nicht nachzuweisen.

Hat Paulus vielleicht selbst schon die Problematik einer Identifikation von ›Christus‹ und ›Leib Christi‹ erkannt? Ist er deshalb »in dieser Richtung sehr vorsichtig«?[18] Oder ist das vorausgesetzte Konzept nur eine (unbewußte) Eisegese deuteropaulinischer und anderer Ekklesiologien in paulinische Texte?

3. Im folgenden soll die These begründet werden, daß in den Homologumena von einem vorgegebenen oder (von Paulus selbst) vorgefaßten Leib-Christi-Konzept nicht die Rede sein kann. Paulus entwickelt vielmehr den Leib-Christi-Gedanken erst in der konkreten Auseinandersetzung mit der Gemeinde in Korinth. Unter dieser Prämisse wird auch die These von der Ekklesiologie als unmittelbarer Funktion der Christologie dahinfallen.

Methodisch wird von der (selbstverständlichen) Voraussetzung ausgegangen, daß nicht vorgegebene Konzepte und Modelle die Auslegung der Texte bestimmen dürfen, sondern umgekehrt, daß die Texte das Ausmaß und die Reichweite der zu erstellenden Konzepte begrenzen. Besprochen werden im folgenden diejenigen Texte, die den paulinischen Leib-(Christi-)Gedanken entweder direkt bezeugen oder sachlich dafür in Anspruch genommen werden.[19]

II. Die Texte

1. Der allgemeine terminologische Befund

Im Neuen Testament ist außerhalb des paulinischen Traditionsbereichs die Rede vom ekklesiologischen σῶμα überhaupt nicht belegt. Von daher wird die Annahme einer vorpaulinischen »Formel, mit welcher sich die hellenistische Christenheit zur Weltmission anschick-

---

Gläubigen umgekehrt sind von vornherein nicht bloß in den Dienst, sondern in das Erlösungsgeschehen selbst einbezogen.«

[18] *W. Klaiber,* Rechtfertigung und Gemeinde (= FRLANT 127), Göttingen 1982, 45.

[19] Nicht besprochen wird 1 Kor 11,29, da eine ekklesiologische Deutung dort m. E. nicht in Frage kommt; anders: *H.-J. Klauck,* Herrenmahl und hellenistischer Kult (= NTA NF 15), Münster 1982, 327.

te«[20], von vornherein unwahrscheinlich. In den Homologumena
kommt σῶμα 74mal vor.[21] Eindeutig ekklesiologischen Inhalt hat der
Begriff nur viermal, und zwar ausschließlich im Ersten Korinther- und
im Römerbrief (1 Kor 10,17; 12,13.27; Röm 12,5). An allen Stellen
geht es um die aus einer Vielheit gebildete Einheit der Gemeinde, die
in Analogie zum menschlichen Leib als ἕν σῶμα bezeichnet wird (1
Kor 10,17; 12,13; Röm 12,5). In 1 Kor 12,12–27 und Röm 12,4 f erfolgt
diese Aussage ausdrücklich im Zusammenhang eines ausgeführten
Vergleichs;[22] lediglich in 1 Kor 10,17 ist der Vergleich nur angedeutet.

Der explizite Terminus σῶμα Χριστοῦ in ekklesiologischer Bedeutung
kommt in den Homologumena überhaupt nur ein einziges Mal vor (1
Kor 12,27). Dabei sollte meines Erachtens noch festgehalten werden,
daß der ekklesiologische Terminus undeterminiert gebraucht wird,
während der Kreuzesleib in Röm 7,4 und der sakramentale Herrenleib
in 1 Kor 10,16 (vgl. 11,24.27.29) jeweils als τὸ σῶμα τοῦ Χριστοῦ bezeichnet werden. Zumindest unter grammatischer Rücksicht wird dadurch die Annahme eines vorgegebenen und bekannten (ekklesiologischen) Leib-Christi-Gedankens nicht gestützt.[23] Allerdings lassen sich
aus dem Fehlen des Artikels allein angesichts der Variabilität des Arti-
kelgebrauchs im Koine-Griechischen keine allzu weitreichenden Folgerungen ziehen. In sachlicher Hinsicht bedeutsamer ist, daß Paulus
in der mit 1 Kor 12,27 vergleichbaren Aussage von Röm 12,5 nicht
mehr vom σῶμα Χριστοῦ, sondern von ἕν σῶμα ... ἐν Χριστῷ
spricht. Offensichtlich ist Paulus also nicht festgelegt.

2. Die Konzeption der Deuteropaulinen

Eindeutig bezeugt ist die Vorstellung von der Kirche als dem auch
räumlich gedachten Leib des Erlösers im Kolosser- und Epheserbrief.
So sieht es jedenfalls die Mehrheit der Exegeten seit den grundlegenden Arbeiten von Heinrich Schlier und Ernst Käsemann.[24] Doch während Schlier diese Leib-Christi-Konzeption auf die Deuteropaulinen
beschränkt wissen wollte, versuchte Käsemann, sie auch für die Ho-

---

[20] *E. Käsemann,* Problem, a.a.O. 183.
[21] Statistik nach *K. Aland* (Hrsg.), Vollständige Konkordanz zum griechischen Neuen Testament II, Berlin–New York 1978.
[22] Dabei taucht σῶμα in der ›Bildhälfte‹ insgesamt 17mal auf.
[23] Vgl. *F. Blass/A. Debrunner,* Grammatik des neutestamentlichen Griechisch, Göttingen
¹⁵1979, § 273.
[24] *H. Schlier,* Christus und die Kirche im Epheserbrief (= BHTh 6), Tübingen 1930; *E. Käsemann,* Leib, a.a.O. Vgl. auch *C. Colpe,* Zur Leib-Christi-Vorstellung im Epheserbrief, in:
W. Eltester (Hrsg.), Judentum, Urchristentum, Kirche (FS J. Jeremias) (= BZNW 26), Berlin
²1964, 172–187.

mologumena nachzuweisen.[25] Diese These Käsemanns hat die Forschungsgeschichte nachhaltig beeinflußt.
Dennoch ist sie abzulehnen, und zwar nicht nur wegen ihrer religionsgeschichtlichen Problematik (s. o. I, 1a), sondern auch aus traditionsgeschichtlichen Gründen. Denn was im Kolosser- und Epheserbrief
als Leib-Christi-Vorstellung begegnet, ist nicht die Entfaltung eines
durch die Homologumena *vorgegebenen* Konzepts, sondern das *Ergebnis* einer fortschreitenden ›paulinischen‹ Interpretation einer kosmischen Christologie: Der kosmische All-Leib, dessen Haupt Christus
ist, wird mit Hilfe des paulinischen Verständnisses von der Kirche als
dem σῶμα (Christi) ekklesiologisch gedeutet.[26] Dabei ist vom Kolosserbrief zum Epheserbrief ein Traditionsgefälle festzustellen. Der Kolosserbrief weist noch deutliche Spuren eines relativ formalen Inter-
pretationsvorgangs auf (vgl. Kol 1,15–20); erst im Epheserbrief tritt eine einigermaßen homogene Leib-Christi-Konzeption zutage (vgl. bes.
Eph 2,14–18).

3. Gal 3,26–28

Wohl nicht zuletzt wegen der offenkundigen Verwandtschaft mit 1
Kor 12,13 sehen viele Exegeten in Gal 3,26–28 einen sachlichen Beleg
für den Leib-Christi-Gedanken, auch wenn der Terminus selbst nicht
vorkommt.
In letzter Zeit hat sich immer mehr die Erkenntnis durchgesetzt, daß
Paulus in Gal 3,26–28 *Traditionsgut* verarbeitet hat, über dessen genauere Abgrenzung allerdings die Meinungen auseinandergehen.[27]
Ohne hier auf Einzelheiten eingehen zu können, wird man folgende
Elemente eines Überlieferungstückes ausmachen können: Trotz der
Formulierungsvariante beim dritten Oppositionspaar[28] dürfte Paulus
bereits die gesamte Dreiergruppe von V. 28a vorgelegen haben. Die
beiden ersten Paare sind auch in 1 Kor 12,13 bezeugt (vgl. Kol 3,11);
daß das dritte dort fehlt, läßt sich aus der spezifischen Problematik

---

[25] *E. Käsemann*, Leib, a.a.O. 159–186.
[26] *H. Merklein*, Theologie, a.a.O., bes. 54–63.
[27] Vgl. *D. Lührmann*, Wo man nicht mehr Sklave und Freier ist. Überlegungen zur Struktur
frühchristlicher Gemeinden: WuD 13 (1975) 53–83; *M. Bouttier*, Complexio Oppositorum.
Sur les formules de I Cor. XII. 13; Gal. III. 26–8; Col. III. 10, 11: NTS 23 (1977) 1–19; *H.
Thyen*, ›…nicht mehr männlich und weiblich…‹. Eine Studie zu Galater 3,28, in: F. Crüse-
mann/H. Thyen, Als Mann und Frau geschaffen, Gelnhausen 1978, 107–201, bes. 138–145;
H. Paulsen, Einheit und Freiheit der Söhne Gottes – Gal 3,26–29: ZNW 71 (1980) 74–95; *G.
Dautzenberg*, Zur Stellung der Frauen in den paulinischen Gemeinden, in: ders. u. a. (Hrsg.),
Die Frau im Urchristentum (= QD 95), Freiburg 1983, 182–224, bes. 214–221; *ders.*, »Da ist
nicht männlich und weiblich«. Zur Interpretation von Gal 3,28: Kairos 24 (1982) 181–206.
[28] Sorgfältig herausgearbeitet von *G. Dautzenberg*, Da ist, a.a.O. 182 f.

von 1 Kor 12 erklären (s. u. II, 7).[29] Traditionell wird ferner die Aussage sein, daß die Überwindung der in V. 28a genannten Unterschiede sich einer in Christus gewonnenen *Einheit* (V. 28b) verdankt, die wiederum als Wirkung der *Taufe* (V. 27) anzusehen ist (vgl. 1 Kor 12,13).

Richtig ist, daß in V. 28 nicht bloß die »Gleichheit aller Glieder der Gemeinde *coram Deo*«[30], sondern greifbare urchristliche Erfahrung zu Wort kommt.[31] Dies schließt jedoch eine eschatologische Interpretation nicht aus,[32] sondern setzt sie geradezu voraus. Weil Gottes Heilstat in Christus eschatologische Qualität besitzt, sind für diejenigen, die durch die Taufe mit Christus verbunden sind, alle bisherigen völkisch-religiösen, sozialen und geschlechtlichen Unterschiede bedeutungslos geworden und ›in Christus‹ auch tatsächlich überwunden.[33] Daß die Aufhebung der Unterschiede *in Christus* Auswirkungen auf die Praxis haben mußte und auch hatte, nämlich im Leben der *Gemeinde,* wird man ebensowenig bestreiten dürfen wie das zumindest von *Paulus* anerkannte Faktum, daß diese Unterschiede auch für den Christen noch existent bleiben, solange er ἐν σαρκί ist.[34] Gerade unter der Rücksicht einer Verwirklichung des εἷς εἶναι ἐν Χριστῷ im Gemeindeleben bleibt aber zu fragen, ob in Gal 3,27 f nicht doch schon der Leib-Chri-

---

[29] Daß auch das dritte Gegensatzpaar in Korinth bekannt war, wird durch 1 Kor 7 wahrscheinlich gemacht: *H. Merklein,* »Es ist gut für den Menschen, eine Frau nicht anzufassen«. Paulus und die Sexualität nach 1 Kor 7, in: G. Dautzenberg u. a. (Hrsg.), Frau, a.a.O. 225–253, bes. 237–239. Gegen: *G. Dautzenberg,* Da ist, a.a.O. 185; die Auskunft, Paulus fordere dazu auf, »bei dieser durch den Status der Verheiratung mit einem bestimmten Partner bezeichneten *klesis* zu bleiben, jedoch nicht dazu, Mann oder Frau zu bleiben, wie er dazu auffordert, Beschnittener ... zu bleiben«, stellt eine falsche Alternative. Gerade wenn das dritte Gegensatzpaar von Gal 3,28a im Kontext einer Aufhebung der sozialen Rollenverhältnisse steht (a.a.O. 194–196), kann es unter bestimmten Bedingungen (z. B. eschatologischer Enthusiasmus) zu dem Mißverständnis von 1 Kor 7,1a kommen.

[30] *G. Dautzenberg,* Da ist, a.a.O. 188.

[31] Vgl. ebd. 194–200.

[32] Diesen Eindruck gewinnt man bei *G. Dautzenberg* bes. im Blick auf das dritte Gegensatzpaar (vgl. Da ist, a.a.O. 188 f). Die richtig beobachteten formalen Unterschiede zwischen den beiden ersten und dem dritten Gegensatzpaar werden m. E. sachlich überstrapaziert (vgl. ebd. 195). Die Dialektik zwischen dem Sein ›in Christus‹ und der sarkischen Realität (s. u.) gilt für alle Oppositionspaare!

[33] Der eschatologische Hintergrund wird durch die traditionsgeschichtliche Verbindung mit Joël 3,1–5 noch unterstrichen; vgl. dazu: *F. Crüsemann,* »...er aber soll dein Herr sein« (Genesis 3,16). Die Frau in der patriarchalischen Welt des Alten Testamentes, in: ders. – H. Thyen, Mann, a.a.O. 13–106, 92–94; *G. Dautzenberg,* Stellung der Frauen, a.a.O. 191–193; *ders.,* Da ist, a.a.O. 197.

[34] Es will beachtet sein, daß Paulus von einer *Aufhebung* der Unterschiede nur im sachlichen Zusammenhang mit ἐν Χριστῷ spricht: οὐκ ἔνι = οὐκ ἔνεστιν (zu ergänzen ist ›ἐν Χριστῷ‹: mit *G. Dautzenberg,* Da ist, a.a.O. 182). Unabhängig davon sagt er, daß z. B. Beschneidung und Unbeschnittenheit *οὐδέν ἐστιν* (1 Kor 7,19; nicht: οὐκ ἔστιν!) bzw. οὐ ... τί ἐστιν (Gal 6,15); damit ist ausgedrückt, daß sie *keine Rolle mehr* spielen, faktisch (sarkisch) aber noch vorhanden sind.

sti-Gedanke eingeschlossen und die Stelle nur eine Abbreviatur von
1 Kor 12,12 f ist.

Dies ist jedoch aus sachlichen und religionsgeschichtlichen Gründen
abzulehnen. Die in V. 28b ausgesagte Einheit – πάντες γὰρ ὑμεῖς εἷς
ἐστε ἐν Χριστῷ ᾿Ιησοῦ – ist eine qualitative und keine quantitative! Es
geht nicht um einen aus einer Vielzahl gebildeten ›Einen‹ (Leib), sondern darum, daß – man beachte die Singulare! – Jude und Heide,
Sklave und Freier, Männliches und Weibliches je eine neue Qualität
bekommen, in Christus eine neue Identität gewinnen, die ebendiese
Unterschiede aufhebt.[34a] Wer getauft ist und Christus angezogen hat
(V. 27), hat die Kategorialität der bisherigen Welt überwunden, der ist
– in Christus – ›neue Schöpfung‹ (vgl. Gal 6,15; 2 Kor 5,17); das ›In-
Christus-Sein‹ ist die *einzige* Kategorie, die den Christen bestimmt
und bestimmen darf. Unbeschadet des daraus abzuleitenden Gedankens, daß *davon* auch die Gemeindepraxis – gerade im Blick auf die in
V. 28a genannten Unterschiede – bestimmt sein muß, bleibt jedoch zu
betonen, daß aus dem εἷς εἶναι ἐν Χριστῷ *allein* noch keineswegs ab-
zulesen ist, daß die Gemeinde ein ›*Leib*‹ (nämlich ein Leib in Christus
bzw. Leib Christi) ist.[35] Bei dem εἷς εἶναι ἐν Χριστῷ geht es zwar um
die allen gemeinsame, aber doch auch dem je einzelnen zukommen-
de Identität in Christus. Die Inkommensurabilität der in V. 28a auf-
gezählten Kategorien zeigt im übrigen, daß religionsgeschichtlich hinter V. 28b weder der Organismusgedanke noch die Stammvater-Idee
stehen kann. Vom Gedanken der Identität her könnte man eventuell
an die Allgott-Glieder-Konzeption (s. u. Exkurs III, 1) als Parallele
denken; in ihr spielt jedoch der ›Leib‹ (als Totum der Glieder) keine
Rolle. Eingewirkt hat sicherlich auch die Vorstellung von der Identifikation des Mysten mit der Gottheit (vgl. bes. V. 27b).[36]

Gal 3,26–28 ist demnach kein Beleg für eine Leib-Christi-Konzeption.
Auch kann es nicht als Abbreviatur von 1 Kor 12,12 f verstanden wer-

---

[34a] Mit »Identität« wird im Zusammenhang der hier behandelten neutestamentlichen Texte
primär nicht eine Identität des/der Christen *mit Christus,* sondern die Identität *der Christen*
bezeichnet, also das, was den Christen zum Christen macht. Im Sinne von Gal 3,28 ist diese
christliche Identität vollgültig durch das In-Christus-Sein definiert, demgegenüber alle anderen (menschlichen) Unterschiede dahinfallen. Insofern das In-*Christus*-Sein den Christen
zum Christen macht, beinhaltet christliche Identität selbstverständlich auch eine Identität
mit Christus. Doch sind die Beziehungsglieder dieses Identitätsverhältnisses (Christus –
Christen) nicht austauschbar im Sinne einer Gleichung. Christus bleibt vielmehr die irrever-
sible personale Voraussetzung und Ermöglichung christlicher Identität, was wiederum gerade durch die Rede vom In-Christus-Sein als Umschreibung christlicher Existenz festgehalten
wird.

[35] Bestimmte Kreise in Korinth haben aus Gal 3,28 ganz andere Schlüsse gezogen! S. u. II, 7.

[36] Vgl. *K. M. Fischer,* Tendenz, a.a.O. 159 f.

den. Die von Hans Lietzmann dort feinsinnig beobachtete ›Inkonzinnität‹[37] weist vielmehr in eine ganz andere Richtung (s. u. II, 7).

4. 1 Kor 1,13

Im Anschluß an die sogenannten Parteiparolen in 1 Kor 1,12b[38] fragt
Paulus in V. 13a: μεμέρισται ὁ Χριστός? Setzt diese Frage die Gleichung ›Christus‹ = ›Leib Christi‹ voraus, wie viele Ausleger annehmen?[39]
Entscheidend für das Verständnis von V. 13a ist die Einsicht, daß die
Frage auf *alle* in V. 12b genannten Parteiparolen zu beziehen ist. Auch
bei der Berufung auf menschliche Parteihäupter geht es letztlich um
Christus. Weil die Korinther die Christusbotschaft als Weisheitslehre
verstehen, spielt das sie vermittelnde Wort für sie eine eminente Rolle
(vgl. 1 Kor 1,17: ἐν σοφίᾳ λόγου). So binden sie den Zugang zu Christus an das Wort ihrer Verkündiger bzw., wenn man von der Existenz
einer Christus-Partei ausgehen darf, an die eigene unmittelbare Geist-
erfahrung, als ob *davon* das Heil abhinge.
Was Paulus anmahnt, ist nicht die Existenz unterschiedlicher Gruppen an sich, sondern der Umstand, daß diese Gruppen Christus je für
sich in Anspruch nehmen. Das eigentliche Problem ist daher kein ekklesiologisches (die Zersplitterung eines Leibes Christi, der an sich
eins sein sollte),[40] sondern ein christologisches bzw., präziser noch, ein
soteriologisches. Die Korinther zerteilen Christus, indem sie das Heil,
das Christus *allein* vermittelt, mit der σοφία λόγου der Verkündiger
bzw. der eigenen Erfahrung verquicken. Was in Gefahr steht, ist die
Soteriologie, das heißt die exklusive Heilsbedeutsamkeit des Kreuzestodes Jesu und die Exklusivität der Heilsaneignung in der Taufe. V. 13b
ist daher nur die logische Konsequenz des soteriologischen Anliegens
der Frage von V. 13a. Es ist deshalb auch kein Zufall, daß dort von
›Christus‹ und nicht vom ›Leib Christi‹ die Rede ist.

5. 1 Kor 6,15

Für bestimmte Kreise in Korinth war der Verkehr mit Dirnen nichts
Verwerfliches, sondern Ausdruck der neugewonnenen Freiheit (vgl.
1 Kor 6,12). In Auseinandersetzung mit dieser Auffassung fragt Paulus

---

[37] *H. Lietzmann*, Korinther, a.a.O. 63.
[38] Allgemein dazu: *F. Lang*, Die Gruppen in Korinth nach 1. Korinther 1–4: ThBeitr 14 (1983)
    68–79.
[39] Vgl. *J. Weiß*, Der erste Korintherbrief (KEK V), Göttingen 1910 (Nachdr. 1970), 16 f;
    H. Lietzmann/W. G. Kümmel, Korinther, a.a.O. 7, 167 f; *H. Conzelmann*, 1 Kor, a.a.O. 53 f.
[40] Vgl. dazu I Clem 46,5–9.

unter anderem: »Wißt ihr nicht, daß eure Leiber (σώματα) Glieder Christi (μέλη Χριστοῦ) sind?« (V. 15). Die häufige Annahme, daß hier der Leib-Christi-Gedanke zugrunde liege,[41] setzt freilich eine Semantik voraus, derzufolge ›Leib‹ und ›Glieder‹ notwendigerweise die Korrelate einer einheitlichen Vorstellung sind. Dies entspricht jedoch nur teilweise dem religionsgeschichtlichen Befund. Da dieser Umstand in der Literatur kaum Beachtung findet, soll im folgenden Exkurs eine Klassifizierung des Materials unter dieser Rücksicht versucht werden.

Exkurs[42]

(I) Von einer Leib-Glieder-Konzeption kann im Zusammenhang mit dem *Organismusgedanken* gesprochen werden. Der Leib als eine *funktionale Einheit* unterschiedlicher, aber aufeinander hingeordneter Glieder wird als Bild für die menschliche Gemeinschaft (Volk, Staat) gebraucht (vgl. die Fabel des Menenius Agrippa).[43] Der Vergleich dient dabei fast ausschließlich der Mahnung, das Eigenwohl dem Gemeinwohl unterzuordnen. Vor allem im universal orientierten Denken der Stoa wird der Organismusgedanke dann auf die gesamte Menschheit und den Kosmos angewandt. Dabei wird gelegentlich das Organismusmodell mit der (prinzipiell davon zu unterscheidenden) Vorstellung von der göttlichen Weltseele, die die Einheit des Kosmos begründet, in Verbindung gebracht (s. u. Exkurs III, Bb).

(II) Gänzlich zu unterscheiden vom Organismusgedanken ist die Vorstellung *mythologischer Kosmogonien,* wonach die Teile der Welt aus den Gliedern eines (zerstückelten) Urwesens hervorgegangen sind (Makroanthropos).[44] Auffällig ist, daß in den Belegen der Terminus ›Leib‹ als Totum der Glieder keine Rolle spielt. Im Gegensatz zum Organismusgedanken geht es den Kosmogonien auch nicht um die Beschreibung der Welt als einer polyfunktionalen Einheit, sondern um die Begründung ihrer Disparatheit aus einer (ursprünglichen) Ein-

---

[41] Vgl. *J. Weiß,* 1 Kor, a.a.O. 162 f; *H. Lietzmann,* Kor, a.a.O. 27 f.; *H. Conzelmann,* 1 Kor, a.a.O. 141.

[42] Texte und Materialien sind zusammengetragen bei: *J. Weiß,* 1 Kor, a.a.O. 302 f; *H. Lietzmann,* Kor, a.a.O. 62 f; *T. Schmidt,* Leib, a.a.O., bes. 128–130; *A. Wikenhauser,* Kirche, a.a.O. 130–143; *R. P. Festugière,* La révélation d'Hermès Trismégiste II. Le dieu cosmique, Paris 1949; *E. Schweizer,* in: ThWNT VII, 1025–1042. 1046–1054; *K. M. Fischer,* Tendenz, a.a.O. 54–75.

[43] Livius II 32; Text und weitere Belege übersichtlich bei: *A. Wikenhauser,* Kirche, a.a.O.; *J. Weiß,* 1 Kor, a.a.O. 302, Anm. 2; vgl. auch *J. J. Meuzelaar,* Leib, a.a.O. 149–162.

[44] Belege bei *K. M. Fischer,* a.a.O. 69 f; *E. Käsemann,* Leib, a.a.O. 59–65.

heit. Genaugenommen ist daher nicht von einer Leib-Glieder-, sondern von einer Welt-Glieder-Konzeption zu sprechen.

(III) Die *Allgott-Vorstellung* besagt zunächst nur, daß Gott über allem
und zugleich in allem ist. In unserem Zusammenhang sind zwei Varianten von Interesse.

(A) Wo die Vorstellung vom Allgott mit der soeben genannten mythologischen Weltsicht verbunden ist, erscheinen die Teile der Welt als
Glieder des Allgottes:[45]

Es komme zu mir der von den vier Winden, der Allherrscher, der Geist einhauchte
den Menschen zum Leben ... Die Sonne und der Mond sind seine nie ruhenden
Augen... Ihm ist der Himmel das Haupt (κεφαλή), die Luft der Leib (σῶμα), die
Erde die Füße. Das Wasser um dich, der Ozean, (ist dein) guter Dämon. Du bist der
Herr, der zeugt und nährt und wachsen läßt das All (Leidener Zauberpapyrus V).[46]

Wie bei (II) fehlt auch hier durchweg der Begriff ›Leib‹ zur Bezeichnung der Glieder als einer Einheit und Ganzheit. Dies ist kaum ein
Zufall. Denn auch in der gedanklichen Konzeption geht es hier nicht
um das organische Zueinander der Glieder. Im Vordergrund steht
vielmehr die *Anwesenheit* des allumfassenden Gottes in den Gliedern
bzw. die *Verbundenheit,* teilweise sogar die *Identität* der Glieder mit
dem Allgott:

Zeus war der Erste, Zeus der Letzte, Glanz des Donnerkeils; Zeus ist der Kopf (κεφαλή), Zeus ist die Mitte, aus Zeus vollendet sich alles. Zeus ist der Grund der Erde
und des sternenreichen Himmels. Zeus war männlichen Geschlechts geschaffen;
Zeus ward auch eine unsterbliche Jungfrau. Zeus ist der Atem von allem, Zeus ist
die Kraft des ewigen Feuers, Zeus die Wurzel der Erde. Zeus ist Sonne und Mond.
Zeus ist König, Zeus, der Glanz des Donnerkeils, ist der Herrscher über alle Wesen
(Orphisches Fragment 168).[47]

Es verwundert daher nicht, daß die Allgott-Glieder-Konzeption, wie
man sie nennen könnte, auch von der *Gnosis* aufgegriffen wurde.[48]
Das Anliegen vermag Act. Joh. 100 recht gut zu verdeutlichen:[49]

Die am Kreuz befindlichen Gnostiker »haben (noch) nicht eine (einzige) Gestalt
(μία μορφή)«, weil »noch nicht jedes Glied (μέλος) des Herabgekommenen zusam-

---

[45] Weitere Belege bei *K. M. Fischer,* Tendenz, a.a.O. 71–73.
[46] Griechischer Text bei *R. Reitzenstein/H. H. Schaeder,* Studien zum antiken Synkretismus
aus Iran und Griechenland, Leipzig–Berlin 1926 (Nachdr. Darmstadt 1965), 99 f. – *K. M. Fischer,* Tendenz, a.a.O. 73, liest die Vorstellung von Exkurs (III, B) in den Text ein: Daß der
Allgott das *Haupt* ist, wird gerade nicht gesagt.
[47] Griechischer Text bei *R. Reitzenstein/H. H. Schaeder,* Studien, a.a.O. 71 f; deutsch nach:
O. Kern, Die Religion der Griechen II, Berlin 1935, 158.
[48] Belege bei *C. Schmidt,* Koptisch-gnostische Schriften I, Berlin ⁴1981, 330–332; 337,26 ff;
350,35 f; bes. 363 f; 364,6. Weitere Belege bei *K. M. Fischer,* a.a.O. 66 f.
[49] Vgl. dazu auch *H. Schlier,* Christus, a.a.O. 44 f.

mengefaßt ist«. Ziel ist offenbar, daß die Gnostiker gleichgestaltet werden der einen Gestalt und dem gleichen Aussehen (μορφὴ μία καὶ ἰδέα ὁμοία) des Lichtkreuzes (Act. Joh. 98).

Beherrschend ist der Gedanke der (wiederzugewinnenden) Identität von ›Gliedern‹ und Erlöser, bezeichnend, daß das Ziel nicht ›ein Leib‹, sondern ›eine Gestalt‹ ist (uniforme Identität). Überhaupt dürfte es kein Zufall sein, daß ›Leib‹ als ekklesiologischer Terminus in der Gnosis – außer in Abhängigkeit vom Neuen Testament – nicht vorkommt.[50]

(B.) Eine philosophische Variante der mythologischen Allgott-Vorstellung entsteht vor allem im Einflußbereich der *Stoa*, die Gott als das die Welt durchwaltende Prinzip (Weltseele) interpretiert.[51]

(a) Dabei kann Gott als ›*Haupt*‹ verstanden werden, das die als ›Leib‹ vorgestellte Welt durchwaltet bzw. ihre Teile (Glieder) zusammenhält. Diese Vorstellung wird vom hellenistischen Judentum modifiziert übernommen. Nach Philo ist die Welt der größte Körper (τὸ μέγιστον σωμάτων), der die Fülle der anderen Körper als seine eigenen Teile (μέρη) umfängt; der unvergängliche Logos aber ist die Stütze des Alls, die alle Teile zusammenschließt (Plant 7–9; vgl. Migr 220; Fug 108–113). Er ist »das Haupt des Alls«, dem die ganze Welt (»wie die Füße oder auch die übrigen Glieder«) unterworfen ist (Quaest in Ex II, 117).[52] In das geschilderte Konzept wird manchmal der Gedanke der *funktionalen* Einheit einbezogen (s. u.). Das Hauptinteresse ruht indes auf der *von Natur*[53] *aus bestehenden Einheit des Leibes bzw. der Glieder aufgrund der durchwaltenden Kraft des Hauptes*, so daß man im Unterschied zu (I) von einer Haupt-Leib- bzw. einer Haupt-Glieder-Konzeption sprechen könnte.[54]

(b) Gelegentlich wird der mit dem Kosmos identische und ihn durchwaltende Gott selbst als ›*Leib*‹ bezeichnet. Besondere Aufmerksamkeit verdienen zwei Äußerungen Senecas:

---

[50] Vgl. *K. M. Fischer,* Tendenz, a.a.O. 67 f; Abhängigkeit vom NT dürfte auch bei dem von *K. M. Fischer,* a.a.O. 64 f, genannten Beleg aus Nag-Hammadi Codex XI, 1 vorliegen.

[51] Vgl. die Materialzusammenstellung bei *E. Schweizer,* in: ThWNT VII, 1035–1037.

[52] Weiteres Material zu Philo bei *E. Schweizer,* a.a.O. 1051 f; *H. Hegermann,* Die Vorstellung vom Schöpfungsmittler im hellenistischen Judentum und Urchristentum (= TU 82), Berlin 1961, 47–67. – Die hellenistisch-jüdische Sicht liefert das weltanschauliche Material zur Ausbildung einer kosmischen Christologie (vgl. Kol 1,15–20); dazu: *E. Schweizer,* Der Brief an die Kolosser (= EKK), Zürich 1976, 50–69, aus der sich schließlich die Leib-Christi-Konzeption des Kolosser- und des Epheserbriefs entwickelt (s. o. II, 2). Vgl. auch IgnTrall 11,2.

[53] Jüdisch ist hier ›Schöpfung‹ zu lesen, christlich-eschatologisch ›Neuschöpfung‹ (vgl. Eph 2,15 f).

[54] Gegenüber dem alten Allgott-Schema ist eine Art ›Verinnerlichung‹ eingetreten, vgl. *H. Hegermann,* Vorstellung, a.a.O. 64: »Das wichtigste Motiv ist die durchwaltende göttliche Kraft, die alles zu einer umfassenden Einheit zusammenschließt und so das gewissermaßen von innen her leistet, was die alte Allwesenheit gewissermaßen von außen ... bewirkte.«

Warum sollen wir nicht glauben, daß etwas Göttliches in dem sei, der ein Teil Gottes ist? Dieses *Ganze* (totum), von dem wir umfangen werden, ist ein *Einziges* und ist *Gott* (et unum et deus): und wir sind Genossen und *Glieder* (membra) von ihm (Ep 92,30).

Dieses Ganze (omne), was du siehst, wodurch Göttliches und Menschliches umschlossen wird, ist *Eines* (unum): *wir sind Glieder eines großen Leibes* (membra sumus corporis magni). Die Natur hat uns als Verwandte hervorgebracht, da sie uns aus Gleichem und zu Gleichem zeugte. Sie pflanzte uns Liebe zueinander ein und machte uns gemeinschaftsfähig (Ep 29,52).[55]

Besonders im Blick auf die zuletzt genannte Stelle läßt sich von einer – auch terminologisch belegbaren – Leib-Glieder-Konzeption sprechen, die anders als im Organismusgedanken nicht nur anhand eines Bildes das Funktionieren einer aus Vielfältigem gebildeten Einheit erklären will, sondern die (kosmische) Realität selbst als den seine ›Glieder‹ umfassenden ›Leib‹ definiert. Der Organismusgedanke klingt zwar an, bewegt sich jedoch im Rahmen der übergeordneten Idee einer Einheit, die sich aus der wesensmäßigen Verwandtschaft der einzelnen Glieder ergibt. Der für die Allgott-Vorstellung offensichtlich konstitutive Identitätsgedanke kommt wieder zum Tragen.

Es dürfte deutlich geworden sein, wie problematisch es ist, von der *Glied*-Christi-Aussage in 1 Kor 6,15 auf ein zugrundeliegendes *Leib*-Christi-Konzept zu schließen. Religionsgeschichtlich könnte man die Stelle am ehesten noch mit der Allgott-Glieder-Konzeption in Verbindung bringen (Exkurs III, A), in der die enge Verbundenheit, ja Identität der Glieder mit dem Allgott betont wird. Daß es bei 1 Kor 6,15 ebenfalls um eine Identitätsbestimmung geht, unterstreicht die *Einheits*aussage der beiden folgenden Verse, die sachlich wiederum mit Gal 3,28 verwandt ist.[55a] Daß in V. 17 von ἓν πνεῦμα – noch dazu in Opposition zu ἓν σῶμα (V. 16) – die Rede ist, verbietet es, bestimmte stoische Varianten der Allgott-Vorstellung (s. o. Exkurs III, Bb) heranzuziehen, um für 1 Kor 6,15 den Leib-Christi-Gedanken plausibel zu machen. Als der seine ›Glieder‹ zusammenfassende und durchwaltende ›Leib‹ wird Christus hier gerade nicht bezeichnet. Es ist eine petitio principii, wenn Hans Conzelmann zu 1 Kor 6,17 feststellt: »An sich erwartet man: ὁ κολλώμενος ... ist mit *dem Herrn ein Leib* (nach

---

[55] Zur möglichen Herkunft von Poseidonios: *A. Wikenhauser,* Kirche, a.a.O. 132f. Vgl. auch *E. Schweizer,* in: ThWNT VII, 1036,23–1037,12.

[55a] Daß es – wie bei Gal 3,28 (s. Anm. 34a) – auch bei 1 Kor 6,15–17 nicht um eine pantheistisch oder gnostisch gedachte Identität von Christus und Christen geht, zeigt V. 17: Das ἓν πνεῦμα – (mit dem Herrn) – Sein des Christen (vgl. das εἰς εἶναιἐν Χριστῷ von Gal 3,28) bezeichnet eine geschenkte (erst gnadenhaft geschaffene) Identität, bei der Christus irreversibel und bleibend der Bestimmende ist.

V. 15). Dieser Gedanke ist in der Tat die sachliche Voraussetzung. ἐν πνεῦμα erklärt nun, welcher Art dieser eine Leib ist.«[56] πνεῦμα ist hier nicht die Qualität eines bestimmten σῶμα, nämlich des Leibes Christi. σῶμα und πνεῦμα geben vielmehr gegensätzliche Existenzweisen an, die aus der je unterschiedlich getroffenen Identitätsbestimmung resultieren. Wer sich mit einer Dirne verbindet, wird mit ihr ἐν σῶμα (V. 16), das heißt, er ist und bleibt menschliches Selbst (σῶμα), das durch die Verbindung mit der Dirne geradezu auf seine somatisch-begrenzte Identität festgelegt wird.[57] Wer sich aber mit Christus verbindet, transzendiert sein menschliches Selbst, gewinnt eine neue Identität: er wird mit Christus und durch ihn ἐν πνεῦμα (V. 17).[58] Berücksichtigt man diese Antithetik von σῶμα und πνεῦμα, so dürfte die Annahme einer zugrundeliegenden *Leib*-Christi-Konzeption so gut wie ausgeschlossen sein. Eine solche vorausgesetzt, könnte man im Gegenteil sogar zweifeln, ob Paulus in 1 Kor 6,12–20 hätte so argumentieren können, wie er argumentiert.

6. 1 Kor 10,16 f

In unserem Zusammenhang geht es im wesentlichen um eine sachgerechte Verhältnisbestimmung von τὸ σῶμα τοῦ Χριστοῦ in V. 16 und ἐν σῶμα in V. 17. Kann Paulus beim Übergang von V. 16 zu V. 17 ein vorgegebenes, vielleicht sogar sakramental begründetes Leib-Christi-Konzept (nach dem Muster: sakramentaler Leib Christi = Christus [Kreuzesleib] = ekklesiologischer Leib Christi) voraussetzen?[59] Oder verknüpft Paulus in den beiden Versen die (traditionelle) Rede vom sakramentalen Leib Christi (V. 16) mit der (ebenfalls schon traditionellen) Vorstellung von der Kirche als dem Leib des Erhöhten (V. 17)?[60] Oder ist es Paulus selbst, der in V. 17 erstmalig den Gedanken des ekklesiologischen ›Leibes‹ (Christi) (wenigstens ansatzweise) entwickelt, und zwar in Auseinandersetzung mit den Korinthern? Methodisch geht es also um eine semantische (und pragmatische) Bestimmung der Funktion und des Gehaltes von σῶμα in V. 17.

a) Vom textlichen Befund her ist zunächst folgendes festzuhalten: V. 17 spricht nur vom ἐν σῶμα und nicht vom σῶμα *Χριστοῦ*. Außer-

---

[56] *H. Conzelmann*, 1 Kor, a.a.O. 142; vgl. *R. Bultmann*, Theologie des Neuen Testaments (= UTB 630), Tübingen ⁷1977, 210.
[57] Zum Verständnis von σῶμα vgl. *R. Bultmann*, Theologie, a.a.O. 196 f.
[58] V. 19 variiert den Gedanken: Sein σῶμα wird Tempel des heiligen Geistes.
[59] So: *E. Schweizer*, in: ThWNT VII, 1066. 1067f. 1080; vgl. *A. Wikenhauser*, Kirche, a.a.O. 112f.
[60] So mit Nachdruck: *E. Käsemann*, Problem, a.a.O. 193f.

dem läßt sich – unbeschadet möglicher Relationen – zwischen der sakramentalen und der ekklesiologischen Verwendungsweise des Begriffs in V. 16 und 17 unterscheiden.[61] Dazu paßt, daß in V. 16 eine traditionelle (liturgische) Formel zitiert sein dürfte.[62] Für das nähere Verständnis der beiden Verse ist auf den *Skopus des ganzen Abschnittes* zu achten. Paulus wendet sich gegen eine christliche Beteiligung an heidnischen Kultmählern, deren Unbedenklichkeit bestimmte Kreise in Korinth wohl mit dem Verweis auf die immunisierende Wirkung des Sakraments zu begründen suchten. Demgegenüber ist Paulus überzeugt, daß das Herrenmahl κοινωνία schafft,[63] und zwar eine exklusive und unteilbare, so daß sie mit der aus dem Kultmahl sich ergebenden κοινωνία – diesmal mit den Dämonen, die Paulus hinter den nichtexistenten Götzen am Werk sieht (VV. 19 f) – nicht zu vereinbaren ist (VV. 21 f).

Um dies seinen Lesern zu vermitteln und das Verbot von V. 14 zu begründen, führt Paulus zunächst den traditionellen V. 16 ein. Die Formel dürfte bereits den Korinthern bekannt gewesen sein, so daß V. 16 als unumstrittener Ausgangspunkt der Argumentation gelten kann.[64] Dann aber wird V. 17 kaum als Begründung, sondern als Kommentar zu V. 16 zu verstehen und daher folgernd zu übersetzen sein:»Weil es ein Brot ist, sind wir, die Vielen, ein Leib, denn wir alle haben an dem einen Brot teil.«[65]

b) Mit ἓν σῶμα οἱ πολλοί ἐσμεν (V. 17) will Paulus offensichtlich die κοινωνία am eucharistischen Leib Christi (V. 16) erläutern. Aus der Formulierung könnte man auf ein (wohl tatsächlich vorhandenes) *individualistisches* Sakramentsverständnis der Korinther schließen. Doch kann der Gedanke der *funktionalen* Einheit, der freilich zugleich die Ausführungen von 1 Kor 8,11–13 wieder anklingen läßt,[66] noch

---

[61] Gegen ein ekklesiologisches Verständnis des ›Leibes Christi‹ in V. 16 (so z. B. *W. G. Kümmel*, Kor, a.a.O. 181 f) s. *H.-J. Klauck*, Herrenmahl, a.a.O. 261 f.

[62] *E. Käsemann*, Anliegen und Eigenart der paulinischen Abendmahlslehre, in: ders., Exegetische Versuche und Besinnungen I, Göttingen 1964, 11–34, hier 12 f; *ders.*, Problem, a.a.O. 193; *H. Conzelmann*, 1 Kor, a.a.O. 210; *E. Schweizer*, in: ThWNT VII, 1067; *H.-J. Klauck*, Herrenmahl, a.a.O. 258–263.

[63] Daß bei κοινωνία in V. 16 kein Gegensatz zwischen dem Gedanken der ›Teilhabe‹ (participatio) und dem der ›Gemeinschaft‹ (communio) zu konstruieren ist, hat *H.-J. Klauck*, a.a.O. 261 f, zu Recht hervorgehoben; dort auch zur Ablehnung der Bedeutung ›societas‹.

[64] Nach *J. Hainz*, Koinonia (= BU 16), Regensburg 1982, 22–24, ist bereits der κοινωνία-Begriff paulinisches Interpretament.

[65] Vgl. *H.-J. Klauck*, Herrenmahl, a.a.O. 264. Anders (als Begründung): *H. Lietzmann*, Kor, a.a.O. 46; *H. Conzelmann*, 1 Kor, a.a.O. 208.

[66] Zum Zusammenhang von Kap. 8 und 10 vgl. *H. Merklein*, Die Einheitlichkeit des ersten Korintherbriefes: ZNW 75 (1984) 153–183, bes. 163–173.

nicht der eigentlich springende Punkt sein. Grundlegend im Rahmen
einer Argumentation, die auf die Exklusivität der κοινωνία hinauswill, ist vielmehr der Gedanke der Einheit im Sinne der *Identität*. Unter dieser Rücksicht läßt sich V. 17 als eucharistische Variante zu der
aus der Taufe gezogenen Konsequenz von Gal 3,28b verstehen, und
man könnte – um sich diese Sinnspitze zu verdeutlichen – V. 17 im
Sinne der Galater-Aussage variieren: Wir alle, die wir an dem einen
Brot, dem (sakramentalen) Leib Christi, teilhaben, *wir alle sind einer*
(πάντες ἡμεῖς εἷς ἐσμεν). So gesehen, ist die eucharistische κοινωνία
Ausdruck und Vergegenwärtigung der bei der Taufe grundlegend gewonnenen neuen Identität (in Christus). Der Sache nach ist damit die
Exklusivität sakramentaler κοινωνία festgestellt und eine apotropäi-
sche Deutung des Sakraments ausgeschlossen. Denn wenn κοινωνία
Identität schafft, verliert der Christ, wenn er κοινωνὸς τῶν δαιμονίων
wird (V. 20), seine eigene Identität; das Eins-Sein verträgt keine Spal-
tung.[67]

Daß Paulus den Identitätsgedanken hier nicht wie in Gal 3,28b mit
εἷς, sondern mit ἓν σῶμα zum Ausdruck bringt, ist leicht zu erklären.
Abgesehen von der bereits erwähnten Möglichkeit des semantischen
Rückverweises auf Kap. 8 dürfte vor allem der Umstand maßgeblich
gewesen sein, daß eine Identitätsaussage nach Art von Gal 3,28b miß-
deutbar war und in Korinth offensichtlich auch mißdeutet wurde.
Dies ist im Zusammenhang mit 1 Kor 12 noch näher zu begründen. So
schreitet Paulus mit Zielstrebigkeit, die sich schon in V. 16 in der Umstellung der Glieder der traditionellen Formel (Kelch/Blut – Brot/
Leib) Ausdruck verschafft, zur tatsächlichen Aussage von V. 17 und
interpretiert die Einheit im Sinne des Ein-Leib-Seins.

c) Was ergibt sich daraus für eine mögliche *Leib-Christi-Konzeption?*
Aufgrund der mit der Einheitsaussage gegebenen Identitätsvorstellung
könnte man natürlich sagen, daß das ἓν σῶμα von V. 17 der Sache
nach der ›Leib *Christi*‹ ist (vgl. 1 Kor 12,27). Dennoch bleibt zu beachten, daß eine begriffliche Realisierung dieses Sachverhalts hier eben
nicht stattfindet. Auch ist der Ausgangspunkt, von dem her der Identitätsgedanke von V. 17 entwickelt wird, nicht Christus (Christologie)
und seine Identität mit den Christen (als seinem Leib), sondern sind
die Christen und ihre Identität (als ein Leib) in Christus (aufgrund der
κοινωνία am sakramentalen ›Leib Christi‹). Die zurückhaltende Formulierung in V. 17 ist daher sehr bewußt gewählt. Der Übergang vom

---

[67] Eine Digression ist V. 17 unter dieser Rücksicht gerade nicht: gegen: *J. Weiß*, 1 Kor, a.a.O.
258.

sakramentalen »Leib Christi« zum ekklesiologischen »*einen* Leib« bedarf überdies des vermittelnden Gedankens des »*einen* Brotes«, an dem »alle teilhaben«.[68] Der ekklesiologische ›eine Leib‹ ist daher kein Synonym für den sakramentalen ›Leib Christi‹, sondern ein *Interpretament* der *Teilhabe* an diesem (κοινωνία τοῦ σώματος τοῦ Χριστοῦ). Unter dieser Rücksicht wird die These von einem *vorgegebenen* Leib-Christi-Konzept – sowohl allgemein im Sinne eines seine Glieder umfassenden Christus-Leibes (= Christus) als auch speziell im Sinne des im Sakrament präsenten Kreuzesleibes, der sich als Leib des Erhöhten zum Christusleib der Kirche weitet – höchst unwahrscheinlich.[69] Im übrigen läßt gerade das Fehlen der expliziten (ekklesiologischen) Leib-*Christi*-Beziehung erkennen, daß es Paulus bei der Einbringung des σῶμα-Begriffs vorrangig nicht um den Gedanken der *Identität* (in Christus) geht,[70] die ohnehin schon durch die Qualifikation ἓν ausgesagt ist. Die sofortige Betonung, daß der eine Leib aus ›vielen‹ besteht, zeigt vielmehr, daß Paulus mit dem ekklesiologisch verwendeten σῶμα-Begriff zuallererst den Gedanken *funktionaler* Einheit (vgl. Organismusgedanke) verbindet, σῶμα also zur näheren *Erläuterung und Präzisierung der im Sakrament zum Vorschein kommenden Einheit* benutzt: Daß alle an dem einen Brot des Leibes Christi teilhaben, läßt ihre in Christus geschenkte neue Identität, das heißt ihre Einheit, zum Vorschein kommen, die aber eine Einheit im Sinne eines Leibes ist. Damit ist im Rahmen der Identitätsaussage, die für den Argumentationsduktus von 1 Kor 10,14–21 von grundlegender Bedeutung ist, der Gedankengang von Kap. 12 sachlich und begrifflich vorbereitet. Es handelt sich dabei aber nicht um ein zufälliges Nebenprodukt der Argumentation; gerade 1 Kor 12 wird zeigen, daß die funktionale Interpretation der Identitätsaussage konstitutiv für den paulinischen Leib-Christi-Gedanken ist.

7. 1 Kor 12,12 f.27

Den Befürwortern einer Identität von ›Christus‹ und ›Leib Christi‹ dient 1 Kor 12,12 f.27 geradezu als Kronzeuge. Tatsächlich begegnet in V. 27 – als ekklesiologische Bezeichnung das erste und einzige Mal innerhalb der Homologumena – der Terminus ›Leib Christi‹ (σῶμα Χριστοῦ). Allerdings bringen die für die nähere inhaltliche Bestimmung dieses Begriffs so wichtigen VV. 12.13 erhebliche exegetische

---

[68] Vgl. dazu F. *Mußner*, Christus das All und die Kirche (= TThS 5), Trier ²1968, 120–125.

[69] Zur Problematik der Kreuzesleib-These siehe auch: E. *Käsemann*, Problem, a.a.O. 191 f (s. o. I. 1. d).

[70] Etwa in Analogie zu der von Seneca bezeugten Vorstellung, s. o. Exkurs (III, Bb).

Probleme mit sich. Abgesehen von der eigentlichen Sachfrage nach
dem Verständnis des σῶμα sind vor allem zwei Schwierigkeiten zu
nennen: 1. Die Abbreviatur in V. 12c: οὕτως καὶ ὁ Χριστός, und 2. die
von Hans Lietzmann beobachtete ›Inkonzinnität‹ von V. 13: Der Gedanke, der ansonsten die Beseitigung aller Unterschiede in der Taufe
ausdrückt (vgl. Gal 3,27 f), steht hier in einem Kontext, in dem »gerade das Gegenteil erläutert werden« soll.[71]

a) *1 Kor 12* bezieht sich auf eine Anfrage der Korinther (V. 1), bei denen die außergewöhnlichen und aufsehenerregenden ›Geistesgaben‹
(πνευματικά), allen voran die Glossolalie,[72] großes Ansehen genossen.
Einige sahen darin sogar das Kriterium des Geistes. Der adäquate
Ausdruck christlicher Existenz ist dann der Enthusiasmus, das Ideal
der Gemeinde ist die Uniformität enthusiastischer Individualisten.
In einem ersten Argumentationsgang stellt Paulus demgegenüber ein
sehr nüchternes Kriterium des Geistes auf (VV. 2 f) und verweist auf
die finale Sinnhaftigkeit unterschiedlicher Kräfte in der Gemeinde
(VV. 4–7). Die dann folgende exemplarische Liste von (wohl tatsächlich vorhandenen) ›Charismen‹ (VV. 8–10)[73] wird zusammengefaßt
und begründet mit V. 11: »Dies alles wirkt ein und derselbe Geist, der
einem jeden besonders zuteilt, wie er will.« Nun könnte man meinen,
daß mit dem polemischen Hinweis auf die Souveränität des Geistes
die korinthische Position an entscheidender Stelle getroffen sei. Paulus aber setzt mit V. 12 zu einem weiteren Argumentationsgang an.

b) Fragt man nach dem Grund, so ist die Frage nach dem Motiv von
V. 13 mitzubeantworten. Es ist offenkundig, daß Paulus in V. 13 auf
das *aus Gal 3,26–28 bekannte Überlieferungsstück* anspielt. Die Frage
ist nur, ob er dies aus ureigenem Antrieb oder deswegen tut, weil das
Stück bereits in der Argumentation der Korinther eine Rolle spielte.
Das letztere ist wahrscheinlich. Es gibt zumindest einige Hinweise
darauf, daß diese Tradition in Korinth bekannt war, ja sogar maßgeblichen Einfluß auf das theologische Denken der Korinther ausübte.
Jedenfalls läßt sich unter dieser Prämisse die aszetische Parole von
1 Kor 7,1b besser verstehen,[74] wahrscheinlich auch das Postulat der
Frauen, beim Gottesdienst die prophetische Funktion unverschleiert
wahrzunehmen (vgl. 1 Kor 11,2–16). Unter der nämlichen Prämisse

---

[71] *H. Lietzmann*, Kor, a.a.O. 63.
[72] Vgl. *U. Brockhaus*, Charisma und Amt, Wuppertal ²1975, 150–156.
[73] Zum Charisma-Begriff s. *U. Brockhaus*, a.a.O. 128–142.
[74] S. o. Anm. 29.

wird auch 1 Kor 12 durchsichtiger, sowohl in bezug auf die Position der Korinther als auch in bezug auf die Argumentation des Paulus. Der entscheidende Fehler der Korinther liegt dann in der uniformen Interpretation des Identitätsgedankens von Gal 3,28.[75] Der wahre Pneumatiker (= Christ) kommt dort zum Vorschein, wo alles Irdische, das sich in den Unterschieden von Gal 3,28a widerspiegelt, tatsächlich überwunden wird durch einen einheitlichen, uniformen Lebensvollzug, der nach Meinung der Korinther der adäquate Ausdruck für die neue Identität, das εἷς εἶναι, des Christen ist. Unter dieser Rücksicht . mußte den Korinthern die Glossolalie besonders bedeutsam erscheinen. Konnte sie doch als *die* neue Sprache verstanden werden, welche die sprachlichen Barrieren der alten Welt aufhob und alle in verzückter Univozität zu Gott rufen ließ. Nun wird auch erklärlich, warum in 1 Kor 12,13 das dritte Gegensatzpaar von Gal 3,28 (männlich/weiblich) fehlt. Schon die Korinther dürften in diesem Zusammenhang nur auf die ersten beiden Oppositionen rekurriert haben, da nur sie auf die *sprachlichen* Barrieren zu beziehen waren, die durch die Glossolalie aufgehoben werden sollten.

Trifft diese Beschreibung der korinthischen Position in etwa zu, dann wird auch verständlich, warum Paulus sich nicht mit den Ausführungen der VV. 1–11 begnügen kann. Gerade die These von V. 11 bedarf dann nämlich der Vermittlung mit der traditionellen Aussage von Gal 3,28, auf die sich die Korinther berufen.

c) Diesem Unternehmen wendet sich Paulus ab *V. 12* zu. Er beginnt mit einem Bild, das formal der Aussagestruktur von V. 11 entspricht. Am Beispiel des Leibes und seiner Glieder demonstriert er Einheit in der Vielfalt und Vielfalt in der Einheit (V. 12ab). Die Sachhälfte des Vergleichs bleibt allerdings Abbreviatur: »so auch der Christus« (V. 12c). Handelt es sich dabei lediglich um Bildsprache?[76] Oder ist ›der Christus‹ ein Kürzel für den Leib-Christi-Gedanken,[77] so daß man V. 12c auflösen könnte: »so ist auch der Christus ein Leib (oder: so ist auch der Leib Christi einer) und hat viele Glieder«? Daß Paulus den Vorteil, den eine derartige Formulierung im Rahmen seiner Argumentation bringen würde, nicht nutzt, läßt eher darauf schließen, daß er bei seinen Lesern die Vorstellung vom Leib Christi nicht vorausset-

---

[75] Trotz der Nähe zum gnostischen Identitätsgedanken (vgl. Act.Joh. 100; s. o. Exkurs III, A) wird man die Kontrahenten deswegen nicht schon als Gnostiker bezeichnen können.

[76] So nur wenige, z. B. *H. Schlier*, Christus, a.a.O. 41: »So steht es dort, wo Christus ist«; vgl. *J. J. Meuzelaar*, Leib, a.a.O. 39 f; *C. Wolff*, 1 Kor, a.a.O. 107 f.

[77] *E. Käsemann*, Leib, a.a.O. 159–162; *A. Wikenhauser*, Kirche, a.a.O. 92.100; *E. Percy*, Leib, a.a.O. 4 f; vgl. *H. Conzelmann*, 1 Kor, a.a.O. 257 f; *H. Lietzmann/W. G. Kümmel*, Kor, a.a.O. 62 f.187; u. v. a.

zen kann. Dann aber hat eine Auflösung der Abbreviatur in der soeben genannten Weise auch keinen argumentativen Wert. Unter dem
Gesichtspunkt der Verständlichkeit für die *Leser* ist eine andere
(denkbare) Möglichkeit der Auflösung zu bevorzugen: »so ist auch
der Christus einer und hat viele Glieder«. Der Glied-Christi-Gedanke
ist den Korinthern nach Ausweis von 1 Kor 6,15 nicht unbekannt (s. o.
II 5). Sachlich hat er nahezu die gleiche Funktion wie die Einheitsaussage von Gal 3,28, nämlich die in Christus gewährte neue Identität
festzustellen. Dies aber bedeutet, daß die soeben erwogene Formulierung für die Argumentation des *Paulus* kaum tragbar ist; die Korinther hätten sie fast zwangsläufig mißverstehen müssen.[78] So bricht
Paulus in V. 12c mit einer Abbreviatur ab. Durch das in V. 12ab einge-
brachte Bild hat er aber gegenüber der Behauptung von V. 11 einen argumentativen Schritt vorbereitet, den er in V. 13 dann auch tut. Das
Bild vom Leib als einer *poly*funktionalen *Ein*heit gibt ihm die Möglichkeit, die *unterschiedlichen* Wirkungen des *einen* Geistes (V. 11) zu
begründen, indem er die Identitätsaussage der von den Korinthern in
Anspruch genommenen Tradition (εἷς: Gal 3,28) im Sinne von ἓν
σῶμα interpretiert.
Deshalb bringt er in *V. 13* diese Tradition in freier und geraffter Zitation ins Spiel. Mit ἐν ἑνὶ πνεύματι stellt er die Verbindung zu V. 11
her. Ἡμεῖς πάντες εἰς ἓν σῶμα ἐβαπτίσθημεν läßt sich als Kontrak-
tion von ὅσοι ... εἰς Χριστὸν ἐβαπτίσθητε, ... πάντες ... ὑμεῖς εἷς
ἐστε ἐν Χριστῷ Ἰησοῦ (Gal 3,27 f) verstehen, wobei das Entscheidende eben die Neuinterpretation des Identitätsgedankens ist. Die neue
Identität, die der Christ in der Taufe gewinnt, führt nicht zu einem
uniformen Individualismus, sondern zu ekklesiologischer Pluralität;
die Identität ist also eine leib-hafte, die gerade – V. 12ab deutete es an,
und die VV. 14–26 führen es dann aus – in der Funktionalität der Unterschiede zu sich selbst kommt. Dies ist die Aussageintention von εἰς
ἓν σῶμα ἐβαπτίσθημεν. Ob die Wendung die Aufnahme in einen
schon bestehenden (im Bezug auf die Glieder präexistenten) Leib ausdrücken oder die durch die Taufe bewirkte Gemeinschaft bezeichnen
soll,[79] dürfte dagegen eine falsch gestellte Alternative sein. In V. 13b
führt Paulus dann die beiden Gegensatzpaare von Gal 3,28a an, die
bereits in der Glossolalie-These der Korinther eine Rolle spielten. Im
Gegensatz dazu läßt sich allerdings nach der Klarstellung von V. 13a

---

[78] Die Folgerung von 1 Kor 6,17, daß »der dem Herrn Anhangende (mit ihm) ein Geist (ἓν
πνεῦμα) ist«, wäre geradezu Wasser auf die Mühlen der korinthischen Pneumatiker.
[79] Für das erste vgl. *H. Conzelmann*, 1 Kor, a.a.O. 258, für das zweite *F. Mußner*, Christus,
a.a.O. 125–127.

die Bedeutungslosigkeit der völkischen und sozialen Unterschiede nicht mehr als Begründung für das Unisono der Glossolalie als Ideal des Christseins auswerten. Ob ἓν πνεῦμα ἐποτίσθημεν (V. 13c) ebenfalls, wie V. 13a, auf die Taufe oder auf das Herrenmahl (vgl. 1 Kor 10,4) zu beziehen ist, muß hier nicht entschieden werden.[80] Mit der Feststellung, daß ἓν σῶμα in V. 13a die (leib-hafte) Interpretation des *Identitätsgedankens* ist, ist bereits angedeutet, daß es hier – anders als in V. 12ab – nicht mehr bloß als Bild fungiert, sondern eine *Realität* bezeichnet. Man könnte so versucht sein, ἓν σῶμα im Sinne von σῶμα Χριστοῦ = Χριστός zu explizieren.[81] Wie bei 1 Kor 10,17 ist jedoch zu beachten, daß ἓν σῶμα als Identitätsaussage von der Identität der Christen (in Christus) her und nicht von der Identität Christi (mit seinem Leib) her konzipiert ist. Im übrigen wird der Identitätsgedanke nicht unmittelbar über das Vehikel des Begriffs σῶμα transportiert, sondern ist durch den *Einheits*gedanken bereits vorgegeben. Es dürfte daher kein Zufall sein, daß Paulus in V. 13 nur von ἓν σῶμα und noch nicht von σῶμα Χριστοῦ spricht. Daß es Paulus bei σῶμα zuallererst um die *leib*-hafte Interpretation der Einheits- bzw. Identitätsaussage (im Sinne des Organismusgedankens) geht, bestätigen in eindrucksvoller Weise die anschließenden VV. 14–26. Erst nachdem Paulus die Semantik von σῶμα in diesem Sinne geklärt hat, stößt er zu einer letzten Konklusion vor und erläutert – in Applikation auf die Christen (!) – das ἓν σῶμα von V. 13 mit V. 27: »Ihr aber seid Leib Christi und vom (einzelnen) Teil her Glieder.« Σῶμα Χριστοῦ (ohne Artikel!) stellt eine Art abschließendes und zusammenfassendes Kürzel der argumentativen Auseinandersetzung des Paulus mit der Fehleinschätzung der christlichen Existenz durch bestimmte korinthische Kreise dar. Es wäre daher falsch, das Syntagma als Ausdruck einer vorgegebenen Konzeption zu fassen und es, unabhängig vom konkreten Kontext, als austauschbares Paradigma für Χριστός zu werten. ›Leib Christi‹ ist weder eine bloße Metapher für die *Gemeinde* noch ein Synonym für *Christus,* sondern eine Interpretation des *In-Christus-Seins* (vgl. Gal 3,28b).[82] Dieses – und nicht der Begriff σῶμα oder ein vorgegebenes Leib-Christi-Konzept – begründet den Realitätscharak-

---

[80] Vgl. *H. Lietzmann/W. G. Kümmel,* Kor, a.a.O. 63.188; *H.-J. Klauck,* Herrenmahl, a.a.O. 334 f. Im zweiten (m. E. allerdings unwahrscheinlicheren) Fall würde sogar deutlich, daß Paulus bewußt auf den in 1 Kor 10,16 f vorbereiteten Leib-Christi-Gedanken zurückgreift (s. o. II, 6).

[81] Als religionsgeschichtliche Analogie dazu vgl. die Vorstellung Senecas: Exkurs (III, Bb).

[82] Daß *E. Percy,* der die Leib-Christi-Vorstellung aus der ἐν-Χριστῷ-Formel ableitet (vgl. *E. Percy,* Leib, a.a.O. 43 f), insgesamt zu einem ganz anderen Verständnis kommt, liegt m. E. daran, daß er christliche Existenz (In-Christus-Sein) und Christologie nicht genügend auseinanderhält.

ter des Syntagmas. Die in der Taufe geschenkte (und dann im Herrenmahl zum Vorschein kommende) neue Identität des εἷς εἶναι ἐν
Χριστῷ aller Getauften ist eine *leib*-hafte Wirklichkeit, die im gegenseitigen Dienst der In-Christus-Seienden zu sich selbst kommt. Mit
›Leib Christi‹ interpretiert demnach Paulus nicht die Christologie,
sondern die christliche Existenz: Christliche Existenz ist wesentlich
ekklesiologische Existenz.

8. Röm 12,4 f

Das soeben gewonnene Ergebnis wird durch Röm 12,4 f voll bestätigt.
Man könnte οἱ πολλοὶ ἓν σῶμά ἐσμεν ἐν Χριστῷ in V. 5 sogar direkt
als ekklesiologische Transformation der Aussage πάντες ... ὑμεῖς εἷς
ἐστε ἐν Χριστῷ von Gal 3,28b verstehen, ohne daß behauptet werden
soll, daß Paulus in Röm 12 ebenfalls gegen eine falsche Interpretation
der der Galater-Stelle zugrundeliegenden Tradition kämpft. Als sachlicher Befund bleibt dennoch bestehen, daß Paulus mit σῶμα nicht die
Christologie, sondern die christliche Existenz, d. h. die in Christus gewonnene Einheit bzw. Identität (der Christen), als leib-hafte Wirklichkeit auslegt.[83]
Auch so ist klar, daß ἓν σῶμα in V. 5 eine Realität bezeichnet und daher sachlich mit dem ›Leib *Christi*‹ von 1 Kor 12,27 identisch ist. Aber
wiederum will beachtet sein, daß in Röm 12 dieses Syntagma fehlt.
Dies unterstreicht erneut, daß Paulus ein vorgegebenes Leib-Christi-
Konzept nicht kennt. Unabhängig von einer Argumentation wie in
1 Kor 12,12–27, aus der der Ausdruck ›Leib Christi‹ als eine Art Resümee hervorgeht, kommt Paulus offensichtlich selbst nicht auf den Begriff.

III. Folgerungen

1. *Religionsgeschichtlich* stellt sich der paulinische Leib-Christi-Gedanke als Interpretation der Identitätsvorstellung mit Hilfe des Organismusgedankens dar. Die religionsgeschichtliche Herkunft des christlichen Identitätsgedankens kann an dieser Stelle nicht weiter verfolgt
werden. Aufgrund der hier gemachten Beobachtungen ist neben my-
sterienhaften Einflüssen mit einer Einwirkung der Allgott-Glieder-

---

[83] Zu Recht betont *U. Wilckens*, Der Brief an die Römer III (= EKK VI, 3), Zürich u. a. 1982,
    13: »In Röm 12,4 f ist der Gedanke des Christusleibes zwar sicherlich von 1 Kor 12 her vor-
    ausgesetzt. Er kommt aber im Kontext überhaupt nicht zur Wirkung. Paulus zielt auf den Or-
    ganismusgedanken, und zwar ganz so wie in 1 Kor 12,12 ff.«

Konzeption (s. o. Exkurs III, A) zu rechnen. Indizien dafür, daß der Identitätsgedanke bei Paulus oder in der Tradition vor ihm bereits ›Leib‹-Vorstellungen (nach Art von Exkurs III, B) enthielt, gibt es nicht. Eher spricht einiges dafür, daß erst Paulus durch seine σῶμα-Interpretation die Voraussetzung schuf, den nun ekklesiologisch ausgelegten Gedanken auf entsprechende, ursprünglich allerdings kosmologisch ausgerichtete, christologische Haupt-Leib-Konzepte anzuwenden (Kolosserbrief, Epheserbrief).

2. *Traditionsgeschichtlich* gesehen, entsteht der paulinische Leib-Christi-Gedanke in Auseinandersetzung mit einer korinthischen Fehlinterpretation des – für die Korinther wie für Paulus theologisch gleichermaßen wichtigen – Überlieferungsstückes von Gal 3,26–28*. Angedeutet und vorbereitet wird die Vorstellung bereits in 1 Kor 10,16 f, voll ausgeführt aber wird sie erstmals in 1 Kor 12,12–27. Die Auseinandersetzung als Entstehungsort erklärt, daß der paulinische Leib-Christi-Gedanke seinen ›Sitz im Leben‹ in der *Paränese* hat, den er auch dann beibehält, wenn er in weniger konfliktbetonte Situationen übertragen wird (Röm 12,4 f). Dagegen fehlt die ohnehin nicht häufige Vorstellung in lehrhaften Briefteilen gänzlich.

Dies alles sollte davor warnen, die Bedeutung des Leib-Christi-Gedankens für die paulinische Ekklesiologie zu überschätzen oder den Gedanken gar als Korrektiv einer mehr heilsgeschichtlich ausgerichteten Gottesvolk-Ekklesiologie heranzuziehen.[84] Zumindest von der Häufigkeit der Belegstellen her beschäftigt den Apostel die ἐκκλησία (τοῦ θεοῦ) weit mehr als der ›Leib Christi‹. Da aber auch der paulinische Ekklesia-Gedanke nicht unreflektiert ein traditionelles Konzept ungebrochener Heilsgeschichte übernimmt, sondern dieses gerade im Sinne der Rechtfertigungslehre modifiziert und transformiert,[85] dürfte der ganze Streit, ob ›Volk Gottes‹ oder ›Leib Christi‹ die grundlegende Idee der paulinischen Ekklesiologie sei,[86] nur auf der Stelle treten.

3. Trotz des begrenzten Stellenwertes, den der Leib-Christi-Gedanke innerhalb der paulinischen Theologie insgesamt einnimmt, ist er dennoch von grundsätzlicher hermeneutischer Bedeutung, insofern die Art und Weise, wie ihn Paulus konzipiert, allgemeinere Folgerungen

---

[84] So bes. *E. Käsemann*, Problem, a.a.O. 185–191.

[85] Vgl. *H. Merklein*, Die Ekklesia Gottes. Der Kirchenbegriff bei Paulus und in Jerusalem: BZ NF 23 (1979) 48–70, bes. 65–68.

[86] Vgl. dazu: *A. Oepke*, Leib Christi oder Volk Gottes bei Paulus?: ThLZ 79 (1954) 363–368; *H.-F. Weiß*, ›Volk Gottes‹ und ›Leib Christi‹. Überlegungen zur paulinischen Ekklesiologie: ThLZ 102 (1977) 411–420.

über den Ort der *Ekklesiologie* im paulinischen Denken zuläßt. Entgegen einer oft wiederholten Behauptung ist für Paulus die Ekklesiologie eben *nicht eine Funktion der Christologie,* jedenfalls *keine unmittelbare.* In den Homologumena sind ›Leib Christi‹ und ›Christus‹ keineswegs identisch, und das erste ist nicht die Explikation des zweiten, sondern die *Interpretation der christlichen Existenz,* konkret des εἰς εἶναι ἐν Χριστῷ (Gal 3,28). Dies dürfte auch der Grund sein, daß der Leib-Christi-Gedanke bei Paulus nie in objektivierender Definition (»Die Kirche ist der Leib Christi«), sondern nur in existentieller Applikation (»Ihr seid Leib Christi«) vorkommt. Weiter dürfte damit zusammenhängen, daß Paulus den Terminus – ähnlich wie den ἐκκλησία-Begriff – auf die *Einzelgemeinde* beziehen kann.[87]

Theologisch bedeutsam ist ferner, daß der ›Leib Christi‹ als Interpretament der christlichen Existenz *notwendigerweise* die *Soteriologie* voraussetzt. Das ›In-Christus-Sein‹ und die damit geschenkte neue Identität kommen eben nicht anders zustande als durch die Taufe bzw. durch das rechtfertigende Handeln Gottes.[88] Gerade durch diese soteriologische Prämisse des paulinischen Leib-Christi-Begriffs ist der »absolute(n) Vorrang der Christologie vor der Ekklesiologie«[89] gewahrt, der im Falle einer direkten Identifizierung von ›Christus‹ und ›Leib Christi‹ zumindest leicht übersehen werden kann. Nach paulinischer Auffassung muß selbst das *Sakrament* unter soteriologischer Rücksicht, das heißt, sofern es die Erlösungstat vergegenwärtigt, der Kirche vorgeordnet werden und darf nicht als deren Lebensäußerung verstanden werden. Letztlich ist der Leib-Christi-Gedanke nichts anderes als eine Transformation der *Rechtfertigungslehre* in die *Charismenlehre.* Erlösung (Sakrament) bzw. Rechtfertigung schafft nicht individuelle, sondern ekklesiologische Wirklichkeit, die im gegenseitigen Dienst zu sich selbst kommt.

4. Daß die paulinische Ekklesiologie nicht unmittelbar als Explikation der Christologie begriffen werden darf, ist nicht nur ein Postulat

---

[87] Zwar könnte man in 1 Kor 10,16 f; Röm 12,4 f, bedingt durch den Wir-Stil, an einen größeren (dann wohl generischen) Horizont denken. Eindeutig auf die (lokale) Gemeinde appliziert ist aber 1 Kor 12,27: »*Ihr aber seid...*« Zur Möglichkeit eines konkreten Verständnisses von ἐκκλησία im folgenden V. 28: *J. Hainz,* Ekklesia (= BU 9), Regensburg 1972, 252–255; *H. Merklein,* Ekklesia, a.a.O. 52 f.

[88] Zur Parallelität von Taufe und Rechtfertigung vgl. *E. Lohse,* Taufe und Rechtfertigung bei Paulus, in: ders., Die Einheit des Neuen Testaments, Göttingen ²1973, 228–244; *F. Hahn,* Taufe und Rechtfertigung. Ein Beitrag zur paulinischen Theologie in ihrer Vor- und Nachgeschichte, in: J. Friedrich u. a. (Hrsg.), Rechtfertigung (FS E. Käsemann), Tübingen–Göttingen 1976, 95–124.

[89] *W. Klaiber,* Rechtfertigung, a.a.O. 109.

historisch-kritischer Redlichkeit. Letztlich geht es um die damit gemeinte Sache und ihre möglichen Folgen für *Selbstverständnis und
Praxis der Kirche.* Eine Kirche, die sich unreflektiert oder selbstbe-
wußt als fortlebender Christus (Leib Christi) versteht, schwebt immer
in Gefahr, sich selbst soteriologische Kompetenz anzumaßen und, anstatt sich ihres ständigen Angewiesenseins auf Gottes rechtfertigendes
Wort bewußt zu bleiben, sich als Heilsmittlerin zu gebärden. So kann
es zur grotesken Perversion ihres Standortes kommen, der nach *paulinischer* Auffassung nirgends anders als am Kreuz sein kann, weil das
In-Christus-Sein nur im Mitgekreuzigt-Sein zu haben ist (vgl. Röm
6,3–11; Gal 2,19; 5,24; 6,14).

Die Bedenken gegen eine unmittelbare Überführung der Christologie in die Ekklesiologie sollte man nicht zu schnell mit dem Hinweis in den Wind schlagen, daß,
wenn nicht Paulus selbst, dann doch der *Epheserbrief* (ansatzweise auch Kolosserbrief) die Identifizierung von Christus und Leib Christi vollzogen hat. Wenn man
einer solchen ekklesiologischen Christologie beipflichtet, sollte man sich aber wenigstens bewußt bleiben, daß die Kirche im Sinne des Epheserbriefes ›Leib Christi‹
nur insofern ist, als sie Christus als ihrem Haupt total hingegeben ist (vgl. Eph
5,23 ff). Nach der Sicht des Epheserbriefes ist die Kirche zwar am Kreuz entstanden (2,14–16), hat ihren Ort aber jetzt in den Himmeln (2,5 ff; vgl. 1,3.20). Gerade
als himmlisches Anwesen (Heilsraum) ist sie aber nicht schlechterdings identisch
mit ihrer irdischen Erscheinungsform, als welche sie ihr Sein in den Himmeln und
damit ihr Haupt erst einholen muß (4,12 f.15 f; vgl. 2,21). Wenngleich in ganz anderer Weise als bei Paulus ist damit das Prae und Extra nos des Heiles gewahrt und
der geschichtlichen Kirche der Boden soteriologischer Anmaßung entzogen. Nachdrücklich muß jedoch davor gewarnt werden, das an der konkreten Gemeinde orientierte Kirchenbild des Paulus mit dem Bild einer himmlischen Kirche aus dem
Epheserbrief zu vermischen.

Wenn man sich auf *Paulus* beruft, sollte man sich damit bescheiden,
daß der von ihm entworfene Leib-Christi-Gedanke nur begrenzte
Reichweite hat. Der genuine Ort der Applikation der *paulinischen* Vorstellung ist nicht die ekklesiologische Homologese, nicht einmal die
ekklesiologische Theorie, sondern schlicht die *Praxis des Dienstes.*
Der Leib-Christi-Gedanke erläutert nicht die Christologie, sondern
die christliche Existenz und begründet damit die Charismenlehre. Im
gegenseitigen Dienst finden die Christen ihre Identität, die ihnen in
Christus geschenkt ist.

Der Gedanke an ein kirchliches ›*Amt*‹ ist damit nicht ausgeschlossen. Unter bestimmter Rücksicht wird seine Ausbildung durch die Leib-Christi-Vorstellung und
die Charismenlehre des Paulus sogar erst ermöglicht:[90] Die korinthischen Enthusia-
sten, gegen die Paulus seine Gedanken entwickelt, brauchen keine Ordnung und

---

[90] Vgl. die Rangfolge in 1 Kor 12,28 und das Kriterium der οἰκοδομή in 1 Kor 14. Unter dieser
Rücksicht entbehrt die Sicht von Eph 4,11 dann nicht der Konsequenz.

keine Führer! Zugleich aber zieht die Charismenlehre auch die Grenzen des ›Amtes‹, indem sie es als ›Dienst‹ definiert, d. h. – im wahrsten Sinne des Wortes – begrenzt.

Wird man so, wenn die vorausgehenden Ausführungen richtig sind, über den *paulinischen* Leib-Christi-Gedanken auch kaum mehr zu einer hochfliegenden Ekklesiologie kommen können, so könnte der paulinische Gedanke aber doch – auch heute noch – eine Praxis begründen, durch welche die Kirche zu sich selbst kommt.

12. Die Einheitlichkeit des ersten Korintherbriefes

Rudolf Schnackenburg zum 70. Geburtstag

Es kommt nicht von ungefähr, daß innerhalb des Corpus Paulinum die Literarkritik sich mit besonderer Vorliebe der beiden Korintherbriefe angenommen hat (vgl. nur 1 Kor 5 9 2 Kor 2 3f. 9!)[1]. Der »Erfolg« war allerdings unterschiedlich. Nicht wenige Autoren, die einer Aufteilung des 2 Kor meinten beistimmen zu können, hielten weiterhin an der Einheitlichkeit von 1 Kor fest[2]. In dieser Situation war es das erklärte Ziel einer scharfsinnigen Untersuchung von Walter Schmithals, auch 1 Kor als »Briefsammlung« konsensfähiger zu machen[3]. Im Gegenzug dazu will der

---

[1] Grundlegend zu 2 Kor: G. Bornkamm, Die Vorgeschichte des sogenannten zweiten Korintherbriefes, in: ders., Geschichte und Glaube II, BEvTh 53, München 1971, 162−194. − Ausführlicher besprochen werden im folgenden die Teilungsvorschläge von: E. Dinkler, Art. Korintherbriefe, in: RGG[3] IV, 1960, 17−23; J. Héring, La première épître de saint Paul aux Corinthiens, CNT(N) VII, Neuchâtel−Paris (1949) [2]1959, 10−12; W. Schenk, Der 1. Korintherbrief als Briefsammlung: ZNW 60, 1969, 219−243; H.-M. Schenke − K. M. Fischer, Einleitung in die Schriften des Neuen Testaments I. Die Briefe des Paulus und Schriften des Paulinismus, Gütersloh 1978, 90−123; W. Schmithals, Die Gnosis in Korinth. Eine Untersuchung zu den Korintherbriefen, FRLANT 66, Göttingen (1956) [3]1969, 81−106 (= Schmithals, Gnosis); ders., Die Korintherbriefe als Briefsammlung: ZNW 64, 1973, 263−288 (= Schmithals, Kor); Ch. Senft, La première épître de saint-Paul aux Corinthiens, CNT(N) 2e ser. VII, Neuchâtel−Paris 1979, 17−25; A. Suhl, Paulus und seine Briefe. Ein Beitrag zur paulinischen Chronologie, StNT 11, Gütersloh 1975, 202−217; J. Weiß, Der erste Korintherbrief, KEK V, Göttingen 1970 (Neudruck der Aufl. 1910), XL−XLIII.

[2] H. Conzelmann, Der erste Brief an die Korinther, KEK V, Göttingen [2]1981, 15−17; W. Marxsen, Einleitung in das Neue Testament, Gütersloh [3]1964, 67f. 72−85; E. Lohse, Die Entstehung des Neuen Testaments, ThW 4, Stuttgart−Berlin−Köln−Mainz 1972, 40f. 44f; H. Köster, Einführung in das Neue Testament, GLB, Berlin−New York 1980, 485f. Vgl. C. K. Barrett, A Commentary on the First Epistle to the Corinthians, BNTC, London [2]1971, 15; A. Wikenhauser − J. Schmid, Einleitung in das Neue Testament, Freiburg−Basel−Wien [6]1973, 428−432. 439−448. Wenn man die nur geringfügige Eliminierung von 1 Kor 11 2−34 vernachlässigt, ist auch Ph. Vielhauer, Geschichte der urchristlichen Literatur, GLB, Berlin−New York 1975, 140f. 150−155, hier anzuführen.

[3] Vgl. Schmithals, Kor 265.

vorliegende Beitrag die Einheitlichkeit des 1 Kor begründen. Ausschlaggebend für dieses Unternehmen waren keineswegs grundsätzliche Bedenken gegen literarkritische Operationen an Paulusbriefen. Es war im Gegenteil vielmehr die teilweise recht oberflächliche Zurückweisung der vorgebrachten literarkritischen Argumente[4], die dazu reizte, sich intensiver mit diesen zu beschäftigen. Dabei wurde allerdings auch immer deutlicher, daß die Handhabung der Literarkritik selbst einer neuerlichen Reflexion bedarf.

I. Teilungshypothesen[5]

1. *Johannes Weiß*
   A: 1 Kor 10 1–22 (23) 6 12–20 9 24–27 11 2–34 16 7b–9. 15–20 (2 Kor 6 14–7 1).
   B: 1 Kor 1 1–6 11 7 8 13 10 24–11 1 9 1–23 12 14 15 16 1–7a. 10–14. 21–24.
   Überdies erwägt Weiß, ob Brief B nicht noch einmal in zwei Schreiben aufzuteilen sei, wobei B 2 1 Kor 1 1–6 11 und B 1 das übrige Material aus B enthalten habe.

2. *Jean Héring*
   Fragment des Vorbriefs: 2 Kor 6 14–7 1.
   A: 1 Kor 1 1–8 13 10 23–11 1 16 1–4. 10–14.
   B: 1 Kor 9 1–10 22 11 2–15 58 16 5–9. 15–24.
   Brief A seien der Empfang eines Briefes aus Korinth und Nachrichten von seiten der Chloe-Leute vorausgegangen. Später – nach Informationen durch Stephanas – sei Brief B gefolgt.

3. *Walter Schmithals (Gnosis)*[6]
   A (Vorbrief): 2 Kor 6 14–7 1 1 Kor 9 24–10 22 6 12–20 11 2–34 15 16 13–24.
   B (Antwortbrief): 1 Kor 1 1–6 11 7 1–9 23 10 23–11 1 12 1–31a 14 1c–40 12 31b–13 13
   Brief A reagiere auf die Informationen durch Stephanas und sei dann auch von ihm überbracht worden. Brief B sei durch die Leute der Chloe veranlaßt worden bzw. reagiere auf schriftliche Anfragen der Korinther. Die weitere Korrespondenz sei im wesentlichen im (restlichen) 2 Kor zusammengefaßt:
   C (Zwischenbrief): 2 Kor 2 14–6 13 7 2–4.
   D (Tränenbrief): 2 Kor 10–13.

---

[4] Zu Recht moniert Schmithals, Kor 263f, die nur flüchtige Begründung der Einheitlichkeit durch Conzelmann, 1 Kor (Anm. 2) 13–15 (= [1]1969; vgl. [2]1981: 15–17). Ähnlich knapp: Marxsen, Einleitung (Anm. 2) 72; Lohse, Entstehung (Anm. 2) 40; Köster, Einführung (Anm. 2) 485; etwas ausführlicher: W. G. Kümmel, Einleitung in das Neue Testament, Heidelberg [17]1973, 239–241 (deutlich ist jedoch die grundsätzliche Skepsis Kümmels gegen jedwede Kompositionshypothese; vgl. dagegen: Vielhauer, Einleitung [Anm. 2] 154f.).

[5] Vgl. auch die Übersichten bei M. Goguel, Introduction au Nouveau Testament IV, 2: Les Epîtres Pauliniennes, Paris 1926, 86–88; B. Rigaux, Paulus und seine Briefe, BiH 2, München 1964, 155–159; J. C. Hurd, The Origin of I Corinthians, London 1965, 43–47. Auf weitere Teilungshypothesen ist im Laufe der Untersuchung noch hinzuweisen.

[6] Ihm folgt R. Jewett, Paul's Anthropological Terms, AGJU 10, Leiden 1971, 23–26.

E   (Kollektenbrief): 2 Kor 9.
F   (Freudenbrief): 2 Kor 1 1−2 13 7 5−16 8.

4. *Erich Dinkler*
   A: 1 Kor 6 12−20 9 24−27 10 1−22 11 2−34 12−14.
   B: 1 Kor 1 1−6 11 7 1−9 23 10 23−11 1 15 16.
   C: 2 Kor 2 14−7 4 9 10−13.
   D: 2 Kor 1 1−2 13 7 5−16 8.

5. *Wolfgang Schenk*
   A (Vorbrief): 1 Kor 1 1−9 2 Kor 6 14−7 1 1 Kor 6 1−11 . . . 11 2−34 15 16 13−24.
   B: 1 Kor 9 1−18. 24−27 10 1−22 6 12−20 5 1−13.
   C (Antwortbrief): 1 Kor 7 8 9 19−23 10 23−11 1 12 1−31a 14 1c−40 12 31b−13 13
       16 1−12.
   D: 1 Kor 1 10−4 21.

Brief A sei aufgrund der Informationen durch Stephanas und seine Begleiter zustande
gekommen. Brief B beantworte die Reaktion der Korinther auf Brief A. Brief C gebe Antwort auf schriftliche Anfragen aus Korinth und Brief D sei durch Nachrichten von seiten der
Chloe-Leute veranlaßt. Den restlichen 2 Kor teilt Schenk dann folgendermaßen auf:

   E: 2 Kor 2 14−6 13 7 2−4.
   F: 2 Kor 10 1−13 10 (13?).
   G: 2 Kor 1 1−2 13 7 5−16 (13 11−13?).
   H: 2 Kor 8.
   I: 2 Kor 9.

6. *Walter Schmithals (Korintherbriefe)*
Durch die Analyse Schenks angeregt, unterzog Schmithals die beiden Korintherbriefe einer
erneuten Überprüfung und kam dabei zu folgendem Ergebnis:

   A: 1 Kor 11 2−34.
   B (Vorbrief): 1 Kor 6 1−11 2 Kor 6 14−7 1 1 Kor 6 12−20 9 24−10 22 15 1−58 16 13−24.
   C (Antwortbrief): 1 Kor 5 1−13 7 1−8 13 9 19−22 10 23−11 1 12 1−31a 14 1c−40
       12 31b−13 13 16 1−12.
   D: 1 Kor 1 1−4 21.
   E (Zwischenbrief): 2 Kor 2 14−6 2.
   F: 1 Kor 9 1−18 2 Kor 6 3−13 7 2−4.
   G (Tränenbrief): 2 Kor 10 1−13 13.
   H (Kollektenbrief): 2 Kor 9 1−15.
   I (Freudenbrief): 2 Kor 1 1−2 13 7 5−8 24.

Brief A reagiere auf Mißstände, von denen Paulus gehört habe. Brief B sei durch den
Besuch des Stephanas und seiner Leute veranlaßt und warne vor dem Rückfall in das
Heidentum. Brief C antworte auf ein Schreiben der Korinther, während Brief D durch uner-
freuliche Nachrichten veranlaßt sei, die durch die Leute der Chloe überbracht wurden.

7. *Alfred Suhl*
   A: (2 Kor 6 14−7 1) 1 Kor 5 1−8 9 24−27 10 1−22 11 2−34 15 16 13f. 15−18. 19−24.
   B: 1 Kor 1 1−9 1 10−4 21 5 9−13 6 1−11. 12−20 7 1−40 8 1−13 9 1−23 10 23−11 1 12−14
       16 1−4. 5−9. 10f. 12.

Suhl schließt sich im wesentlichen Schmithals (Gnosis) an. Nur bezüglich der Kapitel 5 und 6
ergeben sich Differenzen.

8. *Hans-Martin Schenke und Karl Martin Fischer*

    A: 1 Kor 6 12–20 9 24–10 22 11 2–34 13 15.

    B: 1 Kor 1 1–6 11 7 8 9 1–23 10 23–11 1 12 14 16.

    C: 2 Kor 2 14–6 13 7 2–4 9.

    D: 2 Kor 10–13.

    E: 2 Kor 1 1–2 13 7 5–16 8.

In Ephesus habe Paulus von Mißständen in Korinth erfahren; als Reaktion darauf sei Brief A geschrieben. Bald darauf habe Paulus von den Leuten der Chloe Nachrichten über Absonderungstendenzen innerhalb der Gemeinde bekommen und aus anderer Quelle von den Vorfällen gehört, auf die sich 1 Kor 5 1–6 11 beziehen. Daraufhin habe er den Timotheus nach Korinth geschickt. Während Timotheus noch unterwegs gewesen sei, sei eine Delegation aus Korinth (Stephanas, Fortunatus, Achaikus) in Ephesus eingetroffen und habe einen Brief mit Anfragen der Gemeinde überbracht. Dieser Delegation habe Paulus den Brief B mitgegeben; in ihm habe er aber nicht nur die Fragen der Gemeinde beantwortet, sondern auch die Probleme angesprochen, derentwegen er Timotheus nach Korinth gesandt habe.

9. *Christoph Senft*

    A: 1 Kor 6 1–11 15 1–58 16 13–24[7].

    B: 1 Kor 5 1–13 9 24–10 22.

    C: 1 Kor 7 1–40 8 1–13 (9 1–18) 9 19–23 10 23–11 1 12 1–14 40 16 1–12.

    D: 1 Kor 1 1–4 21.

Brief A sei durch Informationen von seiten des Stephanas und seiner Leute veranlaßt und von diesen auch überbracht worden. Brief B reagiere auf neue Nachrichten. Brief C antworte auf Anfragen aus Korinth. Und Brief D setze neue alarmierende Mitteilungen durch die Leute der Chloe voraus.

II. Literarkritik und Textkohärenz
Eine Überprüfung der literarkritischen Argumente

    Dem flüchtigen Betrachter dürften die vorgestellten Teilungsvorschläge ein recht verwirrendes Bild vermitteln. Bei genauerem Zusehen weisen jedoch alle Vorschläge – von dem Hérings einmal abgesehen[8] – deutlich erkennbare Verwandtschaftsmerkmale auf. Philipp Vielhauer meinte daher sogar feststellen zu dürfen: »Die modernen Teilungshypothesen stellen lediglich Variationen der von J. Weiß durchgeführten dar.«[9] Dies ist sicherlich überspitzt ausgedrückt, Tatsache aber ist, daß mehr oder weniger die gleichen textlichen Phänomene als Ausgangspunkt literarkritischer Urteile dienen. Bei diesen Phänomenen und nicht bei den Einzelhypothesen setzt auch die nachfolgende kritische Sichtung ein. Vor-

---

[7] Was die Zuordnung von 1 Kor 6 12–20 und 11 2–34 betrifft, schwankt Senft zwischen Brief A und B (a.a.O. 19. 139; vgl. jedoch 81); für 1 Kor 9 1–18 erwägt er eine Zuteilung zu 2 Kor (a.a.O. 116).

[8] Vgl. dazu W. Michaelis: ThLZ 75, 1950, 343–348, bes. 344 f.; weiter: Schmithals, Gnosis 82 Anm. 4; Rigaux, Paulus (Anm. 5) 156; Schenk, a.a.O. 220.

[9] Vielhauer, Geschichte (Anm. 2) 141.

ausgeschickt seien einige *grundsätzliche Erwägungen zur Handhabung der Literarkritik.*

(1) Die klassischen Kriterien der Literarkritik – Doppelungen, Wiederholungen, Spannungen, Brüche, Nähte, Risse, Unebenheiten, Widersprüche – sind bekannt und müssen hier nicht im einzelnen erläutert werden. Besonders in Anwendung auf briefliche Texte wird eine literarkritische Analyse allerdings erst dann zwingend, »wenn gezeigt werden kann, daß nicht lediglich sprunghafte Gedankenführung vorliegt, sondern daß für verschiedene Teile des Briefes verschiedene Situationen vorausgesetzt werden müssen.«[10] Dieser von Hans Conzelmann formulierte methodische Grundsatz ist restriktiv auszulegen. Es geht also nicht darum, daß zu den abgetrennten Textteilen auch unterschiedliche Situationen gefunden werden *können*; dies dürfte in den meisten Fällen mit einiger Phantasie möglich sein! Erwiesen oder wenigstens wahrscheinlich gemacht ist die Nützlichkeit und Zulässigkeit einer literarkritischen Operation vielmehr erst dann, wenn der zu teilende Text *ohne die Annahme unterschiedlicher Situationen nicht oder nur sehr unzulänglich erklärt werden kann.* Auch so verbleibt allerdings immer noch ein relativ großer Spielraum subjektiven Ermessens[11]. Dies liegt nicht zuletzt daran, daß die »verschiedenen Situationen« meistens nicht unabhängig von den literarkritisch zu scheidenden Texteinheiten bekannt sind, sondern zusammen mit ihnen erst erschlossen werden müssen[12].

(2) Es empfiehlt sich daher, den Text vor aller historischen Befragung als primär *literarische* Vor-gegebenheit ernst zu nehmen und unter dieser Rücksicht die Literarkritik methodologisch zu reflektieren. Die klassischen literarkritischen Kriterien sind durchweg Inkohärenzkriterien, d.h., sie sind dazu geeignet und zielen darauf ab, mangelnde Textkohärenz aufzuspüren. In dieser, in bestimmter Hinsicht durchaus sinnvollen, aber doch einseitigen Ausrichtung ihrer Kriterien liegt nun auch die Gefahr der Literarkritik. Wer einen Text überwiegend oder ausschließlich auf mögliche Inkohärenzen überprüft und dies mit größtmöglicher Beobachtungsschärfe tut, wird fast jeden Text zerlegen können oder müssen. Die »Versuchsanordnung« bedingt das Ergebnis! Es bedarf also einer Kontrollinstanz, um die Einseitigkeit der Methode nicht unreflektiert auf das Ergebnis zu übertragen.

Unter dieser Rücksicht wäre es m. E. ein bedeutsamer methodischer Fortschritt, wenn es sich durchsetzen würde, Literarkritik im Rahmen

---

[10] Conzelmann, 1 Kor (Anm. 2) 15; vgl. Vielhauer, ebd.

[11] Schmithals, Kor 263, erkennt den Grundsatz Conzelmanns ausdrücklich an.

[12] Aus dem nämlichen Grund wird auch eine gruppendynamische Betrachtungsweise nur bedingt hilfreich sein; vgl. dazu: A. Schreiber, Die Gemeinde in Korinth, NTA NS 12, Münster 1977, bes. 169–173.

einer übergeordneten *textwissenschaftlichen Analyse* zu betreiben. Gerade die von der Textwissenschaft entwickelten Verfahren, *positiv* die Kohärenz eines Textes zu beschreiben[13], könnten nützliche Korrektive gegen eine allzu einseitig operierende Literarkritik darstellen. Für das konkrete Vorgehen würde dies bedeuten, daß *vor* der Suche nach literarkritisch auswertbaren Spannungen, Brüchen etc. *zuerst* nach den Kohärenzfaktoren zu fragen ist, um die *kohärentielle Qualität* des vorliegenden Textes festzustellen. Erst dort, wo die Kohärenzdichte merklich abnimmt bzw. der gesamte Text strukturell nur einen relativ oberflächlichen Zusammenhalt aufweist, gewinnt eine literarkritische Operation die nötige Stringenz. Daß es auch bei diesem Vorgehen noch ambivalente Befunde geben wird, bleibt unbestritten; dennoch dürfte der Ermessensspielraum gegenüber der üblichen Verfahrensweise erheblich eingeschränkt sein.

Bei der Kohärenzanalyse – und dies gilt insbesondere für die Kohärenzanalyse brieflicher Texte – bleibt zu berücksichtigen, daß ein Text *mehrere Dimensionen* besitzt, die hier mit Syntax, Semantik und Pragmatik wiedergegeben seien[14]. Kohärenzbrüche auf der Ebene nur einer Dimension konstituieren nicht unbedingt ein inkohärentes Textgebilde. Syntaktische »Brüche« können durchaus bewußt gestaltet sein und müssen die semantische Kohärenz eines Textes noch nicht behindern. Vor allem bei brieflichen Texten kann nicht einmal ausgeschlossen werden, daß die Kohärenz lediglich auf pragmatischer Ebene gegeben ist, also z.B. nur unter Berücksichtigung der kommunikativen Funktionalität des Textes (Textstrategie) zu erkennen ist oder etwa allein durch einen dem Textproduzenten und dem angezielten Rezipienten gemeinsam bekannten kommunikativen Kontext bedingt ist.

Abschließend ist noch ein Wort zu den Grenzen einer derart modifizierten Literarkritik zu sagen. Man muß davon ausgehen, daß etwa ein Redaktor einer Briefsammlung nicht wahllos disparates Material zusammengestellt, sondern durch eine möglichst sinnvolle Redaktion selbst eine gewisse »redaktionelle« Kohärenz geschaffen hat. Bei Anwendung des postulierten Verfahrens könnte daher auch einmal der Fall eintreten, daß zugunsten einer lediglich »redaktionellen« Kohärenz eine berechtigte literarkritische Operation unterbleibt. Doch dürfte diese Gefahr vergleichsweise gering sein, da methodisch vorausgesetzt werden muß, daß »redaktionelle« Kohärenzen eher oberflächlicher Natur sind. Sollte es aber einem Redaktor gelungen sein, eine kongeniale Kohärenz herzustellen, dann ist er (methodisch) vom Autor nicht mehr zu unterscheiden.

Im Blick auf die nachfolgenden Ausführungen bleibt zu vermerken, daß sie natürlich nicht den Anspruch einer umfänglichen Kohärenz-

---

[13] Vgl. die zusammenfassende Darstellung bei H.F. Plett, Textwissenschaft und Textanalyse, UTB 328, Heidelberg 1975, 60–70. 86–91. 104–107.

[14] Vgl. dazu Plett, ebd. 40–51.

analyse im Sinne des eben aufgestellten Postulates erheben. Hierzu wäre eine vollständige synchrone Textanalyse des gesamten 1 Kor in syntaktischer, semantischer und pragmatischer Hinsicht nötig. Wohl aber spielt bei der folgenden Überprüfung der vorgebrachten literarkritischen Argumente die Sensibilität für die Kohärenzfaktoren eine wichtige Rolle. Insofern könnte man – zumindest teilweise – von Präliminarien einer Kohärenzanalyse sprechen.

1. *1 Kor 4 14–21 als Übergang zum Briefschluß?*
Spannungen zu 1 Kor 16 5–9. 10 f.?

1 Kor 1 1–4 21 stellt einen semantisch und pragmatisch kohärenten Text dar, der für weitere literarkritische Aufteilungen kaum Anhaltspunkte bietet[15]. Die von Schenk postulierte Abtrennung von 1 1–9 ist weder zwingend noch im Blick auf eine literarkritische Gesamthypothese zu 1 Kor von größerer Bedeutung[16]. Unter dieser Rücksicht viel entscheidender ist die Frage, ob 1 1–4 21 nicht als in sich geschlossener Text eines eigenständigen Briefes anzusehen ist. In diesem Zusammenhang weisen Schenk und Schmithals darauf hin, daß 4 14–21 persönliche Notizen enthalte (Selbstempfehlung des Apostels, Empfehlung von Mitarbeitern, Reisepläne), wie sie sonst »beim Übergang zum Briefschluß« anzutreffen seien[17]. Bei genauerer Betrachtung muß dieses Urteil jedoch zumindest relativiert werden.

(1) Der Verweis auf die eigene Person in 4 14–16 kann, muß aber nicht den Übergang zum Briefschluß anzeigen (vgl. 11 1!).

(2) Das zweimalige Vorkommen des Timotheus in 4 17 und 16 10 f. nach dem »Grundsatz der Dublettenvermeidung« behandeln zu wollen[18], ist methodisch mehr als fragwürdig, zumal die dann auch von Schenk herausgestellten Unterschiede sich bestens aus der konkreten Plazierung der beiden Stellen im Briefganzen erklären: Die Empfehlung für einen guten Empfang in 16 10 f. paßt in der Tat gut zum Briefschluß, während das Fehlen einer solchen Empfehlung in 4 17 einfach damit zusammenhängt,

---

[15] Die These von M. Widmann, 1 Kor 2 6–16: Ein Einspruch gegen Paulus: ZNW 70, 1979, 44–53, 2 6–16 sei eine »Glosse« der »enthusiastische(n) Gruppe« (46), hat, soweit ich sehe, keine Resonanz gefunden.

[16] Schenk, a.a.O. 240 f.; dagegen schon Schmithals, Kor 267.

[17] Schmithals, Kor 265 f. (Zitat: 266); Schenk, a.a.O. 235 f.; Senft, a.a.O. 18. Vgl. auch: G. Sellin, Das »Geheimnis« der Weisheit und das Rätsel der »Christuspartei« (zu 1 Kor 1–4): ZNW 73, 1982, 69–96, hier 72. J. Harrison, St. Paul's Letters to the Corinthians: ET 77, 1966, 285 f., kombiniert 1 Kor 1–4 mit 2 Kor 10–13 zu einem Brief.

[18] Schenk, a.a.O. 235.

daß die Erwähnung des Timotheus dort ganz sachbezogen in Fortführung des Aussageduktus von 4 14–16 erfolgt. Literarkritisch schon eher relevant könnte die Beobachtung sein, daß nach 16 10f. das Kommen des Timotheus wohl noch aussteht, während Paulus nach 4 17 »bereits mit der Anwesenheit des Timotheus rechnet.«[19] Doch ist auch diese Schlußfolgerung keineswegs stringent. Aus dem Wortlaut von 4 17 ergibt sich mit Sicherheit nur, daß Paulus den Timotheus bereits abgeschickt hat.

(3) Bei 4 18–21 handelt es sich kaum um die Mitteilung von »Reisepänen«[20]. »Ich werde schnell zu euch kommen« (v. 19) ist kein konstatierender Satz (über den bereits feststehenden Abreisetermin), sondern – wie sich aus der rhetorischen Gegenüberstellung zu v. 18 ergibt – ein performativer, der »gewisse Leute« (τινες) zur Änderung ihres Verhaltens bewegen möchte. 4 18–21 muß daher keineswegs einen Gegensatz zu 16 5–9 darstellen. In 4 18–21 deutet Paulus warnend an, daß er seine, wie der Leser dann aus 16 5–9 erfährt, ansonsten schon feststehenden Reisepäne notfalls (»wenn der Herr will«) auch ändern könnte, um in Korinth nach dem Rechten zu sehen. Die scheinbare Spannung zwischen den beiden Stellen erklärt sich hinlänglich aus der unterschiedlichen Textstrategie[21].

Fazit: Die Annahme, 4 14–21 bilde den Übergang zum Briefschluß, ist nicht stringent. Auch ist 4 17.18–21 keineswegs unvereinbar mit 16 5–9.10f. Im übrigen will beachtet sein, daß es sich bei 4 17–21 nicht um locker angefügte Notizen, wie sie sich auch sonst vor Briefschlüssen finden (vgl. nur 16 5–11!), sondern um die Fortführung und Entfaltung eines in 4 14–16 konkret angesprochenen Aspektes handelt.

2. *Die Leute der Chloe 1 Kor 1 11 – Stephanas und seine Begleiter 1 Kor 16 15–18*

Mit Hilfe seiner literarkritischen Hypothese sucht Schmithals u. a. die Frage zu klären, »wieso Pls in I 1,11 von Stephanas und seinen Begleitern, in I 16 aber von den Leuten der Chloe schweigen konnte, – ein in der Tat unlösbares Rätsel, wenn man an der Einheit des I Kor festhält. Vielmehr ist der Brief A durch Stephanas überbracht, der Brief B durch die Leute der Chloe veranlaßt worden. Es wäre ja auch höchst seltsam, wenn Pls

---

[19] Schmithals, Kor 266; vgl. Schenk, a. a. O. 236.

[20] So: Schenk, a. a. O. 235; Schmithals, Kor 266.

[21] Psychologisierende Überlegungen über eine erst allmähliche Präzisierung der Reiseabsichten (Wikenhauser-Schmid, Einleitung [Anm. 2] 431; Kümmel, Einleitung [Anm. 4] 240) sind hier überflüssig.

sich in I 1,16 des anwesenden *Stephanas* erst nachträglich erinnert hätte.«[22]

(1) Zumindest das Schweigen über die *Leute der Chloe* (1 11) in Kapitel 16 muß jedoch überhaupt nicht verwundern. Dies gilt besonders dann, wenn sie in Ephesus zu Hause gewesen sein sollten, wie Schmithals mit beachtlichen Gründen vertritt[23]. Ein mehr oder minder zwingender Grund, von ihnen Grüße zu bestellen, ergäbe sich bestenfalls, wenn sie in »offizieller« Mission von seiten des Paulus in Korinth gewesen oder von seiten der korinthischen Gemeinde bei ihrer Rückreise mit einem »offiziellen« Auftrag betraut worden wären. Beides ist aus 1 Kor nicht zu erschließen. Was Paulus zu ihrer Nennung in 1 11 veranlaßt, ist ihr persönlicher Bericht über das, was ihnen anläßlich ihres Besuchs in Korinth auffiel. Darauf geht Paulus denn auch im Folgetext unmittelbar ein. Ihre Funktion für die literarische Kommunikation zwischen Absender und Adressaten ist damit erschöpft; eine ausdrückliche Nennung am Ende des Briefes ist nicht erforderlich[24].

(2) Daß *Stephanas und seine Begleiter* in 16 15.17 f. erwähnt werden, ist in der Kommunikationssituation, die 1 Kor widerspiegelt, nahezu notwendig. Stephanas spielt – zumindest nach Auffassung des Paulus – in Korinth eine wichtige Rolle, die der Apostel noch bestärken will. Zudem sind Stephanas und seine Begleiter – die Einheitlichkeit von 1 Kor einmal vorausgesetzt – möglicherweise die Überbringer des in 7 1 genannten Schreibens der Korinther und – wahrscheinlicher noch – auch die Überbringer des Antwortschreibens des Apostels an die Gemeinde. Daß Paulus bereits im Zusammenhang mit 1 16 hätte darauf verweisen *müssen*, daß Stephanas anwesend (vgl. 16 17) ist, verkennt die Pragmatik eines brieflichen Textes, der auch einmal voraussetzen kann, was Adressaten und Absender ohnehin bekannt ist. Ähnliches gilt von der von Schenk in 1 11 erwarteten »Notiz« über »den empfangenen Brief« aus Korinth[25]. Im übrigen verhandelt 1 Kor 1–4 kein Thema, für das Stephanas die primäre Informationsquelle war. Daß »gerade eine so brennende Gemeindefrage, wie sie Kap. 1–4 behandelt, nicht in dem Gemeindebrief gestanden haben sollte«, ist nur verwunderlich[26], wenn man voraussetzt, daß die Korinther in der Parteienfrage ein ähnliches Problembewußtsein hatten

---

[22] Schmithals, Gnosis 88; vgl. ders., Kor 266 f.; Schenk, a. a. O. 223. 236 f.; Suhl, a. a. O. 210–212.

[23] Schmithals, Gnosis 96.

[24] Dieses Urteil ändert sich auch dann nicht, wenn die Chloe-Leute aus Korinth stammen sollten, sofern man sie nicht in »offizieller« Mission unterwegs sein läßt.

[25] Schenk, a. a. O. 237.

[26] So: Schenk, ebd.

wie Paulus[27]. Bezüglich der nur beiläufigen Erwähnung des Stephanas
1 16 im Rahmen der Ausführungen über die Parteienstreitigkeiten lassen
sich zumindest zwei Möglichkeiten denken: Entweder die Hausgemein-
den haben mit den Parteistreitigkeiten nur wenig zu tun[28] – das »Haus
des Stephanas« müßte ansonsten mit der »Paulus-Partei« in Zusammenhang stehen –, oder Paulus geht gerade deswegen so wenig auf das »Haus
des Stephanas« ein, weil er »seine« Leute einigermaßen schonend behandeln will.

Zusammenfassend kann gesagt werden: Die Bemerkungen über die
Leute der Chloe 1 11 und über Stephanas und seine Begleiter 16 15–18
(vgl. 1 16) lassen sich durchaus mit der Einheitlichkeit von 1 Kor vereinbaren. Welche Situationen zu den beiden Personengruppen gehören, ist
kaum mehr exakt auszumachen; jedoch dürften die Leute der Chloe kaum
als Überbringer des Briefes aus Korinth in Frage kommen, da man dann
wohl eine ausdrückliche Erwähnung in 1 Kor 16 erwarten dürfte.

3. *Die mit* περὶ δὲ *. . . eingeleiteten Abschnitte und die*
dazwischenliegenden Briefteile

In 1 Kor 7 1a nimmt Paulus mit περὶ δὲ ὧν ἐγράψατε ausdrücklich
Bezug auf eine briefliche Anfrage der Korinther, auf die sich wohl auch
die übrigen mit περὶ δὲ . . . eingeleiteten Abschnitte beziehen. Wenigstens
diese dürften daher einen (pragmatisch) kohärenten Text darstellen und
damit dem gleichen Brief zugehören: 7 1–24.25–40 8 1–13 12 1–14 40[29]
16 1–4.12. In dieser Hinsicht gibt es denn auch kaum einen Dissens unter den
Teilungshypothesen[30]. Das eigentliche literarkritische Problem stellen
die dazwischenliegenden Stücke dar: 9 1–11 34 15 1–58 16 5–11.13–24.
Sie werden zum Teil zu dem sogenannten Antwortbrief gerechnet, zum
Teil auf andere Briefe verteilt. Dies ist im einzelnen zu prüfen.

---

[27] Überhaupt wird man damit rechnen müssen, daß im Fragebrief die Situation in Korinth
günstiger dargestellt wurde als in den mündlichen Nachrichten (vgl. neben 1 11 auch
11 18): vgl. Hurd, Origin (Anm. 5) 75–82. passim; zur schichtspezifischen Bedingtheit
der unterschiedlichen Kommunikationsform s. G. Theißen, Die Starken und Schwachen
in Korinth. Soziologische Analyse eines theologischen Streites, in: ders., Studien zur
Soziologie des Urchristentums, WUNT 19, Tübingen 1979, 272–289, hier 286f.

[28] Vgl. dagegen jedoch: Schenke–Fischer, a.a.O. 96; H.-J. Klauck, Hausgemeinde und
Hauskirche im frühen Christentum, SBS 103, Stuttgart 1981, 39f.

[29] Zu 1 Kor 13 s.u. 3.4. Als Interpolation dürfte 14 33b–36 anzusehen sein; vgl. Conzelmann, 1 Kor (Anm. 2) 298f.; G. Dautzenberg, Urchristliche Prophetie, BWANT 104,
Stuttgart–Berlin–Köln–Mainz 1975, 257–273.

[30] Abweichend nur Héring (dazu Anm. 8) und Dinkler.

3.1 *Spannungen zwischen 1 Kor 8 1–13 10 23–11 1 und 1 Kor 10 1–22?*

Als besonders durchschlagendes literarkritisches Indiz werden allgemein Spannungen zwischen 8 1–13 10 23–11 1 einerseits und 10 1–22 andererseits angegeben[31]. Die wesentlichen Argumente hat bereits Weiß vorgebracht[32]:

> In 10 1–22 nehme Paulus einen rigorosen Standpunkt ein, indem er den Götzendienst bzw. die Teilnahme an Götzenopfermählern rundweg verbiete (vgl. vv. 14–21). In 8 1–13 10 23–11 1 hingegen erscheine »die ganze Frage unter dem Gesichtspunkt des Adiaphoron«[33]; das Essen von Götzenopferfleisch – selbst im Tempel (vgl. 8 10) – werde grundsätzlich freigestellt und diese Freiheit lediglich durch die Verantwortung gegenüber dem Bruder begrenzt. Diese differierenden Stellungnahmen seien nur durch die Annahme zweier unterschiedlicher Situationen zu erklären. Zunächst, in der rigorosen Stellungnahme von 10 1–22, gebe Paulus den »Schwachen« (vgl. 8 7.9–12) uneingeschränkt recht bzw. – so modifiziert Schmithals – »zu der Zeit, in der er die Kor. vor der Teilnahme am Götzendienst warnt«, liege »dies ganze Problem« (von Starken[34] und Schwachen) noch »völlig fern«[35]. Im Gegenzug hätten nun die Korinther (speziell die Starken) ihr Verhalten zu rechtfertigen versucht und die »Erkenntnis« (vgl. 8 1) als Argument ins Feld geführt, dessen »relative Richtigkeit« auch Paulus »nicht leugnen kann«[36]. Paulus erkenne also grundsätzlich den Standpunkt der Starken an, führe jedoch »einen neuen Gesichtspunkt in die Verhandlung ein: die Liebe, die Rücksicht auf die schwachen Brüder (8 7–13).«[37] Alle Autoren (mit Ausnahme von Héring) gehen denn auch davon aus, daß 10 1–22 einem gegenüber 8 10 23–11 1 früheren Brief angehören müsse.

Nun wird man kaum bestreiten können, daß in den beiden Textstücken unterschiedliche Gesichtspunkte zu Wort kommen. Aber rechtfertigt dies schon die Behauptung, daß in die Anweisungen über das *Essen* von Götzenopferfleisch (8 10 23–11 1) »die Ausführungen über den Götzen*dienst* (10,1–22) keineswegs hinein(passen)«?[38] Bereits Bornkamm verwies darauf, daß in 8 10 die Frage der »Teilnahme an heidnischen Kultmahlen . . . schon mit im Blick steht.«[39] Dies gesteht auch Schenk zu,

---

[31] Vgl. neuerdings auch: H.-J. Klauck, Herrenmahl und hellenistischer Kult, NTA NS 15, Münster 1982, 241–285.
[32] Weiß, a.a.O. 210–213.
[33] A.a.O. 212.
[34] Ich folge hier dem Sprachgebrauch von Schmithals; vgl. jedoch unten Anm. 41.
[35] Schmithals, Gnosis 86 Anm. 3.
[36] Weiß, a.a.O. 213.
[37] Ebd.
[38] So: Schmithals, Gnosis 86. – Zur Problematik eines dann anzunehmenden Kompilators s. H.v.Soden, Sakrament und Ethik bei Paulus, in: K.H.Rengstorf (Hrsg.), Das Paulusbild in der neueren deutschen Forschung, WdF 24, Darmstadt 1969, 338–379, hier 357f.
[39] G.Bornkamm, Herrenmahl und Kirche bei Paulus, in: ders., Studien zu Antike und Urchristentum, BEvTh 28, München ³1970, 138–176, hier 174. Gegen Conzelmann, 1 Kor (Anm. 2) 184; N.Walter, Christusglaube und heidnische Religiosität in pauli-

möchte aber »im Zuge der Dublettenvermeidung« an der literarkritischen
Scheidung festhalten, indem er an beiden Stellen zwar »dasselbe Problem«,
aber einmal »auf der Basis einer früheren Information« und dann »auf
Grund der präzisierten Rückfrage der Korinther« behandelt sieht[40].

(1) Deutlich dürfte sein, daß *1 Kor 8 10* eine gewisse Schlüsselfunktion
für eine zu treffende Entscheidung zukommt. Es ist also zunächst nach der
textstrategischen Rolle dieses Verses zu fragen. Im Blick auf den Argumentationsduktus des Kapitels insgesamt ist festzustellen, daß die Behauptung,
in 1 Kor 8 werde die Frage des Götzenopferfleischessens »unter dem
Gesichtspunkt des Adiaphoron« behandelt (s.o.), zu undifferenziert ist.
Ein Adiaphoron ist die Frage nur für den, der die (gewiß richtige und auch
von Paulus nicht bestrittene) γνῶσις, daß es keine Götzen bzw. nur *einen*
Gott und Herrn gibt (8 4–6), und die daraus resultierende ἐξουσία, die
Paulus ebenfalls nicht grundsätzlich bestreitet (8 9; vgl. 10 23), isoliert für
sich betrachtet. Dies tun bestimmte Kreise in Korinth, nicht aber Paulus,
der von Anfang an Wert darauf legt, daß γνῶσις mit ἀγάπη verbunden sein
muß (8 1–3). Immer dann, wenn γνῶσις bzw. ἐξουσία zum Anstoß
gereichen, verliert die Frage des Götzenopferfleischessens ihre Indifferenz.
Es gilt die Regel von 8 9! Unter dieser Voraussetzung bleibt selbst dem
»wissenden«[41] Leser nur die Möglichkeit, die in 8 10 gestellte Frage zu
bejahen und zuzugestehen, daß er in dem genannten Fall nichts Indiffe-
rentes mehr tut, sondern den Schwachen zum »Essen von Götzenopferfleisch auferbaut«[42].

Nun könnte man aus der konditionalen Formulierung von 8 10 auch
folgern, daß die Teilnahme am Kultmahl im Tempel *nur* für den Fall des
Gesehenwerdens, nicht aber grundsätzlich mißbilligt werde[43].

Dagegen spricht aber schon die Tatsache, daß Paulus sich im gesamten kontextuellen
Umfeld nirgends zu einer doppelbödigen Pastoral hinreißen läßt, die nur auf die Vermei-

---

nischen Gemeinden: NTS 25, 1979, 422–442, hier 427–429, ist mit H.-J. Klauck,
Herrenmahl (Anm. 31) 248, zu betonen: ». . . man sollte das Gewicht dieser Stelle nicht
dadurch abschwächen, daß man von einem bloßen geselligen Beisammensein im Tempelrestaurant spricht. Alle Mähler im Tempel, auch die Serapismähler, blieben in den
Opferrahmen eingebettet.« So schon Weiß, a.a.O. 211; H. Lietzmann (W.-G. Kümmel),
An die Korinther I/II, HNT 9, Tübingen ⁴1949,39 (zur Sache vgl. ebd. 49–51). Vgl.
jetzt auch: Ch. Wolff, Der erste Brief des Paulus an die Korinther II, ThHK 7/2, Berlin
²1982, 13.

[40] Schenk, a.a.O. 237f.

[41] Da im Text selbst die (in der Auslegung beliebte) Opposition »*Starke* vs Schwache«
nicht vorkommt (vgl. bestenfalls 10 22b), möchte ich im Anschluß an die γνῶσις in
8 1.7.10f. von den »Wissenden« als Kontrahenten der »Schwachen« sprechen. Zum
sozialen Hintergrund s. Theißen, Die Starken (Anm. 27).

[42] Zur Terminologie s. u. Anm. 50.

[43] Weiß, a.a.O. 212; vgl. Klauck, Herrenmahl (Anm. 31) 248.272.

dung des Ärgernisses abzielt. Auch unternimmt er nicht die geringste Anstrengung, die Schwachen zu belehren und zur Höhe der »Erkenntnis« zu führen, noch gibt er den »Wissenden« Empfehlungen, sich um die theologische Bildung der Schwachen zu kümmern. Ohne die leiseste Bemühung, den Erkenntnisstand der »Wissenden« gegenüber den Schwachen durchzusetzen, bleibt Paulus vielmehr beim Faktum des schwachen Gewissens (vgl. 8 7) und behandelt *unter diesem Aspekt* die ἐξουσία (8 9) und die Frage der Beteiligung an kultischen Mählern (8 10).

Im übrigen berücksichtigt eine rein auf die Vermeidung des Anstoßes abstellende Interpretation von 8 10 nicht genügend die Sprachfunktion[44] des Verses, der nicht referentiellen (objektiv-darstellenden), sondern im Rahmen der Argumentation ganz offensichtlich konativen Charakter hat. Der Vers will bei den Lesern also etwas erreichen, und dies kann nicht nur die Zustimmung zu dem referentiellen Gehalt des Verses sein, sondern muß eine Änderung der Praxis betreffen. Berücksichtigt man nun, daß der angesprochene Fall des Gesehenwerdens in der Öffentlichkeit des Tempels eine immer gegebene Möglichkeit war[45], wird die äußerst geschickt angelegte Textstrategie der Frage von v. 10 offenkundig: Ohne ein (dogmatisch begründetes) Verbot auszusprechen, drängt sie in Verbindung mit v. 9 den Leser selbst zu der Schlußfolgerung, in der Praxis auf die Teilnahme an Mählern im Tempel zu verzichten.

Daß Paulus im konkreten Fall von 8 10 kein Adiaphoron mehr erblickt, bestätigen schließlich die drei folgenden Verse. In ihnen stellt Paulus, ohne die objektive Richtigkeit der einer solchen Handlungsweise zugrundeliegenden γνῶσις noch ins Kalkül zu ziehen, unmißverständlich fest, was die von manchen Korinthern unbedenklich geübte Teilnahme an Tempelmählern in Wahrheit für Folgen hat: ἀπόλλυται γὰρ ὁ ἀσθενῶν ... εἰς Χριστὸν ἁμαρτάνετε (vv. 11f.). Die scharfe, fast schwurartige Schlußfolgerung in v. 13 zeigt[46], daß Paulus keine Konzession der »Wissenden« an die Schwachen formuliert, sondern den »Wissenden« eine eindeutige, positive Norm setzt: Der Anstoß für den Bruder ist unter allen Umständen zu vermeiden! Wegen seiner tatsächlichen oder zu erwartenden gegenteiligen Implikationen ist damit der in 8 10 genannte Fall der Teilnahme an kultischen Mählern generell inkriminiert und als christliche Verhaltensmöglichkeit ausgeschlossen[47].

---

[44] Vgl. dazu: R. Jakobson, Linguistik und Poetik, in: H. Blumensath (Hrsg.), Strukturalismus in der Literaturwissenschaft, Köln 1972, 118−147, bes. 121−125.

[45] Grammatisch handelt es sich bei v. 10a um einen Eventualis, der »das Erwartete, das auf eine eventuelle Verwirklichung hindeutet«, bezeichnet (Bl.-Debr.-Rehk. § 371,4).

[46] Bei dem Konditionalsatz in v. 13a handelt es sich um einen Realis, der − nach διόπερ − eindeutig folgernden Charakter hat: »›wenn demnach‹ (wie sich aus dem Vorhergehenden ergibt)« (Bl.-Debr.-Rehk. § 372,1).

[47] Etwas differenzierter wäre der Sachverhalt (der dann aber auch die Interpretation des »Götzendienstes« in 10 1−22 beträfe), wenn man mit v. Soden, Sakrament (Anm. 38)

Der Sache nach ist damit das strikte Verbot von 10 14.21 vorbereitet. Dies anerkennt übrigens auch Weiß[48]. Irreführend ist es jedoch, wenn Weiß den Eindruck erweckt, als ob Paulus erst am Ende von Kap. 8 eine härtere Gangart gegenüber den »Wissenden« anschlage, während er anfänglich (in 8 1.4) »ihnen im Prinzip völlig« zugestimmt habe[49]. Daß Paulus der liberalen Essenspraxis bestimmter Korinther prinzipiell zustimmt, ist auch in 8 1.4 nicht gesagt. Worin Paulus zustimmt, ist lediglich ein *Teilaspekt* der theologischen bzw. christologischen *Voraussetzung* für diese Essenspraxis, daß nämlich die christliche γνῶσις von dem *einen* Gott und dem *einen* Herrn die Existenz anderer Götter und Herren ausschließt (v. 4) bzw. unbedeutsam macht (vv. 5f.), so daß das εἰδωλόθυτον an sich seine »religiöse« Basis verloren hat. Die von den »Wissenden« daraus gezogene Folgerung, daß der Christ εἰδωλόθυτα generell und unbedenklich *essen* dürfe oder daß es geradezu ein pädagogisches Erfordernis sei, die Schwachen − möglicherweise durch eine provozierend liberale Essenspraxis (vgl. vv. 8.10) − zu gleicher γνῶσις »aufzuerbauen« (v. 10)[50], kann Paulus jedoch nicht teilen. Eine dermaßen isoliert und rein negativ definierte γνῶσις[51] übersieht die ekklesiologischen und soteriologischen Implikationen von Christologie und Theologie. Paulus muß daher im Blick auf den in v. 10 angesprochenen Fall darauf verweisen, daß die aufgrund der γνῶσις grundsätzlich gegebene ἐξουσία ekklesiologisch zu verantworten ist[52], und zwar aus christologischen bzw. soteriologischen Gründen (vv. 11f.). Eben diesen Gedanken hatte Paulus aber schon in vv. 1–3 in aller Deutlichkeit ausgesprochen, als er darauf verwies, daß »die *Liebe* auferbaut« (v. 1b: Ekklesiologie!) und daß nicht das »Erkennen«, sondern das (von Gott) »Erkannt*werden*« heilsentscheidend ist (v. 3: Soteriologie!). Die am Ende des 8. Kapitels gezogene Schlußfolgerung (v. 13), die faktisch auf die Forderungen von 10 1–22 hinausläuft, kann daher keineswegs als ein Abschwenken von einer eingangs noch eingenommenen freieren Betrachtungsweise angesehen werden. V. 13 ist vielmehr nur die konsequente Anwendung der vorausgehenden prinzipi-

---

371 f. (vgl. 343), voraussetzen dürfte, daß der »kultische Charakter solcher Mahlzeiten« bereits »verwischt« war; vgl. dagegen jedoch Anm. 39.

[48] Weiß, a.a.O. 231: »Im Grunde mutet er damit den Gnostikern ... einen vollen Verzicht auf die εἰδωλοθ. zu, kommt also schließlich wieder auf die Forderungen von 10 1–22 heraus, wenn auch aus andern Motiven.«

[49] Weiß, a.a.O. 212.

[50] Wahrscheinlich greift Paulus in vv. 8.10 korinthische Gedankengänge und Terminologie auf: Weiß, a.a.O. 230; v. Soden, Sakrament (Anm. 38) 342; Lietzmann, 1 Kor (Anm. 39) 39; Jewett, Terms (Anm. 6) 422f; Theißen, Die Starken (Anm. 27) 288; J.Murphy-O'Connor, Freedom or the Ghetto (I Cor., VIII, 1−13; X,23−XI,1): RB 85, 1978, 543−574, hier 545−551; Klauck, Herrenmahl (Anm. 31) 247f. Vgl. auch Anm. 57.

[51] Vgl. dazu v. Soden, ebd. 340f.

[52] Vgl. den Begriff ἀδελφός, der ab v. 11 ins Spiel kommt.

ellen Ausführungen (bes. vv. 1–3) auf den konkreten Fall — ein massives Indiz für die Kohärenz von Kap. 8 und 10.

Daß Paulus in 8 13 noch nicht zur Formulierung von 10 14 vorstößt, liegt vor allem daran, daß er in seiner Argumentation *zunächst* beim Gesichtspunkt der γνῶσις und der daraus resultierenden ἐξουσία ansetzt und erst *dann*[53] zum Gesichtspunkt des Sakraments, der die klaren Formulierungen von 10 14.21 bedingt, voranschreitet (10 1–22). Daß der Wechsel der Gesichtspunkte nicht die Kohärenz in Frage stellt, ist bald zu erläutern.

(2) Vorab sei auf *einige weitere semantische Brücken* verwiesen, die 8 1–13 und 10 1–22 miteinander verbinden[54]. Es wurde bereits angedeutet, daß die Rücksichtnahme gegenüber dem Schwachen, die Paulus in 8 1–13 gegen eine isolierte γνῶσις ins Feld führt, eine Frage der Ekklesiologie bzw. letztlich eine Frage des rechten Verständnisses von *Soteriologie und Christologie* ist. Die mangelnde Rücksichtnahme auf den »Bruder« kann daher als »Sündigen gegen Christus« ausgelegt werden (8 12). Paulus hat damit einen Gedanken vorbereitet, der auch in 10 1–22, wo er das Verhältnis von Sakrament und Götzendienst diskutiert, die entscheidende Rolle spielt. Auch dort bewegt ihn letztlich die Frage des rechten Verständnisses von Soteriologie und Christologie. Deshalb muß er die Heilssicherheit, welche die Korinther aus dem Sakramentenempfang ableiteten (vgl. 9 24–27 10 1–13 als Antwort!), — ähnlich wie in Kap. 8 die aufgrund der γνῶσις in Anspruch genommene ἐξουσία — als Verfehlung gegen Christus disqualifizieren (10 9; vgl. 10 22). Beide Gesichtspunkte — γνῶσις (Kap. 8) und Sakrament (Kap. 10) — werden von Paulus also christologisch geprüft und gewertet.

Dabei ist bemerkenswert, daß die *ekklesiologische* Dimension der Christologie, die in Kap. 8 unter den Stichwörtern ἀγάπη und ἀδελφός zum Zuge kam, auch in Kap. 10 nicht vergessen ist. Terminologisch meldet sie sich dort mit ἓν σῶμα οἱ πολλοί ἐσμεν sogar noch viel deutlicher zu Wort. Daß Paulus 10 17 nicht direkt paränetisch auswertet und damit der Sache nach auf den Gedankengang von Kap. 8 zurückkommt, liegt daran, daß die Argumentation primär unter dem Aspekt des Sakraments steht, so daß der in 10 16 aufgegriffene Gedanke auf 10 20f zielt. Zuvor aber stellt v. 19 noch eine weitere Verknüpfung zu Kap. 8 her: Der Vers will dem Einwand zuvorkommen, daß die für die Korinther so wichtige und von Paulus in ihrem objektiven Gehalt ja auch akzeptierte These von der *Irrelevanz* der Götzen (vgl. 8 4–6) im Argumentationsduktus von 10 14–22 ihre Gültigkeit verloren habe.

Die aufgezeigten semantischen Verknüpfungen zwischen 8 1–13 und 10 1–22 sprechen um so mehr für die Kohärenz der beiden Texte, als sie die thematische Ebene und damit den Duktus der Argumentation berühren.

(3) Unter der Rücksicht *pragmatischer Kohärenz* ist zunächst festzuhalten, daß 8 1–13 und 10 1–22 im wesentlichen *auf den gleichen Fall* abzielen: auf die Teilnahme an (kultischen) Mählern im Tempel[55]. Dies ist

---

[53] Zu dem dazwischengeschobenen Kap. 9 s. u. 3.2.

[54] Vgl. dazu auch v. Soden, Sakrament (Anm. 38) 358f.

[55] Die gegenteilige These vertritt Walter, Christusglaube (Anm. 39) 425–432. Doch muß er dazu den *kultischen* Charakter des Essens in 8 10 (Tempelrestaurant!, s. Anm. 39) und den *Mahl*charakter des »Götzendienstes« von 10 14 (vgl. 16–21, bes. v. 21: Kultmahl!) unterdrücken.

für Kap. 10 durch vv. 14.21 ganz eindeutig. Die allgemeinen Formulierungen vor allem in 8 1–6 lassen zwar darauf schließen, daß die Anfrage der Korinther sich auf ein weiteres Problemfeld bezog. Doch läßt die Art und Weise, wie Paulus die korinthische Parole der γνῶσις in die Schranken der ἀγάπη verweist (vv. 1–3), noch deutlich genug erkennen, daß er von Anfang an vor allem auf den speziellen Fall hinauswill, bei dem das Essen von εἰδωλόθυτον Anstoß erregte; und dies war bei der Teilnahme an Mählern in der Öffentlichkeit des Tempels wesentlich leichter gegeben als etwa in den in 10 23–30 angesprochenen Fällen, wo man den Bezug zum εἴδωλον erst hätte requirieren müssen. Tatsächlich kommt Paulus denn auch in 8 10 auf die Teilnahme am Kultmahl zu sprechen. Wahrscheinlich hatte gerade dieser Fall in Korinth am meisten Unruhe gestiftet, war also wohl das Hauptproblem, auf das sich die Anfrage der Korinther bezog[56].

Daß Paulus diesen Fall einmal unter dem Gesichtspunkt der γνῶσις (Kap. 8) und das andere Mal unter dem Gesichtspunkt des Sakraments (Kap. 10) diskutiert, spricht pragmatisch um so weniger gegen die Kohärenz der beiden Kapitel, als sich zeigen läßt, daß die beiden Gesichtspunkte nicht von Paulus, sondern *von den Korinthern eingebracht* wurden (Paulus also nur reagiert). Überdies läßt es sich zumindest wahrscheinlich machen, daß es sich nicht um disparate (und mithin auf unterschiedliche Situationen verteilbare), sondern um *aufeinander bezogene Gesichtspunkte* handelt.

Daß der Gesichtspunkt der γνῶσις von den Korinthern eingebracht wurde, ist relativ eindeutig: 8 1aβ (γνῶσιν ἔχομεν) dürfte korinthische Parole sein, wahrscheinlich auch v. 4b[57]. Doch auch den Gesichtspunkt des Sakraments dürfte Paulus der korinthischen Argumentation entnommen haben. Im Kontext mit 10 14–22 ist die ausführliche Warnung in 10 1–13 doch wohl nur dann zu verstehen, wenn bestimmte korinthische Kreise aus dem Sakramentenempfang Heilssicherheit abgeleitet und diese als tragendes Argument für ihre Indolenz gegenüber Kultmählern benutzt hatten: Der Empfang des Sakraments macht gefeit gegen schädliche (magische?) Einflüsse, die sich eventuell aus der Teilnahme an Mählern im Tempel ergeben könnten[58].

---

[56] Daß sich Paulus in 8 1–10 22 überhaupt *nur* mit der Frage kultischer Mähler (im Tempel) auseinandersetzt, versucht G. D. Fee, Εἰδωλόθυτα Once Again: An Interpretation of 1 Corinthians 8–10: Bibl. 61, 1980, 172–197, nachzuweisen.

[57] Vgl. J. Jeremias, Zur Gedankenführung in den paulinischen Briefen, in: ders., Abba, Göttingen 1966, 269–276, hier 273f.; Hurd, Origin (Anm. 5) 68f.119–123; R. A. Horsley, Gnosis in Corinth: I Corinthians 8.1–6: NTS 27, 1981, 32–51, hier 33–40; Klauck, Herrenmahl (Anm. 31) 244.

[58] Vgl. Weiß, a.a.O. 212; v. Soden, Sakrament (Anm. 38) 361; Klauck, ebd. 257.

Ein derartiges Argument stößt sich nur scheinbar mit der γνῶσις über die Nichtexistenz der Götzen, worauf sich die Korinther nach Kap. 8 (bes. v. 4b) berufen. Im Gegenteil, das genannte korinthische Sakramentsverständnis vorausgesetzt, ergibt sich eine recht einleuchtende Erklärung für die zunächst überraschend erscheinende Wendung der Argumentation in 8 5, die die Schlußfolgerung aufdrängen könnte, daß Paulus »sich weniger aufgeklärt (zeigt) als seine korinthischen Gegner.«[59] Überraschend ist Vers 8 5 allerdings nur dann, wenn man ihn als eine rein paulinische Äußerung wertet, nicht aber, wenn man annimmt, daß Paulus 8 5 (und vielleicht sogar 8 6) noch unter dem Eindruck vorgegebener korinthischer Argumentation formuliert. Mit der Konzession von 8 5 – καὶ γὰρ εἴπερ εἰσὶν λεγόμενοι θεοί . . . – referiert Paulus dann geradezu die sachliche Voraussetzung, die die Korinther veranlaßte, neben der γνῶσις noch das Sakrament als weiteres Argument ins Spiel zu bringen: Selbst wenn es so etwas gäbe wie »Götter«[60], die beim Kultmahl Einfluß auf die Teilnehmer zu gewinnen suchen, dem Christen können derartige Einflüsse nicht schaden, weil er durch das Sakrament mit dem alleinigen Gott und dem alleinigen Herrn Jesus Christus verbunden ist[61], denen alles unterworfen ist. Unter der Prämisse eines derartigen Argumentationsganges der Korinther erklärt sich dann auch einleuchtend die bereits beobachtete Wiederaufnahme von 8 4–6 im Kontext der unmittelbar sakramentalen Ausführung in 10 19.

8 1–13 und 10 1–22 lassen sich demnach auch unter *pragmatischer Rücksicht* als kohärenter Text lesen. Beide Textteile können verstanden werden als Reaktion auf einen einheitlichen, in sich zusammenhängenden Argumentationsgang bestimmter Korinther. Die dazugehörige (ebenfalls einheitliche) Situation bzw. Problematik in Korinth resultiert aus der liberalen Praxis eben dieser korinthischen Gruppe, die das Essen von Götzenopferfleisch und selbst die Teilnahme an Kultmählern im Tempel für unbedenklich hielt. Gerade das letztere wird von Paulus in 8 1–13 und 10 1–22 abgelehnt: in Kap. 8 noch indirekt über einen vom Leser selbst zu ziehenden Schluß (vgl. 8 10–13), in Kap. 10 dann direkt und ausdrücklich als εἰδωλολατρία (vgl. 10 14).

---

[59] Klauck, ebd. 244f. (Zitat: 245); vgl. dagegen jedoch auch v. Soden, ebd. 360–364.

[60] Was nach korinthischer Auffassung hinter den »sogenannten Göttern« steht, ist schwer zu sagen: Es könnte sich um eine fiktive Argumentation handeln, es könnten aber auch irgendwelche »göttlichen« (magischen) Potenzen sein, vielleicht sogar die von Paulus dann in 10 20f. angeführten »Dämonen«; zur antiken Dämonologie s. in Kürze: Klauck, ebd. 266–271.

[61] Der Aspekt der κοινωνία mit Christus im Sakrament 10 16 könnte dann ebenfalls von den Korinthern eingebracht worden sein; Paulus stellt dagegen, daß die Teilnahme am Götzenopfermahl ebenfalls κοινωνία schaffe, diesmal aber mit den Dämonen (10 18–20), so daß sich die Alternative von 10 21 stellt.

(4) *1 Kor 10 23–11 1*: Nach dieser eindeutigen Ablehnung einer christlichen Beteiligung an Götzenopfern bzw. heidnischen Kultmählern gilt es noch für jene Situationen eine Regelung zu treffen, in denen Christen eher unbeabsichtigt mit dem Problem des εἰδωλόθυτον konfrontiert werden konnten. Beide casus, die angesprochen werden (10 25–30), betreffen überwiegend nur wohlhabende Gemeindemitglieder, die mit den »Wissenden« von Kap. 8 identisch sein dürften[62]. Es ist daher wohl auch kein Zufall, daß Paulus in 10 23 aα. bα wieder auf deren These von der ἐξουσία (vgl. 8 9) zurückgreift, freilich im Rahmen der bereits in 8 1–3 gegebenen Modifikation (10 23 aβ. bβ. 24). Da in beiden Fällen der Anschein einer Teilnahme am Götzendienst (Kultmahl) nicht gegeben war bzw. der Grund für einen möglichen Anstoß überhaupt erst hätte inquiriert werden müssen, hat Paulus keine Bedenken, für eine Praxis ohne Ängstlichkeit zu plädieren (10 25 f. 27). Wenn allerdings bei einer Einladung der heidnische Gastgeber (oder ein heidnischer Gast)[63] ausdrücklich darauf hinweist, beim vorgesetzten Fleisch handle es sich um ἱερόθυτον, soll der Christ nicht essen, und zwar nicht aus Rücksicht auf den *Bruder* (Kap. 8!), sondern »wegen des Hinweisenden und des Gewissens« (10 28), das in 10 29 als Gewissen des hinweisenden *Heiden* verdeutlicht wird[64]. Paulus legt also allen Wert darauf, daß bei dem *Heiden* jeder Anschein vermieden wird, als ob der Christ ohne Bedenken am heidnischen Kult partizipieren könne. Dies aber setzt Verbot und Argumentation von 10 1–22 voraus und ist damit ein weiteres Indiz für die Kohärenz von 8 1–11 1.

3.2 *1 Kor 9 im Kontext von 1 Kor 8 1–13 und 10 1–11 1*

(1) Relativ unproblematisch scheint 9 24–27 zu sein, das nach Ansicht fast aller Autoren eine Einheit mit 10 1–22 bildet[65]. Eine gewisse Einmütigkeit herrscht auch bezüglich 9 19–23. Bereits Weiß hatte die Vergleichbarkeit dieser Verse mit Kap. 8 herausgestellt[66]. Schenk sieht in 9 19 »die ursprüngliche Fortsetzung von 8 13«[67]. Ihm schließt sich dann Schmithals an, der überdies darauf verweist, daß »9 19–22 … in 10 31 ff. bewußt wieder aufgenommen«

---

[62] Vgl. Theißen, Die Starken (Anm. 27) 275–282. Zur Situation vgl. Klauck, Herrenmahl (Anm. 31) 274 f.

[63] So: Klauck, ebd. 276 f.; zur Diskussion vgl. Conzelmann, 1 Kor (Anm. 2) 217 f.

[64] So Conzelmann, ebd. 218; dann ergibt auch 10 29 b. 30 einen verständlichen Sinn: Im Falle des v. 28 a soll der Christ nicht essen! Der Heide, der mit seinem Hinweis die »Freiheit« des Christen testen will, müßte den Christen als seinesgleichen einstufen. Deshalb v. 29 b: Die Freiheit des Christen (die in dem genannten Fall sich als Verzicht zu erweisen hat; vgl. unten 3.2 [2]) wird nicht vom Gewissen des andern definiert! Deshalb v. 30: Als dankbarer Teilnehmer am Gastmahl (des Heiden) sagt der Christ Dank für die Speisen; und dafür soll er sich in üblen Ruf bringen lassen (als einer, der es mit seiner christlichen Überzeugung nicht so genau nimmt)? Dann soll er lieber nicht essen! – Anders: v. Soden, Sakrament (Anm. 38) 351–354; Klauck, ebd. 277.

[65] Nur Weiß, a.a.O. XLI, löst die unmittelbare Verbindung, rechnet beide Stücke aber zu demselben Brief.

[66] Weiß, a.a.O. 231.

[67] Schenk, a.a.O. 238.

wird⁶⁸. Tatsächlich zieht sich durch 8 1–13 9 19–23 10 31 – 11 1 ein (semantischer) roter Faden, und zwar in *dieser* Reihenfolge⁶⁹.

(2) Sind aber 8 1–13 und 9 19–23 Teile eines kohärenten Textes, so bleibt nach der Zugehörigkeit des Zwischenstückes 9 1–18 zu fragen, dessen Exkurscharakter kaum zu bestreiten ist. Aber, dient dieser »Exkurs« der Illustration der vorangegangenen Ausführungen oder hat er damit »schlechterdings nichts zu tun«⁷⁰?

Unter der Voraussetzung, daß wenigstens 8 1–13 und 9 19–23 einem kohärenten Text zugehören, ergibt sich zunächst ein auffälliger begrifflicher Befund. Der Begriff ἐλεύθερος (9 19), der bei direkter Abfolge von 8 1–13 9 19–23 geradezu Scharnierfunktion hätte, findet sich nicht in Kap. 8; dort findet sich aber, und zwar sachlich durchaus konstitutiv, der Begriff ἐξουσία. Beide Begriffe kommen auch in Kap. 9 1–18 vor, aber jeweils nur in bestimmten Textblöcken: ἐλεύθερος in 9 1–2 und ἐξουσία in 9 3–18 (6mal), so daß sich unter dieser Rücksicht eine ineinander verzahnte Gliederung ergibt: A (8 1–13)–b (9 1–2)–a (9 3–18)–B (9 19–23).

Nun könnte dieser Befund auch zufällig sein bzw. gerade die Stichwörter aufdecken, die einen Redaktor zur Einfügung von 9 1f.3–18 in den jetzigen Kontext bewogen haben⁷¹. Dagegen spricht jedoch, daß der gemachte Befund nicht ein rein terminologisches Phänomen wiedergibt, sondern im Sinngefüge des Textes verankert ist. Dies wird sofort deutlich, wenn man die angeführten Begriffe im Rahmen ihrer semantischen Oppositionen betrachtet, die eine wesentliche Sinnlinie der jeweiligen Textblöcke bilden. So wird man kaum bezweifeln können, daß es in der Auseinandersetzung von 8 1–13 um die *Opposition »ἐξουσία vs Verzicht auf ἐξουσία«* geht. Diese Opposition beherrscht aber auch 9 3–18. Daß der Verzicht in 8 1–13 und 9 3–18 nach Inhalt und Motivation je verschieden ist, spricht nicht gegen die Vergleichbarkeit (Exempel!)⁷². Tatsächlich genügt hier die Vergleichbarkeit in der formalen Opposition, da es gerade auf den *Verzicht auf ἐξουσία* ankommt⁷³. Interessant ist nun die *Opposition ad vocem ἐλεύθερος*, die in 9 19 explizit realisiert ist: »ἐλεύθερος εἶναι vs δουλεύειν«. Im Gegensatz zu der (konträren) Opposition ad vocem ἐξουσία handelt es sich hierbei um eine dialektische Opposition, bei der

---

⁶⁸ Schmithals, Kor 271. Zur Beurteilung von 9 23 durch Schmithals s. u. Anm. 80.

⁶⁹ 8 1–13 ist mit 9 19–23 durch das Thema der ἐξουσία bzw. ἐλευθερία und das Stichwort der »Schwachen« verbunden. 10 31 – 11 1 bezieht sich auf beide Abschnitte zurück: 10 31 (»Essen«) auf Kap. 8, 10 32 auf 8 9, 10 32f. auf 9 19–22.

⁷⁰ Schmithals, Kor 270; vgl. Weiß, a. a. O. 231.

⁷¹ So: Schenk, a. a. O. 238f.; Schmithals, Kor 271, der im Anschluß an Weiß οὐκ εἰμὶ ἐλεύθερος (9 1) noch zusätzlich für eine Bildung des Redaktors hält.

⁷² Gegen Weiß, a. a. O. 231.

⁷³ Im übrigen ist es wahrscheinlich kein Zufall, daß das erste Teilexempel von der ἐξουσία des *Essens* und Trinkens spricht: 9 4.

die Opposita zugleich substituierbar sind (vgl. Gal 5 13): »Sich zum Sklaven machen« ist nicht einfach Verzicht auf »Freiheit«, sondern wird durch diese erst möglich bzw. bringt diese zum Zuge[74]. Die Freiheit, von der Paulus in 9 1 spricht, als Substitution der ἐξουσία von 8 9 zu werten[75], wäre daher genauso falsch, wie in den ἐξουσία-Verzichten von 9 3–18 Einschränkungen der apostolischen Freiheit (9 1) zu sehen. Die Beispiele wollen im Gegenteil darlegen, daß Paulus *als freier* (ἐλεύθερος) Apostel ἐξουσία-Verzicht übt. 9 19 zieht das Resümee: »Indem (oder vielleicht sogar: Da) ich also frei bin . . ., habe ich mich zum Sklaven gemacht . . .«.

Beachtet man die Differenzen und Verschränkungen der Oppositionen, gibt sich 8 1–9 23 als semantisch wohl durchstrukturierte Textsequenz zu erkennen. Das Thema (bzw. Problem) »ἐξουσία und ἐξουσία-Verzicht« von Kap. 8 wird eingebettet in das paulinische Freiheitsverständnis, das den Verzicht auf ἐξουσία bzw. das δουλεύειν nicht als Verlust von Freiheit, sondern als deren Möglichkeit zu artikulieren vermag. Die Pragmatik von 9 1–18.19–23 tritt nun deutlich hervor: Paulus will mit seinen Ausführungen erreichen, daß die Korinther in der Frage des Götzenopferfleischessens mit ihrer ἐξουσία ähnlich umgehen wie der Apostel mit seiner. Die Aufforderung zur Nachahmung in 11 1 ist daher der direkte Rückbezug zu 9 1–18.19–23, ein weiteres Indiz für die Einheitlichkeit von 8 1–13 9 19–23 und 9 1–18[76].

Einen Redaktor wird man für das semantisch wie pragmatisch gut durchdachte Textgefüge kaum verantwortlich machen können. Er müßte schon so kongenial gewesen sein, daß er fast die Züge des Apostels selbst annimmt, ganz abgesehen davon, daß es ein Zufall genannt werden müßte, wenn in unterschiedlichen Briefen Textstücke von einer derartigen semantischen Affinität und Relationalität bereitgelegen haben sollen.

(3) Abschließend ist noch auf ein sachliches Argument einzugehen, das Schmithals veranlaßte, 9 1–18 bis in den Brief F zu verlegen und damit in die Nachbarschaft zum Tränenbrief G zu rücken: »In 9 1–2 muß Paulus sich gegen die Behauptung verteidigen, er sei kein Apostel, in 9 3–18 gegen den Vorwurf, er sei ein Goet. Das sind die wichtigsten Themen des ›zweiten‹ Korintherbriefes, und erst im Tränenbrief steht der Apostolat des Paulus *als solcher* in Frage«[77]. Nun muß Schmithals selbst zugestehen, daß »beide Themen in I 9 1–18 wesentlich

---

[74] Ein rein konzessives Verständnis des Partizips ἐλεύθερος . . . ὤν 9 19 (= »*obwohl* ich frei bin«) wird daher dem paulinischen Freiheitsbegriff nicht gerecht; von der Sache her könnte man ebensogut kausal oder modal übersetzen: »*da* bzw. *indem* ich frei bin«. Damit erledigt sich die von Conzelmann, 1 Kor (Anm. 2) 187 Anm. 2, erörterte Problematik – Präsens oder Präteritum: ». . . frei *bin* bzw. *war*« – von selbst.

[75] Οὐκ εἰμὶ ἐλεύθερος; ist eben keineswegs dasselbe wie πάντα μοι ἔξεστιν! Dieser semantische Unterschied wird bei der Auslegung von 1 Kor 9 allerdings meist nicht beachtet.

[76] Nur am Rande sei auf das vergleichbare Verhältnis von ἐξουσία und ἐλευθερία in 10 23–30 verwiesen (vv. 23.29).

[77] Schmithals, Kor 274 (vgl. 270).

milder als im Tränenbrief behandelt« werden[78]. Dies hinwiederum stimmt mit einer Beobachtung überein, die Gerd Lüdemann jüngst so formuliert hat: Zur Zeit des 1 Kor ist noch »keine Verbindung von Antipaulinismus und Pneumatikertum festzustellen, während eine solche Union zZt des 2 Kor zustandegekommen ist.«[79] Angesichts der sonstigen Kohärenz mit dem Kontext (s. o.) besteht somit kein Anlaß, 9 1–18 in die Konfliktsituation des 2 Kor einzuordnen. Man könnte Paulus allenfalls vorwerfen, daß er zwei Fliegen mit einer Klappe schlägt, wenn er die Exemplifikation des in Kap. 8 angemahnten ἐξουσία-Verzichts im Sinne christlicher Freiheit mit einer »Apologie« (9 3) seines Apostolates verquickt.

(4) Es kann *zusammengefaßt* werden: 9 1–18. 19–23 bildet mit 8 1–13 einen kohärenten Text. 9 24–27 tendiert schon stärker zu 10 1–22, dessen Kohärenz mit 8 1–13 und 10 23–11 1 bereits aufgewiesen werden konnte (s. o. 3.1). Insgesamt stellt daher 8 1–11 1 eine textliche Einheit dar[80]. Man wird sogar behaupten dürfen, daß gerade 1 Kor 8–10, nach Conzelmann »der Komplex, der (literarkritisch, Anm. d. Verf.) den stärksten Anstoß bereitet«[81], bei genauerer Betrachtung seiner semantischen und pragmatischen Kohärenzfaktoren kaum einen Zweifel an seiner Einheitlichkeit zuläßt.

3.3 *1 Kor 11 2–34*

1 Kor 11 2–34 wird heute allgemein als zusammenhängender Textblock gewertet[82]. Bestritten wird allerdings die Ursprünglichkeit der jetzigen Stellung.

(1) Angesichts der aus Kap. 1–6 zu eruierenden Mißachtung des Paulus und seiner Überlieferungen hielt bereits Weiß das Lob in 11 2 für befremdlich; der Vers würde daher besser »am Anfang eines Briefes passend sein, besonders am Anfang einer Korrespondenz«[83]. Dieses Argument ist allerdings nur bedingt stichhaltig, wenn man – von dem Abstand zu 1 Kor 1–6 einmal ganz abgesehen – Paulus auch eine gewisse Rhetorik zutrauen darf[84]. Andererseits ist zuzugestehen, daß 11 2 und das damit

---

[78] Schmithals, Kor 274.

[79] G. Lüdemann, Paulus, der Heidenapostel II. Antipaulinismus im frühen Christentum, FRLANT 130, Göttingen 1983, 130; vgl. 105–143.

[80] Damit dürfte auch jedweder literarkritische Grund entfallen, 9 23 einem Redaktor zuzuschreiben, wie dies Schmithals, Kor 271, – einer Erwägung von Weiß, a. a. O. 246, folgend – tut.

[81] Conzelmann, 1 Kor (Anm. 2) 17.

[82] Weiß, a. a. O. 278, hatte noch v. 17 als spätere Zutat angesehen; dagegen: Schmithals, Gnosis 84 Anm. 1.

[83] Weiß, a. a. O. 268; in letzter Konsequenz dann durchgeführt bei Schmithals, Kor 281, der 11 2–34 mit Brief A identifiziert. Vgl. auch Vielhauer (s. Anm. 2).

[84] Vgl. Conzelmann, 1 Kor (Anm. 2) 222.

eingeleitete Thema ziemlich »unvermittelt eingeführt« werden[85], so daß von semantischer Kohärenz nur schwer die Rede sein kann. Doch muß dies bei Brieftexten nicht ungewöhnlich sein. Um so mehr ist nach einer möglichen pragmatischen Kohärenz (die erst durch Autor und/oder Leser konstituiert wird) zu fragen. Unter dieser Rücksicht ergibt 11 2 dann einen guten Sinn, wenn man voraussetzt, daß die Korinther – aus welchen (redlichen oder konventionellen) Gründen auch immer – in ihrem Brief versichert hatten, daß sie in allem des Paulus gedächten und seine Überlieferungen festhielten bzw. festhalten wollten[86]. Es ist nicht einmal auszuschließen, daß der ὅτι-Satz ein leicht verändertes Zitat aus dem korinthischen Brief wiedergibt. Dabei kann es hier dahingestellt bleiben, ob die korinthische Versicherung in einem allgemeinen Zusammenhang oder (wahrscheinlicher) im Kontext des Berichts über die 11 2–16 zugrundeliegende Problematik erfolgte. Unter dieser textpragmatischen Voraussetzung erweist sich 11 2 auch im Rückbezug auf 11 1 als passende und geschickte Textsequenz. Die Mahnung in 11 1 gibt Paulus Gelegenheit, auf die Beteuerung der Korinther zurückzukommen, bzw. ist vielleicht sogar schon im Hinblick darauf formuliert. Das Lob, das Paulus dafür spendet, hat primär rhetorische Funktion: Paulus will die Korinther beim Wort nehmen und sie in der in 11 2–16 anstehenden Frage darauf verweisen, daß ihre Praxis dann aber nicht mit ihrer Absicht übereinstimmt; denn in dem fraglichen Punkt kennen weder Paulus noch die übrigen Gemeinden eine entsprechende Gewohnheit (v. 16).

(2) Diese pragmatische Erklärung wird um so plausibler, als dann auch 11 17 einen trefflichen Anschluß bildet. Paulus greift ἐπαινῶ aus 11 2 wieder auf, um es hier aber in direkten Tadel umzukehren. Den Gegenstand des Tadels entnimmt Paulus allerdings nicht dem Brief der Korinther: ἀκούω (v. 18) deutet auf mündliche Nachricht. Die Plazierung von 11 17–34 nach 11 2–16 ist einleuchtend, da es hier wie dort um Probleme des Gottesdienstes geht. Dazu kommt noch, daß Paulus gerade im Falle des Herrenmahls auf seine Überlieferung (vgl. 11 23–25) verweisen und somit auch hier die Korinther beim Wort (vgl. 11 2) nehmen kann.

Daß die σχίσματα in *11 18* mit den in 1 10.11 als σχίσματα bzw. ἔριδες bezeichneten (Partei-)Streitigkeiten zu identifizieren seien, so daß Paulus 11 17–34 – da zu dieser Zeit »noch weniger gut ... orientiert« – vor 1 10f. geschrieben haben müsse[87], ist ein Urteil, das bereits von Schenk

---

[85] Conzelmann, ebd. 221.

[86] So auch: H. Lietzmann, 1 Kor (Anm. 39) 53; Hurd, Origin (Anm. 5) 90f. 182–186 (vgl. 68); Barrett, 1 Kor (Anm. 2) 247f.

[87] So: Schmithals, Gnosis 85; vgl. Weiß, a.a.O. 278. Erneut vertreten von Klauck, Herrenmahl (Anm. 31) 288f.

zurückgewiesen wurde[88]. Kaum mehr aufrechterhalten werden kann dann allerdings auch die von ihm und Schmithals gemachte Unterscheidung zwischen ἀκούω 11 18 und ἐδηλώθη μοι 1 11 (»ohne Zweifel zuverlässigere Nachricht«)[89]. Die Zuverlässigkeit der Nachricht steht hier überhaupt nicht zur Debatte, da sie von der Qualität des Überbringers abhängt, den Paulus in 11 18 nicht erwähnt. Im übrigen ist ein Kontrast zwischen den beiden (komplementären) Ausdrücken semantisch keineswegs gefordert und auch vom Informationsgrad her nicht angezeigt[90]. Daß Paulus in 11 18 auf das Hören mit καὶ μέρος τι πιστεύω reagiert, muß das Gehörte noch nicht zum »Gerücht« degradieren[91]; der Ausdruck ist vielmehr von 11 19 her zu interpretieren[92]. Daß aus πρῶτον μέν und dem fehlenden Korrelat kaum sichere Schlüsse über einen möglichen Folgetext von 11 17–34 (12 1ff.?; 10 1ff.?) erlaubt sind, hat schon Schenk herausgestellt[93].

> Obwohl er eine Identifizierung der σχίσματα in 11 18 und 1 10f. (zu Recht) ablehnt, möchte Schenk an der Unvereinbarkeit von 11 17–34 mit Kap. 1–4 festhalten. Seine Begründung, αἱρέσεις *11 19* sei »positiv gemeint etwa im Sinne der διαιρέσεις χαρισμάτων (12 4.5.6, vgl. auch v. 11)«[94], ist jedoch weder semantisch noch traditionsgeschichtlich gerechtfertigt[95].

Es bleibt ein letztes Argument. Nach Schmithals »markiert 11 34b den Übergang zum Briefschluß: *Was immer* noch zu sagen wäre, Paulus will es

---

[88] Schenk, a.a.O. 227; vgl. Schmithals, Kor 281 Anm. 52; Kümmel, Einleitung (Anm. 4) 240. – Die σχίσματα in 11 18 betreffen einen »Konflikt zwischen armen und reichen Christen« (G.Theißen, Soziale Integration und sakramentales Handeln. Eine Analyse von 1 Cor. XI 17–34, in: ders., Studien [Anm. 27] 290–317, hier 297) und können sachlich nicht mit den doktrinär (durch Berufung auf Parteihäupter) bedingten σχίσματα von 1 10–12 identifiziert werden; vielleicht kann der Gebrauch des gleichen Begriffs durch die Herkunft aus der gleichen Informationsquelle erklärt werden: vgl. Theißen, ebd. 310.

[89] Schenk, a.a.O. 227f. (Zitat: 227); Schmithals, Gnosis 85; vgl. Klauck, ebd. 288.

[90] Ein schlechterer Informationsstand von 11 17–34 gegenüber Kap. 1–4 ergibt sich nur, wenn man die σχίσματα von 11 18 mit den Parteistreitigkeiten identifiziert!

[91] So: Schmithals, Gnosis 84.

[92] Dazu bes.: H.Paulsen, Schisma und Häresie. Untersuchungen zu 1 Kor 11,18.19: ZThK 79, 1982, 180–211, hier 198: »Die Nachricht von den Spannungen innerhalb der korinthischen Gemeinde hält Paulus deshalb für μέρος τι glaubhaft und verstehbar, weil es nach einer anerkannten Wahrheit sogar αἱρέσεις als Zeichen endzeitlicher Gefährdung geben muß.«

[93] Schenk, a.a.O. 228. Dies würde noch unterstrichen, wenn man πρῶτον μέν – wie Herm mand IV,2,3 – mit »vor allem« übersetzen könnte; vgl. Bl.-Debr.-Rehk. § 447 (14).

[94] Schenk, a.a.O. 228f. (Zitat: 228); vgl. Schmithals, Kor 281 Anm. 52.

[95] Zur Traditionsgeschichte s. Paulsen, Schisma (Anm. 92). Semantisch sind die αἱρέσεις von 11 19 als direkte Substitution der σχίσματα von 11 18 anzusprechen (vgl. die gleiche syntaktische Verbindung mit ἐν ὑμῖν) und mit diesen daher nahezu synonym zu werten; denkbar ist auch ein steigerndes Verständnis (so: Paulsen, ebd. 198f.; vgl. jedoch auch ebd. Anm. 116).

jetzt nicht _schreiben_, sondern bei seinem Kommen mündlich regeln.«[96] Daß jedoch τὰ δὲ λοιπά hier so generell gemeint sein soll, daß es jede weitere briefliche Mitteilung ausschließt, ist ein reines Postulat. Nach dem Kontext ist es zunächst auf die Angelegenheit der Herrenmahlfeier zu beziehen: was diesbezüglich noch anzuordnen ist, will Paulus bei seinem Kommen regeln.

(3) _Insgesamt ergibt sich:_ Eine Unvereinbarkeit von 11 2–34 mit den vorausgehenden Kapiteln läßt sich nicht erweisen. 11 2 stellt im Gegenteil (unter pragmatischer Rücksicht) einen guten Anschluß an 11 1 dar. Es spricht auch nichts dagegen, an der Abfolge der Kap. 11 und 12 festzuhalten. Im Gegensatz zu 11 17–34 geht Paulus ab 12 1 wieder auf eine direkte Frage der Korinther ein, bleibt aber insofern im gleichen Sachzusammenhang, als er das Problem der πνευματικά letztlich im Blick auf die Ordnung im Gottesdienst behandelt (vgl. 1 Kor 14).

3.4 _Die Kapitelfolge in 1 Kor 12–14_

Aufgrund von Textbeobachtungen zu 12 31 und 14 1 plädierte Weiß für eine ursprüngliche Abfolge von 12 30 14 1bc (bzw. 12 31a 14 1c)[97] und damit für eine Eliminierung von Kap. 13; dieses habe zwar zum selben Brief (B) gehört, sich aber an Kap. 8 angeschlossen[98]. Schmithals eliminiert 14 1ab als »redaktionelle Glosse« und läßt 14 1c »direkt an 12 31a« anschließen; anders als Weiß und — die Berechtigung der literarkritischen Operation einmal vorausgesetzt — wohl auch überzeugender läßt er 1 Kor 13 »gleich hinter Kp 14« folgen[99]. Diesem Urteil schließt sich auch Schenk an[100]. Da bei all diesen Hypothesen Kap. 13 zumindest im gleichen (Antwort-)Brief wie die Kap. 12 und 14 verbleibt, ist die damit aufgeworfene Problematik von vergleichsweise geringer Bedeutung. Auf eine detaillierte Auseinandersetzung kann daher hier verzichtet werden. Doch seien wenigstens zwei Gesichtspunkte hervorgehoben:

(1) Im Falle einer ursprünglichen Abfolge von 12 1–31a 14 1c–40 12 31b–13 13 ist eine spätere Umstellung nur schwer zu erklären[101].

(2) Weiß ging bei seiner Analyse davon aus, daß in 12 31 13 14 1 die Liebe den Charismen _gegenübergestellt_ sei[102]. In 12 31a/b würde dann die semantische Opposition

---

[96] Schmithals, Kor 281.
[97] Die Ausführungen von Weiß sind nicht ganz eindeutig: vgl. a.a.O. 311.321.
[98] Weiß, a.a.O. 309–311.
[99] Schmithals, Gnosis 89 Anm. 1.
[100] Schenk, a.a.O. 225f.
[101] Zu phantastisch ist die Erklärung von Schmithals, ebd. Zu Schenk u.a. vgl. O. Wischmeyer, Der höchste Weg. StNT 13. Gütersloh 1981. 21.
[102] Weiß, a.a.O. 310.

zugrunde liegen: »höhere *Charismen* vs ausgezeichneterer Wege (= Liebe)«. Dies ist nicht undenkbar, m. E. aber weniger wahrscheinlich, weil dann die Charismen ebenfalls als (minderer) *Weg* (wozu?) dargestellt wären. Viel näher liegt es, den »noch ausgezeichneteren Weg«[103] bzw. – wie vielleicht doch korrekter zu übersetzen ist – den »ausgezeichnetsten (allerhöchsten) Weg«[104] dem ganzen Syntagma des Strebens nach den höheren Charismen gegenüberzustellen, wobei die Gegenüberstellung semantisch nicht exklusiv, sondern inklusiv steigernd zu verstehen ist[105]: »Strebt nach den höheren Charismen! Und ich zeige euch noch den ausgezeichnetsten Weg«, d. h. einen Weg, der das Streben nach Charismen geradezu in die rechte Bahn lenkt: die Liebe. Daraus lassen sich zwei Gedanken ableiten: Ein Streben nach Charismen *ohne* Liebe wäre ein minderer, letztlich sogar nutzloser Weg, da selbst das höchste Charisma ohne Liebe nichts nützt; genau darauf zielt aber 1 Kor 13 (bes. vv. 1–3) ab. Zum andern wird der, der das Bemühen um Liebe und das Streben nach Geistesgaben miteinander verbindet, sich gerade um die Charismen mühen, die anderen zugute kommen; eben dies ist der Inhalt von 14 1 und der folgenden Verse. Unter dieser Rücksicht ergeben die Kap. 12, 13 und 14 eine semantisch kohärente Textsequenz[106].

Anders als die bisher besprochenen Autoren rechnen Schenke und Fischer 1 Kor 13 zu einem anderen Brief (A) als Kap. 12 und 14 (B)[107]. Der damit postulierte Anschluß von 13 1 an 11 34 ist jedoch äußerst ungelenk. Schenke und Fischer vermuten schließlich denn auch, daß 1 Kor 13 »möglicherweise einfach ein christliches . . . Lied« sei, »das erst im Prozeß der Redaktion an seinen jetzigen Platz gelangt ist«[108]. Dagegen spricht jedoch, daß »sich inhaltlich Schritt für Schritt engste Bezüge zu anderen Briefstücken und zur korinthischen Situation aufweisen (lassen).«[109] Dies gilt unbeschadet der Tatsache, daß 1 Kor 13 formal und thematisch traditionellen Vorgaben verpflichtet ist[110]; darüber wäre aber eher form- und traditionsgeschichtlich als literarkritisch zu befinden.

3.5 *1 Kor 15*

(1) Unter *literarischer Rücksicht* gerät Kap. 15 gelegentlich schon deswegen in den Verdacht, nicht in seinem ursprünglichen Kontext zu stehen, weil es »offensichtlich die in I 7,1

---

[103] ἔτι ist dann zu καθ' ὑπερβολήν gezogen; so: Conzelmann, 1 Kor (Anm. 2) 263 Anm. 53.

[104] So: Wischmeyer, ebd. 33 f.; ἔτι dient dann »der Hinzufügung eines weiteren Gedankens«.

[105] Dem entspricht auch die Syntax: καί + ἔτι.

[106] Siehe auch Wischmeyer, ebd. 27–38; dort (33) auch zur Kritik an dem Argument von Weiß (a. a. O. 309), daß 12 31 a den vorausliegenden Ausführungen widerspreche.

[107] Schenke-Fischer, a. a. O. 93 f.

[108] A. a. O. 106 Anm. 3, unter Berufung auf E. L. Titus, Did Paul Write I Corinthians 13?: JBR 27, 1959, 299–302.

[109] H.-J. Klauck, 1. Korintherbrief, Die Neue Echter Bibel: NT 7, Würzburg 1984, 93; vgl. Wischmeyer, Weg (Anm. 101) 27–31; Dautzenberg, Prophetie (Anm. 29) 149; Wolff, 1 Kor (Anm. 39) 118.

[110] Vgl. Conzelmann, 1 Kor (Anm. 2) 23 f. 265–269; ders., Paulus und die Weisheit, in: ders., Theologie als Schriftauslegung, BEvTh 65, München 1974, 177–190, hier 187 f.; Wischmeyer, ebd. 191–223.

beginnende, Punkt für Punkt erfolgende Beantwortung brieflicher Anfragen (unterbricht)«[111]. Dies ist jedoch, für sich genommen, ein ganz unzureichendes Argument. In keinem Fall stellt Kap. 15 eine Unterbrechung eines von 1 Kor 12–14 nach 16 1–4 fortlaufenden Gedankenganges dar[112]. Zuzugestehen ist, daß es eine in sich geschlossene Thematik behandelt, die sich vom Kontext abhebt. Doch ist dies etwa bei den für den sog. Antwortbrief reklamierten Texteinheiten nicht anders. Aus dem gleichen Grund ist auch der allemal abrupte Einsatz von 15 1 kaum literarkritisch auswertbar[113]. Dasselbe gilt prinzipiell für den Übergang von 15 58 zu 16 1 (mit περὶ δέ); doch ist die Sachlage hier insofern komplizierter, als die Frage nach der *Einheitlichkeit von Kap. 16* miteinbezogen werden muß. Schmithals versteht 16 13 als Fortsetzung von 15 58: »Uns wäre also in I 15,58 + 16,13–24 der Schluß des Briefes A erhalten, während der Brief B nur bis zur abschließenden Beantwortung des Gemeindebriefes (περὶ δὲ ᾿Απολλῶ 16,12) überliefert worden ist.«[114] Tatsächlich stehen die Verse 16 13.14 ziemlich unvermittelt zwischen den Personalien der vv. 12.15–18. Geht man andererseits von einer Abfolge 15 58 16 13f.15–18 aus, so wird sich kaum ein Grund finden lassen, warum ein Redaktor diese Sequenz so unsachgemäß zerstört haben sollte bzw. warum er bei einer möglichen Einfügung von 16 1–12 nicht wenigstens 16 13f. bei 15 58 hätte stehen lassen sollen.

(2) Rein literarisch gibt es also kaum einen überzeugenden Grund, 1 Kor 15 aus seinem jetzigen Kontext zu entfernen. Es müßten schon *sachliche Gründe* hinzukommen. Schmithals gibt im wesentlichen zwei an, die dann auch Schenk übernimmt:[115]

a) »In 9,1 ff muß Pls seinen Apostolat schon unter Selbstempfehlung gegen Angriffe aus Kor. verteidigen, während er sich in 15,9 noch ganz harmlos den ἐλάχιστος τῶν ἀποστόλων nennt. Es ist nicht denkbar, daß Pls zur gleichen Zeit, in der er I,9 schreibt, feststellt, er sei nicht ἱκανὸς καλεῖσθαι ἀπόστολος, also gerade das, was man ihm in Kor. vorwirft.« Nun wurde oben (3.2[3]) schon angedeutet, daß die Verteidigung des Paulus in 1 Kor 9 (im Vergleich zu 2 Kor) noch ziemlich zurückhaltend ausfällt. Im übrigen ist zu beachten, daß die Argumentationsstrategie in bezug auf das Apostolat in Kap. 9 und 15 relativ ähnlich ist: Trotz ἐξουσία-Verzicht (9) bzw. Ungeeignetheit (15) hält Paulus hier wie dort daran fest, daß er Apostel *ist* (9 1 15 10), und gibt als Grund dafür die Erscheinung des Herrn an (9 1 15 8), die ihn hier wie dort an die Seite der »übrigen Apostel« stellt (9 5 15 5.7)[116].

b) »Auch erklärt sich das Mißverständnis mit der Totenauferstehung nur . . ., wenn das vorsichtige ἀκούω von I 11,18 auch für die Informationen

---

[111] Schenke-Fischer, a. a. O. 93; vgl. Schenk, a. a. O. 225.

[112] Selbst bei einer evtl. Umstellung von Kap. 13 und 14 (s. o. 3. 4) bleibt der Übergang von 13 13 zu 16 1ff (Schenk, a. a. O. 226: »ein guter Anschluß«) noch reichlich formal.

[113] Vgl. Schenk, a. a. O. 229. Abrupt ist der Übergang zu 15 1 übrigens immer, ob man nun 11 34 (Schmithals, Gnosis 85; Schenk, a. a. O. 229) oder 10 22 (Schmithals, Kor 285) oder 14 40 vorausgehen läßt.

[114] Schmithals, Gnosis 87; vgl. ders., Kor 276; Schenk, a. a. O. 224.

[115] Schmithals, Gnosis 86; Schenk, a. a. O. 224.

[116] Vgl. dazu auch Lüdemann, Paulus (Anm. 79) 105–118.

gilt, die Pls in I 15 zugrunde legt, nicht aber, wenn er bereits Brief und offizielle Gesandtschaft aus Kor. empfangen hat.« Jedoch setzt die Behauptung vom paulinischen Mißverständnis bereits eine bestimmte Interpretation der korinthischen These in 15 12b voraus, die keineswegs zwingend ist. Doch ganz abgesehen davon und das Mißverständnis vorausgesetzt, läßt sich daraus kein literarkritisches Kriterium gewinnen[117]. Vor allem ist es eine reine Suggestion, wenn Schmithals »Brief und offizielle Gesandtschaft aus Kor.«, die er erst für den Antwortbrief (B bzw. C) voraussetzt, als bessere Informationsquelle ausgibt als Stephanas, der bei Abfassung von Kap. 15 (A bzw. B) nach der These von Schmithals ja zugegen sein muß (1 Kor 15 gehört mit 16 13–24 zusammen!). Hat Stephanas mißliebige Dinge verschwiegen? Aber dies könnte man ebensogut dem Brief oder der Gesandtschaft aus Korinth unterstellen! So läßt sich auch sachlich kein überzeugender Grund finden, 1 Kor 15 literarkritisch aus seinem jetzigen Kontext zu eliminieren.

3.6 Resümee

Insgesamt kann festgehalten werden: Die Gründe, die für eine literarkritische Aufteilung von 1 Kor 7–16 aufgeführt werden, sind zum Teil nicht stichhaltig, zum Teil zu hypothetisch, um wirklich überzeugen zu können, in keinem Fall aber – und dies gilt auch für das ganze Bündel der Gründe insgesamt – zwingend. Da sich außerdem an einer Reihe von sog. literarischen Bruchstellen eine übergreifende semantische oder pragmatische Kohärenz positiv aufzeigen läßt, kann eine literarkritische Teilung von 1 Kor 7–16 kaum aufrechterhalten werden. Da aber auch für 1 Kor 1–4 eine Abkoppelung von den Kap. 7–16 nicht plausibel gemacht werden kann (s. o. 1/2) wird man daran festhalten müssen, daß 1 Kor 1–4 ... 7–16 einen kohärenten Brieftext darstellen. Damit können wir uns den noch ausstehenden Kap. 5 und 6 zuwenden.

4. *1 Kor 5 und 6*

(1) Grundlegend für die Literarkritik an den Kap. 5 und 6 sind zwei Beobachtungen, die bereits bei *Weiß* zu finden sind:

a) Will man 5 9f. nicht mit den Vätern (Chrysostomus, Theodoret) auf die vorausgehenden Ausführungen beziehen und hält man an der kanonischen Überlieferung von nur zwei Korintherbriefen fest, so ergibt sich der ärgerliche Befund, daß der in 5 9f. erwähnte Brief verlorengegangen sein muß. Ein ähnlicher Fall ergibt sich aus 2 Kor 2 3f.9. »Sollte man nicht wenigstens den Versuch machen, durch eine Zerlegung die 4 Briefe des P. an die Korr. wiederzugewinnen?«[118]

---

[117] Zu ἀκούω 11 18 siehe auch oben 3.3(2).
[118] Weiß, a.a.O. XLI.

b) Darüber hinaus sieht Weiß Spannungen innerhalb der beiden Kap. 5 und 6. Störend wirke besonders 6 12-20, das man »unmittelbar hinter Kap. 5 erwarten könnte«; außerdem wichen »Stimmung und Gedankenform« von 6 12-20 »erheblich von 5 1-6 11 ab.«[119] Schließlich stellt Weiß eine Reihe von Beziehungen zwischen 6 12-20 und 10 1-22 fest, so daß er 6 12-20 nach 10 1-22 einordnen und dem Brief A zurechnen möchte.

Diese »klassische« Hypothese wurde in der Folge öfter wiederholt, meist mit der Umstellung von 6 12-20 vor 9 24-10 22[120]. Eigens zu erwähnen ist die Variante von *Schmithals* (Gnosis), der zusätzlich 2 Kor 6 14-7 1 zu Brief A rechnet und 5 9 konkret auf 2 Kor 6 17 bezieht[121]. Auch *Schenk* hält 2 Kor 6 14-7 1 für ein »Fragment des Vorbriefs«, bestreitet aber, daß 5 9 auf dieses Stück anspiele[122]. Das eigentlich Neue an der Hypothese Schenks ist jedoch, daß er die Einheit von 5 1-6 11 ablehnt und einer Erwägung Bornkamms[123] folgend 6 1-11 dem Vorbrief (A) zuweist; dabei sei 6 9f. zwar »nicht direkt die 5 9 gemeinte Stelle«, wohl aber handle es sich bei 5 9f.11 um eine verkürzte paränetische Wiederaufnahme von 6 9f.[124]. Letztlich rechnet Schenk dann damit, »daß die eigentlich 5 9 gemeinte Stelle im Anschluß an 6 11 gestanden hat und der Redaktor sie, weil sie nun korrigiert war, nicht der Aufnahme für wert erachtete.«[125] Im Anschluß an Schenk gab dann auch *Schmithals* (Kor) die Einheit von 5 1-6 11 auf und rechnete 6 1-11 dem Vorbrief (nach Schmithals: B) zu[126]. Im übrigen blieb er, wenn man von den beiden neu hinzugekommenen Briefen A und D absieht, bei seinem bisherigen Vorschlag. Einen neuen Gesichtspunkt brachte schließlich *Suhl* ins Spiel, indem er die Einheitlichkeit von 5 1-13 in Frage stellte. Konkret ordnete er 5 1-8 dem Brief A und 5 9-13 dem Brief B zu[127], wobei »5,9–13 . . . u.a. auch gerade auf 5,1–8 Bezug nehmen (dürfte).«[128]

(2) Dieser kurze forschungsgeschichtliche Überblick läßt die größte Schwierigkeit aller literarkritischen Hypothesen zu 1 Kor 5 und 6 deutlich hervortreten: *Auf welchen Text bezieht sich 5 9f.?*

a) Nahezu mit Sicherheit als Bezugstext auszuschließen ist *2 Kor 6 14–7 1*[129], speziell *6 17*: »2. Kor. 6,17 handelt unmißverständlich vom Umgang mit Nichtchristen. 1. Kor. 5,9 dagegen sagt Paulus, er habe an

---

[119] A.a.O. 156.

[120] Vgl. Dinkler, Schenke-Fischer.

[121] Schmithals, Gnosis 88.

[122] Schenk, a.a.O. 222f.

[123] Bornkamm, Vorgeschichte (Anm. 1) 189 Anm. 131.

[124] Schenk, a.a.O. 229f (Zitat: 230).

[125] A.a.O. 234.

[126] Schmithals, Kor 279f.

[127] Suhl, a.a.O. 206–208. Der Vorteil der Suhlschen Hypothese liegt darin, daß er »mit keinerlei Umstellungen der ineinandergearbeiteten Briefe« zu rechnen braucht (a.a.O. 207).

[128] A.a.O. 210 Anm. 38.

[129] Auf die Frage der Authentizität von 2 Kor 6 14-7 1 muß hier nicht eingegangen werden. Vgl. bes. J. Gnilka, 2 Kor 6,14–7,1 im Lichte der Qumranschriften und der Zwölf-Patriarchen-Testamente, in: J.Blinzler u.a. (Hrsg.), Neutestamentliche Aufsätze. FS J.Schmid, Regensburg 1963, 86–99; weitere Autoren bei Kümmel, Einleitung (Anm. 4) 249 Anm. 15. Zur Verteidigung der Echtheit s. Schenk, a.a.O. 222f; vgl. Suhl, a.a.O. 210 Anm. 39.

das Zusammenleben mit Sündern in der Gemeinde gedacht. So töricht können die Korinther nicht gewesen sein, daß sie die eindeutigen Worte von 2. Kor. 6,14ff. mißverstanden hätten.«[130] Schenk hält diesen Einwand für »gerechtfertigt«, versucht ihm aber dadurch zu entgehen, daß er 2 Kor 6 14−7 1 »auf innergemeindliche Kontroversen und nicht auf die Heiden beziehen« will[131]. Doch widerspricht dies m.E. ganz eindeutig dem Aussagegehalt von 2 Kor 6 14−7 1[132].

b) Auch *6 12−20* liefert keinen passenden Bezugstext für 5 9f. Denn das allgemeine Verbot, sich mit Unzüchtigen einzulassen, wird von 6 12−20, wo es speziell um die Unzucht mit Dirnen geht, nicht gedeckt[133]. Aus 6 12−20 läßt sich kaum das 5 9f. vorausgesetzte Mißverständnis ableiten und aus der konkreten Art seiner Korrektur in 5 9f. läßt sich erst recht nicht auf 6 12−20 zurückschließen.

c) Schon eher könnte man vermuten, daß *6 9f.* die von 5 9f. gemeinte Stelle sei. Doch auch hier fehlt, wie Schenk zu Recht feststellt, »eine direkte Warnung μὴ συναναμίγνυσθαι«[134]. Seine Folgerung, daß »6 9f. nicht direkt die 5 9 gemeinte Stelle« sein könne, ist konsequent[135]. Seine weitere Folgerung, daß die Bezugsstelle von 5 9 nach 6 11 gestanden habe und dann vom Redaktor ausgelassen wurde, zeigt jedoch mit aller nur wünschenswerten Klarheit die Fragwürdigkeit des Unternehmens, von 5 9f. her den sog. Vorbrief zu eruieren.

d) Schließlich bleibt auch der an sich ansprechende Vorschlag Suhls nicht ohne Probleme. So wird man nur schwer erklären können, wie aus 5 1−8 die in 5 9−13 abgewehrte »Unterstellung« entstehen kann, Paulus habe »zu einer utopischen radikalen Trennung von der Welt aufgefordert«; gerade 5 1−8 bedarf kaum der Klarstellung, »daß ... nur eine Trennung vom sündigen Bruder innerhalb der Gemeinde gemeint war.«[136] Man müßte dann schon annehmen, daß das Mißverständnis aus der Kombination von 2 Kor 6 14−7 1 + 1 Kor 5 1−8 entstanden sei. Damit handelt man sich aber wiederum die Schwierigkeit ein, erklären zu müssen, warum ein Redaktor 2 Kor 6 14−7 1 abgetrennt und in 2 Kor ver-

---

[130] G. Friedrich, Christus, Einheit und Norm der Christen. Das Grundmotiv des 1. Korintherbriefs: KuD 9 (1963) 235−258, hier 235.

[131] Schenk, a.a.O. 222.

[132] Daß »auch II 6,17 *gemeint*« sein soll, daß man sich »von vermeintlichen Brüdern, die heidnisch leben, ... lösen (soll)« (so in 5 9ff), kann schwerlich überzeugen: gegen Schmithals, Gnosis 317f; vgl. ders., Kor 283f.

[133] Vgl. Weiß, a.a.O. 138f, zu 5 9.

[134] Schenk, a.a.O. 230.

[135] Ebd.; vgl. Schmithals, Kor 280 Anm. 50.

[136] Suhl, a.a.O. 209. Bestenfalls die allgemeineren Ausführungen der vv. 6−8 könnten dem genannten Mißverständnis Vorschub leisten; dagegen spricht allerdings wieder die enge Verbindung (v. 6a!) zum konkreten Fall der vv. 1−5.

setzt haben soll[137]. Alle anderen Stellen aus dem von Suhl postulierten Brief A (bes. 10 1–22) kommen für die Entstehung des Mißverständnisses nicht in Frage, da die Kap. 7–16 nach unserer bisherigen Untersuchung eine Einheit bilden.

Abschließend noch eine Bemerkung zu *2 Kor 6 14–7 1*, das in mehreren Hypothesen als Element des sog. Vorbriefs auftaucht: Zu dem eben genannten Problem kommt nämlich noch ein weiteres hinzu. Wenn ich recht sehe, müssen alle, die 2 Kor 6 14–7 1 in ihre literar-kritische Hypothese einbeziehen, mit einer *einheitlichen Redaktion* der *beiden* Korinther-briefe rechnen. Dies aber ist keineswegs sicher und widerspricht zumindest einer Beobach-tung Bornkamms, wonach I Clem, Ign und Polyk »keine Bekanntschaft mit dem 2. Korin-therbrief (zeigen), sehr im Unterschied zum 1. Korintherbrief«.[138] Bornkamm vermutet daher, »daß unser 2. Korintherbrief erst nach der Verbreitung unseres 1. Korintherbriefes zusammengestellt worden ist«[139]. Wenn dies richtig ist und vorausgesetzt, 1 Kor sei eine Kompilation mehrerer Briefe, müßte es wenigstens zwei Redaktionen gegeben haben. Dann aber ist die kanonische Plazierung von 2 Kor 6 14–7 1 noch weniger plausibel zu machen, da das Stück den einschlägigen Hypothesen zufolge ursprünglich immer in einer Sequenz mit Texten aus 1 Kor bzw. nie in einer Sequenz mit Texten aus 2 Kor gestanden hat.

Es scheint, daß jeder Versuch, den Bezugstext von 5 9f. zu finden, mehr Probleme schafft, als er ausräumt. Man wird sich daher wohl damit bescheiden müssen, daß die Frage des sog. Vorbriefs nicht mehr zu beant-worten ist; vielleicht wird man sich sogar damit abfinden müssen, daß der Vorbrief verlorengegangen ist.

(3) *Weitere Argumente* gegen eine Aufteilung von 1 Kor 5 und 6 ergeben sich u. a. aus dem bisherigen Gang der Untersuchung. Daß bei-spielsweise 6 12–20 zwischen 10 1–22 und 9 24–27 (Weiß) oder vor 9 24–10 22 (Schmithals, Dinkler, Schenke-Fischer) oder danach (Schenk) gestanden habe, ist ausgeschlossen, wenn 8 1–11 1 einen kohärenten Text bildet (s. o. 3.1/2). Daß sich 5 1–13 kaum an 6 12–20 angeschlossen haben kann, hat bereits Schmithals betont[140].

Nicht zu bestreiten ist, daß die thematische Kohärenz von *5 1–13 und 6 1–11* relativ gering ist. Dennoch ist eine Trennung der beiden Stücke (Schenk, Schmithals) nicht unbedingt überzeugend, da es in Brieftexten durchaus unvermittelte Themaübergänge geben kann (vgl. 1 Kor 7–16!). Im übrigen spricht der Themawechsel im konkreten Fall von 5 1–13 6 1–11 und unter Berücksichtigung des Folgetextes 6 12–20 eher gegen eine literarkritische Operation, welche die redaktionsgeschichtlich schwer zu beantwortende Frage aufwirft, warum ein Redaktor – vorausgesetzt, 5 1–13 6 1–11 sei ihm nicht als Textsequenz vorgegeben – nicht 5 1–13

Daß sich 2 Kor 6 14–7 1 »nicht unterbringen« ließ (Suhl, a. a. O. 210), ist nicht ein-sichtig.
138 Bornkamm, Vorgeschichte (Anm. 1) 188.
139 Ebd. 189.
140 Schmithals, Kor 272 Anm. 31 (gegen Schenk).

und 6 12–20 miteinander verbunden hat. Auf die Probleme einer Abtrennung von 5 1–8 von 5 9–13 6 1–20 (Suhl) wurde bereits hingewiesen. Man wird daher – konform mit der »klassischen« Hypothese von Weiß – an der Einheitlichkeit von 5 1–13 6 1–11 festhalten, zumal sich eine gewisse Kohärenz dieses Abschnittes unter pragmatischer Rücksicht durchaus begründen läßt.

In diesem Zusammenhang ist hinwiederum die von Weiß postulierte Abtrennung von *6 12–20* zurückzuweisen. Die festgestellte Differenz zu 5 1–6 11 (in »Stimmung und Gedankenform«) resultiert aus der Unterschiedlichkeit der Gegenstände. In 5 1–13 und 6 1–11 behandelt Paulus bestimmte konkrete casus, die wohl deswegen auch vorwegstehen (pragmatische Kohärenz). Hier gibt er klare Anweisungen und spricht eine dekretierende Sprache (vgl. 5 9–11 6 9f.); es handelt sich also, wenn man so will, um ein »Stück Kirchenzucht«[141]. In 6 12–20 hingegen geht es nicht um einen bestimmten Einzelfall, sondern um ein grundsätzliches Verhalten. Mit dem Schlagwort πάντα μοι ἔξεστιν hatte eine Gruppe in Korinth den Verkehr mit Dirnen als grundsätzlich indifferent dargestellt. Einem solchen »Prinzip« gegenüber hilft kein Dekretieren; hier muß Paulus argumentieren, zumal das Schlagwort auch die traditionelle »Kirchenzucht« in Form von Lasterkatalogen (vgl. 5 10f. 6 9f.) insofern unterlaufen würde, als seine Anhänger ihren Verkehr mit Dirnen wohl kaum als »Unzucht« im Sinne der Lasterkataloge bewertet haben würden.

Damit kann *zusammengefaßt* werden: Triftige Gründe für ein totales oder partielles Ausscheiden der Kap. 5 und 6 aus 1 Kor lassen sich nicht angeben. Zur Klärung des in 5 9f. erwähnten »Vorbriefs« tragen 6 1–11 und 6 12–20 kaum etwas bei; die Zuweisung von 5 1–8 bleibt problematisch. Die Verbindung der beiden Kapitel mit dem übrigen Brief ist locker. Doch dürfte dies im wesentlichen durch die unterschiedlichen Gegenstände bzw. Probleme bedingt sein. Die Stellung von 1 Kor 5 und 6 nach Kap. 1–4 und vor dem Teil, der überwiegend auf Fragen der Korinther eingeht, ist um so weniger verwunderlich, wenn Paulus in der Regel »zuerst die von *ihm* bestimmten Themen behandelt und dann bis zum Briefschluß die Anfragen aus der angeschriebenen Gemeinde beantwortet.«[142]

---

[141] Weiß, a.a.O. 156.
[142] Schmithals, Kor 272.

13. Die Weisheit Gottes und die Weisheit der Welt
(1Kor 1,21)

Zur Möglichkeit und Hermeneutik einer „natürlichen Theologie"
nach Paulus

Es ist Grundbestand heutiger theologischer Ethik, Glaube und Vernunft nicht gegeneinander auszuspielen, sondern aufeinander zu beziehen. Wesentliche Voraussetzung dafür ist die Möglichkeit einer *theologia naturalis*, einer „natürlichen Theologie", wie sie z. B. von *Augustinus* und *Thomas von Aquin* ganz selbstverständlich vertreten wurde. Als klassische Belegstelle diente seit Thomas meist Röm 1,19f (vgl. 2,14f). Einer derartigen Inanspruchnahme dieser Stelle wurde von KARL BARTH und der dialektischen Theologie heftig widersprochen[1]. Tatsächlich könnte man bei Paulus – ganz unabhängig von Röm 1,19f; 2,14f – noch auf andere Stellen verweisen, wonach eine „natürliche Theologie" eher ausgeschlossen zu sein scheint. Die deutlichste Aussage findet sich wohl in 1Kor 1,21. Ihr soll im folgenden etwas näher nachgegangen werden. |

1. Zur Semantik von 1Kor 1,18–25

Zunächst ist ein Wort zur Semantik des Kontextes zu sagen, in den unser Vers eingebettet ist. 1Kor 1,18–25 ist sehr stark von Oppositionen geprägt, deren korrekte Bestimmung im wesentlichen über die Auslegung entscheidet. Die wichtigsten Oppositionen sind: „Weisheit" versus „Torheit" und „Gott" versus „Welt". Bei letzterer handelt es sich im Sinne der paulinischen Argumentation um eine *kontradiktorische Opposition*: der eine Begriff ist inhaltlich die Negation des anderen, d. h., „Gott" definiert sich als „Nicht-Welt" (als nicht-geschaffen, un-endlich, usw.), während sich die „Welt" als Nicht-Gott" (als nicht-ungeschaffen, d. h. als geschaffen, endlich, usw.) definiert. Die andere Opposition ist nicht so einfach zu bestimmen. Geht man mit den Mitteln der gebräuchlichen Semantik an sie heran, dann handelt es sich bei „Weisheit" versus „Torheit" entweder um eine konträre oder eine

---

[1] Vgl. dazu: U. WILCKENS, *Der Brief an die Römer I*, Zürich-Einsiedeln-Neukirchen 1978, S. 117–121.

subkonträre Opposition, je nachdem, ob auf göttlicher oder menschlicher Ebene gegenübergestellt wird. „Weisheit" versus „Torheit" in bezug auf „*Gott*" stellt eine *konträre Opposition* dar, d. h. von Gott kann nicht zugleich Weisheit *und* Torheit *ausgesagt* werden; als unendliches Wesen ist Gott entweder unendlich weise *oder* unendlich töricht. „Weisheit" versus „Torheit" in bezug auf den *Menschen* stellt eine *subkonträre Opposition* dar, d. h., vom Menschen kann nicht zugleich Weisheit *und* Torheit *negiert* werden; der Mensch kann nicht zugleich nicht-weise und nicht-töricht sein, wohl aber kann er als endliches Wesen – ganz im Gegensatz zu Gott – zugleich (begrenzt) weise *und* (begrenzt) töricht sein.

Die Besonderheit der Semantik von 1Kor 1,18–25 besteht darin, daß alle konträren und subkonträren Oppositionen dahinfallen bzw. ineinander aufgehoben sind: Von Gott wird zugleich Weisheit (VV. 21a. 24b) und Torheit (V. 25a; vgl. V. 21b), zugleich Kraft (VV. 18a. 24b) und Schwachheit (V. 25b) ausgesagt. Und von der menschlichen Weisheit heißt es ausdrücklich, daß Gott sie zu Torheit gemacht hat (V. 20b). Dies bedeutet, daß das „*Wort vom Kreuz*" (V. 18) nicht den Regeln der üblichen Seman-|tik folgt, nach der „Weisheit" und „Torheit" die qualitas einer semantischen Achse ist, die man als „Urteilsvermögen", „Einsichtsvermögen" oder auch „Ordnungsvermögen" (sapientis est ordinare: Thomas von Aquin) benennen könnte. Das „Wort vom Kreuz" schafft vielmehr seine eigene Semantik. Der Weisheit des Kreuzes kann man nicht durch eine qualitative Verbesserung des Urteils-, Einsichts- oder Ordnungsvermögens näherkommen, also durch ein weniger an (menschlicher) Torheit und ein mehr an (menschlicher) Weisheit. Das „Wort vom Kreuz" ist geradezu die Krisis der menschlichen Weisheit, indem es das Urteilsvermögen und die Einsicht als Kriterien der Gotteserkenntnis zerschlägt. Alle vom Menschen aufgestellten Kriterien können Gott gegenüber nicht greifen, weil Gott der ganz Andere ist (vgl. die kontradiktorische Opposition von „Gott" versus „Welt"). Ihm kann der Mensch, wenn überhaupt, nur zu den Bedingungen *Gottes* näherkommen, also nicht durch eigene Weisheit und auch nicht mit Hilfe menschlicher Kriterien, sondern allein durch das Handeln Gottes, das der Mensch annehmen oder ablehnen kann. Das „Wort vom Kreuz" etabliert seine eigene Kriteriologie; es besitzt seine eigene semantische Achse, die nicht „Urteilsvermögen" etc., sondern „Krisis" bzw. „Entscheidung" heißt, und konstituiert seine eigenen Oppositionen, die nicht (sub-)konträr zwischen „Weisheit" und „Torheit", sondern kontradiktorisch zwischen „Glauben" und „Nicht-Glauben" verlaufen.

Die Botschaft (message), die Paulus in der konkreten Situation vermitteln will, wird allmählich deutlich: Die Korinther laufen Gefahr, Gott bzw. Christus zu verfehlen, weil sie das Kerygma mit menschlicher Kriteriologie – „mit Weisheit des Wortes" (ἐν σοφίᾳ λόγου: 1Kor 1,17) – erfassen wollen, anstatt sich dem „Wort (λόγος) vom Kreuz" und seiner Logik zu beugen. Doch kann auf die konkrete Problematik (Pragmatik), die hinter dem Text steht, im folgenden nicht näher eingegangen werden. Statt dessen konzentrieren wir uns auf die Aussage des für unsere Fragestellung bedeutsamen V. 21 vor dem Hintergrund der allgemeinen Semantik von 1Kor 1,18–25. |

2. Philologische Probleme von 1Kor 1,21

Die Auslegung des V. 21 stellt zunächst vor einige philologische Probleme, die mit der Übersetzung und Verhältnisbestimmung der beiden Präpositionalwendungen in V. 21a – *ἐν τῇ σοφίᾳ τοῦ θεοῦ* und *διὰ τῆς σοφίας* – gegeben sind. Ist bei der zweiten Wendung noch relativ klar, daß hier im weiteren Sinn ein instrumentales Verständnis vorliegt und somit ein Erkennen Gottes „durch, mittels bzw. auf dem Wege der Weisheit"[2] ausgeschlossen sein soll, so ist der Sinn der ersten Wendung weitaus schwieriger zu bestimmen, nicht zuletzt wegen der Mehrdeutigkeit der Präposition *ἐν*. Ein *instrumentales* Verständnis von *ἐν*[3] kommt wohl schon wegen der dann gegebenen Synonymität mit der *διά*-Wendung kaum in Frage. Versteht man *ἐν temporal* (in Analogie zu Röm 3,26), dann wäre die ganze Wendung mit „während der Zeit der Weisheit Gottes" zu übersetzen[4]. Ein derartiges heilsgeschichtliches Verständnis ist aber nur schwer mit dem Kontext zu vereinbaren: V. 21b (*εὐδόκησεν*) könnte dann ja nur bedeuten, daß die Periode der Weisheit Gottes jetzt durch eine andere, nämlich die Periode der Kreuzespredigt abgelöst ist. Dagegen spricht aber, daß in V. 24 gerade der Gekreuzigte als „Weisheit Gottes" bezeichnet wird. Großer Beliebtheit erfreut sich heute die *lokale* Deutung („inmitten"), die zuerst von H. SCHLIER[5] vorgetragen wurde und der dann auch G. BORNKAMM, U. WILCKENS u. a. gefolgt sind. Die „Weisheit" ist demnach als der Existenzraum der Welt zu denken. Offen bleibt dann freilich immer noch die Frage nach dem inhaltlichen Verständnis der „Weisheit", besonders innerhalb der *διά*-Wendung. U. WILCKENS meint zu diesem Problem: „Paulus setzt hier nicht zwei Weisheiten, eine objektive und eine subjektive, eine göttliche und eine | menschliche, sondern er setzt zwei Funktionen der einen *σοφία τοῦ θεοῦ* nebeneinander. Die eine ‚Weisheit Gottes' ist 1. der Existenzraum derer, die ‚in ihr' existieren, und 2. zugleich das Erkenntnismittel, durch das man Gott erkennen kann."[6] Gerade das letztere kann aber kaum überzeugen; Paulus kann doch schwerlich sagen wollen, man könne mit dem Erkenntnismittel der göttlichen Weisheit Gott nicht erkennen. Sachgerechter ist daher der Vorschlag K. BARTHS, der *διά τῆς σοφίας* mit „in Anwendung ihrer eigenen vermeintlichen

---

[2] Vgl. F. BLASS/A. DEBRUNNER, *Grammatik des neutestamentlichen Griechisch*, Göttingen [15]1979, § 223.

[3] Vgl. A. SCHLATTER, *Paulus – Der Bote Jesu*, Stuttgart [3]1962, S. 87.

[4] VGL. H. LIETZMANN/W. G. KÜMMEL, *An die Korinther I/II*, Tübingen [4]1949, z. St.

[5] H. SCHLIER, *Von den Heiden*. Röm 1,18–32, in: Evangelische Theologie 5 (1938) S. 113–134, hier 117.

[6] U. WILCKENS, *Weisheit und Torheit*, Tübingen 1959, S. 34.

Weisheit" verdeutlicht[7]. Dieses Verständnis paßt auch besser zu V.20, wonach „die Weisheit der Welt" von Gott „zu Torheit gemacht" wurde. Mit einer solchen (in den Augen Gottes törichten) Weisheit kann man in der Tat Gott nicht erkennen. Wenn dies richtig ist, legt sich eine vierte Verständnismöglichkeit nahe, die die *Präposition ἐν stärker mit dem Verbum verbindet.* γινώσκειν ἐν begegnet auch sonst im Neuen Testament (Lk 24,35; Joh 13,35; 1Joh 2,3.5; 3,16.19.24; 4,2.13; 5,2); mit *ἐν* ist dann der Erkenntnisgrund angegeben, also das, *woran* man etwas erkennt[8]. „Die *σοφία τ. ϑεοῦ* (in der Schöpfung) ist das Gebiet, auf dem die *σοφία* der Menschen sich hätte betätigen sollen. Dies Wortspiel erklärt sich begriffsgeschichtlich aus dem Sprachgebrauch der Weisheitsbücher, wo *σοφία bald* die göttliche Eigenschaft oder Betätigung (oder auch ein Mittelwesen oder eine Weltkraft), *bald* ein Besitz, eine Befähigung, ein Bestreben der Menschen ist."[9] Sinngemäß macht V. 21 demnach folgende Aussage: Da die Welt Gott an seiner Weisheit (wie sie z. B. in der Schöpfung zutage tritt) mit Hilfe dessen, was sie – die Welt – als Weisheit ansah, nicht erkannte, beschloß Gott, durch die Verkündigung (des gekreuzigten Christus), die in den Augen der Welt nur Torheit sein kann, die Glaubenden zu retten. |

3. Zur Interpretation von 1Kor 1,21

ἐπειδὴ γὰρ Denn da	
ἐν τῇ σοφίᾳ τοῦ ϑεοῦ an der Weisheit Gottes	
οὐκ ἔγνω nicht erkannte	*σῶσαι* zu retten.
ὁ κόσμος die Welt	*τοὺς πιστεύοντας* die Glaubenden
διὰ τῆς σοφίας durch die Weisheit	*διὰ τῆς μωρίας τοῦ κηρύγματος* durch die Torheit der Verkündigung
τὸν ϑεόν, Gott (Obj.),	*ὁ ϑεὸς* Gott (Subj.)
	εὐδόκησεν beschloß

V. 21a und V. 21b stehen sich streng antithetisch gegenüber. Grammatisch ist bemerkenswert, daß das Objekt von V. 21a – „Gott" – in V. 21b zum

---

[7] K. BARTH, *Kirchliche Dogmatik II/1*, Zürich ³1948, S. 490.

[8] So schon: J. WEISS, *Der erste Korintherbrief*, Göttingen 1910, z. St.; vgl. KÜMMEL, a. a. O., z. St.

[9] WEISS, ebd.

Subjekt wird. Dies ist nicht ohne Einfluß auf die Semantik der konkreten
Oppositionen, so daß der „Welt" die „Glaubenden", dem „nicht erkennen"
das „retten" und dem Medium der „Weisheit" das der „Torheit der Verkündigung" gegenübersteht.

In *V. 21a* ist gesagt, daß die Welt Gott nicht erkannte, und zwar nicht »an
der Weisheit Gottes« und nicht »durch die Weisheit«. Mit dem letzteren kann
im Sinne des Kontextes nur die weltliche bzw. menschliche Weisheit gemeint sein (1,20; vgl. 1,25; 2,13; 3,3.19.21). Für die „Weisheit Gottes" wird
übereinstimmend auf die Schöpfung verwiesen; doch dürfte speziell für den
Juden, dessen Auffassung Paulus nach den VV. 22–24 mitreflektiert, auch
der Gedanke an die Tora eingeschlossen sein. Sucht man | nach einem au-
thentischen Kommentar der Aussage von V. 21a, so ist auf Röm 1,18–3,20
zu verweisen. Was im Römerbrief mehr unter dem Aspekt des ethischen
Versagens – Juden wie Heiden haben das Gesetz nicht getan – ausgedrückt
ist, wird in V. 21a stärker unter dem Aspekt des kognitiven Versagens ins
Auge gefaßt. Doch sind beide Aspekte nur die verschiedenen Seiten ein und
derselben Sache, da »Erkennen« nach biblischem Verständnis nicht denkbar
ist ohne die ethische Komponente des „Anerkennens".

Warum hat die Welt Gott an seiner Weisheit nicht erkannt? Im Sinne des
Textes kann die Antwort nur lauten: Weil sie ihn διὰ σοφίας, d. h. mit Hilfe
weltlicher bzw. menschlicher Weisheit, zu erkennen suchte. Die Weisheit
Gottes mit Hilfe weltlich-menschlicher Weisheit ergründen zu wollen, führt
letztlich zu einer rein weltlichen Definition Gottes. Die Welt und ihre
Weisheit werden zum Maßstab Gottes und seiner Weisheit. Das Anderssein
Gottes wird außer acht gelassen. Natürlich wußte auch der heidnische
Philosoph und der jüdische Schriftgelehrte, daß göttliche und menschliche
Weisheit nie zur Deckung zu bringen sind, und zumindest der Jude wußte,
daß wahre Gotteserkenntnis immer nur *Gabe* Gottes ist. An diesem Punkt
wird deutlich, daß das Urteil von V. 21a nicht einfach der Empirie entnom-
men ist. Es ist vielmehr ein Urteil, das bereits das Kreuz Christi voraussetzt.
Das Wort vom Kreuz deckt überhaupt erst auf, was „Weisheit Gottes" ist,
und zwar nun ganz ohne Zweifel eine „Weisheit Gottes" nicht nach dem
Geschmack und der Definition der Menschen, sondern nach der Definition
Gottes selbst. Seit Paulus den am Kreuz Gestorbenen und damit Verfluchten
(vgl. Gal 3,13) als Sohn Gottes bekennen muß (Gal 1,12.15 f), muß er den
„gekreuzigten Christus" (V. 23; vgl. 1Kor 2,2) als die authentische Definition göttlicher Offenbarung und die „Torheit der Verkündigung" als die
authentische Form der „Weisheit Gottes" anerkennen. Da aber, wie wir aus
den VV. 22–24 erfahren, die Griechen auf menschliche „Weisheit" aus sind
und (deshalb) die Botschaft vom Gekreuzigten nur als „Torheit" bezeichnen
können, lassen sie offenbar werden, daß sie Gottes Weisheit nicht | erkannt
haben, weil sie eben nicht bereit sind, sich von *Gott* sagen zu lassen, was
„Gottes Weisheit" ist. Das gleiche gilt für die Juden: Da sie im Gekreuzigten
nur den Fluch und nicht die Weisheit Gottes sehen wollen, entlarven sie sich

selbst; sie legen Gott auf ihre Bedingungen fest, indem sie „Zeichen" verlangen, anstatt bereit zu sein, sich Gott als dem ganz Anderen und seiner Setzung von Weisheit zu unterwerfen. So fördert gerade das Kreuz zutage, was schon immer die Welt gekennzeichnet hat: Weil sie die eigene Weisheit zum Maßstab der Weisheit Gottes macht, also letztlich Gott als weltliche Größe definiert, ist sie nicht fähig, Gott zu erkennen: An der Weisheit Gottes hat die Welt Gott durch die Weisheit nicht erkannt (V. 21a)!

V. 21b: An der Weisheit Gottes muß der Mensch also immer scheitern, sofern er ihr mit menschlicher Weisheit begegnet. Es ist geradezu die Tragik menschlicher Gottsuche, daß der Mensch, indem *er* Gott erkennen *will*, im Erkennen Gott verfehlt, weil er Gott fast zwangsläufig zu seinesgleichen macht. Auch an Schöpfung und Tora muß der Mensch scheitern, wenn er sie, die an sich Gabe Gottes sind, zur Festlegung Gottes im Sinne seines eigenen, menschlichen Erkenntnisvermögens benutzt. Menschenweisheit in diesem Verständnis führt nie zu Gott, sondern immer nur in die Welt und das ihr innewohnende Verderben (V. 18). Rettung kann es demnach nur geben, wenn *Gott* die (kontradiktorische) Opposition zwischen Gott und Welt überwindet. Paulus spricht daher ganz bewußt und reflektiert, wenn er „Gott", der in V. 21a noch Objekt war, in V. 21b dezidiert als Subjekt einführt. Wenn es zwischen Gott und Mensch zur Annäherung kommen soll, dann nur, wenn und weil Gott die Initiative ergreift und sich als der ganz Andere zu erkennen gibt. In dieser Weise – als Offenbarung des ganz Anderen, Unverfügbaren – hätte die Welt Schöpfung und Tora annehmen sollen. Da sie dies nicht getan hat, erschließt Gott sein Gottsein in der Paradoxie des Kreuzes. Das Kerygma vom gekreuzigten Christus entspringt nicht menschlichem „Erkennen" (vgl. V. 21a); gerade weil es im Sinne weltlich-menschlicher Weisheit nur „Torheit" sein kann bzw. – nach V. 20 – alle „Weisheit der Welt zu Torheit" macht, | ist es Zeichen des Andersseins Gottes, der darin sein Gottsein zu offenbaren beschlossen hat (εὐδόκησεν ὁ θεός). Pointiert ausgedrückt: Wahre Gotteserkenntnis kommt nicht durch einen Akt des Menschen zustande, sondern durch einen Akt Gottes, der sich als Rettung auswirkt für den, der glaubt. Nach 1Kor 8,2f ist nicht das „Erkennen", sondern das „Erkannt-Werden" das Entscheidende: also nicht das Streben und Wollen des Menschen, sondern das Tun Gottes. Dem entspricht es, daß dem „Nicht-Erkennen" in V. 21a das „Retten" in V. 21b korrespondiert und daß die Rettung „durch die Torheit der Verkündigung" (V. 21b) und nicht „durch (menschliche) Weisheit" (V. 21a) geschieht. Die Rettung verlangt geradezu den Verzicht, Gottes Weisheit auf die Kategorien menschlicher Weisheit festzulegen. Gerettet wird vielmehr, wer die Torheit des Kreuzes, die verkündet wird, als „Kraft Gottes und Weisheit Gottes" annimmt (vgl. V. 24), d. h. glaubt. Ganz bewußt gebraucht Paulus in V. 21b nicht mehr den Begriff „Welt". Denn die rettende Torheit der Verkündigung stellt die Welt vor die Entscheidung bzw. scheidet die Welt in Glaubende und Nicht-Glaubende. Oder noch deutlicher gesagt: Das törichte Wort der Verkündigung *schafft* Glaubende, indem es diese der Welt und ihrem Verderben entreißt und zu σῳζόμενοι, zu solchen, die gerettet werden (vgl. V. 18), macht.

4. Zur Möglichkeit und Hermeneutik einer „natürlichen Theologie"

Im Vorausgehenden wurde die „Weisheit Gottes" von V. 21a, an der die Welt Gott nicht erkannte, als Schöpfung bzw. Tora interpretiert. Nach Auskunft von V. 24 bezeichnet Paulus aber zugleich den „gekreuzigten Christus" (V. 23), durch dessen Verkündigung Gott die Glaubenden zu retten beschlossen hat (V. 21b), als „Weisheit Gottes". Es stellt sich die Frage, wie Schöpfung bzw. Tora und gekreuzigter Christus (Kerygma) sich zueinander verhalten. Zumal im Blick auf die Möglichkeit einer | „natürlichen Theologie" bleibt zu fragen, ob es nach Auffassung des Paulus unabhängig vom Kerygma womöglich überhaupt keine Gotteserkenntnis bzw. – besser gesagt – kein rechtes Gottesverhältnis geben könne.

Nun wird man das Kreuz gewiß nicht einfach als Kontinuum und Verlängerung der Schöpfung ansehen können. Zumindest aus menschlicher Perspektive ist das Kreuz gerade das Gegenteil von Schöpfung, nämlich Vernichtung. Und nach Aussage unseres Textes setzt das Kerygma die einmalige, eschatologische Tat Gottes in Christus voraus (εὐδόκησεν: V. 21 b). Dennoch ist in der Diskontinuität – unter theologischer Rücksicht – die Kontinuität nicht aufgegeben, da Gott, der den gekreuzigten Christus zu glauben ermöglicht, derjenige ist, der die Toten lebendig macht und das, was nicht ist, ins Dasein ruft (vgl. Röm 4,17); das Kreuz markiert demnach zugleich den Beginn der Neuschöpfung und damit die Vollendung der Schöpfung.

Ganz entscheidend für die rechte Zuordnung von Schöpfung und Kreuz ist der Umstand, daß das Urteil von V. 21a kein empirisches Urteil darstellt und auch nicht einfachhin die vorchristliche Zeit als Unheilsgeschichte abqualifiziert. Daß die Welt Gott nicht erkannt hat, will nach Meinung des Paulus nicht besagen, daß vor Christus überhaupt niemand in der Lage war, Gott zu erkennen bzw. anzuerkennen. Paulus weiß, daß bereits vor Christus Menschen im rechten Gottesverhältnis sein konnten, nämlich dort, wo sie eigene Weisheit hintanstellten und sich von Gott sagen ließen, was „Weisheit" ist; anders gesagt: auch vor Christus gab es für Paulus bereits „Glaubende". In Gal 3 f und besonders in Röm 4 kann er Abraham als den Vater der Glaubenden vorstellen. Abraham hat gleichsam den Glauben an den Gekreuzigten als „Weisheit Gottes" vorweggenommen, indem er gegen alle menschliche Erfahrung Gottes Anderssein (und Anderskönnen) in radikalem Gehorsam anerkannte, d. h. glaubte. V. 21a ist daher kein heilsgeschichtliches Urteil über die Zeit vor Christus. Sonst müßte man das Kreuz zur Notlösung degradieren, zur Ultima ratio, die Gott zur Rettung der

Menschen einsetzte, nachdem er mit seiner Schöpfungsweisheit an der |
mangelnden menschlichen Erkenntnisfähigkeit gescheitert war. Welch
grotesker Gedanke! Es ist vielmehr so, daß das Urteil von V. 21a bereits das
Kreuz voraussetzt und aus der Perspektive des Kreuzes gefällt ist. Der
hermeneutische Schlüssel zu V. 21a ist nicht die Empirie und nicht eine
greifbare Unheilsgeschichte, sondern das Kreuz.

Das Kreuz ist nach paulinischer Auffassung der hermeneutische Schlüssel
nicht nur für die Christologie, sondern auch für das Verständnis von Gesetz
und Schöpfung und damit – indirekt – auch für eine „natürliche Theologie".
Der gekreuzigte Christus, der als „Weisheit Gottes" nur zu „glauben" und
nicht mit eigener Einsicht zu begreifen ist, fördert zutage, was „Weisheit
Gottes" ist, schon je immer gewesen ist. Das Kreuz enthüllt auch, ob der
Mensch bereit war oder ist, etwa die Schöpfung (oder die Tora) als Weisheit
Gottes anzuerkennen. Denn im Kreuz wird offenkundig, daß auch die
Schöpfung (oder die Tora) *als* Weisheit Gottes nicht durch menschliche
Weisheit, d. h. nicht durch die dem Menschen *eigene* bzw. von ihm *eigen-
mächtig* gebrauchte Weisheit, erkannt wird. Auch in der Schöpfung (bzw. in
der Tora) wird der Mensch die Weisheit Gottes vielmehr nur erkennen,
wenn er Schöpfung (und Tora) als über sich hinausweisende Zeichen *an*erkennt, d. h. wenn der Mensch im Erkennen den ungeschaffenen Gott nicht
auf die kontingenten Konditionen seiner geschöpflichen Einsicht festlegt,
sondern prinzipiell offen bleibt für das je Anderssein Gottes (und seiner
Weisheit) und bereit ist, sich diesem (bzw. dieser) gehorsam zu unterwerfen.
Man könnte in diesem Zusammenhang von einem impliziten Glauben sprechen.

Die „Welt" in V. 21a ist daher nicht einfachhin mit der Schöpfung identisch. Was „Welt" ist, wird vielmehr ebenfalls erst vom Kreuz her deutlich.
Die Welt definiert sich als Größe, die Gott mit eigener Anstrengung zu
erkennen strebt, aber nicht bereit ist, das totale Anderssein Gottes und das
eigene, ebenfalls totale Angewiesensein Gott gegenüber anzuerkennen.

Fazit: Paulus setzt – anders als dies in heutiger Glaubensvermittlung meist
nötig ist – nicht bei einer natürlichen Gotteserkenntnis | an, um von da aus als
einer *praeparatio evangelica* zum Kerygma vorzustoßen. Paulus geht vielmehr
vom Kreuz aus und verurteilt von daher eine „weltliche" Theologie. Was er
damit ablehnt, ist – genauer gesagt – eine menschlich eigenmächtige Gotteserkenntnis, nicht aber eine „natürliche Theologie" im Sinne der christlichen
Tradition. Das letztere kann schon deswegen nicht der Fall sein, weil Paulus
im Kreuz zwar den Gegensatz zur „Welt", nicht aber zur Schöpfung (=
„Weisheit Gottes") sehen kann; schon eher könnte man im Sinne des Paulus
das Kreuz als die letzte (eschatologische) Auslegung der Schöpfung bezeichnen. Das bedeutet umgekehrt allerdings auch, daß der hermeneutische
Schlüssel und zugleich das Kriterium einer auch christlich legitimen „natürlichen Theologie" letztlich im gekreuzigten Christus zu suchen sind.

Konkret bedeutet dies, daß „natürliche Theologie" prinzipiell *offene Theo-*

logie sein muß. Sie muß vor dem Anderssein Gottes (und seiner Weisheit) alles offen halten und je immer aufs Spiel setzen, was menschlicher Weisheit als Weisheit, Einsicht, Vernunft und dgl. vor-kommt. Und wenn man – wohl etwas anders als Paulus, der hier stärker dialektisch denkt – diese Begriffe dezidiert als analoge Begriffe faßt, dann muß jeweils nach der Weisheitlichkeit der Weisheit, der Vernünftigkeit der Vernunft usf. gefragt werden. Wo diese Frage als prinzipiell offene und menschlich nie letztlich einholbare gestellt wird, verfolgt „natürliche Theologie" auch aus christlicher Sicht ein berechtigtes Anliegen. So betrieben, kann sie sogar willkommenes Mittel der Hinführung zum Glauben sein.

Was diese Wertung und Hermeneutik „natürlicher Theologie" für das Verständnis christlicher Ethik bedeutet, bedürfte weiterer differenzierter Überlegungen. Vielleicht läßt sich in Kürze folgendes andeuten: Wenn theologische Ethik Auslegung des Glaubens im Medium der Ethik ist[10], dann ist es ganz selbstverständlich, daß sie auf rationale Argumentation angewiesen ist, da sie – | auch aus theologischen Gründen – konsensfähig sein muß. „Die Kernfrage einer vom Glauben geprägten Ethik" lautet daher, „ob und wie die sich aus der umfassenden Botschaft des Evangeliums ergebenden Konsequenzen für das zwischenmenschliche Leben allen Menschen verständlich gemacht werden können, weil sie im Blick auf die heilsgeschichtlich verstandene Natur im Prinzip konsensfähig sind"[11]. Im Sinne des Paulus bleibt freilich auch hier noch die Frage nach der Rationalität (Weisheitlichkeit) der dem Konsens zugrundegelegten Ratio (Weisheit) zu stellen. Und da diese aus christlicher Sicht letztlich mit dem gekreuzigten Christus zu beantworten ist, könnte dies womöglich auch Folgen für die Gehalte christlicher Ethik haben. Etwa dort, wo Liebe zum Mitmenschen, die in dieser formalen Aussage gewiß ein allgemeines Kennzeichen des Humanum ist, eine neue Qualität gewinnt, wenn sie im Anschluß an den Gekreuzigten (vgl. Phil 2,5 ff) sich als reine, selbstlose Hingabe definiert, nicht um dadurch Ehre zu gewinnen (z. B. im Sinne des Horazverses, Od 3,2,13: „dulce et decorum est pro patria mori"), nicht einmal, um dadurch das ewige Leben zu gewinnen (dies wäre eine soteriologische Überforderung menschlichen Handelns), sondern einzig im Vertrauen auf Gott, der den Gekreuzigten auferweckt hat.

---

[10] Vgl. F. Böckle. *Art. Ethik aus katholischer Sicht*, in: Neues Handbuch theologischer Grundbegriffe, hrsg. von P. Eicher, München 1984, Bd. 1, S. 275–287, hier 275 f.

[11] F. Böckle. *Moraltheologie und Exegese heute*, in: K. Kertelge (Hrsg.), Ethik im Neuen Testament, Freiburg 1984, S. 197–210, hier 210.

14. „Es ist gut für den Menschen, eine Frau nicht anzufassen"

Paulus und die Sexualität nach 1Kor 7

1. 1Kor 7 und der heutige Leser

Da der folgende Beitrag sich ausschließlich mit 1Kor 7 befaßt, sei ihm um der leichteren Lesbarkeit willen eine Übersetzung dieses relativ umfangreichen Kapitels vorangestellt. Zur Rechtfertigung der dabei vorgenommenen Gliederung bzw. drucktechnischen Gestaltung muß auf die folgenden Sachausführungen (2) verwiesen werden.

1.1. Übersetzung von 1Kor 7

1 *Bezüglich dessen, was Ihr geschrieben habt:*
Es ist gut für den Menschen, eine Frau nicht anzufassen!
2 Wegen der Unzucht(ssünden) aber soll jeder seine Frau haben,
und jede soll den eigenen Mann haben.
3 Der Frau (gegenüber) soll der Mann seine Verpflichtung erfüllen,
ebenso aber auch die Frau dem Mann (gegenüber).
4 Die Frau verfügt nicht über den eigenen Leib,
sondern der Mann; ebenso aber verfügt auch der Mann nicht über den eigenen
Leib,
sondern die Frau.
5 Entzieht euch nicht einander,
außer etwa aus Übereinstimmung auf Zeit,
um euch dem Gebet zu widmen und (dann) wieder zusammenzusein,
damit euch der Satan nicht versuche wegen eurer Unenthaltsamkeit.

6 Dies aber sage ich als Zugeständnis, nicht als Befehl.
7 Ich möchte aber (vielmehr), daß alle Menschen so seien wie auch ich;
aber jeder hat (s)ein eigenes Charisma von Gott,
der eine so, der andere so.

8 Ich sage aber den *Unverheirateten* und den *Witwen*:
Es ist gut für sie, wenn sie bleiben wie auch ich. |
9 Wenn sie sich aber nicht enthalten können, sollen sie heiraten;
denn es ist besser zu heiraten als (vor Begierde) zu brennen.

10 Den *Verheirateten* aber gebiete nicht ich, sondern der Herr:
   Eine Frau soll sich vom Mann nicht trennen
11 – wenn sie sich aber doch getrennt hat,
   soll sie unverheiratet bleiben oder sich mit dem Mann versöhnen –
   und ein Mann soll die Frau nicht wegschicken.

12 Den *übrigen* aber sage ich, nicht der Herr:
   Wenn ein Bruder eine ungläubige Frau hat,
   und diese ist einverstanden, mit ihm zusammenzuleben,
   soll er sie nicht wegschicken.
13 Und wenn eine Frau einen ungläubigen Mann hat,
   und dieser ist einverstanden, mit ihr zusammenzuleben,
   soll sie den Mann nicht wegschicken.
14 Denn der ungläubige Mann ist durch die Frau geheiligt,
   und die ungläubige Frau ist durch den Bruder geheiligt;
   denn sonst wären eure Kinder unrein, nun aber sind sie heilig.
15 Wenn aber der Ungläubige sich trennt, soll er sich trennen.
   Der Bruder oder die Schwester ist in solchen Fällen nicht gebunden;
   zum Frieden hat euch Gott berufen.
16 Denn was weißt du, Frau, ob du den Mann retten wirst?
   Oder was weißt du, Mann, ob du die Frau retten wirst?

17 Im übrigen: Wie jedem der Herr zugeteilt hat,
   wie jeden Gott berufen hat, so soll er wandeln;
   und so ordne ich in allen Gemeinden an.

18 Ist einer als *Beschnittener* berufen worden,
   soll er sich nicht (eine Vorhaut) überziehen lassen.
   Ist einer mit der *Vorhaut* berufen worden,
   soll er sich nicht beschneiden lassen.
19 Die Beschneidung ist nichts, und die Vorhaut ist nichts,
   sondern die Einhaltung der Gebote Gottes.

20 Jeder in der Berufung (Stand), in der er berufen worden ist,
   in dieser soll er bleiben.

21 Bist du als *Sklave* berufen worden, soll dich das nicht bekümmern.
   Wenn du aber auch frei werden kannst, um so lieber mache Gebrauch
   (vom Sklavenstand? von der Freiheit?).
22 Denn der im Herrn berufene Sklave ist Freigelassener des Herrn;
   ebenso ist der berufene Freie Sklave Christi.
23 Um teuren Preis seid ihr erkauft worden;
   werdet nicht Sklaven von Menschen!

24 Worin jeder berufen worden ist, Brüder,
   darin soll er bleiben vor Gott. |

25 *Bezüglich der Jungfrauen* aber habe ich keinen Befehl des Herrn,
   (m)eine Meinung aber lege ich dar als einer, dem vom Herrn das Erbarmen zuteil wurde, vertrauenswürdig zu sein.
26 Ich meine also, daß dies gut ist wegen der bevorstehenden Not,
   daß es gut ist für den Menschen, so zu sein.
27 Bist du an eine Frau gebunden, suche keine Trennung;
   bist du frei von einer Frau, suche keine Frau.
28 Wenn du aber doch heiratest, sündigst du nicht;
   und wenn die Jungfrau heiratet, sündigt sie nicht.
   Aber solche werden Bedrängnis für das Fleisch haben,
   ich aber will euch schonen (sie euch ersparen).

29 Dies aber sage ich, Brüder: Die Zeit ist zusammengedrängt;
   also sollen die, die Frauen haben, (so) sein, als hätten sie keine,
30 und die, die weinen, als weinten sie nicht,
   und die, die sich freuen, als freuten sie sich nicht,
   und die, die kaufen, als behielten sie (es) nicht,
31 und die, die von der Welt Gebrauch machen, als gebrauchten sie (sie)
   nicht.
   Denn die Gestalt dieser Welt vergeht.

32 Ich möchte aber, daß ihr sorglos seid.
   Der Unverheiratete sorgt sich um die Dinge des Herrn,
   wie er dem Herrn gefalle.
33 Der Verheiratete aber sorgt sich um die Dinge der Welt,
   wie er der Frau gefalle,
34 und er ist geteilt.
   Und die unverheiratete Frau und die Jungfrau sorgt sich um die Dinge des Herrn,
   daß sie heilig sei an Leib und Geist.
   Die Verheiratete aber sorgt sich um die Dinge der Welt,
   wie sie dem Mann gefalle.

35 Dies aber sage ich zu eurem Nutzen,
   nicht um euch eine Schlinge überzuwerfen,
   sondern zu ungehinderter Anständigkeit und Beständigkeit für den Herrn.

36 Wenn aber einer sich unanständig gegen *seine Jungfrau* zu verhalten meint,
   wenn er (oder: sie) überreif ist und es so geschehen muß,
   soll er tun, was er möchte, er sündigt nicht; sie sollen heiraten.
37 Wer aber in seinem Herzen feststeht und keine Not hat,
   sondern Macht hat über seinen eigenen Willen,
   und dies im eigenen Herzen beschlossen hat, seine Jungfrau zu bewahren,
   tut wohl. |
38 Also: wer seine Jungfrau (ver)heiratet, tut wohl,
   und wer (sie) nicht (ver)heiratet, tut besser.

39 Eine Frau ist gebunden, solange ihr Mann lebt.
   Wenn aber der Mann entschläft, ist sie frei, zu heiraten, wen sie will;
   nur (geschehe es) im Herrn.

40 Seliger aber ist sie, wenn sie so bleibt, nach meiner Meinung;
    auch ich glaube aber, den Geist Gottes zu haben.

1.2. Probleme heutiger Leser

Eine „objektive" Lektüre von 1Kor 7 dürfte dem modernen Leser nicht leichtfallen. Der Text nötigt zum Engagement, er reizt zum Widerspruch, ja zum Widerstand. Denn etliches von dem, was Paulus da schreibt, scheint mit heutiger Lebensauffassung und modernen anthropologischen und psychologischen Erkenntnissen nicht übereinzustimmen. Daß die Ehe zur Vermeidung von Unzucht (διὰ δὲ τὰς πορνείας, V. 2) und der eheliche Verkehr aus Gründen der Unenthaltsamkeit (διὰ τὴν ἀκρασίαν ὑμῶν, V. 5) zugestanden werden, ist aus heutiger Sicht zumindest eine unzulängliche Würdigung der Ehe. Von Liebe, Partnerschaft und gegenseitiger menschlicher Erfüllung ist nicht die Rede. Woher rührt diese einseitige Qualifizierung der Ehe? Ist die Ehe für Paulus wirklich nur remedium concupiscentiae? Hat Paulus vielleicht gar ein gebrochenes Verhältnis zur Sexualität? Immerhin wünscht er, daß alle Menschen so seien bzw. so bleiben wie er (vgl. V. 7f.25f.40), d.h. ehelos[1].

Steckt hinter all dem letztlich etwa eine Abwertung der Frau[2], wie man sie häufig bei Männern beobachten kann, die sich skeptisch oder kämpferisch gegen Ehe und Sexualität wenden? Ist es nicht bezeichnend, daß gleichsam als Überschrift über dem ganzen Kapitel|der Satz steht: „Es ist gut für den Menschen, eine Frau nicht anzufassen" (V. 1b)[3]? Zumindest eine Frau wird diesen Satz, wenn „man" – hier besser: „frau" – ihn objektiv und für sich betrachtet, als diskriminierend verstehen müssen. Allerdings ist V. 1b kein für sich bestehender Satz, sondern eingebettet in einen literarischen und situativen Kontext, den es zu beachten bzw. zu erkennen gilt, zumal sich je nach Beurteilung dieses Satzes die inhaltliche Wertung mancher der nachfolgenden Aussagen nicht unerheblich verschiebt.

---

[1] Die Meinung, daß Paulus verheiratet gewesen und dann Witwer geworden sei, die namentlich von J. JEREMIAS, *War Paulus Witwer?*, in: ZNW 25 (1926) 310–312; DERS., *Nochmals: War Paulus Witwer?*, in: ZNW 28 (1929) 321–323, vorgetragen wurde, wird heute nur mehr selten vertreten.

[2] Vgl. etwa G. DELLING, *Paulus Stellung zu Frau und Ehe* (BWANT 4. Ser., H. 5) (Stuttgart 1931) 154: „Paulus ist erfüllt von einer tiefen Mißachtung der natürlichen Seite der Ehe, die sich nur mit Rücksicht auf die Brüder zu einer Geringschätzung dieser Grundlage herabmindert. Das Weib ist für ihn vorzüglich Trägerin des Geschlechtlichen, wie ja auch seine erste Ursache. Deshalb ist es als solche von der gleichen Geringschätzung, ja Mißachtung betroffen."

[3] K. NIEDERWIMMER, *Askese und Mysterium*. Über Ehe, Ehescheidung und Eheverzicht in den Anfängen des christlichen Glaubens (FRLANT 113) (Göttingen 1975) 85, bemerkt zu V. 1 b, den er für eine paulinische Äußerung hält: „Der Satz scheint bestimmt zu sein von der Ritual-Angst vor der dämonischen Mächtigkeit des Sexuellen und speziell der Frau; sie ist negativ tabuisiert."

2. Zur Pragmatik von 1Kor 7

2.1. Zum Verständnis von V. 1 b

Zunächst ist es semantisch nicht eindeutig, ob γυνή die Ehefrau im strikten Sinn oder die Frau im allgemeinen Sinn (als ehefähiges weibliches Wesen) meint. Im ersten Fall würde V. 1b speziell auf Enthaltsamkeit in der Ehe abzielen, im zweiten Fall den Verzicht auf Geschlechtsverkehr überhaupt fordern. Das eigentliche Problem ist jedoch pragmatischer Art, nämlich ob V. 1b als Äußerung des Paulus oder als Äußerung der Korinther zu verstehen ist[4]. Im ersten Fall müßte man V. 1 so paraphrasieren:

> Bezüglich dessen, was ihr geschrieben habt, (dazu meine ich:) „Es ist gut für den Menschen, eine Frau nicht anzufassen!"

V. 1b wäre dann der allgemeine *Grundsatz*, von dem her Paulus die folgenden Ausführungen in 1Kor 7 deduziert. Allerdings käme in|diesem Fall die Bedeutung γυνή = „Ehefrau" im exklusiven Sinn kaum in Frage, da der Grundsatz dann nicht für die Ausführungen über die Unverheirateten und Jungfrauen passen würde; sie stünde zudem in eklatantem Widerspruch zu den relativ ausführlichen Mahnungen an die Eheleute, sich einander nicht zu entziehen (V. 2–5).

Versteht man aber V. 1b als Äußerung der (oder bestimmter) Korinther, so wäre folgendermaßen zu paraphrasieren:

> Bezüglich dessen, was ihr geschrieben habt: „Es ist gut (oder, indirekt konstruiert, es sei gut) für den Menschen, eine Frau nicht anzufassen!", (dazu meine ich:) Wegen der Unzucht aber soll . . .

In diesem Fall ist für γυνή sowohl die Bedeutung „Frau" wie auch „Ehefrau" denkbar; beides muß sich auch keineswegs ausschließen. Der Mutterboden für eine derartige korinthische Meinung oder Parole könnte der auch sonst aus 1Kor zu erschließende Enthusiasmus gewesen sein. Dabei ist es durchaus denkbar, daß dieser Enthusiasmus sowohl zu sexuellem Libertinismus (vgl. 1Kor 5; 6,12–20) wie auch zum Postulat sexueller Aszese geführt hat, wenn man mit unterschiedlichen Strömungen in der Gemeinde rechnet[5]. Hinter V. 1b müßten dann Leute gestanden haben, die aus der (wohl

---

[4] Die Übersetzungen und Kommentare entscheiden sich überwiegend für eine Äußerung des Paulus. Für eine Äußerung der Korinther sprechen sich u. a. aus die Übersetzung von O. KARRER, *Neues Testament* (München 1967), und die neue *Einheitsübersetzung* der Heiligen Schrift: Das Neue Testament (Stuttgart 1979), sowie die Kommentare von O. HOLTZMANN (Das Neue Testament nach dem Stuttgarter griechischen Text übersetzt und erklärt, Bd. 2 [Stuttgart 1926]) und C. K. BARRETT (A Commentary on the First Epistle to the Corinthians [BNTC] [London ²1971]); vgl. auch A. ROBERTSON–A. PLUMMER, *A Critical and Exegetical Commentary on the First Epistle of St. Paul to the Corinthians* (ICC) (Edinburgh ²1914). Weitere Autoren s. u. Anm. 7.

[5] Daß sich Paulus in 1Kor 7,1–7 gegen dieselbe Front wie in 1Kor 6,12–20 richtet (so: CHR.

allgemeineren korinthischen) Überzeugung, bereits an der eschatologischen Herrlichkeit Anteil zu haben, den (für ihre Gruppe) speziellen Schluß gezogen hatten, man solle mit so irdischen Dingen wie Sexualität nichts mehr zu tun haben; die Enthaltsamkeit war für sie geradezu Zeichen der bereits zuteilgewordenen Herrlichkeit[6].

Philologisch sind beide Verständnisse möglich, doch sprechen für das zweite m. E. die besseren Argumente[7]. Nimmt man nämlich V. | 1b als paulinischen Grundsatz, so wäre er zumindest recht ungeschickt formuliert, da er Paulus sofort zwingt, sich in V. 2 vor einem Mißverständnis zu schützen, d. h. zu betonen, daß dieser Grundsatz in bezug auf die Ehe nicht gilt. Es wäre zudem Paulus ein leichtes gewesen, diesen Grundsatz seinem Anliegen entsprechender zu formulieren, etwa in Anlehnung an später tatsächlich gebrauchte Formulierungen (vgl. V. 7. 8): „Es ist gut für den Menschen, so zu sein (bleiben) wie ich." Im übrigen ist unter der Prämisse, daß V. 1 b paulinischer Grundsatz ist, die folgende Argumentation in V. 2–5 recht merkwürdig. Um zum Ausdruck zu bringen, daß Ehe und ehelicher Verkehr als Konzession gegenüber diesem Grundsatz statthaft sind, hätte V. 2 genügt. Die Anweisung in V. 3 mit der massiven Begründung in V. 4, die das Recht des Partners auf den Körper des anderen herausstellt, und die Aufforderung in V. 5, sich einander nicht zu entziehen, lassen eher darauf schließen, daß V. 2–5 ein aktuelles Problem im Auge haben, auf das Paulus

---

Maurer, *Ehe und Unzucht nach 1. Korinther 6,12–7,7*, in: WuD NF 6 [1959] 159–169; O. Merk, *Handeln aus Glauben*. Die Motivierungen der paulinischen Ethik [MThSt 5] [Marburg 1968] 102 f), ist unwahrscheinlich.

6 Gegen die Existenz einer bestimmten Gruppe, welche die Parole von V. 1b ausgegeben hat, läßt sich nicht einwenden, daß sich Paulus in 1Kor 7 „an verschiedene ‚Stände‘ der *Gesamt*gemeinde" wende (K. Niederwimmer, *Zur Analyse der asketischen Motivation in 1Kor 7*, in: ThLZ 99 [1974] 241–248, hier 243; ders., Askese [Anm. 3] 81 f). Letzteres ist gerade deswegen erforderlich, weil die Parole zu einer Verunsicherung der verschiedenen Stände und damit der Gesamtgemeinde geführt hat.

7 Vgl. dazu: Ph.-H. Menoud, *Mariage et Célibat selon saint Paul*, in: RTHPh (3. Ser.) 1 (1951) 21–34, hier 27 Anm. 1; J.-J. von Allmen, *Maris et femmes d'après saint Paul* (CTh 29) (Neuchâtel-Paris 1951) 11; J. Jeremias, *Zur Gedankenführung in den paulinischen Briefen*, in: ders., *Abba*. Studien zur neutestamentlichen Theologie und Zeitgeschichte (Göttingen 1966) 269–276, hier 273; X. Léon-Dufour, *Mariage et virginité selon saint Paul*, in: Christus 11 (1964) 179–194, hier 181; J. C. Hurd, *The Origin of 1 Corinthians* (London 1965) 158–163 (vgl. dort S. 68 auch die Tabelle über die Autoren, die V. 1b als Zitat verstehen); C. H. Giblin, *1 Corinthians 7 – A Negative Theology of Marriage and Celibacy?*, in: Bi Tod 41 (1969) 2839–2855, hier 2841–2847 (will auch noch V. 2 zum Zitat rechnen); H. Greeven, *Ehe nach dem Neuen Testament*, in: G. Krems–R. Mumm (Hrsg.), *Theologie der Ehe* (Regensburg-Göttingen 1969) 37–79, hier 73; R. Schnackenburg, *Die Ehe nach dem Neuen Testament*, in: ders., *Schriften zum Neuen Testament* (München 1971) 414–434, hier 423; J. H. A. van Tilborg, *Exegetische Bemerkungen zu den wichtigsten Ehetexten aus dem Neuen Testament*, in: P. J. M. Huizing (Hrsg.), *Für eine neue kirchliche Eheordnung*. Ein Alternativentwurf (Düsseldorf 1975) 9–25, hier 21. Besonders hervorzuheben ist der ausgezeichnete Aufsatz von W. Schrage, *Zur Frontstellung der paulinischen Ehebewertung in 1Kor 7,1–7*, in: ZNW 67 (1976) 214–234.

Antwort geben will, und nicht, daß die Verse eine in der Argumentation notwendige Konzession zum Grundsatz in V. 1b darstellen. Eine passende aktuelle Problematik für V. 2–5 ergäbe sich aber, wenn man V. 1b als Parole der Korinther verstehen dürfte.

Damit ist eine gewisse Vorentscheidung getroffen, die sich jedoch erst noch bewähren muß. Denn nur, wenn das vorgeschlagene Verständnis von V. 1b gestattet, 1Kor 7 insgesamt als semantisch und | pragmatisch kohärenten Text zu lesen, kann es aufrechterhalten werden. Die Probe aufs Exempel würde eine eingehende Analyse des gesamten Kapitels erfordern, was hier schon aus Raumgründen nicht geschehen kann. So sei wenigstens in kursorischer Weise und vorwiegend unter pragmatischer Rücksicht erläutert, daß 1Kor 7 unter der gemachten Voraussetzung einen verblüffend kohärenten Text darstellt[8].

2.2. Eine erste grobe Gliederung von 1Kor 7

Zunächst läßt sich unter dieser Voraussetzung die durch das zweimalige περί („bezüglich") signalisierte (V. 1.25) grobe Gliederung von 1Kor 7 sehr gut erklären. V. 1 gibt das allgemeine Thema bzw. die Problematik an, wie sie sich aus der korinthischen Parole ergibt. Einige Korinther hatten aus der christlichen Berufung die Konsequenz sexueller Enthaltsamkeit gezogen. Ihre besondere Brisanz erhält diese These durch die Anwendung auf die Ehe. Auf dieses Problem geht Paulus in V. 2–16 (.17–25) ein und behandelt unter verschiedenen Aspekten das Thema „christliche Berufung und Ehe". Da die korinthische Parole in letzter Konsequenz aber jedwede geschlechtliche Betätigung verurteilt, d. h. also auch die Heirat bzw. Verheiratung der noch Unverheirateten, geht Paulus in einem zweiten Anlauf auch darauf ein. Wahrscheinlich verweist der Ausdruck „bezüglich der Jungfrauen" (V. 25) sogar auf eine direkte Anfrage der Korinther, die infolge der durch die Parole ausgelösten Tendenzen auch dieses Spezialproblem erörtert haben wollten (s. u. 2.7.).

2.3. V. 2–5

V. 2a ist eine erste Erwiderung des Paulus auf die Parole V. 1b. Paulus betont, daß sie im Bereich der Ehe nicht gilt. Hier soll jeder seine eigene Frau (= Ehefrau) haben! „Haben" ist nicht auf das Eingehen der Ehe (Heiraten) zu beziehen. Dies würde in eklatantem Widerspruch zu der in V. 7a geäußerten

---

[8] Die Feststellung NIEDERWIMMERS, *Askese* (Anm. 3) 89, daß 1Kor 7 das Resultat widerspruchsvoller Motive sei, ist m. E. zu einem guten Teil darin begründet, daß NIEDERWIMMER V. 1b als asketischen Grundsatz des Paulus wertet (vgl. aaO. 83–88).

Meinung des Paulus stehen. | „Haben" ist antithetische Substitution von „nicht anfassen" (V. 1b) und tendiert daher zur Bedeutung „geschlechtlichen Umgang haben" (vgl. 1Kor 5,1b). Dies wird durch V. 3a bestätigt. V. 4 bringt die Begründung: In der Ehe wird das Verfügungsrecht über den eigenen Körper dem Partner übertragen. Bemerkenswert ist, daß V. 2–4 streng antithetisch (Opposition: Mann versus Frau) gebaut sind und damit Mann und Frau gleiche sexuelle Pflichten und Rechte einräumen. Aufgrund dieser Wechselseitigkeit können dann die allgemeinen Grundsätze der V. 2f (Imp. 3. Pers.) direkt in V. 5 auf die betroffenen Eheleute angewendet werden (Imp. 2. Pers.): „Entzieht euch nicht einander!" (V. 5a). Die Ausnahme von dieser Regel formuliert Paulus – mit einer dreifachen Bedingung – sehr vorsichtig, um dann gleich wieder zum Sachanliegen von V. 5a zurückzukehren: Nach einer bestimmten Zeit der Enthaltung sollen die Eheleute wieder zusammensein (um geschlechtlichen Umgang zu haben). Paulus widerspricht damit direkt der korinthischen Parole in ihrer Applikation auf den ehelichen Verkehr. Daß Paulus dieses Problem gleich zu Beginn seiner Ausführungen behandelt, läßt darauf schließen, daß die Parole gerade in dieser Applikation erhebliche Unsicherheit in Korinth auslöste. Paulus ist der Parole gegenüber nüchtern: Zur Ehe gehört geschlechtlicher Umgang! Auf das mit den Begründungen V. 2.5 (wegen der Unzucht bzw. Unenthaltsamkeit) gestellte Sachproblem des paulinischen Eheverständnisses (remedium concupiscentiae?) ist später einzugehen.

2.4. V. 6f

Durch das anaphorische *„dies* aber sage ich" geben sich die Verse als metasprachliche Äußerung, d. h. als Klarstellung zu V. 2–5, zu erkennen. „Dies" ist nicht exklusiv auf die vorangehenden Forderungen (Imperative) zu beziehen. Denn dann würde Paulus den Geschlechtsverkehr in der Ehe doch nur als Zugeständnis betrachten und damit grundsätzlich der korinthischen Applikation der Parole zustimmen, daß auch in der Ehe Enthaltsamkeit eigentlich das Beste wäre. „Dies" bezieht sich vielmehr auf die Ausführungen von V. 2–5 *insgesamt*[9]. Das relativ klare Votum des Paulus für den Geschlechts- | verkehr in der Ehe und der generalisierende Charakter seiner Ausführungen (besonders in V. 2: vgl. „jeder/jede") könnten zu dem Mißverständnis führen, daß die Ehe überhaupt – und sei es wegen der Gefahr der Unzucht – ein „Befehl" (ἐπιταγή), d. h. ein christliches Gebot, sei. Demgegenüber stellt Paulus in V. 6 klar, daß sein Plädoyer für die eheliche Ge-

---

[9] Schrage, *Frontstellung* (Anm. 7) 232f, bezieht *„τοῦτο* auf die zeitweilige Enthaltsamkeit vom ehelichen Geschlechtsverkehr" (233); so auch: H. Baltensweiler, *Die Ehe im Neuen Testament*. Exegetische Untersuchung über Ehe, Ehelosigkeit und Ehescheidung (AThANT 52) (Zürich-Stuttgart 1967) 161–163.

schlechtsgemeinschaft nicht zum Heiraten verpflichten will, sondern unter dieser Rücksicht als „Zugeständnis" zu betrachten ist.

Man könnte auch sagen, daß durch V. 6 insbesondere die Aussage von V. 2 – „jeder soll seine eigene Frau *haben*" – von einer Monosemierung im Sinne des Eingehens der *Ehe* („jeder soll heiraten und so seine eigene Frau haben") bewahrt werden soll.

Bestätigt wird diese Auslegung durch V. 7a, wo Paulus als seinen eigentlichen Wunsch gegenüberstellt, daß alle so seien wie er, d. h. ehelos (vgl. V. 8b). Diese Gegenüberstellung ist nur sinnvoll, wenn das in V. 6 auszuräumende Mißverständnis sich auf die Ehe als solche bezogen hat. Mit V. 7a hat Paulus allerdings eine Position eingenommen, die man wieder leicht im prinzipiellen Sinne der korinthischen Parole mißdeuten könnte. Daraus ergibt sich die Notwendigkeit von V. 7b: Jeder hat sein (ihm) eigenes Charisma[10].

2.5. V. 8–16

Durch den Verweis auf seine Ehelosigkeit (V. 7a) und das alternative „der eine so, der andere so" (V. 7c) ergibt sich für Paulus die Möglichkeit, von der Problematik, die sich aus der Anwendung der Parole auf das Verhalten in der Ehe ergab, überzuleiten zu der Problematik, die sich in Applikation der Parole auf die Unverheirateten stellt. Tatsächlich spricht denn auch V. 8 von den Unverheirateten und Witwen. Doch zeigt V. 9, daß es sich hier nur um ein Zwischenthema handelt, das letztlich im Hinblick auf die dennoch beste-|hende Möglichkeit, eine Ehe einzugehen, erörtert wird. Unter dieser Rücksicht gehören die Verse 8 f mit den Versen 10 f. 12–16 zusammen. Während die Verse 2–5 (6 f) die Frage des Geschlechtsverkehrs in der Ehe behandelten, sprechen die Verse 8–16 von der *Ehe als Stand*. Diese Wendung der Argumentation könnte pragmatisch dadurch bedingt sein, daß radikale Vertreter der Parole von V. 1b nicht nur den Geschlechtsverkehr in der Ehe, sondern überhaupt den Stand der Ehe als christliche Möglichkeit in Frage stellten. Doch könnte es sich auch um eine Schlußfolgerung des Paulus handeln, mit der er solche zu befürchtenden Konsequenzen ausschließen wollte. In jedem Fall bekommt – setzt man V. 1b als korinthische Parole voraus – die Argumentation in V. 8–16 einen sehr sinnvollen, ja geradezu notwendigen Charakter. Was den Stand der Ehe betrifft, diskutiert nun Paulus drei Möglichkeiten:

---

[10] Umstritten ist, ob in V. 7b auch die Ehe als Charisma qualifiziert ist; doch ist dies eher unwahrscheinlich: vgl. H. Lietzmann–W. G. Kümmel, *An die Korinther I.II* (HNT 9) (Tübingen ⁴1949) 30; H. Conzelmann, *Der erste Brief an die Korinther* (KEK V) (Göttingen 1969) 143; Schrage, aaO. 233 f.

V. 8 f:

Bezüglich derer, die noch nicht oder nicht mehr im Stand der Ehe leben, teilt Paulus in bestimmter Hinsicht den Standpunkt der korinthischen Parole. Er greift sogar das „es ist gut" (καλόν) der Parole auf. Allerdings weist bereits die Tatsache, daß er das sexuell fixierte „nicht anfassen" der Parole nicht übernimmt und durch „wenn sie bleiben wie ich" ersetzt, darauf hin, daß der Standpunkt des Paulus kaum durch eine Disqualifizierung der Sexualität motiviert sein kann. Dies unterstreicht im übrigen V. 9. Paulus will seine Ausführungen in V. 8 nicht als Parole oder gar als Prinzip verstanden wissen. Ehelosigkeit erfordert das Charisma der Enthaltsamkeit (vgl. V. 7b). Wo dies nicht gegeben ist, ist der Stand der Ehe die bessere christliche Möglichkeit. So sehr also Paulus in der Bevorzugung der Ehelosigkeit mit der Parole von V. 1b übereinstimmt (V. 8), so widerspricht er jedoch in V. 9 jedem (tatsächlichen oder möglichen) Versuch, mit ihr den Stand der Ehe für die Unverheirateten als christlich unakzeptabel, d. h. als mit der christlichen Berufung nicht vereinbar, zu disqualifizieren.

V. 10 f:

Dasselbe Anliegen, also Abwehr des Mißverständnisses, daß der Stand der Ehe mit christlicher Berufung nicht vereinbar sei, steht auch hinter V. 10 f. Paulus betont: Im Falle, daß Christen im Stand | der Ehe leben, ist dies nicht nur mit christlicher Berufung vereinbar, sondern es ist von ihr her sogar geboten, am Stand der Ehe festzuhalten. Denn christliche Berufung bindet an das Gebot des Herrn. Daß Paulus in der Parenthese V. 11ab einen Sonderfall anführt, dürfte ebenfalls pragmatisch bedingt sein. Denn gerade in dem Fall, daß eine (christliche) Frau sich von ihrem Mann getrennt hat (wahrscheinlich vor ihrer Bekehrung)[11], könnte man möglicherweise sogar auf das christliche Verbot der Wiederheirat (vgl. Mk 10,11 f) zur Stützung einer sexualitätsfeindlichen Auslegung der Parole von V. 1b verweisen. Paulus stimmt dem Verbot der Wiederheirat zu, legt es aber nicht negativ aus, sondern als Möglichkeit der Versöhnung mit dem Ehepartner[12], so daß es auch hier für den verheirateten Christen letztlich beim grundsätzlichen Gebot bleibt, den Stand der Ehe aufrechtzuerhalten.

V. 12–16:

Daß Paulus in V. 12–16 auf die Mischehen (zwischen christlichen und heidnischen Partnern) eingeht, dürfte wieder in besonderer Weise bestätigen, daß V. 1b als korinthische Parole gelesen werden muß. Denn unter

---

[11] R. PESCH, *Paulinische „Kasuistik"*. Zum Verständnis von 1Kor 7,10–11, in: L. ALVAREZ VERDES–E. J. ALONSO HERNANDEZ (Hrsg.), *Homenaje a Juan Prado. Miscelanea de estudios biblicos et hebraicos* (Madrid 1975) 433–442; DERS., *Freie Treue. Die Christen und die Ehescheidung* (Freiburg i. Br. 1971) 61–63.

[12] Vgl. H. MERKLEIN, *Die Gottesherrschaft als Handlungsprinzip*. Untersuchung zur Ethik Jesu (fzb 34) (Würzburg ²1981) 288.

dieser Voraussetzung mußte die Mischehe – noch mehr als die Ehen unter Christen – in das Kreuzfeuer der rigoros-aszetischen Kritik gelangen, zumal man hier – wie V. 14ab nahezulegen scheint – noch geltend machen konnte, daß der Christ durch solche Verbindungen verunreinigt würde[13]. Paulus plädiert auch hier im Sinne des Herrenwortes für die Aufrechterhaltung der Ehe. Allerdings versteht er das Herrenwort nicht als Gesetz. Denn falls der ungläubige Partner die Ehe nicht fortführen will, „soll er sich trennen" | (V. 15a). Für diesen bestimmten Fall teilt also Paulus faktisch den Standpunkt einer möglichen oder tatsächlichen Folgerung aus der Parole. Doch ist seine Begründung eine andere. Er plädiert für Trennung, nicht weil er in der (Misch-)Ehe eine Quelle der Verunreinigung sieht, sondern weil der Christ durch das Verhalten des Ungläubigen nicht geknechtet werden darf (V. 15b). Den Einwand, den Paulus in V. 16 sich selbst macht, lehnt er als zu hypothetisch ab[14].

2.6. V. 17–24

Die bisherige Stellungnahme des Paulus, d.h. sein Plädoyer für den ehelichen Verkehr, sein Votum für die Aufrechterhaltung bereits eingegangener Ehen, aber auch die angedeutete Favorisierung des Unverheiratet-Bleibens lassen sich in dem Grundsatz zusammenfassen, daß jeder in dem Stand bleiben soll, in dem er berufen wurde. Dieser allgemeine Grundsatz wird in den Versen 17.20.24 – jeweils leicht variiert – ausdrücklich genannt. Er bestätigt, daß die korinthische Parole als (falsche) Folgerung aus der christlichen Berufung verstanden werden muß, und stellt die eigentliche Antithese des Paulus zur Parole dar. Begründet und exemplifiziert wird der Grundsatz in den Versen 18f.21–23. Die konkrete Wahl der Exempel könnte zunächst als Abschweifung empfunden werden. Doch ist gerade die scheinbare Abschweifung eine weitere Bestätigung der hier vertretenen Deutung von V. 1b. Es wurde schon öfter darauf hingewiesen, daß Paulus hier der Topik einer bestimmten urchristlichen Tradition verpflichtet ist, die das eschatologische Heil in Christus als die Überwindung ethnischer (Jude – Heide), sozialer (Sklave – Freier) und sexueller (Mann – Frau) Unterschei-

---

[13] Zu V. 14c siehe J. Blinzler, *Zur Auslegung von 1Kor 7,14*, in: Ders. – u.a. (Hrsg.), *Neutestamentliche Aufsätze*. FS J. Schmid (Regensburg 1963) 23–41. Vgl. auch: G. Delling, *Nun aber sind sie heilig*, in: Ders., *Studien zum Neuen Testament und zum hellenistischen Judentum*. Gesammelte Aufsätze 1950–1968 (Göttingen 1970) 257–290; Ders., *Lexikalisches zu τέκνον. Ein Nachtrag zur Exegese von 1.Kor. 7,14*, in: ebd. 270–280; Ders., *Zur Exegese von 1.Kor. 7,14*, in: ebd. 281–287.

[14] Anders: J. Jeremias, *Die missionarische Aufgabe in der Mischehe (1.Kor. 7,16)*, in: Abba (Anm. 7) 292–298; er bezieht „Frieden" V. 15c auf die missionarische Aufgabe und übersetzt V. 16: *„Vielleicht nämlich kannst du, Ehefrau, den Mann retten . . ."* (aaO. 296). Zur Auseinandersetzung mit Jeremias vgl. S. Kubo, *I Corinthians VII.16: Optimistic or Pessimistic?*, in: NTS 24 (1978) 539–544.

dungen herausstellte (Gal 3,28; vgl. 1Kor 12,13; Kol 3,11)[15]. Es ist anzunehmen, daß auch den Korinthern diese Tradition bekannt war (vgl. neben 1Kor 7,17–24 auch│12,13). Man kann sogar vermuten, daß hinter der Parole von V. 1b eine einseitige Auslegung dieser Tradition steht[16]. Einige hatten die Belanglosigkeit sexueller Differenzen als Programm ausgewertet: Wer in Christus ist, hat das Mann- bzw. Frau-Sein hinter sich zu lassen[17], was dann konkret auf die Forderung einer Sexualaszese im Sinne von V. 1b hinausläuft[18]. Ob die Korinther aus der Tradition eine analoge Programmatik in bezug auf ethnische und soziale Differenzen entwickelt haben, läßt sich nicht sicher entscheiden. Im positiven Falle würde Paulus in V. 18 f.21–23 eine weitere falsche Auslegung angreifen, im negativen Falle, der m. E. doch wahrscheinlicher ist, würde Paulus auf Punkte verweisen, in denen er mit den Korinthern übereinstimmt, um ihnen so die Unrichtigkeit ihrer Folgerung in bezug auf die Sexualität zu demonstrieren. In jedem Fall│erklärt sich so die scheinbare Abschweifung in V. 18 f. 21–23 als pragmatisch bedingte Logik.

---

[15] Vgl. dazu: H. THYEN, „. . . *nicht mehr männlich und weiblich* . . .". Eine Studie zu Galater 3,28, in: F. CRÜSEMANN–H. THYEN, *Als Mann und Frau geschaffen.* Exegetische Studien zur Rolle der Frau (Gelnhausen-Berlin-Stein/Mfr. 1978) 107–197, bes. 138–145; H. PAULSEN, *Einheit und Freiheit der Söhne Gottes – Gal 3,26–29,* in: ZNW 71 (1980) 74–95 (dort S. 77f Anm. 16 weitere Autoren); G. DAUTZENBERG, *Zur Stellung der Frauen in den paulinischen Gemeinden,* in: DERS., – u. a. (HRSG.), *Die Frau im Urchristentum* (QD 95) Freiburg i. Br. 1983, 182–224, bes. 214–221. – Gegen PAULSEN ist jedoch zu betonen, daß Gal 3,28 b noch nicht den „Gedanken des σῶμα Χριστοῦ" (aaO. 86) enthält; er ergibt sich erst durch die Interpretation des Paulus, mit der er in 1Kor 12,12 f (.27) eine einseitige Auslegung des In-Christus-Seins von seiten bestimmter Korinther (im Sinne einer Konformität mit Christus, die ihren adäquaten Ausdruck in pneumatischer Ekstase findet und damit letztlich auf Uniformität hinausläuft) korrigiert.

[16] Schon THYEN, aaO. 157, stellt zu Recht fest: „das gesamte siebte Kapitel des ersten Korintherbriefes ist die paulinische *Auslegung* von Gal 3,28 in der praktischen Absicht, das gestörte Verhältnis von Männern und Frauen in Korinth so zu ordnen, wie Paulus jene Maxime verstanden wissen will." Allerdings kann man in bezug auf 1Kor 7,1b m. E. nicht einfach sagen, daß Paulus „in dem asketischen Grundsatz . . . mit den Briefschreibern aus Korinth überein(stimmt)" (aaO. 174). Dies widerspricht der differenzierenden Stellungnahme des Paulus; als Grundsatz kann Paulus 1Kor 7,1b gerade nicht anerkennen! Begreift man jedoch 1Kor 7,1b als korinthische Parole, so wird einerseits die differenzierende Argumentation des Paulus verständlich, andererseits wird auch das konkrete korinthische Problem deutlich. „Das gestörte Verhältnis von Männern und Frauen in Korinth" (um mit THYEN zu sprechen) ist selbst in der (korinthischen) Interpretation von Gal 3,28 begründet.

[17] Möglicherweise hat die Problematik von 1Kor 11,2–16 einen ähnlichen Ansatz. Man müßte dann annehmen, daß einige Frauen die eschatologische Belanglosigkeit der geschlechtlichen Differenz (Gal 3,28) im Sinne einer überwundenen Schöpfungsordnung deuteten und dies gerade beim gottesdienstlichen Prophezeien dokumentieren wollten.

[18] Wenn diese Sicht richtig ist, ist die Annahme gnostischen Einflusses zur Erklärung der korinthischen These (so: SCHRAGE, Frontstellung [Anm. 7] 220–222) nicht unbedingt nötig. Die Parole kann als enthusiastische Interpretation des christlichen Grundsatzes von Gal 3,28 verstanden werden, was andererseits nicht ausschließen muß, daß ein bestimmtes (gnostisches?) Milieu diese Interpretation gefördert haben könnte.

Auf die exegetische Einzelproblematik der Verse 18 f. 21–23 (besonders V.
21b) kann hier nicht eingegangen werden[19]. Inhaltlich erläutert Paulus, was
christliche Freiheit ist. Der ethnische Stand (V. 18) – und das gilt analog (vgl.
jedoch unten unter 3.3) auch für den sozialen bzw. sexuellen (Ehe oder
Ehelosigkeit) – ist für das Heil belanglos, hier ist allein entscheidend das
Halten der Gebote (V. 19; vgl. V. 10 f). Ansonsten ist der Christ frei und
nicht verpflichtet, seinen bei der Berufung innegehabten Stand zu ändern.
Wer z. B. seine christliche Freiheit von der Faktizität sozialer Freiheit (analog:
von der sexuellen „Freiheit" im Sinne der Parole!) abhängig macht, verkennt, daß christliche Freiheit sich allein in der Freiheit schenkenden Knechtschaft Christi gründet (V. 22). Wer einer anderen Interpretation von Freiheit
folgt, begibt sich in die Knechtschaft von Menschen (V. 23). Implizit fällt
darunter auch die von einigen Korinthern postulierte Praxis, die das Heil von
Sexualaszese abhängig machen will.

2.7. V. 25–28.39 f

Dieser Abschnitt kann relativ kurz, d. h. ausschließlich im Blick auf die
durch die Parole V. 1b bedingte Pragmatik, behandelt werden. Die eigentlich theologisch-argumentativen Passagen (bes. V. 29–31.32–35) sind ohne-
hin im zweiten Teil dieser Ausführungen noch zu behandeln. |

Nachdem Paulus in V. 2–16 das mit der korinthischen Parole gestellte
Problem vorwiegend unter der Rücksicht „*Ehe* und christliche Berufung"
erörtert und mit der grundsätzlichen Erwägung in V. 17–24 abgeschlossen
hat, geht er nun die Problematik der Parole im Blick auf die Verheiratung der
(noch bzw. wieder) Unverheirateten an. Mit Sicherheit sind die Ausführungen V. 25–40 pragmatisch von V. 1b bedingt. Wahrscheinlich liegt Paulus
sogar eine direkte Anfrage „bezüglich der Jungfrauen" (V. 25) vor. Dies legt
nicht nur die mit περί (bezüglich) analog zu V. 1 gestaltete Einleitung von V.
25 nahe, sondern auch die Beobachtung, daß Paulus in V. 26 wiederum (wie

---

[19] Umstritten ist vor allem, ob μᾶλλον χρῆσαι (V. 21bβ) die Möglichkeit, doch Sklave zu
bleiben (vgl. V. 21a), oder die Möglichkeit, freizukommen (V. 21ba), nahelegen will. Von
der Semantik des Textes sind beide Verständnisse möglich. Im ersten Fall würde Paulus
durch V. 21b den Grundsatz des Bleibens unterstreichen (so z. B.: D. LÜRHMANN, *Wo man
nicht mehr Sklave oder Freier ist.* Überlegungen zur Struktur frühchristlicher Gemeinden, in:
WuD NF 13 [1975] 53–83, hier 62). Aus sprachlichen, grammatischen und sachlichen
Erwägungen (ein Sklave hatte gar nicht die Möglichkeit, die Freilassung zurückzuweisen,
wenn sein Herr diese beschlossen hatte! Vgl. dazu: S. S. BARTCHY, *ΜΑΛΛΟΝ ΧΡΗΣΑΙ*:
First-Century Slavery and the Interpretation of 1 Corinthians 7:21 [SBLDS 11] [Missoula/
Montana 1973] 97 f. 119) dürfte jedoch die zweite Möglichkeit zu bevorzugen sein. Vgl. P.
STUHLMACHER, *Der Brief an Philemon* (EKK) (Zürich-Einsiedeln-Köln-Neukirchen 1975)
44–46; THYEN, *nicht mehr männlich* (Anm. 15) 158–160; P. TRUMMER, *Die Chance der Freiheit.*
Zur Interpretation des μᾶλλον χρῆσαι in 1Kor 7,21, in: Bib. 56 (1975) 344–368.

in V. 8) „es ist gut", ja sogar „es ist gut für den Menschen" (*καλὸν ἀνθρώπῳ*) aus der Parole aufgreift.

Schwer zu klären ist allerdings, worin das korinthische „Jungfrauen"-Problem konkret bestand. Umstritten ist besonders, was mit „seiner Jungfrau" in V. 36–38 gemeint ist[20]. Relativ unwahrscheinlich ist, daß es um geistliche Verlobte im Sinne des Syneisaktentums geht, da dieses als Institut erst seit dem 3. Jahrhundert sicher belegt ist[21]. Die traditionelle Auslegung sieht in der „Jungfrau" die Tochter[22]. Dem steht jedoch als sprachliche Schwierigkeit gegenüber, daß *γαμείτωσαν* V. 36 (= sie sollen heiraten) doch wohl auf die Heirat zwischen dem Subjekt des Satzes (das dann nicht der Vater sein kann) und der „Jungfrau" zu beziehen ist. Am wahrscheinlichsten ist es daher, daß die Verse 36–38 die Frage behandeln, ob es einem jungen Mann gestattet ist, seine Verlobte zu heiraten[23]. Dafür spricht übrigens auch V. 26b (sofern man ihn mit V. 36–38 in Zusammenhang bringen darf), wo auch kaum daran gedacht sein kann, daß dem Vater nahegelegt werden soll, „so zu sein", d. h. ehelos zu bleiben.

Hinter V. 25–38 dürfte also folgendes Problem der Gemeinde von Korinth stehen: Die Parole von V. 1b hatte nicht nur die Verheirate-|ten, sondern auch die jungen Männer, die eben im Begriff standen zu heiraten, verunsichert. Denn in der Konsequenz der Parole lag es auch, daß das Eingehen einer Ehe mit christlicher Berufung unvereinbar war. Auf die entsprechende Anfrage geht Paulus in V. 25–38 ein, wobei er aber nicht nur im Blick auf die jungen Männer argumentiert, sondern allgemein (und unter Bezug auf beide Geschlechter; vgl. V. 28) das Verhältnis von christlicher Berufung und Ehelosigkeit aus seiner Sicht erörtert. Die Lösungen, die er anbietet, bewegen sich ganz auf der Linie des in V. 17–24 genannten Grundsatzes und der dort dargelegten christlichen Freiheit. Zunächst stimmt Paulus mit der Aussage der Parole darin überein, daß es besser sei, ehelos zu bleiben (vgl. V. 26.27b.32–35.37.38b). Das entspricht auch dem Grundsatz von V. 17.20.24. Allerdings ist die Begründung des Paulus eine andere (s. u. 3.) als die der Vertreter der Parole, die die Sexualaszese zum Kriterium des Christlichen gemacht hatten. Paulus macht aus seinem Grundsatz kein Prinzip und muß insofern einer rigorosen Applikation der Parole auf die Unverheirateten widersprechen. Da der sexuelle Stand (Ehe bzw. Ehelosigkeit) wie der ethnische und soziale grundsätzlich für das Heil belanglos ist, rekurriert

---

[20] Vgl. dazu Conzelmann, *1Kor* (Anm. 10) 160f; Baltensweiler, *Ehe* (Anm. 9) 175–185; vor allem: W. G. Kümmel, *Verlobung und Heirat bei Paulus* (1Kor 7,36–38), in: ders., *Heilsgeschehen und Geschichte*. Gesammelte Aufsätze 1933–1964 (MThSt 3) (Marburg 1965) 310–327.

[21] Zum Material vgl. H. Achelis, *Virgines subintroductae. Ein Beitrag zum VII. Kapitel des I. Korintherbriefs* (Leipzig 1902). Ob bereits Hermas das Syneisaktentum voraussetzt (vgl. Lietzmann, *1 Kor* [Anm. 10] 36; Thyen, *nicht mehr männlich* [Anm. 15] 179), ist zumindest unsicher: vgl. Kümmel, aaO. 312 Anm. 9.

[22] J. D. M. Derrett, *The Disposal of Virgins*, in: ders., *Studies in the New Testament I* (Leiden 1977) 184–192, versucht diese Auffassung vom jüdischen Recht her zu begründen.

[23] Zu *γαμίζω* (V. 38) in der Bedeutung „heiraten" siehe Lietzmann, *1 Kor* (Anm. 10) 35f.

Paulus auf die christliche Freiheit. Da diese Freiheit aber in der Unterwerfung unter den Kyrios gründet (vgl. V. 22), realisiert sie sich im Falle bereits
bestehender Ehen – gemäß dem Gebot des Kyrios (vgl. V. 10f) – im Aufrechterhalten der ehelichen Gemeinschaft (vgl. V. 27a). Im Falle der Unverheirateten aber, wo es keinen „Befehl" des Kyrios gibt (V. 25), muß Paulus die
Möglichkeit zur Heirat als Möglichkeit christlicher Freiheit offenlassen (vgl.
V. 28ab.36.38a), wenngleich er es aus bestimmten Gründen (vgl. V. 29–
31.32–35) für besser hält, nicht zu heiraten.

V. 39f wenden die vorausgehenden Ausführungen sinngemäß auf die
„Witwen" an. Möglicherweise gab es auch zu diesem Punkt im Gefolge der
Parole V. 1b eine direkte Anfrage aus Korinth.

Zusammenfassend läßt sich sagen: Die vorwiegend pragmatisch orientierte, kursorische Analyse konnte alle in 1Kor 7 konkret angesprochenen
Fragen auf dem Hintergrund einer einheitlichen korinthischen Problemstellung erklären, so daß auch von daher die Entscheidung, V. 1b als korinthi-
sche Parole zu verstehen (2.1.), als gesichert gelten kann. |

3. Sachlich-theologische Auswertung

Unter Zugrundelegung dieser Entscheidung ist nun auf die eingangs
gestellten Sachfragen zurückzukommen, wobei zugleich die tieferen theologischen Beweggründe der paulinischen Stellungnahme zu erheben bzw. –
soweit sie in der Analyse schon angesprochen wurden – in mehr systemati-
scher Weise zu durchdringen sind.

3.1. Ehe als remedium concupiscentiae?

Die Begründungen in V. 2.5 („wegen der Unzucht[ssünden]", „wegen
eurer Unenthaltsamkeit"), die es auf den ersten Blick nahelegen könnten,
Paulus halte die Ehe nur für ein remedium concupiscentiae, sind auch im
Sinn des Paulus kaum ausreichend, um das Wesen der (christlichen) Ehe zu
würdigen. Hier ist daran zu erinnern, daß Paulus im Blick auf den Stand der
Ehe auch positiv argumentieren kann (und muß!), nämlich mit einem Gebot
des Kyrios (V. 10f). Dieses wendet er sinngemäß sogar auf die Mischehen
an, die er – möglicherweise in Abwehr einer gegenteiligen korinthischen
Meinung – als Mittel der Heiligung für den ungläubigen Partner herausstellt
(V. 12–14). Damit zeigen sich zumindest Ansätze einer relativ positiven
Wertung der Ehe. Leider ist diese Sicht in 1Kor 7 nicht im Sinne einer
Ehelehre ausgefaltet; doch ist dies im Zuge der auf Abwehr eines falschen
Verständnisses bedachten Argumentation des Paulus auch gar nicht zu er-
warten.

Im übrigen wird man die Begründungen für den ehelichen Verkehr in V.
2.5 keineswegs auch nur als Versuch einer christlichen Ehelehre verstehen
dürfen. Die Begründungen sind vielmehr primär pragmatisch (durch die
sexualaszetische Parole von V. 1b) bedingt. Je höher der Enthusiasmus
gewisser Kreise in Korinth in den Himmel zu entschweben drohte, um so
nüchterner mußte Paulus argumentieren, nämlich mit der Realität, daß
hochgeschraubte Aszese schnurstracks in die Unzucht führt. Christliche
Berufung entführt den Christen nicht aus der irdischen Wirklichkeit und
beseitigt nicht die menschliche Natur, auch nicht in sexueller Hinsicht. Daß
Paulus dies mit den Stichworten der „Unzucht" bzw. der „Unenthaltsamkeit" zum Ausdruck bringt, mag aus der an einem völlig andersartigen
Fragehorizont orientierten Optik der heutigen Zeit recht derb er-|scheinen,
ist aber von der Sache her und – gemessen an der enthusiastisch-unwirkli-
chen Konsequenz der Vertreter der korinthischen Parole – eigentlich auch
höchst positiv[24].

3.2. Die paulinische Regel und ihre Handhabung

„Jeder soll in der Berufung (d. h. in dem Stand bzw. in der Relation), in
der er berufen worden ist, bleiben!"[25] Dieser Satz, der in V. 17.20.24 variiert
wird, stellt die eigentliche paulinische Gegenthese zur korinthischen Parole
dar. Als *Regel* genommen, ist er gleichsam das Paradigma, nach dem die
paulinische Argumentation in ihren Hauptzügen funktioniert, sowohl im
Blick auf die Verheirateten wie auf die Unverheirateten. Doch macht Paulus
– anders als die Verfechter der korinthischen Parole – aus seiner Regel kein
Prinzip, d. h. keinen unter allen Umständen normativen Satz. Vielmehr
wird seine Normativität je nach Stand bzw. Relation unterschiedlich ausgelegt. Entsprechend ist das paulinische Urteil gegenüber der korinthischen
Parole teils von faktischer Übereinstimmung, teils von sachlicher Ablehnung gekennzeichnet.

Als unmittelbar normativ wird die Regel auf die *(christlichen) Ehen* angewendet (V. 10f). Der Grund dafür ist, daß Paulus hier an das Wort des Kyrios
gebunden ist. In diesem Fall muß er daher seine Regel als direkten Widerspruch zur korinthischen Parole konkretisieren. Einer nicht-normativen
Geltung der Regel in bezug auf die Ehe widersetzt sich Paulus sogar für den
Fall, daß der (christliche) Ehepartner sich (vor der Bekehrung?) *getrennt* hat;

---

[24] Ein Versuch, 1Kor 7 unter Berücksichtigung der veränderten heutigen Situation zu interpretieren, findet sich bei J.-M. Cambier, *Doctrine paulinienne du mariage chrétien. Étude
critique de 1 Co 7 et d'Ep 5,21–33 et essai de leur traduction actuelle*, in: EeT(0) 10 (1979)
13–59.

[25] Daß in dem Begriff κλῆσις profaner Stand und göttlicher Ruf aufeinander bezogen sind,
betont E. Neuhäusler, *Ruf Gottes und Stand des Christen. Bemerkungen zu 1Kor 7*, in: BZ
NF 3 (1959) 43–60.

das Verbot der Wiederheirat hat für Paulus letztlich wohl die Funktion, die Möglichkeit der Versöhnung offenzuhalten (V. 11ab).

In analoger Weise ist die Regel auch das normative Paradigma für die Behandlung der *Mischehen* (V. 12–14). Paulus macht zwar deutlich, daß hierfür kein Herrenwort vorliegt und „nur" er selbst spricht (V. 12a). Doch ist dies kein Grund, der getroffenen Regelung eine|mindere normative Geltung zuzusprechen, da der Apostel nur die Norm des Herrenwortes sinn- und sachgemäß anwendet. Auch hier muß Paulus seine Regel als Widerspruch zur korinthischen Parole entfalten. Allerdings besteht Paulus für den Fall, daß der heidnische Partner sich trennen will, nicht auf einer Aufrechterhaltung der Ehe. Dies ist kaum als Ausnahme zu der ansonsten normativ verstandenen Regel im Falle der Mischehen zu interpretieren, sondern zeigt eher, daß die von Paulus postulierte Normativität nicht aus einer sklavischen Bindung an den Wortlaut des Herrenwortes, sondern aus der Bindung an den lebendigen Kyrios resultiert. Davon ist noch zu sprechen.

In bezug auf den *geschlechtlichen Umgang in der Ehe* (V. 2–5) wird man kaum von einer im strikten Sinn normativen Anwendung der paulinischen Regel sprechen können. Doch hält Paulus eine ihr entsprechende Praxis (also Bleiben in der sexuellen Relation der Ehe) für das Normale, das man nur unter bestimmten Bedingungen (vgl. V. 5bc) verlassen darf, soll nicht die Gefahr der Unzucht (V. 2) bzw. der satanischen Versuchung heraufbeschworen werden (V. 5d). Doch legt Paulus Wert auf die Feststellung, daß aus dieser Anwendung der Regel nicht die Ehe als christliche Norm abgeleitet werden darf (V. 6).

Dies widerspräche der paulinischen Regel selbst, die im Falle der *Unverheirateten* ja die Aufrechterhaltung des ehelosen Standes postuliert (V. 8.26.27b.37.38b.40). Hier stimmt Paulus faktisch mit der Forderung der korinthischen Parole überein. Im Gegensatz zu dieser postuliert Paulus hier jedoch keine normative Geltung, weil er für den Fall der Unverheirateten kein Gebot des Kyrios hat (V. 25). Er versteht die Regel als Empfehlung zum Besten der Betroffenen (vgl. V. 28cd.35).

Die paulinische Regel erweist sich so als hervorragender Gegen-Satz zur korinthischen Parole, der eine differenzierende Behandlung derselben gestattet. Ihre christlich nicht zu verantwortenden, gegen die Ehe gerichteten Konsequenzen können zurückgewiesen und das in ihr enthaltene Anliegen christlicher Ehelosigkeit, das auch Paulus bewegt, kann in rechter Weise betont werden. Die unterschiedliche Normativität in der Anwendung der Regel ergibt sich je nach Vorhanden- oder Nichtvorhandensein eines Gebotes des Kyrios.

Mit diesen Feststellungen ist allerdings noch nicht die Frage ge-|klärt, was der Grund bzw. die Begründung der paulinischen Regel ist. Der Verweis auf das Herrengebot ist als Antwort unzureichend, da es die Regel wohl in bezug auf die Verheirateten begründen könnte, nicht aber in bezug auf die Unverheirateten, für die Paulus nach eigener Auskunft (V. 25) kein Herrengebot hat. Da er die Ehelosigkeit unter diesem Bezug deswegen auch nicht als normativ betrachtet, bleibt noch die weitere Frage, warum er sie – durchaus entsprechend seiner Regel – dann doch als die bessere Möglichkeit gegenüber der Ehe betrachtet (vgl. V. 7a). Die beiden Fragen nach dem Grund der paulinischen Regel und dem Grund der Bevorzugung der Ehelosigkeit hängen also zusammen.

3.3. Der Grund für die paulinische Regel

Der Grund für die paulinische Regel kann mit Sicherheit nicht darin liegen, daß Paulus die vorhandene Relation als *heilsbedeutsam* festschreiben will. Dann müßte Paulus seine Regel zum Prinzip erklären, dann könnte sie im Fall der Unverheirateten sogar im Sinne der korinthischen Parole verwendet werden. Viel eher ist sie daher darin begründet, daß Paulus die vorhandene Relation in bezug auf das Heil gerade für *belanglos* hält[26]. Ausdrücklich realisiert wird diese Auffassung allerdings nur in bezug auf Beschneidung und Unbeschnittenheit (sie sind „nichts", V. 19), nicht aber in bezug auf die Relation der Ehe bzw. der Ehelosigkeit. Dies zeigt, daß die angegebene negative Begründung der paulinischen Regel für sich genommen noch unzureichend ist und positiv ergänzt werden muß:

Die vorhandenen (irdischen, sexuellen) Relationen sind belanglos, weil die christliche Berufung eine neue, alles Heil entscheidende Relation herstellt, nämlich die Relation zum Kyrios. Indirekt kommt diese Relation zum Kyrios schon in dem Begriff des „Rufens" von seiten Gottes (V. 17) bzw. des „Berufenwerdens" (V. 20.24) zum Ausdruck, da Gottes Ruf „in die Gemeinschaft seines Sohnes Jesus│Christus, unseres Herrn", führt (1Kor 1,9). Direkt ausgeführt ist diese neue Relation zum Kyrios am Beispiel Sklave/Freier, wo in paradoxer Antithetik „der im Herrn berufene Sklave" als „Freigelassener des Herrn" und „der berufene Freie" als „Sklave Christi" bezeichnet wird (V. 22).

Unter der Rücksicht der allein heilsentscheidenden Relation zum Kyrios scheut sich Paulus offensichtlich, die Relation der Ehe bzw. Ehelosigkeit pauschal, wie Beschneidung und Unbeschnittenheit, als heilsbelanglos zu werten. Das heißt nicht, daß Ehe bzw. Ehelosigkeit als solche nun doch heilseffizient werden. Aber unter dem Gesichtspunkt der Relation zum Kyrios ist der Verheiratete eben verpflichtet (wegen des Herrenwortes!), im Stand der Ehe zu verbleiben (die Ehe ist für ihn nicht einfach „nichts"!). Unter dem nämlichen Gesichtspunkt rät Paulus dem Unverheirateten,

---

[26] W. WOLBERT, *Ethische Argumentation und Paränese in 1Kor 7* (MThSt.S 8) (Düsseldorf 1981) 111: „Auf den Stand kommt es gerade *nicht* an". Aus der Belanglosigkeit darf jedoch nicht einfach gefolgert werden: „die Freiheit ist nicht revolutionär, sie ändert an den gesellschaftlichen Verhältnissen nichts" (NIEDERWIMMER, *Askese* [Anm. 3] 105); dies ist m. E. eine unzulängliche Generalisierung, die dem Charakter der paulinischen Regel als des Gegen-Satzes zur korinthischen Parole zu wenig Rechnung trägt.

ehelos zu bleiben, nicht weil er der Ehelosigkeit nun doch Heilsbedeutung zuschreiben möchte, sondern weil er dem Ehelosen ein innigeres Eingehen auf die Relation zum Kyrios zutraut. Darauf ist noch zurückzukommen.

Grundsätzlich ist zu vermerken, daß die paulinische Regel, jeder möge so bleiben, wie er berufen ist, nicht in einer prinzipiell und gesetzlich verstandenen Verpflichtung auf die vorhandene Relation, der damit Heilseffizienz zukäme, begründet ist, sondern in der Bindung an den Kyrios, die allein heilseffizient ist. Die Problematik stellt sich für Paulus nicht dar als eine Frage der Bewertung irdischer (sexueller) Relationen, ob diese also heilsausschließend oder heilseffizient sind – dies ist die Problematik, die die Korinther bewegt. Für Paulus stellt sich die Problematik dar als eine Frage der Knechtschaft bzw. der Freiheit. Die Alternative ist: Knechtsein unter dem Kyrios (vgl. V. 22), d. h. alleinige Abhängigkeit des Heils von der Relation zum Kyrios, oder Knechtsein unter Menschen (vgl. V. 23), d. h. vermeintliche Abhängigkeit des Heils von einer vorhandenen oder neu einzugehenden bzw. aufzulösenden menschlichen Relation.

Angewandt auf die konkrete Auseinandersetzung mit der korinthischen Parole von V. 1b bedeutet dies: Weil die Relation zum Kyrios einzig heilsentscheidend ist, entläßt sie den Christen in die Freiheit, so zu bleiben, wie er berufen ist, und zwingt ihn nicht, vorhandene eheliche Relationen aufzugeben und dieses Aufgeben als heilseffizient zu betrachten, wie es einige Korinther mit ihrer Forderung der ehelichen Enthaltsamkeit bzw. möglicherweise sogar mit ihrer Forderung, die Ehe aufzugeben, tun.|

Auf dem Hintergrund dieser Auseinandersetzung ist daher auch das Herrenwort V. 10 f nicht als „Gesetz" zu lesen, sondern als Ausdruck christologisch bedingter Freiheit, die allerdings nicht in die Beliebigkeit entläßt, sondern als Knechtsein unter dem Kyrios zugleich zur Aufrechterhaltung der Ehe verpflichtet.

Daß auch Paulus dieses Herrenwort nicht als „Gesetz" verstanden haben dürfte, zeigt die Tatsache, daß er in Applikation eben dieses Herrenwortes auf die Mischehen V. 15ab formulieren kann. Ein Christ, dessen ungläubiger Partner die bisherige eheliche Relation lösen will, muß diese Relation nicht krampfhaft aufrechterhalten. Er hat die Freiheit, den heidnischen Partner ziehen zu lassen, und kann dennoch in der zerbrochenen ehelichen Relation seine Bindung an den Kyrios aufrechterhalten. Die Knechtschaft unter dem Kyrios, die Freiheit ist, darf nicht zur Begründung menschlicher Knechtschaft (in diesem Falle: durch den heidnischen Partner, der durch sein eigenmächtiges Verhalten den Christen zu einer fiktiven Aufrechterhaltung der Ehe zwingen würde, während er selbst eine neue Ehe eingehen kann) führen.

Weil die allein heilsentscheidende Bindung an den Kyrios, d. h. die christologisch begründete Freiheit des Christen, das Heil nicht an irdischen (ethnischen, sozialen, sexuellen) Relationen festmachen zu müssen, der tiefste Grund der paulinischen Regel ist, muß Paulus auch die Ehe, obwohl ihre Aufrechterhaltung für ihn – entgegen der korinthischen Parole – Zeichen der Bindung an den Kyrios und damit Zeichen christlicher Freiheit ist, in bezug auf Heilsrelevanz relativieren. Das geschieht in V. 29b–31a, wobei die beigefügten eschatologischen Begründungen (V. 29a.31b) zunächst einmal beiseitegelassen werden sollen[27]. Daß diejenigen, die Frauen haben, | so sein sollen, als hätten sie keine (ὡς μὴ ἔχοντες, V. 29b), kann nicht besagen wollen, daß die Eheleute sich der geschlechtlichen Betätigung enthalten sollen. Das würde in eklatantem Widerspruch zu V. 2–5 stehen und nur Wasser auf bestimmte korinthische Mühlen schütten. Gemeint kann nach den Ausführungen der Verse 17–24 nur sein, daß Ehe, wie im übrigen auch Lebensfreud und Lebensleid und Besitz (V. 30.31a), nicht zur Knechtschaft führen dürfen, indem von diesen Dingen das Heil erwartet wird bzw. indem diese Dinge den Blick vom einzig heilsentscheidenden Kyrios abziehen.

Die christologisch begründete Freiheit ist schließlich auch der Grund, daß Paulus seine Regel nicht als Prinzip formulieren kann. So sehr er selbst die Ehelosigkeit für besser hält (V. 7), so kann er doch einer Sexualaszese als Programm christlicher Freiheit nicht zustimmen. Damit würde a priori das Heil von menschlichen Relationen abhängig gemacht. Der unverheiratete Christ hat daher die Freiheit zu heiraten (vgl. V. 28ab.36.38a.39). Erst recht muß Paulus dort, wo die vermeintliche Freiheit nur die Begierde fixieren würde, betonen, daß es besser ist zu heiraten (V. 9)[28].

3.4. Die Bevorzugung der Ehelosigkeit

Es wurde schon betont, daß die paulinische Bevorzugung der Ehelosigkeit nicht in einer ihr speziellen Heilseffizienz liegen kann. Dem würde auch die Auskunft, daß der, der dennoch heiratet, nicht sündigt (V. 28ab.36),

---

[27] Dies ist deswegen nicht illegitim, da der eschatologische Vorbehalt des ὡς μή unabhängig von der Situation der Naherwartung unter christologischem Aspekt für den Christen bleibende Gültigkeit besitzt. Zu Recht stellt W. SCHRAGE, *Die Stellung zur Welt bei Paulus, Epiktet und in der Apokalyptik. Ein Beitrag zu 1Kor 7,29–31*, in: ZThK 61 (1964) 125–154, hier 153 f, fest, daß Paulus auch in 1Kor 7,29 ff (wie in Röm 13,11 ff) „die Eschatologie von der Christologie her interpretiert". Vgl. weiter: G. HIERZENBERGER, *Weltbewertung bei Paulus nach 1Kor 7,29–31. Eine exegetisch-kerygmatische Studie* (KBANT) (Düsseldorf 1967). – Die Christologie – und nicht primär „die prophetische ‚Grundgewißheit‘ von der Gegenwart als endzeitlicher Entscheidungssituation" – ist m. E. auch der entscheidende Grund für die von U. B. MÜLLER, *Prophetie und Predigt im Neuen Testament. Formgeschichtliche Untersuchungen zur urchristlichen Prophetie* (StNT 10) (Gütersloh 1975) 158–162 (Zitat: 161), im übrigen zu Recht herausgestellten Differenzen zu 6Esr 16,36–45; vgl. auch: WOLBERT, aaO. 121–126.

[28] πυροῦσθαι: „vom Feuer des geschlechtlichen Verlangens verzehrt werden" (F. LANG, Art. πῦρ κτλ., in: ThWNT VI, 927–953, hier 950). Für eschatologischen Bezug plädiert M. L. BARRÉ, *To Marry or to Burn: πυροῦσθαι in 1 Cor 7:9*, in: CBQ 36 (1974) 193–202: „to be burned in the fires of judgement or Gehenna" (200).

widersprechen. Aus diesem Grund kann auch der Satz, daß die Unverheirateten um die Sache des Herrn besorgt sind, während die Verheirateten um
die Sache der Welt besorgt sind, wie sie also dem Partner gefallen (V. 32b–
34), nicht als dogmatische Aussage verstanden werden. Paulus selbst gibt
dies in V. 35 zu erkennen. Die Aussage gibt vielmehr die Überzeugung des
Paulus wieder, | die er wohl aufgrund seiner eigenen Erfahrung und auf-
grund seines Wirklichkeitsverständisses gewonnen hat. Daß es auch andere,
gegenteilige Erfahrung gibt, daß nämlich das Unverheiratetsein keineswegs
automatisch zum Besorgtsein um den Herrn führen muß, sondern zur
knechtischen Besessenheit von der Begierde führen kann, konzediert auch
Paulus (V. 9; vgl. V. 5.36f). Allerdings ist Paulus der Ansicht, daß in der
Regel die Unverheirateten der allein heilsentscheidenden Bindung an den
Kyrios leichter und spannungsfreier entsprechen können. Für die Verheirateten befürchtet Paulus, daß ihre Ausrichtung auf den Ehepartner neben der
(selbstverständlich auch für sie maßgeblichen) Ausrichtung auf den Kyrios
zu einer ständigen existentiellen Spannung führt (μεμέρισται, V. 34a).

Dies hängt wesentlich damit zusammen, daß der Verheiratete unter rein
menschlicher Rücksicht (d. h. wegen seiner Bindung an den Partner, für den
er in dieser Welt Sorge tragen muß) der Bedrängnis der Endzeit (θλῖψις)
kaum ausweichen kann (V. 28c), während der Christ als Christ – und dies
gilt auch für den verheirateten Christen und macht gerade seine Spannung
aus – sich in Sorglosigkeit, die in der Sorge um den Kyrios begründet ist,
über die Bedrängnis hinwegsetzen kann. Weil Paulus vor dieser Bedrängnis
bewahren will (V. 28d) bzw. weil er diese Sorglosigkeit wünscht (V. 32a),
formuliert er V. 32b–34[29]. Die darin geäußerte Überzeugung steht also, wie
vorher schon die ὡς μή-Aussagen V. 29b–31a, eindeutig in eschatologischer
Beziehung, die in V. 29a.31b auch textlich realisiert ist, und zwar im Sinne
der Naherwartung. Doch während die ὡς μή-Aussagen auch ohne die apokalyptische Begründung kommunikative Gültigkeit besitzen, da sie sich sachlich auch mit dem Prinzip der christologisch begründeten Freiheit begründen lassen (s. o. 3.3.), gilt dies nicht in gleichem Maße von der in V. 32b–34
geäußerten Überzeugung, da ihr kommunikativer Wert (d. h. ihr Überzeu-
gungsgehalt und damit auch ihr intersubjektiver Wahrheitsgehalt) nicht
unerheblich von dem vorausgesetzten Wirklichkeitsverständnis abhängt.
Im | Klartext heißt das: Wer wie Paulus unmittelbar vor der Ankunft des
Herrn lebt, wird durchaus zustimmen können, daß die Ehe und die damit
verbundene Verantwortung die endzeitliche Bedrängnis besonders intensiv
erfahren lassen und daß das mit der Ehe verbundene weltliche Besorgtsein
um den Partner leicht in Spannung zum Besorgtsein um den Kyrios, das

---

[29] Daß V. 32a sachlich V. 28cd wieder aufnimmt (so zu Recht: BALTENSWEILER, Ehe [Anm. 9]
173), beachtet NIEDERWIMMER, Analyse (Anm. 6) 244, zu wenig, wenn er den Eheverzicht
als jene Existenzform bezeichnet, „die dem eschatologischen Charakter der christlichen
Existenz im eigentlichen Sinne angemessen ist".

gerade (weltliche) Sorglosigkeit intendiert, gerät. Aus dieser Situation ist die Überzeugung des Paulus auch psychologisch verständlich.

Zu fragen bleibt daher, ob diese Auffassung in jedwede und d. h. auch in eine nicht von der Naherwartung bestimmte Situation übertragbar ist. Zumindest wird dort die Gefahr knechtender Frustrierung bzw. Fixierung des Unverheirateten größer sein, da ja auch er sein Leben in den Ablauf dieser Weltzeit einpassen muß und außerdem die Bedrängnis und die Nöte der Welt nicht einfach in der Sorglosigkeit des mit dem Vergehen der Welt Rechnenden übergehen kann. Er muß sich wenigstens ein Stück weit um „die Dinge der Welt" sorgen, wie sich der Verheiratete im Partner um ein Stück Welt sorgt. Das bedeutet, daß die Verantwortlichkeit der Welt gegenüber in nicht von Naherwartung bestimmter Situation weit mehr in die Verantwortlichkeit gegenüber dem Kyrios integriert werden muß, als dies in der alternativen Darstellung des Paulus erscheint, sofern nicht schon die paulinische Alternative einer gewissen rhetorischen Zuspitzung mitverpflichtet ist[30]. Dies alles soll nicht heißen, daß es außerhalb der Naherwartung keine personalen Situationen geben kann, welche die Ehelosigkeit der Ehe vorzuziehen gebieten[31]. Aber sie können nicht in Pauschalübertragung der in V. 32b–34 geäußerten Überzeugung des Paulus als gegeben vorausgesetzt werden, sondern müssen jeweils neu und personal-individuell bestimmt werden.

Im übrigen gehorcht die paulinische Bevorzugung der Ehelosigkeit nicht einem Spezialgesetz, sondern dem nämlichen Prinzip wie die Einschätzung der Ehe. Es geht in beiden Fällen um die Freiheit für den Kyrios. Von dieser Freiheit her wird jeder seine ihm eigene Entscheidung treffen müssen (vgl. V. 7bc).

Die Bindung an den Kyrios bzw. die christologisch begründete Freiheit des Christen erweisen sich somit als der tiefste Grund der paulinischen Regel. Im Blick auf die allein heilsentscheidende Relation zum Kyrios kann Paulus mit ihr sowohl das Bleiben in der Ehe – entgegen der korinthischen Parole – wie auch das Bleiben in der Ehelosigkeit als Möglichkeit christlicher Freiheit auslegen, wobei das erste verpflichtende Freiheit ist, während das zweite dem Christen durchaus noch die Freiheit läßt, sich anders zu entscheiden. Daß die Bevorzugung der Ehelosigkeit durch Paulus in einer negativen Einschätzung der Sexualität begründet ist, davon kann jedoch nicht die Rede sein.

---

[30] Vgl. CONZELMANN, 1Kor (Anm. 10) 159.
[31] Vgl. dazu: G. FRIEDRICH, Sexualität und Ehe, Rückfragen an das Neue Testament (Biblisches Forum 11) (Stuttgart 1977) 69–72.

3.5. Abwertung der Frau?

Auch die letzte der eingangs gestellten Fragen, ob hinter den Ausführungen des Paulus in 1Kor 7 nicht doch ein Stück Frauenfeindlichkeit steckt, muß negativ beantwortet werden[32]. Die Argumentation des Paulus ist im Gegenteil für antike Verhältnisse bemerkenswert „partnerschaftlich". Die Ausführungen richten sich fast stereotyp an die Adresse von Mann *und* Frau[33]. Die Ehelosigkeit, die Paulus aus den dargelegten Gründen für die bessere Möglichkeit hält, wird nicht nur dem Mann nahegelegt (etwa weil die Frau gefährlich sein könnte für das Heil), sondern gleichermaßen auch der Frau (vgl. V. 8.34.40). Wenn Paulus in V. 27.36–38 aus der Sicht des Mannes argumentiert, so geschieht dies wohl ausschließlich aufgrund der ihm vorgegebenen Pragmatik (vgl. V. 25). Ansonsten aber ist sowohl von der Heirat des Mannes wie der Jungfrau die Rede (V. 28ab). Das Verbot der Ehescheidung wird auf Mann und Frau bezogen (V. 10f), ebenso wird der Fall der Mischehe sowohl aus der Sicht des Bruders wie auch der Schwester dargestellt (V. 12–15). In Fragen des ehelichen Verkehrs werden Mann und Frau die gleichen Pflich-|ten und Rechte zugebilligt (V. 2–4)[34]. Nicht die Frau wird als Werkzeug des Satans, durch das der Mann in Versuchung geführt wird, dämonisiert, sondern die mögliche Versuchung Satans betrifft gleichermaßen beide Partner; gelegentliche eheliche Enthaltsamkeit soll in gegenseitigem Einvernehmen geschehen (V. 5).

V. 1b, der als diskriminierend für die Frau empfunden werden könnte, ist kein paulinischer Satz, sondern die Parole gewisser Korinther. Er wird auch von Paulus *so* nicht wiederholt. Wo Paulus im Folgenden direkt darauf anspielt (V. 8b.26; vgl. V. 37f), wird gerade die Wendung „eine Frau nicht anfassen", die man zumindest im Sinne einer Abqualifizierung der menschlichen Sexualität am Beispiel des „Sexualobjektes" Frau verstehen könnte, nicht aufgegriffen. Allerdings wird man auch den Vertretern der korinthischen Parole nicht einfach dieses negative Verständnis unterschieben dürfen. Denn wenn es richtig ist, daß die Parole aus der eschatologischen Irrelevanz der Geschlechtlichkeit (vgl. Gal 3,28) deduziert wurde, richtet sie sich nicht primär gegen die Frau, sondern gegen die Sexualität überhaupt. Doch ist die konkrete Art und Weise der Formulierung immer noch bezeichnend genug, sofern sie sich nicht einfach aus der antiken Androzentrik erklärt. Doch kann darauf nicht näher eingegangen werden.

---

[32] Vgl. dazu auch: A.-M. Dubarle, *Paul et l'antiféminisme*, in: RSPhTh 60 (1976) 261–280.

[33] Vgl. dazu die schöne tabellarische Übersicht bei E. Kähler, *Die Frau in den paulinischen Briefen unter besonderer Berücksichtigung des Begriffes der Unterordnung* (Zürich-Frankfurt 1960) 17–21.

[34] Vgl. Friedrich, *Sexualität* (Anm. 31) 77–82; (E. S. Gerstenberger)-W. Schrage, *Frau und Mann* (Biblische Konfrontationen) (Stuttgart-Berlin-Köln-Mainz 1980) 153f.

Abschließend kann im Rückblick auf die eingangs gestellten Fragen *zusammengefaßt* werden: Die paulinische Höherbewertung der Ehelosigkeit beinhaltet keine Abwertung der Ehe bzw. der Sexualität und erst recht nicht der Frau. Die in 1Kor 7 geäußerten Reserven gegen die Ehe (vgl. bes. V. 27b.29–35) sind zum Teil durch die Naherwartung bedingt. Die scheinbare Bewertung der Ehe als remedium concupiscentiae (V. 2–5) erklärt sich im wesentlichen aus der Pragmatik des Textes. Worum es Paulus bei seinen Ausführungen über Ehelosigkeit und Ehe letztlich geht, ist die Freiheit für den Kyrios, die in der allein heilseffizienten Relation zu diesem begründet ist. Daß das Heil nicht in der Sexualität – sei es in ehelicher Aktualisierung, sei es in eheloser Sublimierung – gesucht werden darf, ist ein | christologisch gebotenes Prinzip. In bezug auf die Ehe ist dies nicht als Negativum, sondern – auch anthropologisch – als Positivum zu bewerten. Denn nur dort, wo die Ehepartner ihre Beziehung nicht mit pseudosoteriologischen Ansprüchen belasten, ist eine wahrhaft menschliche Partnerschaft möglich. In bezug auf die Ehelosigkeit bedeutet dies eine ständige kritische Bescheidenheit, da nicht die Ehelosigkeit als solche schon heilseffektiv ist, sondern die Bindung an den Kyrios, die in der Ehelosigkeit zum Ausdruck kommen soll.

15. Paulinische Theologie in der Rezeption des Kolosser- und Epheserbriefes

Kolosser- und Epheserbrief haben in der Forschung der letzten Jahre ein bemerkenswertes Interesse gefunden. Dabei ging es vor allem um eine positive Darstellung der literarischen und theologischen Eigenart der beiden Briefe. Naturgemäß mußte dabei auch die Frage nach dem Verhältnis zu den anerkannt echten Paulusbriefen und deren Theologie mitdiskutiert werden. Doch geschah dies meist unter dem Aspekt der Authentizität und weniger in der Absicht, eine Theorie der Rezeption paulinischer Theologie im Kolosser- und Epheserbrief zu erstellen. Diesem Anliegen wenden sich die folgenden Ausführungen zu, die allerdings nicht alle Aspekte der paulinischen Theologie berücksichtigen können, die in der Rezeption des Kolosser- und Epheserbriefes modifiziert, selektiert und interpretiert aufgegriffen werden. Es kann sich nur darum handeln, auf einzelne, theologisch besonders bedeutsame Gesichtspunkte aufmerksam zu machen, in der Hoffnung, daraus die Perspektive einer Gesamtlinie gewinnen zu können.

1. Vorbemerkungen

Zwei Bemerkungen sind nötig zum hermeneutischen Ausgangspunkt der Überlegungen. Eine Voraussetzung impliziert bereits das Thema: *Kolosser- und Epheserbrief werden als pseudepigraphische Schriften betrachtet*. Bezüglich des Epheserbriefes wird diese These heute von

der Mehrheit der Exegeten vertreten[1]. Im Falle des Kolosserbriefes
halten sich die Vertreter der Echtheit und die Vertreter der Unecht-
heit in etwa die Waage[2]. Doch dürften aufgrund der augenblicklichen
Forschungslage eher diejenigen, die die Echtheit befürworten, die
Beweislast tragen. Der Stil des Kolosserbriefes ist einheitlich differie-
rend von dem der Homologumena[3]. Noch gewichtiger sind die inhaltlichen Divergenzen, die die Christologie, die Ekklesiologie, die
Eschatologie, die Sicht des paulinischen Apostolates und die Auffassung von der Taufe – um nur die wichtigsten Punkte zu nennen – betreffen[4]. E. Schweizer, der den neuesten Kommentar zum Kolosserbrief vorgelegt hat, kommt zu dem Schluß: „Eine Menge zahlen-
mäßig nachweisbarer und vorsichtig bewerteter Beobachtungen ergeben ein einheitliches Bild und weisen auf einen Verfasser, der bei aller
Anlehnung an Paulus im Vokabular und theologischen Gedankengut
doch völlig anders argumentiert als er. Der Brief kann nicht von
Paulus geschrieben oder diktiert worden sein."[5] Wegen der persönlichen Notizen und Grüße in Kol 4, 7–18 schreckt jedoch Schweizer
vor einer – wie er es nennt – „derart raffinierte(n) Fälschung"
zurück[6]. Er überlegt, ob nicht der Mitabsender Timotheus, als Pauli
„Haftbedingungen es verhinderten", den Brief „in beider Namen
verfaßt" haben könnte[7]. Doch bleibt dieser Vorschlag unbefriedigend, da er das Problem nur zeitlich verschiebt. Schweizer muß am
Ende selbst feststellen: „Pseudonym bleibt der Brief (schon wegen
1, 23) auch so."[8]

Die zweite Voraussetzung, von der hier ausgegangen wird, ist, daß
der Epheserbrief vom Kolosserbrief literarisch abhängig ist. Dies ist

---

[1] Vgl. *Kümmel,* Einleitung 314–320; *Wikenhauser – Schmid,* Einleitung 486–496;
Gnilka, Epheserbrief 13–21; *Ernst,* Brief 258–263; *Merklein,* Amt 19–54. Für die
Echtheit sprechen sich erneut aus: *van Roon,* authenticiteit; *Barth,* Ephesians, bes. I
36–50.
[2] Siehe: *Kümmel,* a.a.O. 298–305 (für Echtheit); *Wikenhauser – Schmid,* a.a.O.
468–475 (unentschieden). Vgl. *Lähnemann,* Kolosserbrief 181 (unentschieden); *Ludwig,* Verfasser 135 (unecht).
[3] *Bujard,* Untersuchungen.
[4] Besonders gut herausgearbeitet bei *Lohse,* Briefe 249–257.
[5] *Schweizer,* Kolosser 23.
[6] A.a.O. 24.
[7] A.a.O. 26; vgl. *ders.,* Letter 3–16.
[8] A.a.O. 27.

heute, von wenigen Ausnahmen abgesehen[9], opinio communis der exegetischen Forschung[10].

Viele Phänomene des Kolosser- und Epheserbriefes lassen sich ohne die genannten Voraussetzungen nicht oder nur unzulänglich erklären. Unter dieser Rücksicht werden die beiden Thesen nicht zuletzt auch durch die folgenden Ausführungen bestätigt. Diese wenden sich noch vor Behandlung der Rezeption paulinischer Theologie im strikten Sinn zunächst der Funktion des Apostels Paulus im Kolosser- und Epheserbrief zu. Doch ist auch dies – aus der Sicht des Kolosser- und Epheserbriefes – bereits ein Thema von eminent theologischer Bedeutung.

2. Die Funktion des Apostels Paulus in der Rezeption des Kolosser- und Epheserbriefes

Die Tatsache, daß nach dem Tod des Apostels die Tradition, die er durch seine Theologie begründete, weiter gepflegt wird, läßt sich – rein äußerlich gesehen – durch die Annahme einer Paulus-Schule (in Ephesus?), auf die bereits H. Conzelmann aufmerksam gemacht hat[11], erklären. Nicht hinreichend geklärt ist damit jedoch die Frage, warum diese Paulus-Schule das Gedankengut ihres Meisters in Form apostolischer Briefe und im Namen des Meisters rezipiert und adaptiert. Damit ist das Problem der Pseudepigraphie angesprochen, auf deren weitverzweigte literarische Aspekte hier nicht näher eingegangen werden kann[12]. Wohl aber muß gefragt werden, aus welchen sachlich-theologischen Gründen gerade „Paulus" als Träger der Tradition angegeben wird, bzw. warum es nicht genügte, einfach das „Evangelium von Jesus Christus", das Paulus verkündete, weiterzu-

---

[9] *Masson*, L'épître, hält den jetzigen Kol für eine Bearbeitung eines kürzeren, echten Kolosserbriefes durch den Verfasser des Eph. Diese Hypothese hatte bereits *Holtzmann*, Kritik, vertreten. Daß Kol von Eph abhängig sei, vertritt *Coutts*, Relationship. Zur These *Mayerhoffs* s. u. Anm. 56. Einen Überblick über die verschiedenen Hypothesen vermittelt *Polhill*, Relationship.

[10] Aus der umfangreichen Literatur seien nur genannt: *Ochel*, Annahme; *Goodspeed*, Meaning; *ders.*, Key; *Mitton*, Epistle; *ders.*, Authorship; *Benoit*, Rapports littéraires; *Gnilka*, Epheserbrief 7–13; *Merklein*, Amt 28–39.

[11] *Conzelmann*, Paulus; vgl. *Lohse*, Briefe 254; *Gnilka*, Epheserbrief 6. 20f; *Ludwig*, Verfasser 210–229; *Schenke*, Weiterwirken 515f.

[12] Vgl. *Brox*, Verfasserangaben, sowie den von Brox herausgegebenen Sammelband: Pseudepigraphie.

geben. Kurz: es ist zu fragen, welche Funktion der Apostel in der Rezeption des Kolosser- und Epheserbriefes hat.

Daß mit der Tradition des „Evangeliums" zugleich auch der „Apostel" zur Sprache gebracht wird, hat seinen traditionsgeschichtlichen Ansatzpunkt bei Paulus selbst, nach dessen Auffassung „Evangelium" und „Apostel" streng aufeinander bezogen sind[13]. An dieser Verkoppelung ist dem Kolosser- und Epheserbrief offensichtlich gelegen, denn sie wird nicht nur formal rezipiert, sondern auch in inhaltlicher Reflexion auf den begrifflichen Nenner gebracht, der allerdings innovatorische Verschiebungen einschließt.

2.1. „Evangelium" und „Mysterium"

Reflexion und Innovation lassen sich am besten an den Begriffen „Evangelium" und „Mysterium" verdeutlichen. Gegenstand der paulinischen Verkündigung ist das „Evangelium", dessen Inhalt – kurz zusammengefaßt – „Jesus Christus" ist[14]. Auch der Kolosser- und Epheserbrief kennen den Begriff „Evangelium", doch hat er eine untergeordnete Funktion[15]. Der eigentliche Gegenstand der Verkündigung ist das „Mysterium"[16]. Aufgabe des Paulus ist es nach Kol 1, 25f, „das Wort Gottes zur Vollendung zu bringen, das Mysterium, das verborgen war vor den Äonen und vor den Generationen, jetzt aber seinen Heiligen offenkundig wurde". Dieses Mysterium ist nicht einfach identisch mit dem, was Paulus „Evangelium" nennt, vielmehr haftet das Interesse für die Heilsbotschaft substantiell an dem Umstand, daß sie das Evangelium ist, „*das aller Schöpfung unter dem Himmel verkündet wurde*" (Kol 1, 23). Es geht um den *unter den*

---

[13] Vgl. dazu *Roloff*, Apostolat, bes. 83–104; *ders.*, Apostel 438f; *Schlier*, Grundzüge 200–215.

[14] *Friedrich*, Art. εὐαγγελίζομαι 728, 25. Vgl. *Bornkamm*, Art. Evangelien 749. – Diese strikt christologische Ausrichtung ist das Merkmal schlechthin des paulinischen „Evangeliums", wobei die konkrete inhaltliche Füllung – nach Kontext und Problemstellung unterschiedlich (vgl. *Strecker*, Evangelium 524–531) – mehr vom traditionellen Kerygma (z. B. 1 Kor 15, 3–5; Röm 1, 3f), von der apokalyptisch-eschatologischen Herkunft des Begriffs (z. B. Gal 1.2; dazu: *Stuhlmacher*, Evangelium 56–108) oder von der paulinischen Rechtfertigungslehre her (z. B. Röm 1, 16f) geprägt sein kann.

[15] Kol 1, 5.23; Eph 1, 13; 3, 6; 6, 15.19. – Zur Sache: *Merklein*, Amt 202–204.207f; vgl. *Strecker*, a.a.O. 531f.

[16] Kol 1, 26.27; 2, 2; 4, 3; Eph 1, 9; 3, 3.4.9; 5, 32; 6, 19. – Zur Geschichte des Begriffs vgl. *Caragounis*, Mysterion 1–34. 117–135.

Heiden verkündigten Christus, um den „Christus *unter euch*" (Kol
1, 27)[17]. Letztlich steht hinter dem „Mysterium" die Kirche, die
durch die weltweite Verkündigung (des Apostels) entsteht. Ganz
deutlich ist dieser Gedanke im Epheserbrief ins Auge gefaßt. Das
„Mysterium" besteht darin, daß die Heiden nun zusammen mit den
Juden geworden sind: „Mit-Erben, Mit-Leib, Mit-Teilhaber der Verheißung in Christus Jesus durch das Evangelium, dessen Diener ich
(Paulus) wurde" (Eph 3, 6 f).

Das Verhältnis von paulinischem „Evangelium" einerseits und
„Mysterium" des Kolosser- bzw. Epheserbriefes andererseits kann an
einer Graphik verdeutlicht werden.

Graphik A

Paulus:

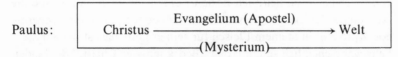

$$\text{Christus} \xrightarrow[\text{(Mysterium)}]{\text{Evangelium (Apostel)}} \text{Welt}$$

Kol: der weltweit vom Apostel verkündigte Christus (Kirche)
Eph: die Kirche aus Juden und Heiden durch die Verkündi-
        gung des Apostels

Paulus verkündigt das „Evangelium", das Christus zum Inhalt hat,
an die (heidnische) Welt. Dieser ganze Vorgang (Christus – Evangelium – Paulus – Welt) wird vom Kolosser- und vom Epheserbrief im
Begriff „Mysterium" zusammengefaßt, wobei der Kolosserbrief den
Akzent stärker auf die weltweite Mission, der Epheserbrief mehr auf
die dadurch entstandene Kirche aus Juden und Heiden legt. Kurz
gesagt: Das „Mysterium" des Kolosser- bzw. Epheserbriefes ist das
missiologisch bzw. ekklesiologisch reflektierte „Evangelium" der
Homologumena. Der rückblickende Charakter der beiden Briefe
wird deutlich.

2.2 Paulus-Bild, Tradition und Amt

Konstitutiv für das Paulus-Bild des Kolosser- und Epheserbriefes ist
also, daß „Paulus" nun selbst zum Inhalt der Verkündigung gehört,
also in das „Mysterium" hineingehört.

---

[17] Vgl. *Lohse*, Briefe 121 f; *Schweizer*, Kolosser 88.

2.2.1   Nach dem *Kolosserbrief* besteht die Funktion des Paulus im „Mysterium" darin, daß er der Träger der Verkündigung ist. Nach Kol 1, 23 ist Paulus „Diener des Evangeliums", eine Bezeichnung, die den Sinn des paulinischen Apostolates sachlich treffend zusammenfaßt[18]. Der rückblickende Charakter wird jedoch deutlich, wenn das „Evangelium" sofort als „aller Schöpfung unter dem Himmel verkündetes" expliziert und der „Diener des Evangeliums" einen Vers weiter als „Diener der Kirche"[19] angesprochen wird. Die dezidiert christologische Relation des paulinischen Apostolates wird eingebunden in die missiologische bzw. ekklesiologische Reflexion, welch letztere dann der Epheserbrief konsequent zu Ende führen wird.

Aus der Beobachtung, daß „Paulus" nun selbst eine Funktion des Mysteriums ist, läßt sich auch der schwierige Vers Kol 1, 24 erklären[20]: „Nun freue ich mich in den Leiden für euch und erfülle die Ausstände der Bedrängnisse Christi (τὰ ὑστερήματα τῶν θλίψεων τοῦ Χριστοῦ) in meinem Fleisch für seinen Leib, das ist die Kirche". Sehr wahrscheinlich sind mit den „Bedrängnissen Christi" die Leiden des Apostels gemeint, die dieser um Christi bzw. des Evangeliums willen erduldet[21]. Inwiefern es sich dabei um „Ausstände" handelt, die Paulus für die Kirche erfüllen muß, läßt sich wiederum mit Hilfe von Graphik A verständlich machen. Das Mysterium schließt die Verkündigung des Apostels in sich ein, wobei Verkündigung des Apostels nicht nur die verbale Verlautbarung des Evangeliums durch den Apostel meint, sondern – und das will Kol 1, 24 bewußt machen – die Person des Apostels in ihrer gesamten Existenz tangiert, die wegen seiner Verkündigung von Bedrängnissen gezeichnet ist. Die Leiden des Apostels werden als theologisch notwendig erkannt, um das zu erfüllen, was das zu verkündigende Mysterium ausmacht[22]. Des-

---

[18] Das Syntagma selbst kommt in den Homologumena nicht vor. Zur Sache vgl. *Lohse*, Christusherrschaft 210; *Schweizer*, Kolosser 79 Anm. 205. Zum Verhältnis von διάκονος in Kol und Eph vgl. *Merklein*, Amt 337–341.

[19] Der Ausdruck begegnet ebenfalls nicht in den Homologumena.

[20] Vgl. *Kremer*, Leiden; *Lohse*, Christusherrschaft 210f; *ders.*, Briefe 112–117; *Wilckens*, Art. ὕστερος 598; *Schweizer*, Kolosser 82–86.

[21] Auf keinen Fall dürfen die „Bedrängnisse Christi" mit der Passion Jesu identifiziert werden; das Versöhnungswerk ist im Tode Christi vollendet (Kol 1, 12–14.15–20.21f; 2, 13f). *Kremer*, a.a.O. 189–192, denkt (mit Chrysostomus) an die Leiden Jesu und an die Bedrängnisse derer, die an Christi Stelle stehen. Zur positiven Deutung vgl. *Schweizer*, a.a.O. 84f. Zu Paulus selbst: *Kamlah*, Leiden.

[22] Der Sache nach läuft das auf die Deutung von Lohse hinaus: „... die Leiden des

halb ist es kein Zufall, daß im Kolosserbrief (1, 24; 2, 1; 4, 3.10) und im Epheserbrief (3, 1.13; 4, 1; 6, 20) häufig auf die Gefangenschaft angespielt wird, ja daß die Briefe überhaupt als Gefangenschafts-briefe figurieren.

Im Blick auf die weltweite Mission bzw. die Kirche wird deutlich, daß der Apostel selbst wesentlicher Bestandteil des Fundamentes des Glaubens ist, das nach 1 Kor 3, 10f Jesus Christus – und nichts anderes[23] – ist. Nach Kol 1, 23 hängt deshalb das Bleiben im Glauben mit dem Festbleiben und Fundamentiertsein im Evangelium zusam-men, dessen Diener Paulus geworden ist. Dahinter steht der Gedanke der Tradition[24]. Die Einbeziehung des Apostels in das Fundament erscheint traditionsgeschichtlich als eine Ausweitung der strikten Aussage von 1 Kor 3, 10f, ist theologisch gesehen – so paradox es klingen mag – aber gerade eine Konsequenz jenes „Christus und nichts anderes" aus dem 1. Korintherbrief. In einer Zeit, wo die faktische Verbindung Christus(-Verkündigung) – Apostel durch den Tod des Apostels historisch aufgehoben war, mußte sie theologisch hergestellt werden, gerade um den verkündigten Christus vor Usur-pation und Verfälschung zu schützen. Es gilt, Christus zu verkündi-gen, wie ihn der *Apostel* verkündigt hat; es gilt so in Christus zu wandeln, „wie ihr ihn *übernommen* habt" (Kol 2, 6)[25]. Alles andere ist παράδοσις τῶν ἀνθρώπων – Menschentradition – (Kol 2, 8). Mit

---

Paulus . . . tragen dazu bei, Gottes Plan, den zu verwirklichen er schon begonnen hat, zu erfüllen" (Christusherrschaft 211), wenngleich es zweifelhaft bleiben muß, ob „der Gedanke des endzeitlichen Maßes zugrunde (liegt)" (*ders.*, Briefe 115; zur Kritik: *Schweizer*, a.a.O. 85; vgl. *Kremer*, Leiden 198f). *Schweizer* selbst deutet zu psycho-logisch, wenn er mit der Glaubwürdigkeit der Verkündigung operiert (a.a.O. 86).

[23] Vgl. 1 Kor 2, 2. Diese exklusiv christologische Bestimmung des „Fundaments" ent-spricht dem Argumentationsduktus von 1 Kor 1–3. Die Verkündiger gehören nicht zum Fundament; sie sind „Mitarbeiter Gottes" (3, 9) bzw. „Diener" (3, 5); in 3, 8 werden sie unter der Prämisse von 3, 7 – nichts zu sein – zusammengeschlossen. Eine stärkere Differenzierung unter den Verkündigern läßt sich aus 3, 10ff ablesen; vgl. dazu: *Weiß*, Korintherbrief 79.

[24] *Käsemann*, Taufliturgie 49: „Die Gemeinde wird nicht nur an ihr Bekenntnis, son-dern zugleich an das apostolische Amt als Hüterin der Wahrheit gebunden"; *ders.*, Art. Kolosserbrief.

[25] Daß hier Traditionsterminologie „in der Art der Mysterien bzw. der Gnosis" vor-liege, wie *Wegenast*, Verständnis 121–130 (Zitat 130), und ich selbst (Amt 177–179) angenommen haben, wird mir zunehmend fragwürdiger. Der Sache nach geht es Kol 2, 6–8 in jedem Fall um den Christus Jesus, wie er in *apostolischer* Verkündigung zur Sprache kommt (vgl. *Lohse*, Briefe 141 f); das stellt einmal der Anschluß an 2, 1–5 (bes. V. 5) wie auch die sachliche Parallelität von 2, 7 mit 1, 23 sicher.

anderen Worten: Es genügt nicht einfach das Evangelium von Jesus
Christus, wie es für Paulus noch genügte, sondern es muß das *apostolische* Evangelium von Jesus Christus sein. Gerade deswegen muß die
Gemeinde, wenn sie auf *Christus* verwiesen wird, zugleich auf den
Apostel verwiesen werden, auf sein Leiden und seinen Kampf, der im
übrigen auch allen gilt, die den Apostel persönlich nicht gesehen
haben (Kol 2, 1). Die Gemeinde muß auf den Apostel verwiesen werden, der auch bei leiblicher Abwesenheit – und das ist die permanente
Situation der nachapostolischen Zeit – „im Geiste" anwesend ist und
anwesend sein muß (Kol 2, 5).

2.2.2 Noch deutlicher ist der Traditionsgedanke und die Funda-
mentfunktion des Apostels im *Epheserbrief*. Der Apostel ist nicht
mehr nur derjenige, der das Mysterium durch seine Verkündigung
und sein Leiden vollendet hat (Kol 1, 24f), er ist auch der gnoseologi-
sche Ursprung des Mysteriums, das ihm – in Anspielung auf Gal
1, 12.15f – durch eschatologische Offenbarung kundgetan wurde
(Eph 3, 3)[26]. Dies wird dann ins Grundsätzliche ausgeweitet: Paulus
wird zum Typos des „Apostolischen"[27], so daß dann die Apostel
insgesamt zu Empfängern der eschatologischen Offenbarung erklärt
werden können (Eph 3, 5). Die Offenkundigmachung des Mysteriums
unter den „Heiligen" aus Kol 1, 26 hat damit ihr heilsgeschichtliches
apostolisches Fundament bekommen[28].

Daß Eph 3, 5 neben den Aposteln auch die Propheten genannt
werden, wird der (literarischen) Anamnese paulinischer Äußerungen
zu verdanken sein, wonach auch den Propheten ἀποκάλυψις (Offenbarung) zuteil wurde (vgl. 1 Kor 14, besonders V. 29f)[29]. Eine lebendige Erfahrungswirklichkeit sind die Propheten für den Epheserbrief
nicht mehr. Doch kann dieses Problem hier nicht weiter verfolgt
werden[30].

Wie sehr aus der Retrospektive gesprochen ist, erkennt man an

---

[26] Zur Einzelexegese von Eph 3, 3.5 vgl. *Merklein*, Amt 162–170.175–200.
[27] A.a.O. 334f.341–345.
[28] Zur literarischen Abhängigkeit von Eph 3, 1–13 von Kol 1, 24–29: *Benoit*, Art.
Paul. Vgl. *Goodspeed*, Key 26–32; *Mitton*, Epistle 291–295. Zur Sache vgl. *Lührmann*,
Offenbarungsverständnis 120; *Gnilka*, Epheserbrief 166.
[29] Vgl. dazu: *Oepke*, Art. καλύπτω 589.
[30] Zur urchristlichen Prophetie: *Dautzenberg*, Urchristliche Prophetie; zur Begrenzung ihres Wirkungskreises: 299f.

dem folgenden Vers Eph 3, 6, auf den bereits verwiesen wurde: Die
Kirche aus Juden und Heiden, die sich geschichtlich als Ergebnis der
apostolischen Verkündigung darstellt, wird als Inhalt der den Aposteln und Propheten zuteilgewordenen Offenbarung von 3, 5 angegeben.

   Die an Apostel und Propheten ergangene Offenbarung des Mysteriums macht diese zur normativen Größe der Tradition[31]. Die Kirche
ist auferbaut auf dem Fundament der Apostel und Propheten, wobei
Christus Jesus der Eckstein ist (Eph 2, 20)[32]. Auch hier wird, vergli-
chen mit 1 Kor 3, 10f, der rückblickende Charakter der Äußerung
deutlich. Die Kirche sucht, gerade wegen ihrer unaufgebbaren Bindung an Christus, nach einer Norm für diese Bindung und begreift
sich als apostolische (und prophetische) Kirche. Einen Widerspruch
zu 1 Kor 3 wird man nicht konstruieren können, zumal auch für den
Epheserbrief Christus der entscheidende Faktor bleibt, der als Eckstein – bildlich gesprochen – die Dimension des Fundamentes bestimmt und festlegt[33], umgekehrt aber – und darin zeigt sich die
reflexive Rezeption des Epheserbriefes – nur im apostolischen (und
prophetischen) Fundament zu finden ist.

   Der Traditionsgedanke steht auch hinter der Aufzählung der
Dienstfunktionen in Eph 4, 11f: „Und er (Christus) bestimmte die
Apostel, die Propheten, die Evangelisten, die Hirten und Lehrer im
Hinblick auf die Zurüstung der Heiligen zum Werk des Dienstes zum
Aufbau des Leibes Christi."[34] Daß hier traditionsgeschichtlich ein
Rückgriff auf die paulinische Charismenlehre vorliegt, wird schon

---

[31] Gelegentlich wird behauptet, Apostel und Propheten seien noch Größen der Gegenwart: *Klein*, Apostel 68–72; *Lindemann*, Aufhebung 75f.186f; *Fischer*, Tendenz 33–39
(Eph versuche, „die Struktur des paulinischen Missionsverbandes" gegen „die neue
episkopale Kirchenordnung" aufrechtzuerhalten [38f]; zur Kritik vgl. meine Rezension). Zu νῦν Eph 3, 5, das als Hauptargument für die Gegenwartsbedeutung benutzt
wird, vgl. *Gnilka*, Epheserbrief 166; *Steinmetz*, Heils-Zuversicht 57f; *Merklein*, Amt
181–187.
[32] Zur Einzelexegese von Eph 2, 20: *Merklein*, a.a.O. 135–152; dort auch (144–150)
Auseinandersetzung mit der vor allem von Jeremias favorisierten Übersetzung
„Schlußstein".
[33] Auch unter theologischer Rücksicht erweist sich somit die Übersetzung „Eckstein"
als die sinnvollere (gegen *Gnilka*, Epheserbrief 158); vgl. *Gaugler*, Epheserbrief 121.
[34] Zur Einzelexegese von Eph 4, 7–16: *Merklein*, Amt 57–117; zum Vergleich mit den
paulinischen Charismenlisten: ebd. 224–231. Vgl. auch *Ernst*, Wachstum; *Schnackenburg*, Christus 290–295.

durch die Einleitung in Vers 4, 7 gesichert, die das Axiom der paulinischen Charismenlehre (vgl. Röm 12, 6; 1 Kor 12, 11) variiert. Zwischen den paulinischen Charismenlisten (1 Kor 12, 8–11.28–31; Röm
12, 6–8) und Eph 4, 11 bestehen deutliche Berührungspunkte (die
meisten mit 1 Kor 12, 28ff). Doch ist ein bezeichnender Unterschied
zu vermerken. Paulus stellt in seinen Listen Charismen unterschied-
lichster Klassifizierung nebeneinander. Eine bestimmte Reihenfolge
ist – abgesehen von der Trias in 1 Kor 12, 28[35] – nicht zu erkennen,
zumindest ist sie kein Prinzip. Als Beispiele der charismatischen Vielfalt der Gemeinde sind die Listen grundsätzlich offen und beliebig er-
weiterungsfähig[36]. Anders ist dies im Epheserbrief: Aus der Vielfalt
der paulinischen Charismenklassen werden die verkündigenden und
leitenden Charismen herausgegriffen[37], wobei letztere (die Hirten) –
schon durch den gemeinsamen Artikel erkennbar – mit ersteren (den
Lehrern) im engen Zusammenhang zu sehen sind[38]. Diese Selektion
wie auch die nun deutlich erkennbare Reihen- bzw. Rangfolge sind
eine Konsequenz der unter dem theologischen Trend des Apostolischen stehenden Paulusrezeption. Daß Apostel und Propheten das
Fundament und die Norm der Tradition bilden, wurde bereits ausgeführt. Doch auch in der Gegenwart kann die Lehre nicht dem „Zu-
fallsspiel der Menschen" (Eph 4, 14) überlassen werden. Die Kirche
erkennt und anerkennt die besondere Bedeutung des Charismas ihrer
Evangelisten, Hirten und Lehrer, die allerdings nicht als autonome
Lehraufsichtsbehörde zu verstehen sind, sondern ihrerseits an die
apostolische Norm gebunden sind, wofür schon die Pseudonymität

---

[35] Zur Trias als vorpaulinischer Formulierung: *Merklein*, a.a.O. 236–248; vgl.
Schnackenburg, Apostel 354; *Brockhaus*, Charisma 95f.

[36] Zur paulinischen Charismenlehre vgl. *Käsemann*, Amt; *Brockhaus*, a.a.O.

[37] *Conzelmann*, Epheser 109: „Von Paulus her ... ist man geneigt, an die allgemeine
Geistbegabung aller Christen zu denken. Aber nun ist der paulinische Gedanke in den
Kirchengedanken des Briefes transponiert: Die ‚Gaben' sind die Verleihungen der
kirchlichen Ämter ..."; vgl. *Cambier*, Signification 266f.

[38] Aus dem gemeinsamen Artikel läßt sich jedoch kaum eine Identität von Hirten und
Lehrern ableiten (gegen *Menoud*, L'église 44). Doch dürfte die Zusammenordnung
nicht nur darin begründet sein, daß „beide Tätigkeiten der einzelnen Gemeinde gewid-
met sind" (*Dibelius – Greeven*, Kolosser 81; vgl. *Gnilka*, Epheserbrief 212), vielmehr
vor allem darin, daß die Leitungsfunktion auch sachlich eng mit der Lehrfunktion
zusammenhängt. Die Zusammenordnung von Hirten und Lehrern dürfte somit der
literarische Niederschlag einer Entwicklung sein, die bis in die Zeit des Paulus selbst
zurückreicht; vgl. dazu die These von Greeven, wonach die Gemeindeleitung von
Propheten bzw. Lehrern ausgeübt wurde (*Greeven*, Propheten 35ff).

des Epheserbriefes ein deutlicher Hinweis ist. Die Hervorhebung bestimmter Charismen steht also im Dienste der apostolischen, d. h. paulinischen Tradition. Es geht um die für den Aufbau der apostolischen Kirche unverzichtbaren Gnadengaben. Sie werden als Gaben (δόματα; vgl. Eph 4, 8) des erhöhten Herrn an seine Kirche begriffen und als konstitutive Dienste der Kirche erkannt. Die beginnende Entwicklung zum Amt als christologisch und ekklesiologisch bedingte Institution ist unverkennbar.

2.2.3 Weil die Kirche auf das apostolische Evangelium verwiesen ist und daher das Evangelium im Mysterium, in das der Apostel mithineingehört, verkünden muß, kann auch *aktuelle Verkündigung* nichts anderes sein als Sprechen des Apostels in der Gegenwart. Dieses Anliegen dürfte der theologische Grund für die literarische Pseudonymität der beiden Briefe sein, die theologisch zutreffender als Apostolizität zu umschreiben ist.

Von daher sind auch die Schlußpassagen der beiden Briefe zu verstehen (Kol 4, 2–6 par Eph 6, 18–20). Denn die Bitte des Apostels, dafür zu beten, daß ihm Gott eine Tür des Wortes öffne[39], das Mysterium Christi zu verkünden . . ., daß er es so offenkundig mache[40], *wie zu verkünden es seine Pflicht ist* (Kol 4, 3f), ist nur die pseudepigraphische Version des Bewußtseins des Kolosserbriefes, daß das Mysterium Christi *in der Weise des Apostels* verkündet werden muß[41].

---

[39] Nur fiktiv ist hier daran gedacht, „daß die äußere Möglichkeit zum apostolischen Dienst durch Befreiung aus dem Gefängnis wiederhergestellt werde" (*Schweizer*, Kolosser 172; vgl. *Lohse*, Briefe 233); der Sache nach geht es darum, daß das apostolische Wort bei den Hörern auf offene Bereitschaft treffen möge (vgl. 1 Kor 16, 9; 2 Kor 2, 12).

[40] φανεροῦν wird von Paulus selbst nie zur Beschreibung seiner Verkündigung verwendet (vgl. jedoch 2 Kor 2, 14). *Schweizer*, a.a.O. 172: „damit tritt der Apostel geradezu an die Stelle Gottes oder Christi (1, 26)". Unter Berücksichtigung der pseudepigraphischen Natur der Aussage wird man darin eher ein Indiz für die enge Verbindung von göttlicher Offenbarung und *apostolischer* Verkündigung – ähnlich wie beim Begriff „Mysterium" – erblicken (vgl. *Lohse*, a.a.O. 234).

[41] Es geht also nicht primär darum, „daß nur die von Gott selbst dem Apostel verliehene Art und Weise der Verkündigung bei den Hörern wirklich ankommt" (*Schweizer*, a.a.O. 173), sondern um die notwendige Apostolizität der Verkündigung. – Der Verweis auf die missionarische Verantwortung der Gemeinde in Kol 4, 5f paßt ausgezeichnet zur missiologischen Ausrichtung des Kol (s.o. 2.1); in Eph fehlt bezeichnenderweise die Parallele.

Noch deutlicher spricht Eph 6, 20 dann davon, daß der Apostel selbst im Mysterium des Evangeliums zur Sprache kommen muß[42].

Der Gedanke der paulinischen bzw. apostolischen Tradition steht m. E. auch hinter der langen Grußliste in Kol 4, 10–14. Die Namen sind mit Ausnahme von „Jesus" dieselben wie in Phlm 23 f[43]. Dies könnte rein literarisch zu erklären sein und den Zweck haben, die Funktion eines echten Paulusbriefes zu stützen[44]. Doch dürfte es wahrscheinlicher sein, daß die Namen die führenden Leute der Paulus-Schule (in Ephesus) bezeichnen[45], aus deren Reihen sowohl der Kolosser- wie auch der Epheserbrief stammt und die sich hier als Träger der apostolischen Tradition in Szene setzt[46]. Vom Phänomen her ist die Liste dann zu begreifen als aktuelle, konkrete Parallele zur theologisch stärker reflektierten Charisma-Amt-Auffassung des Epheserbriefes. In nachapostolischer Zeit muß die Gemeinde verwiesen werden auf die, die das Erbe des Apostels weitertragen[47].

Um „raffinierte Fälschung"[48] handelt es sich auch nicht bei der sog. Tychikusnotiz Kol 4, 7 f, die von Eph 6, 21 f fast wörtlich rezipiert wird[49]. Tychikus wird mit „geliebter Bruder und treuer Diener (und Mitknecht) im Herrn" als Träger paulinisch-apostolischer Tra-

---

[42] Aufschlußreich ist der Vergleich mit Kol 4, 4. Was in Kol (fiktiv) als aktives Offenkundigmachen (φανεροῦν) des Mysteriums durch den Apostel erscheint, wird in Eph zum Zur-Sprache-Kommen des Apostels im Mysterium des Evangeliums (ἵνα ἐν αὐτῷ παρρησιάσωμαι). Damit wird der Wunsch des Apostels Eph 6, 19 interpretiert als Weitersprechen des Mysteriums des apostolischen Evangeliums in der Gemeinde, wobei der Apostel im Mysterium zur Sprache kommt. Die aus dem Bemühen um Apostolizität entstandene Einbindung des Apostels in das Mysterium wird wieder sichtbar.

[43] Völlige Übereinstimmung wäre erreicht, wenn man der Konjektur von *Zahn*, Einleitung 321, folgt, und in Phlm 23 liest: ἀσπάζεταί σε Ἐπαφρᾶς ὁ συναιχμάλωτός μου ἐν Χριστῷ, Ἰησοῦς ...

[44] Vgl. *Schweizer*, Kolosser 24.

[45] Dies setzt voraus, daß Phlm (V. 23 f!) in Ephesus verfaßt ist; vgl. *Lohse*, Briefe 264 f; *Stuhlmacher*, Philemon 21 f.

[46] Vgl. dazu *Lohse*, Briefe 246–248; *ders.*, Mitarbeiter.

[47] Besondere Bedeutung für Kol scheint neben Epaphras (aus Kolossä), der die Gemeinde gegründet hat (Kol 1, 7; vgl. 4, 12 f), Archipp gehabt zu haben, der in Kolossä die „Diakonie" (wohl der Verkündigung) versieht (4, 17). Vgl. dazu auch: *Dautzenberg*, Theologie 106 f.

[48] *Schweizer*, Kolosser 24.

[49] Der sachliche Grund für die Übernahme der Tychikusnotiz durch Eph muß wohl für immer ein Rätsel bleiben, sofern ihr nicht nur der „Charakter eines paulinischen Etiketts" zuzuschreiben ist (vgl. *Gnilka*, Epheserbrief 321). Die Auslassung von Kol 4, 9 könnte man mit der ausschließlichen Bedeutung des Onesimus für Kolossä erklä-

dition ausgewiesen[50]. In erster Linie auf diese – und nicht so sehr auf die (ohnehin fiktive) momentane Situation des Apostels – wird man auch die Feststellung beziehen müssen, daß Tychikus „das, was den Apostel betrifft" (τὰ κατ' ἐμέ), kundtun bzw. daß die Gemeinde die Dinge über den Apostel (τὰ περὶ ἡμῶν) erfahren soll[51].

3. Paulinische Theologie in der Rezeption des Kolosser- und Epheserbriefes

Was die Rezeption paulinischer Theologie anbelangt, so fällt zunächst negativ auf, daß eine Reihe von Begriffen, die für die paulinische Theologie repräsentativ sind, fehlt bzw. anders verstanden wird. Für den Kolosserbrief sei nur verwiesen auf: ἁμαρτία (im Singular), δικαιοσύνη (δικαιοῦν, δικαίωμα, δικαίωσις), ἐλευθερία (ἐλευθεροῦν), ἐπαγγελία (ἐπαγγέλλεσθαι), καύχημα (καυχᾶσθαι), νόμος, πιστεύειν, σωτηρία (σῴζειν)[52]. Dies ist um so auffälliger, als darunter Begriffe sind, die man „in Auseinandersetzung mit einer gesetzlich bestimmten Lehre ... eigentlich erwarten sollte"[53]. Im Epheserbrief tauchen einige dieser Begriffe wieder auf, doch werden sie nicht

---

ren (analog für Archipp Kol 4,17); das Fehlen der Grußliste Kol 4,10–14 wäre dann plausibel, wenn sich dahinter die Paulusschule von Ephesus verbirgt und Eph tatsächlich an die Gemeinde von Ephesus gerichtet ist. Doch kann dieses Problem hier nicht weiter verfolgt werden.

[50] Vgl. *Lohse*, Briefe 240: „Sein Dienst betrifft nicht etwa untergeordnete Aufgaben, sondern er tut letztlich nichts anderes als der Apostel"; vgl. *Gnilka*, a.a.O. 322.

[51] Das wird bestätigt durch die Fortführung mit καὶ παρακαλέσῃ τὰς καρδίας ὑμῶν; dazu *Gnilka*, ebd.: „Der apostolische Zuspruch setzt sich im Zuspruch des Gesandten und Schülers fort und ist vom Apostel selber autorisiert" (ähnlich *Lohse*, ebd.).

[52] Vgl. *Lohse*, a.a.O. 135 (mit weiteren Belegen).

[53] *Lohse*, ebd. Daß Kol im Gegensatz zu Eph in polemischer Auseinandersetzung steht, ist unstrittig; über Charakter und Wurzel der Irrlehre herrscht allerdings keine Einigkeit: Synkretistische Mysterienkulte (*Dibelius – Greeven*, Kolosser 27–29; vgl. 20f.35.38–40), gnostisiertes Judentum (*Bornkamm*, Häresie), (judenchristliche) Gnosis (*Schenke*, Widerstreit; vgl. *ders.*, Christologie 221–225; *Weiß*, Motive; *Lohse*, a.a.O. 186–191), jüdisch-häretische Propaganda (*Hegermann*, Schöpfungsmittler 161–168), phrygische Naturreligionen (*Lähnemann*, Kolosserbrief 76–107); am einleuchtendsten dürfte die Ableitung *Schweizers* aus der neupythagoreischen Bewegung in Verbindung mit dem hellenistischen Judentum sein (s.u. Anm. 117).

Die aktuelle Auseinandersetzung mit einer Gegnerschaft dürfte auch der Grund sein, daß in Kol manche Aussagen noch recht unausgeglichen, da ad hoc gemacht, sind, während Eph in der unangefochtenen Atmosphäre theologischer Spekulation daraus ein Konzept erstellt (vgl. als Beispiel unten Punkt 3.3).

selten anders verstanden (so z. B. σῴζειν) als dies bei Paulus der Fall ist[54]. Darauf ist noch zurückzukommen.

Bemerkenswert bleibt vorab aber, daß der Epheserbrief, rein was die formale Begriffsverwendung betrifft, in der Mitte zwischen den Homologumena und dem Kolosserbrief steht. Dasselbe Phänomen hat W. Bujard bezüglich des Stils des Epheserbriefes nachgewiesen[55]. Diese Beobachtungen sind allerdings nicht im Sinn der These E. Th. Mayerhoffs[56] auszuwerten, sondern weisen genau in die entgegengesetzte Richtung: Im Zuge der fortschreitenden Tradition bemüht man sich um eine stärkere ,,Paulinisierung".

Dabei ist zu vermuten, daß diese zunächst nur formale Beobachtung auch eine sachliche Entsprechung hat, so daß die Rezeption paulinischer Theologie im Kolosser- und Epheserbrief sich primär nicht als Interpretation paulinischer Theologie im strengen Sinn darstellt, sondern als paulinische oder paulinisierende Interpretation von Basisvorstellungen, die nicht direkt von Paulus herkommen. Gemeint damit ist, daß die beiden Briefe nicht die paulinische Theologie (als Basis des Interpretationsvorganges) interpretierend weiterentfalten, sondern daß sie nicht-paulinische theologische Vorstellungen als zu interpretierende Basis mit Hilfe paulinischer Theologumena paulinisieren. Dies soll durch die folgenden Ausführungen noch näher begründet werden.

Die theologischen Basisvorstellungen dürften vor allem aus der sog. Gemeindetheologie stammen, die sich in vorwiegend gottesdienstlichen ,,Texten" niedergeschlagen hat[57]. Daß Sprache und Stil

---

[54] Weitere paulinische Begriffe, die in Kol fehlen, sind: νόμος (Eph 2, 15; jetzt als Grenze zwischen Juden und Heiden), ἀποκάλυψις (1, 17; 3, 3), ἐπαγγελία (1, 13; 2, 12; 3, 6; 6, 2), καυχᾶσθαι (2, 9), πιστεύειν (1, 13.19), σωτηρία (1, 13).

[55] *Untersuchungen* 76.

[56] *Colosser. Mayerhoff* ist der erste, der die paulinische Verfasserschaft des Kol bestreitet; Kol sei eine Nachahmung des (echten) Eph. Ähnlich wieder: *Synge*, Philippians 51–57; *ders.*, Paul's Epistle 70–75.

[57] Wenn hier vorwiegend auf hymnische bzw. liturgische Tradition rekurriert wird, so ist dies ausschließlich durch die Zielsetzung der vorliegenden Untersuchung bedingt, die nicht auf eine Darstellung der Paränese, sondern der Theologie im strikten Sinne ausgerichtet ist, wie sie sich überwiegend (nicht ausschließlich) im jeweils ersten Teil der beiden Briefe findet. Für eine Gesamtwürdigung des Kol und Eph wären natürlich auch paränetische und katechetische Traditionen zu berücksichtigen, die wiederum vorwiegend (nicht ausschließlich) im zweiten Teil der Briefe (Kol 3–4; Eph 4–6) zu Buche geschlagen sind. Vgl. dazu: *Stuhlmacher*, Verantwortung; *Gnilka*, Traditionen; *Fischer*, Tendenz 147–172; zu den Tugend- und Lasterkatalogen die Lit. bei *Schweizer*, Kolosser 137; zu den Haustafeln: *Lohse*, Briefe 220–223; *Schweizer*, a.a.O. 159–163 (Lit.).

der beiden Briefe von gottesdienstlichen Elementen beeinflußt sind,
ist schon lange erkannt[58]. Solche Anleihen aus der liturgischen Sprache haben natürlich auch sachliche Implikationen. So dürfte etwa die
präsentische Eschatologie, die den Kolosser- und Epheserbrief auszeichnet, nicht zuletzt von der Eschatologie der Hymnen beeinflußt
sein, die einen nahezu gattungsspezifischen Trend ins Präsentisch-

---

[58] Zu Kol: *Lohse*, Briefe 137f. Vgl. die schöne Bemerkung *Deissmanns*, Paulus 87
Anm. 1: „Ich stehe Bach als Kenner fern, als Beschenkter nahe. Öffne ich die Kapel-
lentür des Kolosserbriefes, so ist mir, als säße Johann Sebastian auf der Orgelbank."
Kümmel, Einleitung 300, will die paulinische Verfasserschaft z.T. rechtfertigen mit
„einem stärkeren Gebrauch des liturgisch-hymnischen Stils, in dem sich auch Gebete
und Danksagungen der als echt anerkannten Plsbr. bewegen"; vgl. *Percy*, Probleme,
bes. 36–46; *ders.*, Zu den Problemen (dazu: *Bujard*, Untersuchungen 225–227). Die
angeführten Beispiele *Percys* (Röm 3, 21–26 [VV. 24–26 = Tradition!]; 2 Kor 9, 8–14)
sind allerdings nicht überzeugend, schon deswegen nicht, weil sich mit Einzeltexten aus
den Homologumena nicht der durchgängige Stil des Kol erklären läßt. Daß dieser
auch nicht mit der Eigenart des Inhalts bzw. der Entstehungssituation zusammenhängen kann, hat Bujard erneut unterstrichen (vgl. a.a.O. 227). *Bujard* selbst kommt
zu dem Ergebnis: „Der Gattung nach ist der Stil der beiden ersten Kapitel wie der der
beiden übrigen weder argumentativ noch diatribisch noch liturgisch-hymnisch, sondern im Grundton paränetisch" (a.a.O. 229). Dieses Urteil hilft jedoch kaum weiter,
da z.B. die partizipialen und relativischen Wendungen, die Bujard „nicht schon an
sich, sondern erst in bestimmter Gestalt und bei bestimmtem Inhalt als liturgisch oder
hymnisch geprägt oder stilisiert" ansieht (a.a.O. 228), noch weniger „schon an sich"
für paränetischen Stil typisch sein dürften. Wer mit diesem strikten Kriterium den
hymnisch-liturgischen Charakter des Kol bestreitet, verlangt vom Kol-Autor, daß er
einen hymnischen bzw. liturgischen Text zu schreiben gehabt hätte, wo er einen Brief
schreiben wollte. M.a.W.: Man wird das stilistische Verfahren des Kol weder auf die
Komposition von liturgischen Texten noch auf die fortlaufende Zitation von hymni-
schem Gut, das man dann rekonstruieren kann (!), reduzieren dürfen. Der Stil des Kol
ist ein Mischprodukt, in dem sich briefliche Absicht mit Stilelementen, die dem Verfasser aus der gottesdienstlichen Sprache geläufig sind (z. B. Relativanschluß, Partizipial-
wendungen, plerophorische Ausdrücke, lockerer Satzanschluß), verbinden. Gerade so
entsteht der „Personalstil" des Verfassers (vgl. *Bujard*, a.a.O. 222), mit seiner
lockeren, assoziativ sich treiben lassenden Eigenart (vgl. a.a.O. 234f).
    Zu Eph: *Cerfaux*, Christ 305f; *King*, Ephesians; *Käsemann*, Art. Epheserbrief 518f;
Schlier, Epheser 18; *Gnilka*, Epheserbrief 31–33. Gerade bei Eph fehlt es nicht an
Versuchen, ganze Teile oder sogar die Hauptmasse des Briefes insgesamt auf liturgische Traditionen zurückzuführen; zu nennen sind vor allem: *Schille*, Hymnen (vgl.
Sanders, Elements); *Pokorný*, Epheserbrief; *Kirby*, Ephesians (zu diesen Arbeiten vgl.
Gnilka, a.a.O. 23–27). Insgesamt wird man – ähnlich wie bei Kol – auch bei Eph gegen
eine allzu direkte Anbindung an feste Traditionen eher skeptisch sein.
    Auffällig ist, daß die Sprach- und Stileigentümlichkeiten des Eph (das gilt in etwas
abgeschwächter Form auch für Kol; vgl. *Lohse*, a.a.O. 136f) „genau auch die Kenn-
zeichen des hebräischen Sprachstils der Qumrantexte, ihrer ‚liturgischen‘, besser hymnischen Sprache" sind (*Kuhn*, Epheserbrief 335). Ob man deswegen auf einen „Tradi-
tionszusammenhang" schließen kann (vgl. a.a.O. 337), ist eine andere Frage.

Eschatologische haben. Aus dem Bereich der Homologumena braucht hier nur auf den Philipperhymnus (Phil 2, 6–11) verwiesen zu werden[59]. Dieser liefert im übrigen ein Beispiel dafür, daß Paulus selbst vorgegebene Traditionen als Basisvorstellungen rezipiert und in seinem Sinn auswertet. Unter dieser Rücksicht entspricht das Vorgehen des Kolosser- und Epheserbriefes durchaus dem Vorgehen des Apostels selbst, so daß auch die formale Methodik der „Paulinisierung" grundsätzlich als paulinisch bezeichnet werden kann, wenngleich das quantitative Ausmaß dieser Prozedur im Kolosser- und Epheserbrief als Sprung in eine andere Qualität der Theologie zu werten ist.

3.1 Die Aufhebung des paulinischen eschatologischen Vorbehalts im Kolosser- und Epheserbrief

3.1.1   Für *Paulus* hängt die Eschatologie wesentlich zusammen mit der Christologie. Das Eschaton, das er für die Zukunft erwartet, ist in Christus bereits vorweggenommen, ja Christus ist das eschatologische Ereignis schlechthin. Das bedeutet, daß Paulus eschatologische Aussagen bereits auf die Gegenwart des Christen beziehen kann. Die „in Christus" sind, sind bereits geheiligt und gerechtfertigt. Da diese Aussage sich jedoch auf eine Realität des Glaubens, nicht des Schauens beziehen, also im Rahmen einer proleptischen Eschatologie gemacht werden, stehen sie unter dem eschatologischen Vorbehalt, daß das endgültige Heil noch aussteht. Diese Spannung zwischen „schon" und „noch nicht" ist geradezu konstitutiv für die paulinische Eschatologie[60].

In bezug auf die christliche Existenz bringt Paulus diese Sicht gerne dadurch zum Ausdruck, daß er die gegenwärtige eschatologische Dimension mit dem Kreuz bzw. dem Tod Christi[61] und die noch zu erwartende eschatologische Vollendung mit der Auferstehung Christi zusammenbringt. Von der Auferstehung (bzw. von dem damit verbundenen Leben) des Christen spricht Paulus daher im Futur (2 Kor 4, 14; 13, 4; Röm 6, 4f. 8)[62]. Diese Spannung zwischen Gegenwart

---

[59] Vgl. *Eichholz*, Theologie 151.   [60] Vgl. dazu: *Stuhlmacher*, Erwägungen.

[61] Der Christ ist mit Christus gekreuzigt (Gal 2, 19; 5, 24), gestorben dem Gesetz (Gal 2, 19; Röm 7, 4), tot für die Sünde (Röm 6, 2), auf den Tod Christi getauft und mit Christus begraben (Röm 6, 3f).

[62] Es fehlt allerdings auch nicht an Versuchen, diese Aussagen mit der von Kol 2, 12f

und Zukunft wirkt sich auch in der soteriologischen Terminologie aus. Der Christ ist „gerechtfertigt", doch hat er damit noch nicht das endgültige Heil; in der Sprache des Paulus heißt dies: Er ist noch nicht „gerettet". Der futurische Gebrauch von σῴζειν im Zusammenhang der Rechtfertigungslehre ist für Paulus geradezu typisch[63]. Eine Graphik mag den paulinischen Befund verdeutlichen.

(s. u. 3.1.2) zu harmonisieren. *Percy*, Probleme 110, möchte die Futura von Röm 6, 4f. 8 als logische Futura verstehen; so auch: *Caird*, Paul's Letters 194. Vgl. dagegen: *Tannehill*, Dying 10–12.47–54. *Lähnemann*, Kolosserbrief 156–164, möchte Gal 2, 19f, Röm 6 und Kol 2 im Sinne einer „Entwicklung" verstehen (163), wobei „neben der gewandelten Situation" auch das deutliche Erkennen der Gegnerschaft für die „zugespitzte(n), einseitige(n) Betonungen" in Kol 2 zu berücksichtigen seien (161). Er verkennt dabei den Charakter der Argumentation in Röm 6, der kaum von der Situation in Korinth her zu bestimmen ist (so: 159), sondern eher als grundsätzlich gewertet werden muß. Zu Röm 6: *Lohse*, Taufe, bes. 237; vgl. *ders.*, Briefe 155–159; *Hahn*, Taufe 109–112. Entscheidend für das Urteil *Lähnemanns* ist Gal 2, 19f, das im Unterschied zu Röm 6 der Aussage von Kol 2 sehr nahe stehe (a. a. O. 157). *Lähnemann* beachtet dabei zu wenig die für die Eschatologie des Paulus so typische Spannung (s. o.), die gerade auch in Gal 2, 19f zu beobachten ist. Sie ergibt sich zwar nicht aus dem Futur ζήσω in V. 19 (die Aussage ist auch nicht ontologisch, sondern eher ethisch zu verstehen; vgl. *Mußner*, Galaterbrief 182), sondern gerade aus den Präsentia von V. 20, wo ζῆν ontologisch gemeint ist: die (eschatologische) „Christusexistenz" von V. 20a wird in V. 20b auf „ihre besondere Eigenart" hin ausgelegt (*Mußner*, a. a. O. 183); sie ist Existenz ἐν σαρκί und ἐν πίστει: „Die Existenz ‚im Glauben‘ ist gewiß eine ‚vorläufige‘ Existenz, aber in der Gewißheit, daß der in mir lebende und für mich gestorbene Christus meine mit der Fleischesexistenz gegebene Todverfallenheit überwinden wird ... Während die Existenz ἐν σαρκί der Vergänglichkeit und damit dem schon Vergehenden zuweist, weist die Existenz ἐν πίστει der Zukunft Gottes zu" (*Mußner*, a. a. O. 183). Gerade diese Spannung fehlt in Kol 2. – Völlig eingeebnet werden die Unterschiede zwischen dem Homologumena und Kol bzw. Eph bei *Baumert*, Täglich sterben 49–60; am wenigsten überzeugt die Deutung von ἐγερεῖ 2 Kor 4, 14 auf „das innergeschichtliche machtvolle Wirken Gottes" (a. a. O. 93; vgl. 89–94).
[63] Besonders deutlich: Röm 5, 9f; vgl. Röm 10, 9 (10, 13 = Joël 3, 5). Streng futurisch im Sinne der endgültigen Rettung auch: 1 Kor 3, 15 und 1 Kor 5, 5 (trotz Aorist). Die σῳζόμενοι 1 Kor 1, 18; 2 Kor 2, 15 sind nicht „die Geretteten" (wie gelegentlich übersetzt wird), sondern „diejenigen, die gerettet werden". 1 Kor 1, 21 (σῶσαι τοὺς πιστεύοντας) will nicht besagen, daß die konkreten Gläubigen schon gerettet sind, sondern ist als Inhalt des Beschlusses Gottes (εὐδόκησεν) grundsätzlich zu verstehen; der Sache nach gehört hierher auch 1 Kor 15, 2. Von diesem streng *theo*-logischen Gebrauch ist die Verwendung im Zusammenhang menschlicher Aktivitäten zu unterscheiden, wo σῴζειν τίνα zur Bedeutung „jemanden bekehren" tendiert: 1 Kor 7, 16; 9, 22; Röm 11, 14; sinngemäß gehört hierzu (trotz passivischer Konstruktion) wohl auch 1 Thess 2, 16; 1 Kor 10, 33. Auf die Bekehrung könnte auch Röm 9, 27 (= Jes 10, 22); 11, 25 bezogen werden, doch ist dabei wohl eher an die endgültige Rettung gedacht. – Entsprechend (grundsätzlich futurisch) ist auch der Gebrauch von σωτήρ und σωτηρία. Der σωτήρ wird erst noch erwartet (Phil 3, 20). Die σωτηρία ist nach Röm 13, 11 jetzt zwar näher, erweist sich aber gerade deshalb als Größe der Zukunft.

Graphik B.1

Kreuz	Auferstehung
Rechtfertigung	Rettung
(Kirche)	

Gegenwart ——————————→ Zukunft

Die Aussage, daß wir gerettet _sind_, findet sich bei Paulus nur in Röm 8, 24 (ἐσώθημεν), wobei aber das vorausgeschickte „auf Hoffnung hin" (τῇ ἐλπίδι) sofort die futurische Perspektive eröffnet. Der weitere Kontext bestätigt, daß das jetzige Heil als Zustand des „Wartens" auf die endgültige Rettung verstanden wird. Zugleich zeigt sich hier, daß „Hoffnung" im Sinne zeitlicher Erwartung verwandt wird. Dies entspricht auch dem sonstigen Gebrauch von Paulus[64].

Zusammenfassend läßt sich also sagen: Paulus kann eschatologische Aussagen auf die Gegenwart beziehen, aber sie stehen unter eschatologischem Vorbehalt. Darunter fällt auch die Rechtfertigungslehre. Von daher könnte Paulus die Kirche nie als Heilsort verstehen, die Ekklesiologie bleibt vielmehr eine Funktion der Rechtfertigungslehre[65].

3.1.2 _Im Kolosser- und Epheserbrief_ fällt der eschatologische Vorbehalt, jedenfalls in der bei Paulus gebräuchlichen Form, dahin. Konkret zeigt sich dies daran, daß etwa Termini wie „auferwecken" oder „leben", die bei Paulus auf die Zukunft bezogen waren, nun der Gegenwart zugeordnet werden. Die Gläubigen sind durch die Taufe nicht mehr nur mit Christus begraben (vgl. Röm 6, 4), Kol 2, 12f

---

Die σωτηρία ist Gegenstand der Hoffnung (1 Thess 5, 8); die Christen sind zum Erwerben der σωτηρία bestimmt (1 Thess 5, 9). Entsprechend ist der Kampf der Christen für den Glauben Anzeichen (ἔνδειξις) der σωτηρία (Phil 1, 28); sie haben sich um ihre σωτηρία zu mühen (Phil 2, 12). Bezeichnend ist die finale Formulierung εἰς σωτηρίαν: Röm 1, 16; 10, 1 (hier wohl mehr im unspezifischen Sinn von Bekehrung, s.o.); 10, 10 (vgl. 10, 9!); Phil 1, 19 (= Ijob 13, 16); 2 Kor 7, 10 (vgl. 2 Kor 1, 6). Röm 11, 11 will nicht besagen, daß die Heiden das Heil schon besitzen; die Stelle ist (ähnlich wie 1 Kor 1, 21) grundsätzlich zu verstehen im Sinne der jetzt eröffneten Heilsmöglichkeit für die Heiden. Ähnlich dürfte auch 2 Kor 6, 2 – die einzige Stelle mit direkt präsentischer Verwendung (allerdings im Anschluß an Jes 49, 8) – zu fassen sein (im Sinne des Heilsangebotes Gottes durch den Apostel).
[64] Vgl. dazu: _Bultmann_, Art. ἐλπίς 527–529.
[65] Vgl. dazu unten 3.2.1 (b).

bedeutet vielmehr seinen Lesern: „Ihr wurdet mit ihm begraben ...;
in ihm[66] wurdet ihr auch mit-auferweckt.(συνηγέρϑητε) ... Er hat
euch mit ihm mit-lebendig gemacht (συνεζωοποίησεν) ...“[67] Und
Eph 2, 5 f zieht die Linie terminologisch noch weiter: „Uns, die wir
tot waren ... hat er mit Christus lebendig gemacht (συνεζωοποίησεν)
– aus Gnade seid ihr gerettet (ἐστε σεσῳσμένοι) – und hat uns mit-
auferweckt (συνήγειρεν) und mit-gesetzt (συνεκάϑισεν) in den Himmeln in Christus Jesus.“[68] Die an dieser Stelle futurische Eschatologie des Paulus ist durch die präsentische ersetzt[69]. Kolosser- und
Epheserbrief können dies tun, weil sie den paulinischen Vorstellungs-
komplex von Tod und Auferstehung in ein Denkschema eintragen,
das im Gegensatz zu dem zeitlich-linear (also apokalyptisch-jüdisch)

---

[66] ἐν ᾧ dürfte aufgrund der Parallelität zu V. 11 auf Christus zu beziehen sein (so:
Lohse, Briefe 156 Anm. 4); es könnte allerdings auch als Relativanschluß an das vorausgehende ἐν τῷ βαπτισμῷ verstanden werden; dann wäre zu übersetzen: ... in der
Taufe, in der ihr auch mitauferweckt wurdet ... (so: *Schweizer*, Kolosser 105.113).
[67] Zur Beziehung von Kol 2, 12 f zu Röm 6 vgl. *Sanders*, Dependence 40–42; *Lohse*,
a. a. O. 155–159; *Ludwig*, Verfasser 156–173; *Hahn*, Taufe 99–101; *Schweizer*, a. a. O.
111–113. – Die unterschiedliche Beziehung vom Begrabenwerden bzw. vom Totsein in
Kol 2, 12 und 2, 13 (vgl. dazu: *Dibelius – Greeven*, Kolosser 31; *Conzelmann*, Kolosser
191; *Lähnemann*, Kolosserbrief 122–126) dürfte traditionsgeschichtlich zu erklären
sein: Die Aussage vom Tot- und Lebendigsein zur Umschreibung der Bekehrung wird
„traditionelle Redeweise“ sein (vgl. *Schweizer*, a. a. O. 113), während die Auffassung
vom Mitbegrabensein in der Taufe V. 12a wohl unmittelbar Röm 6 reflektiert. Die
Vorstellung von V. 13 dürfte der Ermöglichungsgrund gewesen sein für die Erweiterung der paulinischen Aussage von V. 12a in V. 12b. D. h. die Eintragung des paulinischen (Tauf-)Gedankens in das traditionelle (Bekehrungs-)Denkschema bringt eine
innovatorische Veränderung der paulinischen Aussage. Daß die Aussage vom Mit-
auferwecktsein bzw. Mitlebendiggemachtsein durch die „entstandene Problemlage gefordert“ ist (*Lähnemann*, a. a. O. 156–167, Zitat: 167), wird man gerne zugestehen. Der
paulinische Ansatz ist damit keineswegs gesichert. Ist es Paulus tatsächlich zuzutrauen,
daß er vor dem Gegner so schnell die Waffen streckt und *seinen* Ansatz des eschatologischen Vorbehalts aufgibt und vor allem „das Wort vom Kreuz“, das der Sache nach
alle Hauptbriefe prägt, so bereitwillig einem „Wort der Auferstehung“ opfert?
[68] Die fortgeschrittene Entwicklung gegenüber Kol 2, 12 f macht sich vor allem bemerkbar an der Streichung des „Mitbegrabenseins“ (dadurch entfällt die in Kol 2, 12 f
vorhandene Spannung; vgl. die vorige Anmerkung) und an der Zufügung des „Mitsit-
zens in den Himmeln“; vgl. *Gnilka*, Epheserbrief 118 f; *Hahn*, a. a. O. 101. Anm. 25.
[69] Gnostische Vorstellungen dürften dafür kaum eine Rolle spielen (zur grundsätzlichen Einschätzung der sog. gnostischen Interpretation vgl. *Gnilka*, a. a. O. 33–45).
Eher sind Parallelen zur Eschatologie Qumrans zu vermerken; vgl. *Mußner*, Beiträge
188–196; *Kehl*, Erniedrigung 383–392; doch wird man auch dann wegen der „geklär-
te(n) räumliche(n) Konzeption“ wenigstens mit einer Übertragung „in ein hellenistisches Weltbild“ rechnen müssen (*Gnilka*, a. a. O. 126).

orientierten Modell des Paulus räumlich strukturiert ist[70]. Die Gegensätze sind nicht mehr Gegenwart versus Zukunft, sondern unten versus oben. Das Eschaton liegt nicht mehr in der Zukunft, sondern oben. Das zugrundeliegende Denkschema ist hellenistisch beeinflußt und wohl durch das hellenistische Judenchristentum vermittelt[71], dessen Hymnen (vgl. Phil 2, 6–11; Kol 1, 15–20) ebenfalls vom Schema unten versus oben beherrscht sind. Angewandt auf die christliche Existenz impliziert dieses Denken, daß die Christen bereits oben sind, „in den Himmeln" (Eph 1, 3; 2, 6), „versetzt in das Reich des Sohnes" (Kol 1, 13)[72]. G. Bornkamm macht in diesem Zusammenhang darauf aufmerksam, daß im Kolosserbrief wie auch im Epheserbrief der Begriff „Hoffnung" nicht mehr im Sinne zeitlicher Erwartung gebraucht wird, sondern zur Bezeichnung der „im Jenseits schon verborgenen ‚bereitliegenden' Heilswirklichkeit der Glaubenden" dient[73].

Aus der Dominanz des räumlichen Schemas über das zeitliche hat man schon geschlossen, für den Kolosserbrief und noch mehr für den Epheserbrief sei die Zeit aufgehoben. Symptomatisch ist etwa der Titel der Arbeit von A. Lindemann: „Die Aufhebung der Zeit"[74]. Doch ist dieses Urteil zu pauschal, da beide Briefe trotz ihrer präsentischen Tendenz auch Zukunftsaussagen festhalten (vgl. Kol 3, 24f; Eph 4, 30; 5, 16; 6, 13)[75]. Allerdings ist einzuräumen, daß es sich hier um traditionelle Muster handelt, die nicht unbedingt die spezifische Auffassung der Autoren wiedergeben[76]. Welchen Stellenwert der

---

[70] Räumlich und zeitlich sind dabei allerdings nicht als einander ausschließende, alternative Kategorien zu verstehen; wohl aber handelt es sich um unterschiedliche Bezugssysteme und Perspektiven; vgl. *Steinmetz*, Heils-Zuversicht 51–67.

[71] Auffallend ist die Nähe zum sog. Sinaimysterium, das *Hegermann*, Schöpfungsmittler 26–47, aus dem philonischen Schrifttum rekonstruiert.

[72] Vgl. dazu *Lohse*, Briefe 73f; *Steinmetz*, Heils-Zuversicht 44–46; *Martin*, Reconciliation 106–108.

[73] *Bornkamm*, Hoffnung 211; *Steinmetz*, Heils-Zuversicht 132–139.

[74] Aufhebung 248: „Es geht dem Brief (= Eph; Anm. d. Verf.) um den Entwurf einer Ekklesiologie, verstanden als Ontologie einer zeitlosen Kirche ... Zeit und Geschichte sind für den Epheserbrief ‚in Christus' - und das heißt für diese Theologie: in der Kirche - aufgehoben."

[75] Vgl. dazu *Steinmetz*, Heils-Zuversicht 29–35.

[76] Vgl. *Steinmetz*, a..a.O. 35. Allerdings wird man kaum sagen können, daß futurische und präsentische Eschatologie „gleichberechtigt nebeneinander" stehen (gegen *Steinmetz*, ebd.). Das führende Vorstellungsmodell ist das präsentische (vgl. *Gnilka*, Epheserbrief 122–128). Doch ist das Präsens als präsentische *Eschatologie* ernst zu nehmen und - selbst bei Eph - nicht als „Enteschatologisierung", als Verwandlung von

zeitliche Aspekt in einem primär räumlichen Denken haben, bzw. wie trotz des räumlichen auch der zeitliche Aspekt aufgenommen werden kann, läßt sich am besten an Kol 3, 1–4 ablesen[77]. Die Christen werden offenbar werden (φανερωθήσεσθε V. 4), aber als solche, die bereits auferweckt sind (συνηγέρθητε V. 1), deren Leben bereits verborgen ist mit Christus in Gott (ἡ ζωὴ ὑμῶν κέκρυπται σὺν τῷ Χριστῷ ἐν τῷ θεῷ V. 3), d. h. als solche, die bereits oben sind (vgl. Kol 2, 13; 1, 13; Eph 2, 5f)[78]. Die Zukunft bringt nichts qualitativ Neues wie nach dem paulinischen Schema des „schon" und „noch nicht"[79], es geht um das In-Erscheinung-Treten dessen, was bereits ist; das dazu gehörige Schema müßte lauten: „Schon" – „noch erst". Damit ist die Gefahr rein präsentischer Eschatologie eingedämmt und ein wichtiges Anliegen des Paulus, das er mit dem eschatologischen Vorbehalt zum Ausdruck brachte, gewahrt, wenngleich das Konzept des Paulus verdreht ist: Bei Paulus steht die Gegenwart unter dem Sog der Zukunft, deshalb muß er das gegenwärtige „schon" zugleich als „noch nicht" bestimmen. Im Kolosserbrief (und auch im Epheserbrief) steht umgekehrt die Zukunft unter dem Aspekt der Gegenwart; die Gegenwart bestimmt, was die Zukunft noch erst offenbart, die Zukunft ist Epiphanie der Gegenwart. Der Vorteil dieses Konzeptes liegt darin, daß die Eschatologie weitgehend von der Naherwartung entlastet ist, die in der nachapostolischen Zeit zunehmend zum Problem wurde. Dies dürfte auch der aktuelle Anlaß gewesen sein, daß Kolosser- und Epheserbrief ein räumlich orientiertes Schema in den Vordergrund schieben, das sie aber so weit, wie möglich, durch Übernahme paulinischer Terminologie und paulinischer Sachanliegen „paulinisieren".

„Eschatologie in Kosmologie" bzw. „in eine Art ‚himmlischer Ekklesiologie'" zu werten (gegen *Lindemann*, Aufhebung 236–238). Dieses streng eschatologische Verständnis des Präsens macht es einerseits möglich, daß Kol und Eph traditionelle Aussagen futurischer Eschatologie – offensichtlich ohne große interpretatorische Manöver – rezipieren können. Andererseits verhindert dieses Verständnis, daß das Präsens als Geschichts-, Zeit- oder Zukunftslosigkeit verstanden wird (gegen *Lindemann*, a.a.O. 237–239. passim), und nötigt geradezu dazu, die Gegenwart als Pro-zeß zu verstehen (vgl. unten 4.3.3), der es umgekehrt erlaubt, eschatologische Aussagen auf geschichtliche Größen (wie etwa die Kirche) zu beziehen; dazu siehe unten 3.2.3.

[77] Vgl. dazu *Gräßer*, Kolosser.

[78] Gegen *Gräßer* ist zu betonen, daß die ζωή V. 3 nicht „das Auferstehungsleben jenseits des Todes" ist (a.a.O. 144), sondern das jetzige, allerdings wahre Leben, die wirkliche Existenz (vgl. a.a.O. 148!).

[79] Vgl. *Stegemann*, Alt und neu.

3.2 Die Auswirkungen auf Ekklesiologie und Soteriologie
(Rechtfertigungslehre)

Wo die Spannung zwischen präsentischer und futurischer Eschatologie zugunsten einer präsentischen aufgelöst bzw. relativiert wird, muß sich fast zwangsläufig auch die Sicht der Soteriologie und Ekklesiologie verändern.

3.2.1   Dies läßt sich zunächst auf dem Hintergrund einer Graphik, die den Befund von 3.1 zusammenfaßt, in drei Schritten erläutern.

Graphik B.2

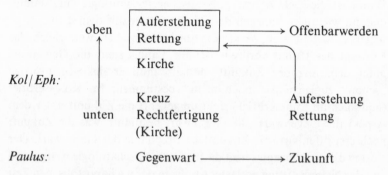

a) Wo die Christen bereits gerettet sind, wird die Rechtfertigung als Prolepse der eschatologischen Rettung entbehrlich. Daß die Termini (δικαιοσύνη und δικαιοῦν) im Kolosserbrief fehlen, wurde bereits erwähnt. δικαιοσύνη erscheint wieder im Epheserbrief (4, 24; 5, 9; 6, 14), allerdings als christliche Tugend[80]. Aus dem Repertoire der bei Paulus im Zusammenhang mit der Rechtfertigung verwendeten Begriffe findet sich in den beiden Briefen das Wort „versöhnen" (allerdings: ἀπο-καταλλάσσειν), das aber nicht synonym mit „rechtfertigen" verwendet wird (vgl. Röm 5, 9f)[81]. Im Kolosserbrief meint

---

[80] Am nächsten bei Paulus scheint noch Eph 4, 24 zu stehen; vgl. jedoch *Gnilka*, Epheserbrief 232f; *Schlier*, Epheser 222. Ganz eindeutig Tugendcharakter besitzt δικαιοσύνη in Eph 5, 9 und 6, 14.

[81] *Ludwig*, Verfasser 150–155, macht mit Recht darauf aufmerksam, daß die Versöhnungsterminologie nicht typisch paulinisch, sondern traditionell ist. Zur unterschiedlichen Interpretation der traditionellen Aussage bei Paulus und in Kol bzw. Eph: *Lührmann*, Rechtfertigung.

es das Hineinversetztwerden in den himmlischen Bereich (vgl. 1, 22)[82]. Im Epheserbrief wird es auf die Kirche (aus Juden und Heiden) bezogen (2, 16)[83]. Die Erlösung zielt primär nicht auf die Rechtfertigung, sondern – im Kolosserbrief – auf die Schaffung der bereits im himmlischen Bereich anzusiedelnden Gemeinde bzw. – im Epheserbrief – auf die Schaffung des Heilsraumes Kirche, in den die einzelnen hineinversetzt werden.

b) Bei Paulus war der Kirchengedanke eine Funktion der Rechtfertigungslehre[84]. Die Kirche versteht sich eschatologisch, aber sie „lebt noch nicht im neuen Äon, sondern in der letzten Zeit der Welt"; sie „ist Stiftung für den Zeitraum von der Auferstehung bis zur Parusie", und dieser Zeitraum „wird ausschließlich als die Zeit bestimmt, in der die Kirche den Tod des Herrn verkündigt"[85]. Dies deckt sich mit dem Befund zur Eschatologie und Rechtfertigungslehre (s. o. 3.1.1): Als Glaubende sind die Christen bereits gerechtfertigt – und als solche sind sie Kirche –, aber als solche harren sie auch noch der eschatologischen Rettung entgegen. Nach dem Kolosser- und Epheserbrief dagegen sind sie bereits gerettet und als solche Kirche. Sie sind oben, in den Himmeln (Eph 1, 3; 2, 6; vgl. 2, 19; Kol 1, 12f; 2, 12f). Die Kirche wird zu einem himmlischen Anwesen, zum himmlischen Raum des Heiles. Dies kommt besonders deutlich im Epheserbrief unter dem Begriff des πλήρωμα zum Ausdruck (vgl. vor allem 1, 23)[86].

---

[82] Die traditionelle kosmische Versöhnungsaussage Kol 1, 20 deutet der Verfasser in gut paulinischer Manier (vgl. 2 Kor 5, 16–21, bes. V. 19f) in seinem „Kommentar" Kol 1, 21–23 (vgl. *Schweizer*, Kolosser 74) anthropologisch. Im Unterschied zu Paulus hat die Versöhnung nicht die δικαιοσύνη zur Folge (vgl. 2 Kor 5, 21), sondern: παραστῆσαι ὑμᾶς ἁγίους καὶ ἀμώμους καὶ ἀνεγκλήτους κατενώπιον αὐτοῦ (Kol 1, 22). Damit ist vom Sprachmaterial her das Stehen vor dem Richterstuhl Gottes gemeint, wobei hier aber – etwa im Gegensatz zu 1 Kor 1, 8 – „weniger an den zukünftigen Tag des Herrn gedacht (ist) als vielmehr daran, daß das Leben der Christen sich gegenwärtig vor dem Angesicht Gottes vollzieht" (*Lohse*, Briefe 108). Sachlich ist damit Kol 1, 22 als Verdeutlichung und Variante zu Kol 1, 13 zu verstehen.

[83] Dabei ist ein Gefälle zu Kol 1, 22 zu beobachten. War dort noch – analog zu Paulus – die Gemeinde eine Folge des Versöhnungshandelns Gottes, so vollzieht sich dieses jetzt direkt an der Kirche (vgl. Eph 5, 23 und unten 3.3.3).

[84] Genauer gesagt: der Christologie, die als Rechtfertigungslehre ausgelegt wird; vgl. *Stuhlmacher*, Gerechtigkeit 210–217. Das Verhältnis von Christologie und Rechtfertigungslehre ist allerdings umstritten; vgl. *Lührmann*, Christologie.

[85] *Conzelmann*, Grundriß 282.

[86] Vgl. dazu *Ernst*, Pleroma 71–149; *Merklein*, Amt 33–36.70–73. – Im Kol ist πλήρωμα vorwiegend christologisch bzw. soteriologisch verwendet. Ekklesiologische Di-

c) Wenn Rettung das Hineinversetztwerden in den Heilsraum Kirche meint, dann wird die Soteriologie, die Paulus mit Hilfe der Rechtfertigungslehre ausgelegt hatte[87], identisch mit der Ekklesiologie, oder besser ausgedrückt: die Soteriologie wird als Ekklesiologie betrieben. Dieses Denken ist im Kolosserbrief bereits in Ansätzen vorhanden[88] und wird im Epheserbrief zum Konzept[89]. Besonders aufschlußreich ist Eph 2, 1–10[90]. Auffällig ist, daß gehäuft Begriffe aus der paulinischen Rechtfertigungslehre auftauchen, vor allem in V. 8 f: „aus Gnade" (τῇ χάριτι) bzw. „durch Glauben" (διὰ πίστεως) als Gegensatz zu „aus euch" (ἐξ ὑμῶν) bzw. „aus Werken" (ἐξ ἔργων); „damit niemand sich rühme" (ἵνα μή τις καυχήσηται). Diese paulinische Begrifflichkeit ist offensichtlich bewußt eingeführt, sie steht also im Zuge einer „Paulinisierung" der Aussage[91]. Doch ist das nur die formale Seite. Zu fragen bleibt, ob damit auch sachlich die paulinische Rechtfertigungslehre aufgegriffen ist. Dies aber ist nur sehr bedingt der Fall. Der entscheidende Unterschied besteht darin, daß es nicht heißt: „Aus Gnade seid ihr *gerechtfertigt*" (vgl. Röm 3, 24), sondern: „Aus Gnade seid ihr *gerettet*" (so auch V. 5)[92]. Der eschatologische Vorbehalt fällt dahin (vgl. dazu auch V. 5 f und oben 3.1.2). Die Glaubenden sind bereits durch die Taufe in die Himmel – oder anders ausgedrückt: in den Heilsraum Kirche – versetzt. Die Soterio-

---

mension bekommt der Begriff vor allem durch Kol 2, 10a. Diese Dimension schiebt sich dann in Eph (bes. 1, 23) in den Vordergrund.

[87] Sie ist zumindest die für Paulus am meisten typische Interpretation des „Christus pro nobis". Vgl. *Strecker*, Befreiung; *Lührmann*, Rechtfertigung, bes. 446–448.

[88] Bei Kol ist allerdings noch deutlich der paulinische Ansatz erkennbar, wo die Ekklesiologie eine Konsequenz der Soteriologie ist: vgl. 1, 21 f (s. o. Anm. 83); andererseits sind Aussagen wie 1, 12 f (vgl. dazu auch Anm. 82) nicht allzu weit von der Konzeption des Eph entfernt. Eine unmittelbare Vorbereitung dafür könnte man in 2, 9 f erblicken, sofern σωματικῶς auf den Leib der Kirche zu beziehen ist (so: *Lohse*, Briefe 152); doch bleibt dies m. E. fraglich.

[89] Vgl. *Merklein*, Christus 69–71.83–85.

[90] Vgl. *Stuhlmacher*, Gerechtigkeit 216 f; *Lührmann*, Rechtfertigung 446–448; *Merklein*, a. a. O. 63–65; *Hahn*, Taufe 101–103; *Luz*, Rechtfertigung. – Der Text handelt von der Taufe, vgl. *Schnackenburg*, Tauflehre 167–174. *Schille*, Hymnen 53–60, hält Eph 2, 4–7.10 für ein liturgisches Stück.

[91] *Allan*, Epistle 73 (zu 2, 8–10): „These verses may be described as the first attempt to write a Pauline theology."

[92] Vgl. *Gnilka*, Epheserbrief 129 f; *Lindemann*, Aufhebung 133–137; *Beare*, Epistle 645 f. Diese Differenz schätzt *Mußner*, Epheser 2 326 f, m. E. zu gering ein, so daß er dann folgern kann, daß „die Ekklesiologie von Eph 2 aus der Tauf- und Rechtfertigungslehre entwickelt wird" (334).

logie ist Funktion der Ekklesiologie. Wenn dies klar ist, fallen weitere Unterschiede auf. V. 1 spricht nicht von „Sünde" (im Singular), sondern von „Sünden" (im Plural). Unpaulinisch ist auch das Wandeln in guten Werken, die Gott im voraus bereitet hat (V. 10). Der eigentliche Gegensatz ist nicht mehr Beherrschtsein versus Befreitsein von der Macht der Sünde, sondern Wandel in den Sünden versus Wandel in guten Werken, was Kol 3, 2 als Sinnen nach dem, was auf Erden ist, versus dem, was oben ist, ausgedrückt hatte[93].

3.2.2 Diese Verschiebung von Soteriologie und Ekklesiologie hat weitere Folgen für die Sicht der Kirche, die sich am *Begriff des „Leibes Christi"* explizieren lassen. Daß Paulus die Ekklesiologie als Funktion der Rechtfertigungslehre betrachtet, wird besonders deutlich, wenn man die Aussage von Gal 3, 27f mit der von 1 Kor 12, 12f (vgl. 12, 12–27) vergleicht, wobei die letztere als sachliche Explikation der ersteren zu betrachten ist. Demnach bringt Paulus mit dem Begriff des „Leibes Christi" zum Ausdruck, daß das Gerechtfertigtsein, das In-Christus-Sein, das Auf-Christus-getauft-Sein (Gal 3, 24. 26f) die Glaubenden nicht uni-formiert, wie man Gal 3, 28 – für sich genommen – mißdeuten könnte, sondern charismatisch differenziert in Hinordnung auf die übrigen In-Christus-Seienden, so daß das Gerechtfertigt-Sein sich als Leib-Christi-Sein auslegt[94]. Die Rede vom „Leib Christi" bringt die Differenziertheit des In-Christus-Seins zum Ausdruck. Deshalb ist die Vorstellung von den Gliedern für das paulinische Leib-Christi-Verständnis geradezu konstitutiv. Daß „Leib Christi" nicht als soteriologischer Begriff verstanden wird, läßt schon seine ausschließliche Verwendung in paränetischen Kontexten erkennen[95].

Im Kolosser- und Epheserbrief dagegen, wo die Ekklesiologie an die Stelle der Rechtfertigungslehre tritt, bekommt der „Leib Christi" soteriologische Funktion[96]. Es interessiert nicht mehr die Differen-

---

[93] Der Sache nach und für sich genommen ist V. 10 durchaus paulinisch; vgl. *Lindemann*, Aufhebung 137–140, gegen: *Stuhlmacher*, Gerechtigkeit 217; *Fischer*, Tendenz 130f. Allerdings ergibt sich ein auch sachlich bedeutsamer Wechsel des Bezugssystems dadurch, „daß V. 10 die Aussagen von V. 5a. 6. 7 voraussetzt" (*Lindemann* 138).

[94] Näher ausgeführt habe ich meine Auffassung von der paulinischen Leib-Christi-Vorstellung in: Amt 83–89 (vgl. 226).

[95] Vgl. *Schweizer*, Homologumena 291.

[96] In Kol ist mit Ausnahme von 1, 22; 2, 11. 23 σῶμα ekklesiologisch verstanden:

ziertheit, sondern das Wesen des Leibes als eine soteriologisch qualifizierte und qualifizierende Einheit und Ganzheit[97]. Die Vorstellung
von den Gliedern tritt auffallend zurück[98]. Σῶμα wie auch ἐκκλησία
werden im Gegensatz zu Paulus fast immer im Sinne der Gesamtkirche verwendet[99]. Die Kirche ist „Leib Christi", weil sie der von
Christus eröffnete und durchwaltete Heilsraum ist. Die Vorstellung
von Christus als dem „Haupt" des Leibes, die in der Ekklesiologie
des Paulus überhaupt keine Rolle spielte[100], ist dafür konstitutiv[101].

In bezug auf das Verfahren des Kolosser- und Epheserbriefes ist
wieder interessant, daß ihre Leib-Vorstellung nicht einfach eine wei-
terführende Interpretation und Explikation des paulinischen Theolo-
gumenons ist. Die beiden Briefe greifen vielmehr die kosmologische
Idee vom Weltleib, der vom Logos als seinem Haupt durchwaltet
wird, auf[102] und „paulinisieren" diese mit Hilfe des paulinischen

---

1, 18. 24; 2, 19; 3, 15 (wahrscheinlich auch 2, 17; vgl. *Lohse*, Christusherrschaft 206). In
Eph ist der Begriff (mit Ausnahme des Plurals in 5, 28) durchgehend ekklesiologisch
verwendet: 1, 23; 2, 16; 4, 4. 12. 16 (bis); 5, 23. 30. Vgl. dazu *Schweizer*, Art. σῶμα
1072–1078.

[97] Allerdings ist der Begriff σῶμα nicht als solcher soteriologisch qualifiziert, sondern
durch seine Relation zu πλήρωμα und κεφαλή, wobei von Kol zu Eph der soteriologische Aspekt deutlicher wird. Nach Kol wohnt in Christus, dem Haupt des Leibes und
Erlösungsmittler (1, 18–20. 21 f), die ganze (soteriologisch ausgerichtete) Fülle (1, 19;
2, 9). An diesem Haupt kann man aber nur festhalten durch die Zugehörigkeit zu
seinem Leib „als dem Ort seiner gegenwärtigen Herrschaft" (*Lohse*, Briefe 179 f).
Eindeutig soteriologische Qualität bekommt der Leib dann in Eph, vor allem in 1, 23,
durch die Identifizierung mit dem Pleroma. Der „eine Leib" 2, 16 ist der Ort der
Versöhnung der beiden (Juden und Heiden) (vgl. 5, 23).

[98] In Kol spielt die Vorstellung überhaupt keine Rolle; Kol 3, 5 gehört in einen anderen Vorstellungskreis (vgl. *Lohse*, Briefe 198 f; *Schweizer*, Kolosser 138–142). In Eph
findet sich μέλος in 4, 25; 5, 30 (dazu textkritisch sekundär: 4, 16), bezeichnenderweise
in paränetischen Zusammenhängen; es dürfte sich um eine „Paulinisierung" handeln
(vgl. oben die Einleitung zu 3), was noch dadurch unterstrichen wird, daß die Begriffe
jeweils in nachklappenden, begründenden ὅτι-Sätzen erscheinen.

[99] Ausnahmen sind nur Kol 4, 15 (Hausgemeinde). 16 (Laodicea); vgl. *Gnilka*, Kirchenmodell 163–167.

[100] 1 Kor 12, 21 ist das Haupt ein Glied unter anderen. Näher an der Vorstellung des
Kol und Eph steht 1 Kor 11, 3 (allerdings nicht ekklesiologisch).

[101] Die ursprünglich kosmische Relation des Hauptes (vgl. Kol 1, 18 in der ursprünglichen Fassung ohne τῆς ἐκκλησίας; s. u. 3.3.1) wird selbst in Eph gewahrt (vgl. Eph
1, 21–23). Zum Verhältnis vom kosmologischen und ekklesiologischen (Kol 1, 18;
2, 19; Eph 1, 22; 4, 15; 5, 23) Hauptsein Christi gilt der Satz *Schweizers*: „Christus ist
also Haupt über die Welt, aber nur die Kirche ist sein Leib, dem alle Kraft des
Wachstums von ihm zuströmt" (Art. σῶμα 1074, 22 f; zu Eph vgl. 1077, 1 ff).

[102] Zum religionsgeschichtlichen Hintergrund: *Schweizer*, Art. σῶμα 1035 f. 1038.
1051 f; *ders.*, Antilegomena, bes. 295 f; *ders.*, Kolosser 1, 15–20; *Hegermann*, Schöp-

ekklesiologischen Leib-Christi-Gedankens. Darauf ist noch zurückzukommen.

3.2.3 Theologiekritisch hat man gelegentlich dieser Sicht der Kirche – insbesondere der des Epheserbriefes – vorgeworfen, sie würde
die Christologie, die für Paulus das Zentrum theologischen Denkens
darstellt, zugunsten der Ekklesiologie an den Rand drängen[103]. Doch
besteht dieser Vorwurf zu Unrecht. Denn wenn die Kirche als himmlisches Anwesen und als Heilsraum verstanden wird, so ist sie dies
nicht als selbständige Größe oder gar in ihrer institutionellen und
soziologischen Erscheinungsform, sondern als Wesen in Christus.
Gerade die Aussage vom Haupt stellt dieses totale Angewiesensein
und Aus-Christus-Sein (vgl. Eph 4, 15f; Kol 2, 19) unmißverständlich
fest[104]. Man könnte allenfalls befürchten, daß die je konkrete Kirche
diesen Zusammenhang vergessen und sich als „ecclesia triumphans"
aufführen könnte. Allerdings haben auch hier Kolosser- und Epheserbrief Sperren eingebaut und nehmen damit das sachliche Anliegen
des paulinischen eschatologischen Vorbehalts auf[105]. Das zeitliche
Schema des „schon" und „noch nicht" wird dabei dem räumlichen
Denken angepaßt: Die Kirche, die alles *schon* ist, was Paulus für das
Eschaton erwartet, muß dieses ihr Wesen *erst noch* durchdringen.
Ihre Aufgabe ist es, ihres Wesens (in Christus) innezuwerden, es zu
durchmessen. Daher nehmen die Wortfelder „erkennen", „erfüllen",
„wachsen", „bauen" einen weiten Raum in den beiden Briefen
ein[106]. Kurz gesagt: *Die Kirche muß erst noch werden, was sie schon
ist*[107].

---

fungsmittler; *ders.*, Ableitung; *Colpe*, Leib-Christi-Vorstellung; *Gnilka*, Epheserbrief
99-111; *Fischer*, Tendenz 68–75. Zur gnostischen Ableitung (*Schlier*, Christus; *Käsemann*, Leib; *Pokorný*, Σῶμα; *ders.*, Epheserbrief; *ders.*, Der Epheserbrief und die
Gnosis) vgl. *Schenke*, Gott.
[103] Vgl. *Käsemann*, Problem 209f. Siehe dazu unten 3.3.3 (Ende).
[104] Vgl. *Bieder*, Geheimnis 337f.
[105] Vgl. zum folgenden: *Steinmetz*, Heils-Zuversicht 113–130.
[106] Vgl. Kol 1, 9f; 2, 2f. 19; 3, 10; Eph 1, 17f; 2, 21f; 3, 18f; 4, 12f. 15f.
[107] Oder noch präziser ausgedrückt: Die Kirche als geschichtliches Wesen muß erst
noch werden, was sie als Wesen in Christus schon ist. Dieser Dialektik wird *Lindemann*, Aufhebung 239, kaum gerecht, wenn er die Funktion des „Wachsens" auf die
Aussage reduziert, „daß diese Kirche nicht eine ‚tote', sondern eine lebendige ist".

Kol 1, 15–20

Kol 1, 21–23

21

      Auch **ihr** wart **einst**

15 ER IST DAS BILD DES UNSICHT-
   BAREN GOTTES, DER ERST-
   GEBORENE ALLER SCHÖPFUNG,
16 DENN <u>IN IHM</u> WURDE ALLES
   <u>ERSCHAFFEN,</u> IM HIMMEL UND
   AUF DER ERDE, DAS SICHT-
   BARE UND DAS UNSICHTBARE,
   Throne, Herrschaften, Gewalten,
   Mächte. ALLES IST DURCH IHN
   UND <u>AUF</u> IHN <u>HIN</u> (εἰς)
   <u>ERSCHAFFEN.</u>
17 UND ER IST VOR ALLEM
   UND ALLES HAT IN IHM SEINEN
   ZUSAMMENHALT,
18 UND ER IST DAS HAUPT DES
   <u>LEIBES,</u> der Kirche.

   ausgeschlossen
   und *Feinde*
   durch (euer) Sinnen
   in den bösen Werken,
22 **jetzt aber**

- - - - - - - - - - - - - - - - - - - -

   ER IST DER ANFANG, DER ERST-
   GEBORENE VON DEN TOTEN,
   damit er in allem Erster werde;
19 DENN IN IHM GEFIEL ES ALLER
   FÜLLE WOHNUNG ZU NEHMEN,
20 UND DURCH IHN UND AUF IHN
   HIN ALLES ZU <u>VERSÖHNEN,</u>
   <u>FRIEDEN MACHEND</u> durch das
   Blut seines <u>Kreuzes,</u> durch ihn,
   <u>SEI ES DEM AUF DER ERDE,</u>
   <u>SEI ES DEM IM HIMMEL.</u>

   hat er euch **versöhnt**
   in dem **Leibe**
   seines Fleisches
   durch *den Tod,*

   um euch hinzustellen

   heilig, untadelig und un-
   bescholten *vor ihn,*
23 sofern ihr im Glauben
   fundamentiert und fest bleibt
   und euch nicht wegbewegen
   laßt von der Hoffnung des
   Evangeliums, das ihr gehört
   habt, das aller Schöpfung
   unter dem Himmel verkündet wurde, (und) *dessen*
   Diener ich, Paulus geworden
   bin.

Kol	*Eph 2, 11–22*
	11 Deshalb erinnert euch,
	daß **ihr einst,** die Heiden im Fleische,
	die sogenannte Unbeschnittenheit
	(so genannt) von der sogenannten Beschneidung,
2, 11	die im Fleische besteht und mit Händen gemacht ist,
	12 daß *ihr zu jener Zeit* getrennt von Christus wart,
	ausgeschlossen aus der Gemeinde Israels
	und fremd den Bündnissen der Verheißung,
	ohne Hoffnung zu haben und ohne Gott in der Welt.
	13 **Jetzt aber,** in Christus,
	seid ihr, die **ihr einst** fern wart,
	nahe gekommen in dem Blute Christi.
(3, 15)	14 Er nämlich ist unser <u>Friede</u>,
	der <u>die beiden (Bereiche)</u> zu einem gemacht hat und die
	Scheidewand des Zaunes abgebrochen hat, die *Feind*schaft,
	15 indem er **in seinem Fleische**
2, 14	das Gesetz der in Satzungen bestehenden Gebote vernichtet
3, 10f	hat, damit er <u>die zwei</u> <u>in sich zu</u> (εἰς) einem (ἕνα)
	Menschen <u>erschaffe</u>, indem er <u>Frieden macht</u>,
	16 und (damit) er die beiden **in** einem **Leibe**
	mit Gott **versöhne durch** *das Kreuz*,
	nachdem er in ihm (in sich) die *Feind*schaft getötet hatte;
	17 und er kam und „verkündigte <u>Frieden</u>", euch,
	„<u>den Fernen, und Frieden den Nahen</u>" (Jes 57, 19; 52, 7);
	18 denn durch ihn haben <u>wir beide</u> in einem Geiste
	Zugang zum Vater.
	19 Also seid ihr nicht mehr Fremde und Beisassen,
	sondern *Mitbürger der* **Heilig**en *und Hausgenossen Gottes,*
2, 7	20 auferbaut auf dem **Fundament** der *Apostel* und Propheten,
	wobei der Eckstein er, Christus Jesus, ist,
	21 in dem der ganze Bau zusammengefügt
2, 19	wächst zum heiligen Tempel im Herrn,
	22 in dem auch ihr mitauferbaut werdet
	zu einer Wohnung Gottes im Geiste.

3.3 Ekklesiologie als „paulinische" Interpretation kosmischer Christologie

Daß Christologie und Ekklesiologie des Kolosser- und Epheserbriefes zusammengehören, hat traditionsgeschichtliche Gründe. Unter diesem Aspekt stellt sich die Ekklesiologie des Kolosserbriefes und dann die des Epheserbriefes. als eine fortschreitende „paulinische" Interpretation traditioneller kosmischer Christologie dar. Bemerkenswert ist, daß dieses Verfahren zu einem theologischen Konzept führt, das umgekehrt proportional zur immer intensiveren „Paulinisierung" immer stärker über Paulus hinausführt. Paradebeispiel dafür ist die Rezeption des Kolosserhymnus in Kol 1, 15–20.21–23 und die Transformation seines Gedankengutes in Eph 2, 14–18 bzw. 2, 11–22. Zur besseren Übersicht ist eine Synopse der Texte vorangestellt. Die erste Spalte enthält Kol 1, 15–20, wobei die Versalien den traditionellen Hymnus bezeichnen sollen. Die dritte Spalte gibt Parallelen aus Kol an, auf die Eph 2, 11–22 (4. Spalte) über Kol 1, 15–23 hinaus rekurriert. Übereinstimmungen zwischen Kol 1, 21–23 (2. Spalte) und Eph 2, 11–22 sind kenntlich gemacht durch **fette Schrift,** sofern es sich um wörtliche, und durch *kursive Schrift*, sofern es sich um mehr sachliche Parallelen handelt. Entsprechend sind die Übereinstimmungen zwischen Kol 1, 15–20 und dem Eph-Text dick (wörtliche) und dünn (sachliche) unterstrichen.

3.3.1 Der Kolosserhymnus

Daß in Kol 1, 15–20 ein traditioneller Hymnus verarbeitet ist, ist schon lange erkannt[108]. Keine völlige Einigung konnte in der Frage der Abgrenzung des traditionellen Materials erzielt werden[109]. Relativ einmütig wird jedoch τῆς ἐκκλησίας (der Kirche) V. 18[110] und διὰ τοῦ αἵματος τοῦ σταυροῦ αὐτοῦ δι' αὐτοῦ (durch das Blut seines

---

[108] Aus der umfangreichen Literatur seien nur folgende Titel genannt: *Norden*, Agnostos Theos 250–254; *Käsemann*, Taufliturgie; *Hegermann*, Schöpfungsmittler 89–93; *Gabathuler*, Jesus Christus 125–131; *Feuillet*, Sagesse 163–273; *Kehl*, Christushymnus; *Schweizer*, Kolosser 1, 15–20; *Zeilinger*, Der Erstgeborene 39–43; *Benoit*, L'hymne; *Burger*, Schöpfung 3–53.

[109] Vgl. die übersichtliche Darstellung bei *Burger*, a. a. O. 9–11.15f; *Benoit*, a. a. O. 238.

[110] Ausnahmen: *Maurer*, Begründung 82f; *Kehl*, Christushymnus 41f.

Kreuzes, durch ihn) V. 20[111] der Redaktion zugeschrieben. Weitere Interpretamente dürften sein: „Throne, Herrschaften, Gewalten, Mächte" V. 16, und „damit er in allem Erster werde" V. 18[112].

Der Hymnus enthält zwei Strophen[113] mit je parallelen Aussagen. Inhaltlich wird Christus als Schöpfungs- (erste Strophe)[114] und Erlösungsmittler (zweite Strophe)[115] dargestellt. Begriffs- und vorstellungsmäßig ist der Hymnus beeinflußt von der Logos- bzw. Weisheitsspekulation des hellenistischen Judentums. Hinter dem „Leib" V. 18a steht der Gedanke des Weltleibes, der von seinem Haupt, d. i. Christus, durchwaltet und zusammengehalten wird[116]. Damit wendet sich der Hymnus gegen ein verbreitetes Weltgefühl, das seine Daseinsangst mit einem möglichen Auseinanderbrechen des Kosmos in Zusammenhang brachte[117]. Spezifisch christlich ist die christologische bzw. eschatologische Ausrichtung des Alls, das „auf ihn hin" geschaffen ist (V. 16) bzw. auf die eschatologische Neuschaffung hin abzielt, die in der Auferstehung Christi anhebt (V. 18b). Ob man deswegen behaupten darf, die Versöhnung bzw. Friedensstiftung V. 20 werde auf die Auferstehung bezogen[118], ist eine andere Frage. Es könnte durchaus auch an den Heilstod Christi gedacht sein[119], der die Neuschöpfung in der Auferstehung ermöglicht. Jedenfalls ist in Christus der vom Zerfall bedrohte Kosmos endgültig befriedet. Wir haben vor uns den Entwurf einer kosmischen Christologie.

---

[111] Vgl. die Autoren bei *Burger*, a.a.O. 16. Anders: *Wengst*, Formeln 172f, der nur τῆς ἐκκλησίας als Interpretament gelten lassen will; *Lähnemann*, Kolosserbrief 37.

[112] Insgesamt entspricht die hier vorgenommene Abgrenzung der Rekonstruktion *Schweizers*, Kolosser 50–56. – Erwähnenswert ist der Vorschlag *Burgers*, der mit drei Schichten rechnet: einer relativ kurzen hymnischen Vorlage (a.a.O. 38) und einer ersten und zweiten Bearbeitung. Die zweite Bearbeitung sei durch einen späteren Glossator erfolgt, der die ekklesiologische Deutung in V. 18 und den Verweis auf das Blut des Kreuzes V. 20 eingetragen habe, alles übrige gehe auf den Verfasser des Kol zurück (a.a.O. 56–79).

[113] Wobei VV. 17.18a wohl eine Art Zwischenstrophe bzw. Zwischensatz darstellen (im Anschluß an *Schweizer*, Antilegomena 295; Kolosser 52).

[114] *Zeilinger*, Der Erstgeborene 179–205, bezieht bereits die erste Strophe auf die Neuschöpfung; vgl. *Burger*, Schöpfung 66. Zur Kritik: *Schweizer*, Forschung 183f.

[115] *Benoit*, L'hymne 248–250, hält nur die erste Strophe für traditionell; die zweite sei von Paulus mit Hilfe von Schülern (253f) hinzukomponiert worden. Zur Kritik: *Schweizer*, a.a.O. 184–186.   [ser 56–69.

[116] Zum religionsgeschichtlichen Hintergrund s.o. Anm. 102, sowie *Schweizer*, Kolos-

[117] *Schweizer*, a.a.O. 68.100–104; vgl. *ders.*, Elemente; *ders.*, Versöhnung; *ders.*, Christianity.   [313).

[118] So *Lohse*, Kolosser 101–103; *Schweizer*, Kolosser 65.67 (vgl. *ders.*, Antilegomena

[119] Vgl. *Deichgräber*, Gotteshymnus 163f.

3.3.2 Die „paulinische" Interpretation durch den Verfasser des Kolosserbriefes

Diesen Entwurf nimmt der Verfasser des Kolosserbriefes auf und versucht ihn im Sinne des Paulus zu interpretieren. Zwei Vorstellungen sind ihm dabei besonders wichtig:

a) Das paulinische Verständnis von der Kirche als dem „Leib Christi"

Mit Hilfe dieser Vorstellung interpretiert der Autor den „Leib" V. 18a, der ursprünglich synonym mit dem „All" der vorangehenden Verse war, ekklesiologisch als „Kirche"[120]. Damit stellt er sicher, daß Christus als „Haupt des Leibes" nicht in die Kategorie der anonymen kosmischen Mächte gehört. Sein Hauptsein bzw. seine Herrschaft hat geschichtliche Dimension. Sie zeigt sich in der Kirche; über sie nimmt Christus Besitz von der Welt[121]. Das auf die Weltmission ausgerichtete Interesse des Kolosserbriefes wird sichtbar[122]. Die kosmische Aussage ist auf geschichtliche Basis gestellt. Damit hängt bereits das zweite paulinische Interpretament zusammen, das der Verfasser einbringt, nämlich:

b) Die im paulinischen Denken geradezu konstitutive Bedeutung des Kreuzes für das Heilsgeschehen

Die Versöhnung bzw. Friedensstiftung V. 20 wird ausdrücklich mit dem „Blut seines Kreuzes" verbunden[123]. Einer möglichen Mißdeutung des Hymnus, welche die Versöhnung auf die Auferstehung bezieht, wird damit ein Riegel vorgeschoben[124]. Eine solche Auffassung

---

[120] *Lähnemann*, Kolosserbrief 37, verweist darauf, daß sich der Verfasser damit den Haupt-Leib-Gedanken in zweifacher Weise neu nutzbar macht: „Den Kephale-Gedanken nimmt er auf, um Christi Herrschaftsstellung über den ‚Mächten und Gewalten' darzutun (2, 10), den Leib-Gedanken, um damit den Ort der Gemeinde zu kennzeichnen (1, 24); 2, 19 vereint beide Auslegungen (polemisch gegen die Irrlehrer, positiv für die Gemeinde)." Vgl. *Käsemann*, Taufliturgie 50 f.

[121] *Schweizer*, Kolosser 1, 15–20 26 Anm. 82a; *Lohse*, Briefe 96.

[122] Vgl. Kol 1, 5 f; 1, 23.24–27; 2, 19; dazu: *Schweizer*, Antilegomena 300–302.314.

[123] Der Gedanke ist gut paulinisch, die Formulierung im Neuen Testament singulär und bezüglich des Motivs „Blut" von der Tradition beeinflußt: vgl. Röm 3, 25; 1 Kor 11, 25 (Lk 22, 20; Mk 14, 24); dann besonders in 1 Petr, Hebr, 1 Joh und Offb.

[124] Es dürfte sich also eher um einen Kommentar als um eine Korrektur handeln, vgl. *Schnackenburg*, Aufnahme 45 f; *Hegermann*, Schöpfungsmittler 120–123; *Vawter*, Colossians 74 f; *O'Brian*, Col. 1 : 20 49 f.

würde ja nicht nur die paulinisch untrennbare Beziehung von Auferstehung und Kreuz in Frage stellen und damit die Gefahr eines
Enthusiasmus beschwören, sondern auch einem ins Mythologische
abgleitenden Verständnis von Auferstehung und Versöhnung Vorschub leisten[125]. So aber wird die Versöhnung bleibend an das ärgerliche geschichtliche Datum des Kreuzes gebunden.

Mit beiden Interpretamenten sind elementare Anliegen paulinischer Theologie gewahrt. Allerdings gelingt es dem Verfasser nicht,
mit seiner Interpretation ein geschlossenes Konzept zu erreichen,
weder im Sinne einer Renaissance des paulinischen Konzeptes noch
im Sinne eines eigenen, über Paulus hinausgreifenden Entwurfes[126].
Ersteres gelingt nicht, weil der Verfasser bei seiner „Paulinisierung"
z. T. recht formal vorgeht und etwa eine Interpretation kosmischer
Begrifflichkeit nur zum Stichwort „Leib" V. 18a durchführt, das ihm
aus paulinischer Tradition als ekklesiologischer Terminus geläufig
ist. So kommt es, daß die Kirche in der ersten, von der Schöpfung
handelnden Strophe und nicht in der zweiten, von der Erlösung sprechenden Strophe erscheint, wo sie vom paulinischen Denken her
eigentlich zu erwarten wäre. Ein eigenes, in sich geschlossenes Konzept gelingt dem Autor nicht, weil er die Ansätze, die sich aus der
konkret vorgenommenen „Paulinisierung" ergeben, nicht konsequent zu Ende zu denken wagt. Konsequent angewendet, hätte etwa
die ekklesiologische Interpretation des kosmischen „Leibes" V. 18a
zur Substitution auch seiner Synonyma, d. h. zur ekklesiologischen
Substitution der gesamten kosmischen Begrifflichkeit, führen müssen,
so daß dann in der ersten Strophe von der Erschaffung der Kirche –
dann natürlich aufgrund des Interpretaments von V. 20 im Kreuzesgeschehen – und in der zweiten Strophe von ihrer Versöhnung hätte
die Rede sein müssen. Daß wenigstens zu letzterem Ansätze bestehen,
zeigt V. 21 f, wo die Versöhnungsaussage von V. 20, wenn nicht auf
die Kirche, so doch auf die Glaubenden bezogen wird. Freilich haben
wir nicht das Recht, den Verfasser des Kolosserbriefes, der selbst in
einem geschichtlichen Prozeß steht, mit den Maßstäben einer theoretischen Logik der Konsequenz zu messen. Immerhin zeigen die Überlegungen, daß die „paulinisierende" Interpretation des Kolosserbrie-

---

[125] Zur Sache vgl. *Schweizer*, Kolosser 1, 15–20 27 f; *Lohse*, Briefe 102 f.
[126] Vgl. zum folgenden: *Merklein*, Christus 87 f.

fes die Möglichkeit einer traditionsgeschichtlichen Innovation eröffnen könnte. Tatsächlich hat der Verfasser des Epheserbriefes diese Möglichkeit aufgegriffen und zu einer eigenen, relativ homogenen Konzeption ausgebaut, die weit über Paulus hinausführt, dies aber gerade im Namen des Paulus. Möglicherweise war es auch die Scheu vor dieser Konsequenz, die den Verfasser des Kolosserbriefes bei seinem unausgeglichenen Konzept stehenbleiben ließ.

3.3.3 Die konsequente „paulinische" Interpretation kosmischer Christologie durch den Verfasser des Epheserbriefes

Die beiden paulinischen Interpretamente, die bereits im Kolosserbrief beobachtet wurden – Ekklesiologie und Kreuzestheologie – werden im Epheserbrief auf einen Nenner gebracht. Christus erscheint als Erschaffer und Erlöser der Kirche. Das Kreuzesgeschehen wird als ekklesiale Tat interpretiert. Die weiter oben gemachte Beobachtung, daß die Soteriologie als Funktion der Ekklesiologie ausgelegt wird, bekommt ihre konzeptionelle Basis. Im einzelnen läßt sich dies an Eph 2, 14–18[127] bzw. 2, 11–22 verifizieren[128].

Das literarische Schema, das mit dem Gegensatz einst versus jetzt operiert, ist aus Kol 1, 21–23 gewonnen[129]. Im Unterschied zum Kolosserbrief, der diese Verse als weiteres Interpretament an 1, 15–20 anfügt, baut der Epheserbrief die Sachaussagen des Hymnus in der

---

[127] Eph 2, 14–18 stellt eine Art Exkurs dar. In neuerer Zeit hat man mehrfach und mit unterschiedlichem Ergebnis versucht, ein zugrundeliegendes Traditionsstück zu rekonstruieren: *Schille*, Hymnen 24–31; *Sanders*, Elements 216–218; *ders.*, Hymns 14f.88–92; *Gnilka*, Christus unser Friede; *ders.*, Epheserbrief 147–152; *Wengst*, Formeln 181–186; *Fischer*, Tendenz 131–137; *Lindemann*, Aufhebung 156–181; *Burger*, Schöpfung 117–139. Zur Kritik · *Deichgräber*, Gotteshymnus 165–167; *Merklein*, Tradition; *Stuhlmacher*, „Er ist unser Friede".
[128] Die nachfolgende Darstellung gründet auf der exegetischen und traditionsgeschichtlichen Analyse von Eph 2, 11–18, wie ich sie in: Christus, bes. 88–98, vorgelegt habe. Für Einzelheiten muß auf diese Publikation verwiesen werden.
[129] Dafür sprechen nicht nur die auffälligen wörtlichen Übereinstimmungen zwischen Kol 1, 21–23 und Eph 2, 11–22 (vgl. oben die Synopse), sondern auch die gleiche Sequenz des Gedankenganges (1. einstiger Zustand der Leser: Kol 1, 21 = Eph 2, 11 f; 2. Versöhnungstat Christi: Kol 1, 22a = Eph 2, 13–18; 3. Folge der Versöhnung für die auf dem Fundament des Evangeliums stehenden Gläubigen: Kol 1, 22b.23a = Eph 2, 19–22). Hinzu kommt noch, daß Eph auch im folgenden die Kol-Sequenz beibehält (Kol 1, 23bff = Eph 3, 1ff). *Tachau*, „Einst" und „Jetzt" 134–143, berücksichtigt zu wenig das literarische und traditionsgeschichtliche Verhältnis zu Kol; gerade von daher würde sich der „merkwürdige(r) Tatbestand" (143) m. E. recht gut erklären.

ihm spezifischen Version in das aus Kol 1, 21–23 gewonnene Grund-
schema ein[130]. Auch literarisch zeigt also der Epheserbrief die größere
Reflexionsstufe.

Sachlich wird die Interpretation des Epheserbriefes von dem ihn
leitenden Interesse – der Kirche aus Juden *und* Heiden –
beeinflußt[131]. Aus der Anrede an die Christen allgemein (Kol 1, 21)
wird die Anrede speziell an die Heidenchristen (Eph 2, 11). Ihre
Situation vor und nach der Erlösung wird verdeutlicht, und zwar im
Gegenüber zu den Judenchristen (Eph 2, 11–13 und 2, 19–22). Auch
die Versöhnung steht unter dem Gesichtspunkt von Juden und Heiden. Gerade deswegen sind dem Verfasser des Epheserbriefes die
kosmischen Aussagen des traditionellen Hymnus sehr willkommen,
wobei er allerdings uminterpretiert: Aus den kosmischen Bereichen
„Himmel – Erde" (Kol 1, 16–20) werden „die beiden (Bereiche)"
von Juden und Heiden, deren Grenze das „Gesetz" markiert (Eph
2, 14f)[132]. An die Stelle von kosmologischen treten ekklesiologisch
relevante Begriffe.

---

130 Weiteres Gedankengut liefert ihm Kol 2, 6–15; 3, 5–11; vgl. zu dieser Methode des
Eph: *Mitton*, Epistle 65–67.320; die Parallelen sind oben in der dritten Spalte der
Synopse vermerkt.

131 Zumindest eine entscheidende Leitidee für die Abfassung des Eph war, daß einem
nachpaulinischen Heidenchristentum seine heilsgeschichtliche Provenienz aus Israel
vor Augen gestellt werden muß (*Kümmel*, Einleitung 321; *Chadwick*, Absicht). Ob man
weiter auf Spannungen zwischen Juden- und Heidenchristen schließen (*Pokorný*, Epheserbrief 12f) oder gar einen Antijudaismus im Hintergrund sehen darf (*Fischer*, Tendenz 79–94), dürfte wegen der unpolemischen Art des Eph fraglich bleiben. In das
gegenteilige Extrem fällt *Lindemann*, Bemerkungen, wenn er es ablehnt, die „Vereinigung von Juden und Heiden in der Kirche" als zentrales Thema der Ekklesiologie des
Eph gelten zu lassen (247). Selbst wenn man davon ausgeht, daß Eph „überhaupt nur
noch Heidenchristen" kennt (248), muß doch erklärt werden, warum er diese an ihr
„Einst", als sie fern von Israel waren, erinnert (2, 11f; vgl. 3, 6). Daß Eph auch nicht
eine Spur von (heils-)geschichtlichem Denken enthalten darf, das scheint mir die petitio principii zu sein, von der *Lindemann*, a.a.O. 247 Anm. 51, spricht.

132 Die „Scheidewand des Zaunes" V. 14 ist nicht die (gnostische) Mauer zwischen
Kosmos und Himmelswelt (*Schlier*, Christus 18–26; vgl. *ders.*, Epheser 128–133;
Fischer, a.a.O. 133f; *Lindemann*, Aufhebung 160–166), sondern das Gesetz, das Juden
und Heiden trennt (*Mußner*, Christus 81–84; *Stuhlmacher*, „Er ist unser Friede"
349–352). Daß V. 14 von zwei Bereichen spricht (τὰ ἀμφότερα), erklärt sich aus der
kosmischen Begrifflichkeit von Kol 1, 15–20, die der Eph aufgreift und ekklesiologisch
transponiert (vgl. *Schweizer*, Antilegomena 303f). – Die Aussage, daß Christus das
Gesetz in seinem Fleische vernichtet hat, ist vom Verfasser des Eph wohl als Aufnahme
des paulinischen Gesetzesgedankens (vgl. Röm 10, 4) verstanden („Paulinisierung").
Paulus selbst könnte aber schwerlich sagen, daß das Gesetz „vernichtet" ist (vgl. Röm
3, 31; was „vernichtet" wird, ist der Mensch in seiner fleischlichen Verfassung: Röm

Ekklesiologisch uminterpretiert wird auch die Schöpfungsmittler-
aussage, die der Kolosserbrief sachlich unverändert aus seiner Vorlage übernommen hatte: Denn in ihm wurde alles (= das All) er-
schaffen ... Alles ist durch ihn und auf ihn hin (εἰς αὐτόν) erschaf-
fen" (Kol 1, 16). Im Epheserbrief wird daraus der Satz: „(damit) er
die zwei in sich zu einem neuen Menschen (εἰς ἕνα καινὸν ἄνθρωπον)
erschaffe" (2, 15 b)[133]. Εἰς ἕνα καινὸν ἄνθρωπον[134] ist eine perfekte
Transposition von εἰς αὐτόν aus Kol 1, 16 im Sinne der ekklesiologischen Hermeneutik des Epheserbriefes. Sachlich gesehen, wird aus
der protologischen Schöpfung des Kolosserbriefes die eschatologische (Neu-)Schöpfung[135]. Christus selbst ist der „Anthropos", der
seinen Leib, die Kirche, in sich[136] schließt. Christus selbst ist der
Heils-Raum, den er am Kreuze sterbend auftut und schafft. Die Formulierung von Eph 2, 15 b stellt sich also dar als konsequent durch-

---

7, 6). Daß „das dialektische Gesetzesverständnis des Paulus" verlassen ist, wird man
aber kaum damit erklären können, daß „der Verfasser also Theologumena, die ihm
besonders ‚paulinisch‘ zu sein schienen, nur zu dem Zweck verwendet, die ‚Christlich-
keit‘ des von ihm benutzten mythologischen Materials zu erweisen" (*Lindemann*,
a.a.O. 172f). Zumindest wird man das veränderte Gesetzesverständnis auch im Rahmen der Gesamtkonzeption des Eph sehen müssen. Wo die Ekklesiologie an die Stelle
der Rechtfertigungslehre tritt (s.o. 3.2), bekommt auch das Gesetz eine andere Funktion. Es wird selbst ekklesiologisch relevanter Begriff und erscheint als Größe, die
Juden und Heiden zu zwei einander ausschließenden Bereichen objektiviert und gerade
so den allumfassenden Heilsraum Kirche verhindert.

[133] Daß Christus nun nicht mehr als Schöpfungsmittler (Kol) erscheint, sondern direkt
als Erschaffer, ist eine Folge davon, daß die Schöpfungsaussage des Kol (als Neu-
Schöpfung) in das Kreuzesgeschehen verlagert wird und damit als aktive Tat Christi zu
werten ist.

[134] Der religionsgeschichtliche Hintergrund für den Anthropos dürfte weder die
jüdische Vorstellung vom „neuen Geschöpf" (*Mußner*, Christus 94–97) noch die
gnostische Anthropos-Vorstellung (*Schlier*, Christus 27–37; vgl. *Lindemann*, Aufhebung 167–170), sondern – ähnlich wie für „Leib" bzw. „Haupt" (s.o. Anm. 102) –
die hellenistisch-jüdische Idee vom „Menschen" sein: vgl. *Schweizer*, Homologumena
275f; ders., Art. σῶμα 1051; *Colpe*, Leib-Christi-Vorstellung 179–182; *Hegermann*,
Schöpfungsmittler. – Vom Verfahren des Eph her ist wieder mit „Paulinisierung" zu
rechnen; vgl. Röm 5, 12–21; 1 Kor 15, 22.45–49; 2 Kor 5, 17; Gal 6, 15; Röm 6, 6.
Diese Vorstellungen sind z.T. bereits in Kol 3, 10f aufgegriffen.

[135] Die Konsequenz davon ist, daß in Eph Christus nicht mehr als Schöpfungsmittler
erscheint. Die (protologische) Schöpfung wird direkt theo-logisch begründet (Eph
3, 9). Die Relation der Christologie zur Protologie ist rein eschatologisch: Die Schöpfung tendiert auf die eschatologische Anakephalaiosis in Christus (Eph 1, 10; vgl.
Merklein, Art. ἀνακεφαλαιόω).

[136] ἐν αυτῷ Eph 2, 15 ist Aufnahme von ἐν αὐτῷ (ἐκτίσθη) Kol 1, 16a und ist wohl
reflexiv zu lesen: ἐν αὐτῷ (so: The Greek New Testament; anders: *Nestle-Aland*[26]);
vgl. *Gnilka*, Epheserbrief 142.

geführte Interpretation der kosmischen Schöpfungsmittlervorstellung von Kol 1, 16, wobei die interpretativen Leitlinien – die Ekklesiologie und die Kreuzestheologie – im Rahmen der „Paulinisierung" zu verstehen sind.

„Paulinisch" im Sinne von „ekklesiologisch" uminterpretiert wird vom Verfasser des Epheserbriefes schließlich auch die Vorstellung von der *Versöhnung des Alls* aus Kol 1, 20. Daraus wird der Satz: „(damit) er die beiden in einem Leibe mit Gott versöhne durch das Kreuz" (Eph 2, 16)[137]. Die kosmischen Bereiche des Kolosserbriefes – „das auf der Erde" bzw. „das im Himmel" – werden auf Juden- und Heidenchristen bezogen. Da aber die beiden aufgrund der ekklesialen Schöpfungstat Christi von Eph 2, 15 b gar nicht mehr zwei sind, sondern „ein Leib", spricht V. 16 von den „beiden in einem Leibe"[138]. Sieht man von der aktuellen Problemstellung des Kontextes ab, so könnte auch direkt von der Versöhnung der Kirche die Rede sein. Daß der Epheserbrief zu einer solchen Aussage fähig ist, beweist Eph 5, 23. 25, wo Christus als der Erlöser der Kirche (σωτήρ τοῦ σώματος) erscheint, der sich für die Kirche hingegeben hat[139]. Hier

---

[137] Sonst ist im Neuen Testament durchgängig Gott Subjekt der Versöhnung (so auch Kol 1, 22 nach Kol 1, 20!, ganz deutlich nach p46 B). Daß hier Christus als Subjekt fungiert, ist in Parallelität zur Schöpfungsaussage in Eph 2, 15 b zu sehen (s. o. Anm. 133). Die Veränderung steht im reziproken Verhältnis zur Veränderung in der protologischen Aussage (s. o. Anm. 135).

[138] Der „Leib" ist hier schon aus textsemantischen Gründen (d. h. wegen des Syntagmas mit „ein" als Opposition zu „die zwei" V. 15 b bzw. „die beiden" V. 16 a) ekklesiologisch zu verstehen (vgl. *Gnilka*, Epheserbrief 143 f; *Fischer*, Tendenz 50 f; *Lindemann*, Aufhebung 175 f), wobei natürlich klar ist, daß der „Leib" (als Leib des Anthropos) christologisch konstituiert ist. „Leib" ist auch sonst in Eph immer (mit Ausnahme von 5, 28; s. o. Anm. 96) ekklesiologisch gebraucht; den „Kreuzesleib" (so *Percy*, Probleme 281; in Kombination mit dem ekklesiologischen Leib: *Schlier*, Epheser 35) bringt Eph unter dem Begriff „Fleisch" (2, 15 a) zur Sprache.

[139] Religionsgeschichtlich gesehen ist bei Eph 5, 22-33 noch am ehesten mit einer gnostischen Beeinflussung zu rechnen; so vor allem: *Schlier*, a. a. O. 264–276, und neuerdings (mit differenzierterer Methodik und neuem Material) *Fischer*, a. a. O. 176–200. Allerdings wird man neben der schwierigen Frage nach der chronologischen und geographischen Einordnung der Belege (vgl. *Fischer*, a. a. O. 196 ff) auch zu bedenken haben, daß wenigstens die Vorstellung von Christus als dem Erlöser der Kirche sich auch aus der Konzeption des Eph selbst, wie sie oben dargestellt wurde, verstehen ließe (vgl. dazu das Kriterium *Fischers*, a. a. O. 175: „Ausgangspunkt können nur solche Texte sein, in denen Eph. Gedanken verwendet, die sich weder aus sich noch aus der christlichen Tradition erklären lassen"). Immerhin könnte man mit der Ableitung *Fischers* recht gut plausibel machen, warum Eph seine Ausführungen gerade an die Eheparänese von Kol 3, 18 f anschließt.

zeigt sich am deutlichsten, daß der Epheserbrief eine auch gegenüber
Paulus eigenständige Konzeption entwickelt, und es bestätigt sich
erneut, was oben im Zusammenhang der Eschatologie bereits angeführt wurde: Die Soteriologie wird zur Funktion der Ekklesiologie.
Christi Kreuzestat zielt auf die Erschaffung und Versöhnung der Kirche, also auf die Eröffnung eines Heilsraumes, in den der Glaubende
hineinversetzt und damit gerettet wird (vgl. Eph 2, 1–10).

Es sei noch einmal betont, daß diese von Paulus abweichende Sicht
gerade dadurch zustande kommt, daß im Kolosserbrief und noch
konsequenter im Epheserbrief Tradition, hier die Tradition kosmischer Christologie, „paulinisch" interpretiert wird. Insofern kann
man E. Käsemann durchaus zustimmen, wenn er sagt, „daß die thematische Behandlung des Kirchenbegriffs nicht paulinisch genannt
werden darf"[140]. Richtiger wird man von einer „Paulinisierung"
sprechen müssen. Falsch beurteilt ist jedoch der Epheserbrief, wenn
Käsemann behauptet: „Wo die Ekklesiologie in den Vordergrund
rückt ... wird die Christologie ihre ausschlaggebende Bedeutung verlieren."[141] Käsemann trifft damit bestenfalls bestimmte Auslegungen, nicht den Epheserbrief selbst, der die Kirche gerade als Geschöpf
Christi darstellt. Der Epheserbrief schreibt keine Ekklesiologie neben
der Christologie, sondern eine ekklesiologische Christologie. Bei aller
Gefahr einer möglichen Mißdeutung, die das Konzept des Epheserbriefes mit sich bringt, ist positiv anzuerkennen: Im Epheserbrief
begegnet uns erstmals im Neuen Testament eine ekklesiologische
Konzeption, die den paulinischen Gedanken des Kreuzes in ekklesiale Dimensionen einschreibt. Die Kirche lernt sich verstehen als
Wesen, das nicht im Irdisch-Vorfindlichen aufgeht und daher zugleich geschichtliches und himmlisches Anwesen besitzt.

4. Zusammenfassende Thesen

4.1   Die Rezeption paulinischer Theologie im Kolosser- und Epheserbrief stellt sich zunächst dar als Rezeption des Apostels Paulus

---

[140] *Käsemann*, Problem 209.
[141] Ebd. *Käsemann* gibt dann zu bedenken: „Es sollte uns beunruhigen, ob solche
theologische Verschiebung notwendig und berechtigt war. Selbst wenn sie es historisch
gewesen wäre, bliebe uns nicht die Entscheidung darüber erspart, ob wir sie nachvoll-
ziehen oder rückgängig machen müssen" (a.a.O. 209f).

selbst, der unter dem Blickwinkel der weltweiten Mission und der
daraus entstandenen Kirche aus Juden und Heiden integraler Bestandteil der gegenwärtigen Verkündigung ist. Das paulinische
„Evangelium" kann nur rezipiert werden als „Mysterium", in das der
Apostel selbst mit hineingehört.

4.2   Die Rezeption steht also unter dem theologischen Gedanken
der Tradition, die bleibend an das apostolische Evangelium gebunden
werden soll. Insofern ist auch die Pseudonymität ein substantieller
Zug der Paulusrezeption.

4.3   Was die Methode der Rezeption paulinischer Theologie anbelangt, so handelt es sich – exakt genommen – nicht um eine weiterfüh-
rende Interpretation paulinischer Theologie; vielmehr werden Gedanken und Traditionen vorwiegend hellenistisch-judenchristlichen
Ursprungs bzw. gottesdienstlicher Verwendung mit Hilfe paulinischer Gedanken gedeutet. Es handelt sich also um eine „Paulinisierung" traditionellen Materials.

4.4   Inhaltlich sind die traditionellen theologischen Materialien sehr
stark von einer präsentischen Eschatologie und einer kosmischen
Christologie geprägt. Die als Interpretamente bemühten paulinischen
Gedanken sind hauptsächlich: die eschatologische Bedeutung von
Kreuz und Auferstehung, die Heilsbedeutung des Kreuzes und die
Idee von der Kirche als Leib Christi.

4.5   Die „Paulinisierung" ermöglicht einerseits die Rezeption auch
nicht-apostolischer bzw. nicht-paulinischer Traditionen im Sinne des
apostolischen Evangeliums, eröffnet andererseits aber auch innovatorische Perspektiven, indem sie – je intensiver sie durchgeführt
wird – um so mehr über Paulus hinausführt und die rezipierte kosmische Christologie schließlich im Epheserbrief zum Konzept einer
ekklesiologischen Christologie ausbaut.

Literaturverzeichnis

Allan, J. A., The Epistle to the Ephesians (TBC) (London 1959).

Barth, M., Ephesians I. II (AncB) (Garden City – New York 1974).

Baumert, N., Täglich sterben und auferstehen. Der Literalsinn von 2 Kor 4, 12 – 5, 10 (StANT 34) (München 1973).

Beare, F. W., The Epistle to the Ephesians, in: IntB 10 (New York – Nashville 1953) 597–749.

Benoit, P., L'hymne christologique de Col 1, 15–20. Jugement critique sur l'état des recherches, in: *J. Neusner* (Hrsg.), Christianity, Judaism and Other Greco-Roman Cults (FS M. Smith) (SJLA 12) (Leiden 1975) 226–263.

–, Art. Paul 3. Éphésiens (Épître aux): DBS VIII (1966) 195–211.

–, Rapports littéraires entre les épîtres aux Colossiens et aux Éphésiens, in: *J. Blinzler* u. a. (Hrsg.), Neutestamentliche Aufsätze (FS J. Schmid) (Regensburg 1963) 11–22.

Bieder, W., Das Geheimnis des Christus nach dem Epheserbrief: ThZ 11 (1955) 329–343.

Bornkamm, G., Art. Evangelien, formgeschichtlich: RGG³ II 749–753.

–, Die Häresie des Kolosserbriefes, in: Das Ende des Gesetzes. Ges. Aufsätze I (BEvTh 16) (München ⁵1966) 139–156.

–, Die Hoffnung im Kolosserbrief. Zugleich ein Beitrag zur Frage der Echtheit des Briefes, in: Geschichte und Glaube II. Ges. Aufsätze IV (BEvTh 53) (München 1971) 206–213.

Brockhaus, U., Charisma und Amt. Die paulinische Charismenlehre auf dem Hintergrund der frühchristlichen Gemeindefunktionen (Wuppertal ²1975).

Brox, N., Falsche Verfasserangaben. Zur Erklärung der frühchristlichen Pseudepigraphie (SBS 79) (Stuttgart 1975).

– (Hrsg.), Pseudepigraphie in der heidnischen und jüdisch-christlichen Antike (WdF 484) (Darmstadt 1977).

Bujard, W., Stilanalytische Untersuchungen zum Kolosserbrief als Beitrag einer Methodik von Sprachvergleichen (StUNT 11) (Göttingen 1973).

Bultmann, R., Art. ἐλπίς κτλ., ThWNT II 515–520. 525–531.

Burger, Ch., Schöpfung und Versöhnung. Studien zum liturgischen Gut im Kolosser- und Epheserbrief (WMANT 46) (Neukirchen – Vluyn 1975).

Caird, G. B., Paul's Letters from Prison (Ephesians, Philippians, Colossians, Philemon) (NBC) (Oxford 1976).

Cambier, J., La signification christologique d'Eph. IV. 7–10: NTS 9 (1962/63) 262–275.

Caragounis, Ch., The Ephesian Mysterion. Meaning and Content (CB. NT 8) (Lund 1977).

Chadwick, H., Die Absicht des Epheserbriefes: ZNW 51 (1960) 145–153.

Cerfaux, L., Le Christ dans la théologie de s. Paul (LeDiv 6) (Paris 1951).

Colpe, C., Zur Leib-Christi-Vorstellung im Epheserbrief, in: Judentum – Urchristentum – Kirche (FS J. Jeremias) (BZNW 26) (Berlin ²1964) 172–187.

Conzelmann, H., Der Brief an die Epheser, in: NTD 8 (Göttingen ¹⁴1976) 88–124.

–, Der Brief an die Kolosser, in: NTD 8 (Göttingen ¹⁴1976) 176–202.

–, Grundriß der Theologie des Neuen Testaments (EETh 2) (München ²1968).

–, Paulus und die Weisheit (1965), in: Theologie als Schriftauslegung. Aufsätze zum Neuen Testament (BEvTh 65) (München 1974) 177–190.

Coutts, J., The Relationship of Ephesians and Colossians: NTS 4 (1958) 201–207.

Dautzenberg, G., Theologie und Seelsorge aus Paulinischer Tradition. Einführung in

2 Thess, Kol, Eph, in: *J. Schreiner* (Hrsg.), Gestalt und Anspruch des Neuen Testaments (Würzburg 1969) 96–119.

–, Urchristliche Prophetie. Ihre Erforschung, ihre Voraussetzungen im Judentum und ihre Struktur im ersten Korintherbrief (BWANT 104) (Stuttgart 1975).

Deichgräber, R., Gotteshymnus und Christushymnus in der frühen Christenheit (StUNT 5) (Göttingen 1967).

Deissmann, A., Paulus. Eine kultur- und religionsgeschichtliche Skizze (Tübingen [2]1925).

Dibelius, M. – Greeven, H., An die Kolosser, Epheser, an Philemon (HNT 12) (Tübingen [3]1953).

Eichholz, G., Die Theologie des Paulus im Umriß (Neukirchen [2]1977).

Ernst, J., Der Brief an die Philipper, an Philemon, an die Kolosser, an die Epheser (RNT) (Regensburg 1974).

–, Pleroma und Pleroma Christi. Geschichte und Deutung eines Begriffs der paulinischen Antilegomena (BU 5) (Regensburg 1970).

–, Das Wachstum des Leibes Christi zur eschatologischen Erfüllung im Pleroma: ThGl 57 (1967) 164–187.

Feuillet, A., Le Christ Sagesse de Dieu d'après les épîtres pauliniennes (EtB) (Paris 1966).

Fischer, K. M., Tendenz und Absicht des Epheserbriefes (FRLANT 111) (Göttingen 1973).

Friedrich, G., Art. εὐαγγελίζομαι κτλ., ThWNT II 705–735.

Gabathuler, J.-J., Jesus Christus, Haupt der Kirche – Haupt der Welt. Der Christushymnus Colosser 1, 15–20 in der theologischen Forschung der letzten 130 Jahre (AThANT 45) (Zürich – Stuttgart 1963).

Gaugler, E., Der Epheserbrief (Auslegung neutestamentlicher Schriften 6) (Zürich 1966).

Gnilka, J., Christus unser Friede – ein Friedens-Erlöserlied in Eph 2, 14–17. Erwägungen zu einer neutestamentlichen Friedenstheologie, in: *G. Bornkamm – K. Rahner* (Hrsg.), Die Zeit Jesu (FS H. Schlier) (Freiburg – Basel – Wien 1970) 190–207.

–, Der Epheserbrief (HThK X/2) (Freiburg – Basel – Wien 1971).

–, Das Kirchenmodell des Epheserbriefes: BZ NF 15 (1971) 161–184.

–, Paränetische Traditionen im Epheserbrief, in: *A. Descamps – A. de Halleux* (Hrsg.), Mélanges Bibliques (FS B. Rigaux) (Gembloux 1970) 397–410.

Goodspeed, E. J., The Key to Ephesians (Chikago 1956).

–, The Meaning of Ephesians (Cambridge [Mass.] 1933).

Gräßer, E., Kolosser 3, 1–4 als Beispiel einer Interpretation secundum homines recipientes, in: Text und Situation. Ges. Aufsätze zum Neuen Testament (Gütersloh 1973) 123–151.

Greeven, H., Propheten, Lehrer, Vorsteher bei Paulus. Zur Frage der „Ämter" im Urchristentum: ZNW 44 (1952/53) 1–43.

Hahn, F., Taufe und Rechtfertigung. Ein Beitrag zur paulinischen Theologie in ihrer Vor- und Nachgeschichte, in: *J. Friedrich* (Hrsg.), Rechtfertigung (FS E. Käsemann) (Tübingen 1976) 95–124.

Hegermann, H., Zur Ableitung der Leib-Christi-Vorstellung im Epheserbrief: ThLZ 85 (1960) 839–842.

–, Die Vorstellung vom Schöpfungsmittler im hellenistischen Judentum und Urchristentum (TU 82) (Berlin 1961).

Holtzmann, H. J., Kritik der Epheser- und Kolosserbriefe auf Grund einer Analyse ihres Verwandtschaftsverhältnisses (Leipzig 1872).

Käsemann, E., Amt und Gemeinde im Neuen Testament, in: Exegetische Versuche und Besinnungen I (Göttingen 1964) 109–134.

–, Art. Epheserbrief, RGG³ II 517–520.

–, Art. Kolosserbrief, RGG³ III 1727f.

–, Leib und Leib Christi. Eine Untersuchung zur paulinischen Begrifflichkeit (BHTh 9) (Tübingen 1933).

–, Das theologische Problem des Motivs vom Leibe Christi, in: Paulinische Perspektiven (Tübingen 1969) 178–210.

–, Eine urchristliche Taufliturgie, in: Exegetische Versuche und Besinnungen I (Göttingen 1964) 34–51.

Kamlah, E., Wie beurteilt Paulus sein Leiden? Ein Beitrag zur Untersuchung seiner Denkstruktur: ZNW 54 (1963) 217–232.

Kehl, N., Der Christushymnus im Kolosserbrief. Eine motivgeschichtliche Untersuchung zu Kol 1, 12–20 (SBM 1) (Stuttgart 1967).

–, Erniedrigung und Erhöhung in Qumran und Kolossä: ZKTh 91 (1969) 364–394.

King, A. C., Ephesians in the Light of Form Criticism: ExpT 63 (1951/53) 273–276.

Kirby, J. C., Ephesians, Baptism and Pentecost. An Inquiry into the Structure and Purpose of the Epistle to the Ephesians (London 1968).

Klein, G., Die zwölf Apostel. Ursprung und Gestalt einer Idee (FRLANT 77) (Göttingen 1961).

Kremer, J., Was an den Leiden Christi noch mangelt. Eine interpretationsgeschichtliche und exegetische Untersuchung zu Kol 1, 24b (BBB 12) (Bonn 1956).

Kümmel, W. G., Einleitung in das Neue Testament (Heidelberg ¹⁷1973).

Kuhn, K. G., Der Epheserbrief im Lichte der Qumrantexte: NTS 7 (1960/61) 334–346.

Lähnemann, J., Der Kolosserbrief. Komposition, Situation und Argumentation (StNT 3) (Gütersloh 1971).

Lindemann, A., Die Aufhebung der Zeit. Geschichtsverständnis und Eschatologie im Epheserbrief (StNT 12) (Gütersloh 1975).

–, Bemerkungen zu den Adressaten und zum Anlaß des Epheserbriefes: ZNW 67 (1976) 235–251.

Lohse, E., Die Briefe an die Kolosser und an Philemon (KEK IX/2) (Göttingen 1968).

–, Christusherrschaft und Kirche im Kolosserbrief: NTS 11 (1964/65) 203–216.

–, Die Mitarbeiter des Apostels Paulus im Kolosserbrief, in: *O. Böcher – K. Haacker* (Hrsg.), Verborum Veritas (FS G. Stählin) (Wuppertal 1970) 189–194.

–, Taufe und Rechtfertigung bei Paulus, in: Die Einheit des Neuen Testaments (Göttingen ²1973) 228–244.

Ludwig, H., Der Verfasser des Kolosserbriefes – Ein Schüler des Paulus (Diss. Göttingen 1974).

Lührmann, D., Christologie und Rechtfertigung, in: *J. Friedrich* u. a. (Hrsg.), Rechtfertigung (FS E. Käsemann) (Tübingen 1976) 351–363.

–, Das Offenbarungsverständnis bei Paulus und in paulinischen Gemeinden (WMANT 16) (Neukirchen – Vluyn 1965).

–, Rechtfertigung und Versöhnung. Zur Geschichte der paulinischen Tradition: ZThK 67 (1970) 437–452.

Luz, U., Rechtfertigung bei den Paulusschülern, in: *J. Friedrich* u. a. (Hrsg.), Rechtfertigung (FS E. Käsemann) (Tübingen 1976) 365–383.

Martin, R. P., Reconciliation and Forgiveness in the Letter to the Colossians, in: *R. Banks* (Hrsg.), Reconciliation and Hope (FS L. L. Morris) (Exeter 1974) 103–124.

Masson, Ch., L'épître de saint Paul aux Colossiens (CNT[N] 10) (Neuchâtel – Paris 1950).

Maurer, Ch., Die Begründung der Herrschaft Christi über die Mächte nach Kolosser 1, 15–20: WuD 4 (1955) 79–93.

Mayerhoff, E. T., Der Brief an die Colosser, mit vornehmlicher Berücksichtigung der drei Pastoralbriefe kritisch geprüft (Berlin 1838).

Menoud, Ph.-H., L'église et les ministères selon le Nouveau Testament (CThAP 22) (Neuchâtel – Paris 1949).

Merklein, H., Das kirchliche Amt nach dem Epheserbrief (StANT 33) (München 1973).

–, Art. ἀνακεφαλαιόω, Exegetisches Wörterbuch zum Neuen Testament I 197–199.

–, Christus und die Kirche. Die theologische Grundstruktur des Epheserbriefes nach Eph 2, 11–18 (SBS 66) (Stuttgart 1973).

–, Zur Tradition und Komposition von Eph 2, 14–18: BZ NF 17 (1973) 79–102.

–, Rez.: *K. M. Fischer*, Tendenz und Absicht des Epheserbriefes: ThRv 70 (1974) 376–379.

Mitton, C. L., The Authorship of the Epistle to the Ephesians: ExpT 67 (1955/56) 195–198.

–, The Epistle to the Ephesians. Its Authorship, Origin and Purpose (Oxford 1951).

Mußner, F., Beiträge aus Qumran zum Verständnis des Epheserbriefes, in: *J. Blinzler* u.a. (Hrsg.), Neutestamentliche Aufsätze (FS J. Schmid) (Regensburg 1963) 185–198.

–, Christus, das All und die Kirche. Studien zur Theologie des Epheserbriefes (TThSt 5) (Trier ²1968).

–, Eph 2 als ökumenisches Modell, in: *J. Gnilka* (Hrsg.), Neues Testament und Kirche (FS R. Schnackenburg) (Freiburg – Basel – Wien 1974) 325–336.

–, Der Galaterbrief (HThK IX) (Freiburg – Basel – Wien 1974).

Norden, E., Agnostos Theos. Untersuchungen zur Formengeschichte religiöser Rede (Darmstadt ⁵1971, 1. Aufl. Berlin 1913).

O'Brian, P. T., Col. 1:20 and the Reconciliation of all Things: RTR 33 (1974) 45–53.

Ochel, W., Die Annahme einer Bearbeitung des Kolosserbriefes im Epheserbrief in einer Analyse des Epheserbriefes untersucht (Diss. Marburg 1934).

Oepke, A., Art. καλύπτω κτλ., ThWNT III 558–597.

Percy, E., Die Probleme der Kolosser- und Epheserbriefe (SHVL 39) (Lund 1946).

–, Zu den Problemen des Kolosser- und Epheserbriefes: ZNW 43 (1950/51) 178–194.

Pokorný, P., Der Epheserbrief und die Gnosis. Die Bedeutung des Haupt-Glieder-Gedankens in der entstehenden Kirche (Berlin 1965).

–, Epheserbrief und gnostische Mysterien: ZNW 53 (1962) 160–194.

–, Σῶμα Χριστοῦ im Epheserbrief: EvTh 20 (1960) 456–464.

Polhill, J. B., The Relationship between Ephesians and Colossians: RExp 70 (1975) 439–450.

Roloff, J., Apostolat - Verkündigung - Kirche. Ursprung, Inhalt und Funktion des kirchlichen Apostelamtes nach Paulus, Lukas und den Pastoralbriefen (Gütersloh 1965).

–, Art. Apostel/Apostolat/Apostolizität, I. Neues Testament, TRE III 430–445.

Roon, A. van, Een onderzoek naar de authenticiteit van de brief aan de Epheziers (Diss. Leiden 1969).

Sanders, J. T., Hymnic Elements in Ephesians 1–3: ZNW 56 (1965) 214–232.

–, Literary Dependence in Colossians: JBL 85 (1966) 28–45.

–, The New Testament Christological Hymns. Their historical religious background (Cambridge 1971).

Schenke, H.-M., Der Gott „Mensch" in der Gnosis. Ein religionsgeschichtlicher Beitrag zur Diskussion über die paulinische Anschauung von der Kirche als Leib Christi (Göttingen 1962).

–, Die neutestamentliche Christologie und der gnostische Erlöser, in: *K.-W. Tröger* (Hrsg.), Gnosis und Neues Testament. Studien aus Religionswissenschaft und Theologie (Gütersloh 1973) 205–229.

–, Das Weiterwirken des Paulus und die Pflege seines Erbes durch die Paulusschule: NTS 21 (1974/75) 505–518.

–, Der Widerstreit gnostischer und kirchlicher Christologie im Spiegel des Kolosserbriefes: ZThK 61 (1964) 391–403.

Schille, G., Frühchristliche Hymnen (Berlin 1965).

Schlier, H., Der Brief an die Epheser. Ein Kommentar (Düsseldorf 4 1963).

–, Christus und die Kirche im Epheserbrief (BHTh 6) (Tübingen 1930).

–, Grundzüge einer paulinischen Theologie (Freiburg – Basel – Wien 1978).

Schnackenburg, R., Apostel vor und neben Paulus, in: Schriften zum Neuen Testament. Exegese in Fortschritt und Wandel (München 1971) 338–358.

–, Die Aufnahme des Christushymnus durch den Verfasser des Kolosserbriefes, in: EKK. Vorarbeiten 1 (Zürich – Einsiedeln – Köln – Neukirchen 1969) 33–50.

–, Christus, Geist und Gemeinde (Eph. 4:1–16), in: *B. Lindars – S. S. Smalley* (Hrsg.), Christ and Spirit in the New Testament (FS C. F. D. Moule) (Cambridge 1973) 279–296.

–, „Er hat uns mitauferweckt". Zur Tauflehre des Epheserbriefes, LJ 2 (1952) 159–183.

Schweizer, E., Der Brief an die Kolosser (EKK) (Zürich – Einsiedeln – Köln – Neukirchen 1976).

–, Christianity of the Circumcised and Judaism of the Uncircumcised – The Background of Matthew and Colossians, in: *R. Hamerton-Kelly – R. Scroggs* (Hrsg.), Jews, Greeks and Christians (FS W. D. Davies) (Leiden 1976) 245–260.

–, The Letter to the Colossians – Neither Pauline or Post-Pauline?, in: Pluralisme et Oecuménisme en Recherches Théologique (FS R. P. Dockx) (BEThL 43) (Gembloux 1976) 3–16.

–, Die „Elemente der Welt" Gal 4, 3.9; Kol 2, 8.20, in: *O. Böcher – K. Haacker* (Hrsg.), Verborum Veritas (FS G. Stählin) (Wuppertal 1970) 245–259.

–, Zur neueren Forschung am Kolosserbrief (seit 1970), in: *J. Pfammatter – F. Furger* (Hrsg.), Theologische Berichte 5 (Zürich – Einsiedeln – Köln 1976) 163–191.

–, Die Kirche als Leib Christi in den paulinischen Antilegomena, in: Neotestamentica (Zürich – Stuttgart 1963) 293–316.

–, Die Kirche als Leib Christi in den paulinischen Homologumena, in: Neotestamentica (Zürich – Stuttgart 1963) 272–292.

–, Kolosser 1, 15–20, in: EKK Vorarbeiten 1 (Zürich – Einsiedeln – Köln – Neukirchen 1969) 7–31.

–, Art. σῶμα κτλ., ThWNT VII 1024–1042. 1043–1091.

–, Versöhnung des Alls. Kol 1, 20, in: *G. Strecker* (Hrsg.), Jesus Christus in Historie und Theologie (FS H. Conzelmann) (Tübingen 1975) 487–501.

Stegemann, E., Alt und neu bei Paulus und in den Deuteropaulinen (Kol – Eph): EvTh 37 (1977) 508–536.

Steinmetz, F.-J., Protologische Heils-Zuversicht. Die Strukturen des soteriologischen und christologischen Denkens im Kolosser- und Epheserbrief (FTS 2) (Frankfurt 1969).

Strecker, G., Befreiung und Rechtfertigung. Zur Stellung der Rechtfertigungslehre in der Theologie des Paulus, in: *J. Friedrich* u.a. (Hrsg.), Rechtfertigung (FS E. Käsemann) (Tübingen 1976) 479–508.

–, Das Evangelium Jesu Christi, in: *ders.* (Hrsg.), Jesus Christus in Historie und Theologie (FS H. Conzelmann) (Tübingen 1975) 503–548.

Stuhlmacher, P., „Er ist unser Friede" (Eph 2, 14). Zur Exegese und Bedeutung von Eph 2, 14–18, in: *J. Gnilka* (Hrsg.), Neues Testament und Kirche (FS R. Schnackenburg) (Freiburg – Basel – Wien 1974) 337–358.

–, Erwägungen zum Problem von Gegenwart und Zukunft in der paulinischen Eschatologie: ZThK 64 (1967) 423–450.

–, Das paulinische Evangelium. I. Vorgeschichte (FRLANT 95) (Göttingen 1968).

–, Gerechtigkeit Gottes bei Paulus (FRLANT 87) (Göttingen 1965).

–, Der Brief an Philemon (EKK) (Zürich – Einsiedeln – Köln – Neukirchen 1975).

–, Christliche Verantwortung bei Paulus und seinen Schülern: EvTh 28 (1968) 165–186.

Synge, F. C., Philippians and Colossians (TBC) (London).

–, St. Paul's Epistle to the Ephesians. A Theological Commentary (London 1941).

Tachau, P., „Einst" und „Jetzt" im Neuen Testament. Beobachtungen zu einem urchristlichen Predigtschema in der neutestamentlichen Briefliteratur und zu seiner Vorgeschichte (FRLANT 105) (Göttingen 1972).

Tannehill, R. C., Dying and Rising with Christ. A Study in Pauline Theology (BZNW 32) (Berlin 1967).

Vawter, B., The Colossians Hymn and the Principle of Redaction: CBQ 33 (1971) 62–81.

Wegenast, K., Das Verständnis der Tradition bei Paulus und in den Deuteropaulinen (WMANT 8) (Neukirchen 1962).

Weiß, H.-F., Gnostische Motive und antignostische Polemik im Kolosser- und Epheserbrief, in: *K.-W. Tröger* (Hrsg.), Gnosis und Neues Testament. Studien aus Religionswissenschaft und Theologie (Gütersloh 1973) 311–324.

Weiß, J., Der erste Korintherbrief (KEK V) (Göttingen 1910) (Neudruck 1970).

Wengst, K., Christologische Formeln und Lieder des Urchristentums (StNT 7) (Gütersloh 1972).

Wikenhauser, A. – Schmid, J., Einleitung in das Neue Testament (Freiburg – Basel – Wien ⁶1973).

Wilckens, U., Art. ὕστερος κτλ., ThWNT VIII (1969) 590–600.

Zahn, Th., Einleitung in das Neue Testament I (Leipzig – Erlangen ³1924).

Zeilinger, F., Der Erstgeborene der Schöpfung. Untersuchungen zur Formalstruktur und Theologie des Kolosserbriefes (Wien 1974).

Nachweis der Erstveröffentlichungen

A. Die Bedeutung des Kreuzestodes Christi für die paulinische Gerechtig-
keits- und Gesetzesthematik
(unveröffentlicht)

B. Studien zu Jesus und den Anfängen der Christologie

1. Die Umkehrpredigt bei Johannes dem Täufer und Jesus von Nazaret.
Aus: Biblische Zeitschrift, Neue Folge 25, 1981, 29−46; Ferdinand Schöningh,
Paderborn.

2. Jesus, Künder des Reiches Gottes.
Aus: Handbuch der Fundamentaltheologie II, hrsg. von W. Kern, H. J. Pott-
meyer, M. Seckler, 1985, 145–174; Verlag Herder, Freiburg-Basel-Wien.

3. Erwägungen zur Überlieferungsgeschichte der neutestamentlichen
Abendmahlstraditionen.
Aus: Biblische Zeitschrift, Neue Folge 21, 1977, 88−101. 235−244; Ferdinand
Schöningh, Paderborn.

4. Der Tod Jesu als stellvertretender Sühnetod.
Entwicklung und Gehalt einer zentralen neutestamentlichen Aussage.
Aus: Pastoralblatt für die Diözesen Aachen, Berlin, Essen, Hildesheim, Köln,
Osnabrück 37, 1985, 66–73; J. B. Bachem Verlag, Köln.

5. Politische Implikationen der Botschaft Jesu?
Aus: Lebendige Seelsorge 35, 1984, 112−121; Seelsorge Verlag – Echter, Würzburg.

6. Basileia und Ekklesia.
Jesu Botschaft von der Gottesherrschaft und ihre Konsequenzen für die Kirche.
Aus: Die Kraft der Hoffnung. Gemeinde und Evangelium. Festschrift für Josef
Schneider, hrsg. von der Fakultät Katholische Theologie der Universität Bam-
berg, 1986, 35−47; St. Otto-Verlag, Bamberg.

7. Die Auferweckung Jesu und die Anfänge der Christologie
(Messias bzw. Sohn Gottes und Menschensohn).
Aus: Zeitschrift für die neutestamentliche Wissenschaft und die Kunde der
älteren Kirche 72, 1981, 1−26; Walter de Gruyter, Berlin-New York.

8. Zur Entstehung der urchristlichen Aussage vom präexistenten Sohn Gottes.
Aus: Zur Geschichte des Urchristentums, hrsg. von G. Dautzenberg, H. Merklein, K. Müller (Quaestiones Disputatae 87), 1979, 33–62; Verlag Herder, Freiburg-Basel-Wien.

C. Studien zu Paulus

9. Zum Verständnis des paulinischen Begriffs „Evangelium".
Aus: Dynamik im Wort. Lehre von der Bibel, Leben aus der Bibel. Festschrift aus Anlaß des 50jährigen Bestehens des Katholischen Bibelwerks in Deutschland, hrsg. vom Kath. Bibelwerk e.V., 1983, 217–233; Verlag Katholisches Bibelwerk, Stuttgart.

10. Die Ekklesia Gottes.
Der Kirchenbegriff bei Paulus und in Jerusalem.
Aus: Biblische Zeitschrift, Neue Folge 23, 1979, 48–70; Ferdinand Schöningh, Paderborn.

11. Entstehung und Gehalt des paulinischen Leib-Christi-Gedankens.
Aus: Im Gespräch mit dem dreieinen Gott. Elemente einer trinitarischen Theologie. Festschrift für Wilhelm Breuning, hrsg. von M. Böhnke, H. Heinz, 1985, 115–140; Patmos Verlag, Düsseldorf.

12. Die Einheitlichkeit des ersten Korintherbriefes.
Aus: Zeitschrift für die neutestamentliche Wissenschaft und die Kunde der älteren Kirche 75, 1984, 153–183; Walter de Gruyter, Berlin-New York.

13. Die Weisheit Gottes und die Weisheit der Welt (1Kor 1,21).
Zur Möglichkeit und Hermeneutik einer „natürlichen Theologie" nach Paulus.
Aus: Die Welt für morgen. Ethische Herausforderungen im Anspruch der Zukunft. Festschrift für Franz Böckle, hrsg. von G. W. Hunold, W. Korff, 1986, 391–403; Kösel-Verlag, München.

14. „Es ist gut für den Menschen, eine Frau nicht anzufassen".
Paulus und die Sexualität nach 1Kor 7.
Aus: Die Frau im Urchristentum, hrsg. von G. Dautzenberg, H. Merklein, K. Müller (Quaestiones Disputatae 95), 1983, 225–253; Verlag Herder, Freiburg-Basel-Wien.

15. Paulinische Theologie in der Rezeption des Kolosser- und Epheserbriefes.
Aus: Paulus in den neutestamentlichen Spätschriften. Zur Paulusrezeption im Neuen Testament, hrsg. von K. Kertelge (Quaestiones Disputatae 89), 1981, 25–69; Verlag Herder, Freiburg-Basel-Wien.

Stellenregister

I. Altes Testament

II. Frühjüdisches Schrifttum

2. Qumrantexte

3. Josephus

III. Neues Testament

IV. Frühchristliche Schriften

V. Sonstiges

Wissenschaftliche Untersuchungen zum Neuen Testament

Herausgegeben von Martin Hengel und Otfried Hofius

J.C.B. Mohr (Paul Siebeck)
Tübingen